Geographers' LONDON AT

CONTENTS

Key to Map Pages	2-3
Map Pages	4-144
Places of Interest Map	145
London Railway Connections Map	146-147
West End Cinemas & Theatres Maps	148
Index to Streets, Places & Areas and selected Places of Interest	149-297
Index to Hospitals & Hospices	298-301
Index to Stations	302-304
Underground Railway Map	back cover

REFERENCE

Motorway	M1
A Road	A2
Under Construction	
Proposed	
B Road	B408
Dual Carriageway	
One-way Street Traffic flow on A Roads is indicated by a heavy line on the drivers' left.	
Junction Name	MARBLE ARCH
Restricted Access	
Pedestrianized Road	
Track & Footpath	
Residential Walkway	
Railway	Tunnel Level Crossing
Stations:	
National Rail Network	
Docklands Light Railway	DLR
Underground Station	is the registered trade mark of Transport for London
Croydon Tramlink The boarding of Tramlink trams at stops may be limited to a single direction, indicated by the arrow.	Tunnel Stop
Built-up Area	BANK STREET
Local Authority Boundary	
Posttown & London Postal District Boundary	
Postcode Boundary (within Posttowns)	
Map Continuation	56
Church or Chapel	†
Fire Station	■
Hospital	H
House Numbers A & B Roads only	51 22 19 48
Information Centre	i
National Grid Reference	530
Police Station	▲
Post Office	★
Toilet with Facilities for the Disabled	
Educational Establishment	
Hospital or Hospice	
Industrial Building	
Leisure or Recreational Facility	
Place of Interest	
Public Building	
Shopping Centre or Market	
Other Selected Buildings	

SCALE 3.1 inches to 1 mile

0 ¼ ½ ¾ 1 Mile

0 250 500 750 Metres 1 Kilometre

1:20,438
7.87cm to 1 mile
4.89cm to 1 km

Geographers' A-Z Map Company Limited

Head Office : Fairfield Road, Borough Green, Sevenoaks, Kent TN15 8PP Tel: 01732 781000 (General Enquires & Trade Sales)
Showrooms : 44 Gray's Inn Road, London WC1X 8HX Tel: 020 7440 9500 (Retail Sales)

www.a-zmaps.co.uk

Ordnance Survey® This product includes mapping data licensed from Ordnance Survey® with the permission of the Controller of Her Majesty's Stationery Office.

© Crown Copyright 2001 Licence number 100017302 Copyright © Geographers' A-Z Map. Co. Ltd. 2001 Edition 14 2001

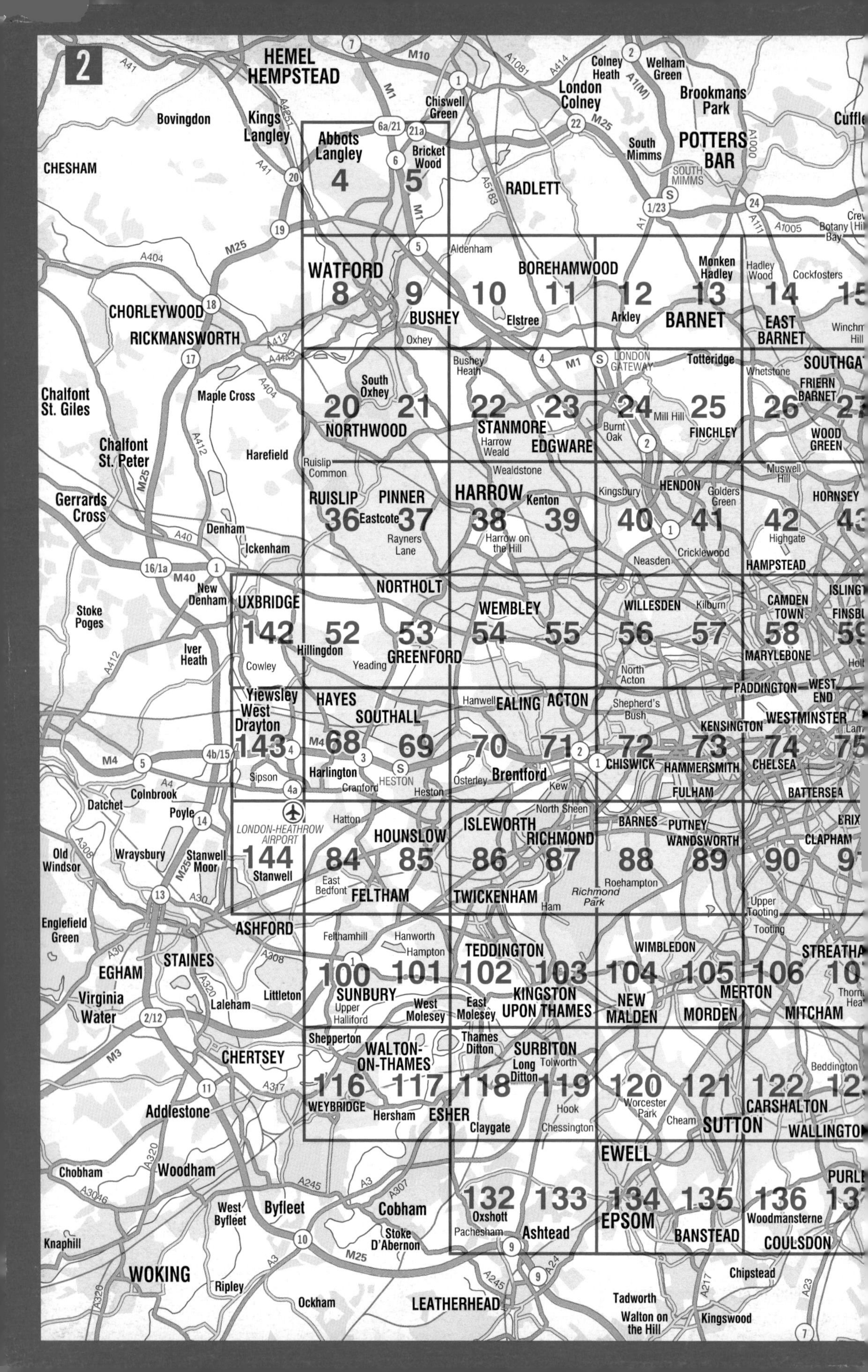

2
HEMEL HEMPSTEAD
Bovingdon
Kings Langley
CHESHAM
Chiswell Green
Colney Heath
Welham Green
London Colney
Brookmans Park
South Mimms
POTTERS BAR
SOUTH MIMMS
Cuffle
Abbots Langley
4
Bricket Wood
5
RADLETT
Botany Bay
Crews Hill
Aldenham
BOREHAMWOOD
Monken Hadley
Hadley Wood
Cockfosters
WATFORD
8
9
10
11
12
13
14
15
BUSHEY
Elstree
Arkley
BARNET
EAST BARNET
Winchmore Hill
Oxhey
CHORLEYWOOD
RICKMANSWORTH
Bushey Heath
LONDON GATEWAY
Totteridge
Whetstone
SOUTHGATE
FRIERN BARNET
South Oxhey
Maple Cross
20
21
22
23
24
25
26
27
NORTHWOOD
STANMORE
Mill Hill
Burnt Oak
Harrow Weald
EDGWARE
FINCHLEY
WOOD GREEN
Chalfont St. Giles
Chalfont St. Peter
Harefield
Ruislip Common
Wealdstone
Muswell Hill
Gerrards Cross
RUISLIP
PINNER
HARROW
Kenton
Kingsbury
HENDON
Golders Green
HORNSEY
36
37
38
39
40
41
42
43
Eastcote
Rayners Lane
Harrow on the Hill
Highgate
Denham
Ickenham
Neasden
Cricklewood
HAMPSTEAD
New Denham
Stoke Poges
NORTHOLT
WEMBLEY
WILLESDEN
Kilburn
CAMDEN TOWN
ISLINGTON
FINSBURY
UXBRIDGE
142
52
53
54
55
56
57
58
59
Iver Heath
Hillingdon
Cowley
Yeading
GREENFORD
MARYLEBONE
North Acton
Holborn
PADDINGTON
WEST END
Yiewsley
West Drayton
HAYES
SOUTHALL
Hanwell
EALING
ACTON
Shepherd's Bush
KENSINGTON
WESTMINSTER
143
68
69
70
71
72
73
74
75
CHISWICK
HAMMERSMITH
CHELSEA
Lambeth
Sipson
Harlington
Cranford
HESTON
Heston
Osterley
Brentford
Kew
FULHAM
BATTERSEA
Colnbrook
Datchet
Poyle
Hatton
North Sheen
BARNES
PUTNEY
WANDSWORTH
BRIXTON
CLAPHAM
LONDON-HEATHROW AIRPORT
HOUNSLOW
ISLEWORTH
RICHMOND
Old Windsor
Wraysbury
Stanwell Moor
144
84
85
86
87
88
89
90
91
Stanwell
East Bedfont
FELTHAM
TWICKENHAM
Ham
Roehampton
Richmond Park
Upper Tooting
Tooting
Englefield Green
ASHFORD
Felthamhill
Hanworth
Hampton
TEDDINGTON
WIMBLEDON
STREATHAM
EGHAM
STAINES
100
101
102
103
104
105
106
107
Virginia Water
Laleham
Littleton
SUNBURY
Upper Halliford
West Molesey
East Molesey
KINGSTON UPON THAMES
NEW MALDEN
MORDEN
MERTON
MITCHAM
Thornton Heath
CHERTSEY
Shepperton
WALTON-ON-THAMES
Thames Ditton
SURBITON
Long Ditton
Tolworth
Beddington
116
117
118
119
120
121
122
123
WEYBRIDGE
Hersham
ESHER
Claygate
Hook
Chessington
Worcester Park
Cheam
SUTTON
CARSHALTON
WALLINGTON
Addlestone
EWELL
Chobham
Woodham
PURLEY
132
133
134
135
136
137
West Byfleet
Byfleet
Cobham
Oxshott
Pachesham
Ashtead
EPSOM
BANSTEAD
Woodmansterne
COULSDON
Knaphill
Stoke D'Abernon
Chipstead
WOKING
Ripley
Ockham
LEATHERHEAD
Tadworth
Walton on the Hill
Kingswood
M1
M10
M25
M40
M4
M3
A1(M)
A41
A1081
A414
A1000
A5183
A1005
A4251
A404
A412
A40
A4
A30
A308
A320
A317
A245
A3
A307
A24
A217
A23
A3046

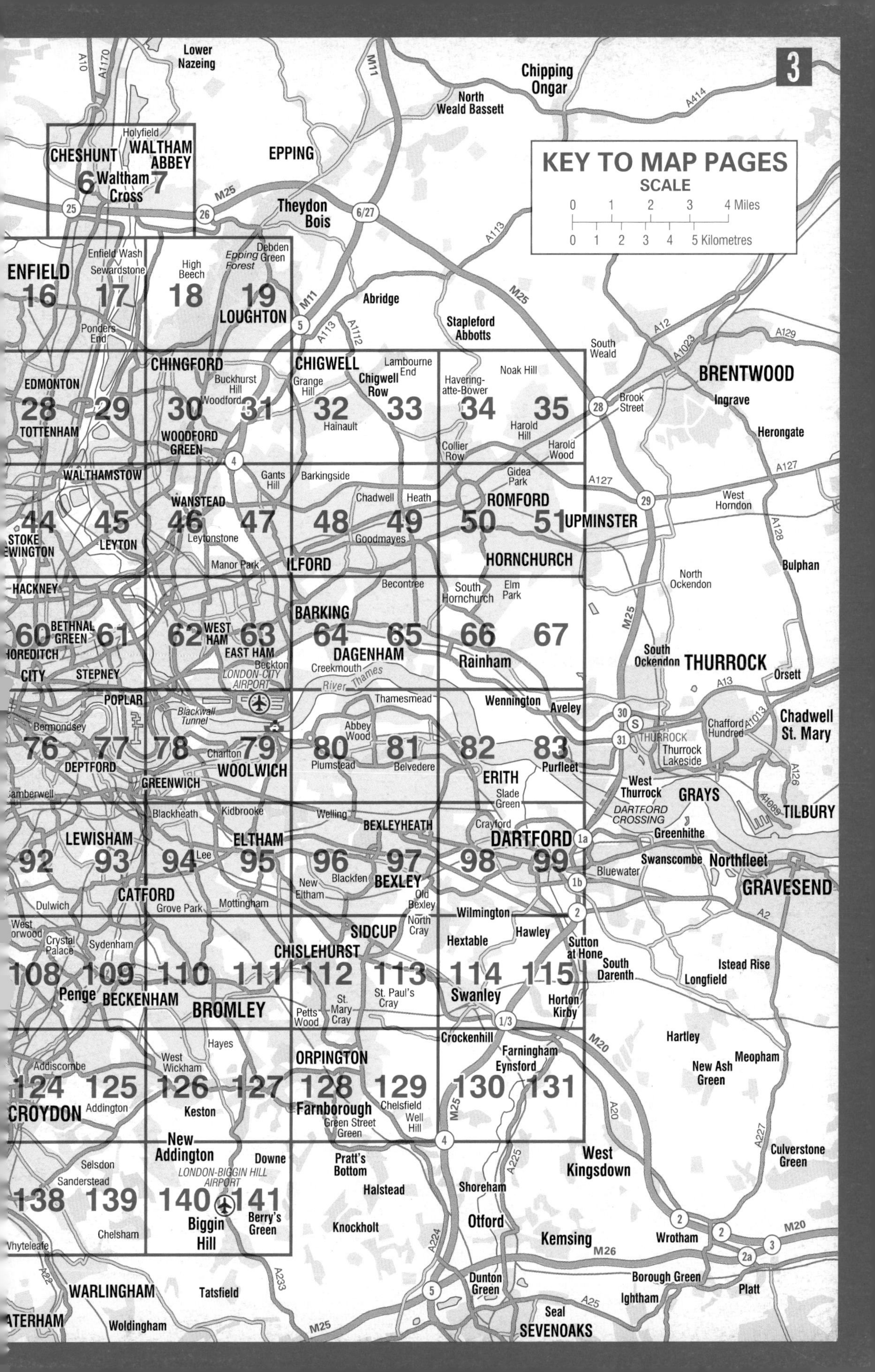

KEY TO MAP PAGES

SCALE

0 1 2 3 4 Miles

0 1 2 3 4 5 Kilometres

3

CHESHUNT **6** Waltham Cross

WALTHAM ABBEY **7** Holyfield

Lower Nazeing

EPPING

North Weald Bassett

Chipping Ongar

Theydon Bois

ENFIELD **16** | Enfield Wash Sewardstone **17**

High Beech **18**

Epping Forest Debden Green **19** LOUGHTON

Abridge

Stapleford Abbotts

South Weald

BRENTWOOD Ingrave

Herongate

EDMONTON **28** | **29** TOTTENHAM

CHINGFORD Buckhurst Hill Woodford **30** | **31**

WOODFORD GREEN

Grange Hill **32** Hainault

CHIGWELL CHIGWELL ROW **33** Lambourne End

Havering-atte-Bower Collier Row **34**

Noak Hill Harold Hill **35** Harold Wood

Brook Street

West Horndon

Bulphan

WALTHAMSTOW **44** STOKE NEWINGTON

45 LEYTON

WANSTEAD **46** Leytonstone

Gants Hill **47**

Barkingside **48**

Chadwell Heath **49** Goodmayes

ROMFORD **50**

51 UPMINSTER

North Ockendon

HACKNEY **60** BETHNAL GREEN SHOREDITCH CITY

61 STEPNEY

Manor Park **62** WEST HAM

ILFORD EAST HAM **63** Beckton LONDON CITY AIRPORT

HORNCHURCH

BARKING **64** DAGENHAM Creekmouth

Becontree South Hornchurch **65**

Elm Park

South Ockendon

THURROCK Orsett

Chadwell St. Mary

POPLAR Bermondsey DEPTFORD **76** | **77**

Blackwall Tunnel **78** Charlton GREENWICH **79** WOOLWICH

River Thames Thamesmead Abbey Wood **80** Plumstead

81 Belvedere

Wennington **82** ERITH Slade Green

Aveley **83** Purfleet

THURROCK Thurrock Lakeside

West Thurrock DARTFORD CROSSING GRAYS

TILBURY

Camberwell **92** LEWISHAM **93**

Blackheath **94** Lee Kidbrooke **95** ELTHAM

Welling New Eltham **96** Blackfen

BEXLEYHEATH **97** BEXLEY Old Bexley North Cray

Crayford **98** DARTFORD **99**

Greenhithe Swanscombe Northfleet

GRAVESEND

West Norwood Crystal Palace Dulwich Sydenham **108** | **109** Penge BECKENHAM

CATFORD Grove Park Mottingham **110** BROMLEY **111** Petts Wood

CHISLEHURST **112** St. Mary Cray **113** St. Paul's Cray

SIDCUP Wilmington Hextable **114** SWANLEY Hawley **115**

Sutton at Hone South Darenth Horton Kirby

Istead Rise Longfield

Addiscombe **124** CROYDON Addington **125**

West Wickham Hayes **126** Keston **127**

ORPINGTON **128** Farnborough Green Street Green **129** Chelsfield Well Hill

Crockenhill Farningham Eynsford **130** | **131**

Hartley New Ash Green Meopham

West Kingsdown

Culverstone Green

Selsdon Sanderstead Chelsham **138** | **139**

New Addington Downe **140** Biggin Hill LONDON-BIGGIN HILL AIRPORT **141** Berry's Green

Pratt's Bottom Halstead Knockholt

Shoreham Otford

Kemsing

Wrotham

Borough Green Platt

Whyteleafe WARLINGHAM CATERHAM Woldingham

Tatsfield

Dunton Green Seal SEVENOAKS

Ightham

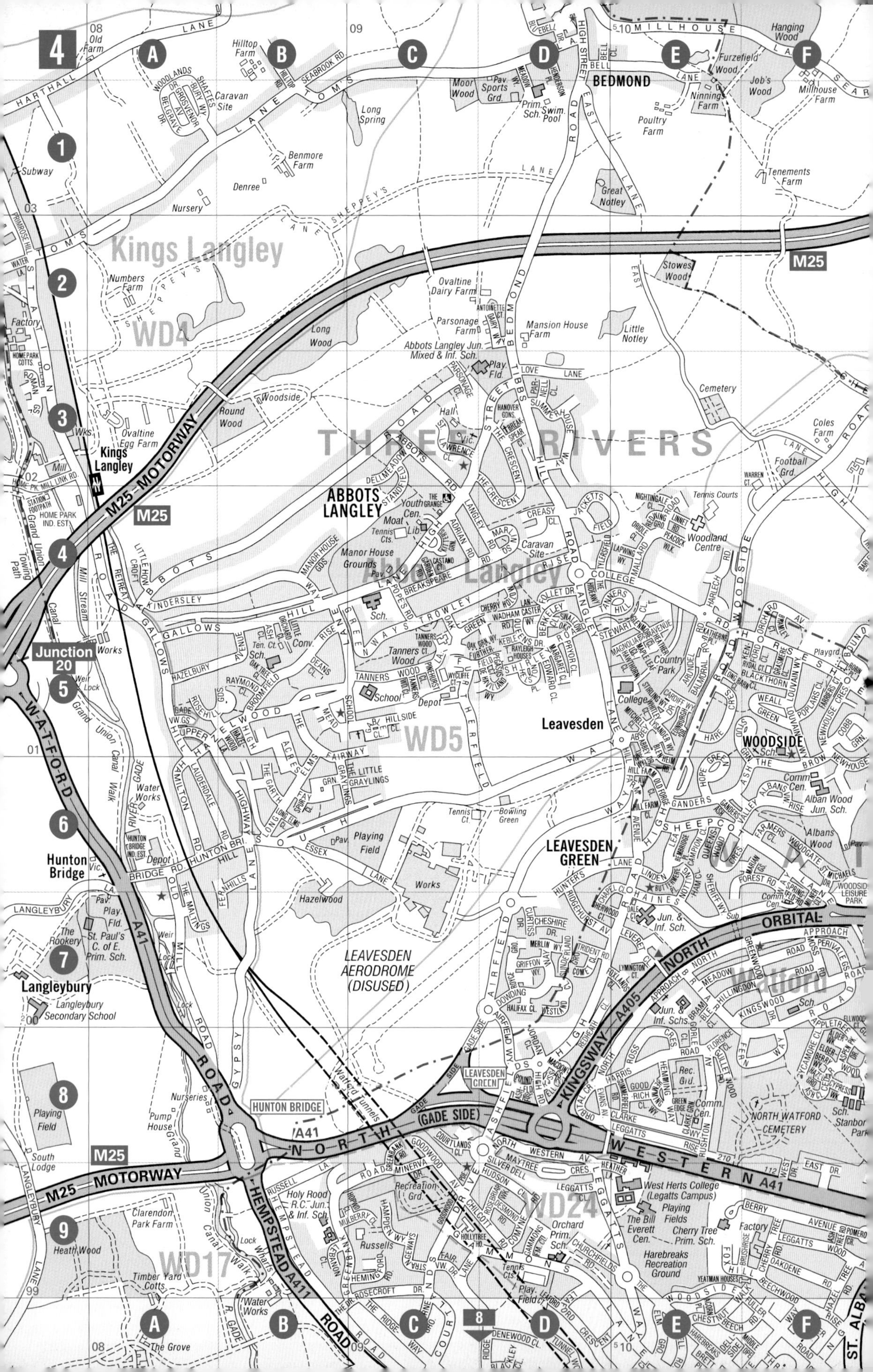
A
B
C
D
E
F
1
2
3
4
5
6
7
8
9
08
09
10
03
02
01
00
99
Old Farm
Hilltop Farm
Hartshall Lane
Caravan Site
Toms Lane
Seabrook Rd.
Long Spring
Benmore Farm
Denree
Nursery
Subway
Sheppey's Lane
Kings Langley
Numbers Farm
WD4
Factory
Homepark Cotts.
Moor Wood
Pav. Sports Grd.
Prim. Sch.
Swim. Pool
Bedmond
Millhouse Lane
Bell Lane
Hanging Wood
Furzefield Wood
Job's Wood
Millhouse Farm
Ninnings Farm
Poultry Farm
Great Notley
Tenements Farm
Bedmond Road
High Street
M25
Stowes Wood
Ovaltine Dairy Farm
Parsonage Farm
Mansion House Farm
Little Notley
Long Wood
Abbots Langley Jun. Mixed & Inf. Sch.
Play. Fld.
Love Lane
Cemetery
Woodside
Round Wood
Ovaltine Egg Farm
Kings Langley
M25 Motorway
Wks.
Mill
Home Park Ind. Est.
Grand Union Towing Path
Mill Stream
Canal
Three Rivers
Coles Farm
Football Grd.
Abbots Langley
The Grange
Youth Cen.
Moat
Lib.
Tennis Cts.
Manor House Grounds
Caravan Site
Tennis Courts
Woodland Centre
College Road
Kindersley
Gallows Hill
Trowley Rise
Junction 20
Works
Weir Lock
Tanners Wood
School
Depot
Sch.
Country Park
College
Leavesden
WD5
Woodside
Comm. Cen.
Alban Wood Jun. Sch.
Albans Wood
Water Works
Hunton Bridge Ind. Est.
Hunton Bridge
Tennis Ct.
Bowling Green
Playing Field
Works
Hazelwood
Leavesden Green
Langleybury
Play Fld.
The Rookery
St. Paul's C. of E. Prim. Sch.
Langleybury Secondary School
Leavesden Aerodrome (Disused)
Jun. & Inf. Sch.
North Orbital
Woodside Leisure Park
Watford
Jun. & Inf. Schs.
Kingsway A405
Rec. Grd.
Comm. Cen.
North Watford Cemetery
Stanborough Park
Watford Road
A41
Nurseries
Pump House
Playing Field
Hunton Bridge
Watford Tunnels
North Western Av.
Gade Side
South Lodge
M25 Motorway
Holy Rood R.C. Jun. & Inf. Sch.
Recreation Grd.
Russells
West Herts College (Legatts Campus)
Playing Fields
The Bill Everett Cen.
Cherry Tree Prim. Sch.
Factory
Harebreaks Recreation Ground
Orchard Prim. Sch.
WD24
Clarendon Park Farm
Heath Wood
WD17
Timber Yard Cotts.
Hempstead Road A411
Lock
Water Works
Union Canal Walk
R. Gade
Langleybury Lane
The Grove
Tennis Cts.
Play. Field
8
St. Albans Road

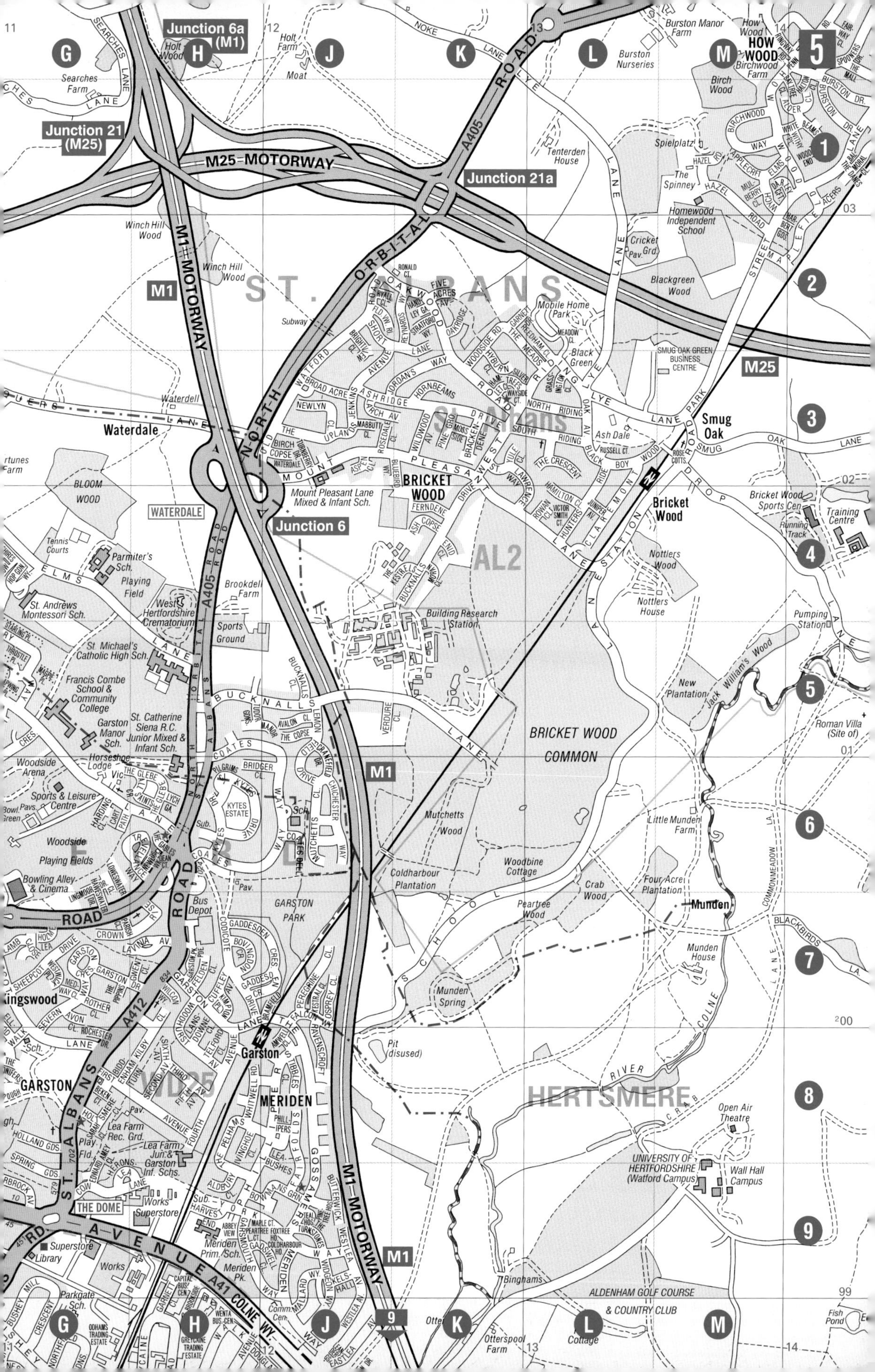

5
Junction 6a (M1)
Junction 21 (M25)
Junction 21a
Junction 6
M25 MOTORWAY
M1 MOTORWAY
NORTH ORBITAL ROAD
A405
Holt Wood
Holt Farm
Moat
Searches Farm
SEARCHES LANE
NOKE LANE
Burston Manor Farm
Burston Nurseries
How Wood
HOW WOOD
Birchwood Farm
Birch Wood
Spielplatz
The Spinney
Tenterden House
Homewood Independent School
Cricket Grd.
Pav.
Blackgreen Wood
Winch Hill Wood
ST. ALBANS
Mobile Home Park
Black Green
SMUG OAK GREEN BUSINESS CENTRE
Smug Oak
Ash Dale
Waterdell
Waterdale
WATERDALE
BLOOM WOOD
Tennis Courts
Parmiter's Sch.
Playing Field
St. Andrews Montessori Sch.
Brookdell Farm
West Hertfordshire Crematorium
Sports Ground
St. Michael's Catholic High Sch.
Francis Combe School & Community College
St. Catherine Siena R.C. Junior Mixed & Infant Sch.
Garston Manor Sch.
Horseshoe Lodge
Woodside Arena
Sports & Leisure Centre
Woodside Playing Fields
Bowling Alley & Cinema
Mount Pleasant Lane Mixed & Infant Sch.
BRICKET WOOD
Bricket Wood
AL2
Building Research Station
Bricket Wood Sports Cen.
Training Centre
Running Track
Nottlers Wood
Nottlers House
Pumping Station
New Plantation
Jack William's Wood
BRICKET WOOD COMMON
Roman Villa (Site of)
Mutchetts Wood
Little Munden Farm
Woodbine Cottage
Coldharbour Plantation
Crab Wood
Four Acre Plantation
Peartree Wood
Munden
Munden House
Munden Spring
KYTES ESTATE
GARSTON PARK
Bus Depot
Garston
MERIDEN
Kingswood
GARSTON
WD25
Lea Farm Rec. Grd.
Lea Farm Jun. & Garston Inf. Schs.
Play Fld.
THE DOME
Superstore
Library
Works
Parkgate Sch.
Meriden Prim. Sch.
Meriden Pk.
Pit (disused)
HERTSMERE
RIVER COLNE
Open Air Theatre
UNIVERSITY OF HERTFORDSHIRE (Watford Campus)
Wall Hall Campus
Binghams
ALDENHAM GOLF COURSE & COUNTRY CLUB
Otterspool Farm
Cottage
Fish Pond
A412
A41 COLNE WY.
ST. ALBANS RD.
AVENUE
M1
M25
9

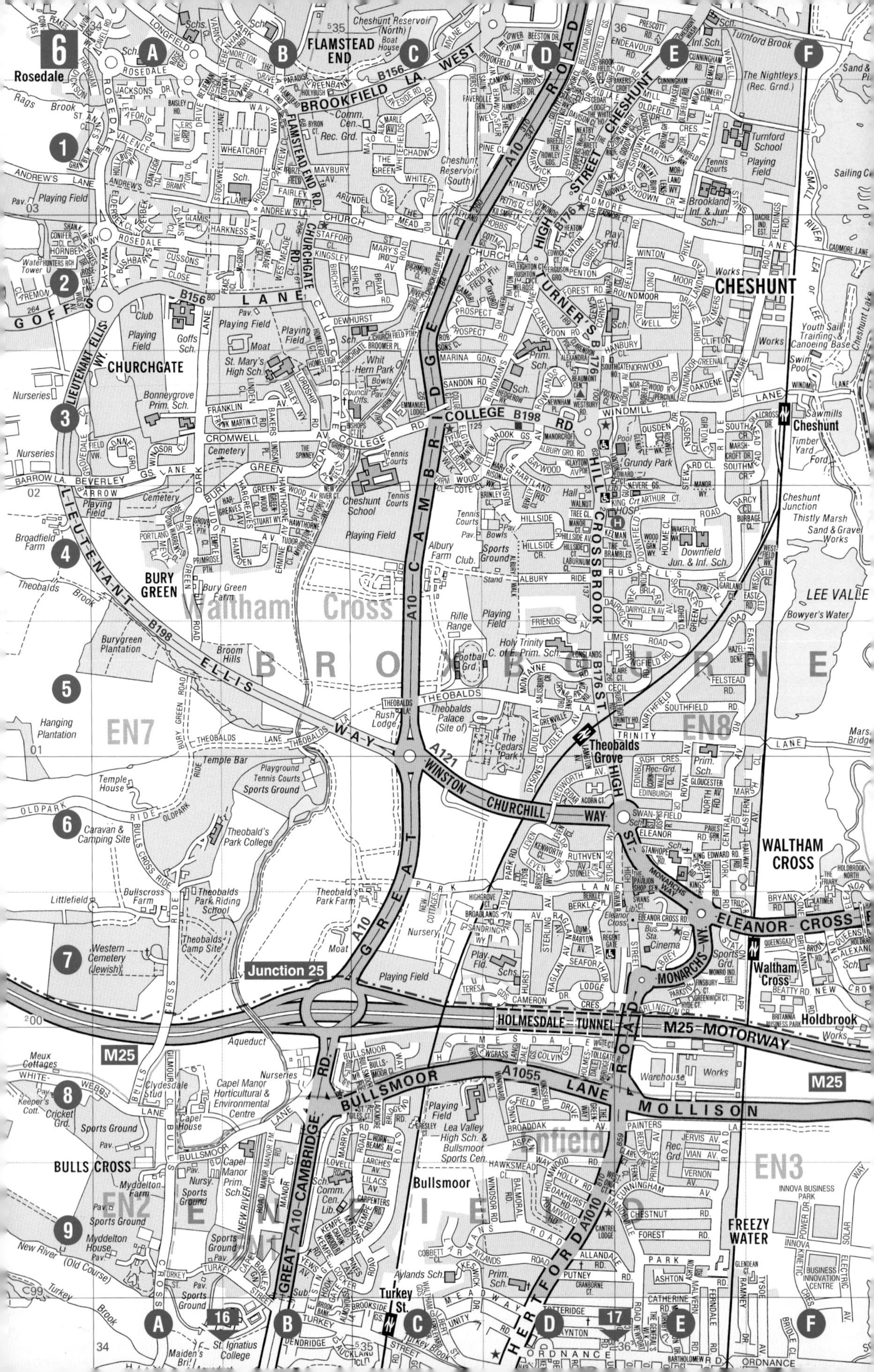

6
Rosedale
FLAMSTEAD END
Cheshunt Reservoir (North)
Cheshunt Reservoir (South)
BROOKFIELD LA. WEST
B156
Turnford Brook
The Nightleys (Rec. Grnd.)
Turnford School
Playing Field
Brookland Inf. & Jun. Sch.
HIGH STREET
CHESHUNT
CHURCHGATE
GOFFS LANE
Goffs Sch.
St. Mary's High Sch.
Bonneygrove Prim. Sch.
LIEUTENANT ELLIS WAY
Cheshunt School
COLLEGE RD
B198
GREAT CAMBRIDGE ROAD
A10
TURNER'S HILL
CROSSBROOK ST.
B176
Grundy Park
Downfield Jun. & Inf. Sch.
Holy Trinity C. of E. Prim. Sch.
Theobalds Palace (Site of)
The Cedars Park
Theobalds Grove
Cheshunt
Cheshunt Junction
Thistly Marsh
LEE VALLEY
Bowyer's Water
Youth Sail Training & Canoeing Base
BURY GREEN
Bury Green Farm
Burygreen Plantation
Broom Hills
Waltham Cross
BROXBOURNE
EN7
EN8
Hanging Plantation
Temple Bar
Temple House
Caravan & Camping Site
Theobald's Park College
Theobalds Park Riding School
Theobald's Park Farm
Theobalds Camp Site
Western Cemetery (Jewish)
Bullscross Farm
Littlefield
WINSTON CHURCHILL WAY
A121
WALTHAM CROSS
ELEANOR CROSS RD
MONARCHS WAY
Waltham Cross
Holdbrook
Junction 25
M25
HOLMESDALE TUNNEL
M25 MOTORWAY
Aqueduct
Capel Manor Horticultural & Environmental Centre
Capel House
BULLSMOOR LANE
A1055
MOLLISON
Lea Valley High Sch. & Bullsmoor Sports Cen.
Bullsmoor
BULLS CROSS
Myddelton Farm
Myddelton House
EN2
EN3
Enfield
ENFIELD
HERTFORD ROAD
A1010
INNOVA BUSINESS PARK
FREEZY WATER
Turkey St.
Turkey Brook
St. Ignatius College
Maiden's Bri.
16
17
ORDNANCE RD

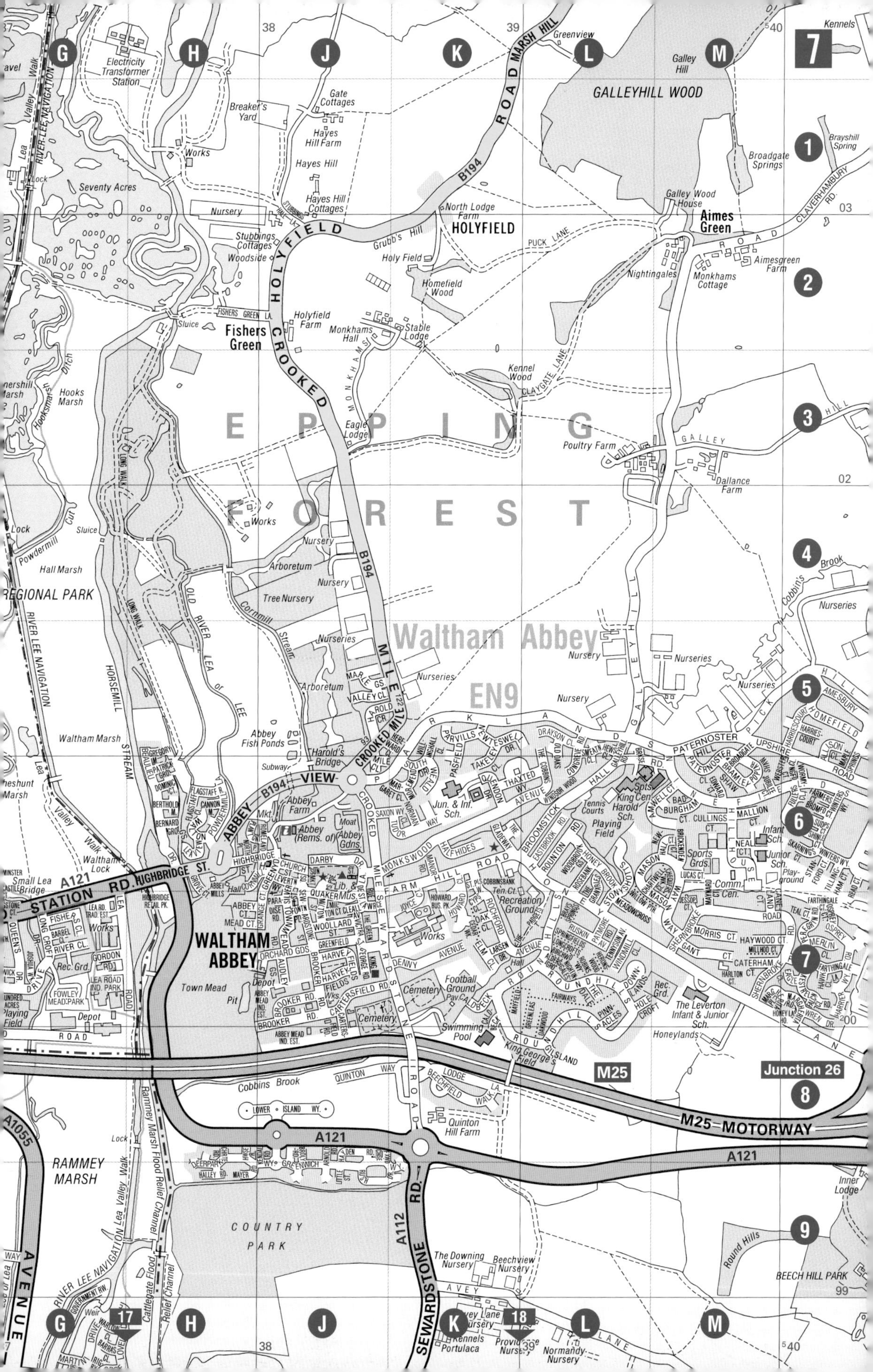
G
H
J
K
L
M
38
39
40
Electricity Transformer Station
Breaker's Yard
Gate Cottages
Hayes Hill Farm
Hayes Hill
Hayes Hill Cottages
Greenview
Kennels
Galley Hill
GALLEYHILL WOOD
Brayshill Spring
Broadgate Springs
Galley Wood House
Aimes Green
Aimesgreen Farm
Monkhams Cottage
Nightingales
CLAVERHAMBURY RD.
03
02
99
MARSH HILL ROAD B194
HOLYFIELD
North Lodge Farm
Grubb's Hill
Holy Field
Homefield Wood
PUCK LANE
Works
Seventy Acres
Nursery
Stubbings Cottages
Woodside
Lock
Sluice
FISHERS GREEN LA.
Fishers Green
Holyfield Farm
Monkhams Hall
Stable Lodge
HOLYFIELD CROOKED
MONKHAMS
Kennel Wood
CLAYGATE LANE
GALLEY HILL
Poultry Farm
Dallance Farm
Eagle Lodge
E P P I N G
F O R E S T
Hooks Marsh
Hooksmarsh Ditch
Powdermill Cut
Hall Marsh
REGIONAL PARK
RIVER LEE NAVIGATION
RIVER-LEE NAVIGATION
Lea Valley Walk
LONG WALK
HORSEMILL STREAM
OLD RIVER LEA or LEE
Arboretum
Nursery
Tree Nursery
Cornmill Stream
Nurseries
Waltham Abbey
EN9
CROOKED MILE
Cobbin's Brook
Nurseries
Waltham Marsh
Abbey Fish Ponds
Harold's Bridge
Subway
ABBEY VIEW B194
Abbey Farm
Abbey (Rems. of)
Abbey Gdns.
Moat
Mkt.
PARK LANE
PATERNOSTER HILL
UPSHIRE ROAD
AMESBURY
HOMEFIELD
Jun. & Inf. Sch.
King Harold Sch.
Tennis Courts
Playing Field
Sports Grds.
Infant Sch.
Junior Sch.
Comm. Cen.
Play-ground
Recreation Ground
Works
HIGHBRIDGE ST.
STATION RD.
A121
Waltham Lock
Small Lea Bridge
WALTHAM ABBEY
Town Mead
Pit
Depot
Cemetery
Football Ground
Swimming Pool
King George's Field
ROUNDHILLS
The Leverton Infant & Junior Sch.
Honeylands
Rec. Grd.
M25
Junction 26
M25 MOTORWAY
Cobbins Brook
QUINTON WAY
LOWER ISLAND WY.
Quinton Hill Farm
A121
RAMMEY MARSH
A1055
Rammey Marsh Flood Relief Channel
Lea Valley Walk
RIVER LEE NAVIGATION
Cattlegate Flood Relief Channel
COUNTRY PARK
A112 SEWARDSTONE RD.
The Downing Nursery
Beechview Nursery
Kennels
Portulaca
Normandy Nursery
Inner Lodge
Round Hills
BEECH HILL PARK
AVENUE
Weir
17
18
1
2
3
4
5
6
7
8
9

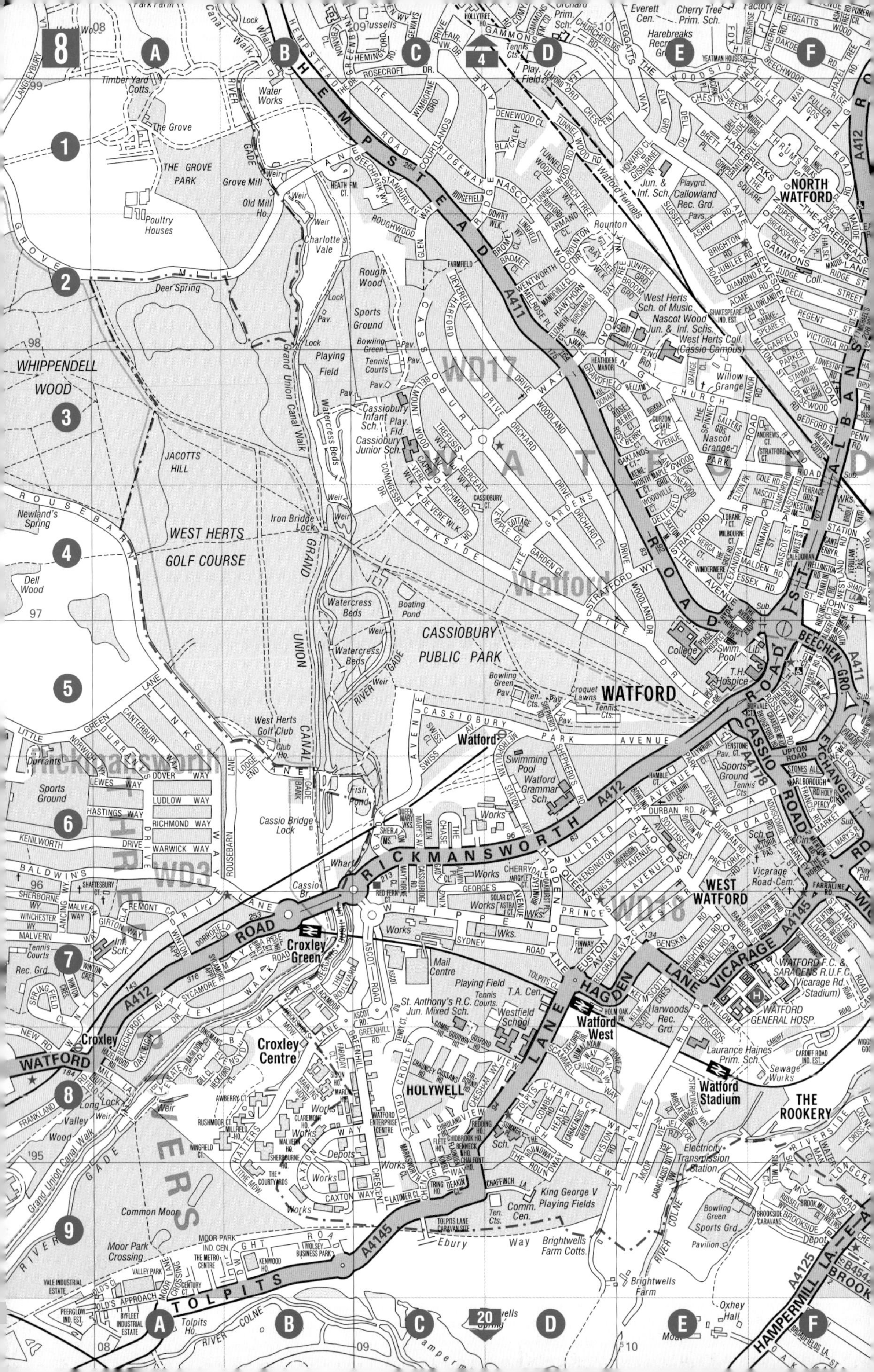
8
A
B
C
D
E
F
1
2
3
4
5
6
7
8
9
4
20
THE GROVE PARK
The Grove
Timber Yard Cotts.
Grove Mill
Old Mill Ho.
Poultry Houses
Water Works
Deer Spring
WHIPPENDELL WOOD
JACOTTS HILL
Newland's Spring
Dell Wood
WEST HERTS GOLF COURSE
West Herts Golf Club
Charlotte's Vale
Rough Wood
Sports Ground
Playing Field
Watercress Beds
Iron Bridge Lock
Grand Union Canal Walk
GRAND UNION CANAL
Boating Pond
CASSIOBURY PUBLIC PARK
Cassiobury Infant Sch.
Cassiobury Junior Sch.
WD17
WATFORD
Watford
HEMPSTEAD ROAD
A411
NORTH WATFORD
Callowland Rec. Grd.
West Herts Sch. of Music
Nascot Wood Jun. & Inf. Schs.
West Herts Coll. (Cassio Campus)
Willow Grange
Nascot Grange
Watford Tunnels
ST. ALBANS ROAD
A412
College
Swim. Pool
T.H.
Hospice
Lib.
BEECHEN GRO.
Croquet Lawns
Swimming Pool
Watford Grammar Sch.
RICKMANSWORTH ROAD
CASSIO ROAD
A4178
Rickmansworth
THREE RIVERS
WD3
Durrants
Sports Ground
Cassio Bridge Lock
Fish Pond
Croxley Green
Croxley
Croxley Centre
HOLYWELL
Mail Centre
Playing Field
St. Anthony's R.C. Jun. Mixed Sch.
Westfield School
Watford West
WD18
WEST WATFORD
Vicarage Road Cem.
WATFORD F.C. & SARACENS R.U.F.C. (Vicarage Rd. Stadium)
WATFORD GENERAL HOSP.
Harwoods Rec. Grd.
Laurance Haines Prim. Sch.
Watford Stadium
Sewage Works
THE ROOKERY
Electricity Transmission Station
Bowling Green Sports Grd.
King George V Playing Fields
Brightwells Farm Cotts.
Brightwells Farm
Common Moor
Long Lock
Valley Wood
Moor Park Crossing
TOLPITS
A4145
VICARAGE
HAGDEN LANE
RIVER COLNE
RIVER GADE
Tolpits Ho.
Oxhey Hall
HAMPERMILL LA.
A4125
Moat
95
96
97
98
99
08
09
10

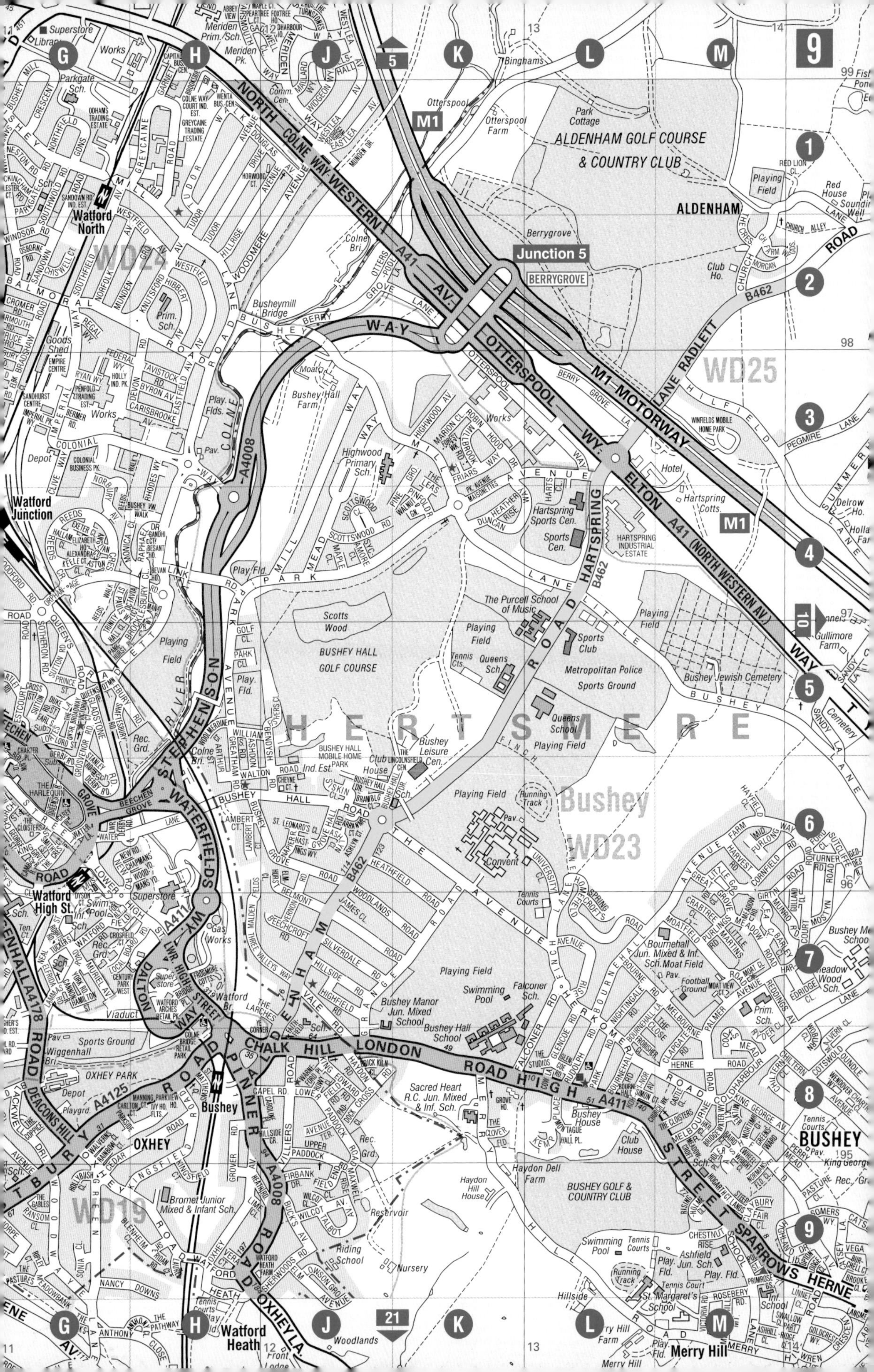
9
G
H
J
K
L
M
5
M1
Superstore
Library
Works
Parkgate Sch.
ODHAMS TRADING ESTATE
Watford North
WD24
NORTH COLNE WAY WESTERN AV.
A41
Meriden Prim. Sch.
Meriden Pk.
Comm. Cen.
Binghams
Otterspool
Otterspool Farm
Park Cottage
ALDENHAM GOLF COURSE
& COUNTRY CLUB
Playing Field
RED LION CL.
Red House
ALDENHAM
CHURCH ALLEY
Berrygrove
Junction 5
BERRYGROVE
Club Ho.
B462
LANE RADLETT
WD25
Colne Bri.
Busheymill Bridge
BERRY GROVE LANE
BUSHEY
W-A-Y
OTTERSPOOL
M1 MOTORWAY
Works
Hotel
Hartspring Cotts.
WINFIELDS MOBILE HOME PARK
PEGMIRE LANE
ELTON
A41 (NORTH WESTERN AV.)
Delrow Ho.
Goods Shed
EMPIRE CENTRE
Play. Flds.
Pav.
A4008
Bushey Hall Farm
Moat
Highwood Primary Sch.
HIGHWOOD AV.
Hartspring Sports Cen.
Sports Cen.
HARTSPRING INDUSTRIAL ESTATE
COLONIAL WAY
Depot
COLONIAL BUSINESS PK.
Watford Junction
Play. Fld.
PARK LANE
Scotts Wood
BUSHEY HALL GOLF COURSE
The Purcell School of Music
Playing Field
Sports Club
Queens Sch.
Tennis Cts.
Metropolitan Police Sports Ground
Bushey Jewish Cemetery
Gullimore Farm
10
97
Cemetery
SANDY LANE
STEPHENSON
RIVER
Playing Field
Rec. Grd.
Colne Bri.
HERTSMERE
Queens School
Playing Field
Bushey Leisure Cen.
BUSHEY HALL MOBILE HOME PARK
Club House
Ind. Est.
THE HARLEQUIN
BEECHEN GROVE
WATERFIELDS WAY
BUSHEY HALL ROAD
Playing Field
Running Track
Bushey WD23
Pav.
Convent
Tennis Courts
Watford High St.
Superstore
Gas Works
HEATHFIELD RD
WOODLANDS RD
SILVERDALE RD
Bourneha Jun. Mixed & Inf. Sch.
Moat Field
Football Ground
Bushey Meadow School
Meadow Wood Sch.
Playing Field
Swimming Pool
Falconer Sch.
Bushey Manor Jun. Mixed School
Bushey Hall School
Watford Bri.
Viaduct
WATFORD ARCHES RETAIL PK.
Sports Ground
Wiggenhall Bri.
CHALK HILL
LONDON ROAD
HIGH STREET
A411
OXHEY PARK
Depot
Bushey
A4125
PINNER ROAD
A4008
Sacred Heart R.C. Jun. Mixed & Inf. Sch.
Bushey House
Club House
Prim. Sch.
BUSHEY
King George
OXHEY
Haydon Hill House
Haydon Dell Farm
BUSHEY GOLF & COUNTRY CLUB
Bromet Junior Mixed & Infant Sch.
WD19
Reservoir
Riding School
Nursery
Swimming Pool
Tennis Courts
Play. Fld.
Ashfield Jun. Sch.
Running Track
St. Margaret's School
SPARROWS HERNE
Inf. School
Hillside
Merry Hill Farm
Merry Hill
Watford Heath
OXHEY LA.
21
Woodlands
A4178 ROAD
DEACONS HILL
11
12
13
14
98
96
195

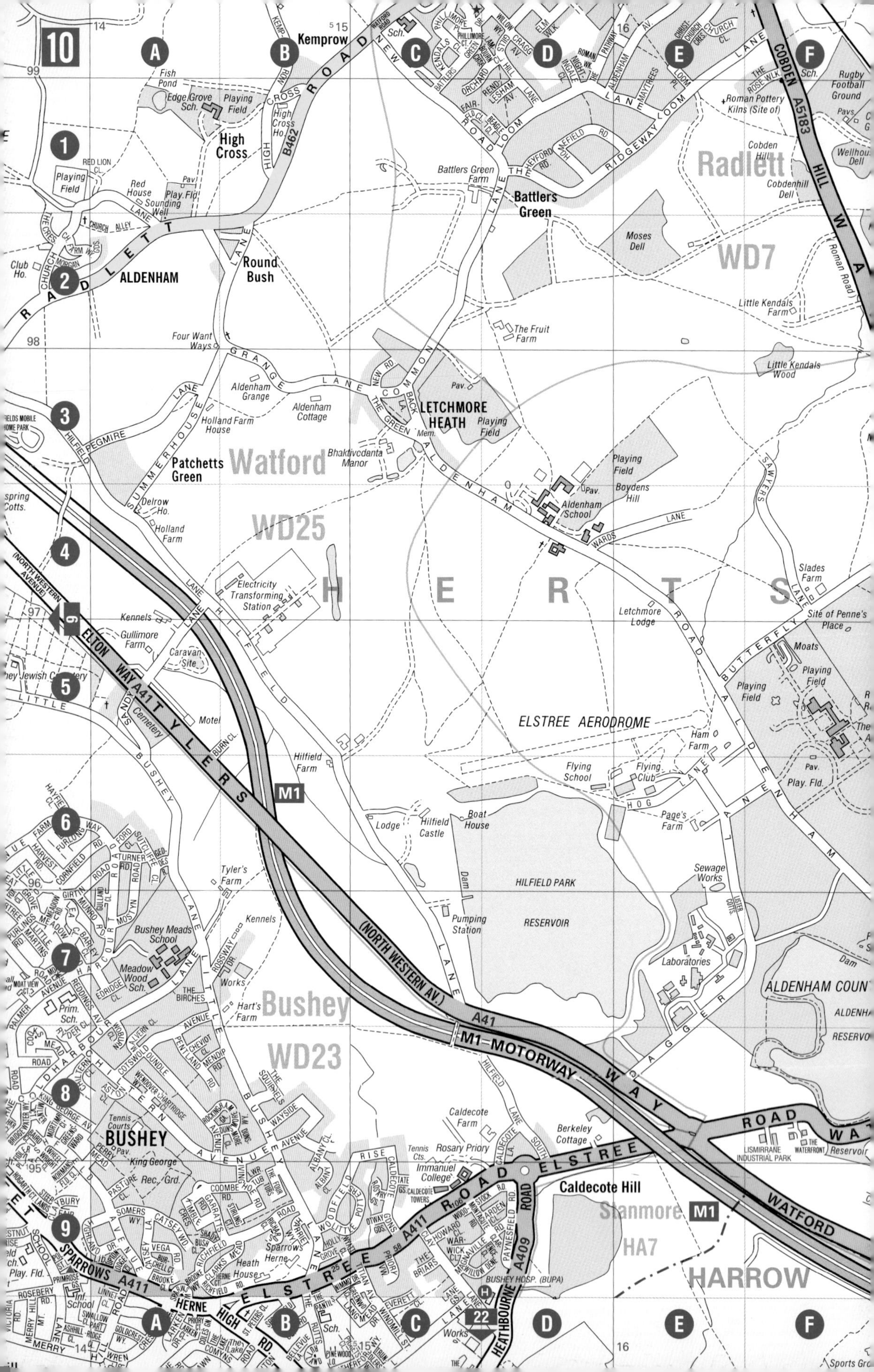
Kemprow
High Cross
ALDENHAM
Round Bush
Battlers Green
Radlett
WD7
Moses Dell
Little Kendals Farm
The Fruit Farm
Little Kendals Wood
LETCHMORE HEATH
Watford
Patchetts Green
WD25
Aldenham Grange
Aldenham Cottage
Bhaktivedanta Manor
Aldenham School
Boydens Hill
Letchmore Lodge
Electricity Transforming Station
H E R T S
Slades Farm
Site of Penne's Place
Moats
ELSTREE AERODROME
Flying School
Flying Club
Ham Farm
Hilfield Farm
Hilfield Castle
Boat House
HILFIELD PARK RESERVOIR
Pumping Station
Sewage Works
Laboratories
ALDENHAM COUNT
M1
(NORTH WESTERN AV.)
A41
M1 MOTORWAY
Bushey
WD23
BUSHEY
Bushey Meads School
Meadow Wood Sch.
Caldecote Farm
Rosary Priory
Immanuel College
Berkeley Cottage
Caldecote Hill
Stanmore
HA7
HARROW
ELSTREE ROAD
A411
A409
HEATHBOURNE ROAD
WATFORD WAY
COBDEN HILL
A5183
Roman Pottery Kilns (Site of)
Cobden Hill
Cobdenhill Dell
Wellhouse Dell
Rugby Football Ground
LISMIRRANE INDUSTRIAL PARK
BUSHEY HOSP. (BUPA)
SPARROWS
HERNE
HIGH RD.
22
9

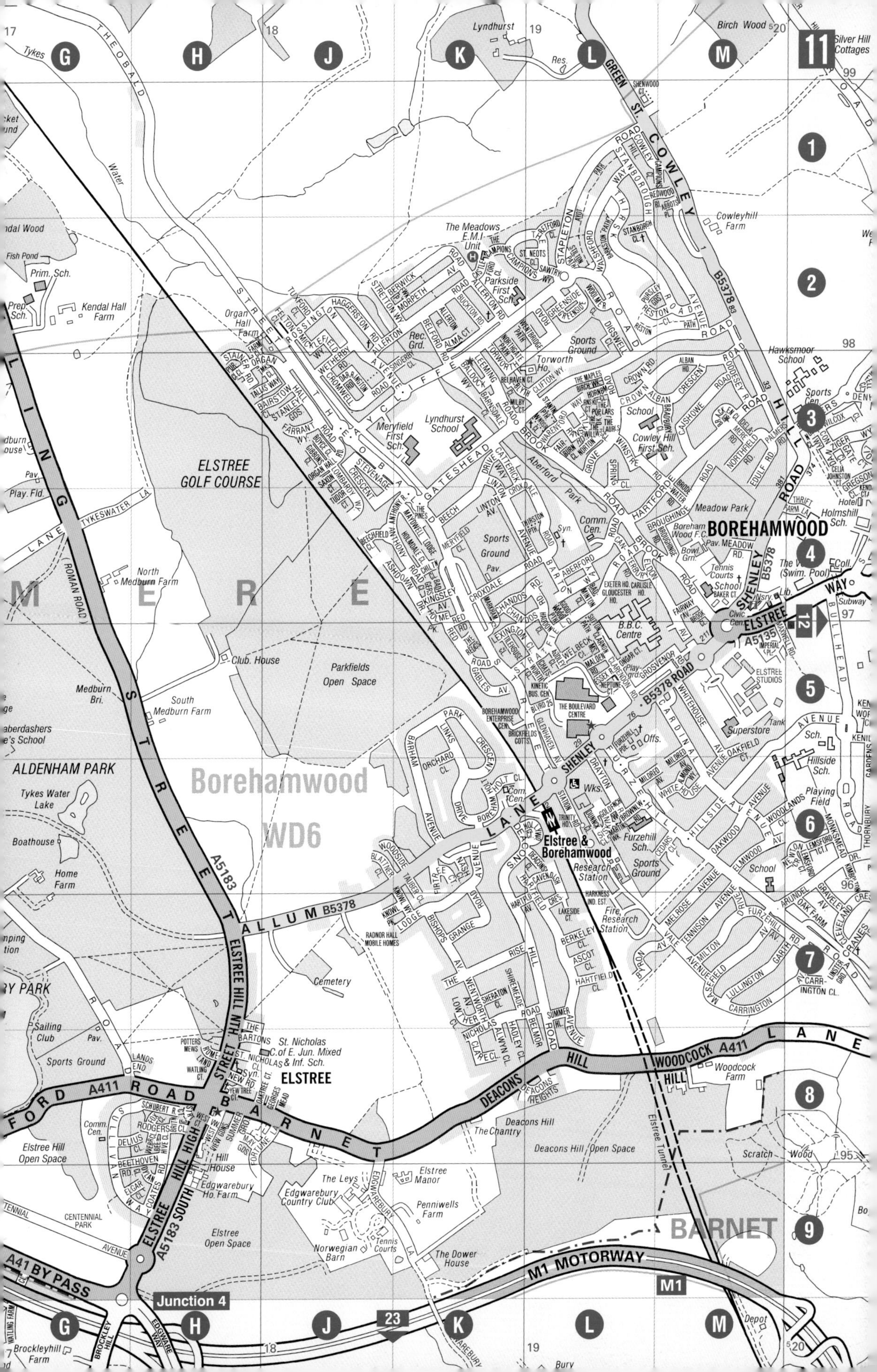
11
BOREHAMWOOD
Borehamwood
WD6
ELSTREE
ELSTREE GOLF COURSE
ALDENHAM PARK
BARNET
M1 MOTORWAY
Junction 4
Elstree & Borehamwood
Lyndhurst School
Meryfield First Sch.
Parkside First Sch.
Cowley Hill First Sch.
Meadow Park
Hawksmoor School
Holmshill Sch.
Hillside Sch.
Furzehill Sch.
B.B.C. Centre
THE BOULEVARD CENTRE
ELSTREE STUDIOS
Superstore
Aberford Park
Sports Ground
Parkfields Open Space
Deacons Hill Open Space
Elstree Open Space
Elstree Hill Open Space
Scratch Wood
Birch Wood
Cowleyhill Farm
North Medburn Farm
South Medburn Farm
Kendal Hall Farm
Woodcock Farm
Tykes Water Lake
Home Farm
Cemetery
Elstree Tunnel
Edgwarebury Country Club
Elstree Manor
Penniwells Farm
The Dower House
Norwegian Barn
St. Nicholas C.of E. Jun. Mixed & Inf. Sch.
Research Station
Fire Research Station
WATLING STREET
ELSTREE HILL NTH.
ELSTREE HILL SOUTH
BARNET LANE
DEACONS HILL
WOODCOCK HILL
ALLUM LANE
SHENLEY ROAD
ELSTREE WAY
THEOBALD STREET
COWLEY HILL
A411
A5183
B5378
A5135
A41 BY PASS
M1
23
12

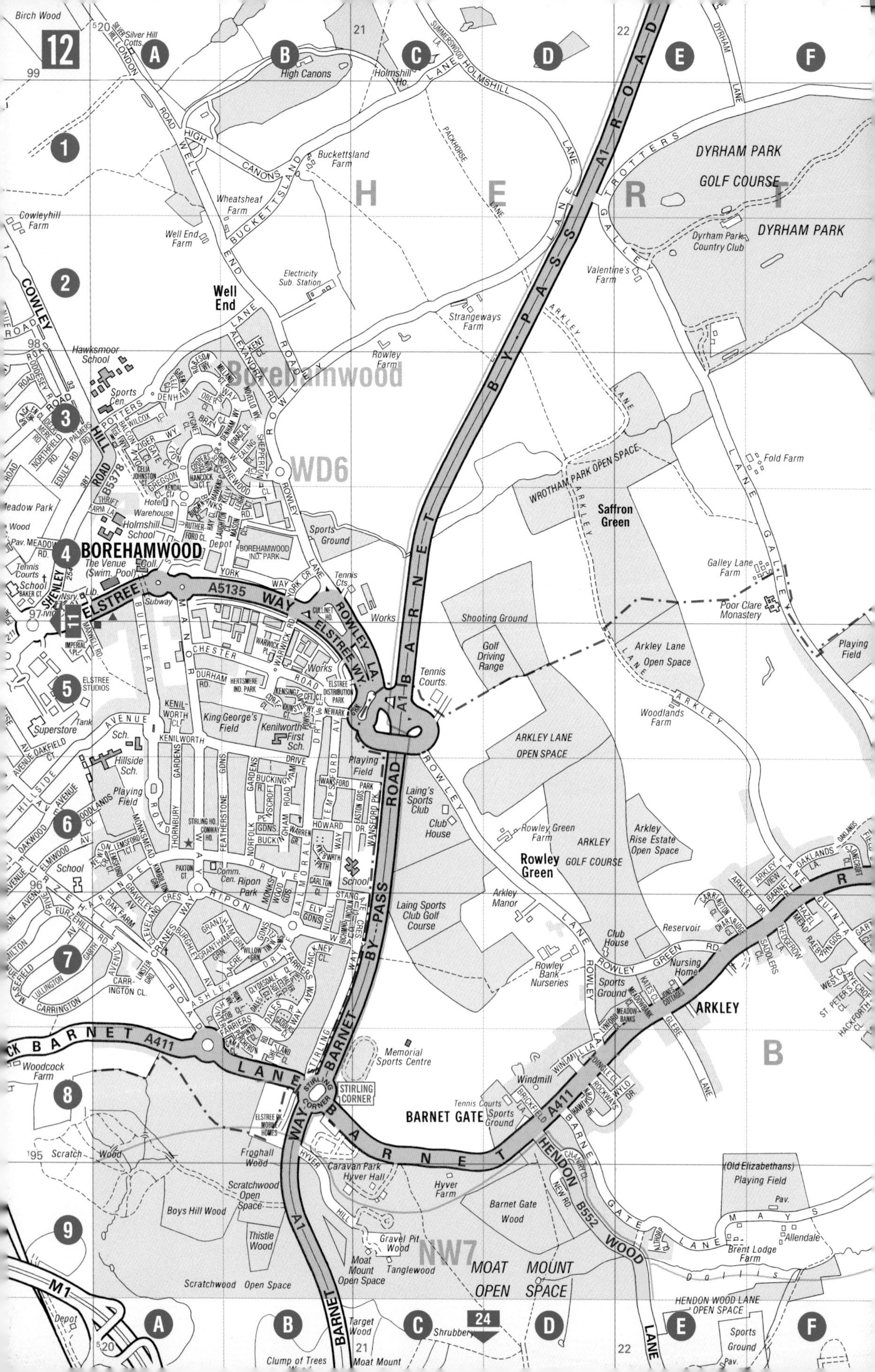
Birch Wood
Silver Hill Cotts.
High Canons
Holmshill Ho.
SUMMERSWOOD LA.
HOLMSHILL LANE
DYRHAM LANE
HIGH CANONS
WELL END ROAD
Buckettsland Farm
BUCKETTSLAND LANE
PACKHORSE LANE
Wheatsheaf Farm
Cowleyhill Farm
Well End Farm
Electricity Sub. Station
Well End
TROTTERS
GALLEY LANE
DYRHAM PARK GOLF COURSE
DYRHAM PARK
Dyrham Park Country Club
Valentine's Farm
A1 BARNET BY-PASS ROAD
Strangeways Farm
ARKLEY LANE
Rowley Farm
COWLEY HILL
Hawksmoor School
Borehamwood
ROWLEY LANE
WD6
Sports Cen.
Fold Farm
WROTHAM PARK OPEN SPACE
Saffron Green
Hotel
Warehouse
Holmshill School
Depot
BOREHAMWOOD IND. PARK
Sports Ground
BOREHAMWOOD
The Venue (Swim. Pool)
Coll.
Tennis Courts
School
ELSTREE WAY A5135
Subway
Tennis Cts.
Works
Galley Lane Farm
Poor Clare Monastery
Shooting Ground
Golf Driving Range
Arkley Lane Open Space
Playing Field
CHESTER ROAD
HERTSMERE IND. PARK
ELSTREE DISTRIBUTION PARK
ELSTREE STUDIOS
Superstore
Tennis Courts.
Woodlands Farm
King George's Field
Kenilworth First Sch.
Hillside Sch.
Playing Field
ARKLEY LANE OPEN SPACE
Laing's Sports Club
Club House
Rowley Green Farm
ARKLEY
Arkley Rise Estate Open Space
Rowley Green
ARKLEY GOLF COURSE
Comm. Cen.
Ripon Park
School
Arkley Manor
Laing Sports Club Golf Course
Club House
Reservoir
ROWLEY GREEN RD.
Rowley Bank Nurseries
Nursing Home
Sports Ground
ARKLEY
B
BARNET LANE A411
Woodcock Farm
Memorial Sports Centre
STIRLING CORNER
ELSTREE PK. MOBILE HOMES
Windmill
Tennis Courts
Sports Ground
BARNET GATE
Scratch Wood
Froghall Wood
Caravan Park
Hyver Hall
Hyver Farm
Scratchwood Open Space
Boys Hill Wood
Barnet Gate Wood
(Old Elizabethans) Playing Field
Pav.
MAYS LANE
Allendale
Brent Lodge Farm
Thistle Wood
Gravel Pit Wood
NW7
Moat Mount Open Space
Tanglewood
MOAT MOUNT OPEN SPACE
B552 HENDON WOOD LANE
Dollis
HENDON WOOD LANE OPEN SPACE
Scratchwood Open Space
M1
Depot
Target Wood
Shrubbery
Sports Ground
Clump of Trees
Moat Mount
Pav.

11
24

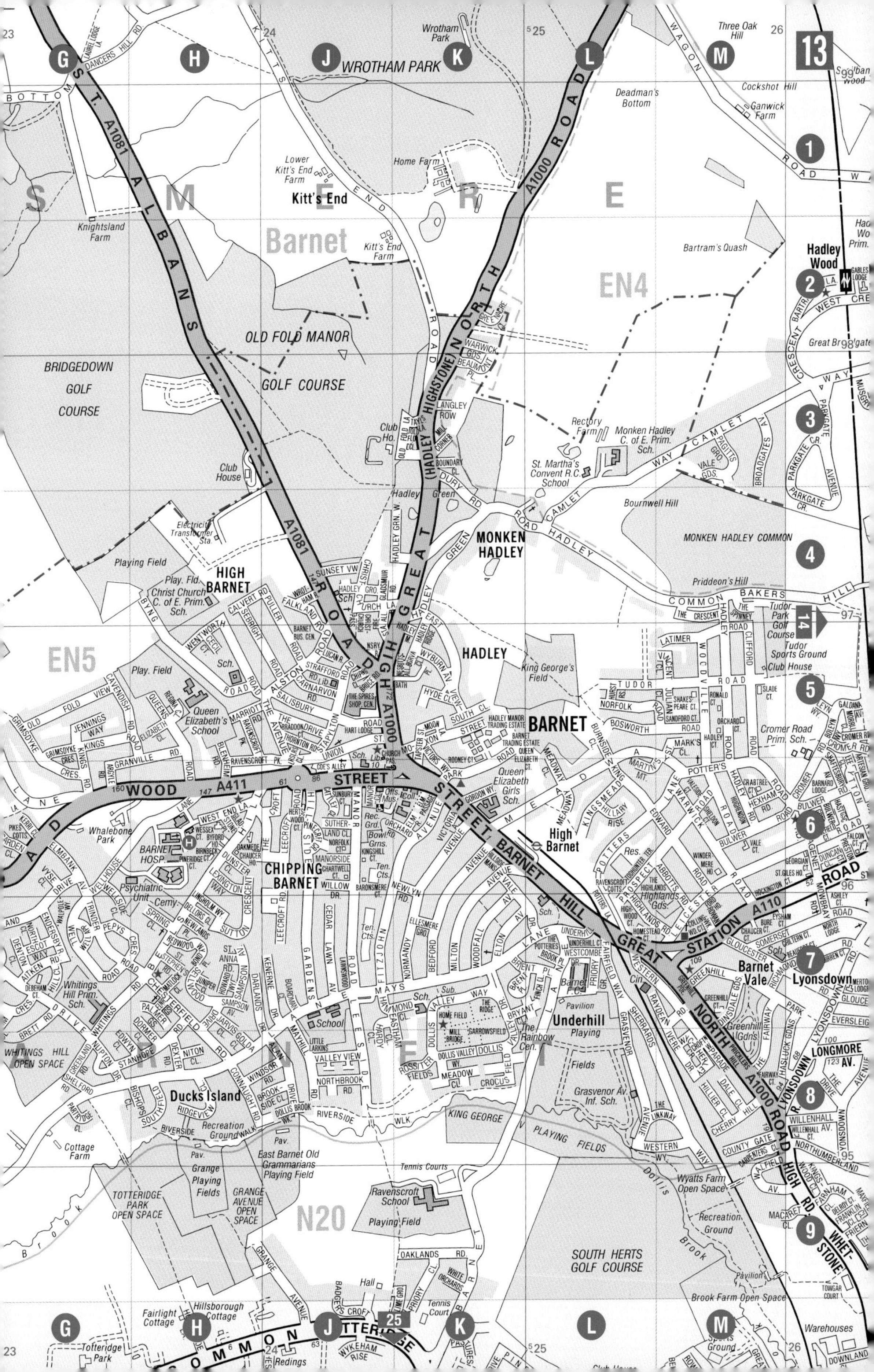

WROTHAM PARK
Wrotham Park
Three Oak Hill
Deadman's Bottom
Cockshot Hill
Ganwick Farm
WAGON ROAD
Lower Kitt's End Farm
Home Farm
Kitt's End
Kitt's End Farm
KITTS END ROAD
Knightsland Farm
Barnet
Bartram's Quash
Hadley Wood
EN4
OLD FOLD MANOR
GOLF COURSE
BRIDGEDOWN GOLF COURSE
ST. ALBANS ROAD A1081
A1000
GREAT NORTH ROAD
HIGH (HADLEY HIGHSTONE) NORTH
Rectory Farm
Monken Hadley C. of E. Prim. Sch.
St. Martha's Convent R.C. School
CAMLET WAY
Bournwell Hill
MONKEN HADLEY COMMON
MONKEN HADLEY
HADLEY ROAD
Club House
Electricity Transformer Sta.
Playing Field
HIGH BARNET
Christ Church C. of E. Prim. Sch.
Priddeon's Hill
COMMON
BAKERS HILL
Tudor Park Golf Course
Tudor Sports Ground
Club House
EN5
HADLEY
King George's Field
Queen Elizabeth's School
BARNET
Cromer Road Prim. Sch.
WOOD STREET A411
Whalebone Park
BARNET HOSP.
CHIPPING BARNET
Psychiatric Unit
Queen Elizabeth Girls Sch.
High Barnet
BARNET HILL
Highlands Gds.
GREAT NORTH ROAD A1000
STATION ROAD A110
Barnet Vale
Lyonsdown
Whitings Hill Prim. Sch.
WHITINGS HILL OPEN SPACE
School
Underhill
Playing Fields
Grasvenor Av. Inf. Sch.
Ducks Island
Recreation Ground
Cottage Farm
Grange Playing Fields
East Barnet Old Grammarians Playing Field
KING GEORGE PLAYING FIELDS
Dollis Brook
Wyatts Farm Open Space
TOTTERIDGE PARK OPEN SPACE
GRANGE AVENUE OPEN SPACE
N20
Ravenscroft School
Playing Field
Tennis Courts
Recreation Ground
SOUTH HERTS GOLF COURSE
Brook Farm Open Space
Fairlight Cottage
Hillsborough Cottage
Totteridge Park
Redings
COMMON
TOTTERIDGE
Sports Ground
Warehouses
WHETSTONE HIGH RD.
14
25

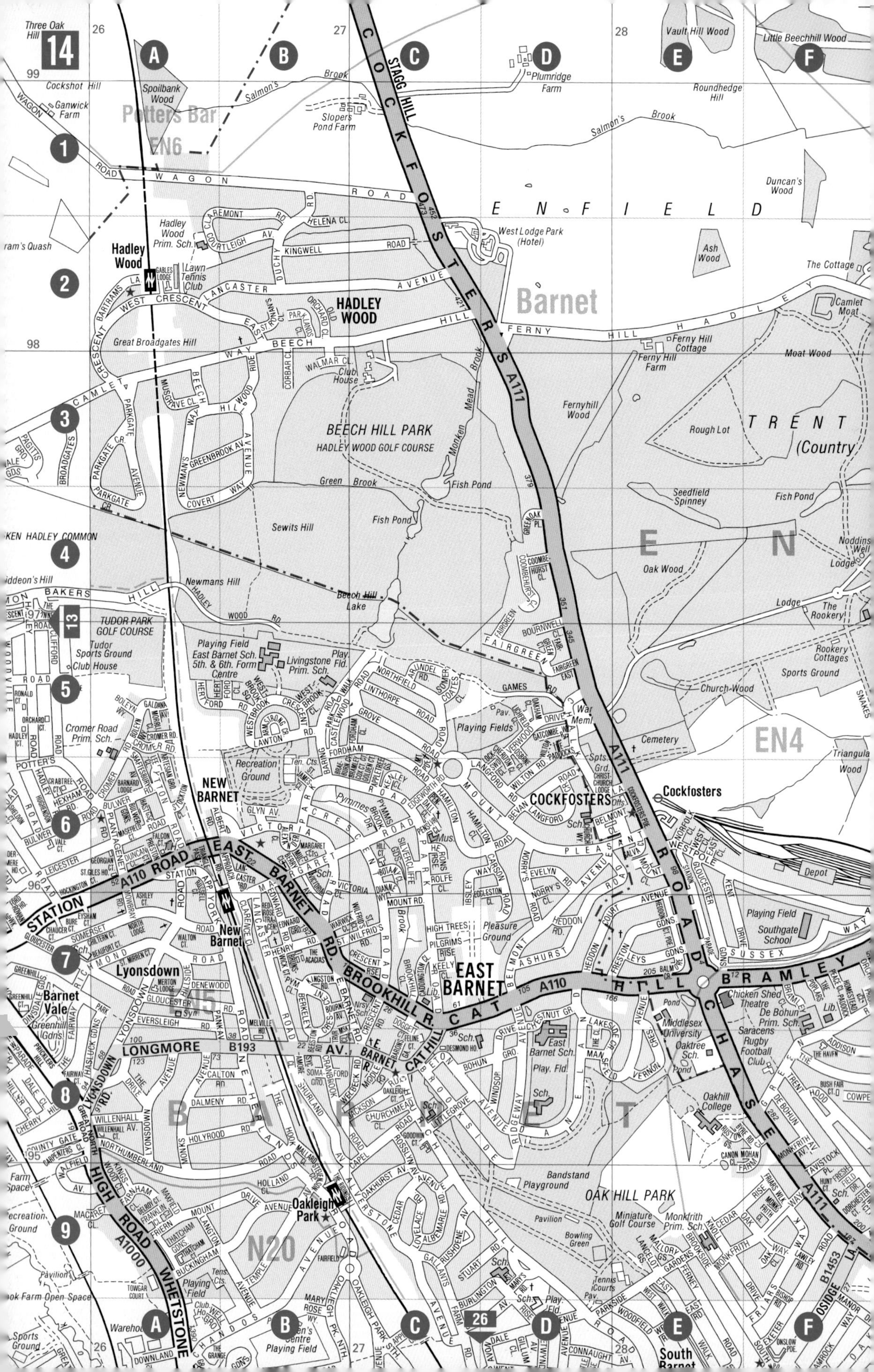

Three Oak Hill
Cockshot Hill
Ganwick Farm
Spoilbank Wood
Potters Bar
EN6
Salmon's Brook
Slopers Pond Farm
Plumridge Farm
Vault Hill Wood
Little Beechhill Wood
Roundhedge Hill
Duncan's Wood
WAGON ROAD
STAGG HILL
COCKFOSTERS ROAD
ENFIELD
West Lodge Park (Hotel)
Ash Wood
The Cottage
Camlet Moat
Moat Wood
HADLEY ROAD
FERNY HILL
Ferny Hill Cottage
Ferny Hill Farm
Barnet
Hadley Wood
Hadley Wood Prim. Sch.
Lawn Tennis Club
HADLEY WOOD
LANCASTER AVENUE
KINGWELL ROAD
COURTLEIGH AV.
CLAREMONT RD.
HELENA CL.
WEST CRESCENT
BEECH HILL
Great Broadgates Hill
CAMLET WAY
Club House
BEECH HILL PARK
HADLEY WOOD GOLF COURSE
Monken Mead Brook
Fernyhill Wood
Rough Lot
TRENT (Country
Green Brook
Fish Pond
Seedfield Spinney
Sewits Hill
Oak Wood
Noddins Well
Lodge
MONKEN HADLEY COMMON
Newmans Hill
Beech Hill Lake
BAKERS HILL
HADLEY WOOD RD
The Rookery
TUDOR PARK GOLF COURSE
Tudor Sports Ground
Club House
Playing Field
East Barnet Sch. 5th. & 6th. Form Centre
Livingstone Prim. Sch.
Play. Fld.
Rookery Cottages
Sports Ground
Church Wood
FAIRGREEN
GAMES RD
Playing Fields
War Meml
Cemetery
EN4
Triangular Wood
Cromer Road Prim. Sch.
Recreation Ground
NEW BARNET
COCKFOSTERS
Cockfosters
Depot
Playing Field
Southgate School
Pleasure Ground
EAST BARNET
EAST BARNET RD.
STATION ROAD
A110
New Barnet
Lyonsdown
Barnet Vale
Greenhill Gdns
EN5
BROOKHILL R.
CAT HILL
BRAMLEY ROAD
SUSSEX WAY
Chicken Shed Theatre
De Bohun Prim. Sch.
Saracens Rugby Football Club
Middlesex University
Oaktree Sch.
East Barnet Sch.
LONGMORE AV.
B193
BARNET
Oakhill College
Bandstand
Playground
OAK HILL PARK
Miniature Golf Course
Monkfrith Prim. Sch.
Pavilion
Bowling Green
Oakleigh Park
N20
HIGH ROAD
A1000
WHETSTONE
Farm Space
Recreation Ground
Pavilion
Playing Field
Tennis Courts
Oak Farm Open Space
Sports Ground
Queen's Centre Playing Field
South Barnet
CHASE SIDE
A111
OSIDGE LA.
B1453
13
26

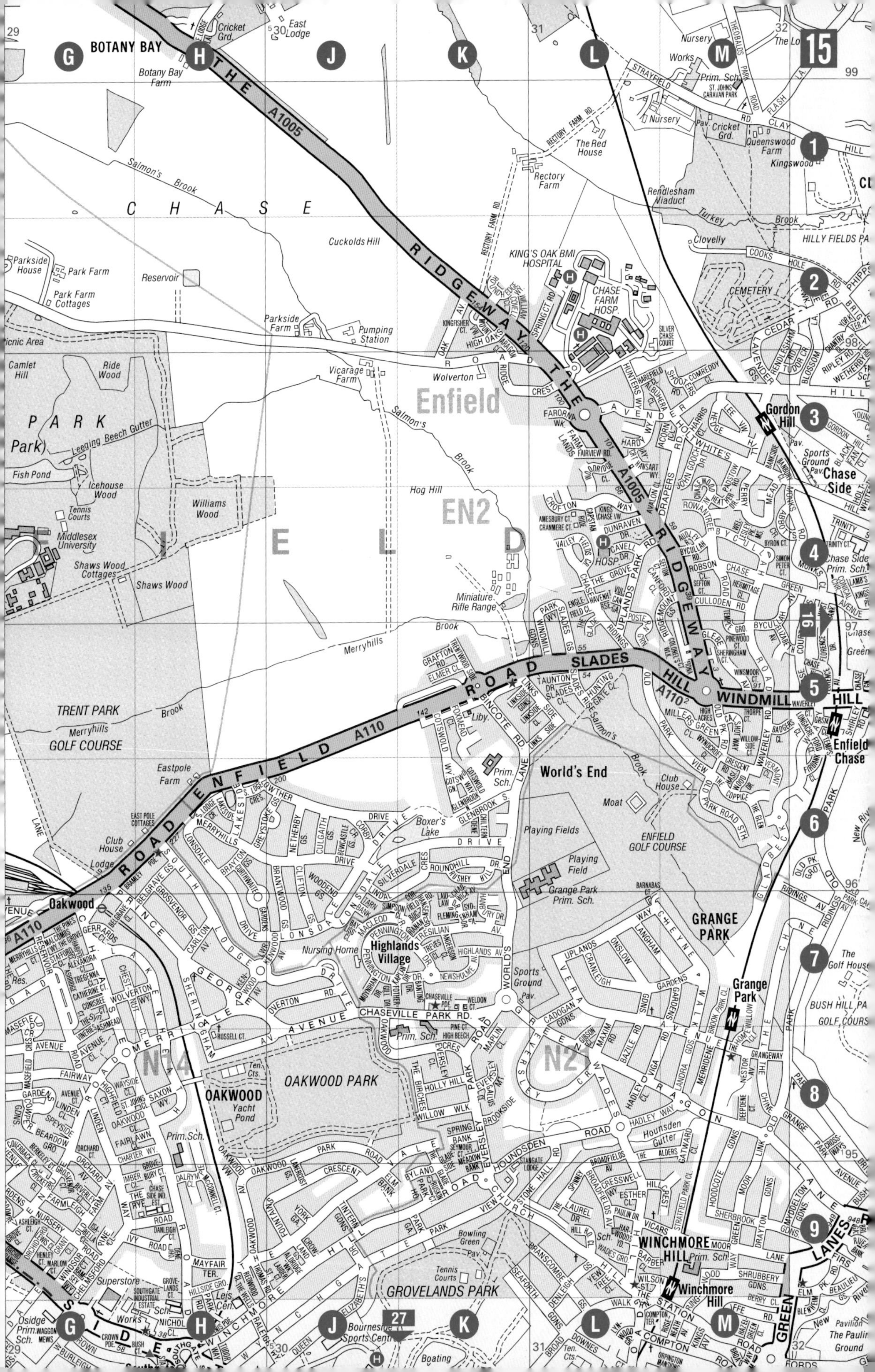

BOTANY BAY
Botany Bay Farm
Cricket Grd.
East Lodge
THE RIDGEWAY A1005
Salmon's Brook
CHASE
Cuckolds Hill
Parkside House
Park Farm
Park Farm Cottages
Reservoir
Parkside Farm
Pumping Station
Vicarage Farm
Picnic Area
Camlet Hill
Ride Wood
PARK
Leeging Beech Gutter
Fish Pond
Icehouse Wood
Tennis Courts
Middlesex University
Shaws Wood Cottages
Shaws Wood
Williams Wood
ENFIELD
Enfield
EN2
Hog Hill
Miniature Rifle Range
Merryhills Brook
TRENT PARK
Merryhills GOLF COURSE
Eastpole Farm
ENFIELD ROAD A110
Club House
Lodge
Oakwood
Nursery
Works
Prim. Sch.
ST. JOHNS CARAVAN PARK
STRAYFIELD RD.
THEOBALDS PARK ROAD
FLASH LA.
CLAY HILL
Cricket Grd.
Queenswood Farm
Kingswood
RECTORY FARM RD.
The Red House
Rectory Farm
Rendlesham Viaduct
Turkey Brook
HILLY FIELDS PARK
Clovelly
COOKS HOLE RD.
CEMETERY
KING'S OAK BMI HOSPITAL
CHASE FARM HOSP.
HIGH OAKS
Wolverton
CREST
LAVENDER
Gordon Hill
Sports Ground
Chase Side
BYCULLAH RD.
Chase Side Prim. Sch.
DUNRAVEN DR.
CAVELL DR.
HOSP.
SLADES HILL
WINDMILL HILL
A110
Enfield Chase
World's End
Club House
Moat
Playing Fields
ENFIELD GOLF COURSE
Playing Field
Grange Park Prim. Sch.
GRANGE PARK
Grange Park
The Golf House
BUSH HILL PARK GOLF COURSE
Boxer's Lake
Highlands Village
Nursing Home
CHASEVILLE PARK RD.
Prim. Sch.
Sports Ground
OAKWOOD PARK
OAKWOOD
Yacht Pond
Prim.Sch.
Superstore
SOUTHGATE INDUSTRIAL ESTATE
N14
N21
GROVELANDS PARK
Tennis Courts
Bowling Green
WINCHMORE HILL
Winchmore Hill
Bournside Sports Centre
Boating
Osidge Prim. Sch.
Hounsden Gutter
The Pavilion
27
16

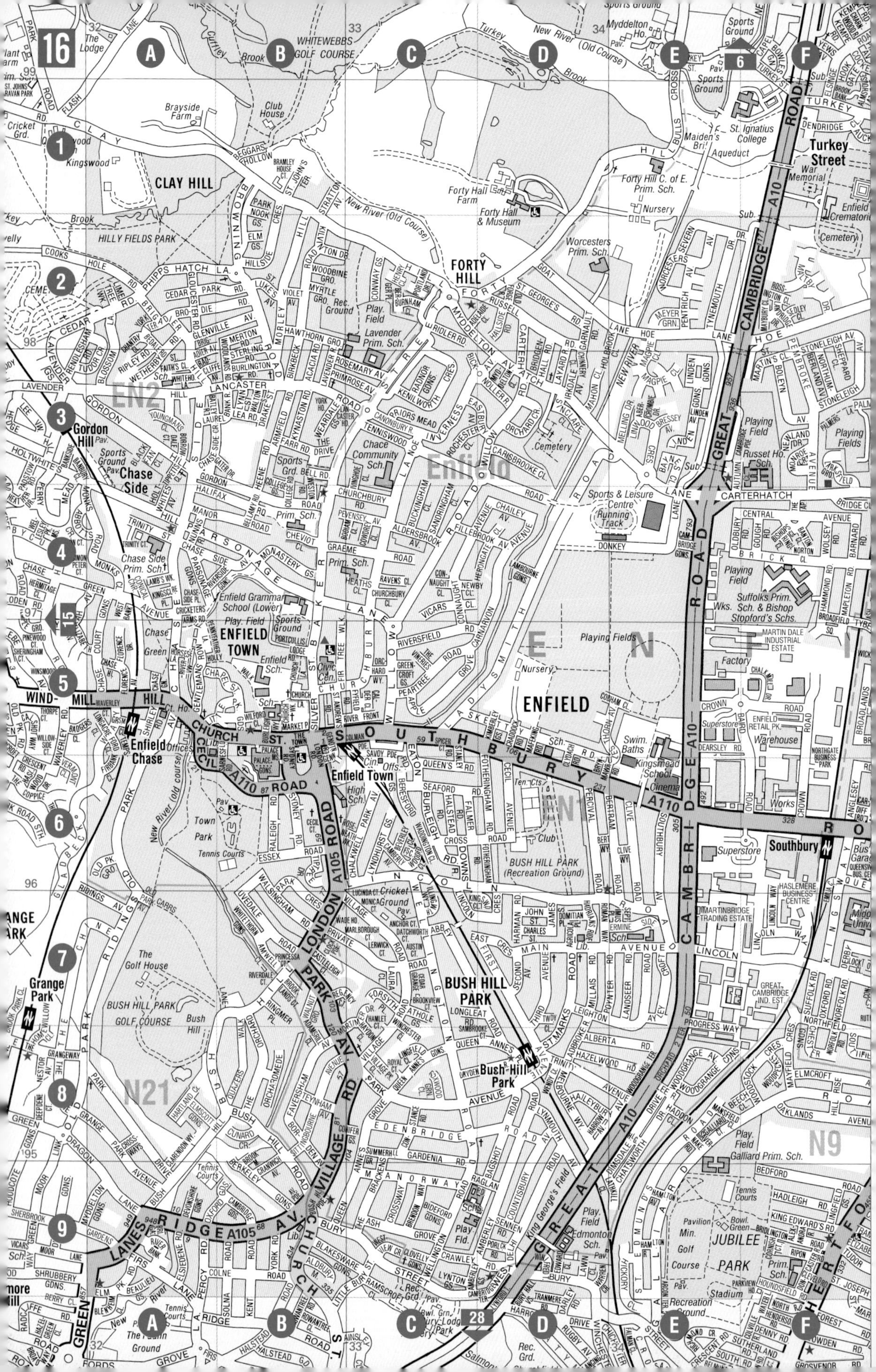
16
A
B
C
D
E
F
1
2
3
4
5
6
7
8
9
15
6
28
32
33
34
99
98
97
96
95
WHITEWEBBS GOLF COURSE
Turkey Brook
New River (Old Course)
Myddelton Ho.
Sports Ground
Brayside Farm
Club House
CLAY HILL
Kingswood
HILLY FIELDS PARK
Cuffley Brook
BEGGARS HOLLOW
Forty Hall Farm
Forty Hall & Museum
FORTY HILL
Forty Hill C. of E. Prim. Sch.
Worcesters Prim. Sch.
St. Ignatius College
Maiden's Bri.
Aqueduct
Turkey Street
War Memorial
Enfield Crematorium
Cemetery
EN2
Gordon Hill
Chase Side
Chase Side Prim. Sch.
Lavender Prim. Sch.
Chace Community Sch.
Enfield
Sports & Leisure Centre
Running Track
Enfield Grammar School (Lower)
ENFIELD TOWN
Chase Green
WIND-MILL HILL
Enfield Chase
CHURCH ST.
SOUTHBURY RD.
A110
Enfield Town
Civic Cen.
Playing Fields
ENFIELD
Swim. Baths
Kingsmead School
Cinema
Suffolks Prim. Sch. & Bishop Stopford's Schs.
MARTIN DALE INDUSTRIAL ESTATE
ENFIELD RETAIL PK.
Superstore
Southbury
CAMBRIDGE ROAD
A10
GREAT CAMBRIDGE ROAD
Town Park
Tennis Courts
New River (old course)
EN1
BUSH HILL PARK (Recreation Ground)
Club
MARTINBRIDGE TRADING ESTATE
HASLEMERE BUSINESS CENTRE
GREAT CAMBRIDGE IND. EST.
LONDON ROAD
A105
Grange Park
The Golf House
BUSH HILL PARK GOLF COURSE
Bush Hill
N21
BUSH HILL PARK
Bush Hill Park
King George's Field
Edmonton Sch.
Play. Field
Galliard Prim. Sch.
N9
JUBILEE PARK
Min. Golf Course
Pavilion
Stadium
Recreation Ground
VILLAGE RD
RIDGE AV.
CHURCH ST.
The Paulin Ground
GREEN LANES
Salmons Brook

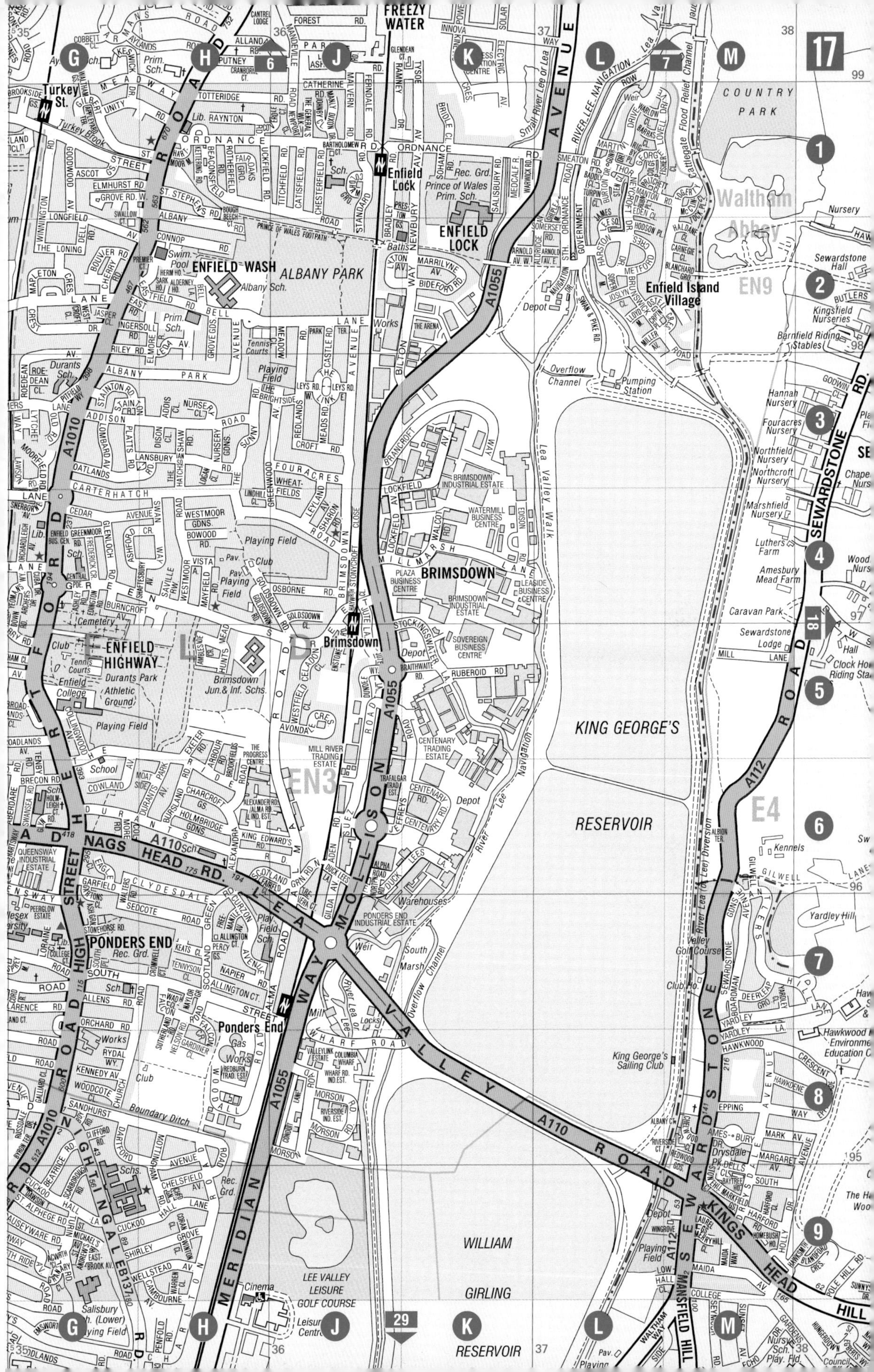
FREEZY WATER
Turkey St.
Enfield Lock
ENFIELD LOCK
ENFIELD WASH
ALBANY PARK
Prince of Wales Prim. Sch.
COUNTRY PARK
Waltham Abbey
Enfield Island Village
EN9
Sewardstone Hall
Kingsfield Nurseries
Barnfield Riding Stables
Pumping Station
Overflow Channel
Hannah Nursery
Fouracres Nursery
Northfield Nursery
Northcroft Nursery
Marshfield Nursery
Luthers Farm
Amesbury Mead Farm
Caravan Park
Sewardstone Lodge
SEWARDSTONE RD.
BRIMSDOWN
Brimsdown
BRIMSDOWN INDUSTRIAL ESTATE
WATERMILL BUSINESS CENTRE
PLAZA BUSINESS CENTRE
LEASIDE BUSINESS CENTRE
SOVEREIGN BUSINESS CENTRE
CENTENARY TRADING ESTATE
MILL RIVER TRADING ESTATE
Lea Valley Walk
KING GEORGE'S RESERVOIR
ENFIELD HIGHWAY
Durants Park Athletic Ground
Enfield College
Brimsdown Jun.& Inf. Schs.
EN3
E4
A1010
A1055
A110
A112
MOLLISON AVENUE
MERIDIAN WAY
LEA VALLEY ROAD
NAGS HEAD RD.
HERTFORD ROAD
HIGH STREET
PONDERS END
Ponders End
PONDERS END INDUSTRIAL ESTATE
QUEENSWAY INDUSTRIAL ESTATE
Warehouses
South Marsh
King George's Sailing Club
Valley Golf Course
Kennels
Gilwell Lane
Yardley Hill
Hawkwood Environmental Education Centre
SEWARDSTONE
KINGS HEAD HILL
MANSFIELD HILL
WILLIAM GIRLING RESERVOIR
LEE VALLEY LEISURE GOLF COURSE
Cinema
NIGHTINGALE RD.
Boundary Ditch
Salisbury Sch. (Lower)
G H J K L M
1 2 3 4 5 6 7 8 9
6 7 18 29
35 36 37 38
95 96 97 98 99

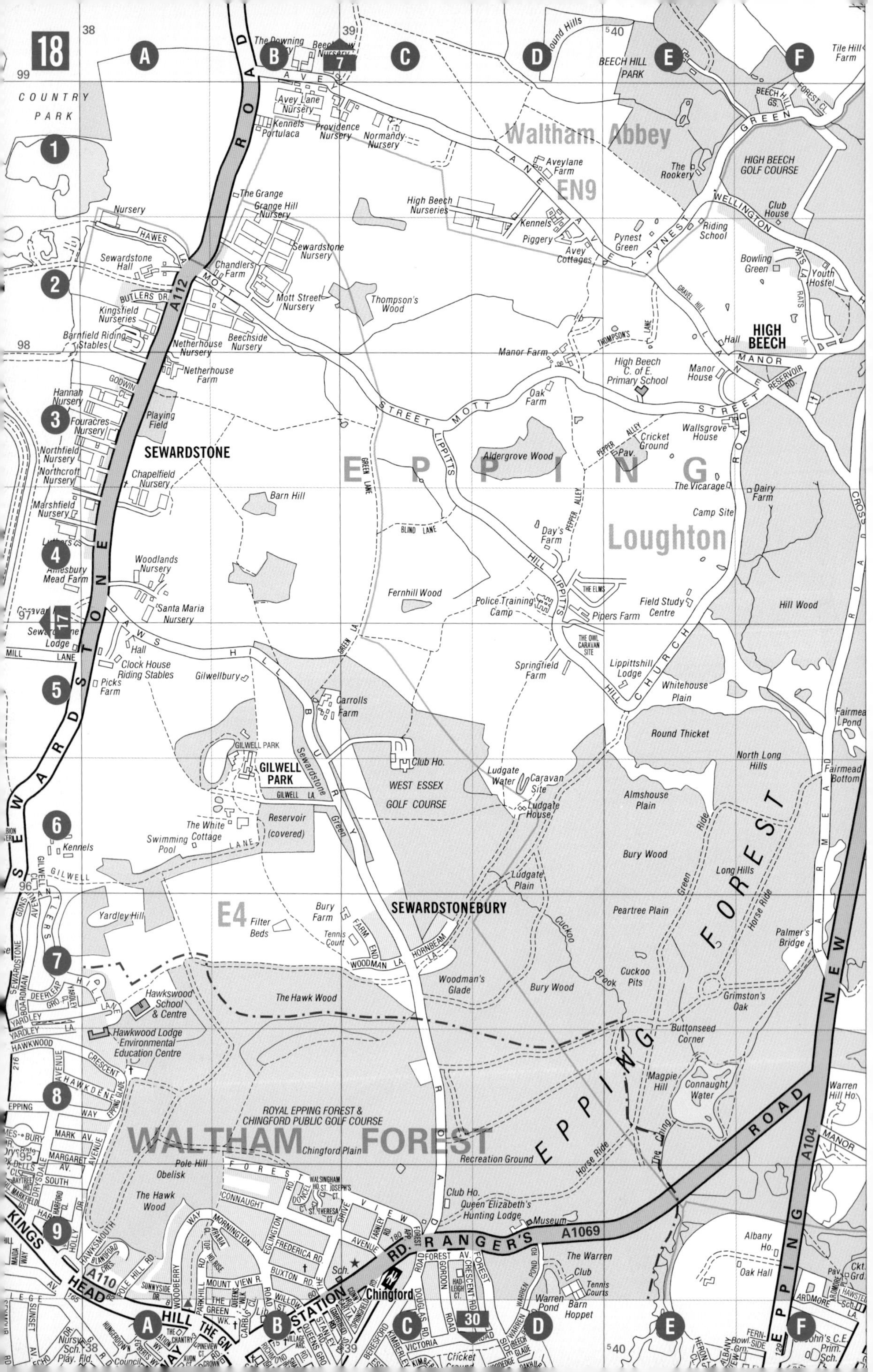
Waltham Abbey
EN9
E P P I N G
Loughton
SEWARDSTONE
SEWARDSTONEBURY
GILWELL PARK
HIGH BEECH
E4
WALTHAM FOREST
EPPING FOREST
SEWARDSTONE ROAD
A112
MOTT STREET
AVEY LANE
MANOR ROAD
DAWS HILL
BURY ROAD
RANGER'S RD.
A1069
EPPING NEW ROAD
A104
KINGS HEAD HILL
A110
STATION RD.
Chingford
High Beech C. of E. Primary School
WEST ESSEX GOLF COURSE
ROYAL EPPING FOREST & CHINGFORD PUBLIC GOLF COURSE
HIGH BEECH GOLF COURSE
Queen Elizabeth's Hunting Lodge
Hawkswood School & Centre
Hawkwood Lodge Environmental Education Centre
Police Training Camp
Field Study Centre
Aldergrove Wood
Fernhill Wood
Hill Wood
Bury Wood
The Hawk Wood
Connaught Water
Chingford Plain
Pole Hill Obelisk
Recreation Ground
Reservoir (covered)
Filter Beds
Yardley Hill
Barn Hill
Thompson's Wood
COUNTRY PARK
Beech Hill Park
Tile Hill Farm
Round Thicket
North Long Hills
Fairmead Bottom
Almshouse Plain
Peartree Plain
Long Hills
Palmer's Bridge
Grimston's Oak
Buttonseed Corner
Magpie Hill
Cuckoo Pits
Ludgate Plain
Woodman's Glade
Warren Hill Ho.
Albany Ho.
Oak Hall
The Warren Club
Warren Pond
Barn Hoppet
Whitehouse Plain
Fairmead Pond
17
7
30

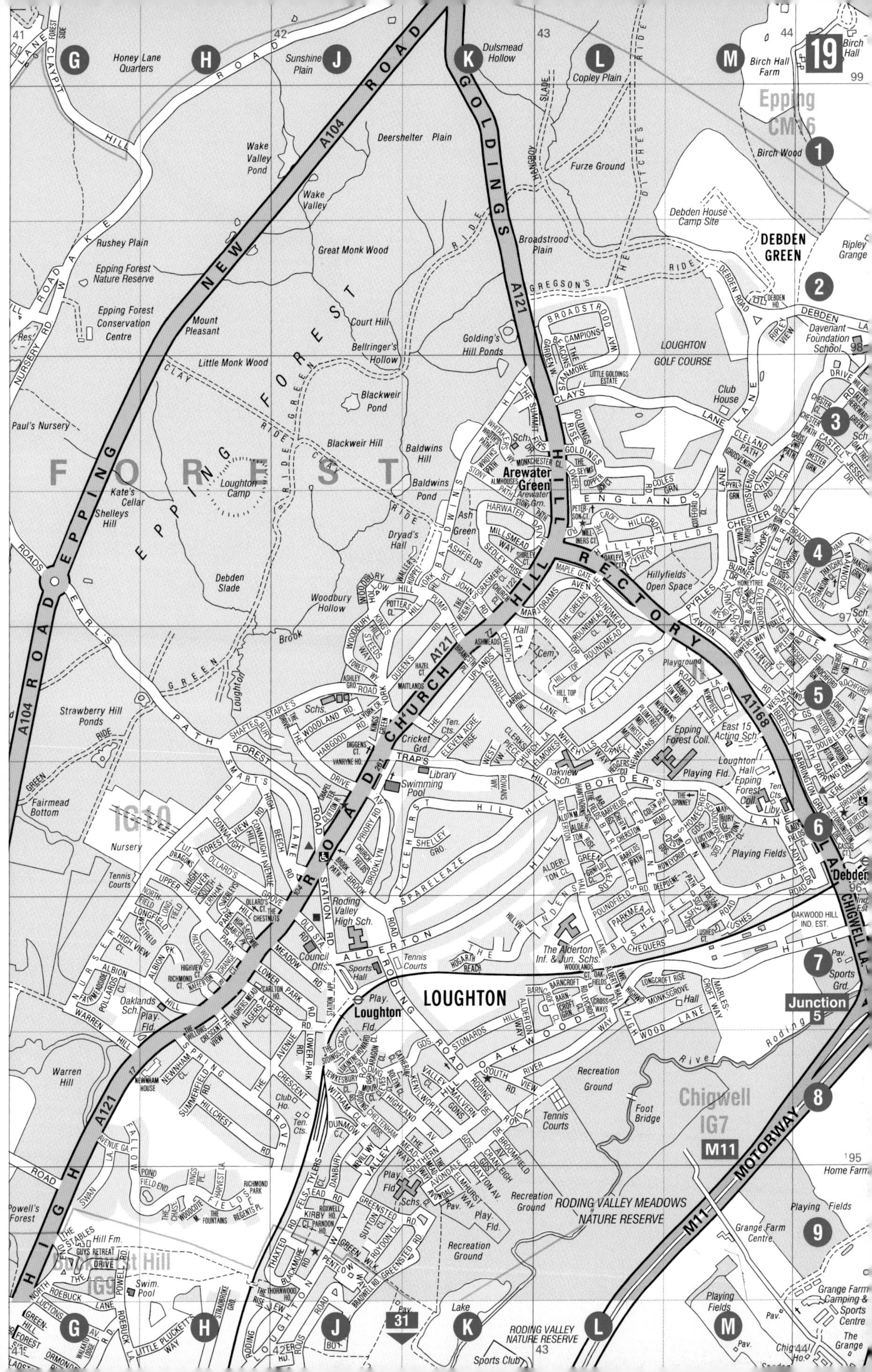

19
G
H
J
K
L
M
41
42
43
44
99
98
97
96
95
1
2
3
4
5
6
7
8
9
Honey Lane Quarters
Sunshine Plain
Dulsmead Hollow
Copley Plain
Birch Hall Farm
Birch Hall
Epping CM16
Birch Wood
Deershelter Plain
Wake Valley Pond
Wake Valley
Furze Ground
Debden House Camp Site
DEBDEN GREEN
Ripley Grange
Rushey Plain
Great Monk Wood
Broadstrood Plain
Epping Forest Nature Reserve
Epping Forest Conservation Centre
Mount Pleasant
Court Hill
Golding's Hill Ponds
LOUGHTON GOLF COURSE
Davenant Foundation School
Little Monk Wood
Bellringer's Hollow
Blackweir Pond
Club House
Paul's Nursery
Blackweir Hill
Baldwins Hill
Baldwins Pond
Arewater Green
FOREST
EPPING FOREST
Loughton Camp
Kate's Cellar
Shelleys Hill
Ash Green
Dryad's Hall
Debden Slade
Woodbury Hollow
Hillyfields Open Space
Brook
Strawberry Hill Ponds
Fairmead Bottom
IG10
Nursery
Tennis Courts
Cricket Grd.
Library
Swimming Pool
Epping Forest Coll.
East 15 Acting Sch.
Playing Fld.
Oakview Sch.
Loughton Hall
Playing Fields
Roding Valley High Sch.
Council Offs.
Sports Hall
The Alderton Inf. & Jun. Schs.
LOUGHTON
Oaklands Sch.
Play. Fld.
Loughton
Warren Hill
Recreation Ground
Foot Bridge
Chigwell IG7
M11
Junction 5
OAKWOOD HILL IND. EST.
Sports Grd.
River Roding
Tennis Courts
Home Farm
Playing Fields
RODING VALLEY MEADOWS NATURE RESERVE
Grange Farm Centre
Recreation Ground
Powell's Forest
Hill Fm.
Buckhurst Hill
IG9
Swim. Pool
Lake
RODING VALLEY NATURE RESERVE
Sports Club
Grange Farm Camping & Sports Centre
The Grange
Chigwell Ho.
31
EPPING NEW ROAD
A104
GOLDINGS HILL
A121
RECTORY HILL
A1168
CHURCH HILL
HIGH ROAD
EPPING ROAD
M11 MOTORWAY
CHIGWELL LA.
ALDERTON HILL
BORDERS LANE
TRAP'S HILL
DEBDEN ROAD
CLAY'S LANE
ENGLANDS LANE
PYRLES LANE
OAKWOOD HILL
CHEQUERS
FOREST ROAD
SMART'S LANE
NURSERY RD.
EARL'S PATH
WARREN HILL
BROADSTROOD
CAMPIONS
STANMORE
LITTLE GOLDINGS ESTATE
WELLFIELDS
ROUNDMEAD AV.
SPARELEAZE HILL
STATION RD.
THE AVENUE
THE CRESCENT
VALLEY HILL
HIGHLAND AV.
KENILWORTH
BROOKLYN
TYCEHURST HILL
SHELLEY GRO.
HIGH BEECH RD.
CONNAUGHT AVENUE
FOREST VIEW
ALBION HILL
LOWER PARK RD.
SPRING GROVE
NEWNHAM CL.
SUMMERFIELD RD.
HILLCREST RD.
ROEBUCK LANE
LITTLE PLUCKETT'S WAY

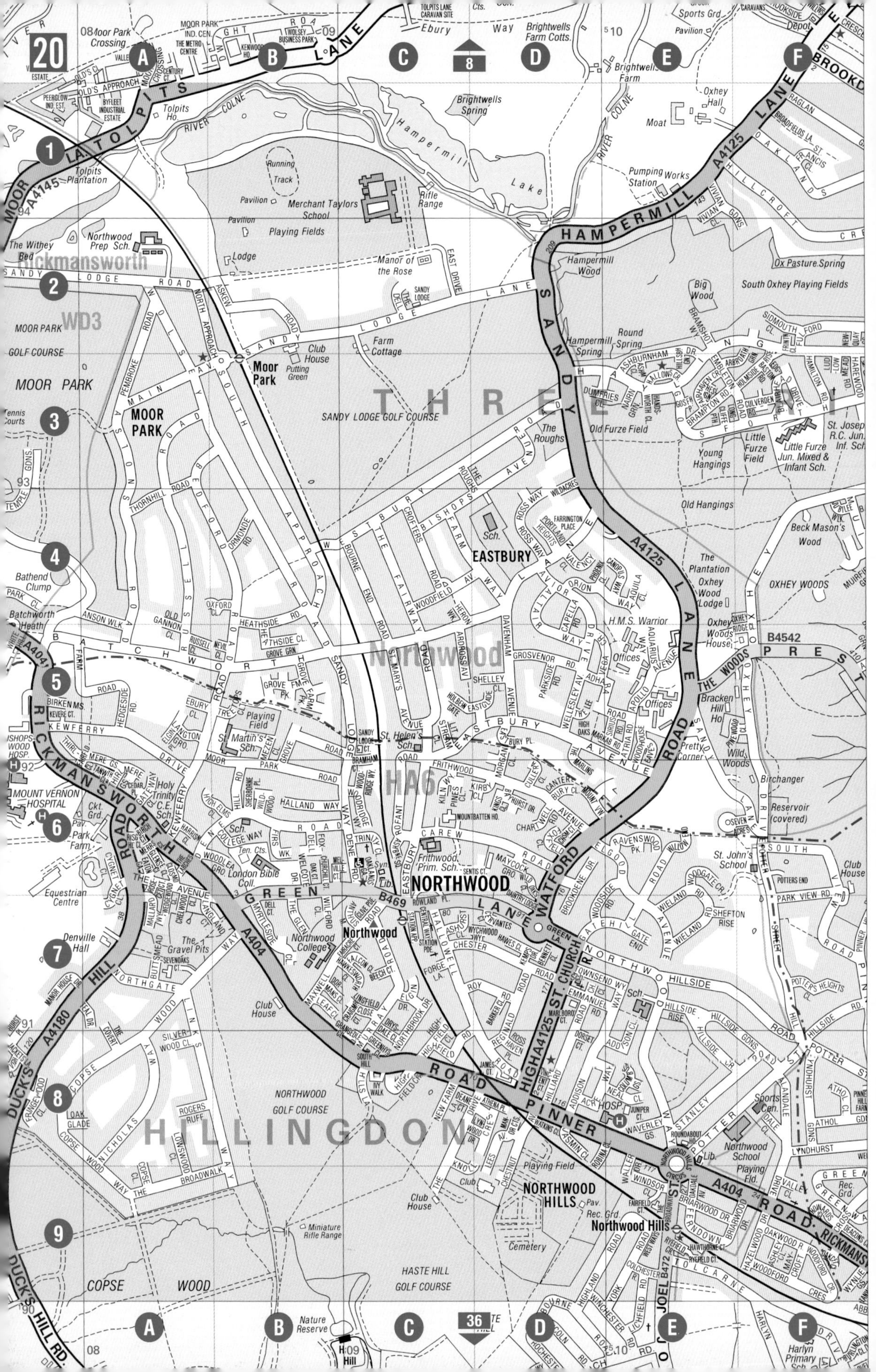

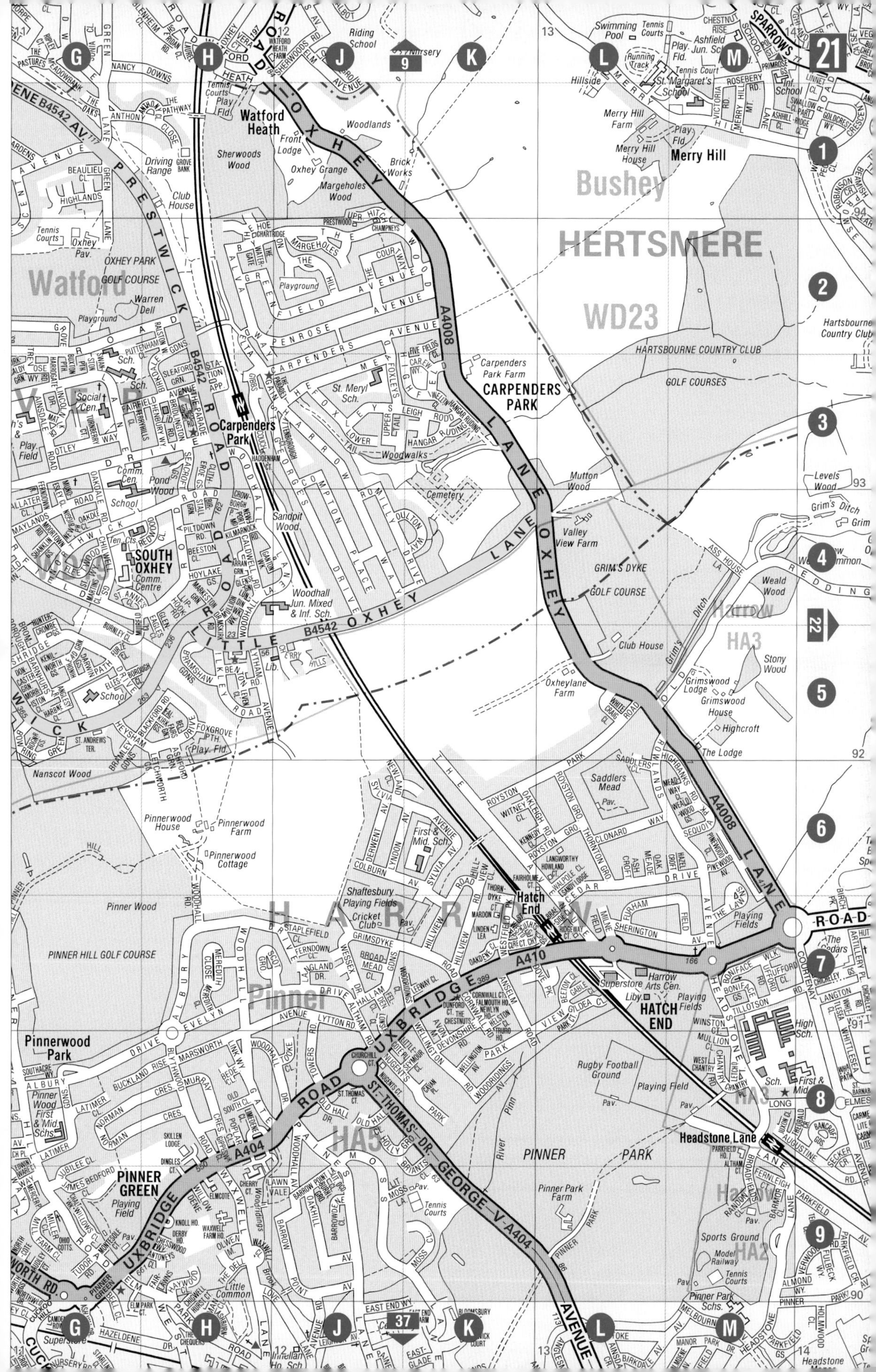
21
G
H
J
K
L
M
1
2
3
4
5
6
7
8
9
9
22
37
Watford Heath
Riding School
Nursery
Swimming Pool
Tennis Courts
Running Track
Play. Fld.
Ashfield Jun. Sch.
St. Margaret's School
Hillside
Merry Hill Farm
Merry Hill House
Merry Hill
Bushey
HERTSMERE
WD23
Hartsbourne Country Club
HARTSBOURNE COUNTRY CLUB
GOLF COURSES
Sherwoods Wood
Woodlands
Front Lodge
Oxhey Grange
Brick Works
Margeholes Wood
Driving Range
Club House
Watford
OXHEY PARK
GOLF COURSE
Warren Dell
Playground
Tennis Courts
Oxhey Pav.
PRESTWICK ROAD
B4542
A4008
OXHEY LANE
Carpenders Park Farm
CARPENDERS PARK
Carpenders Park
CARPENDERS AVENUE
PENROSE AVENUE
St. Meryl Sch.
Woodwalks
Cemetery
Mutton Wood
Levels Wood
Grim's Ditch
Valley View Farm
GRIM'S DYKE
GOLF COURSE
Weald Wood
Harrow
HA3
Stony Wood
Club House
Oxheylane Farm
Grimswood Lodge
Grimswood House
Highcroft
The Lodge
Sandpit Wood
SOUTH OXHEY
Comm. Centre
Woodhall Jun. Mixed & Inf. Sch.
LITTLE OXHEY LANE
School
Pond Wood
Social Cen.
Play. Field
Nanscot Wood
Play. Fld.
Pinnerwood House
Pinnerwood Farm
Pinnerwood Cottage
Pinner Wood
PINNER HILL GOLF COURSE
Saddlers Mead
First & Mid. Sch.
Shaftesbury Playing Fields
Cricket Club
HARROW
Hatch End
Playing Fields
A410
UXBRIDGE ROAD
Superstore
Harrow Arts Cen.
Liby.
HATCH END
Playing Fields
High Sch.
First & Mid.
Rugby Football Ground
Playing Field
Pinner
Pinnerwood Park
Pinner Wood First & Mid. Schs.
PINNER GREEN
Playing Field
A404
HA5
River Pinn
PINNER
PARK
Pinner Park Farm
Headstone Lane
Sports Ground
Model Railway
Tennis Courts
HA2
Pinner Park Schs.
Tennis Courts
ST. THOMAS' DR.
GEORGE V AVENUE
Little Common
Superstore
The Cedars
HEADSTONE LANE
93
92
91
90
12
13
14

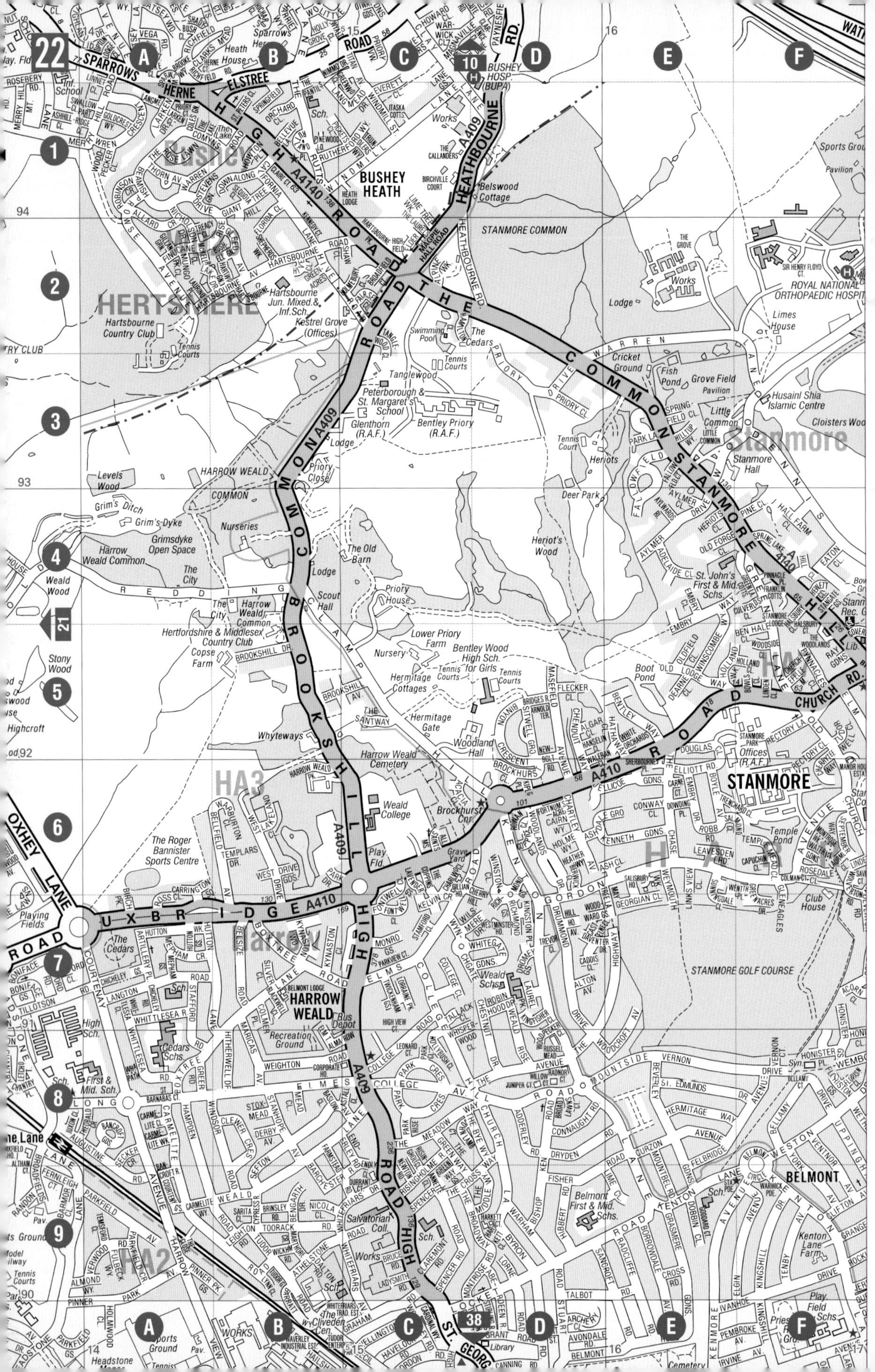

22
SPARROWS
HERNE
ELSTREE
BUSHEY HEATH
Bushey
HEATHBOURNE
A409
A4140
HIGH ROAD
BUSHEY HOSP. (BUPA)
10
Belswood Cottage
STANMORE COMMON
HERTSMERE
Hartsbourne Country Club
Hartsbourne Jun. Mixed & Inf.Sch.
Kestrel Grove (Offices)
THE COMMON
ROYAL NATIONAL ORTHOPAEDIC HOSPITAL
Limes House
Cricket Ground
Fish Pond
Grove Field
Pavilion
Husaini Shia Islamic Centre
Cloisters Wood
Little Common
Stanmore
Stanmore Hall
Peterborough & St. Margaret's School
Glenthorn (R.A.F.)
Bentley Priory (R.A.F.)
Tanglewood
Swimming Pool
The Cedars
HARROW WEALD COMMON
Levels Wood
Grim's Ditch
Grim's Dyke
Grimsdyke Open Space
Harrow Weald Common
Nurseries
Weald Wood
The City
REDDING
21
Stony Wood
Highcroft
The Old Barn
Lodge
Scout Hall
Priory House
Lower Priory Farm
Nursery
Bentley Wood High Sch. for Girls
Hermitage Cottages
Hermitage Gate
Woodland Hall
Deer Park
Heriot's Wood
Heriots
STANMORE HILL
A4140
St. John's First & Mid. Schs.
Boot Pond
CHURCH RD.
Hertfordshire & Middlesex Country Club
Copse Farm
BROOKSHILL
Whyteways
Harrow Weald Cemetery
HA3
Weald College
Brockhurst Cnr.
Play Fld.
A410
STANMORE
Offices (R.A.F.)
Temple Pond
Club House
STANMORE GOLF COURSE
OXHEY LANE
The Roger Bannister Sports Centre
Playing Fields
UXBRIDGE ROAD
The Cedars
Harrow
HARROW WEALD
Recreation Ground
Bus Depot
High Sch.
Cedars Schs.
First & Mid. Sch.
Weald Schs.
Belmont First & Mid. Schs.
BELMONT
Kenton Lane Farm
Salvatorian Coll.
Works
HA2
Sports Ground
WORKS
The Clivedon Cen.
38
Library
Play Field
ST. GEORGE
Headstone
KENTON
A
B
C
D
E
F
1
2
3
4
5
6
7
8
9

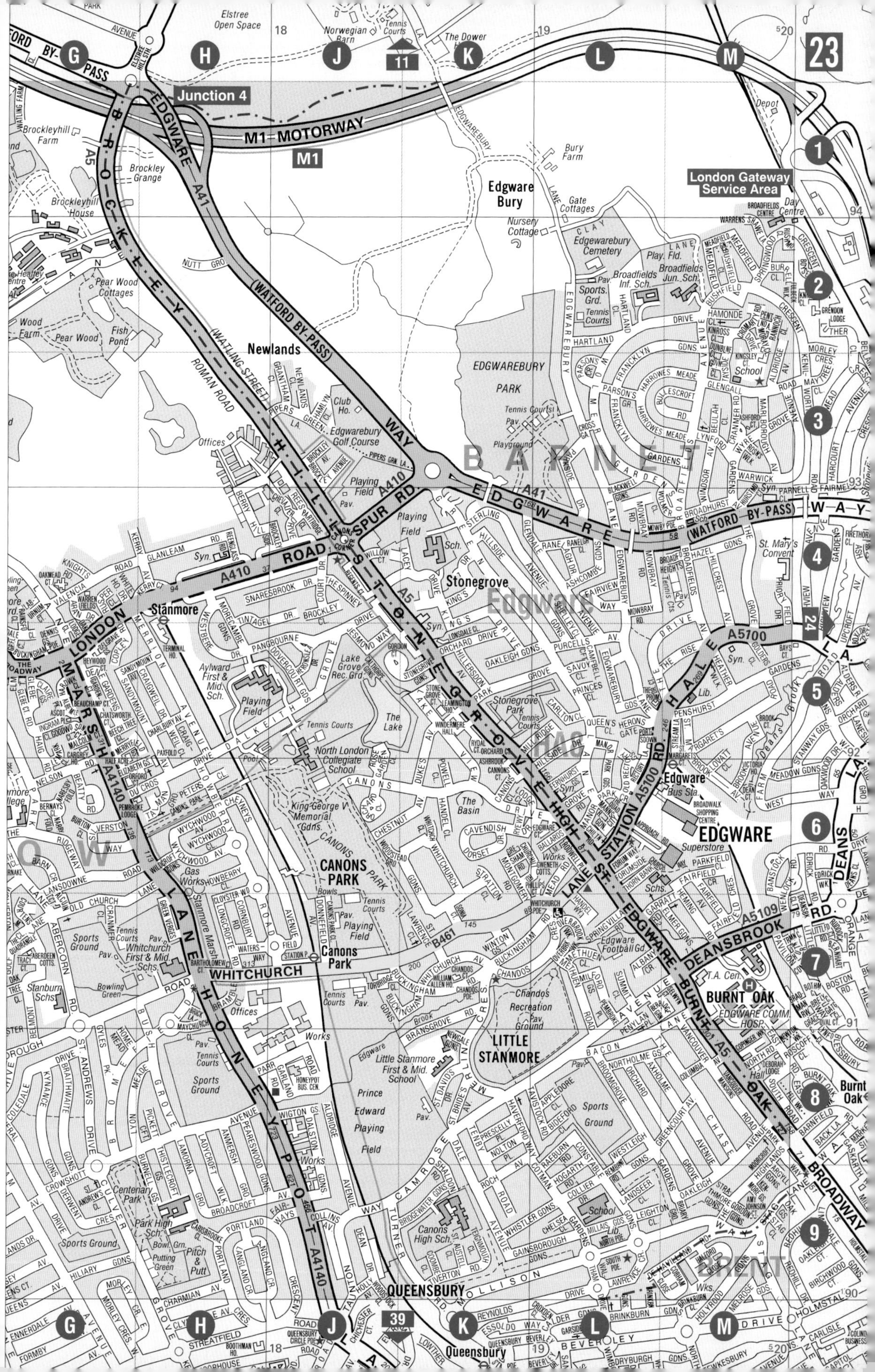23
G
H
J
K
L
M
1
2
3
4
5
6
7
8
9
Junction 4
M1 MOTORWAY
M1
11
24
39
Elstree Open Space
Norwegian Barn
The Dower House
London Gateway Service Area
Edgware Bury
Bury Farm
Brockleyhill Farm
Brockley Grange
Brockleyhill House
Pear Wood Cottages
Wood Farm
Pear Wood
Fish Pond
Newlands
EDGWAREBURY PARK
Edgwarebury Cemetery
Edgwarebury Golf Course
BROCKLEY HILL
(WATLING STREET)
ROMAN ROAD
(WATFORD BY-PASS)
WATFORD BY-PASS
EDGWARE WAY
SPUR RD.
LONDON ROAD
A410
A41
A5
A5100
A5109
A4140
B461
BARNET
Stanmore
Edgware
EDGWARE
Stonegrove
STONEGROVE
HIGH ST.
STATION RD.
HALE LA.
CANONS PARK
Canons Park
North London Collegiate School
King George V Memorial Gdns.
The Lake
The Basin
MARSH LANE
HONEYPOT LANE
WHITCHURCH LANE
DEANSBROOK RD.
BURNT OAK BROADWAY
BURNT OAK
Burnt Oak
EDGWARE COMM. HOSP.
LITTLE STANMORE
Chandos Recreation Ground
Edgware Football Gd.
Prince Edward Playing Field
Stanmore Marsh
Sports Ground
Centenary Park
Canons High Sch.
QUEENSBURY
Queensbury
BRENT
HARROW

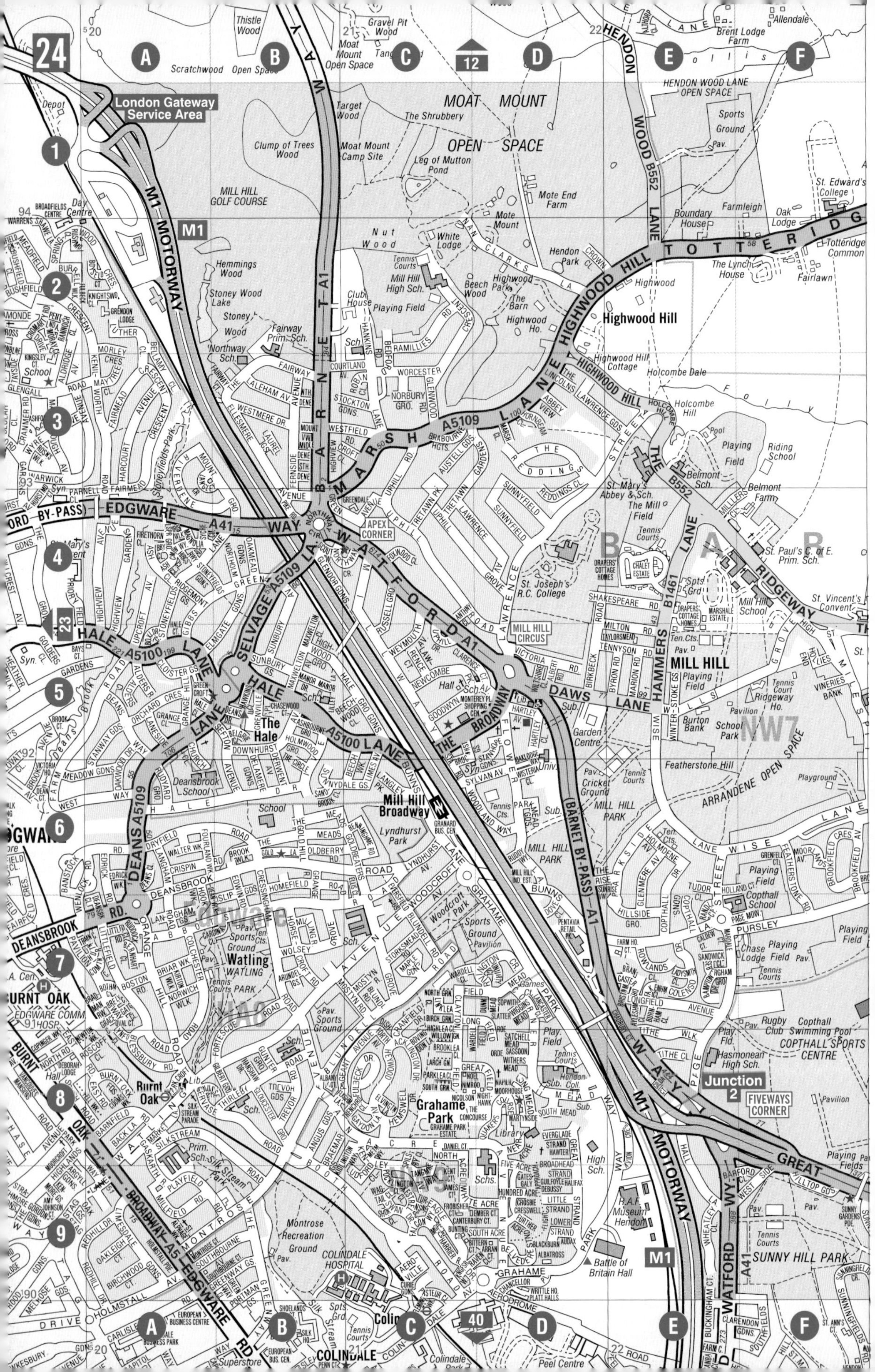
24
A
B
C
D
E
F
12
23
40
1
2
3
4
5
6
7
8
9
Thistle Wood
Gravel Pit Wood
Moat Mount Open Space
Scratchwood Open Space
Brent Lodge Farm
Allendale
HENDON WOOD LANE OPEN SPACE
London Gateway Service Area
Depot
MOAT MOUNT OPEN SPACE
Target Wood
The Shrubbery
Clump of Trees Wood
Moat Mount Camp Site
Leg of Mutton Pond
Sports Ground
St. Edward's College
MILL HILL GOLF COURSE
Mote End Farm
Mote Mount
Boundary House
Farmleigh
Oak Lodge
M1 MOTORWAY
M1
Nut Wood
White Lodge
Hendon Park
Totteridge Common
The Lynch House
Fairlawn
Hemmings Wood
Stoney Wood Lake
Stoney Wood
Mill Hill High Sch.
Playing Field
Club House
Beech Wood
Highwood Park
The Barn
Highwood Ho.
Highwood
Highwood Hill
Highwood Hill Cottage
Holcombe Dale
Holcombe Hill
Fairway Prim. Sch.
Northway Sch.
School
APEX CORNER
BARNET WAY A1
MARSH LANE A5109
HIGHWOOD HILL
TOTTERIDGE
WOOD B552 LANE
HENDON
EDGWARE WAY A41
EDGWARE BY-PASS
WATFORD WAY A1
SELVAGE LANE A5109
HALE LANE A5100
DEANS LANE A5109
THE BROADWAY
BARNET BY-PASS A1
THE RIDGEWAY
HAMMERS LANE B1461
DAWS LANE
THE REDDINGS
St. Mary's Abbey & Sch.
The Mill Field
Belmont Sch.
Belmont Farm
Riding School
St. Paul's C. of E. Prim. Sch.
St. Vincent's Convent
Mill Hill School
St. Joseph's R.C. College
MILL HILL CIRCUS
MILL HILL
NW7
Ridgeway Ho.
Burton Bank
School Park
Featherstone Hill
ARRANDENE OPEN SPACE
The Hale
Deansbrook School
Mill Hill Broadway
Lyndhurst Park
Garden Centre
Cricket Ground
MILL HILL PARK
Woodcroft Park
Sports Ground
Copthall School
Chase Lodge Field
Rugby Club
Copthall Swimming Pool
COPTHALL SPORTS CENTRE
Hasmonean High Sch.
Junction 2
FIVEWAYS CORNER
GREAT NORTH WAY
Edgware
Watling
WATLING PARK
DEANSBROOK RD.
BURNT OAK
EDGWARE COMM. HOSP.
Burnt Oak
Grahame Park
GRAHAME PARK ESTATE
THE CONCOURSE
Library
Hendon Coll.
High Sch.
R.A.F. Museum Hendon
Battle of Britain Hall
Montrose Recreation Ground
COLINDALE HOSPITAL
Silk Stream Park
BROADWAY A5 EDGWARE RD
WATFORD WY. A41
SUNNY HILL PARK
COLINDALE
Colindale
Peel Centre
EUROPEAN BUSINESS CENTRE
Superstore

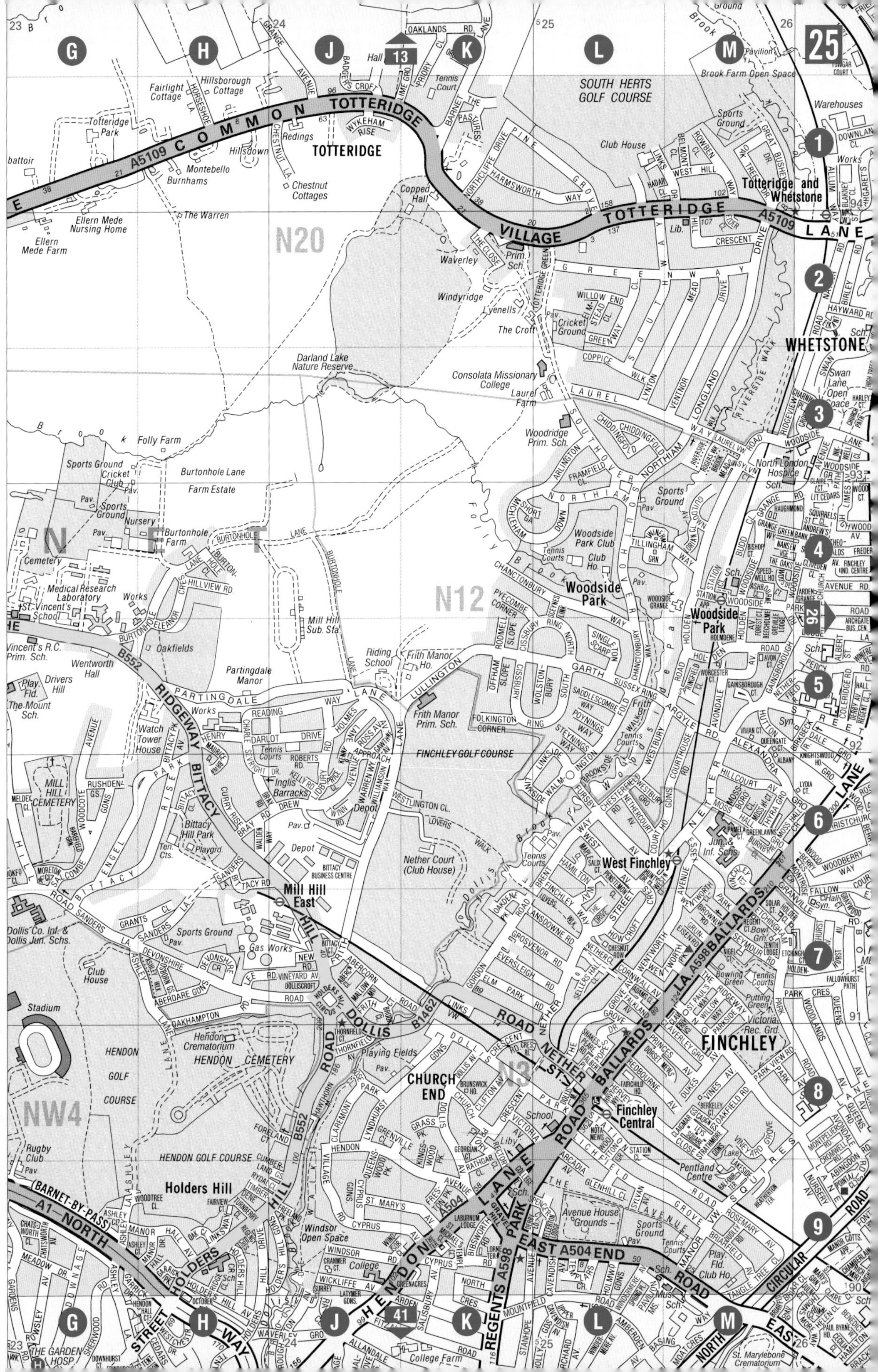

25
G
H
J
K
L
M
13
26
41
1
2
3
4
5
6
7
8
9
SOUTH HERTS GOLF COURSE
Brook Farm Open Space
Pavilion
Warehouses
Sports Ground
Club House
TOTTERIDGE COMMON
A5109
TOTTERIDGE
Totteridge and Whetstone
TOTTERIDGE VILLAGE
TOTTERIDGE LANE
Tottteridge Park
Fairlight Cottage
Hillsborough Cottage
Redings
Hillsdown
Montebello
Burnhams
Chestnut Cottages
The Warren
Ellern Mede Nursing Home
Ellern Mede Farm
WYKEHAM RISE
OAKLANDS RD.
Tennis Court
Copped Hall
N20
Waverley
Windyridge
Lyenells
The Croft
Prim. Sch.
Cricket Ground
GREENWAY
WHETSTONE
Swan Lane Open Space
Darland Lake Nature Reserve
Consolata Missionary College
Laurel Farm
LAUREL WAY
Woodridge Prim. Sch.
North London Hospice
Folly Farm
Sports Ground
Cricket Club
Burtonhole Lane Farm Estate
Nursery
Burtonhole Farm
Cemetery
Medical Research Laboratory
St. Vincent's School
Vincent's R.C. Prim. Sch.
Wentworth Hall
Oakfields
Mill Hill Sub. Sta.
N12
Woodside Park Club
Woodside Park
Sports Ground
Club Ho.
Tennis Courts
Riding School
Frith Manor Ho.
Frith Manor Prim. Sch.
Partingdale Manor
PARTINGDALE LANE
Drivers Hill
The Mount Sch.
Watch Tower House
B552
RIDGEWAY
BITTACY HILL
Inglis Barracks
Depot
FINCHLEY GOLF COURSE
Nether Court (Club House)
MILL HILL CEMETERY
Bittacy Hill Park
Playgrd.
Bittacy Business Centre
Mill Hill East
West Finchley
Dollis Co. Inf. & Dollis Jun. Schs.
Sports Ground
Gas Works
Club House
Stadium
Hendon Crematorium
HENDON CEMETERY
HENDON GOLF COURSE
NW4
Rugby Club
Holders Hill
Playing Fields
DOLLIS ROAD
B1462
NETHER ST.
CHURCH END
N3
Finchley Central
BALLARDS LA. A598
FINCHLEY
Victoria Rec. Grd.
Pentland Centre
Avenue House Grounds
Sports Ground
Windsor Open Space
College
REGENTS PARK ROAD A598
EAST END ROAD A504
HENDON LANE
A1-NORTH CIRCULAR
BARNET-BY-PASS
Play. Fld.
Club Ho.
NORTH CIRCULAR ROAD
College Farm
St. Marylebone Crematorium
THE GARDEN HOSP.

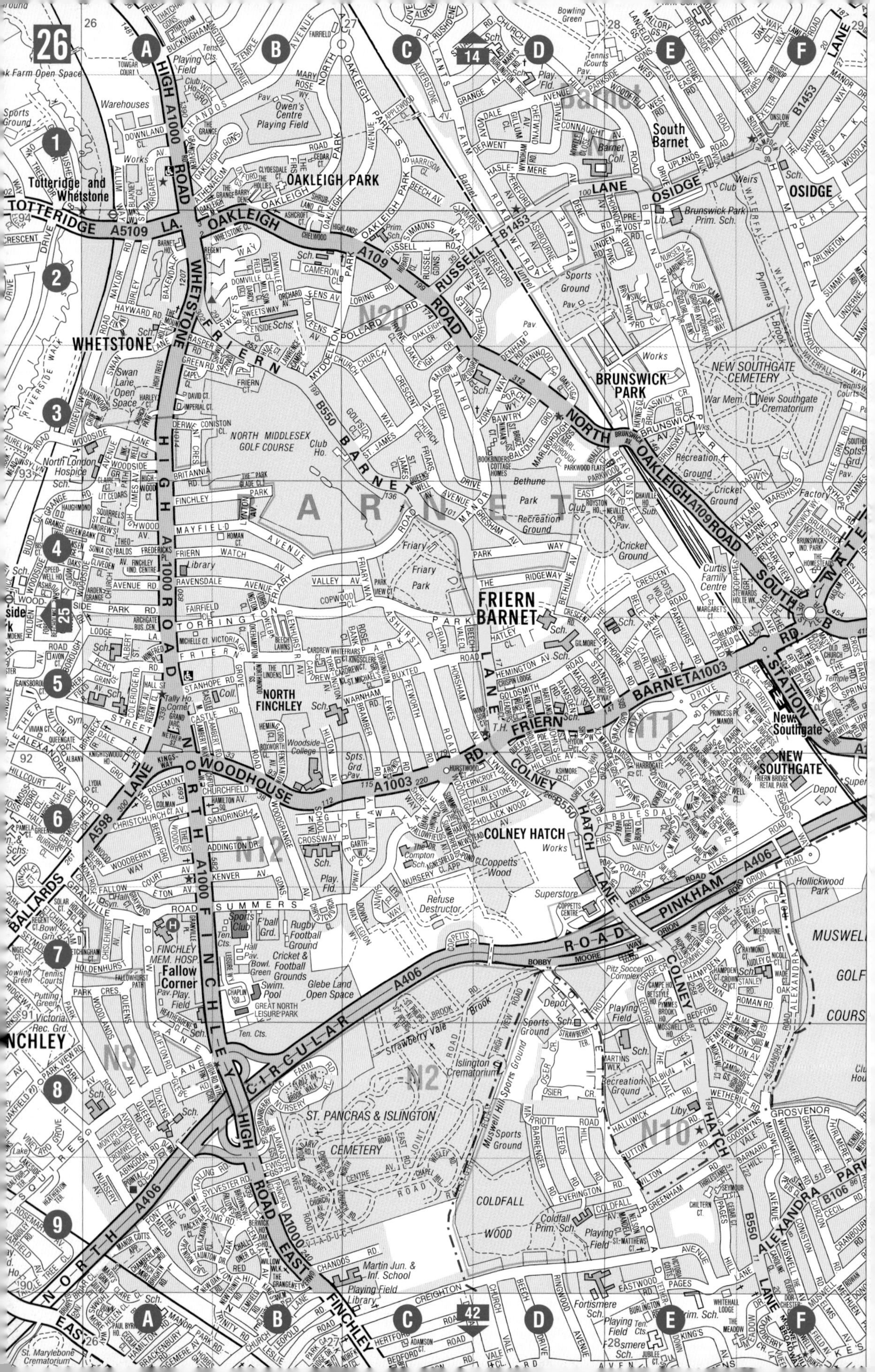

26
14
25
42
A
B
C
D
E
F
1
2
3
4
5
6
7
8
9
Totteridge and Whetstone
TOTTERIDGE LA. A5109
OAKLEIGH PARK
OAKLEIGH ROAD A109
RUSSELL LANE B1453
OSIDGE LANE
OSIDGE
South Barnet
Barnet Coll.
Brunswick Park Prim. Sch.
WHETSTONE
HIGH ROAD A1000
FRIERN BARNET ROAD B550
N20
NORTH MIDDLESEX GOLF COURSE
BARNET
BRUNSWICK PARK
NEW SOUTHGATE CEMETERY
New Southgate Crematorium
NORTH OAKLEIGH ROAD A109
Bethune Park Recreation Ground
Friary Park
FRIERN BARNET
Curtis Family Centre
NORTH FINCHLEY
Woodside College
WOODHOUSE RD. A1003
FRIERN BARNET A1003
N11
New Southgate
NEW SOUTHGATE
COLNEY HATCH
COLNEY HATCH LANE B550
Coppetts Wood
Refuse Destructor
N12
BALLARDS LANE A598
FINCHLEY MEM. HOSP.
Fallow Corner
Victoria Rec. Grd.
FINCHLEY
N3
NORTH CIRCULAR ROAD A406
PINKHAM WAY A406
BOBBY MOORE WAY
Hollickwood Park
MUSWELL HILL GOLF COURSE
Glebe Land Open Space
Strawberry Vale
Islington Crematorium
N2
ST. PANCRAS & ISLINGTON CEMETERY
Muswell Hill Sports Ground
COLDFALL WOOD
N10
HIGH ROAD A1000
EAST FINCHLEY
Martin Jun. & Inf. School
ALEXANDRA PARK
St. Marylebone Crematorium

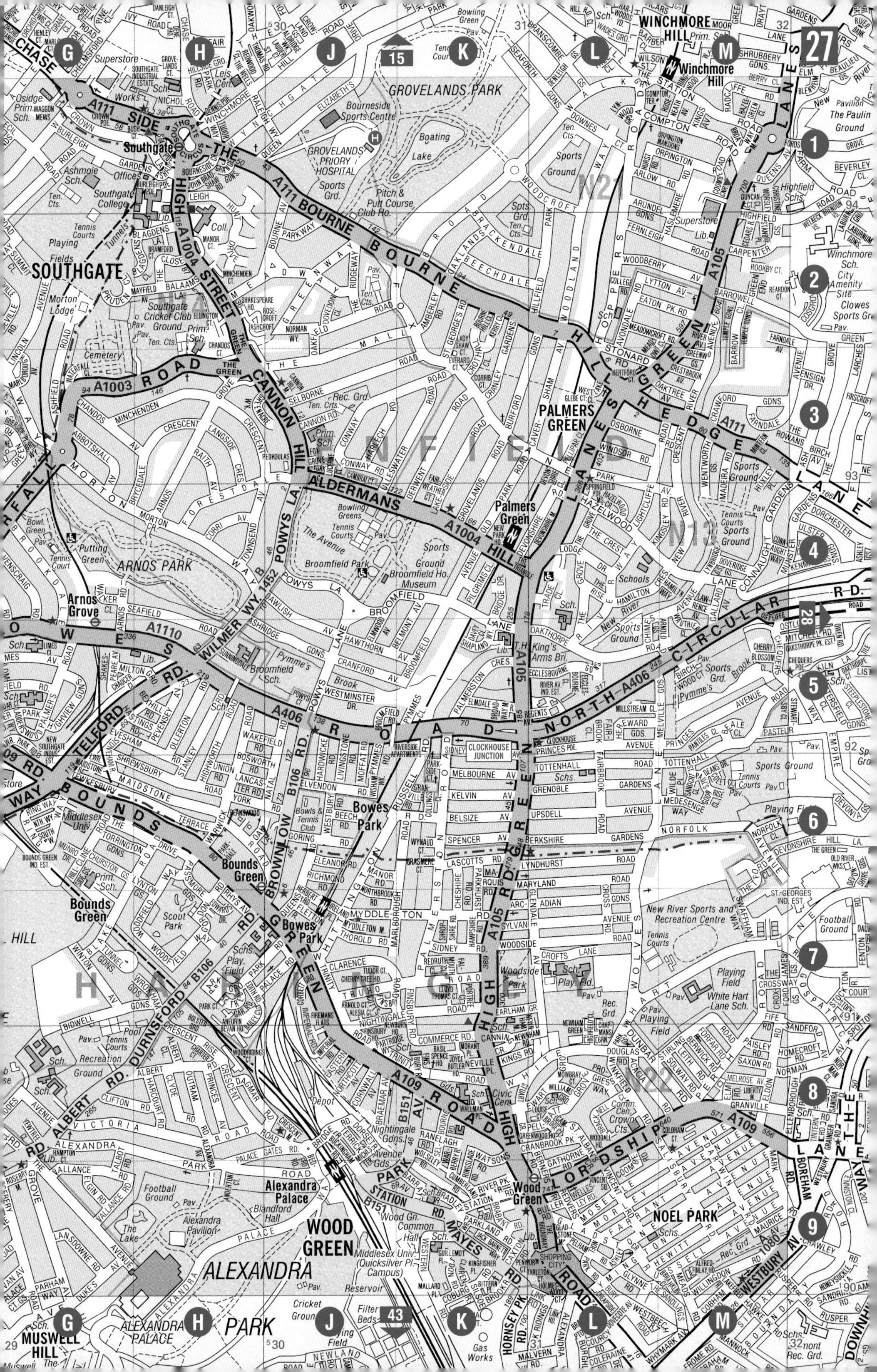

27
G
H
J
K
L
M
15
28
43
1
2
3
4
5
6
7
8
9
WINCHMORE HILL
Winchmore Hill
GROVELANDS PARK
Bourneside Sports Centre
GROVELANDS PRIORY HOSPITAL
Boating Lake
Pitch & Putt Course
Southgate
SOUTHGATE
Southgate College
Ashmole Sch.
N21
N14
N13
N22
A111 BOURNE
BOURNE HILL
A1004 HIGH STREET
CANNON HILL
A1003 ROAD
ALDERMANS A1004 HILL
PALMERS GREEN
Palmers Green
ENFIELD
A105
GREEN LANES
HEDGE LANE
A111
Highfield Schs.
Winchmore Sch.
City Amenity Site
Clowes Sports Gr.
The Paulin Ground
ARNOS PARK
Arnos Grove
Broomfield Park
Broomfield Ho. Museum
POWYS LA.
A1110
A406 NORTH CIRCULAR ROAD
Pymme's Brook
CLOCKHOUSE JUNCTION
Broomfield Sch.
TELFORD RD.
BOUNDS GREEN RD.
Bounds Green
Bowes Park
Middlesex Univ.
New River Sports and Recreation Centre
White Hart Lane Sch.
HARINGEY
A105 HIGH RD.
A109 ROAD
LORDSHIP LANE
NOEL PARK
Wood Green
WOOD GREEN
Alexandra Palace
ALEXANDRA PALACE
ALEXANDRA PARK
Alexandra Pavilion
The Lake
Blandford Hall
Wood Gn. Common
Middlesex Univ. (Quicksilver Pl. Campus)
Reservoir
Filter Beds
Gas Works
MUSWELL HILL
DURNSFORD RD.
ALBERT RD.
ALEXANDRA PARK
THE LANE WAY
29
30
31
32

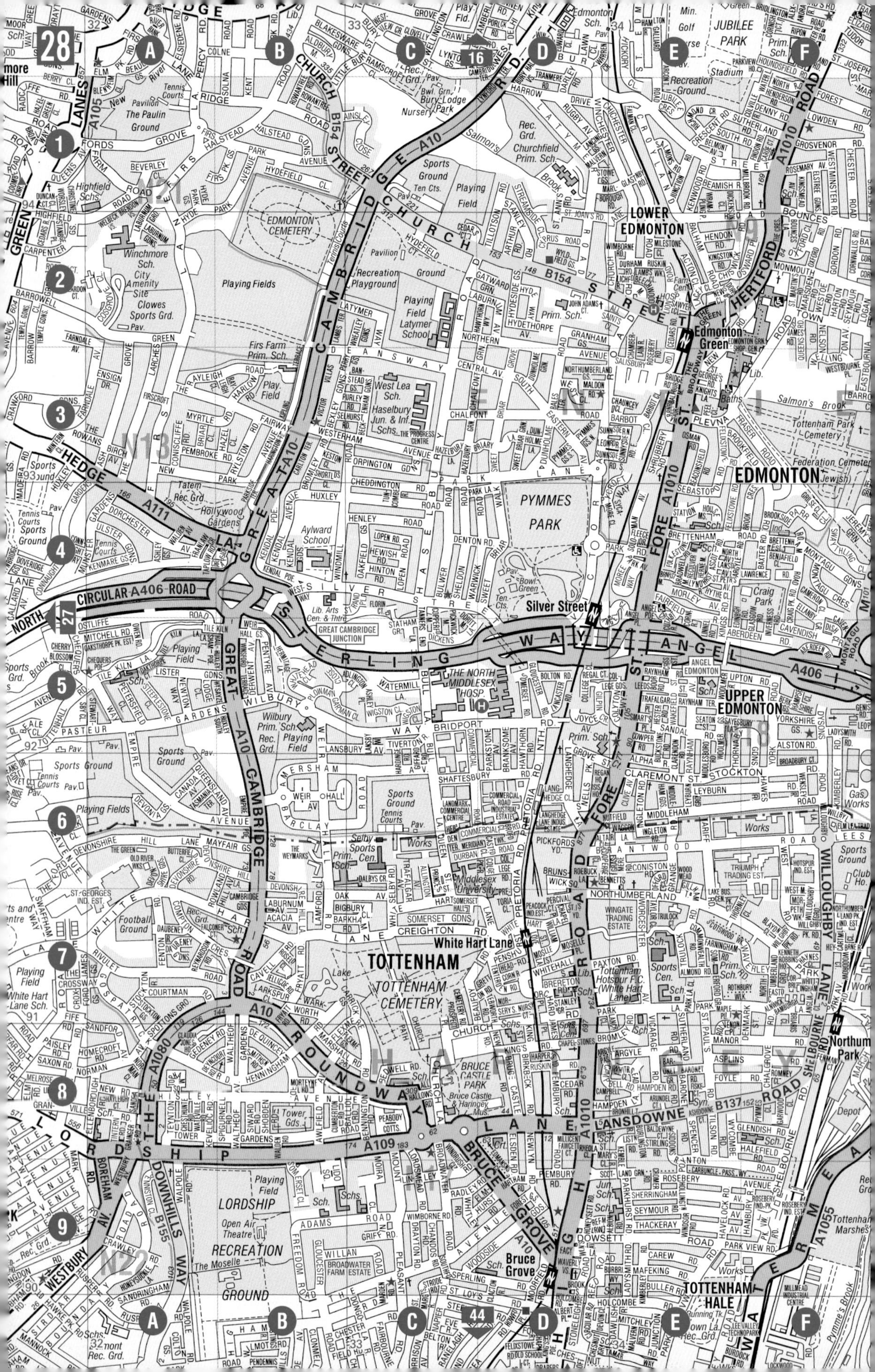
A
B
C
D
E
F
1
2
3
4
5
6
7
8
9
16
27
44
LOWER EDMONTON
EDMONTON
UPPER EDMONTON
TOTTENHAM
TOTTENHAM HALE
N13
N9
N18
N22
N17
JUBILEE PARK
Min. Golf Course
Recreation Ground
The Paulin Ground
Edmonton Cemetery
Playing Fields
Winchmore Sch.
City Amenity Site
Clowes Sports Grd.
Firs Farm Prim. Sch.
Churchfield Prim. Sch.
Sports Ground
Playing Field
Latymer School
Recreation Playground
West Lea Sch.
Haselbury Jun. & Inf. Schs.
Aylward School
PYMMES PARK
Silver Street
Edmonton Green
Craig Park
Tottenham Park Cemetery
Federation Cemetery (Jewish)
Salmon's Brook
GREAT CAMBRIDGE JUNCTION
THE NORTH MIDDLESEX HOSP.
Wilbury Prim. Sch.
Tatem Rec. Grd.
Hollywood Gardens
NORTH CIRCULAR A406 ROAD
STERLING WAY
ANGEL
GREAT CAMBRIDGE ROAD
A10
A1010
A406
A111
A105
A109
A1080
B154
B155
B137
A1055
FORE ST.
HERTFORD ROAD
CHURCH STREET
HIGH ROAD
LORDSHIP LANE
BRUCE GROVE
THE ROUNDWAY
WATERMEAD WAY
WILLOUGHBY LANE
LANSDOWNE ROAD
Sports Ground
Football Ground
Middlesex University
White Hart Lane
TOTTENHAM CEMETERY
BRUCE CASTLE PARK
Bruce Castle & Haringey Mus.
Tottenham Hotspur F.C. (White Hart Lane)
WINGATE TRADING ESTATE
TRIUMPH TRADING EST.
LORDSHIP RECREATION GROUND
Open Air Theatre
The Moselle
BROADWATER FARM ESTATE
Bruce Grove
Northumberland Park
Tottenham Marshes
MILLMEAD INDUSTRIAL CENTRE
Pymme's Brook
Depot
Gas Works
Works
Tower Gdns.
White Hart Lane Sch.
HARINGEY
ENFIELD

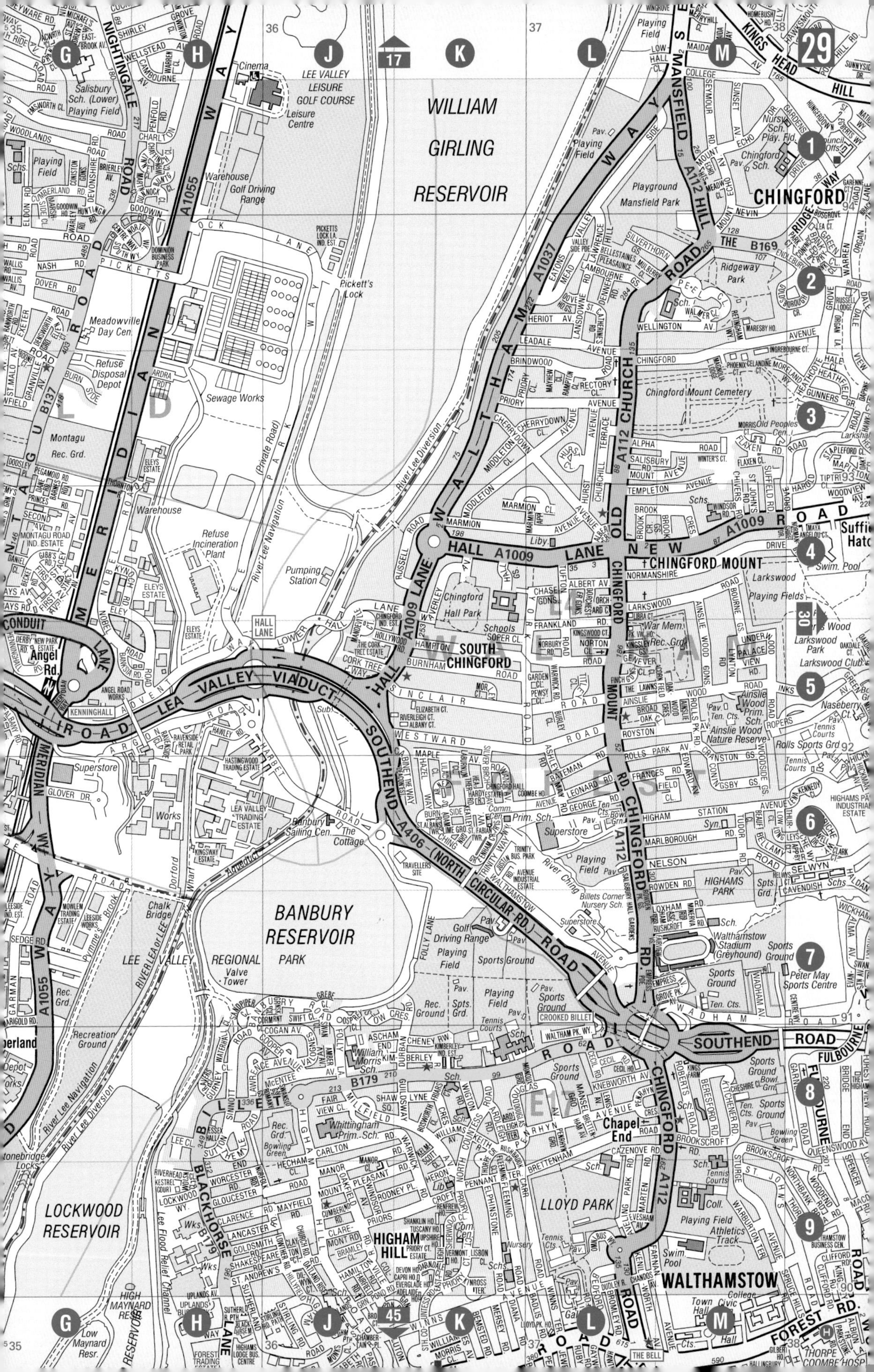
G
H
J
K
L
M
17
45
30
35
36
37
38
1
2
3
4
5
6
7
8
9
WILLIAM GIRLING RESERVOIR
BANBURY RESERVOIR
LOCKWOOD RESERVOIR
CHINGFORD
SOUTH CHINGFORD
CHINGFORD MOUNT
HIGHAM HILL
WALTHAMSTOW
Chapel End
LEE VALLEY LEISURE GOLF COURSE
Leisure Centre
Cinema
Golf Driving Range
Warehouse
Pickett's Lock
Sewage Works
Refuse Incineration Plant
Refuse Disposal Depot
Meadowville Day Cen.
Montagu Rec. Grd.
Salisbury Sch. (Lower) Playing Field
Pumping Station
Superstore
Works
LEA VALLEY TRADING ESTATE
Banbury Sailing Cen.
The Cottage
LEE VALLEY REGIONAL PARK
Valve Tower
Chalk Bridge
Recreation Ground
Lee Flood Relief Channel
River Lee Navigation
River Lee Diversion
Chingford Hall Park
Chingford Mount Cemetery
Mansfield Park
Ridgeway Park
Larkswood Playing Fields
Ainslie Wood Nature Reserve
Rolls Sports Grd
HIGHAMS PARK
Walthamstow Stadium (Greyhound)
Peter May Sports Centre
LLOYD PARK
Playing Field Athletics Track
Swim. Pool
Town Hall
Civic Cen.
THE BELL
CROOKED BILLET
LEA VALLEY VIADUCT
NORTH CIRCULAR RD.
SOUTHEND ROAD
MERIDIAN WAY
A1055
A1009
A1037
A112
A406
B179
B169
B137
OLD CHURCH ROAD
CHINGFORD MOUNT RD.
CHINGFORD RD.
NEW ROAD
HALL LANE
WALTHAM WAY
MANSFIELD HILL
KINGS HEAD HILL
LARKSWOOD ROAD
BILLET ROAD
BLACKHORSE LANE
HIGHAM HILL
FOREST RD.
WADHAM ROAD
FULBOURNE ROAD
CONDUIT LANE
ANGEL ROAD
Angel Rd.
NIGHTINGALE ROAD
PICKETTS LOCK LANE
E4
E17

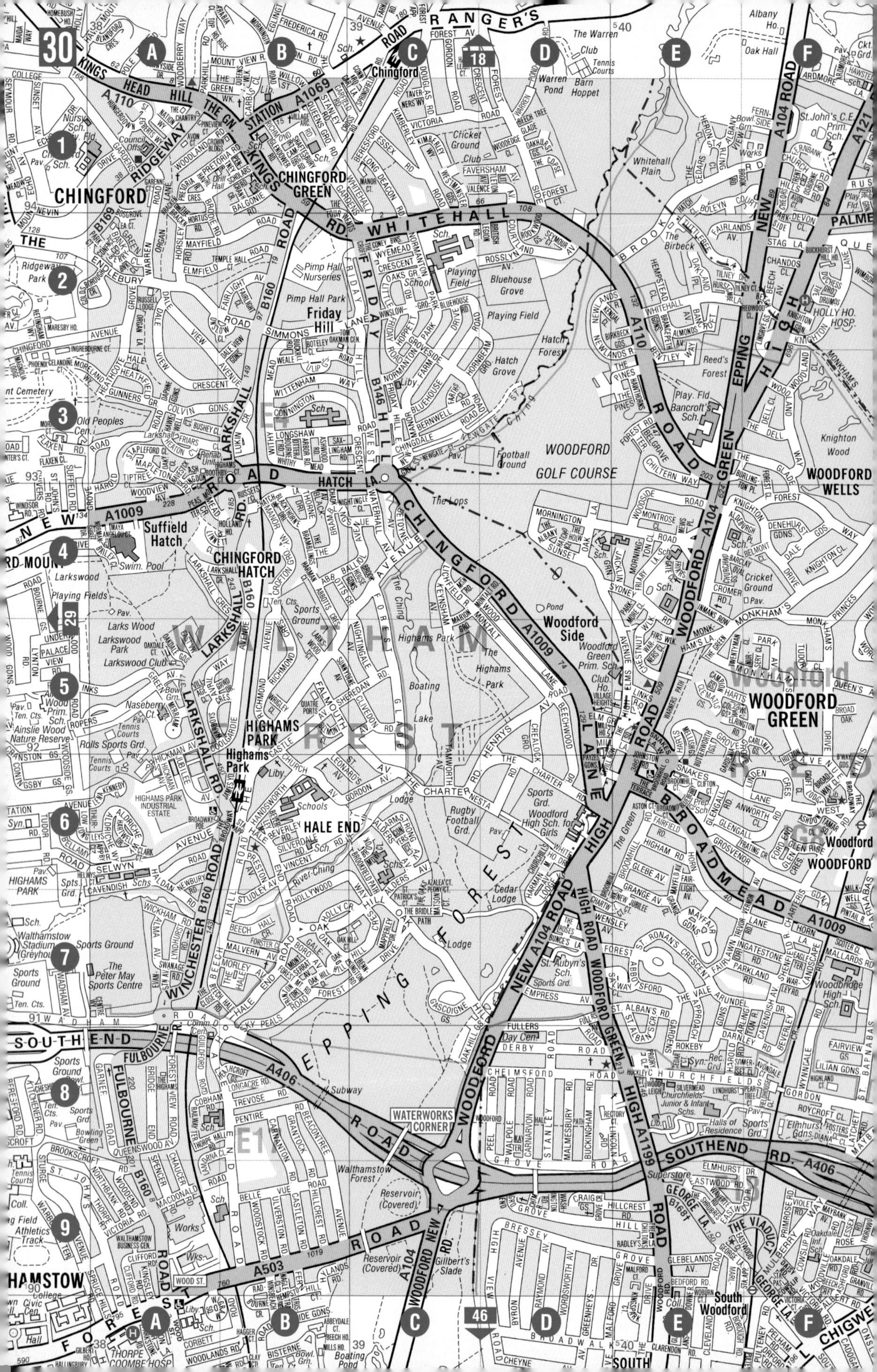
30
A
B
C
D
E
F
1
2
3
4
5
6
7
8
9
18
29
46
CHINGFORD
CHINGFORD GREEN
Chingford
RANGER'S
KINGS HEAD HILL
RIDGEWAY
STATION
A1069
A110
B169
WHITEHALL
The Warren Club
Warren Pond
Barn Hoppet
Albany Ho.
Oak Hall
Cricket Ground
Pimp Hall Nurseries
Pimp Hall Park
Friday Hill
FRIDAY HILL
B146
Bluehouse Grove
Playing Field
Whitehall Plain
Hatch Forest
Hatch Grove
Reed's Forest
Bancroft's Sch.
Knighton Wood
WOODFORD WELLS
HOLLY HO. HOSP.
EPPING NEW ROAD
A104
A121
SIMMONS LANE
LARKSHALL ROAD
B160
HATCH LA.
NEW ROAD
A1009
CHINGFORD ROAD
Suffield Hatch
CHINGFORD HATCH
Swim. Pool
Larkswood
Playing Fields
Larks Wood
Larkswood Park
Larkswood Club
Old Peoples Cen.
Football Ground
WOODFORD GOLF COURSE
The Lops
Woodford Side
Woodford Green Prim. Sch.
WALTHAM FOREST
Sports Ground
Highams Park
The Highams Park
Boating Lake
HIGHAMS PARK
Highams Park
HIGHAMS PARK INDUSTRIAL ESTATE
Naseberry Ct.
Ainslie Wood Nature Reserve
Rolls Sports Grd.
HALE END
Schools
River Ching
Rugby Football Grd.
Sports Grd. Woodford High Sch. for Girls
Cedar Lodge
Lodge
EPPING FOREST
WOODFORD GREEN
Woodford
WOODFORD
HIGH ROAD
BROADMEAD ROAD
A1009
Cricket Ground
Woodbridge High Sch.
St. Aubyn's Sch.
Sports Grd.
Walthamstow Stadium (Greyhound)
Sports Ground
The Peter May Sports Centre
SOUTHEND ROAD
WADHAM ROAD
A406
WATERWORKS CORNER
Subway
Walthamstow Forest
Reservoir (Covered)
A503
FOREST ROAD
WOODFORD NEW RD.
Gilbert's Slade
Churchfields Junior & Infant Schs.
Halls of Residence
Superstore
SOUTHEND RD. A406
THE VIADUCT
HIGH ROAD WOODFORD GREEN A1199
South Woodford
WALTHAMSTOW
THORPE COOMBE HOSP.
Boating Pond
E4
E17
IG8
E18
CHIGWELL
BROADWALK

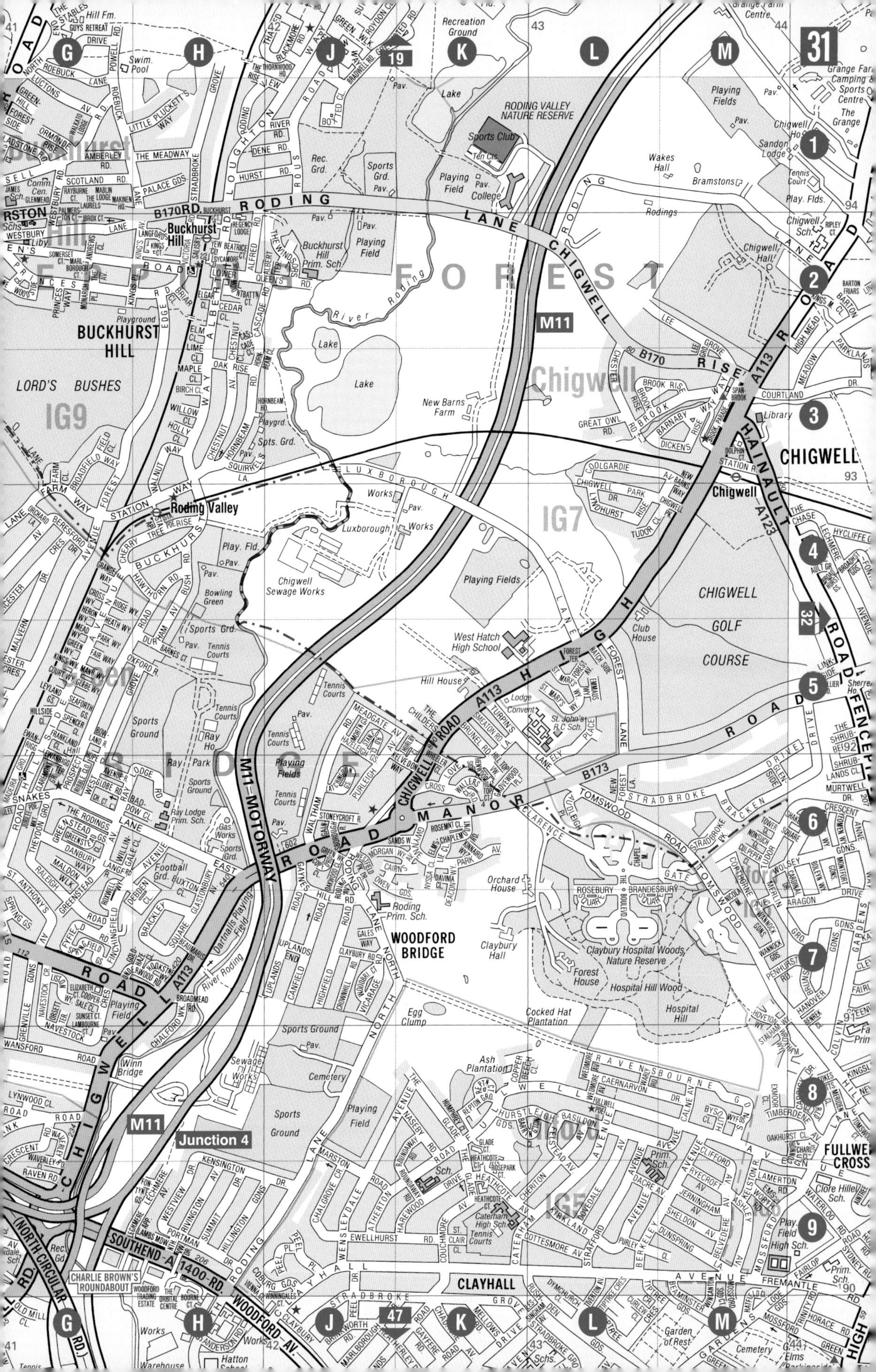
G
H
J
K
L
M
19
47
32
1
2
3
4
5
6
7
8
9
41
42
43
44
94
93
92
90
Recreation Ground
RODING VALLEY NATURE RESERVE
Sports Club
Lake
Playing Fields
Grange Farm Centre
Grange Farm Camping & Sports Centre
The Grange
Chigwell Ho.
Sandon Lodge
Wakes Hall
Bramstons
Rodings
Chigwell Sch.
Chigwell Hall
Play. Flds.
RODING LANE
CHIGWELL LANE
EPPING FOREST
M11
B170
RISE
LEE GROVE
BUCKHURST HILL
Buckhurst Hill
LORD'S BUSHES
IG9
River Roding
Lake
New Barns Farm
Chigwell
CHIGWELL
IG7
Library
HAINAULT
A113
A123
LUXBOROUGH LANE
Luxborough
Works
Chigwell Sewage Works
Roding Valley
STATION WAY
Playing Fields
West Hatch High School
Club House
CHIGWELL GOLF COURSE
HIGH ROAD
Hill House
Lodge
Convent
St. John's R.C Sch.
ROAD
FENCEPIECE ROAD
B173
MANOR ROAD
CHIGWELL ROAD
M11-MOTORWAY
Ray Park
Ray Lodge Prim. Sch.
Sports Ground
Football Grd.
Roding Prim. Sch.
WOODFORD BRIDGE
Orchard House
Claybury Hall
Claybury Hospital Woods Nature Reserve
Forest House
Hospital Hill Wood
Hospital Hill
Cocked Hat Plantation
Egg Clump
Ash Plantation
Sports Ground
Cemetery
Sewage Works
Playing Field
Junction 4
RAVENSBOURNE
CLAYHALL
IG5
Caterham High Sch.
FULLWELL CROSS
Clore Hillel Sch.
Play. Field
High Sch.
CHARLIE BROWN'S ROUNDABOUT
SOUTHEND-A 1400-RD.
WOODFORD AV.
NORTH CIRCULAR RD.
Garden of Rest
Cemetery
Hatton School
Works
Warehouse

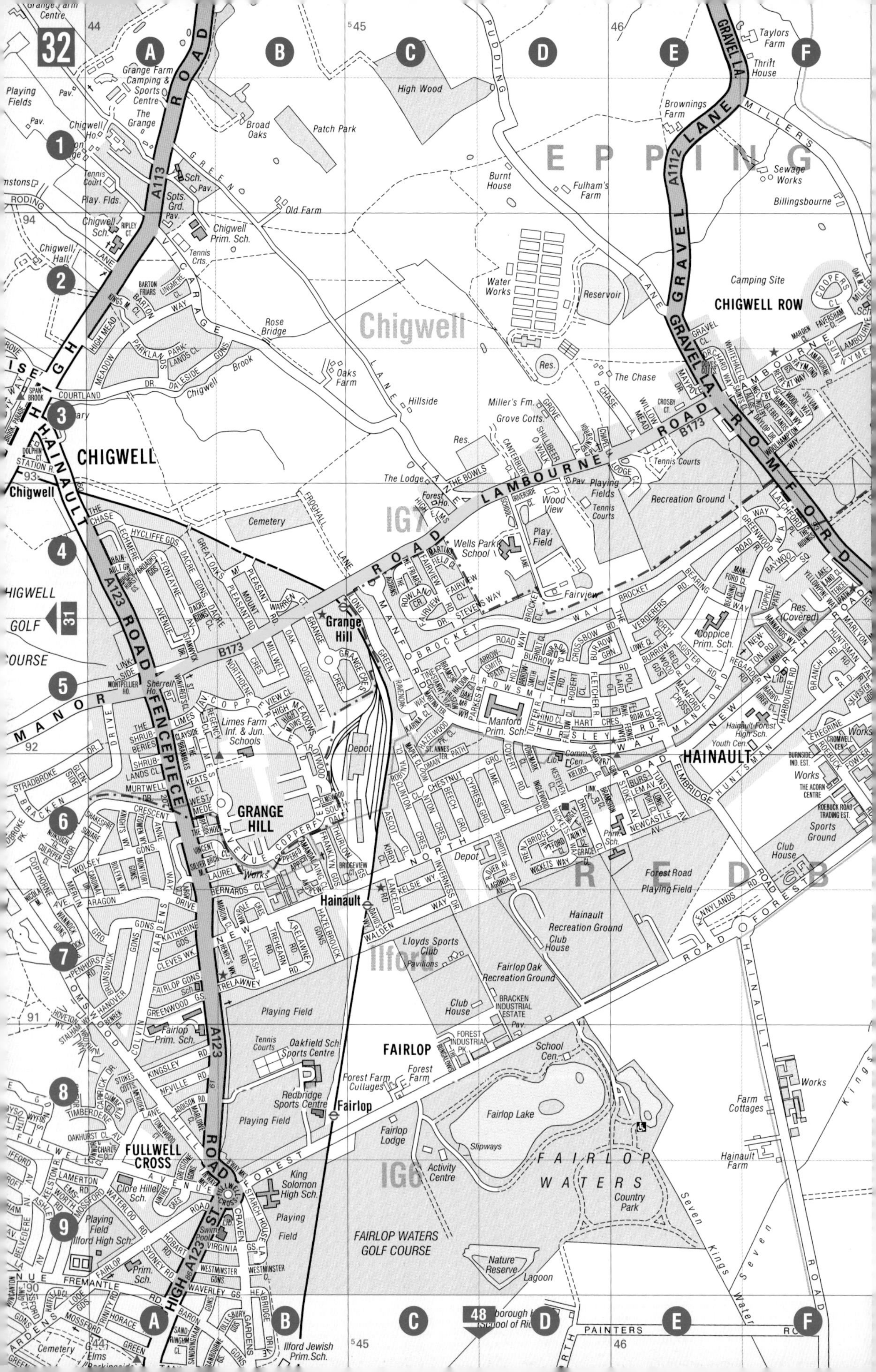
32
A
B
C
D
E
F
1
2
3
4
5
6
7
8
9
44
45
46
94
93
92
91
90
Grange Farm Centre
Grange Farm Camping & Sports Centre
The Grange
Playing Fields
Pav.
Chigwell Ho.
Tennis Court
Play. Flds.
RODING
Chigwell Sch.
Chigwell Hall
HIGH ROAD
A113
GREEN
Sch.
Pav.
Spts. Grd.
Chigwell Prim. Sch.
Tennis Crts.
Broad Oaks
Old Farm
Patch Park
High Wood
PUDDING
Burnt House
Fulham's Farm
EPPING
Taylors Farm
Thrift House
Brownings Farm
GRAVEL LA.
MILLER'S
GRAVEL LANE
A1112
Sewage Works
Billingsbourne
Camping Site
CHIGWELL ROW
VICARAGE
BARTON
HIGH MEAD
MEADOW
PARKLANDS
PARKLANDS CL.
DALESIDE GDNS.
Chigwell Brook
Rose Bridge
Chigwell
Oaks Farm
LANE
Hillside
Water Works
Reservoir
Res.
The Chase
COURTLAND
DR.
HAINAULT
CHIGWELL
Chigwell
Miller's Fm.
Grove Cotts.
Res.
CHASE
WILLOW MEAD
LAMBOURNE ROAD
B173
Tennis Courts
ROMFORD
Recreation Ground
The Lodge
THE BOWLS
Forest Ho.
Playing Fields
Tennis Courts
Wood View
Cemetery
FROGHALL LANE
IG7
Wells Park School
Play. Field
Fairview
THE CHASE
HYCLIFFE GDS.
A123 ROAD
FONTAYNE AVENUE
DACRE GDNS.
GREAT OAKS
MT. PLEASANT
MOUNT PLEASANT RD.
WARREN CT.
Grange Hill
STEVENS WAY
BROCKET WAY
BROCKET RD
Coppice Prim. Sch.
Res. (Covered)
CHIGWELL GOLF COURSE
31
MANOR
B173
NORTHDENE
MILLWELL CRES.
OAK LODGE AV.
GRANGE CRES.
MANFORD
Manford Prim. Sch.
HURSLEY RD
NEW NORTH RD
HAINAULT
Hainault Forest High Sch.
Youth Cen.
Works
FENCEPIECE
Limes Farm Inf. & Jun. Schools
THE SHRUBBERIES
SHRUBLANDS CL.
STRADBROKE
BRACKEN
GRANGE HILL
Depot
CHESTNUT
BEECH
CYPRESS GRO.
LIME GRO.
COVERT RD.
Comm. Cen.
Lib.
Sports Ground
Club House
ELMBRIDGE
HUNTSMAN
THE ACORN CENTRE
CRESCENT
COPPERFIELD
NORTH
Depot
Forest Road Playing Field
REDBRIDGE
Hainault
Hainault Recreation Ground
Club House
KENNYLANDS
FOREST ROAD
HAINAULT ROAD
WALDEN WAY
Lloyds Sports Club
Pavilions
Ilford
Fairlop Oak Recreation Ground
Club House
BRACKEN INDUSTRIAL ESTATE
TRELAWNEY
Playing Field
Tennis Courts
Oakfield Sch Sports Centre
FAIRLOP
FOREST INDUSTRIAL PK.
School Cen.
Fairlop Prim. Sch.
KINGSLEY
NEVILLE RD.
Forest Farm Cottages
Forest Farm
Redbridge Sports Centre
Fairlop
Playing Field
Fairlop Lake
Slipways
Works
Farm Cottages
Hainault Farm
Fairlop Lodge
FAIRLOP WATERS
Country Park
FULLWELL CROSS
Clore Hillel Sch.
Activity Centre
King Solomon High Sch.
IG6
Seven Kings Water
SEVEN KINGS ROAD
Playing Field
Ilford High Sch.
Swim Pool
Playing Field
FAIRLOP WATERS GOLF COURSE
Nature Reserve
Lagoon
Prim. Sch.
FREMANTLE
VIRGINIA
WESTMINSTER GDNS.
WAVERLEY GDS.
HIGH ST. A123
48
PAINTERS
Ilford Jewish Prim. Sch.
Cemetery

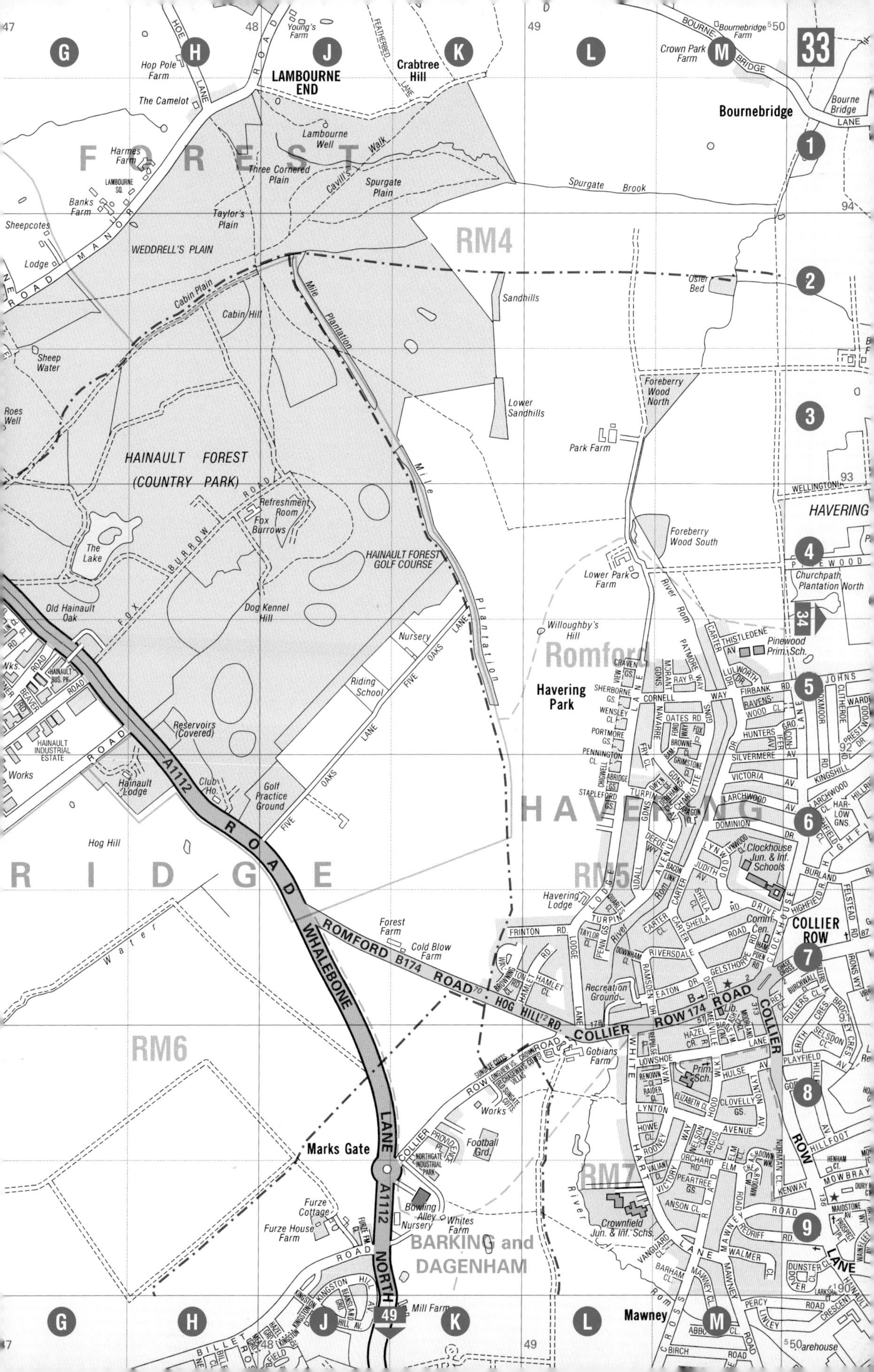

LAMBOURNE END
Crabtree Hill
Bournebridge
Young's Farm
Hop Pole Farm
The Camelot
Crown Park Farm
Bournebridge Farm
Bourne Bridge
BOURNE BRIDGE LANE
FEATHERBED LANE
HOE LANE
FOREST
Harmes Farm
Lambourne Well
Three Cornered Plain
Cavill's Walk
Spurgate Plain
Spurgate Brook
Banks Farm
LAMBOURNE SQ.
Sheepcotes
Taylor's Plain
Lodge
MANOR ROAD
WEDDRELL'S PLAIN
RM4
Cabin Plain
Cabin Hill
Mile Plantation
Osier Bed
Sandhills
Sheep Water
Lower Sandhills
Foreberry Wood North
Roes Well
Park Farm
HAINAULT FOREST (COUNTRY PARK)
WELLINGTON AV.
HAVERING
Refreshment Room
Fox Burrows
FOX BURROW ROAD
The Lake
HAINAULT FOREST GOLF COURSE
Foreberry Wood South
Lower Park Farm
Churchpath Plantation North
Old Hainault Oak
Dog Kennel Hill
Nursery
River Rom
Willoughby's Hill
Riding School
FIVE OAKS LANE
Romford
Pinewood Prim. Sch.
HAINAULT BUS. PK.
HAINAULT INDUSTRIAL ESTATE
Works
Havering Park
Reservoirs (Covered)
Club Ho.
Golf Practice Ground
Hainault Lodge
Hog Hill
HAVERING
A1112 ROAD
RIDGE
Clockhouse Jun. & Inf. Schools
RM5
Havering Lodge
Forest Farm
Cold Blow Farm
ROMFORD B174 ROAD
WHALEBONE LANE
COLLIER ROW
HOG HILL RD.
Recreation Ground
Comm. Cen.
Lib.
Gobians Farm
RM6
Prim. Sch.
Works
Football Grd.
Marks Gate
NORTHGATE INDUSTRIAL PARK
RM7
Furze Cottage
Furze House Farm
Bowling Alley
Nursery
Whites Farm
BARKING and DAGENHAM
Crownfield Jun. & Inf. Schs.
Mill Farm
Mawney
A1112 NORTH
49
34
G H J K L M
1 2 3 4 5 6 7 8 9

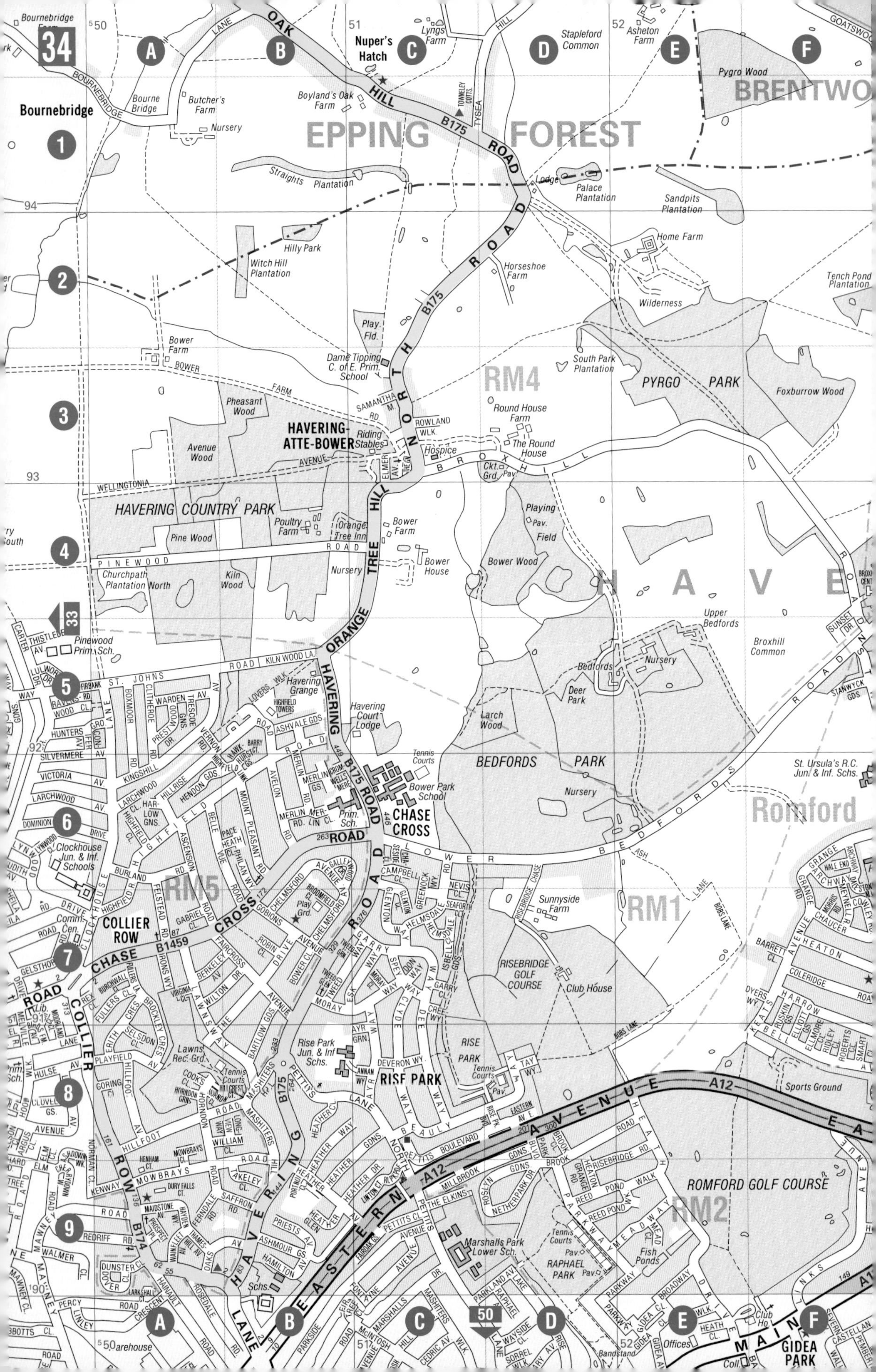

Bournebridge
Bourne Bridge
Butcher's Farm
Nuper's Hatch
Lyngs Farm
Stapleford Common
Asheton Farm
Pygro Wood
BRENTWO
Boyland's Oak Farm
EPPING FOREST
OAK HILL
B175 ROAD
Straights Plantation
Palace Plantation
Sandpits Plantation
Home Farm
Hilly Park
Witch Hill Plantation
Horseshoe Farm
Tench Pond Plantation
Wilderness
Bower Farm
Play. Fld.
Dame Tipping C. of E. Prim. School
South Park Plantation
PYRGO PARK
Foxburrow Wood
RM4
Pheasant Wood
Round House Farm
The Round House
HAVERING-ATTE-BOWER
Riding Stables
Hospice
Avenue Wood
BROXHILL
HAVERING COUNTRY PARK
Poultry Farm
Orange Tree Inn
Bower Farm
Playing Field
Pine Wood
PINEWOOD ROAD
Bower House
Bower Wood
Churchpath Plantation North
Kiln Wood
Nursery
NORTH ROAD
ORANGE TREE HILL
HAVE
Upper Bedfords
Broxhill Common
Pinewood Prim. Sch.
Bedfords
Nursery
Deer Park
Havering Grange
Havering Court Lodge
Larch Wood
BEDFORDS PARK
St. Ursula's R.C. Jun. & Inf. Schs.
Bower Park School
CHASE CROSS
Romford
HAVERING ROAD
Clockhouse Jun. & Inf. Schools
LOWER BEDFORDS ROAD
RM5
Sunnyside Farm
RM1
COLLIER ROW
CHASE CROSS B1459
RISEBRIDGE GOLF COURSE
Club House
Rise Park Jun. & Inf Schs.
RISE PARK
Sports Ground
EASTERN AVENUE A12
ROMFORD GOLF COURSE
RM2
Marshalls Park Lower Sch.
RAPHAEL PARK
Fish Ponds
GIDEA PARK
MAIN

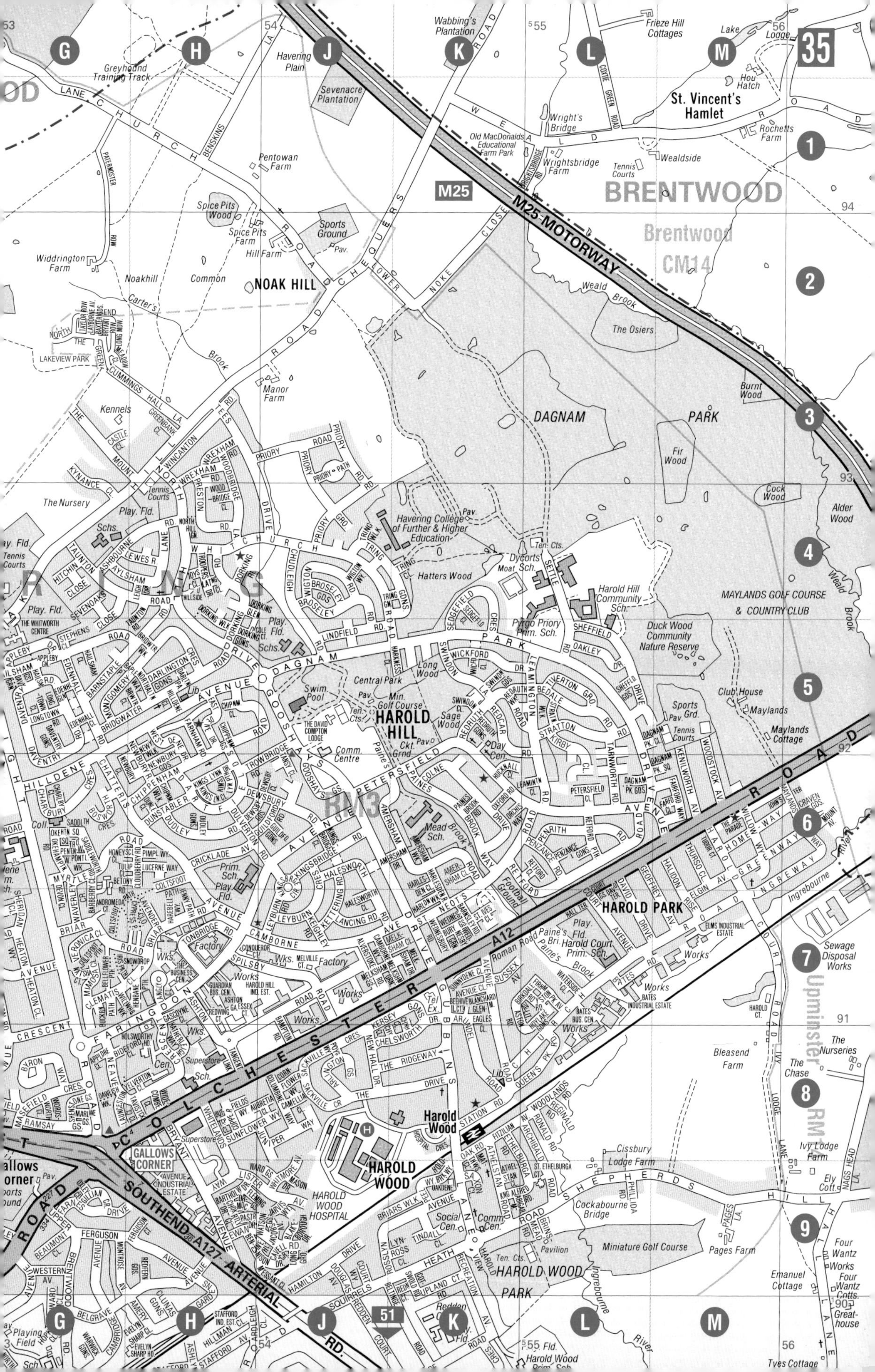
G
H
J
K
L
M
Greyhound Training Track
Havering Plain
Sevenacre Plantation
Wabbing's Plantation
Frieze Hill Cottages
Lake Lodge
Hou Hatch
St. Vincent's Hamlet
Rochetts Farm
Wealdside
Tennis Courts
Wright's Bridge
Old MacDonalds Educational Farm Park
Wrightsbridge Farm
BRENTWOOD
Brentwood CM14
M25
M25 MOTORWAY
CHURCH LANE
BENSKINS LA.
PATERNOSTER ROW
Pentowan Farm
Spice Pits Wood
Spice Pits Farm
Hill Farm
Sports Ground
Pav.
Widdrington Farm
Noakhill
Common
NOAK HILL
NOAK HILL ROAD
CHEQUERS ROAD
LOWER NOKE CLOSE
WEALD ROAD
Weald Brook
The Osiers
Carter's Brook
LAKEVIEW PARK
CUMMINGS HALL LA.
Manor Farm
Kennels
DAGNAM PARK
Burnt Wood
Fir Wood
Cock Wood
Alder Wood
The Nursery
Tennis Courts
Play. Fld.
Schs.
PRIORY ROAD
Havering College of Further & Higher Education
Hatters Wood
Dycorts Sch.
Ten. Cts.
Harold Hill Community Sch.
Pyrgo Priory Prim. Sch.
MAYLANDS GOLF COURSE & COUNTRY CLUB
Duck Wood Community Nature Reserve
Club House
Maylands
Maylands Cottage
Sports Grd.
Tennis Courts
WHITCHURCH RD.
DAGNAM PARK DRIVE
Central Park
Long Wood
Swim. Pool
Min. Golf Course
HAROLD HILL
Ckt. Grnd.
Sage Wood
Day Cen.
Comm. Centre
THE DAVID COMPTON LODGE
GOOSHAYS DRIVE
PETERSFIELD AVENUE
RM3
Mead Sch.
Prim. Sch.
Play Fld.
Football Ground
HAROLD PARK
Play Fld.
Paine's Bri.
Harold Court Prim. Sch.
Paine's Brook
Roman Road
ELMS INDUSTRIAL ESTATE
Works
BATES INDUSTRIAL ESTATE
Ingrebourne
Sewage Disposal Works
Upminster RM14
Bleasend Farm
The Nurseries
The Chase
A12
COLCHESTER ROAD
Factory
Wks.
Superstore
GALLOWS CORNER
SOUTHEND ARTERIAL RD. A127
Harold Wood
HAROLD WOOD
HAROLD WOOD HOSPITAL
Lib.
Social Cen.
Comm. Cen.
Cissbury Lodge Farm
Ivy Lodge Farm
Ely Cott.
SHEPHERDS HILL
Cockabourne Bridge
Miniature Golf Course
Pavilion
Pages Farm
HAROLD WOOD PARK
Ten. Cts.
Emanuel Cottage
Four Wantz Works
Four Wantz Cotts.
Great-house
Tyes Cottage
Ingrebourne River
Harold Wood Prim. Sch.
51
Playing Field
STAFFORD IND. EST.
1
2
3
4
5
6
7
8
9
53
54
55
56
90
91
92
93
94

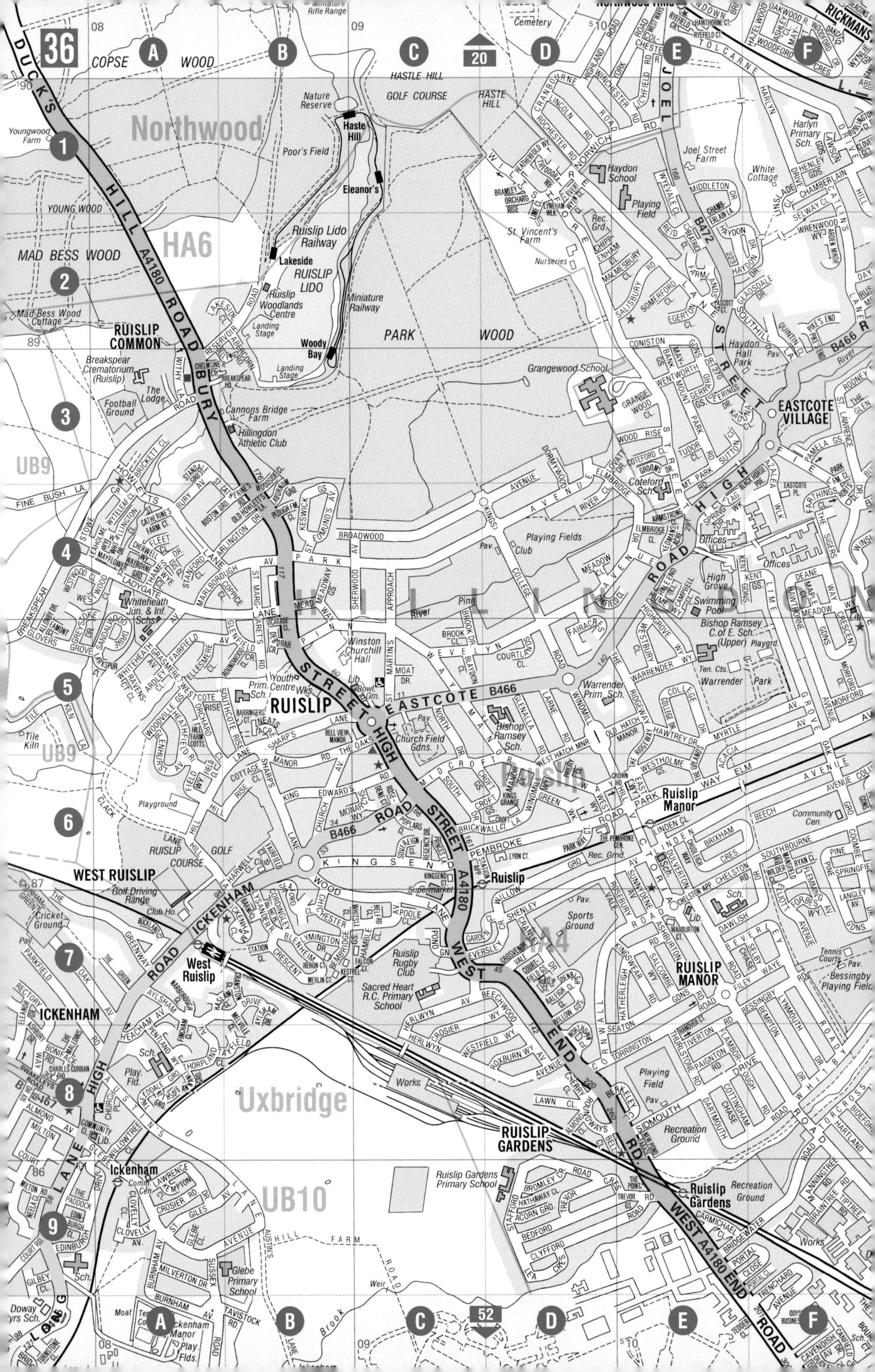
36
20
52
A
B
C
D
E
F
1
2
3
4
5
6
7
8
9
08
09
10
90
89
87
86
COPSE WOOD
HASTLE HILL GOLF COURSE
HASTE HILL
Cemetery
Rifle Range
Northwood
Nature Reserve
Haste Hill
Eleanor's
Poor's Field
Youngwood Farm
YOUNG WOOD
MAD BESS WOOD
Mad Bess Wood Cottage
HA6
Ruislip Lido Railway
Lakeside
RUISLIP LIDO
Ruislip Woodlands Centre
Landing Stage
Miniature Railway
Woody Bay
PARK WOOD
RUISLIP COMMON
Breakspear Crematorium (Ruislip)
The Lodge
Football Ground
Cannons Bridge Farm
Hillingdon Athletic Club
UB9
DUCK'S HILL ROAD
A4180
BURY
St. Vincent's Farm
Nurseries
Haydon School
Playing Field
Rec. Grd.
Grangewood School
GRANGE WOOD CL.
Joel Street Farm
JOEL STREET
B472
Harlyn Primary Sch.
White Cottage
Haydon Hall Park
EASTCOTE VILLAGE
B466
Coteford Sch.
Playing Fields
Club
Offices
High Grove
Swimming Pool
Bishop Ramsey C.of E. Sch. (Upper)
Playgrd.
Ten. Cts.
Warrender Park
Warrender Prim. Sch.
HILLINGDON
Pinn
River
Winston Churchill Hall
Youth Centre
Prim. Sch.
Whiteheath Jun. & Inf. Schs.
RUISLIP
Lib.
Bowl. Grn.
EASTCOTE
HIGH STREET
Church Field Gdns.
Bishop Ramsey Sch.
Ruislip
Ruislip Manor
Community Cen.
Playground
RUISLIP GOLF COURSE
WEST RUISLIP
Golf Driving Range
Club Ho.
Cricket Ground
Pav.
ICKENHAM ROAD
KINGSEND
Supermarket
Ruislip
Sports Ground
HA4
RUISLIP MANOR
Tennis Courts
Bessingby Playing Fields
West Ruislip
Ruislip Rugby Club
Sacred Heart R.C. Primary School
WEST END ROAD
ICKENHAM
HIGH ROAD
Sch.
Play. Fld.
Works
Uxbridge
Playing Field
Recreation Ground
RUISLIP GARDENS
Ruislip Gardens Primary School
Ruislip Gardens
Recreation Ground
Works
UB10
Ickenham
Comm. Cen.
Glebe Primary School
Lib.
Moat
Ickenham Manor
Play. Flds.
HILL FARM
Weir
Brook
LONG LANE
Doway

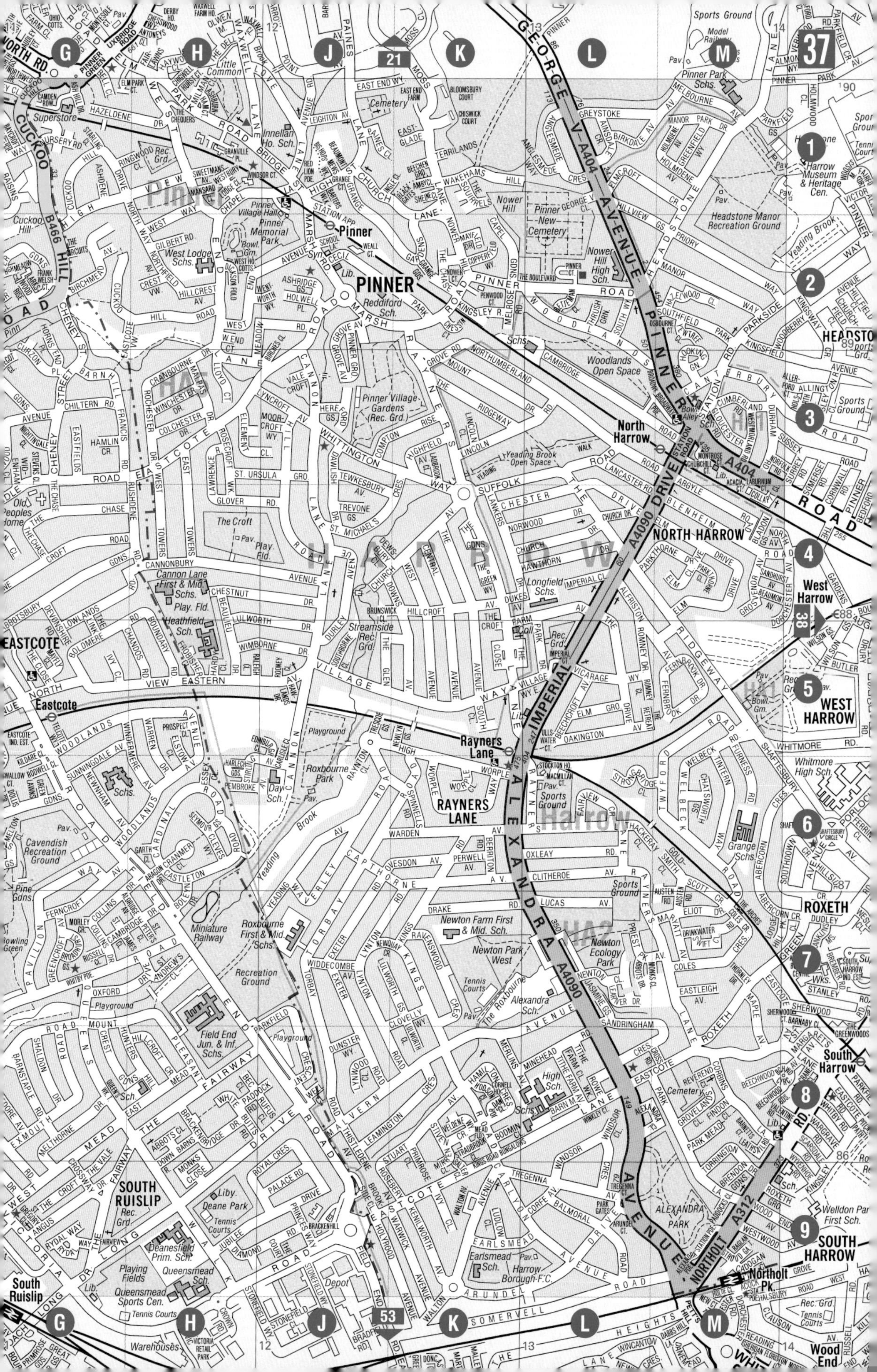
37
G
H
J
K
L
M
21
53
1
2
3
4
5
6
7
8
9
12
13
14
PINNER
Pinner
NORTH HARROW
North Harrow
RAYNERS LANE
Rayners Lane
EASTCOTE
Eastcote
WEST HARROW
West Harrow
ROXETH
SOUTH HARROW
South Harrow
SOUTH RUISLIP
South Ruislip
HEADSTONE
Northolt Pk.
Wood End
38
GEORGE V AVENUE
A404
A4090
A312
B466
PINNER ROAD
ALEXANDRA AVENUE
IMPERIAL DRIVE
A4090 DRIVE
NORTHOLT RD.
CUCKOO HILL
Cuckoo Hill
Superstore
Pinner Village Hall
Pinner Memorial Park
West Lodge Schs.
Reddiford Sch.
Pinner Village Gardens (Rec. Grd.)
Nower Hill
Pinner New Cemetery
Nower Hill High Sch.
Woodlands Open Space
Headstone Manor Recreation Ground
Harrow Museum & Heritage Cen.
Pinner Park Schs.
Sports Ground
Model Railway
Cemetery
Yeading Brook Open Space
Yeading Brook
Longfield Schs.
Streamside Rec. Grd.
Cannon Lane First & Mid. Schs.
Heathfield Sch.
The Croft
Play. Fld.
Old Peoples Home
Roxbourne Park
Playground
Day Sch.
Cavendish Recreation Ground
Pine Gdns.
Bowling Green
Miniature Railway
Roxbourne First & Mid. Schs.
Recreation Ground
Field End Jun. & Inf. Schs.
Newton Farm First & Mid. Sch.
Newton Park West
Newton Ecology Park
Tennis Courts
Alexandra Sch.
Grange Schs.
Whitmore High Sch.
High Sch.
Alexandra Park
Earlsmead Sch.
Harrow Borough F.C.
Deanesfield Prim. Sch.
Queensmead Sch.
Queensmead Sports Cen.
Playing Fields
Liby. Deane Park
Depot
Warehouses
Victoria Retail Park
Welldon Park First Sch.
Rec. Grd.
HA5
HA2
HA1
Harrow
HARROW

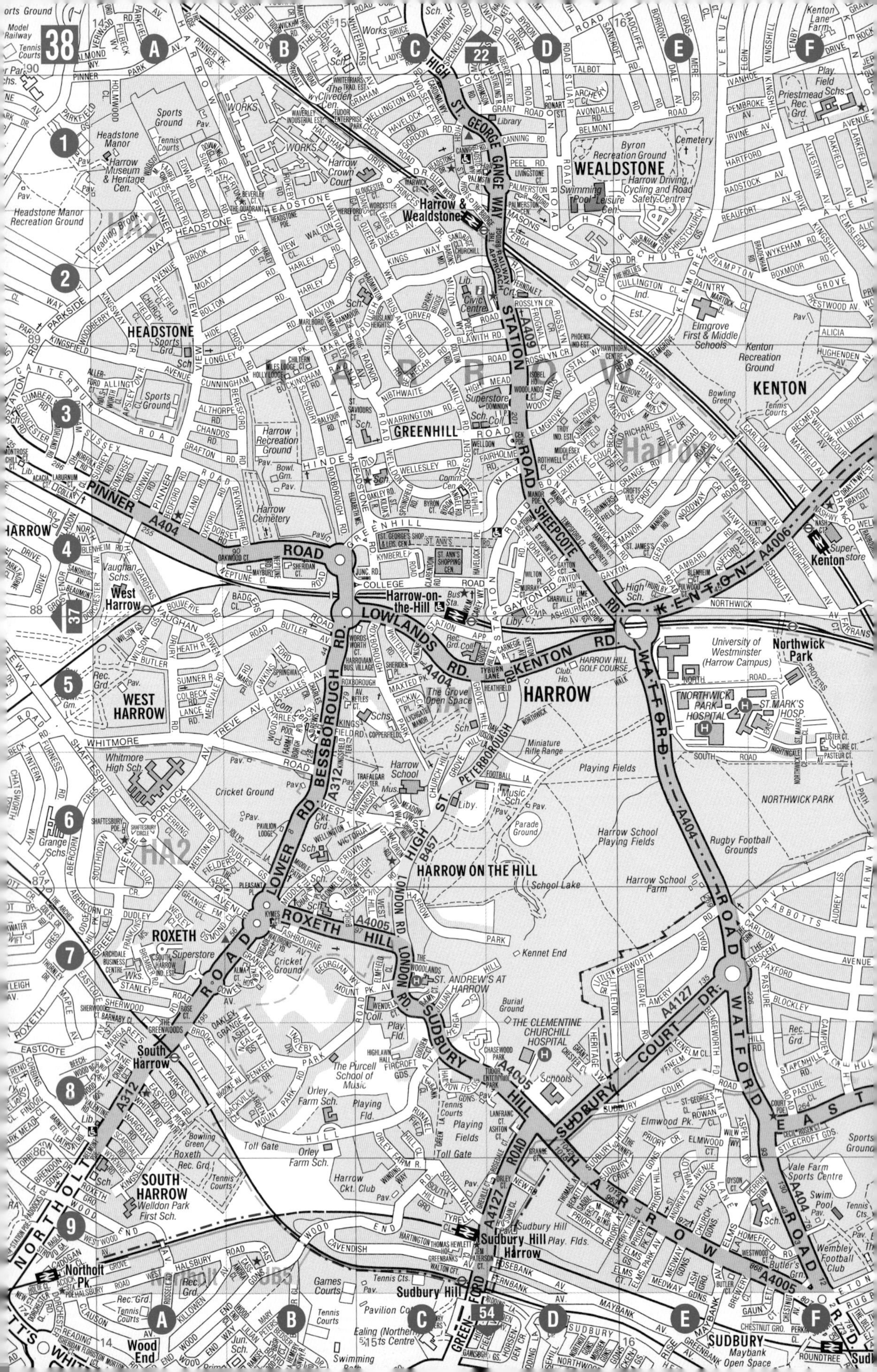
38
22
37
54
A
B
C
D
E
F
1
2
3
4
5
6
7
8
9
WEALDSTONE
Harrow & Wealdstone
HEADSTONE
Headstone Manor
Harrow Museum & Heritage Cen.
Headstone Manor Recreation Ground
Harrow Crown Court
Byron Recreation Ground
Harrow Driving, Cycling and Road Safety Centre
Civic Centre
HARROW
GREENHILL
Harrow Recreation Ground
Harrow Cemetery
KENTON
Kenton Recreation Ground
Elmgrove First & Middle Schools
Kenton
West Harrow
WEST HARROW
Harrow-on-the-Hill
University of Westminster (Harrow Campus)
Northwick Park
NORTHWICK PARK HOSPITAL
ST. MARK'S HOSP.
NORTHWICK PARK
Harrow School
HARROW ON THE HILL
Harrow School Playing Fields
Rugby Football Grounds
Harrow School Farm
School Lake
Kennet End
ST. ANDREW'S AT HARROW
THE CLEMENTINE CHURCHILL HOSPITAL
Whitmore High Sch.
Cricket Ground
ROXETH
South Harrow
SOUTH HARROW
The Purcell School of Music
Orley Farm Sch.
Harrow Ckt. Club
Sudbury Hill
Sudbury Hill Harrow
Northolt Pk.
Wood End
Vale Farm Sports Centre
Wembley Football Club
SUDBURY
Maybank Open Space
PINNER RD.
A404
A409
A312
A4005
A4006
A4127
B457
HA2
HA1
Harrow
STATION ROAD
WATFORD ROAD
KENTON RD.
LOWLANDS RD.
BESSBOROUGH RD.
LOWER RD.
ROXETH HILL
SUDBURY HILL
SUDBURY COURT DR.
HARROW RD.
EAST LA.
NORTHOLT RD.
GREENFORD RD.

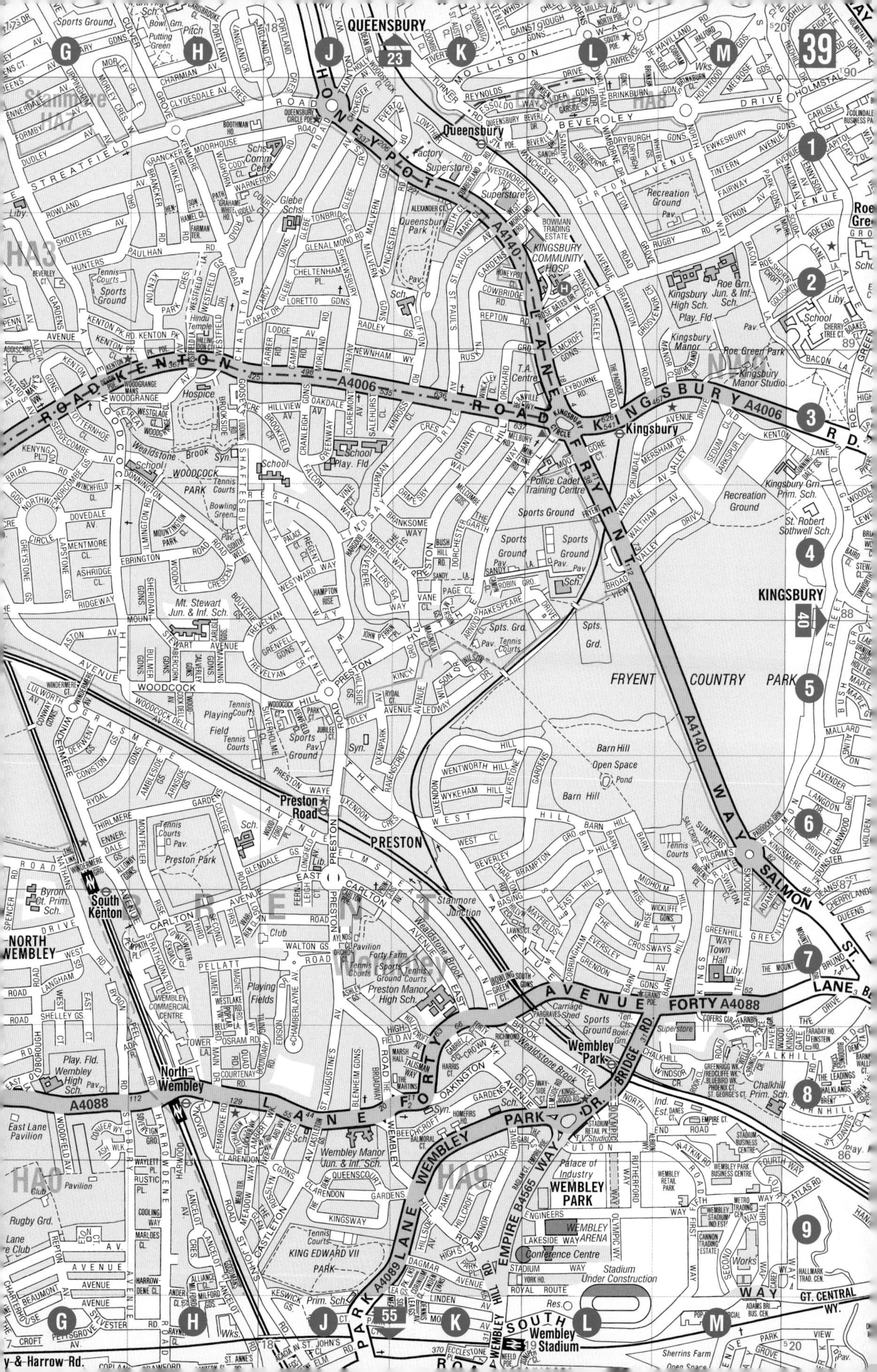

39
QUEENSBURY
23
Queensbury
HA8
Stanmore HA7
HA3
HONEYPOT LANE
A4140
KENTON ROAD
A4006
KINGSBURY ROAD
Kingsbury
KINGSBURY
40
FRYENT WAY
FRYENT COUNTRY PARK
Barn Hill Open Space
Kingsbury Community Hosp.
Roe Green Park
NW9
WOODCOCK PARK
Preston Road
PRESTON
South Kenton
NORTH WEMBLEY
North Wembley
BRENT
FORTY AVENUE
A4088
FORTY LANE
EAST LANE
Wembley Park
WEMBLEY PARK
Wembley Arena
Conference Centre
Palace of Industry
HA9
HA0
KING EDWARD VII PARK
Wembley Manor Jun. & Inf. Sch.
Preston Manor High Sch.
Wembley High Sch.
Stanmore Junction
SALMON ST.
A4089
PARK LANE
EMPIRE WAY
B4565
Stadium Under Construction
Wembley Stadium
55
GT. CENTRAL WY.
Harrow Rd.
G
H
J
K
L
M
1
2
3
4
5
6
7
8
9

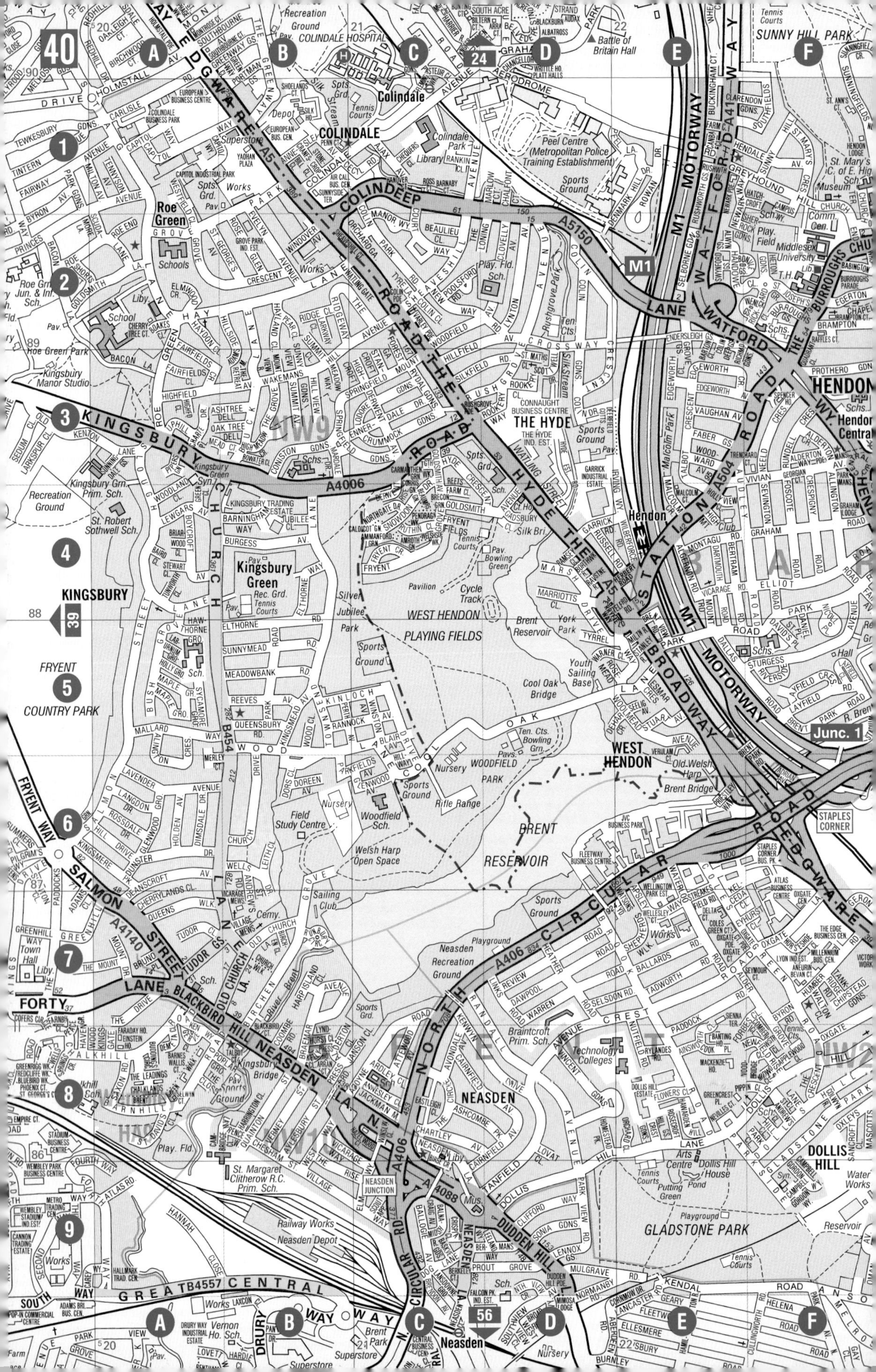
40
A
B
C
D
E
F
1
2
3
4
5
6
7
8
9
20
21
22
90
89
88
87
86
24
39
56
Recreation Ground
COLINDALE HOSPITAL
Battle of Britain Hall
Tennis Courts
SUNNY HILL PARK
HOLMSTALL AV.
DRIVE
EUROPEAN BUSINESS CENTRE
COLINDALE BUSINESS PARK
Superstore
YAOHAN PLAZA
CAPITOL INDUSTRIAL PARK
Works
Roe Green
Schools
Colindale
COLINDALE
Colindale Park
Library
AERODROME
Peel Centre (Metropolitan Police Training Establishment)
Sports Ground
M1 MOTORWAY
WATFORD WAY
A41
COLINDEEP
A5150
M1
LANE
Play. Fld.
Sch.
Middlesex University
T.H.
Museum
BURROUGHS
Roe Green Park
Kingsbury Manor Studio
KINGSBURY
ROAD
A4006
NW9
THE HYDE
THE HYDE IND. EST.
CONNAUGHT BUSINESS CENTRE
Sports Ground
GARRICK INDUSTRIAL ESTATE
HENDON
Hendon Central
Kingsbury Grn. Prim. Sch.
Recreation Ground
St. Robert Sothwell Sch.
KINGSBURY TRADING ESTATE
Kingsbury Green
Rec. Grd. Tennis Courts
Silver Jubilee Park
Pavilion
Cycle Track
WEST HENDON PLAYING FIELDS
Brent Reservoir
York Park
Hendon
STATION
A504
A5
THE HYDE
BROADWAY
MOTORWAY
FRYENT COUNTRY PARK
CHURCH LANE
B454
Sports Ground
Youth Sailing Base
Cool Oak Bridge
OAK LANE
Ten. Cts. Bowling Grn.
WOODFIELD PARK
WEST HENDON
Old Welsh Harp
Brent Bridge
Junc. 1
STAPLES CORNER
Nursery
Rifle Range
Field Study Centre
Woodfield Sch.
Welsh Harp Open Space
BRENT
RESERVOIR
JVC BUSINESS PARK
FLEETWAY BUSINESS CENTRE
EDGWARE ROAD
NORTH CIRCULAR ROAD
A406
FRYENT WAY
SALMON STREET
A4140
Sailing Club
Cemy.
Sports Ground
Neasden Recreation Ground
Braintcroft Prim. Sch.
Technology Colleges
Town Hall
Liby.
FORTY LANE
BLACKBIRD HILL
NEASDEN LANE
Kingsbury Bridge
Sports Ground
Play. Fld.
NEASDEN
NW10
St. Margaret Clitherow R.C. Prim. Sch.
Railway Works
Neasden Depot
NEASDEN JUNCTION
A4088
DUDDEN HILL
Arts Centre
Dollis Hill House
Pond
Tennis Courts
Putting Green
Playground
GLADSTONE PARK
DOLLIS HILL
Water Works
Reservoir
STADIUM BUSINESS CENTRE
WEMBLEY PARK BUSINESS CENTRE
WEMBLEY STADIUM IND. EST.
CANNON TRADING ESTATE
Works
HALLMARK TRAD. CEN.
GREAT CENTRAL WAY
B4557
DRURY WAY INDUSTRIAL ESTATE
Vernon Ho. Sch.
Brent Park
Superstore
Neasden
SOUTH WAY

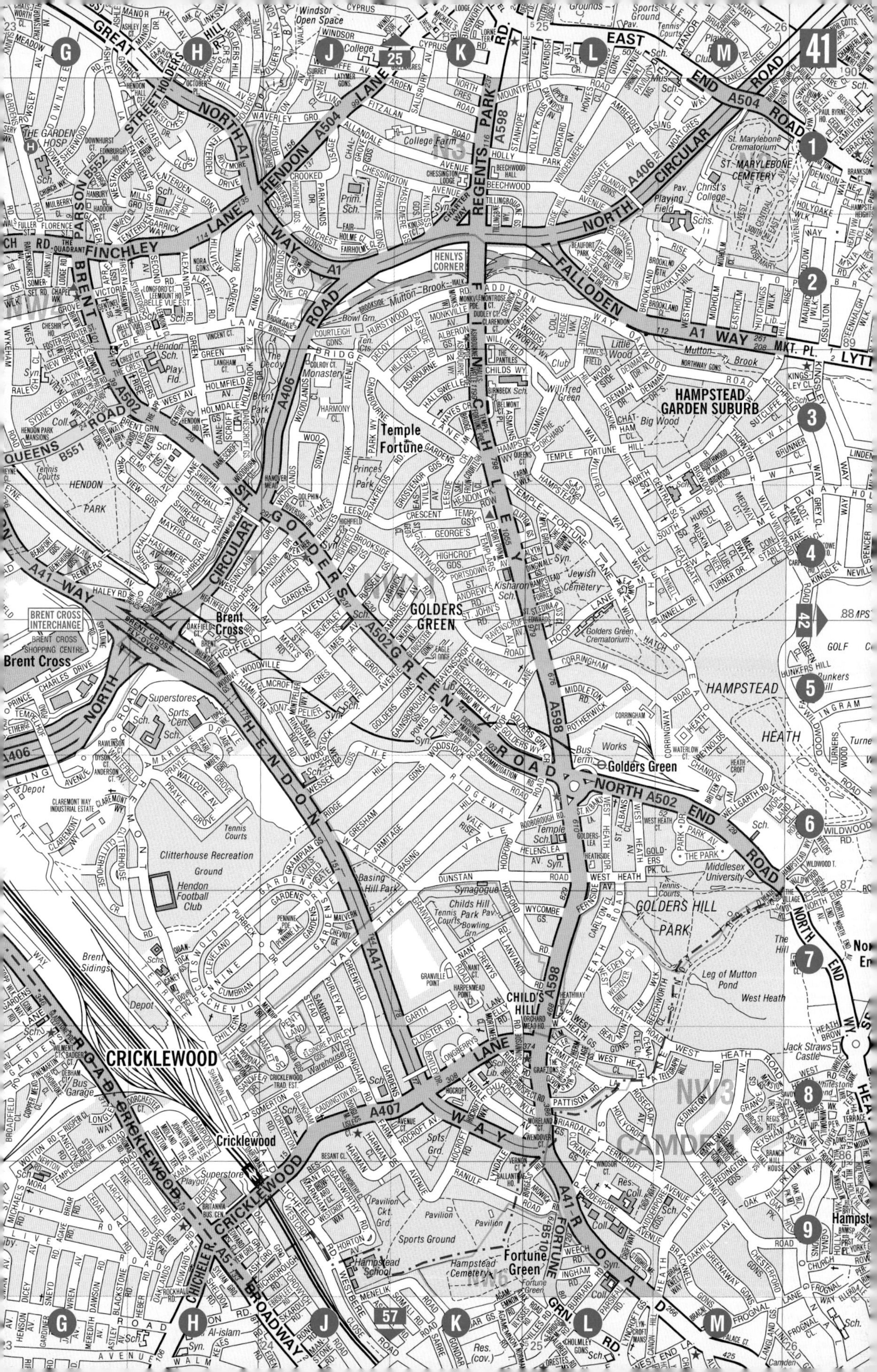

G
H
J
K
L
M
1
2
3
4
5
6
7
8
9
25
57
42
HAMPSTEAD GARDEN SUBURB
Temple Fortune
GOLDERS GREEN
Golders Green
Brent Cross
BRENT CROSS INTERCHANGE
BRENT CROSS SHOPPING CENTRE
CRICKLEWOOD
Cricklewood
CHILD'S HILL
Fortune Green
HAMPSTEAD
HEATH
GOLDERS HILL PARK
Clitterhouse Recreation Ground
Hendon Football Club
HENDON PARK
Hampstead Cemetery
Golders Green Crematorium
Jewish Cemetery
St. Marylebone Crematorium
ST. MARYLEBONE CEMETERY
Middlesex University
Leg of Mutton Pond
West Heath
Jack Straws Castle
HENLYS CORNER
College Farm
Sports Ground
Basing Hill Park
Childs Hill Park
NW11
NW3
NW6
N3
CAMDEN
NORTH CIRCULAR ROAD
A406
A1
A41
A502
A504
A598
A407
A5
B552
B551
B510
FINCHLEY ROAD
GOLDERS GREEN ROAD
HENDON WAY
NORTH END ROAD
FALLODEN WAY
FINCHLEY LANE
GREAT NORTH WAY
HENDON LANE
REGENTS PARK RD.
EAST END ROAD
BRENT ST.
QUEENS ROAD
CRICKLEWOOD BROADWAY
CRICKLEWOOD LANE
FORTUNE GREEN ROAD
WEST HEATH ROAD

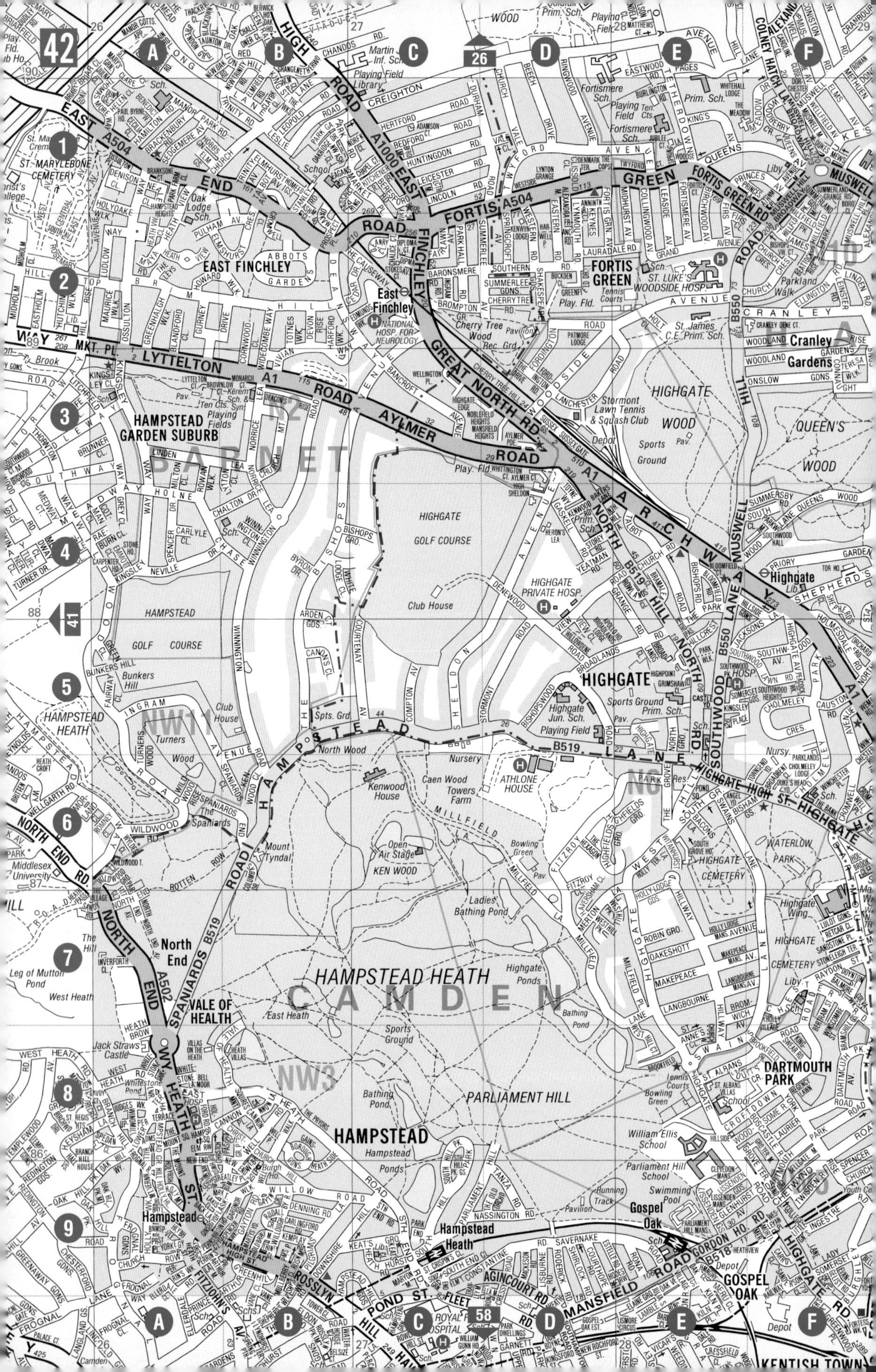
A
B
C
D
E
F
1
2
3
4
5
6
7
8
9
26
41
58
EAST FINCHLEY
East Finchley
FORTIS GREEN
HAMPSTEAD GARDEN SUBURB
BARNET
HAMPSTEAD GOLF COURSE
HIGHGATE GOLF COURSE
Club House
HIGHGATE WOOD
QUEEN'S WOOD
HIGHGATE
Highgate
Cranley Gardens
HAMPSTEAD HEATH
CAMDEN
KEN WOOD
Kenwood House
PARLIAMENT HILL
HAMPSTEAD
Hampstead
Hampstead Heath
Gospel Oak
GOSPEL OAK
DARTMOUTH PARK
HIGHGATE CEMETERY
WATERLOW PARK
North End
VALE OF HEALTH
ST. MARYLEBONE CEMETERY
NATIONAL HOSP. FOR NEUROLOGY
ST. LUKE'S WOODSIDE HOSP.
HIGHGATE PRIVATE HOSP.
ATHLONE HOUSE
ROYAL FREE HOSPITAL
Middlesex University
Leg of Mutton Pond
West Heath
Jack Straws Castle
Ladies' Bathing Pond
Highgate Ponds
Hampstead Ponds
Bathing Pond
William Ellis School
Parliament Hill School
Stormont Lawn Tennis & Squash Club
NW11
NW3
N2
N6
N10
NW5
A1
A504
A1000
A502
B519
B550
B518
EAST END ROAD
HIGH ROAD
FORTIS GREEN
GREAT NORTH RD
AYLMER ROAD
LYTTELTON ROAD
ARCHWAY ROAD
HAMPSTEAD LANE
SPANIARDS ROAD
NORTH END RD
NORTH END WAY
HEATH ST.
ROSSLYN HILL
HIGHGATE HIGH ST.
HIGHGATE RD
GORDON HO. RD
MANSFIELD ROAD
MUSWELL HILL
KENTISH TOWN

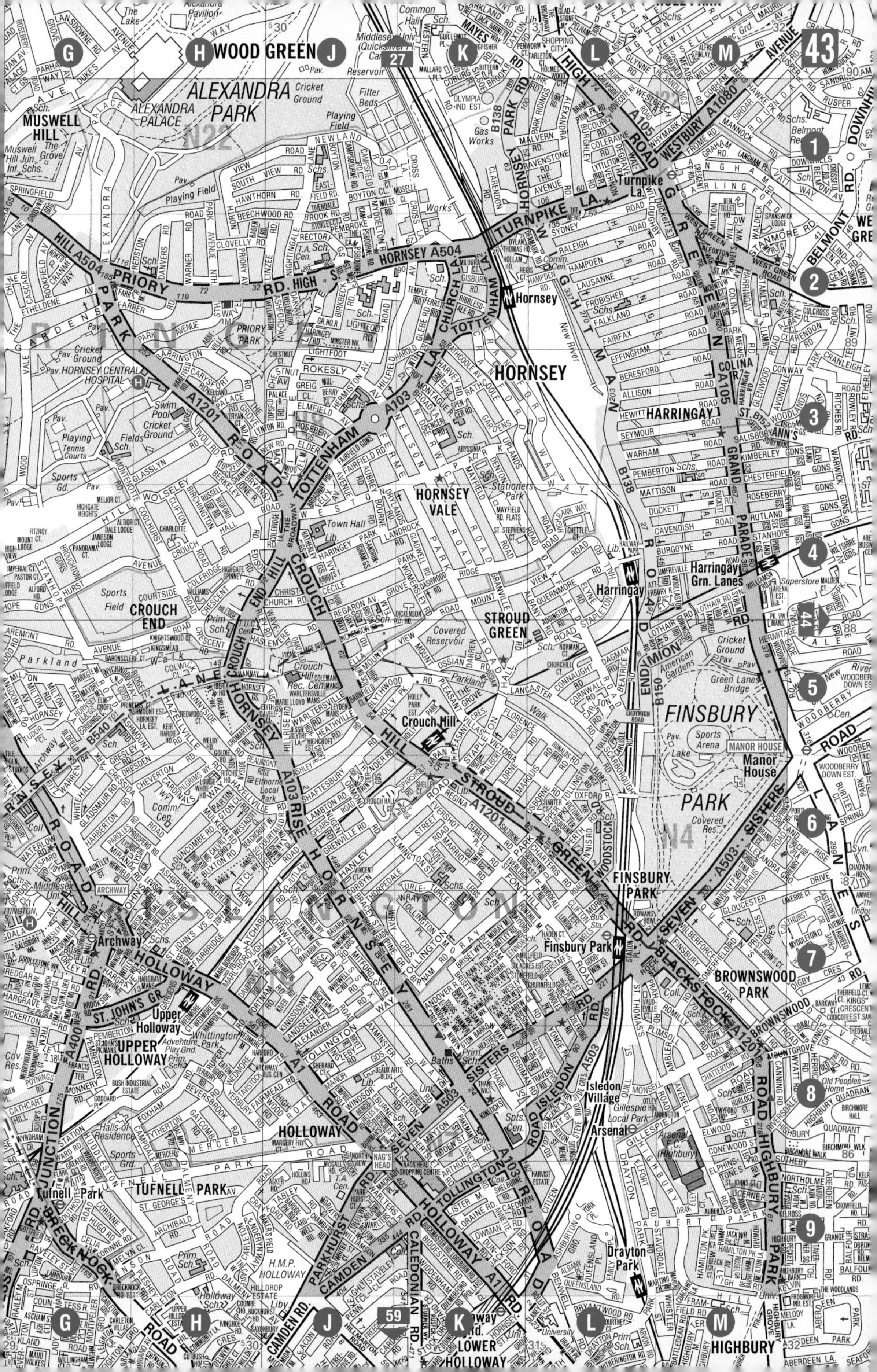
43
G
H
WOOD GREEN
J
K
L
M
27
ALEXANDRA PARK
ALEXANDRA PALACE
MUSWELL HILL
N22
Cricket Ground
Filter Beds
Playing Field
Reservoir
Playing Field
Priory Park
PRIORY RD.
HIGH ST.
HORNSEY A504
PRIORY AV.
TURNPIKE LA.
Turnpike La.
HORNSEY PARK RD.
WESTBURY A1080
HIGH ROAD
A105
Hornsey
HORNSEY
TOTTENHAM LA.
CHURCH LA.
New River
HARRINGAY
GREEN LANES
GRAND PARADE
Harringay Grn. Lanes
Harringay
CROUCH END
Sports Field
CROUCH HILL
HORNSEY VALE
Town Hall
STROUD GREEN
Covered Reservoir
Crouch Hill
FINSBURY PARK
Sports Arena
MANOR HOUSE
Manor House
N4
Green Lanes Bridge
American Gardens
ENDYMION RD.
SEVEN SISTERS RD.
A503
BLACKSTOCK RD.
BROWNSWOOD PARK
Finsbury Park
STROUD GREEN RD.
A1201
HORNSEY RISE
A103
HORNSEY RD.
ISLINGTON
Archway
ARCHWAY
JUNCTION RD.
A400
HOLLOWAY RD.
UPPER HOLLOWAY
Upper Holloway
HOLLOWAY
A1
ISLEDON RD.
Isledon Village
Arsenal
Gillespie Local Park
Arsenal F.C. (Highbury)
Tufnell Park
TUFNELL PARK AV.
H.M.P. HOLLOWAY
CAMDEN RD.
CALEDONIAN RD.
PARKHURST RD.
BRECKNOCK RD.
Drayton Park
HIGHBURY PARK
HIGHBURY
LOWER HOLLOWAY
59
44
1
2
3
4
5
6
7
8
9

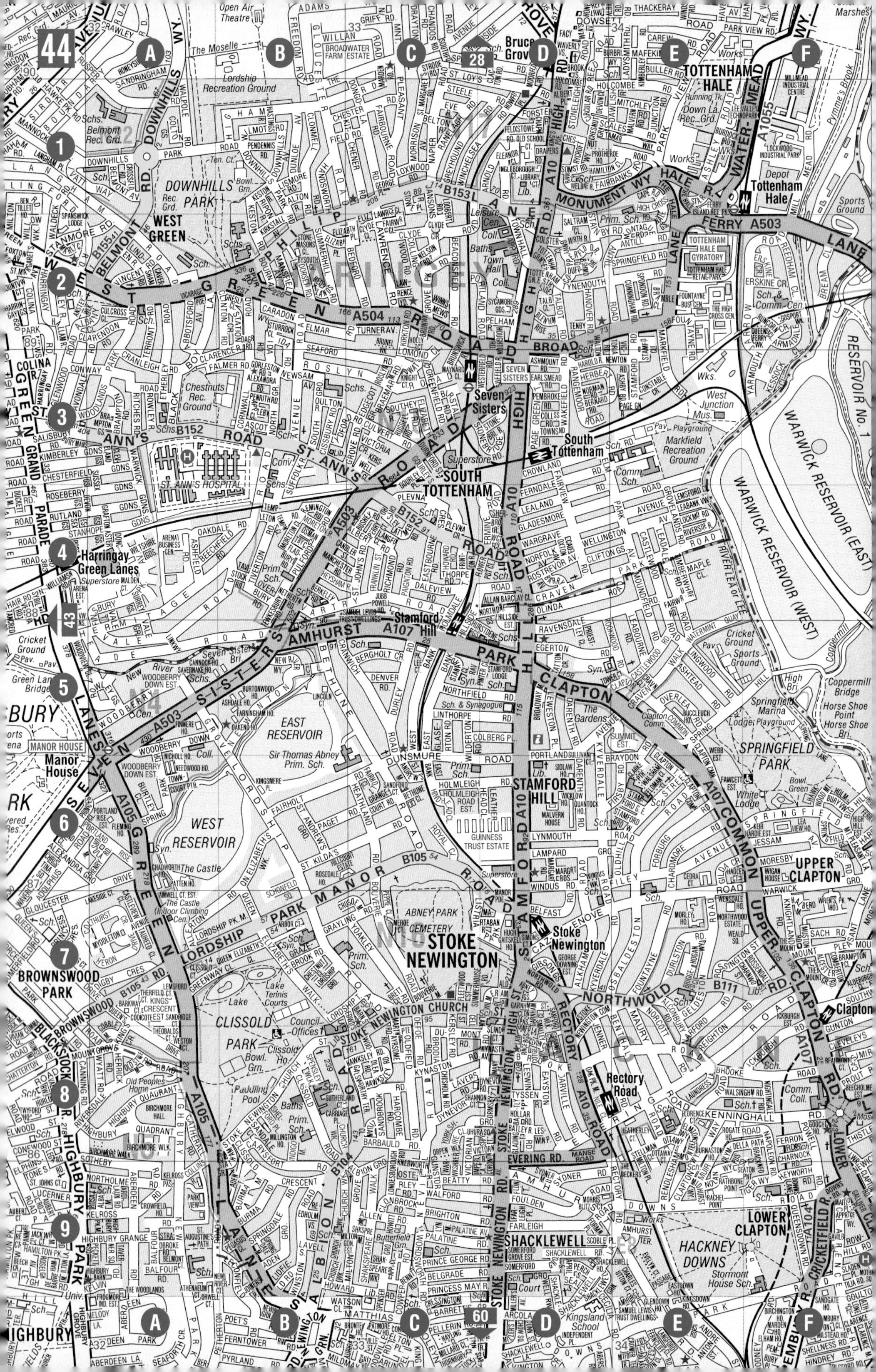
A
B
C
D
E
F
1
2
3
4
5
6
7
8
9
28
43
60
Open Air Theatre
The Moselle
Lordship Recreation Ground
BROADWATER FARM ESTATE
Bruce Grove
TOTTENHAM HALE
Tottenham Hale
Belmont Rec. Grd.
DOWNHILLS PARK
WEST GREEN
HARRINGAY
GREEN LANES
Harringay Green Lanes
Chestnuts Rec. Ground
ST. ANN'S HOSPITAL
Seven Sisters
SOUTH TOTTENHAM
South Tottenham
Markfield Recreation Ground
WARWICK RESERVOIR (EAST)
WARWICK RESERVOIR (WEST)
RESERVOIR No. 1
Stamford Hill
EAST RESERVOIR
WEST RESERVOIR
STAMFORD HILL
Manor House
MANOR HOUSE
SPRINGFIELD PARK
UPPER CLAPTON
ABNEY PARK CEMETERY
STOKE NEWINGTON
Stoke Newington
CLISSOLD PARK
BROWNSWOOD PARK
Rectory Road
Clapton
LOWER CLAPTON
HACKNEY DOWNS
SHACKLEWELL
Kingsland School
HIGHBURY
A10
A105
A107
A503
A504
B152
B153
B105
B104
A1055
A503
A104

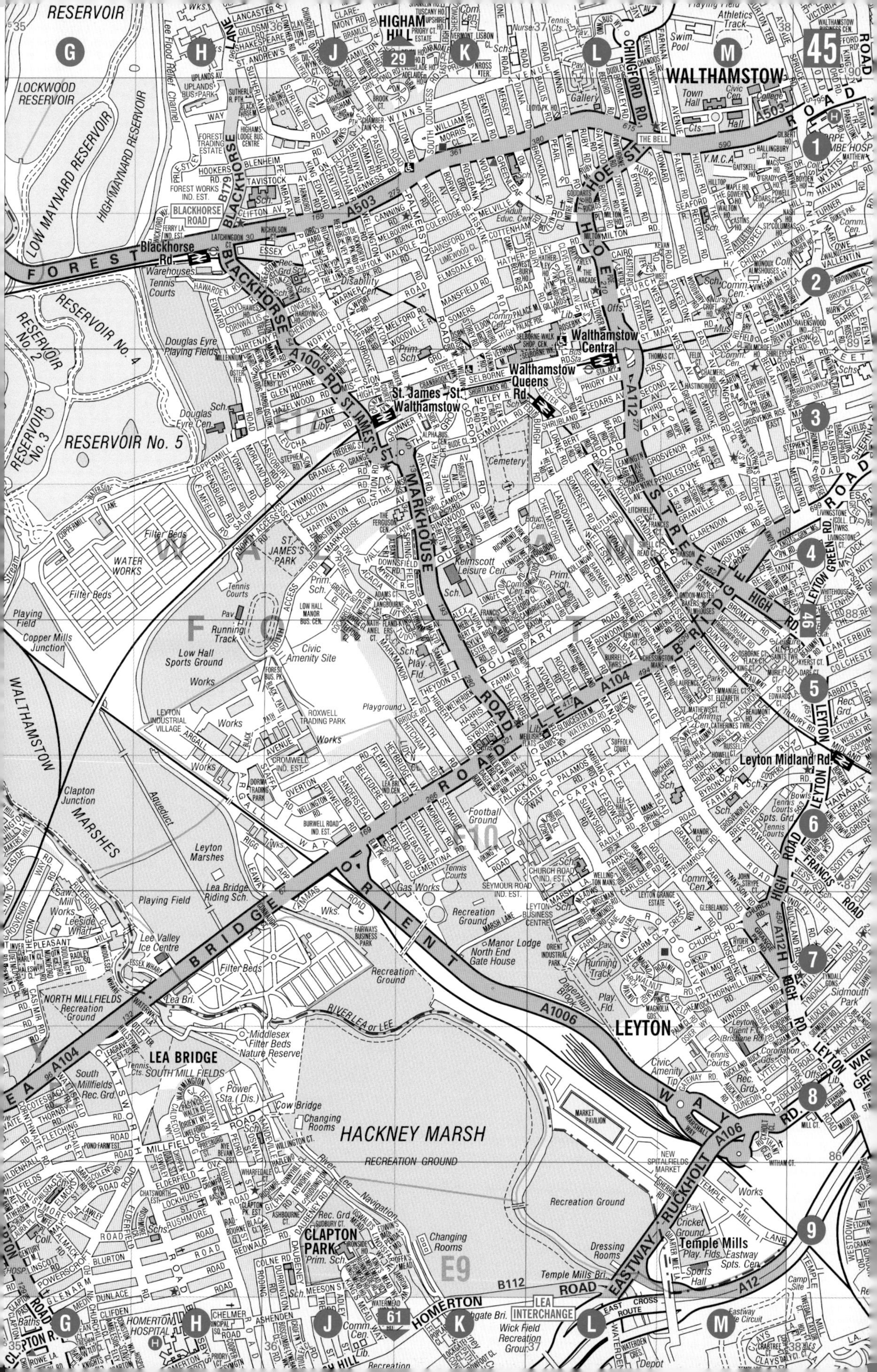

45
29
61
46
G
H
J
K
L
M
1
2
3
4
5
6
7
8
9
35
36
37
38
89
88
87
86
RESERVOIR
LOCKWOOD RESERVOIR
LOW MAYNARD RESERVOIR
HIGH MAYNARD RESERVOIR
RESERVOIR No. 4
RESERVOIR No. 2
RESERVOIR No. 3
RESERVOIR No. 5
HIGHAM HILL
WALTHAMSTOW
Town Hall
Civic Cen.
THE BELL
Swim. Pool
Athletics Track
CHINGFORD RD.
HOE ST.
FOREST ROAD
A503
Blackhorse Rd.
BLACKHORSE ROAD
BLACKHORSE LANE
B179
A1006
ST. JAMES'S ST.
St. James St. Walthamstow
Walthamstow Queens Rd.
Walthamstow Central
HIGH STREET
MARKHOUSE ROAD
A112
E17
WALTHAMSTOW
FOREST
Cemetery
Kelmscott Leisure Cen.
ST. JAMES'S PARK
Douglas Eyre Playing Fields
Filter Beds
WATER WORKS
Playing Field
Copper Mills Junction
Low Hall Sports Ground
Running Track
Civic Amenity Site
LEYTON INDUSTRIAL VILLAGE
ROXWELL TRADING PARK
WALTHAMSTOW MARSHES
Clapton Junction
Leyton Marshes
Aqueduct
Lea Bridge Riding Sch.
Playing Field
LEA BRIDGE ROAD
A104
Lee Valley Ice Centre
NORTH MILLFIELDS Recreation Ground
LEA BRIDGE
Middlesex Filter Beds Nature Reserve
South Millfields Rec. Grd.
HACKNEY MARSH
RECREATION GROUND
Recreation Ground
Changing Rooms
Cow Bridge
RIVER LEA or LEE
E9
E10
ORIENT WAY
A1006
Football Ground
Recreation Ground
Manor Lodge North End Gate House
LEYTON
Leyton Midland Rd.
LEYTON HIGH RD.
Leyton Orient F.C. (Brisbane Rd.)
NEW SPITALFIELDS MARKET
MARKET PAVILION
RUCKHOLT RD.
A106
EASTWAY
Temple Mills
Temple Mills Bri.
Eastway Spts. Cen.
A12
EAST CROSS ROUTE
LEA INTERCHANGE
HOMERTON
HOMERTON HOSPITAL
CLAPTON PARK
Wick Field Recreation Ground
Dressing Rooms
Dagenham Brook

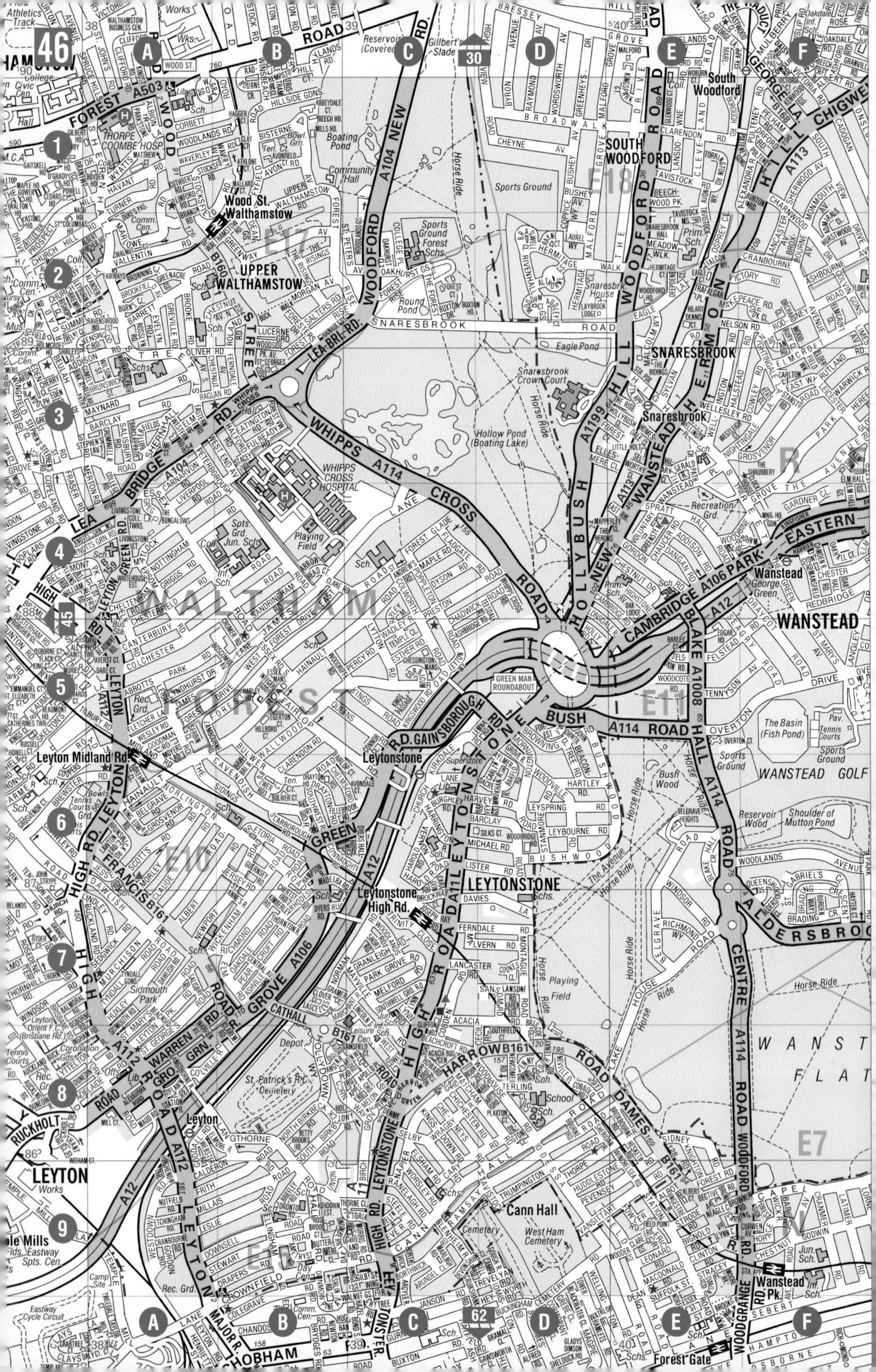
46
A
B
C
D
E
F
1
2
3
4
5
6
7
8
9
30
45
62
WALTHAMSTOW BUSINESS CEN.
THORPE COOMBE HOSP.
Wood St. Walthamstow
UPPER WALTHAMSTOW
E17
SOUTH WOODFORD
South Woodford
E18
Sports Ground
Boating Pond
Community Hall
Reservoir (Covered)
Gilbert's Slade
Horse Ride
Round Pond
SNARESBROOK ROAD
Eagle Pond
Snaresbrook Crown Court
Snaresbrook House
SNARESBROOK
Snaresbrook
Hollow Pond (Boating Lake)
WHIPPS CROSS HOSPITAL
WHIPPS CROSS ROAD
A114
A104
NEW WOODFORD RD.
LEA BRIDGE RD.
HOLLYBUSH HILL
A1199
NEW WANSTEAD
A113
HERMON HILL
Recreation Grd.
EASTERN AVENUE
CAMBRIDGE PARK
A106
A12
Wanstead
George Green
WANSTEAD
GREEN MAN ROUNDABOUT
E11
BUSH ROAD
BLAKE HALL ROAD
A1008
The Basin (Fish Pond)
Sports Ground
WANSTEAD GOLF
Bush Wood
Reservoir Wood
Shoulder of Mutton Pond
ALDERSBROOK
WALTHAM FOREST
Leyton Midland Rd.
Leytonstone
LEYTONSTONE
Leytonstone High Rd.
HIGH RD. LEYTONSTONE
HIGH RD. LEYTON
A112
E10
FRANCIS RD.
B161
Sidmouth Park
Leyton Orient F.C. (Brisbane Rd.)
GROVE GREEN ROAD
CATHALL
Depot
St. Patrick's R.C. Cemetery
HARROW ROAD
School
Playing Field
DAMES ROAD
WANSTEAD FLATS
E7
CENTRE ROAD
WOODFORD ROAD
LEYTON
Leyton
Eastway Spts. Cen.
Eastway Cycle Circuit
Camp Site
E15
Cann Hall
Cemetery
West Ham Cemetery
CANN HALL
Wanstead Pk.
Forest Gate
WOODGRANGE RD.
CHOBHAM

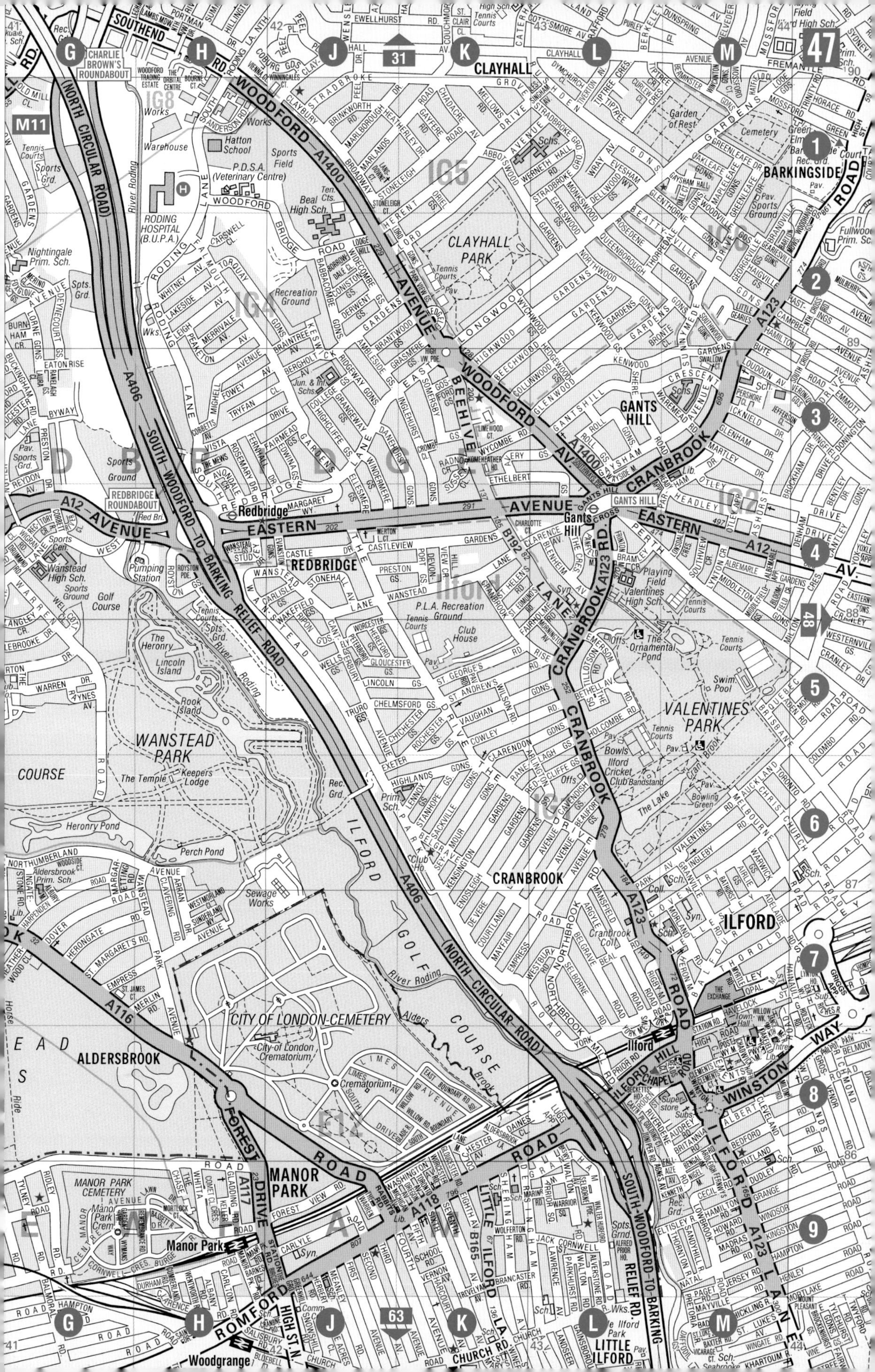
G
H
J
K
L
M
31
63
48
1
2
3
4
5
6
7
8
9
CHARLIE BROWN'S ROUNDABOUT
SOUTHEND RD.
CLAYHALL
BARKINGSIDE
NORTH CIRCULAR ROAD
WOODFORD A1400
Hatton School
Sports Field
P.D.S.A. (Veterinary Centre)
Beal High Sch.
RODING HOSPITAL (B.U.P.A.)
River Roding
Nightingale Prim. Sch.
Recreation Ground
CLAYHALL PARK
Garden of Rest
Cemetery
IG8
IG5
IG6
IG4
IG2
IG1
E12
WOODFORD AVENUE
BEEHIVE LANE
GANTS HILL
CRANBROOK RD.
A406
SOUTH WOODFORD TO BARKING RELIEF ROAD
REDBRIDGE ROUNDABOUT
EASTERN AVENUE
A12
Redbridge
REDBRIDGE
Gants Hill
Wanstead High Sch.
Sports Ground
Golf Course
Pumping Station
P.L.A. Recreation Ground
Club House
Valentines High Sch.
Playing Field
The Ornamental Pond
VALENTINES PARK
Swim Pool
Bowls
Ilford Cricket Club
Bandstand
The Lake
Bowling Green
The Heronry
Lincoln Island
Rook Island
WANSTEAD PARK
The Temple
Keepers Lodge
Heronry Pond
Perch Pond
COURSE
ILFORD GOLF COURSE
Sewage Works
CITY OF LONDON CEMETERY
City of London Crematorium
Crematorium
Aldersbrook
Alders Brook
River Roding
CRANBROOK
ILFORD
The Exchange
Town Hall
Ilford
ILFORD HILL
WINSTON WAY
A123
ILFORD LANE
ALDERSBROOK
A116
FOREST DRIVE
A117
MANOR PARK
MANOR PARK CEMETERY
Manor Park Crem.
Manor Park
ROMFORD ROAD
A118
LITTLE ILFORD LA.
B165
HIGH ST. N.
Woodgrange
LITTLE ILFORD
Little Ilford Park
CHURCH RD.
B192
A1400

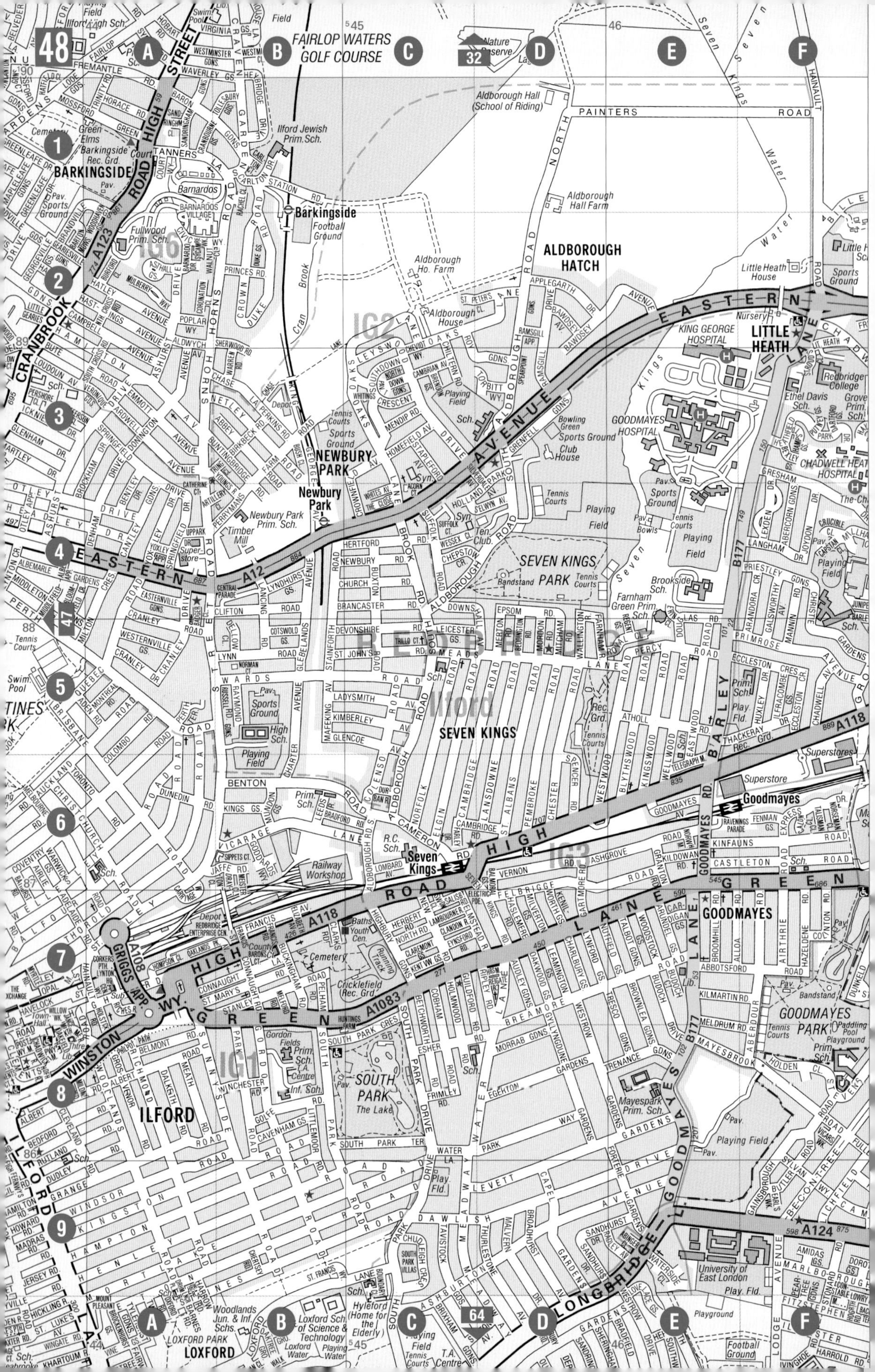

48
FAIRLOP WATERS GOLF COURSE
Nature Reserve
32
Aldborough Hall (School of Riding)
PAINTERS ROAD
Ilford Jewish Prim.Sch.
BARKINGSIDE
Barkingside Rec. Grd.
Barnardos
BARNARDOS VILLAGE
Fullwood Prim. Sch.
Barkingside
Football Ground
Aldborough Hall Farm
ALDBOROUGH HATCH
Aldborough Ho. Farm
Aldborough House
Little Heath House
LITTLE HEATH
KING GEORGE HOSPITAL
GOODMAYES HOSPITAL
Redbridge College
CHADWELL HEATH HOSPITAL
EASTERN AVENUE
A12
NEWBURY PARK
Newbury Park
Newbury Park Prim. Sch.
Timber Mill
Super store
CRANBROOK
SEVEN KINGS PARK
Bandstand
Farnham Green Prim. Sch.
Brookside Sch.
REDBRIDGE
Ilford
SEVEN KINGS
Seven Kings
Railway Workshop
HIGH ROAD
A118
Goodmayes
GOODMAYES
GOODMAYES PARK
GREEN LANE
A1083
South Park
The Lake
Cricklefield (Rec. Grd)
Cemetery
Running Track
ILFORD
Gordon Fields
Mayespark Prim. Sch.
Playing Field
LONGBRIDGE
GOODMAYES LANE
B177
A124
University of East London
Woodlands Jun. & Inf. Schs.
LOXFORD PARK
LOXFORD
Loxford Sch. of Science & Technology
Hyleford (Home for the Elderly)
64
47
Town Hall
WINSTON WY.
GRIGGS APP.
A108
A123
IG1
IG2
IG3
IG6

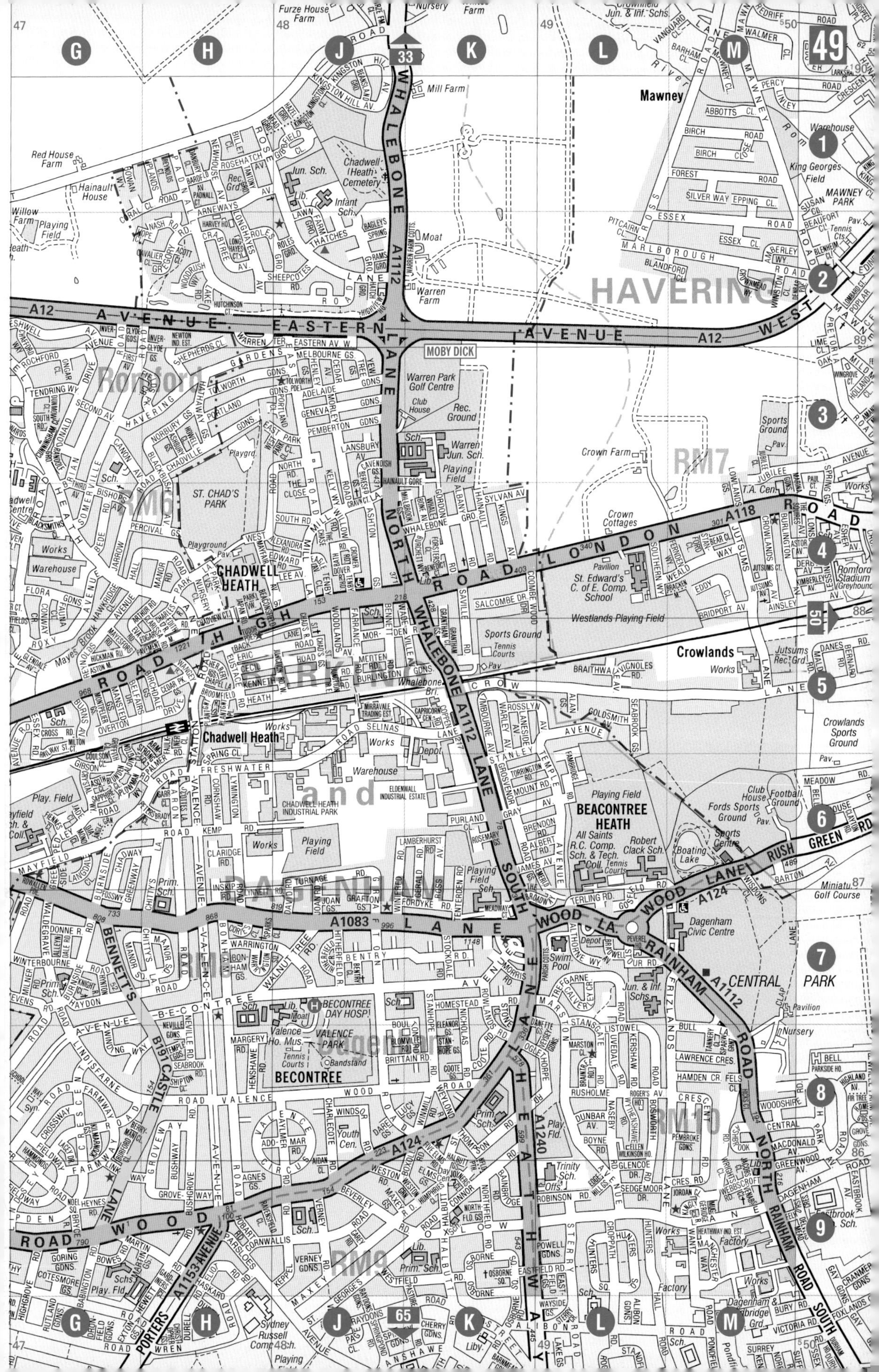
49
33
65
50
HAVERING
Mawney
MAWNEY PARK
King Georges Field
Romford
RM6
RM7
RM8
RM9
RM10
CHADWELL HEATH
Chadwell Heath
BARKING
and
DAGENHAM
BECONTREE HEATH
BECONTREE
Dagenham
Crowlands
CENTRAL PARK
EASTERN AVENUE
A12
WHALEBONE LANE NORTH
A1112
HIGH ROAD
LONDON ROAD
A118
WHALEBONE LANE SOUTH
A1083
A124
RAINHAM ROAD NORTH
RAINHAM ROAD SOUTH
HEATHWAY
A1240
WOOD LANE
RUSH GREEN RD
B191
A1153
Chadwell Heath Cemetery
Warren Park Golf Centre
St. Chad's Park
Valence Park
Valence Ho. Mus.
BECONTREE DAY HOSP.
Dagenham Civic Centre
Westlands Playing Field
St. Edward's C. of E. Comp. School
Crowlands Sports Ground
Fords Sports Ground
Boating Lake
MOBY DICK
Crown Farm
Crown Cottages
Warren Farm
Mill Farm
Red House Farm
Furze House Farm
Hainault House
Willow Farm
Chadwell Heath Industrial Park
Eldenwall Industrial Estate
Sydney Russell Comp. Sch.
Romford Stadium (Greyhound)
Miniature Golf Course
Dagenham & Redbridge F.C. Grd.

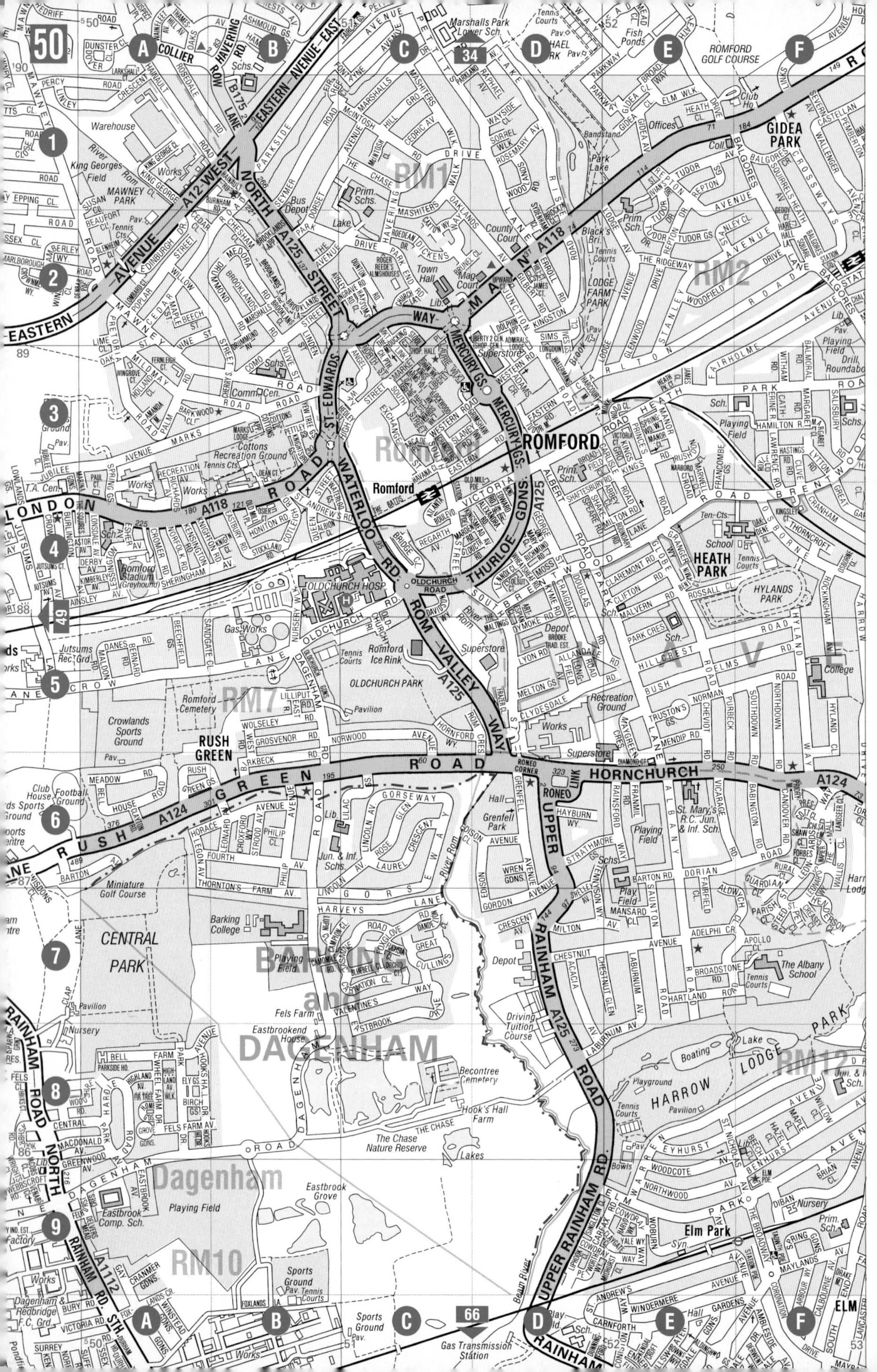
A
B
C
D
E
F
1
2
3
4
5
6
7
8
9
34
49
66
RM1
RM2
RM7
RM10
RM12
ROMFORD
Romford
GIDEA PARK
HEATH PARK
RUSH GREEN
Elm Park
BARKING and DAGENHAM
Dagenham
Marshalls Park Lower Sch.
ROMFORD GOLF COURSE
Fish Ponds
Club Ho.
Bandstand
Park Lake
King Georges Field
MAWNEY PARK
River Rom
Warehouse
Works
Prim. Schs.
Bus Depot
Lake
ROGER REEDE'S ALMSHOUSES
Town Hall
Lib.
Mag. Court
County Court
Black's Bri.
LODGE FARM PARK
Tennis Courts
Superstore
Comm. Cen.
Cottons Recreation Ground
T.A. Cen.
Romford Stadium (Greyhound)
OLDCHURCH HOSP.
Gas Works
Jutsums Rec. Grd.
Romford Ice Rink
OLDCHURCH PARK
Pavilion
Romford Cemetery
Crowlands Sports Ground
HYLANDS PARK
Playing Field
Depot
BROOKE TRAD. EST.
Recreation Ground
College
Grenfell Park
Jun. & Inf. Schs.
Miniature Golf Course
CENTRAL PARK
Barking College
Fels Farm
Eastbrookend House
Becontree Cemetery
Hook's Hall Farm
The Chase Nature Reserve
Lakes
Eastbrook Grove
Dagenham Playing Field
Eastbrook Comp. Sch.
Sports Ground
Dagenham & Redbridge F.C. Grd.
Gas Transmission Station
Driving Tuition Course
HARROW LODGE PARK
Boating Lake
Playground
St. Mary's R.C. Jun. & Inf. Sch.
The Albany School
Nursery
Beam River
River Rom
EASTERN AVENUE
A12 WEST
EASTERN AVENUE EAST
NORTH STREET A125
MAIN ROAD A118
LONDON ROAD A118
ST. EDWARDS WAY
WATERLOO RD.
ROM VALLEY WAY A125
RUSH GREEN ROAD A124
HORNCHURCH ROAD A124
UPPER RAINHAM ROAD A125
RAINHAM ROAD NORTH
RAINHAM RD. STH. A1112
OLDCHURCH ROAD
MERCURY GDNS.
THURLOE GDNS.
SOUTH STREET
DAGENHAM ROAD
HARROW LODGE PARK

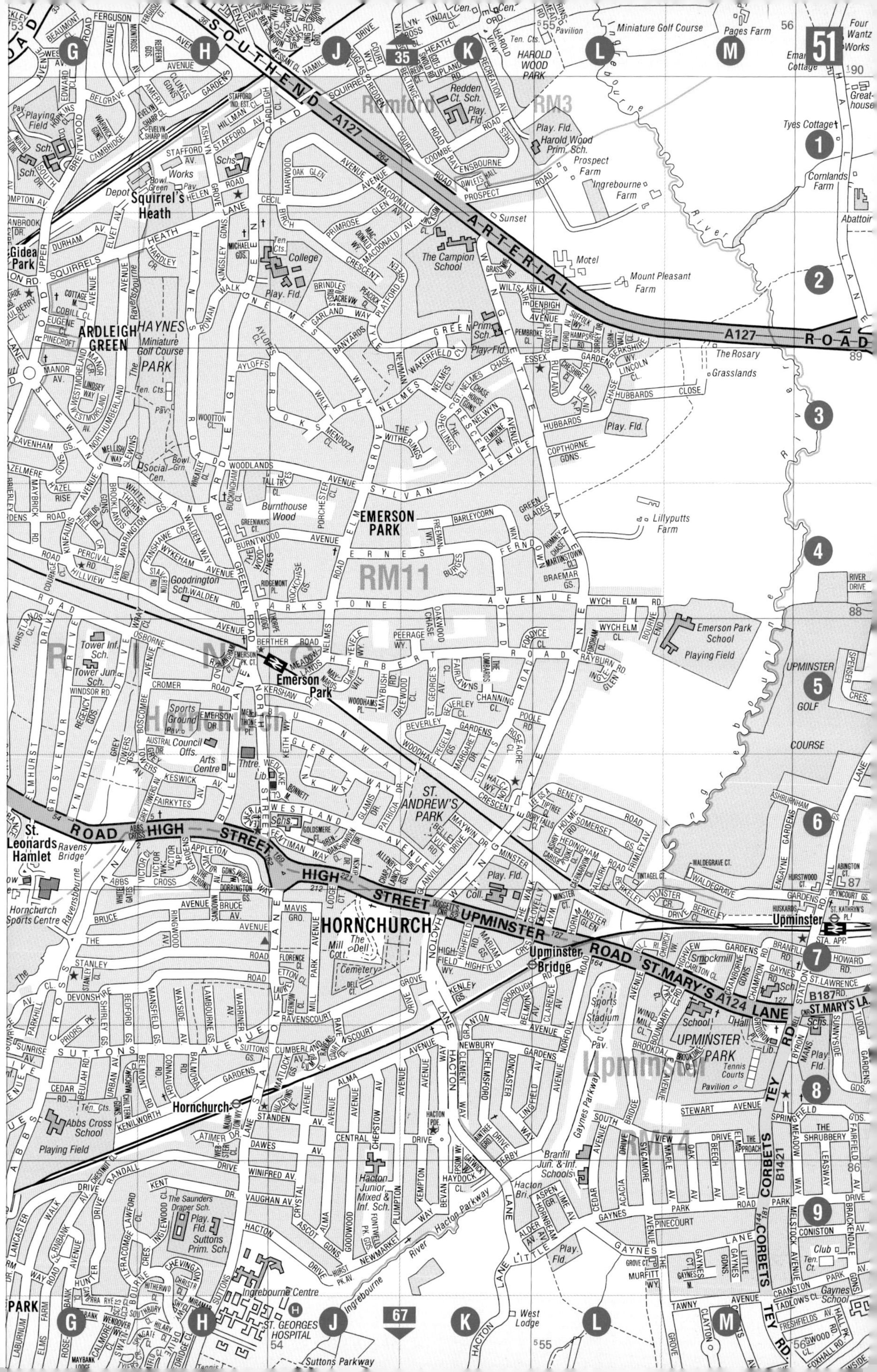

51
35
67
SOUTHEND
A127
ARTERIAL ROAD
Romford
RM3
RM11
RM14
Squirrel's Heath
Gidea Park
ARDLEIGH GREEN
HAYNES PARK
Miniature Golf Course
EMERSON PARK
Emerson Park
Hornchurch
HORNCHURCH
Upminster
Upminster Bridge
UPMINSTER PARK
UPMINSTER GOLF COURSE
St. Leonards Hamlet
Ravens Bridge
Hornchurch Sports Centre
HIGH STREET
UPMINSTER ROAD
ST. MARY'S LANE
A124
B187
B1421
CORBETS TEY RD.
Harold Wood Park
Harold Wood Prim. Sch.
Prospect Farm
Ingrebourne Farm
Pages Farm
Miniature Golf Course
Tyes Cottage
Cornlands Farm
Abattoir
Great-house
Four Wantz Works
Motel
Mount Pleasant Farm
The Rosary
Grasslands
Lillyputts Farm
Emerson Park School
Playing Field
Redden Ct. Sch.
The Campion School
College
Goodrington Sch.
Tower Inf. Sch.
Tower Jun. Sch.
Sports Ground
Council Offs.
Arts Centre
Thtre.
Lib.
ST. ANDREW'S PARK
The Dell
Mill Cott.
Cemetery
Sports Stadium
Abbs Cross School
Playing Field
Hacton Junior Mixed & Inf. Sch.
Branfil Jun. & Inf. Schools
The Saunders Draper Sch.
Suttons Prim. Sch.
Ingrebourne Centre
ST. GEORGES HOSPITAL
Ingrebourne River
Hacton Parkway
Suttons Parkway
West Lodge
Gaynes School
Burnthouse Wood
Ingrebourne
River
Upminster

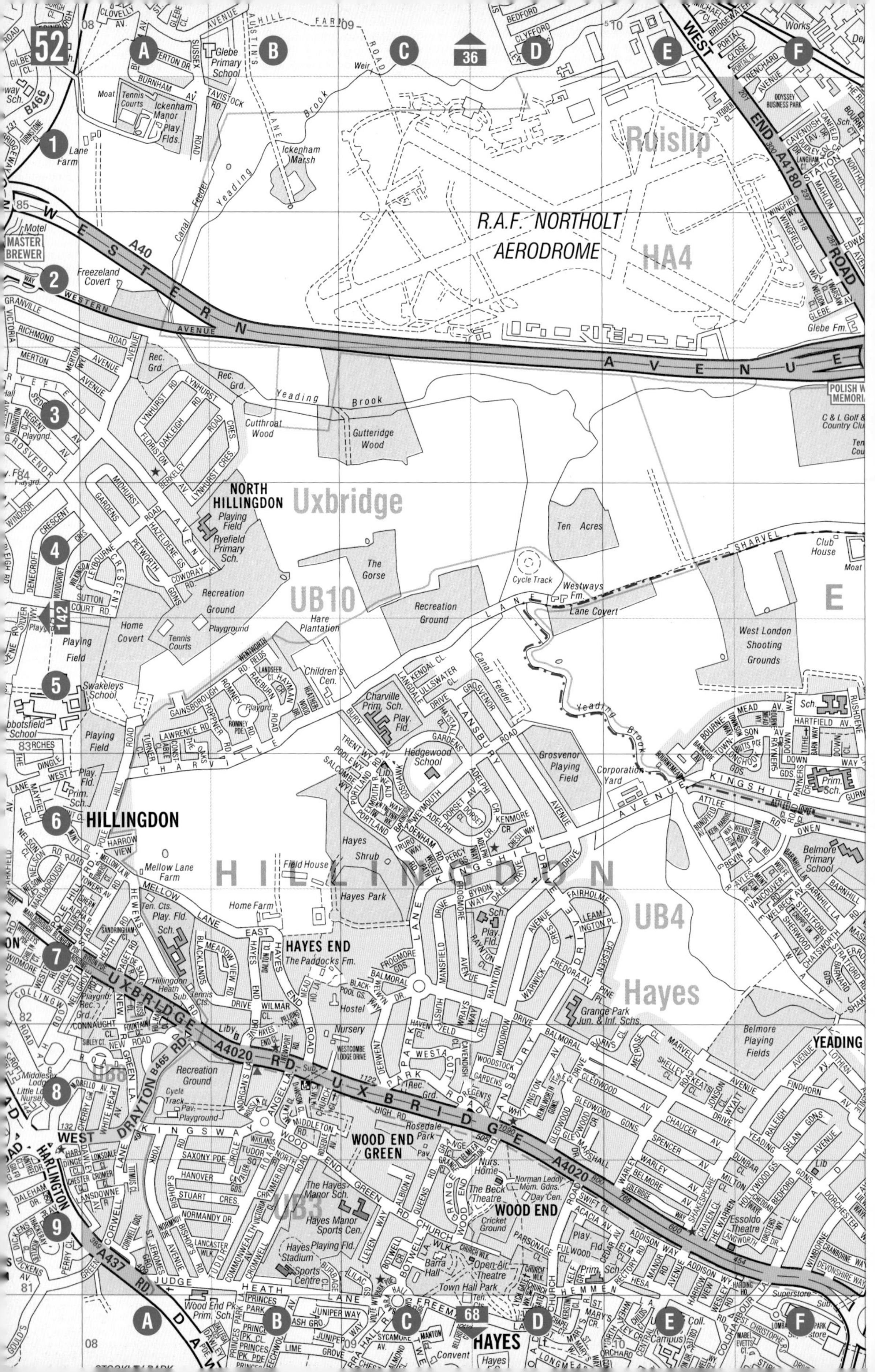

52
36
68
142
A
B
C
D
E
F
1
2
3
4
5
6
7
8
9
Ruislip
R.A.F. NORTHOLT
AERODROME
HA4
WESTERN AVENUE
A40
WEST END ROAD
A4180
Glebe Primary School
Ickenham Manor
Ickenham Marsh
Yeading Brook
Canal Feeder
Freezeland Covert
MASTER BREWER
Motel
Lane Farm
Tennis Courts
Moat
Weir
ODYSSEY BUSINESS PARK
Glebe Fm.
POLISH WAR MEMORIAL
C & L Golf & Country Club
Cutthroat Wood
Gutteridge Wood
NORTH HILLINGDON
Uxbridge
Ryefield Primary Sch.
Playing Field
Recreation Ground
Ten Acres
The Gorse
UB10
Hare Plantation
Cycle Track
Westways Fm.
Lane Covert
SHARVEL LANE
Club House
Home Covert
Swakeleys School
Abbotsfield School
West London Shooting Grounds
Charville Prim. Sch.
Hedgewood School
Grosvenor Playing Field
Corporation Yard
Children's Cen.
HILLINGDON
Mellow Lane Farm
Field House
Hayes Shrub
Hayes Park
Home Farm
KINGSHILL AVENUE
Belmore Primary School
UB4
HAYES END
The Paddocks Fm.
Hayes
Grange Park Jun. & Inf. Schs
Hostel
Nursery
Hillingdon Heath
UXBRIDGE RD.
A4020
Recreation Ground
Belmore Playing Fields
YEADING
UB8
Middlesex Lodge
WOOD END GREEN
Rosedale Park
The Hayes Manor Sch.
Hayes Manor Sports Cen.
UB3
The Beck Theatre
Norman Leddy Mem. Gdns.
Day Cen.
WOOD END
Cricket Ground
Hayes Stadium
Sports Centre
Barra Hall
Open Air Theatre
Town Hall Park
Essoldo Theatre
Superstore
Wood End Pk Prim. Sch.
A437
DAWLEY RD.
HARLINGTON ROAD
KINGSWAY
HEATH LANE
HAYES
Convent

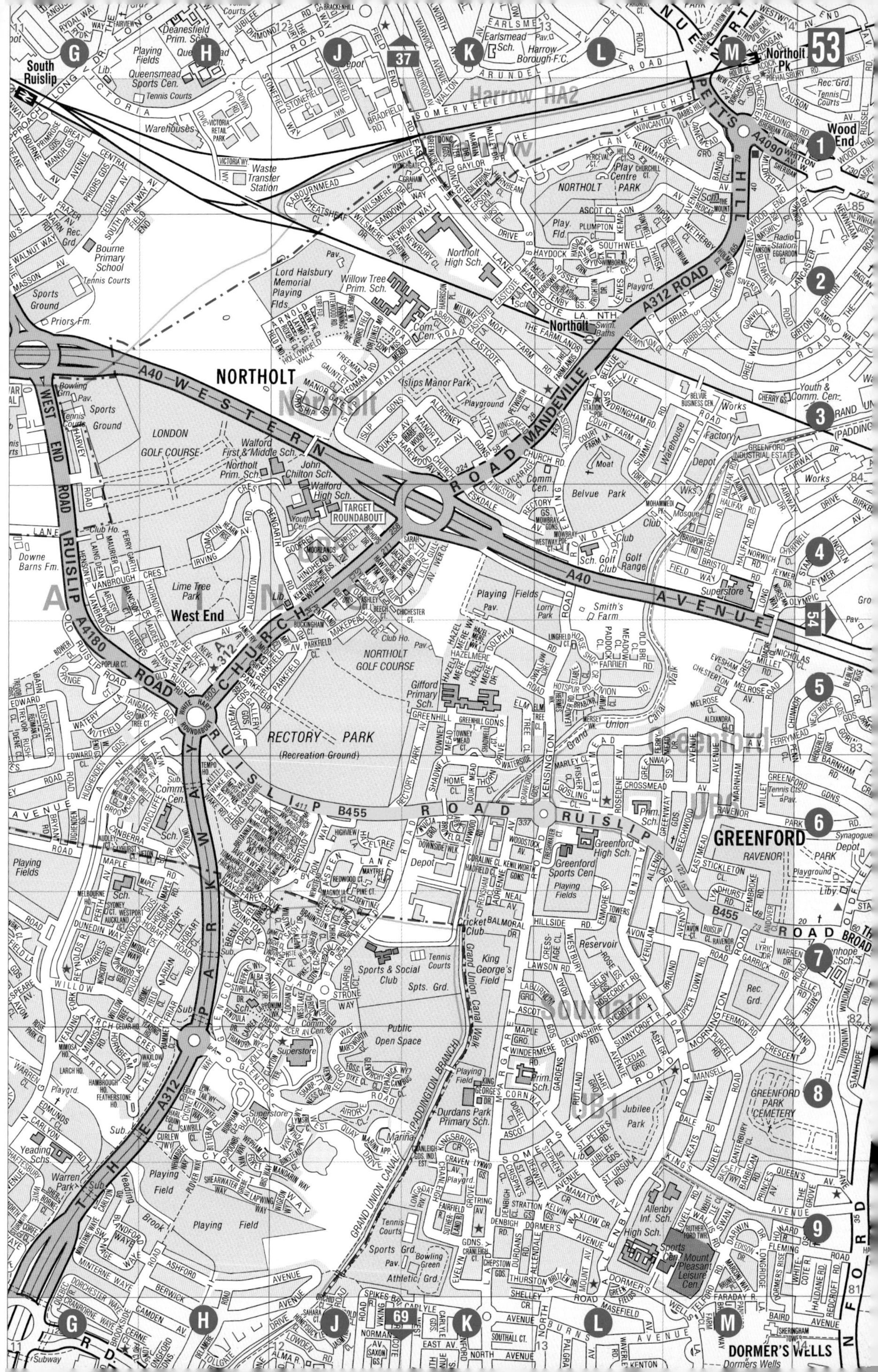
G
H
J
K
L
M
37
54
69
1
2
3
4
5
6
7
8
9
South Ruislip
Northolt Pk.
Wood End
Harrow HA2
NORTHOLT
Northolt
West End
GREENFORD
Greenford
Southall
UB1
UB6
DORMER'S WELLS
Dormers Wells
Deanesfield Prim. Sch.
Queensmead Sports Cen.
Playing Fields
Earlsmead Sch.
Harrow Borough F.C.
Waste Transfer Station
Victoria Retail Park
Warehouses
Bourne Primary School
Sports Ground
Priors Fm.
Lord Halsbury Memorial Playing Flds
Willow Tree Prim. Sch.
Northolt High Sch.
NORTHOLT PARK
Play Centre
Radio Station
Islips Manor Park
LONDON GOLF COURSE
Walford First & Middle Sch.
Northolt Prim. Sch.
John Chilton Sch.
Walford High Sch.
TARGET ROUNDABOUT
Lime Tree Park
Downe Barns Fm.
Belvue Park
Golf Range
Smith's Farm
GREENFORD INDUSTRIAL ESTATE
NORTHOLT GOLF COURSE
Gifford Primary Sch.
RECTORY PARK (Recreation Ground)
WHITE HART ROUNDABOUT
Greenford High Sch.
Greenford Sports Cen
RAVENOR PARK
Playing Fields
Sports & Social Club
Public Open Space
Superstore
King George's Field
Grand Union Canal Walk
GRAND UNION CANAL (PADDINGTON BRANCH)
Durdans Park Primary Sch.
Jubilee Park
GREENFORD PARK CEMETERY
Allenby Inf. Sch.
High Sch.
Mount Pleasant Leisure Cen
Yeading Schs.
Warren Park
Yeading Brook
Playing Field
A40 WESTERN AVENUE
A312 ROAD
MANDEVILLE ROAD
CHURCH ROAD
RUISLIP ROAD
A4180
B455
THE PARKWAY
A312
A4090
PETT'S HILL
WEST END ROAD
VICTORIA ROAD
LONG DRIVE
SOMERVELL ROAD
ARUNDEL ROAD

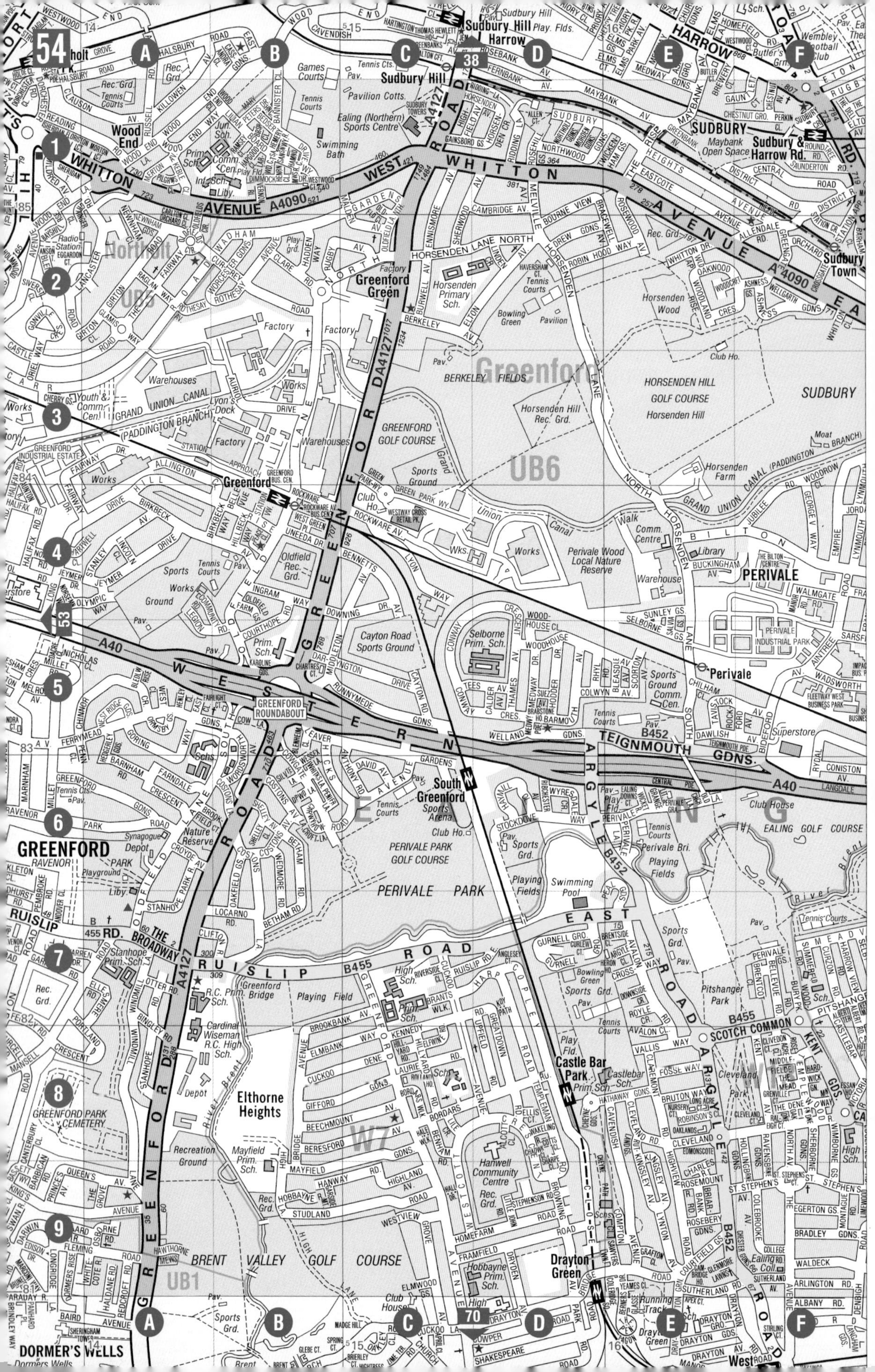
54
A
B
C
D
E
F
1
2
3
4
5
6
7
8
9
38
53
70
Northolt
Wood End
Sudbury Hill
Sudbury Hill Harrow
Sudbury Hill Play. Flds.
Games Courts
Tennis Courts
Pavilion Cotts.
Ealing (Northern) Sports Centre
Swimming Bath
Harrow
HARROW RD.
SUDBURY
Sudbury & Harrow Rd.
Maybank Open Space
Sudbury Town
Wembley Football Club
WHITTON AVENUE A4090
WEST WHITTON AVENUE
WHITTON AVENUE EAST
Greenford Green
Horsenden Primary Sch.
Horsenden Wood
Greenford
BERKELEY FIELDS
HORSENDEN HILL GOLF COURSE
Horsenden Hill
Horsenden Hill Rec. Grd.
SUDBURY
UB5
UB6
UB1
W7
GREENFORD GOLF COURSE
Sports Ground
Horsenden Farm
GRAND UNION CANAL (PADDINGTON BRANCH)
Greenford
GREENFORD ROAD A4127
Oldfield Rec. Grd.
Perivale Wood Local Nature Reserve
PERIVALE
PERIVALE INDUSTRIAL PARK
Perivale
Cayton Road Sports Ground
Selborne Prim. Sch.
A40 WESTERN AVENUE
GREENFORD ROUNDABOUT
South Greenford
Sports Arena
PERIVALE PARK GOLF COURSE
PERIVALE PARK
TEIGNMOUTH GDNS.
ARGYLE ROAD B452
EALING GOLF COURSE
Perivale Bri. Playing Fields
Swimming Pool
GREENFORD
RUISLIP RD.
THE BROADWAY
RUISLIP ROAD B455
RUISLIP ROAD EAST
Greenford Bridge
Playing Field
Elthorne Heights
Recreation Ground
Cardinal Wiseman R.C. High Sch.
Hanwell Community Centre
BRENT VALLEY GOLF COURSE
GREENFORD PARK CEMETERY
Castle Bar Park
SCOTCH COMMON
Pitshanger Park
Cleveland Park
Drayton Green
DORMER'S WELLS
Dormers Wells
River Brent

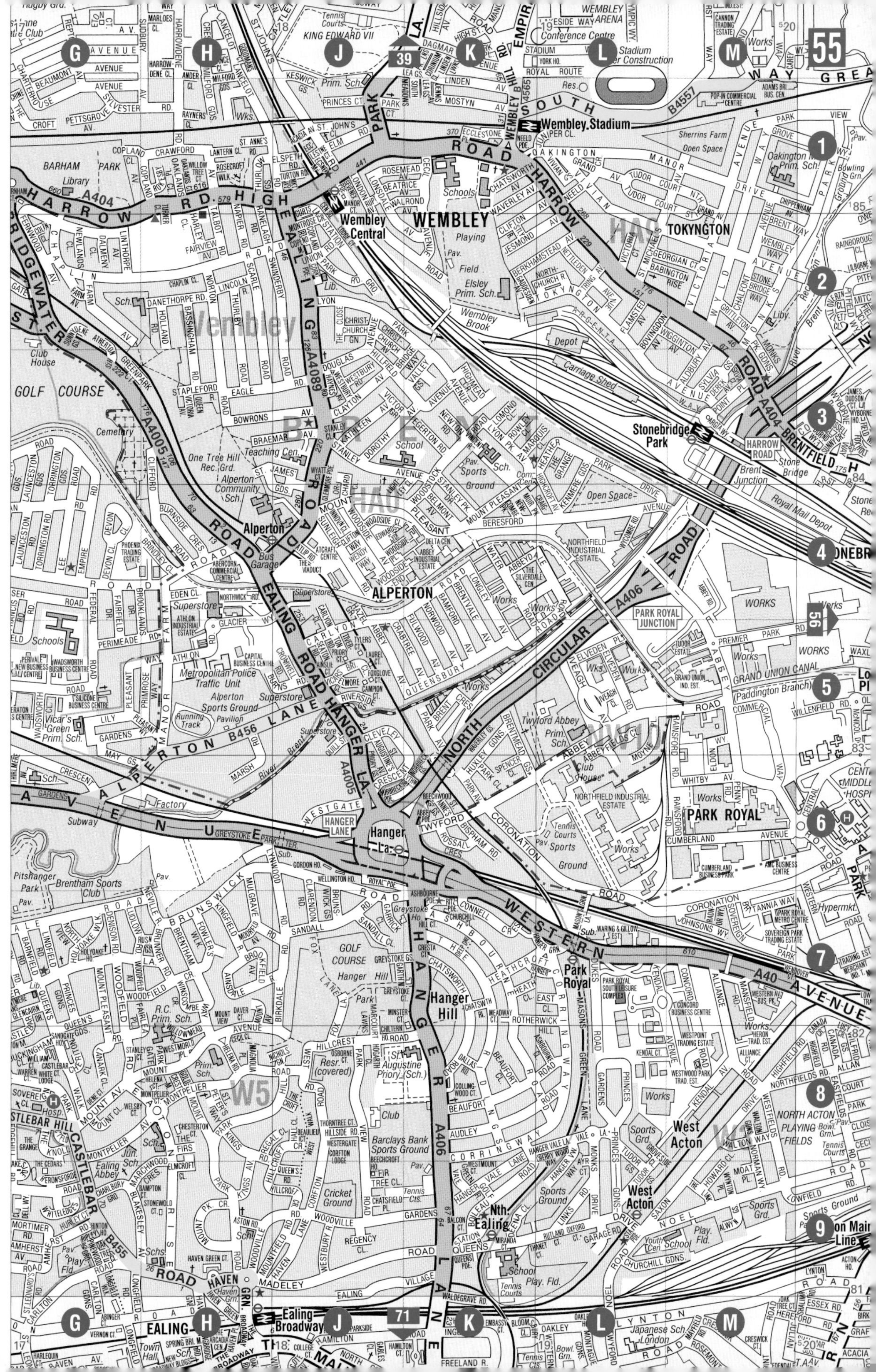

55
39
56
71
WEMBLEY ARENA
Conference Centre
Stadium Under Construction
Wembley Stadium
WEMBLEY
Wembley Central
TOKYNGTON
Wembley
BARHAM PARK
GOLF COURSE
Stonebridge Park
ALPERTON
Alperton
BRENT
PARK ROYAL JUNCTION
PARK ROYAL
Park Royal
Hanger Lane
HANGER LANE
NORTH CIRCULAR ROAD
WESTERN AVENUE
GRAND UNION CANAL
(Paddington Branch)
Twyford Abbey
Hanger Hill
GOLF COURSE
W5
West Acton
NORTH ACTON PLAYING FIELDS
Nth. Ealing
Ealing Broadway
EALING
HARROW RD.
HIGH RD.
EALING ROAD
HANGER LANE
ALPERTON LANE
A404
A4089
A4005
A406
A40
B456
B4557
B455
A4565

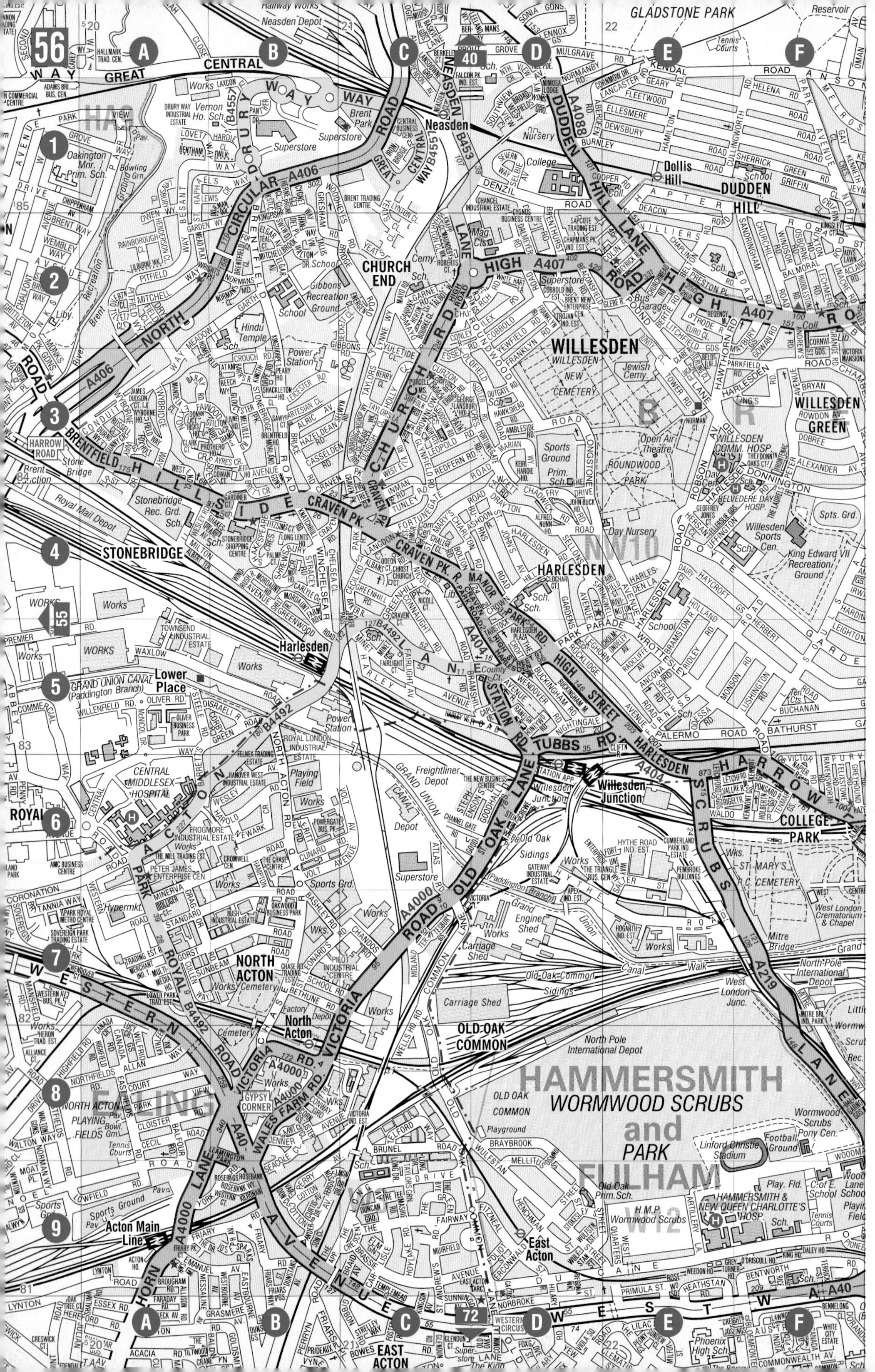

56
A
B
C
D
E
F
1
2
3
4
5
6
7
8
9
40
55
72
GREAT CENTRAL WAY
NORTH CIRCULAR ROAD A406
Neasden
NEASDEN LANE B453
DUDDEN HILL LANE A4088
GLADSTONE PARK
Dollis Hill
DUDDEN HILL
CHURCH END
HIGH ROAD A407
WILLESDEN
WILLESDEN NEW CEMETERY
WILLESDEN GREEN
Hindu Temple
Gibbons Recreation Ground
ROUNDWOOD PARK
Open Air Theatre
Sports Ground
HARROW ROAD
BRENTFIELD
HILLSIDE
CRAVEN PK.
Stonebridge Rec. Grd.
Royal Mail Depot
STONEBRIDGE
HARLESDEN
NW10
Willesden Sports Cen.
King Edward VII Recreation Ground
Harlesden
GRAND UNION CANAL (Paddington Branch)
Lower Place
HIGH STREET
MANOR PARK RD.
STATION RD.
TUBBS RD.
OLD OAK LANE
Willesden Junction
SCRUBS LANE A219
COLLEGE PARK
ST. MARY'S R.C. CEMETERY
West London Crematorium & Chapel
CENTRAL MIDDLESEX HOSPITAL
ROYAL
Freightliner Depot
Superstore
PARK ROYAL
NORTH ACTON
North Acton
VICTORIA ROAD A4000
OLD OAK COMMON
Carriage Shed
North Pole International Depot
WESTERN AVENUE
EALING
GYPSY CORNER
HAMMERSMITH AND FULHAM
WORMWOOD SCRUBS PARK
Linford Christie Stadium
H.M.P. Wormwood Scrubs
HAMMERSMITH & NEW QUEEN CHARLOTTE'S HOSP.
W12
Acton Main Line
HORN LANE A4000
East Acton
WESTERN AVENUE A40
EAST ACTON

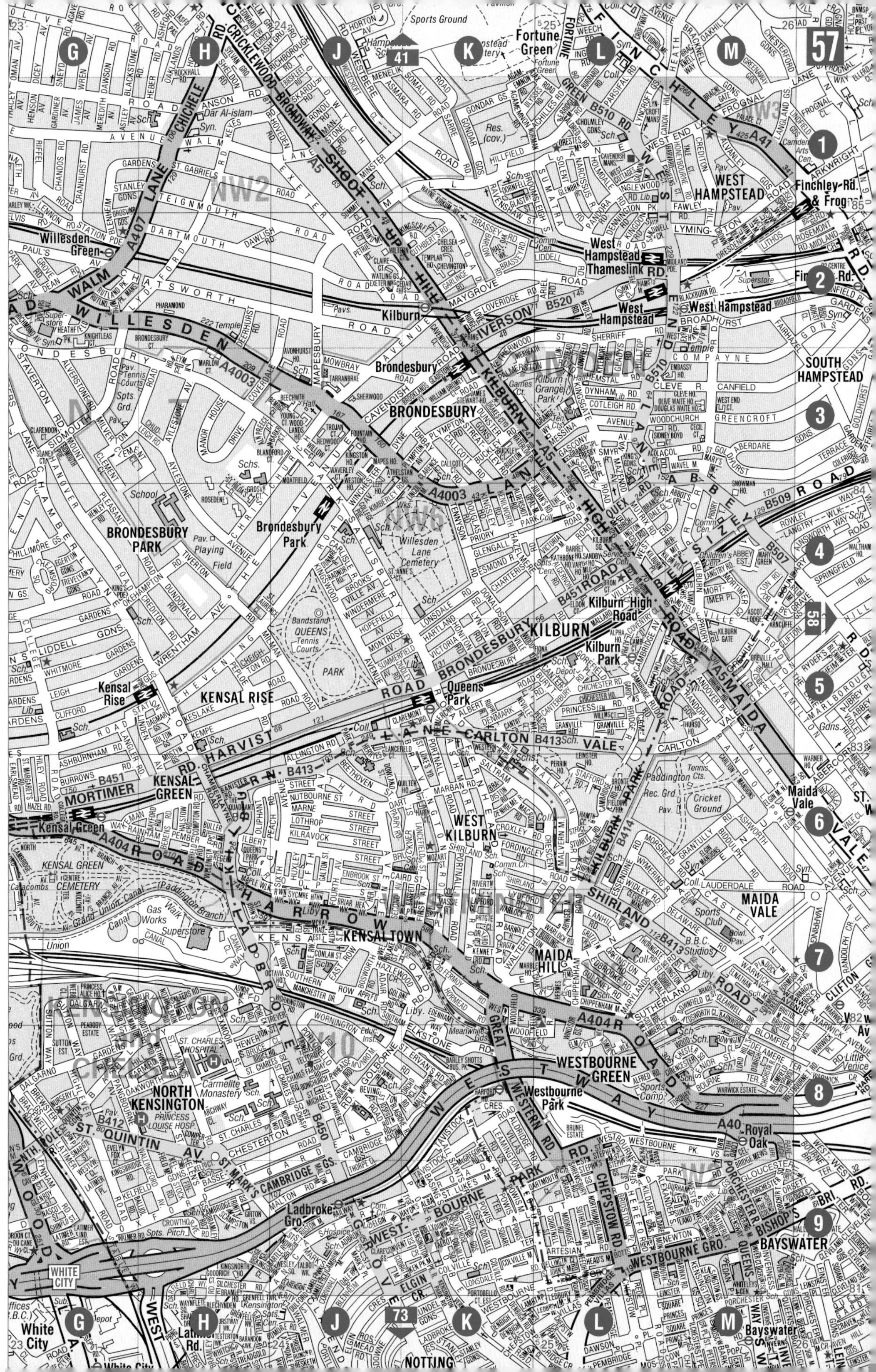

G
H
J
K
L
M
41
Sports Ground
Fortune Green
NW2
NW3
NW6
W10
W2
Willesden Green
WEST HAMPSTEAD
Finchley Rd. & Frognal
West Hampstead Thameslink
West Hampstead
SOUTH HAMPSTEAD
Kilburn
Brondesbury
BRONDESBURY
Brondesbury Park
BRONDESBURY PARK
Willesden Lane Cemetery
QUEENS PARK
Queens Park
Kensal Rise
KENSAL RISE
Kilburn High Road
KILBURN
Kilburn Park
KENSAL GREEN
Kensal Green
KENSAL GREEN CEMETERY
Grand Union Canal
Gas Works
KENSAL TOWN
WEST KILBURN
Maida Vale
MAIDA VALE
MAIDA HILL
B.B.C. Studios
Paddington Cts.
WESTBOURNE GREEN
Westbourne Park
Royal Oak
NORTH KENSINGTON
St. Charles Hospital
Carmelite Monastery
Princess Louise Hosp.
Ladbroke Gro
BAYSWATER
Bayswater
White City
WHITE CITY
Latimer Rd.
NOTTING
58
73
1
2
3
4
5
6
7
8
9

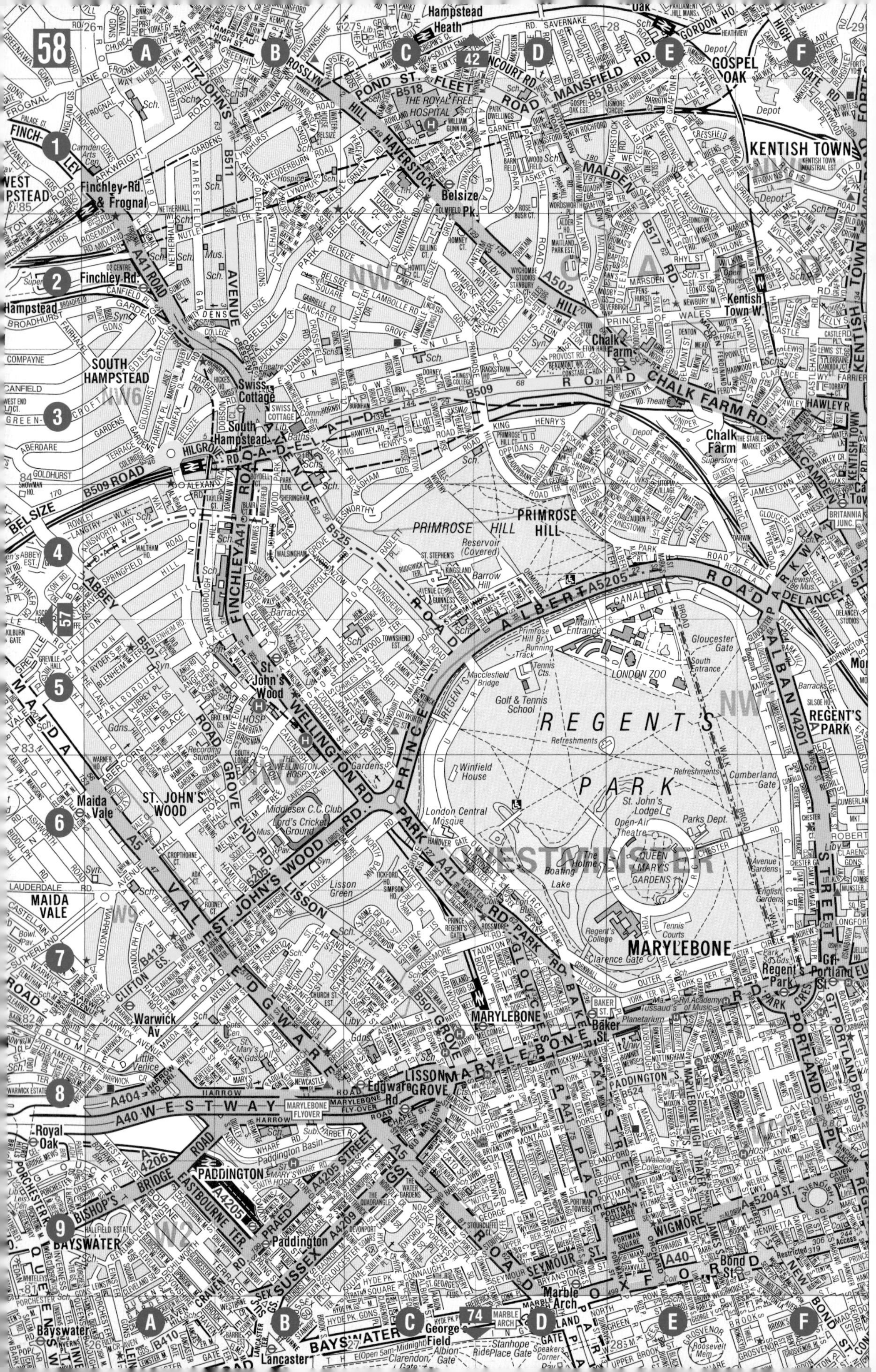
A
B
C
D
E
F
1
2
3
4
5
6
7
8
9
42
57
74
Hampstead Heath
GOSPEL OAK
KENTISH TOWN
WEST HAMPSTEAD
Finchley Rd. & Frognal
Finchley Rd.
Hampstead
SOUTH HAMPSTEAD
Swiss Cottage
South Hampstead
Belsize Pk.
THE ROYAL FREE HOSPITAL
HAVERSTOCK HILL
ROSSLYN HILL
FITZJOHN'S AVENUE
FINCHLEY ROAD
MALDEN
Kentish Town W.
Chalk Farm
CHALK FARM RD.
CAMDEN
Camden Town
ADELAIDE ROAD
PRIMROSE HILL
Reservoir (Covered)
Barrow Hill
ALBERT ROAD
REGENT'S PARK
London Zoo
Golf & Tennis School
Winfield House
London Central Mosque
Open-Air Theatre
QUEEN MARY'S GARDENS
Boating Lake
Regent's College
MARYLEBONE
WESTMINSTER
PRINCE ALBERT ROAD
PARKWAY
ALBANY STREET
ST. JOHN'S WOOD
St. John's Wood
WELLINGTON RD.
GROVE END RD.
Lord's Cricket Ground
Middlesex C.C. Club
Lisson Green
Maida Vale
MAIDA VALE
EDGWARE ROAD
Warwick Av.
Little Venice
Royal Oak
A40 WESTWAY
MARYLEBONE FLYOVER
Paddington Basin
PADDINGTON
Paddington
BISHOP'S BRIDGE ROAD
BAYSWATER
Bayswater
SUSSEX GDNS.
PRAED ST.
LISSON GROVE
Edgware Rd
BAKER STREET
Baker St.
Madame Tussaud's
Planetarium
MARYLEBONE ROAD
GLOUCESTER PLACE
MARYLEBONE HIGH ST.
Wallace Collection
PORTMAN SQUARE
WIGMORE ST.
OXFORD ST.
Bond St.
Marble Arch
Speakers Corner
Regent's Park
Gt. Portland St.
GREAT PORTLAND ST.
CAVENDISH SQ.
NEW BOND ST.
BAYSWATER ROAD
HYDE PK. GDNS.
Lancaster Gate
NW3
NW6
NW8
NW1
NW5
W9
W2
W1

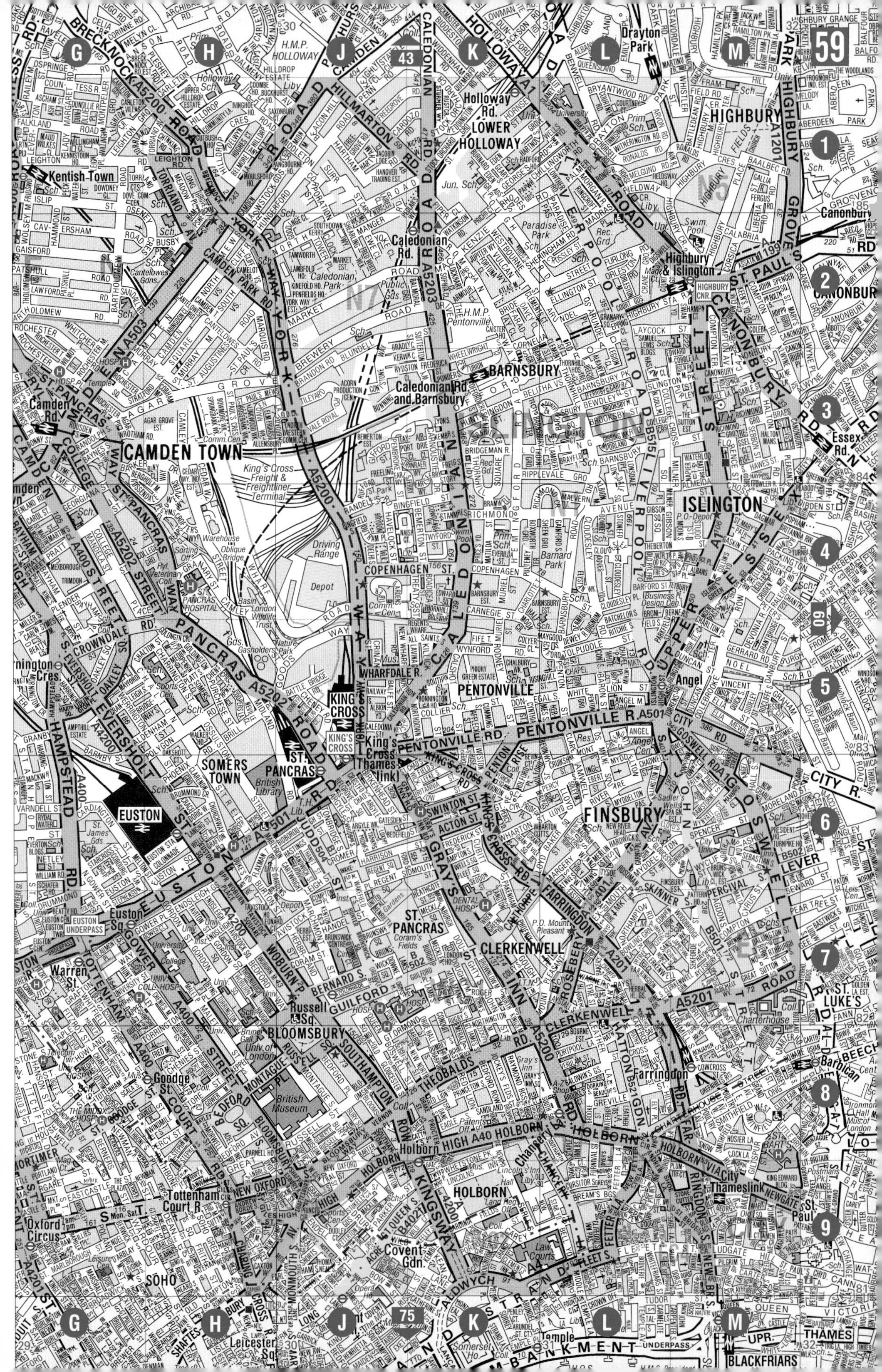

59
G
H
J
K
L
M
43
75
60
1
2
3
4
5
6
7
8
9
HIGHBURY
Drayton Park
Holloway Rd.
LOWER HOLLOWAY
H.M.P. HOLLOWAY
HILLMARTON RD.
CALEDONIAN RD.
HOLLOWAY RD.
BRECKNOCK RD.
CAMDEN RD.
Kentish Town
Caledonian Rd.
Caledonian Park
H.M.P. Pentonville
Highbury & Islington
Canonbury
CANONBURY
BARNSBURY
Caledonian Rd. and Barnsbury
ISLINGTON
Essex Rd.
CAMDEN TOWN
Camden Rd.
King's Cross Freight & Freightliner Terminal
Driving Range
Depot
COPENHAGEN ST.
PENTONVILLE
PENTONVILLE RD.
Angel
CITY RD.
KING'S CROSS
ST. PANCRAS
SOMERS TOWN
British Library
EUSTON
EUSTON RD.
FINSBURY
CLERKENWELL
ST. PANCRAS
Coram's Fields
Russell Sq.
BLOOMSBURY
British Museum
Euston Sq.
Warren St.
Goodge St.
Tottenham Court R.
Oxford Circus
SOHO
Holborn
HOLBORN
HIGH HOLBORN
Chancery La.
Farringdon
Barbican
City Thameslink
St. Paul's
Charterhouse
ST. LUKE'S
Covent Gdn.
KINGSWAY
ALDWYCH
STRAND
Leicester Sq.
Temple
BLACKFRIARS
THAMES
EMBANKMENT

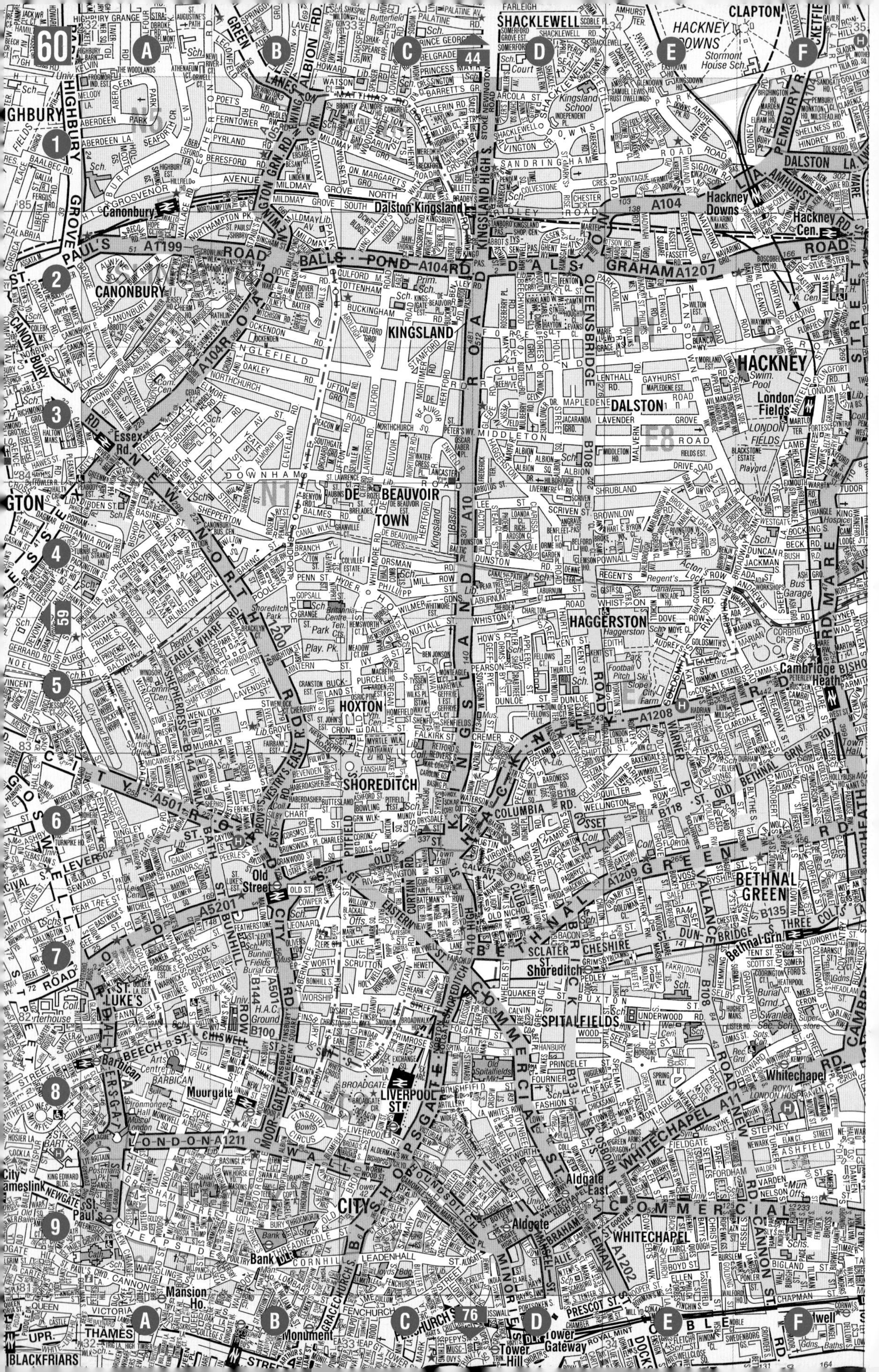

A
B
C
D
E
F
1
2
3
4
5
6
7
8
9
44
59
76
CLAPTON
HACKNEY DOWNS
SHACKLEWELL
HIGHBURY
CANONBURY
Canonbury
Dalston Kingsland
Hackney Downs
Hackney Cen.
KINGSLAND
HACKNEY
DALSTON
London Fields
LONDON FIELDS
DE BEAUVOIR TOWN
Essex Rd.
HAGGERSTON
HOXTON
SHOREDITCH
Cambridge Heath
BETHNAL GREEN
Bethnal Grn.
Old Street
Shoreditch
SPITALFIELDS
ST. LUKE'S
Barbican
BARBICAN
Moorgate
LIVERPOOL ST.
Whitechapel
WHITECHAPEL
Aldgate East
Aldgate
CITY
Bank
Mansion Ho.
Monument
Tower Hill
Tower Gateway
City Thameslink
St. Paul's
BLACKFRIARS
N5
N1
E8
ST. PAUL'S ROAD
BALLS POND RD
DALSTON LA.
GRAHAM RD
NEW NORTH ROAD
KINGSLAND HIGH ST.
KINGSLAND ROAD
QUEENSBRIDGE ROAD
HACKNEY ROAD
MARE STREET
CAMBRIDGE HEATH RD.
OLD STREET
CITY ROAD
GOSWELL RD.
ALDERSGATE ST.
LONDON WALL
CHEAPSIDE
BISHOPSGATE
COMMERCIAL ST.
COMMERCIAL RD.
WHITECHAPEL RD.
BETHNAL GREEN RD.
CABLE ST.
CANNON ST. RD.
NEW RD.
A1199
A104
A1207
A10
A1208
A1209
A501
A5201
A1211
A11
A1202
B108
B118
B135
B144
B100
B134

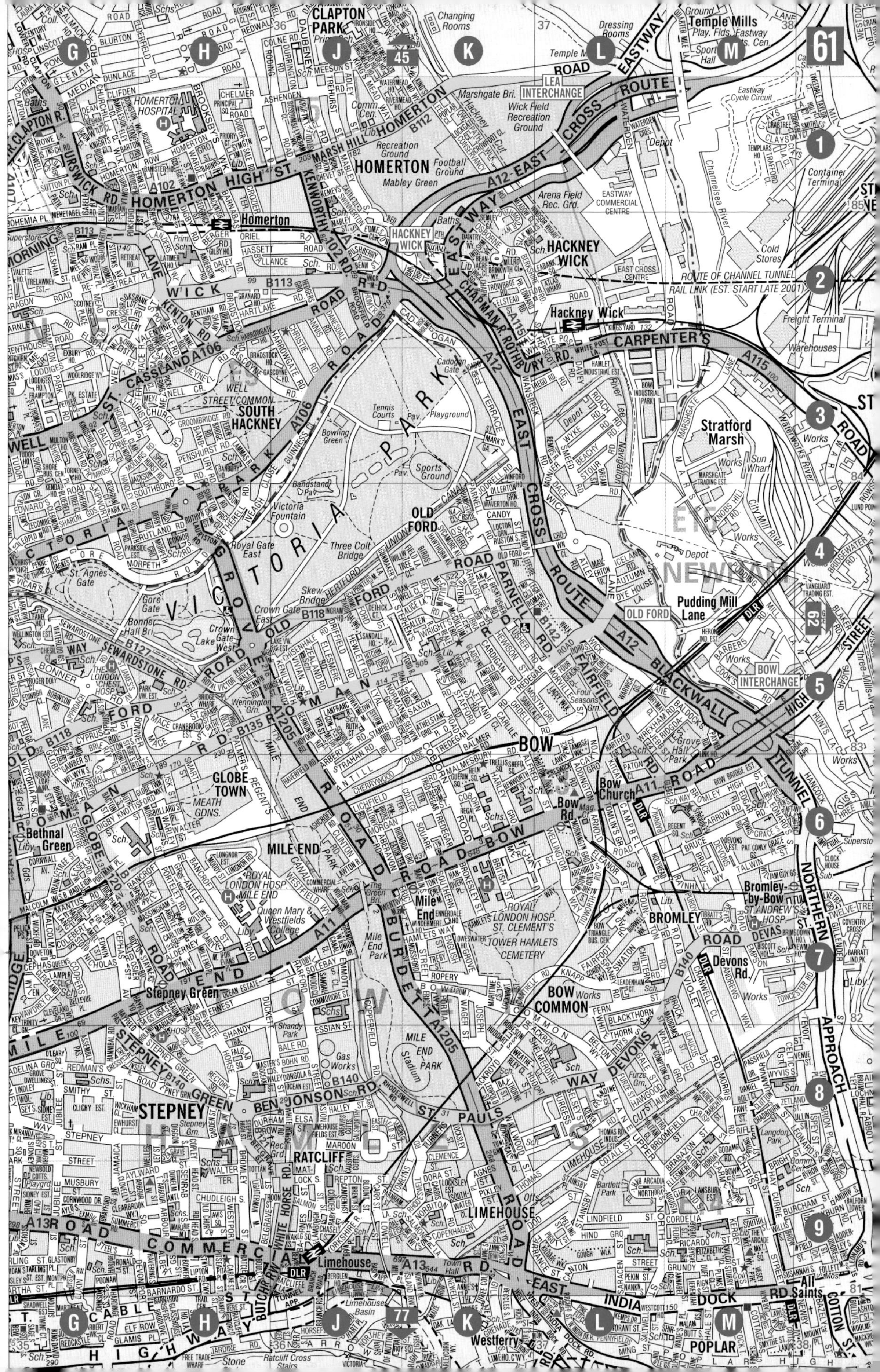
CLAPTON PARK
Temple Mills
Changing Rooms
Dressing Rooms
LEA INTERCHANGE
HOMERTON HOSPITAL
HOMERTON HIGH ST.
HOMERTON
Homerton
Mabley Green
Recreation Ground
Football Ground
Wick Field Recreation Ground
Marshgate Bri.
EAST CROSS ROUTE
EASTWAY
Eastway Cycle Circuit
Container Terminal
Channelsea River
EASTWAY COMMERCIAL CENTRE
Arena Field Rec. Grd.
HACKNEY WICK
Hackney Wick
Cold Stores
ROUTE OF CHANNEL TUNNEL RAIL LINK (EST. START LATE 2001)
Freight Terminal
Warehouses
CARPENTER'S
SOUTH HACKNEY
VICTORIA PARK
Victoria Fountain
Bowling Green
Tennis Courts
Playground
Sports Ground
Bandstand
Royal Gate East
Three Colt Bridge
Skew Bridge
Crown Gate East
Crown Gate West
Gore Gate
Bonner Hall Bri.
St. Agnes Gate
OLD FORD
Stratford Marsh
Sun Wharf
City Mill River
Pudding Mill Lane
BOW INTERCHANGE
BLACKWALL TUNNEL
NORTHERN APPROACH
GROVE ROAD
BOW
Bow Church
Bow Rd.
BOW ROAD
MILE END
Mile End
Mile End Park
MILE END Stadium PARK
GLOBE TOWN
Bethnal Green
ROYAL LONDON HOSP. MILE END
Queen Mary & Westfields College
ROYAL LONDON HOSP. ST. CLEMENT'S
TOWER HAMLETS CEMETERY
BROMLEY
Bromley-by-Bow
ST. ANDREW'S HOSP.
Devons Rd.
DEVONS ROAD
BOW COMMON
Stepney Green
STEPNEY
BEN JONSON RD.
RATCLIFF
LIMEHOUSE
Limehouse
Limehouse Basin
COMMERCIAL ROAD
EAST INDIA DOCK RD.
Westferry
POPLAR
All Saints
Bartlett Park
Langdon Park
Gas Works
Shandy Park
CABLE ST.
HIGHWAY
BURDETT ROAD
MILE END ROAD

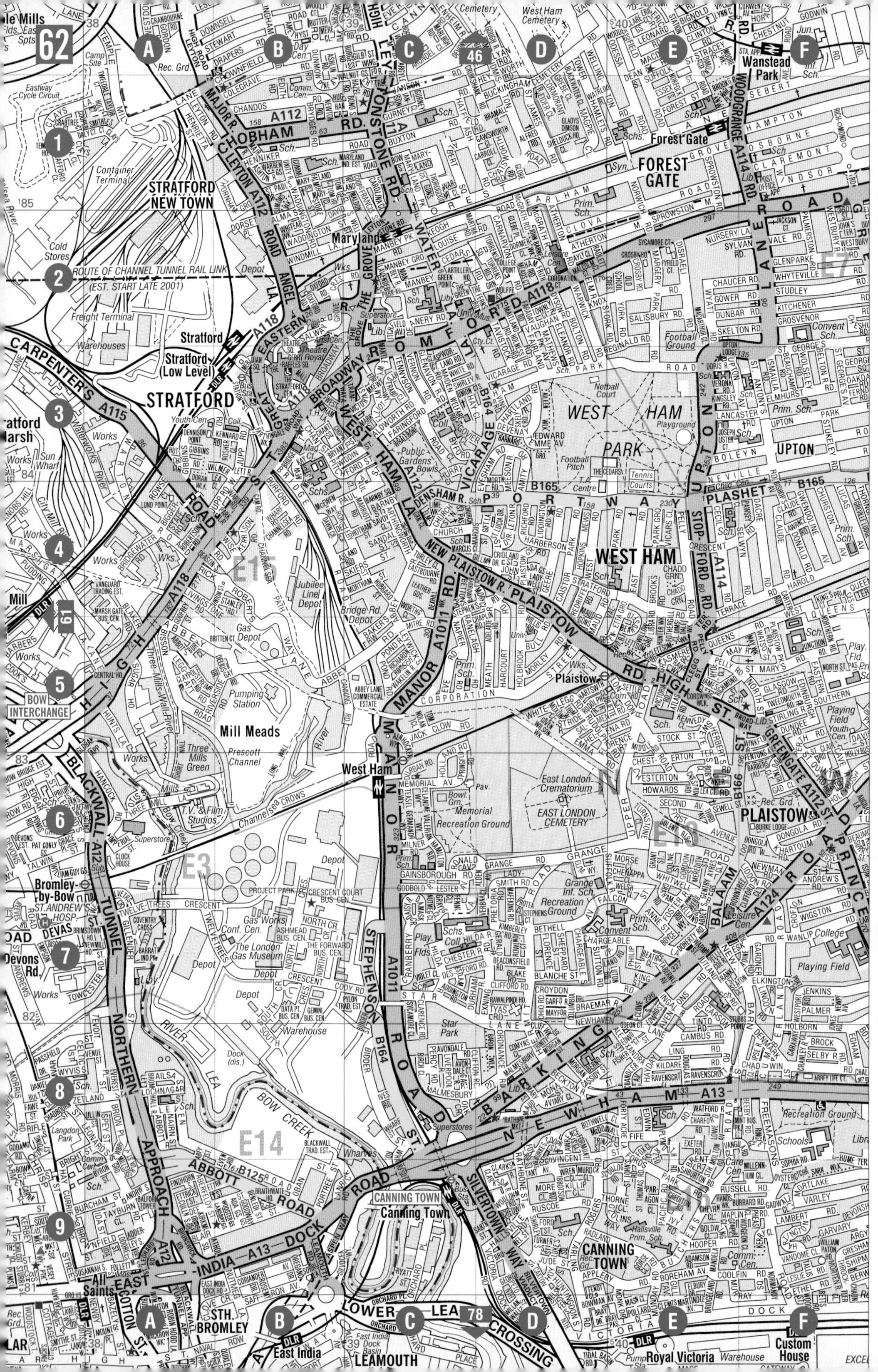

A
B
C
D
E
F
1
2
3
4
5
6
7
8
9
46
61
78
STRATFORD NEW TOWN
STRATFORD
Stratford
Stratford (Low Level)
FOREST GATE
Forest Gate
Wanstead Park
Maryland
WEST HAM
West Ham
WEST HAM PARK
UPTON
PLAISTOW
Plaistow
CANNING TOWN
Canning Town
STH. BROMLEY
Bromley-by-Bow
All Saints
East India
LEAMOUTH
Royal Victoria
Custom House
BOW INTERCHANGE
Mill Meads
Three Mills Green
Container Terminal
Freight Terminal
Cold Stores
Eastway Cycle Circuit
ROUTE OF CHANNEL TUNNEL RAIL LINK (EST. START LATE 2001)
East London Crematorium
EAST LONDON CEMETERY
West Ham Cemetery
Memorial Recreation Ground
Star Park
Jubilee Line Depot
The London Gas Museum
T.V. & Film Studios
Prescott Channel
BOW CREEK
E15
E3
E14
E13
E7
CHOBHAM RD.
LEYTONSTONE RD.
ROMFORD RD.
BROADWAY
HIGH ST.
PORTWAY
PLAISTOW RD.
MANOR RD.
BARKING ROAD
NEWHAM WAY
NORTHERN APPROACH
BLACKWALL TUNNEL
EAST INDIA DOCK ROAD
LOWER LEA CROSSING
SILVERTOWN WAY
CARPENTER'S ROAD
WEST HAM LA.
UPTON LANE
WOODGRANGE RD.
STEPHENSON ST.
ABBOTT ROAD
A112
A118
A115
A11
A12
A13
A124
A1011
A114
B164
B165
B125

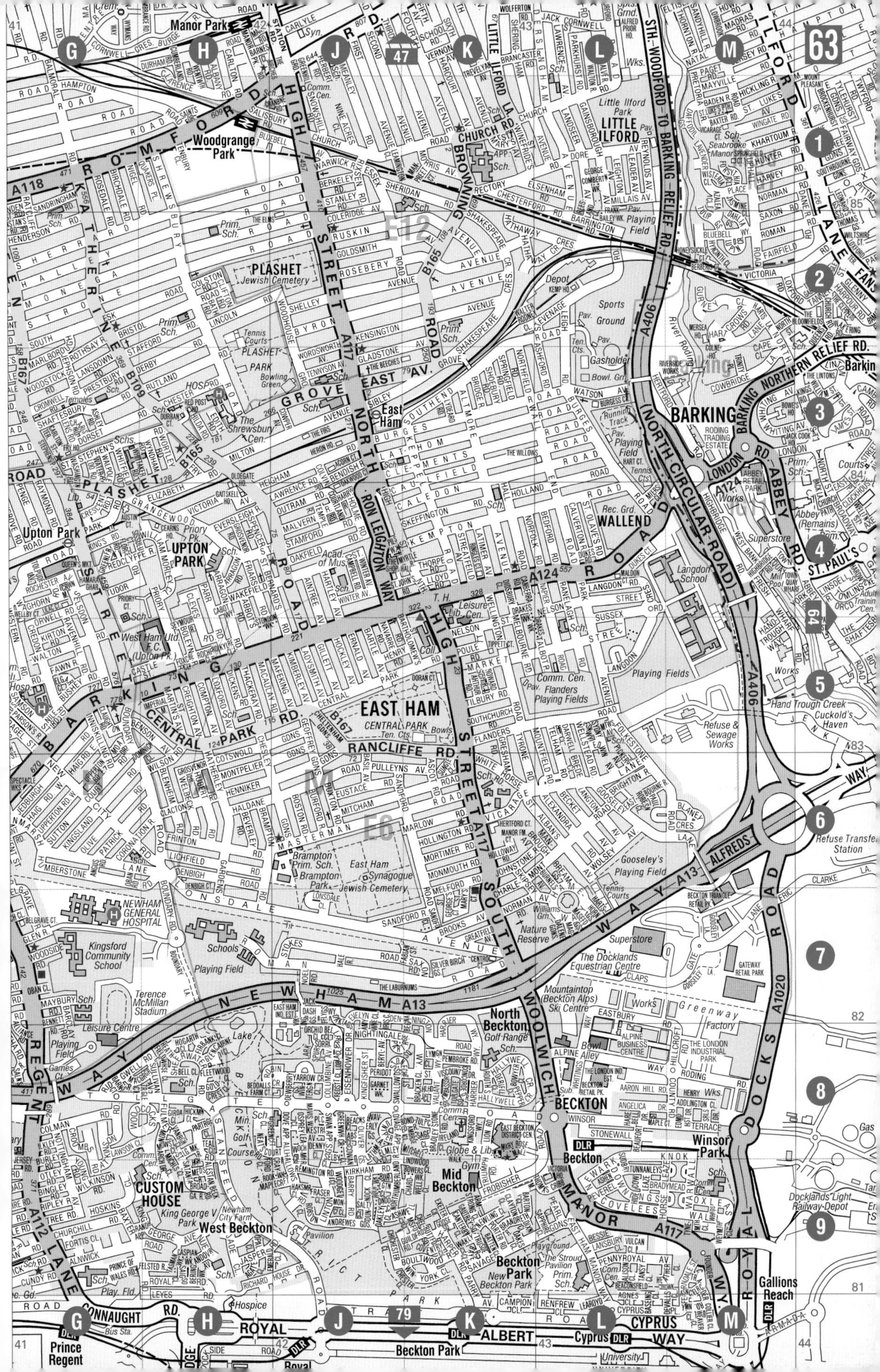

Manor Park
Woodgrange Park
ROMFORD ROAD
HIGH STREET NORTH
A117
E12
LITTLE ILFORD
Little Ilford Park
CHURCH RD.
BROWNING ROAD
B165
PLASHET
Jewish Cemetery
PLASHET PARK
Bowling Green
The Shrewsbury Cen.
GROVE
EAST AV.
East Ham
Upton Park
UPTON PARK
Priory Pk.
West Ham Utd. F.C. (Upton Pk.)
BARKING ROAD
A124
CENTRAL PARK RD.
EAST HAM
CENTRAL PARK
RANCLIFFE RD.
B167
E6
HIGH STREET SOUTH
Brampton Prim. Sch.
Brampton Park
East Ham Synagogue
Jewish Cemetery
NEWHAM GENERAL HOSPITAL
Kingsford Community School
Schools
Playing Field
Terence McMillan Stadium
Leisure Centre
NEWHAM WAY
A13
WALLEND
Rec. Grd.
Langdon School
Comm. Cen.
Flanders Playing Fields
Playing Fields
Gooseley's Playing Field
Nature Reserve
Sports Ground
Gasholder
Running Track
NORTH CIRCULAR ROAD
A406
STH. WOODFORD TO BARKING RELIEF RD.
BARKING
RODING TRADING ESTATE
Barking
BARKING NORTHERN RELIEF RD.
ABBEY RD.
LONDON RD.
Abbey (Remains)
ST. PAUL'S
Superstore
Hand Trough Creek
Cuckold's Haven
Refuse & Sewage Works
Refuse Transfer Station
ALFREDS WAY
A13
BECKTON TRIANGLE RETAIL PK.
Superstore
The Docklands Equestrian Centre
GATEWAY RETAIL PARK
Mountaintop (Beckton Alps) Ski Centre
North Beckton
Golf Range
ALPINE BUSINESS CENTRE
THE LONDON INDUSTRIAL PARK
Factory
Greenway
BECKTON
DLR
Beckton
Winsor Park
WOOLWICH MANOR WAY
A117
ROYAL DOCKS ROAD
A1020
Docklands Light Railway Depot
Gallions Reach
Mid Beckton
Globe & Lib.
Gym
Min. Golf Course
CUSTOM HOUSE
King George V Park
Newham City Farm
West Beckton
Pavilion
Beckton Park
New Beckton Park
The Stroud Pavilion Prim. Sch.
BECKTON DISTRICT PARK
Hospice
CONNAUGHT RD.
ROYAL ALBERT WAY
CYPRUS
Cyprus
Prince Regent
Beckton Park
University
Bus Sta.
Play. Fld.
REGENT LANE
A112
A118
KATHERINE ROAD
STREET
B109
PLASHET ROAD
HIGH STREET
RON LEIGHTON WAY
47
64
79
G H J K L M
41 42 43 44
81 82 83 84 85
1 2 3 4 5 6 7 8 9

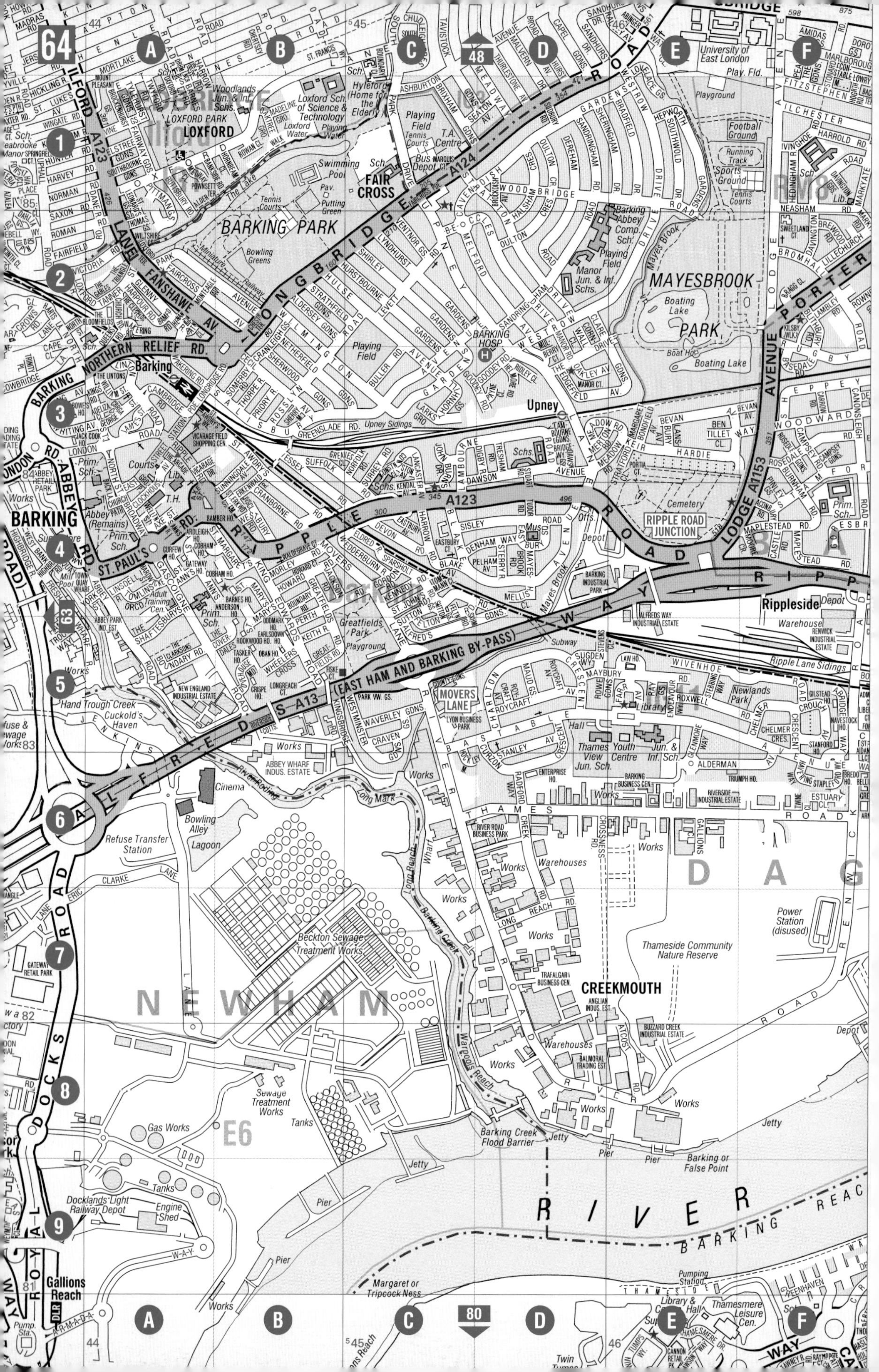

64
A
B
C
D
E
F
48
University of East London
LOXFORD
Loxford Sch. of Science & Technology
Hyleford (Home for the Elderly)
Woodlands Jun. & Inf. Schs.
BARKING PARK
FAIR CROSS
Swimming Pool
Playing Field
T.A. Centre
Bus Depot
Barking Abbey Comp. Sch.
Manor Jun. & Inf. Schs.
MAYESBROOK PARK
Boating Lake
Football Ground
Running Track
Sports Ground
LONGBRIDGE ROAD
A124
ILFORD LANE
A123
FANSHAWE AV.
BARKING NORTHERN RELIEF RD.
Barking
BARKING HOSP.
Upney
Upney Sidings
RIPPLE ROAD
RIPPLE ROAD JUNCTION
LODGE AVENUE
A1153
PORTERS AVENUE
Cemetery
BARKING
Abbey (Remains)
Courts
VICARAGE FIELD SHOPPING CEN.
ABBEY RETAIL PARK
ST. PAUL'S RD.
Greatfields Park
ALFRED'S WAY
A13
(EAST HAM AND BARKING BY-PASS)
MOVERS LANE
BARKING INDUSTRIAL PARK
ALFREDS WAY INDUSTRIAL ESTATE
Rippleside
Ripple Lane Sidings
Newlands Park
Thames View Jun. Sch.
Youth Centre
Library
THAMES ROAD
Hand Trough Creek
Cuckold's Haven
ABBEY WHARF INDUS. ESTATE
River Roding
Cinema
Bowling Alley
Lagoon
Refuse Transfer Station
CLARKE LANE
Beckton Sewage Treatment Works
NEWHAM
GATEWAY RETAIL PARK
DOCKS ROAD
ROYAL DOCKS ROAD
Gas Works
E6
Sewage Treatment Works
Tanks
Docklands Light Railway Depot
Engine Shed
Gallions Reach
Barking Creek
Barking Creek Flood Barrier
CREEKMOUTH
Thameside Community Nature Reserve
Power Station (disused)
DAG
Barking or False Point
RIVER
BARKING REACH
Margaret or Tripcock Ness
Pumping Station
Thamesmere Leisure Cen.
80
63
1
2
3
4
5
6
7
8
9

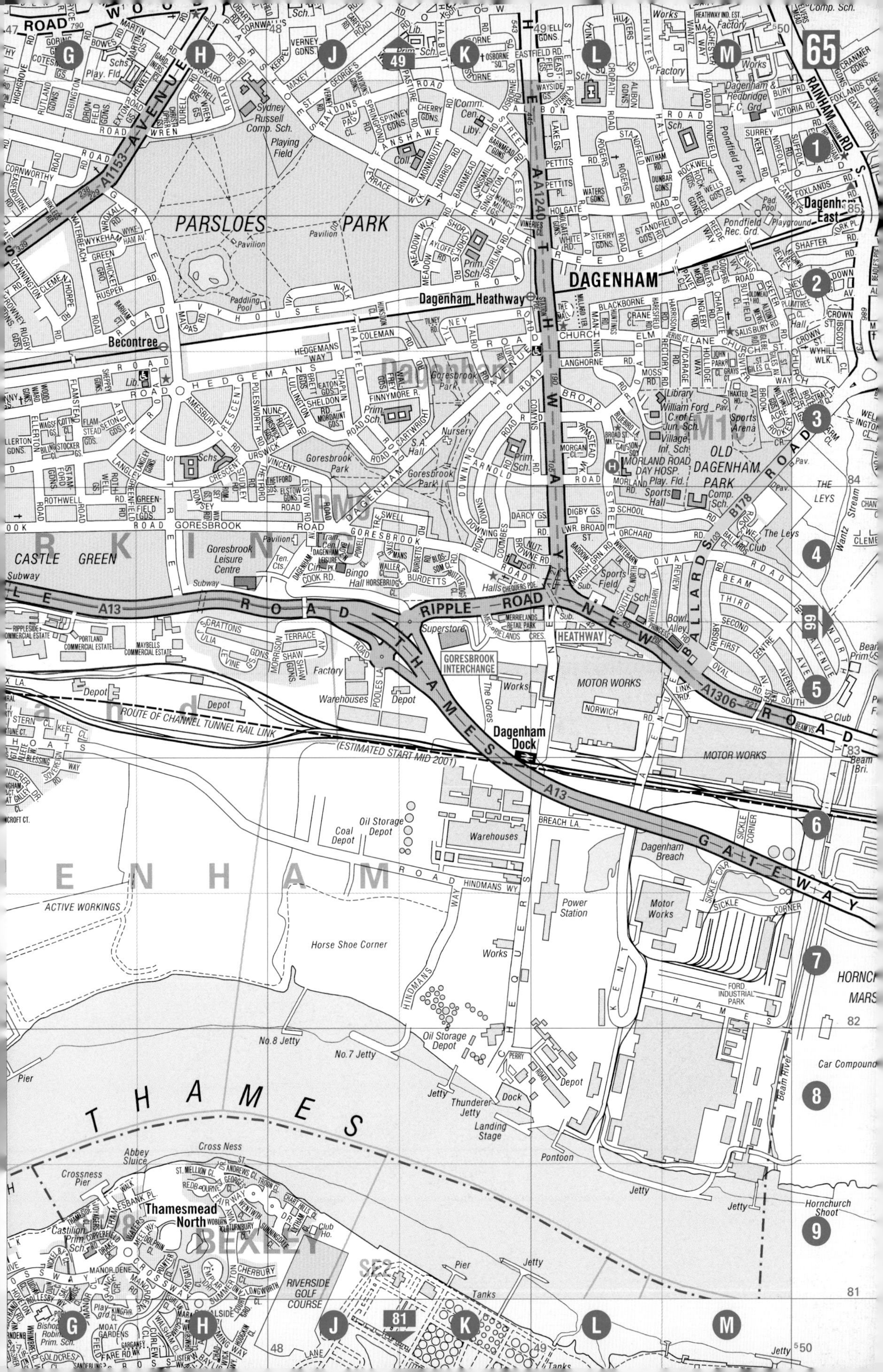

G
H
J
K
L
M
49
81
1
2
3
4
5
6
7
8
9
66
PARSLOES PARK
Pavilion
Paddling Pool
Sydney Russell Comp. Sch.
Playing Field
Becontree
Dagenham Heathway
DAGENHAM
Dagenham
Goresbrook Park
Dagenham & Redbridge F.C. Grd.
Pondfield Park
Pondfield Rec. Grd.
Dagenham East
Library
William Ford C. of E. Jun. Sch.
Village Inf. Sch.
MORLAND ROAD DAY HOSP.
OLD DAGENHAM PARK
Sports Arena
Sports Hall
Comp. Sch.
THE LEYS
The Leys
Wantz Stream
CASTLE GREEN
Goresbrook Leisure Centre
Bingo Hall
Superstore
GORESBROOK INTERCHANGE
HEATHWAY
RIPPLE ROAD
A13
THAMES ROAD
NEW ROAD
A1306
A1240
A1153
AVENUE
B178
BALLARDS ROAD
Subway
RIPPLESIDE COMMERCIAL ESTATE
PORTLAND COMMERCIAL ESTATE
MAYBELLS COMMERCIAL ESTATE
Factory
Warehouses
Depot
ROUTE OF CHANNEL TUNNEL RAIL LINK
(ESTIMATED START MID 2001)
Dagenham Dock
MOTOR WORKS
Oil Storage Depot
Coal Depot
Warehouses
HINDMANS WY
BREACH LA.
Dagenham Breach
Power Station
Motor Works
FORD INDUSTRIAL PARK
ACTIVE WORKINGS
Horse Shoe Corner
No.8 Jetty
No.7 Jetty
Thunderer Jetty
Landing Stage
Pontoon
Jetty
Pier
THAMES
Cross Ness
Abbey Sluice
Crossness Pier
Thamesmead North
BEXLEY
SE2
RIVERSIDE GOLF COURSE
Tanks
Castilion Prim. Sch.
Bishop John Robinson Prim. Sch.
HORNCHURCH MARSH
Car Compound
Beam River
Hornchurch Shoot
Beam Bri.
RAINHAM RD.
84
83
82
81
48
49
50

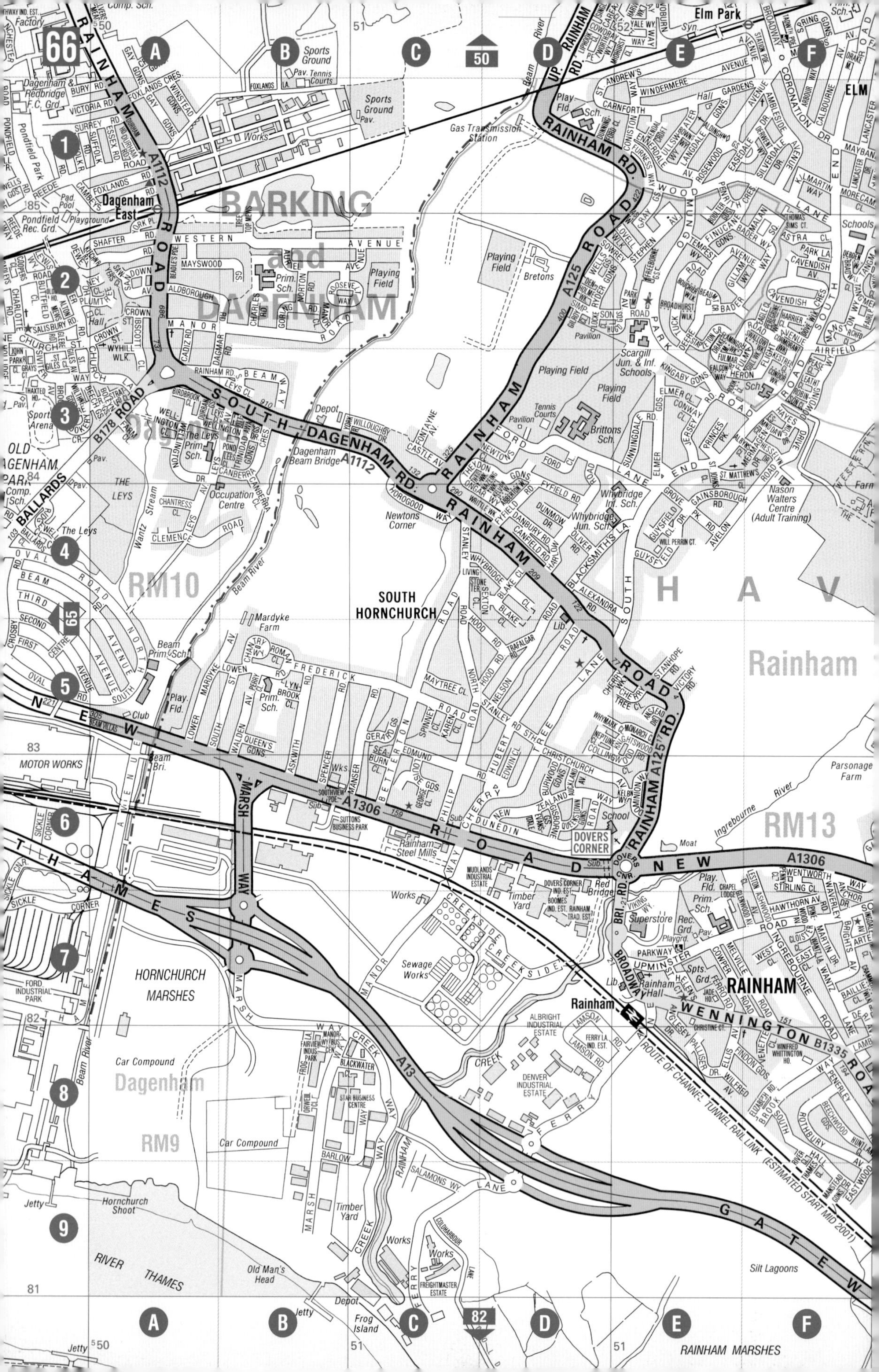
A
B
C
D
E
F
50
1
2
3
4
5
6
7
8
9
65
82
BARKING and DAGENHAM
RM10
RM9
RM13
SOUTH HORNCHURCH
RAINHAM
Rainham
Elm Park
Dagenham East
OLD DAGENHAM PARK
HORNCHURCH MARSHES
Dagenham
RIVER THAMES
RAINHAM MARSHES
Sports Ground
Playing Field
Bretons
Gas Transmission Station
Beam River
Dagenham Beam Bridge
Newtons Corner
Mardyke Farm
Beam Prim. Sch.
The Leys Prim. Sch.
Occupation Centre
THE LEYS
Wantz Stream
Scargill Jun. & Inf. Schools
Brittons Sch.
Whybridge Inf. Sch.
Whybridge Jun. Sch.
Nason Walters Centre (Adult Training)
Parsonage Farm
Ingrebourne River
Moat
DOVERS CORNER
Rainham Steel Mills
SUTTONS BUSINESS PARK
MOTOR WORKS
FORD INDUSTRIAL PARK
Sewage Works
Timber Yard
Red Bridge
Superstore
Rainham Hall
ALBRIGHT INDUSTRIAL ESTATE
DENVER INDUSTRIAL ESTATE
FERRY LA. IND. EST.
STAR BUSINESS CENTRE
FREIGHTMASTER ESTATE
Car Compound
Hornchurch Shoot
Old Man's Head
Frog Island
Jetty
Depot
Silt Lagoons
ROUTE OF CHANNEL TUNNEL RAIL LINK (ESTIMATED START MID 2001)
RAINHAM ROAD
SOUTH DAGENHAM RD.
A1112
A125
A1306
A13
B178
B1335
NEW ROAD
THAMES GATEWAY
BALLARDS ROAD
OVAL ROAD NORTH
WENNINGTON ROAD
FERRY LANE
MARSH WAY
CREEKSIDE
CREEK WAY
UPMINSTER RD.
BROADWAY
WOOD LANE
SOUTH END ROAD
ELM PARK AVENUE
CORONATION DR.
WESTERN AVENUE
MANOR ROAD

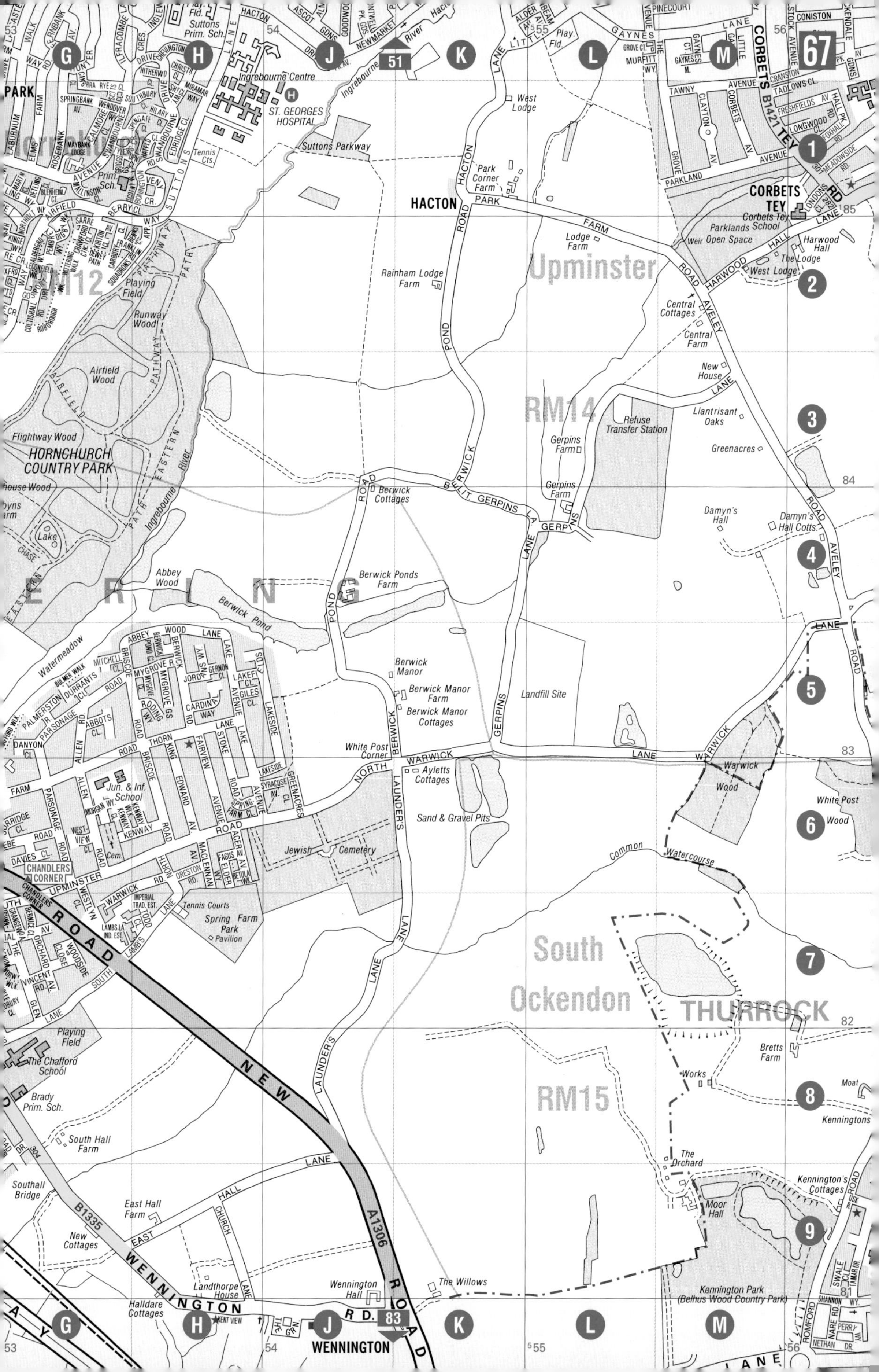
Upminster
RM14
RM12
RM15
South
Ockendon
THURROCK
HACTON
CORBETS
TEY
WENNINGTON
HORNCHURCH
COUNTRY PARK
ST. GEORGES
HOSPITAL
Ingrebourne Centre
Suttons Parkway
Suttons
Prim. Sch.
Park
Corner
Farm
West
Lodge
Lodge
Farm
Rainham Lodge
Farm
Central
Cottages
Central
Farm
New
House
Refuse
Transfer Station
Llantrisant
Oaks
Greenacres
Gerpins
Farm
Damyn's
Hall
Damyn's
Hall Cotts.
Berwick
Cottages
Berwick Ponds
Farm
Berwick Pond
Berwick
Manor
Berwick Manor
Farm
Berwick Manor
Cottages
Landfill Site
White Post
Corner
Ayletts
Cottages
Sand & Gravel Pits
Jewish
Cemetery
Warwick
Wood
White Post
Wood
Common
Watercourse
Corbets Tey
School
Parklands
Open Space
Weir
Harwood
Hall
The Lodge
West Lodge
Playing
Field
Runway
Wood
Airfield
Wood
Flightway Wood
Lake
Abbey
Wood
Watermeadow
Jun. & Inf.
School
CHANDLERS
CORNER
Tennis Courts
Spring Farm
Park
Pavilion
Playing
Field
The Chafford
School
Brady
Prim. Sch.
South Hall
Farm
Southall
Bridge
East Hall
Farm
New
Cottages
Landthorpe
House
Halldare
Cottages
Wennington
Hall
The Willows
Bretts
Farm
Works
Moat
Kenningtons
The
Orchard
Kennington's
Cottages
Moor
Hall
Kennington Park
(Belhus Wood Country Park)
NEW ROAD
A1306
B1335
B1421
WENNINGTON RD.
HACTON LANE
PARK FARM ROAD
AVELEY ROAD
POND ROAD
BERWICK POND ROAD
GERPINS LANE
WARWICK LANE
NORTH ROAD
LAUNDERS LANE
EAST HALL LANE
CHURCH LANE
HARWOOD HALL LANE
UPMINSTER ROAD
SOUTH ROAD
G
H
J
K
L
M
1
2
3
4
5
6
7
8
9
51
83
53
54
55
56
81
82
83
84
85

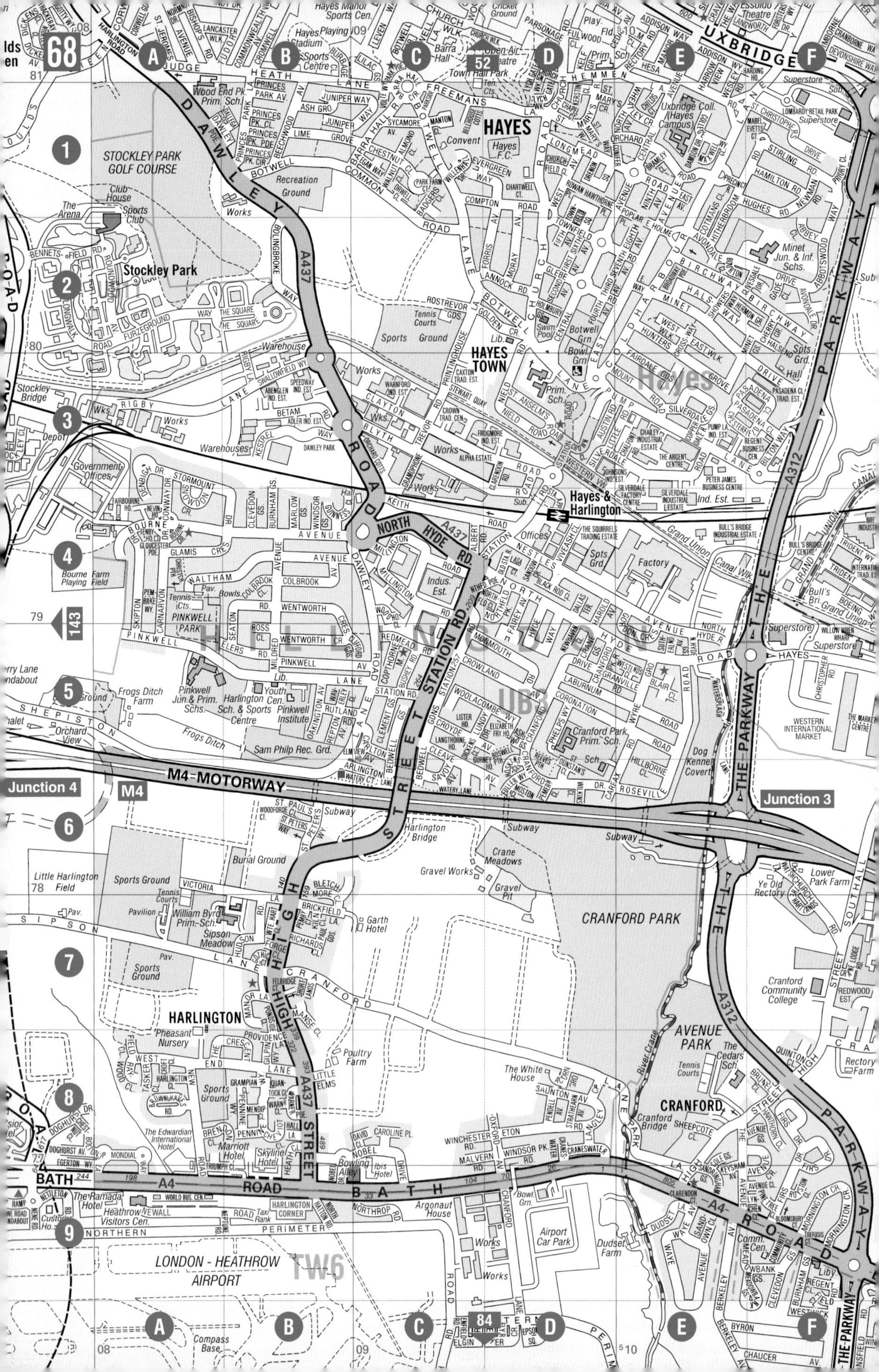

A
B
C
D
E
F
52
HAYES
Hayes F.C.
Convent
Town Hall Park
UXBRIDGE
Uxbridge Coll. (Hayes Campus)
Superstore
LOMBARDY RETAIL PARK
STOCKLEY PARK GOLF COURSE
Club House
The Arena
Sports Club
Stockley Park
Recreation Ground
Works
DAWLEY
A437
BOTWELL
HEATH
LANE
FREEMANS
Wood End Pk. Prim. Sch.
Minet Jun. & Inf. Schs.
Sports Ground
Tennis Courts
HAYES TOWN
Lib.
Swim. Pool
Botwell Grn.
Bowl. Grn.
Prim. Sch.
Hayes
Spts. Grd.
Hall
PASADENA CL. TRAD. EST.
Warehouse
Stockley Bridge
RIGBY
Depot
Warehouses
DAWLEY PARK
Government Offices
Hayes & Harlington
Offices
Factory
Grand Union
Canal Wlk.
BULL'S BRIDGE INDUSTRIAL ESTATE
Bull's Bri.
Grand Union
Superstore
NORTH HYDE RD.
STATION RD.
Indus. Est.
Bourne Farm Playing Field
143
HILLINGDON
UB3
PINKWELL PARK
Pinkwell Jun.& Prim. Schs.
Harlington Sch. & Sports Centre
Youth Cen.
Pinkwell Institute
Frogs Ditch Farm
Frogs Ditch
Sam Philp Rec. Grd.
SHEPISTON
Orchard View
Cranford Park Prim. Sch.
Dog Kennel Covert
WESTERN INTERNATIONAL MARKET
THE PARKWAY
A312
Junction 4
M4
M4-MOTORWAY
Junction 3
Subway
Harlington Bridge
Burial Ground
Crane Meadows
Gravel Works
Gravel Pit
CRANFORD PARK
Little Harlington Field
Sports Ground
Tennis Courts
Pavilion
William Byrd Prim. Sch.
Sipson Meadow
SIPSON
Garth Hotel
Ye Old Rectory
Lower Park Farm
Cranford Community College
HIGH STREET
HARLINGTON
Pheasant Nursery
Poultry Farm
The White House
River Crane
AVENUE PARK
The Cedars Sch.
Tennis Courts
CRANFORD
Cranford Bridge
Rectory Farm
The Edwardian International Hotel
Marriott Hotel
Skyline Hotel
Bowling Alley
Ibis Hotel
BATH
A4
ROAD
The Ramada Hotel
Heathrow Visitors Cen.
HARLINGTON CORNER
Argonaut House
Airport Car Park
Dudset Farm
NORTHERN
PERIMETER
LONDON - HEATHROW AIRPORT
TW6
Works
Compass Base
84

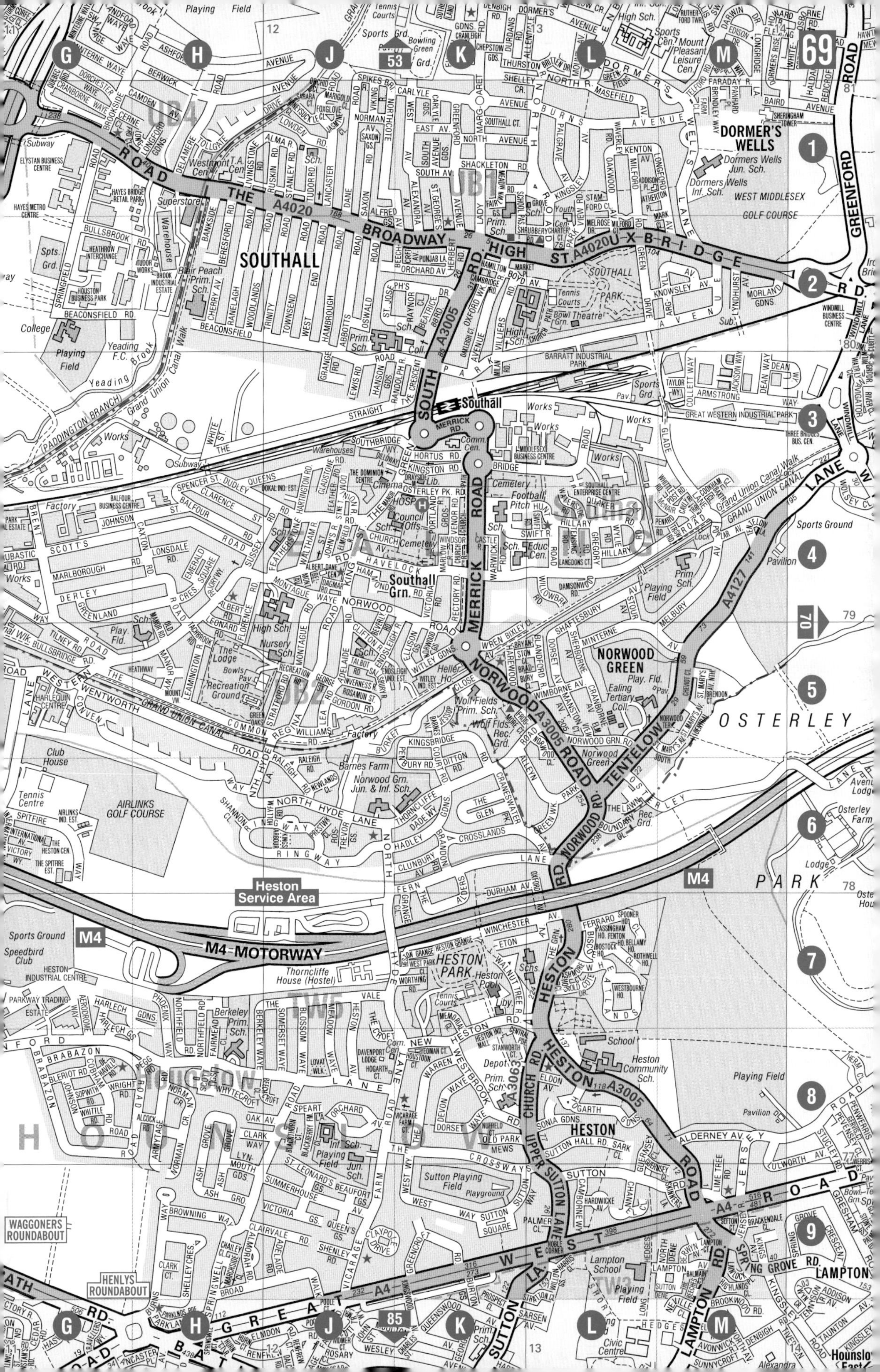

69
G
H
J
K
L
M
53
85
70
1
2
3
4
5
6
7
8
9
SOUTHALL
DORMER'S WELLS
Dormers Wells Jun. Sch.
Dormers Wells Inf. Sch.
WEST MIDDLESEX GOLF COURSE
THE BROADWAY
A4020
HIGH ST.
UXBRIDGE ROAD
GREENFORD ROAD
SOUTH RD.
A3005
MERRICK ROAD
NORWOOD ROAD
TENTELOW LANE
A4127
Southall
Southall Grn.
SOUTHALL PARK
Bowl Theatre
BARRATT INDUSTRIAL PARK
GREAT WESTERN INDUSTRIAL PARK
THREE BRIDGES BUS. CEN.
WINDMILL BUSINESS CENTRE
Grand Union Canal Walk
GRAND UNION CANAL
Yeading Brook
Yeading F.C.
Playing Field
Superstore
Warehouse
ELYSTAN BUSINESS CENTRE
HAYES BRIDGE RETAIL PARK
HAYES METRO CENTRE
HEATHROW INTERCHANGE
HOUSTON BUSINESS PARK
Blair Peach Prim. Sch.
Westmont Cen.
Works
Cemetery
Football Pitch
High Sch.
Nursery Sch.
The Lodge
Recreation Ground
NORWOOD GREEN
Ealing Tertiary Coll.
Wolf Fields Prim. Sch.
Norwood Grn. Jun. & Inf. Sch.
Barnes Farm
OSTERLEY PARK
Osterley Farm
Sports Ground
Pavilion
Club House
Tennis Centre
AIRLINKS GOLF COURSE
Heston Service Area
M4
M4 MOTORWAY
Speedbird Club
HESTON INDUSTRIAL CENTRE
PARKWAY TRADING ESTATE
Thorncliffe House (Hostel)
HESTON PARK
Heston Pool
HESTON
Heston Community Sch.
Berkeley Prim. Sch.
Sutton Playing Field
WAGGONERS ROUNDABOUT
HENLYS ROUNDABOUT
GREAT WEST ROAD
A4
LAMPTON
Lampton School
Civic Centre
HOUNSLOW
UB1
UB2
UB4
TW3
TW5

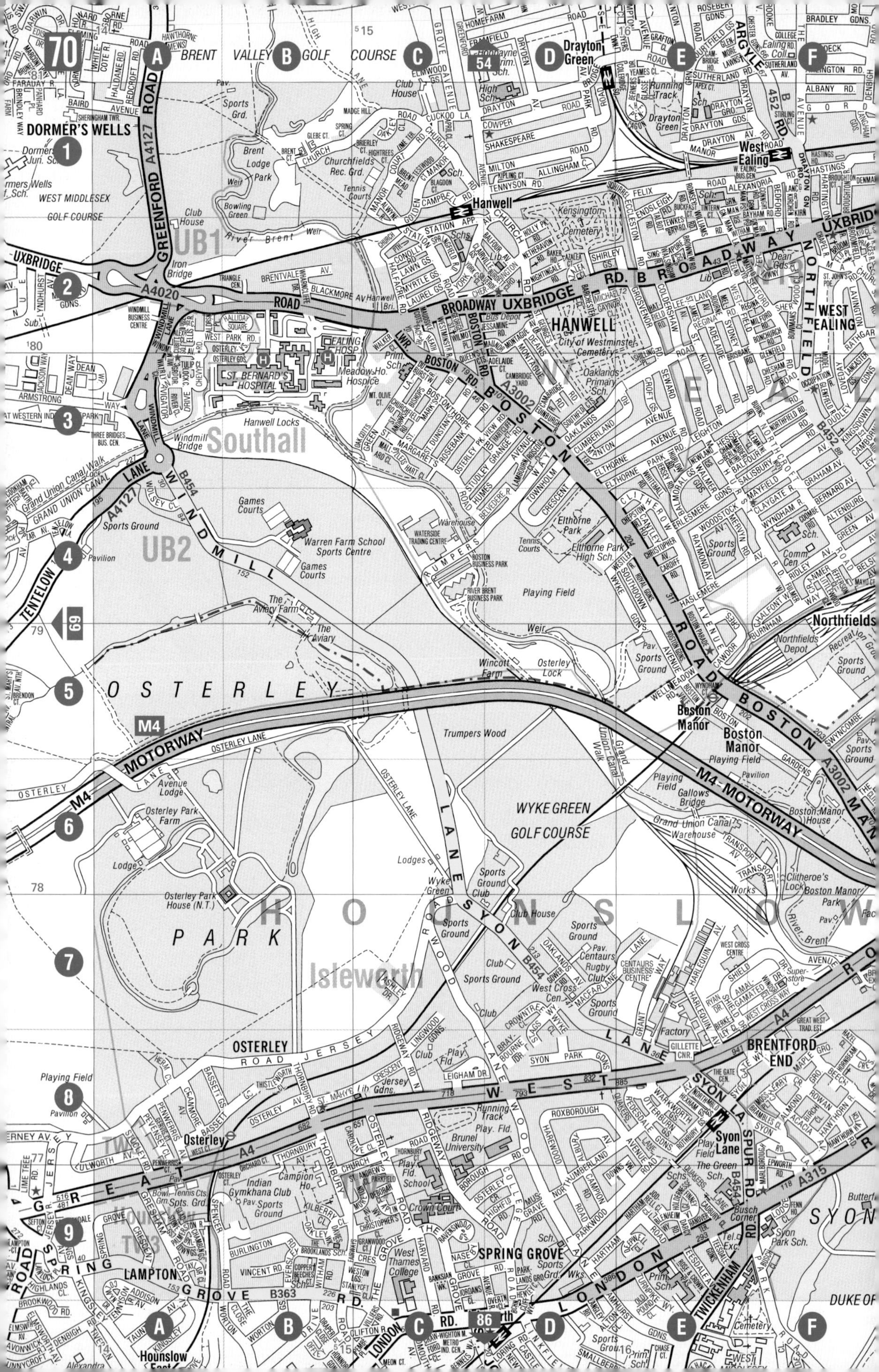

BRENT VALLEY GOLF COURSE
DORMER'S WELLS
Dormers Wells Juni. Sch.
WEST MIDDLESEX GOLF COURSE
GREENFORD ROAD
A4127
Brent Lodge Park
Bowling Green
Club House
River Brent
UB1
UXBRIDGE ROAD
A4020
Iron Bridge
WINDMILL BUSINESS CENTRE
ST. BERNARD'S HOSPITAL
EALING HOSP.
Meadow Ho. Hospice
Hanwell Locks
Southall
Windmill Bridge
Grand Union Canal Walk
GRAND UNION CANAL
TENTELOW LANE
Sports Ground
Pavilion
UB2
WINDMILL LANE
B454
Games Courts
Warren Farm School Sports Centre
The Aviary Farm
The Aviary
OSTERLEY
M4 MOTORWAY
OSTERLEY LANE
Avenue Lodge
Osterley Park Farm
Lodge
Osterley Park House (N.T.)
PARK
HOUNSLOW
Isleworth
OSTERLEY
JERSEY ROAD
Playing Field
Pavilion
Osterley
GREAT WEST ROAD
A4
Indian Gymkhana Club
Sports Ground
LAMPTON
SPRING GROVE
B363
Hounslow East
Drayton Green
Hanwell
Kensington Cemetery
HANWELL
City of Westminster Cemetery
Oaklands Primary Sch.
BROADWAY
BOSTON ROAD
A3002
Elthorne Park
Elthorne Park High Sch.
Playing Field
Trumpers Wood
Wincott Farm
Osterley Lock
Weir
WYKE GREEN GOLF COURSE
Sports Ground
Club House
SYON LANE
Centaurs Rugby Club
West Cross Cen.
Brunel University
Running Track
West Thames College
Crown Court
Boston Manor
Boston Manor Playing Field
Gallows Bridge
Grand Union Canal
Boston Manor House
Clitheroe's Lock
Boston Manor Park
River Brent
GILLETTE CNR.
Syon Lane
BRENTFORD END
LONDON ROAD
TWICKENHAM RD.
A315
Busch Corner
SYON
Cemetery
DUKE OF
West Ealing
ARGYLE RD.
452
UXBRIDGE RD.
NORTHFIELD AV.
WEST EALING
EALING
B452
Northfields
Northfields Depot
A3002
54
69
86

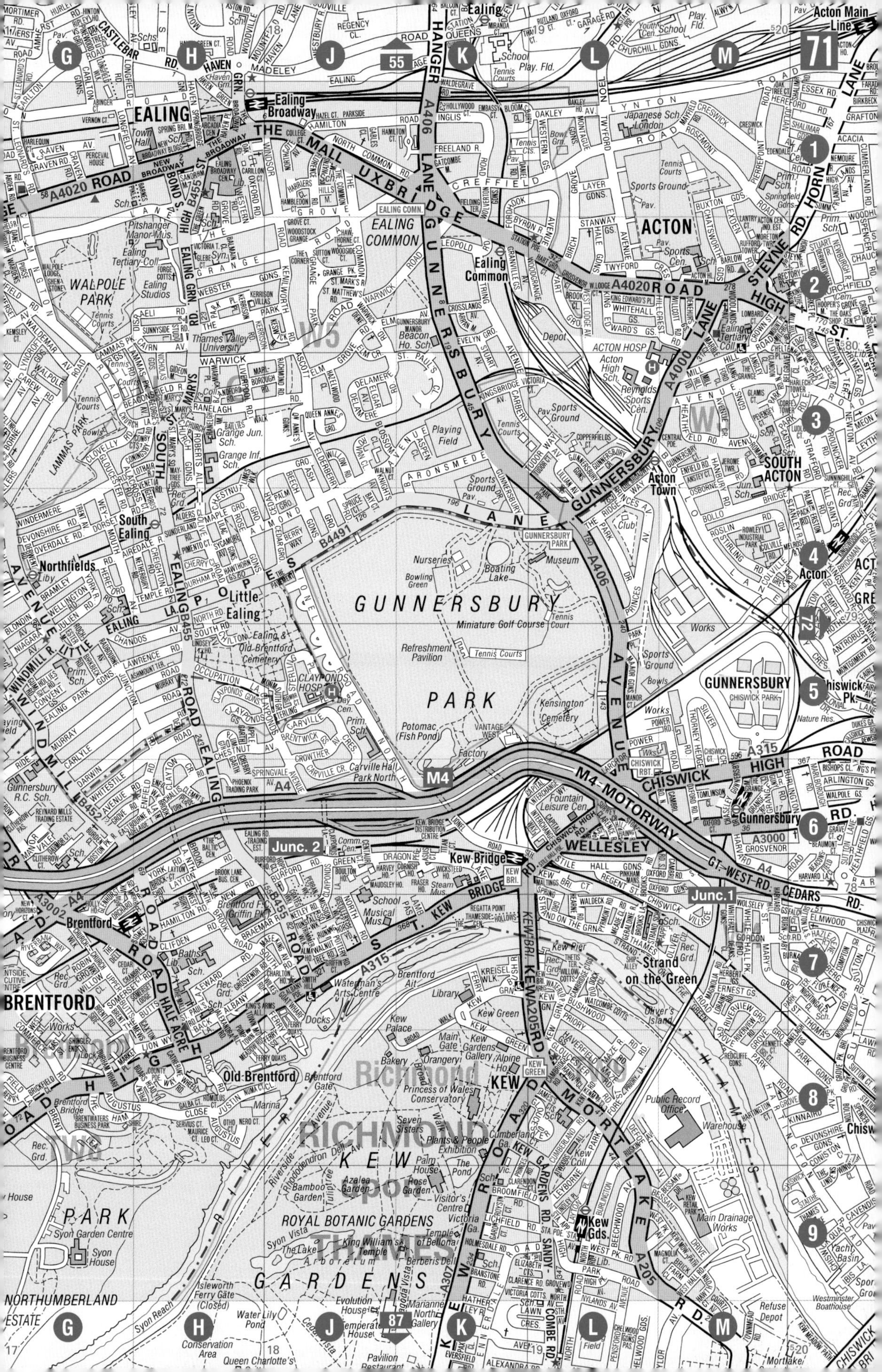

71
55
87
72
G
H
J
K
L
M
1
2
3
4
5
6
7
8
9
EALING
Ealing Broadway
ACTON
Acton Main Line
SOUTH ACTON
Acton Town
Ealing Common
EALING COMMON
WALPOLE PARK
Pitshanger Manor Mus.
Ealing Tertiary Coll.
Ealing Studios
Thames Valley University
South Ealing
Northfields
Little Ealing
GUNNERSBURY PARK
GUNNERSBURY
Gunnersbury
Chiswick Pk.
Museum
Boating Lake
Nurseries
Bowling Green
Miniature Golf Course
Refreshment Pavilion
Tennis Courts
Potomac (Fish Pond)
Kensington Cemetery
Ealing & Old Brentford Cemetery
CLAYPONDS HOSP.
ACTON HOSP.
Acton High Sch.
Reynolds Sports Cen.
Japanese Sch. London
Sports Ground
M4
M4 MOTORWAY
Junc. 2
Junc. 1
A4020 ROAD
UXBRIDGE
THE MALL
GUNNERSBURY LANE
GUNNERSBURY AVENUE
A406
A4000
B4491
POPE'S LANE
CHISWICK HIGH ROAD
GT. WEST RD.
CEDARS RD.
A3000
A315
A205
A307
Kew Bridge
KEW BRI.
Steam Mus.
Musical Mus.
Brentford F.C. Griffin Pk.
Brentford
BRENTFORD
Old Brentford
Waterman's Arts Centre
Brentford Ait
WELLESLEY
Fountain Leisure Cen.
Strand on the Green
Oliver's Island
Kew Pier
KEW
KEW GREEN
Kew Green
Kew Palace
Kew Gardens Gallery
Alpine Ho.
Orangery
Princess of Wales Conservatory
Seven Sisters
Plants & People Exhibition
Palm House
The Pond
Rose Garden
Azalea Garden
Bamboo Garden
Rhododendron Dell
RICHMOND
Richmond
KEW
ROYAL BOTANIC GARDENS
Syon Vista
The Lake
King William's Temple
Temple of Bellona
Berberis Dell
Arboretum
GARDENS
Pagoda Vista
Evolution House
Temperate House
Marianne North Gallery
Water Lily Pond
Pavilion Restaurant
Queen Charlotte's
Conservation Area
Isleworth Ferry Gate (Closed)
Syon Reach
RIVER THAMES
THAMES
PARK
Syon Garden Centre
Syon House
NORTHUMBERLAND ESTATE
Kew Gds.
Public Record Office
Warehouse
Main Drainage Works
Refuse Depot
Westminster Boathouse
Mortlake
MORTLAKE RD.
SANDYCOMBE RD.
KEW ROAD
Brentford Gate
Brentford Bridge
Marina
Docks
W5
TW8
TW9

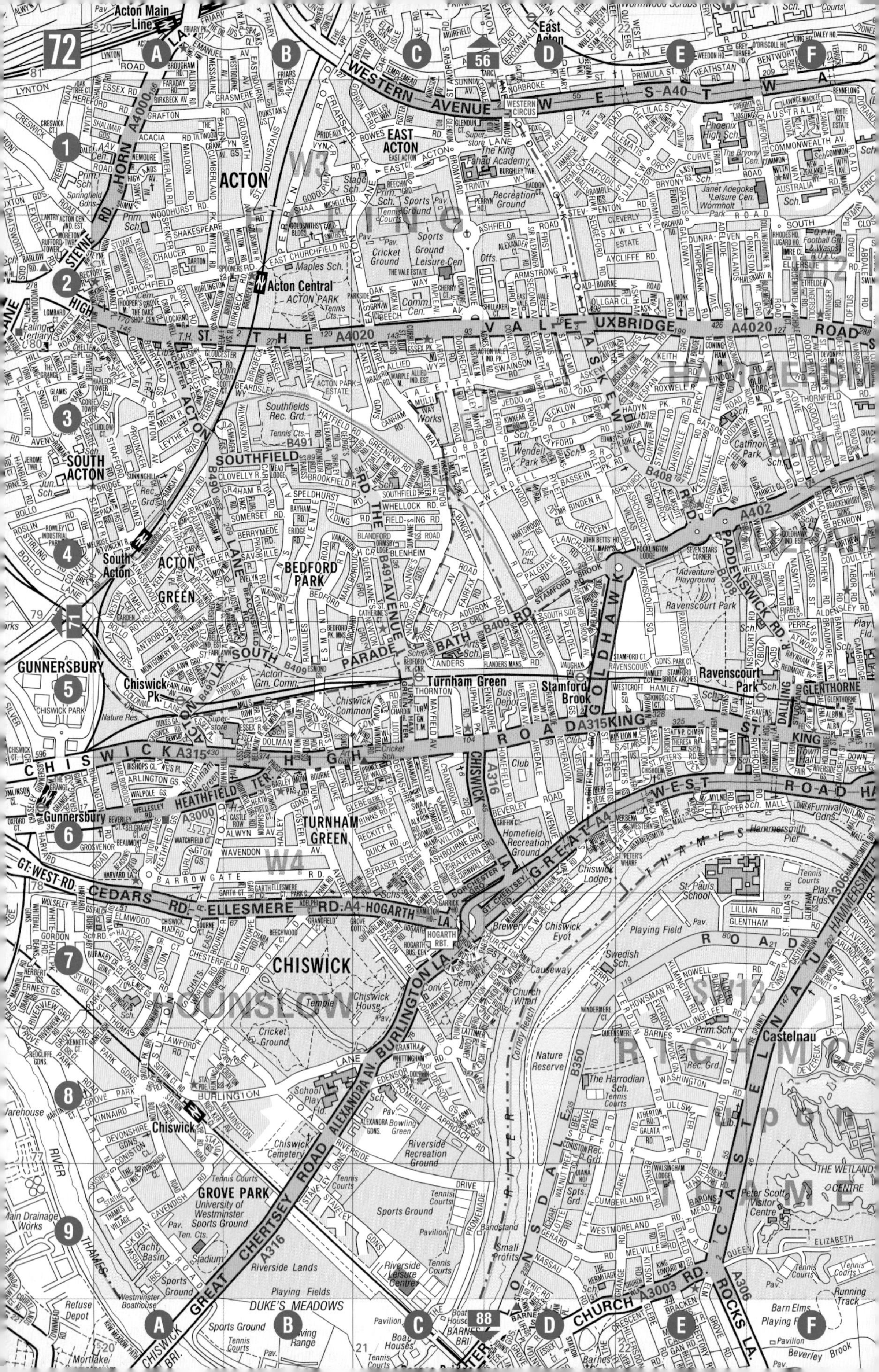
72
Acton Main Line
56
East Acton
WESTERN AVENUE
A40
WEST WAY
EAST ACTON
ACTON
W3
EALING
Phoenix High Sch.
Janet Adegoke Leisure Cen.
Wormholt Park
Acton Central
ACTON PARK
UXBRIDGE ROAD
A4020
THE VALE
HAMMERSMITH
SOUTH ACTON
Southfields Rec. Grd.
SOUTHFIELD
BEDFORD PARK
ACTON GREEN
South Acton
Ravenscourt Park
Wendell Park
Cathnor Park
GOLDHAWK RD.
A402
B408
B409
B491
B490
SOUTH PARADE
BATH RD.
GUNNERSBURY
CHISWICK PARK
Chiswick Pk.
Turnham Green
Stamford Brook
Ravenscourt Park
KING ST.
A315
CHISWICK HIGH ROAD
Gunnersbury
HEATHFIELD TER.
A3000
TURNHAM GREEN
W4
A316
GT. WEST RD.
GREAT WEST ROAD
A4
CEDARS RD.
ELLESMERE RD.
HOGARTH LA.
HOGARTH RBT.
CHISWICK
HOUNSLOW
Chiswick House
Chiswick Eyot
St. Pauls School
Playing Field
Hammersmith Pier
Castelnau
RICHMOND upon THAMES
SW13
The Harrodian Sch.
Nature Reserve
Chiswick
GROVE PARK
University of Westminster Sports Ground
Chiswick Cemetery
Riverside Recreation Ground
Sports Ground
GREAT CHERTSEY ROAD
BURLINGTON LA.
ALEXANDRA AV.
RIVER THAMES
Riverside Lands
Playing Fields
DUKE'S MEADOWS
LONSDALE RD.
B350
CASTELNAU
A306
CHURCH RD.
A3003
ROCKS LA.
THE WETLANDS CENTRE
Peter Scott Visitor Centre
Barn Elms Playing Fields
Beverley Brook
88
BARNES BRI.
Mortlake
Main Drainage Works
71
Riverside Leisure Centre
Refuse Depot
A B C D E F
1 2 3 4 5 6 7 8 9
20 21 22
81 80 79 78 77

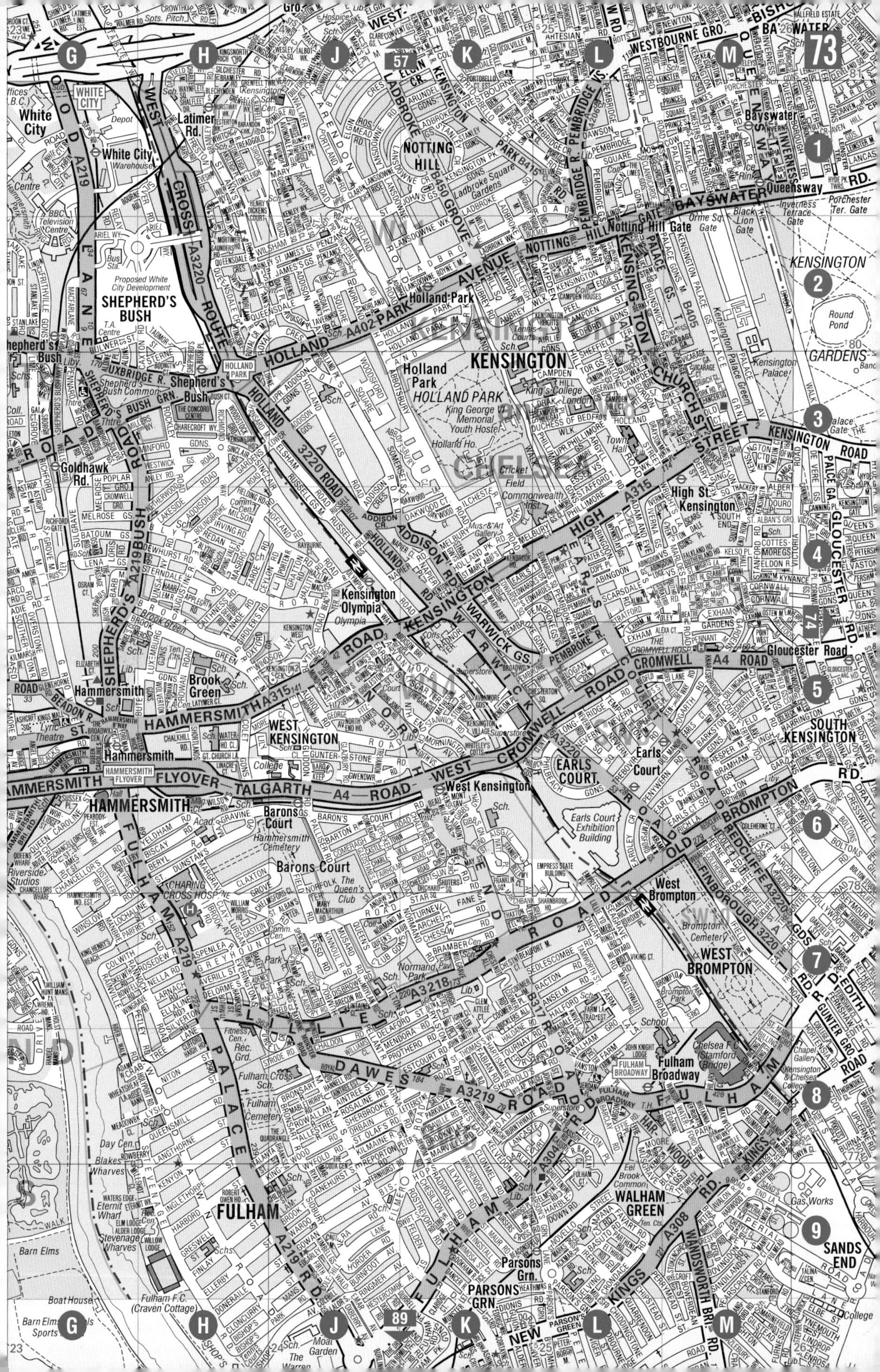
73
G
H
J
K
L
M
57
89
1
2
3
4
5
6
7
8
9
74
White City
White City
Shepherd's Bush
SHEPHERD'S BUSH
Proposed White City Development
BBC Television Centre
Latimer Rd.
WESTBOURNE GRO.
NOTTING HILL
Notting Hill Gate
BAYSWATER ROAD
Bayswater
Queensway
KENSINGTON GARDENS
Round Pond
Kensington Palace
Holland Park
HOLLAND PARK
KENSINGTON
King George VI Memorial Youth Hostel
Holland Ho.
Commonwealth Inst.
High St. Kensington
KENSINGTON ROAD
Kensington Olympia
Olympia
Goldhawk Rd.
Brook Green
Hammersmith
HAMMERSMITH
HAMMERSMITH FLYOVER
TALGARTH ROAD
WEST KENSINGTON
West Kensington
Barons Court
Hammersmith Cemetery
The Queen's Club
CROMWELL ROAD
Gloucester Road
SOUTH KENSINGTON
Earls Court
EARLS COURT
Earls Court Exhibition Building
West Brompton
WEST BROMPTON
Brompton Cemetery
OLD BROMPTON
Chelsea F.C. (Stamford Bridge)
Fulham Broadway
FULHAM BROADWAY
WALHAM GREEN
Eel Brook Common
Parsons Grn.
PARSONS GRN
FULHAM
Fulham Cemetery
FULHAM PALACE ROAD
Charing Cross Hosp.
Riverside Studios
Barn Elms
Fulham F.C. (Craven Cottage)
SANDS END
Gas Works
KINGS RD.
NEW KINGS RD.
DAWES ROAD
LILLIE RD.
NORTH END RD.
WARWICK RD.
HOLLAND ROAD
WOOD LANE
WEST CROSS ROUTE
SHEPHERD'S BUSH ROAD
UXBRIDGE R.
KENSINGTON CHURCH ST.
PEMBROKE R.
REDCLIFFE GDNS.
FINBOROUGH RD.
WANDSWORTH BRI. RD.

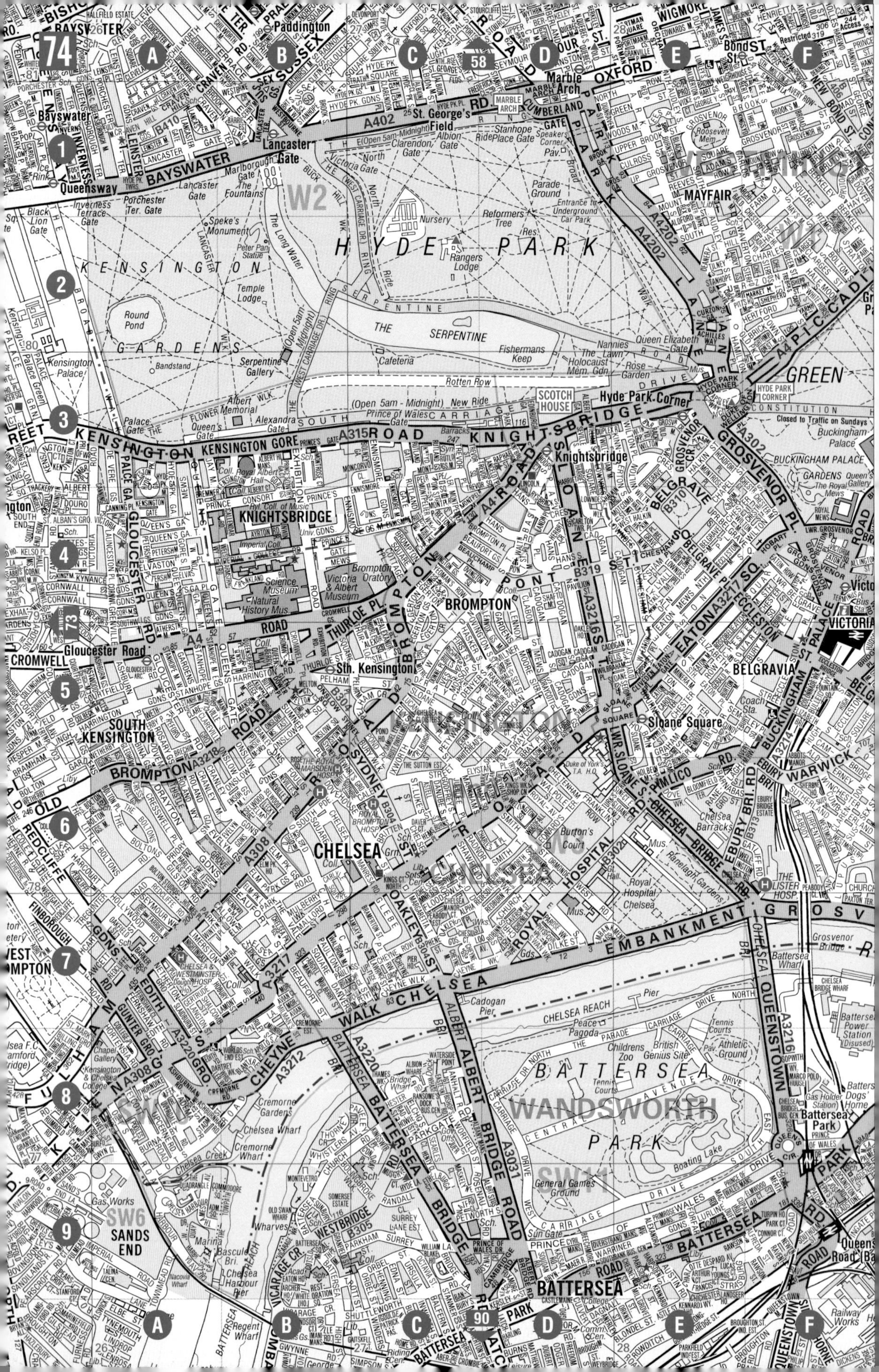
A
B
C
D
E
F
1
2
3
4
5
6
7
8
9
58
73
90
Paddington
Bayswater
Queensway
Lancaster Gate
BAYSWATER
OXFORD
WIGMORE
Bond St.
Marble Arch
MARBLE ARCH
CUMBERLAND GATE
St. George's Field
A402
W2
HYDE PARK
KENSINGTON GARDENS
Round Pond
Kensington Palace
Peter Pan Statue
The Long Water
Speke's Monument
Temple Lodge
Serpentine Gallery
THE SERPENTINE
Rangers Lodge
Reformers Tree
Parade Ground
Speakers Corner
Nursery
Fishermans Keep
Cafeteria
Rotten Row
Albert Memorial
Queen Elizabeth Gate
Holocaust Mem. Gdn.
Rose Garden
Hyde Park Corner
HYDE PARK CORNER
PARK LANE
A4202
MAYFAIR
Roosevelt Mem.
GROSVENOR SQUARE
PICCADILLY
GREEN
CONSTITUTION
Closed to Traffic on Sundays
Buckingham Palace
BUCKINGHAM PALACE GARDENS
The Royal Mews
ROYAL MEWS
GROSVENOR PL.
A302
KENSINGTON GORE
KENSINGTON ROAD
A315
KNIGHTSBRIDGE
Knightsbridge
KNIGHTSBRIDGE
Rl. Albert Hall
Rl. Coll. of Music
Imperial Coll.
Science Museum
Natural History Mus.
Victoria & Albert Museum
Brompton Oratory
BROMPTON
BROMPTON ROAD
A4
CROMWELL ROAD
Gloucester Road
GLOUCESTER RD.
QUEEN'S GATE
EXHIBITION RD.
THURLOE PL.
Sth. Kensington
SOUTH KENSINGTON
BROMPTON ROAD
A3218
SLOANE ST.
A3216
PONT ST.
B319
BELGRAVE SQ.
EATON SQ.
A3217
BELGRAVIA
VICTORIA
Victoria
Sloane Square
KING'S ROAD
CHELSEA
A308
FULHAM ROAD
SYDNEY ST.
The Royal Marsden
OAKLEY ST.
ROYAL HOSPITAL RD.
Royal Hospital Chelsea
Burton's Court
Duke of York's T.A. HQ
Chelsea Barracks
Ranelagh Gardens
PIMLICO RD.
LWR. SLOANE ST.
EBURY BRI. RD.
BUCKINGHAM PALACE RD.
WARWICK
EBURY BRIDGE ESTATE
CHELSEA BRIDGE RD.
CHELSEA EMBANKMENT
GROSVENOR
Grosvenor Bridge
CHELSEA BRIDGE
QUEENSTOWN RD.
A3216
Battersea Wharf
Battersea Power Station (Disused)
Battersea Dogs' Home
Battersea Park
Queenstown Road (Battersea)
CHEYNE WALK
A3212
A3220
EDITH GRO.
Chelsea & Westminster Hosp.
World's End
OLD BROMPTON
REDCLIFFE
FINBOROUGH
WEST BROMPTON
Chelsea F.C.
FULHAM RD.
A308
SW10
Kensington & Chelsea College
Cremorne Gardens
Chelsea Wharf
Cremorne Wharf
Chelsea Creek
Gas Works
SW6
SANDS END
Chelsea Harbour Pier
Bascule Bri.
Marina
Regent Wharf
Cadogan Pier
CHELSEA REACH
Pier
Peace Pagoda
BATTERSEA PARK
Childrens Zoo
British Genius Site
Athletic Ground
Tennis Courts
WANDSWORTH
SW11
General Games Ground
Boating Lake
ALBERT BRIDGE ROAD
A3031
BATTERSEA BRIDGE
BATTERSEA BRIDGE RD.
PRINCE OF WALES DR.
BATTERSEA PARK ROAD
BATTERSEA
WESTBRIDGE
B305
VICARAGE CR.
SW3
SW1
W1
WESTMINSTER

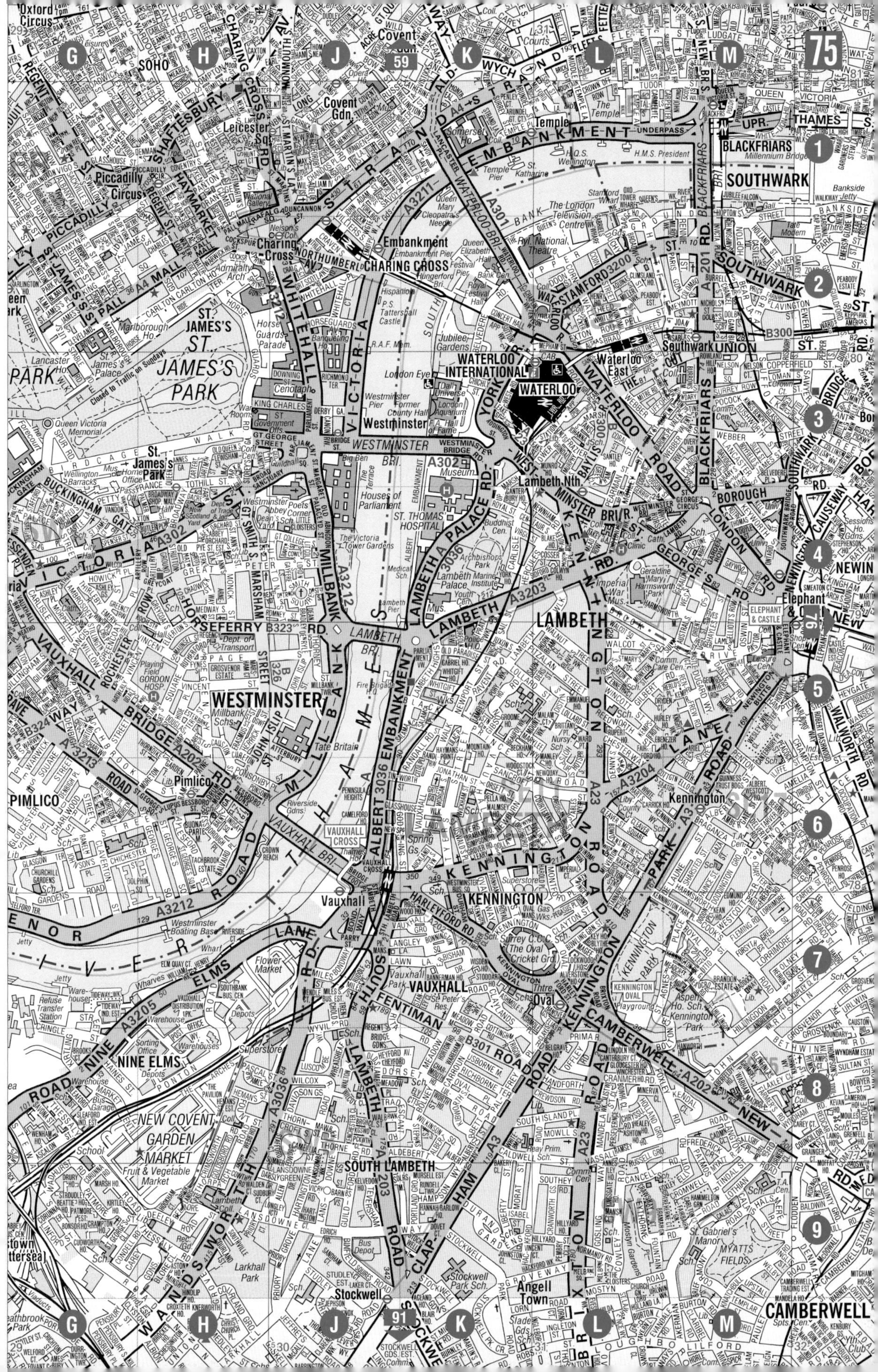
75
G
H
J
K
L
M
1
2
3
4
5
6
7
8
9
59
91
76
78
SOHO
Covent Garden
Covent Gdn.
Leicester Sq.
Piccadilly Circus
SHAFTESBURY AV.
CHARING CROSS RD.
HAYMARKET
REGENT ST.
PICCADILLY
PALL MALL
STRAND
ALDWYCH
FLEET ST.
LUDGATE HILL
Temple
EMBANKMENT
BLACKFRIARS
Millennium Bridge
SOUTHWARK
Tate Modern
Bankside
The London Television Centre
Ryl. National Theatre
Royal Festival Hall
Queen Elizabeth Hall
Jubilee Gardens
London Eye
Embankment
CHARING CROSS
Charing Cross
Trafalgar Sq.
National Gallery
Nelson's Col.
Admiralty Arch
WHITEHALL
Horse Guards Parade
Banqueting Ho.
Downing St.
Cenotaph
ST. JAMES'S PARK
St. James's Palace
Marlborough Ho.
Queen Victoria Memorial
Buckingham Gate
BIRDCAGE WALK
St. James's Park
Wellington Barracks
Closed to Traffic on Sundays
WATERLOO INTERNATIONAL
WATERLOO
Waterloo East
Southwark
WATERLOO RD.
STAMFORD ST.
BLACKFRIARS RD.
SOUTHWARK ST.
UNION ST.
BOROUGH RD.
Westminster
WESTMINSTER BRIDGE
Big Ben
Houses of Parliament
Westminster Abbey
Former County Hall
London Aquarium
ST. THOMAS' HOSPITAL
Lambeth Nth.
Lambeth Palace
Archbishops Park
Imperial War Mus.
Geraldine Mary Harmsworth Park
ST. GEORGE'S RD.
ST. GEORGE'S CIRCUS
LAMBETH RD.
LAMBETH PALACE RD.
LAMBETH BRI.
LAMBETH
Elephant & Castle
NEWINGTON CAUSEWAY
NEWINGTON BUTTS
WALWORTH RD.
KENNINGTON RD.
KENNINGTON LANE
KENNINGTON PARK RD.
KENNINGTON OVAL
Kennington
KENNINGTON
Surrey C.C.C. The Oval Cricket Grd.
Oval
HARLEYFORD RD.
VICTORIA ST.
HORSEFERRY RD.
Dept. of Transport
MILLBANK
WESTMINSTER
Millbank Schs.
Tate Britain
Pimlico
PIMLICO
VAUXHALL BRIDGE RD.
VAUXHALL BRI.
VAUXHALL CROSS
Vauxhall
VAUXHALL
ALBERT EMBANKMENT
GROSVENOR RD.
RIVER THAMES
NINE ELMS LANE
NINE ELMS
Westminster Boating Base
Flower Market
NEW COVENT GARDEN MARKET
Fruit & Vegetable Market
WANDSWORTH RD.
SOUTH LAMBETH RD.
SOUTH LAMBETH
Spring Gs.
Vauxhall Park
FENTIMAN RD.
CLAPHAM RD.
Stockwell
Stockwell Park Sch.
Larkhall Park
Angell Town
BRIXTON RD.
CAMBERWELL NEW RD.
St. Gabriel's Manor
MYATTS FIELDS
CAMBERWELL
Battersea
Heathbrook Park
Oxford Circus
Lambeth Coll.
Bus Depot
Superstore

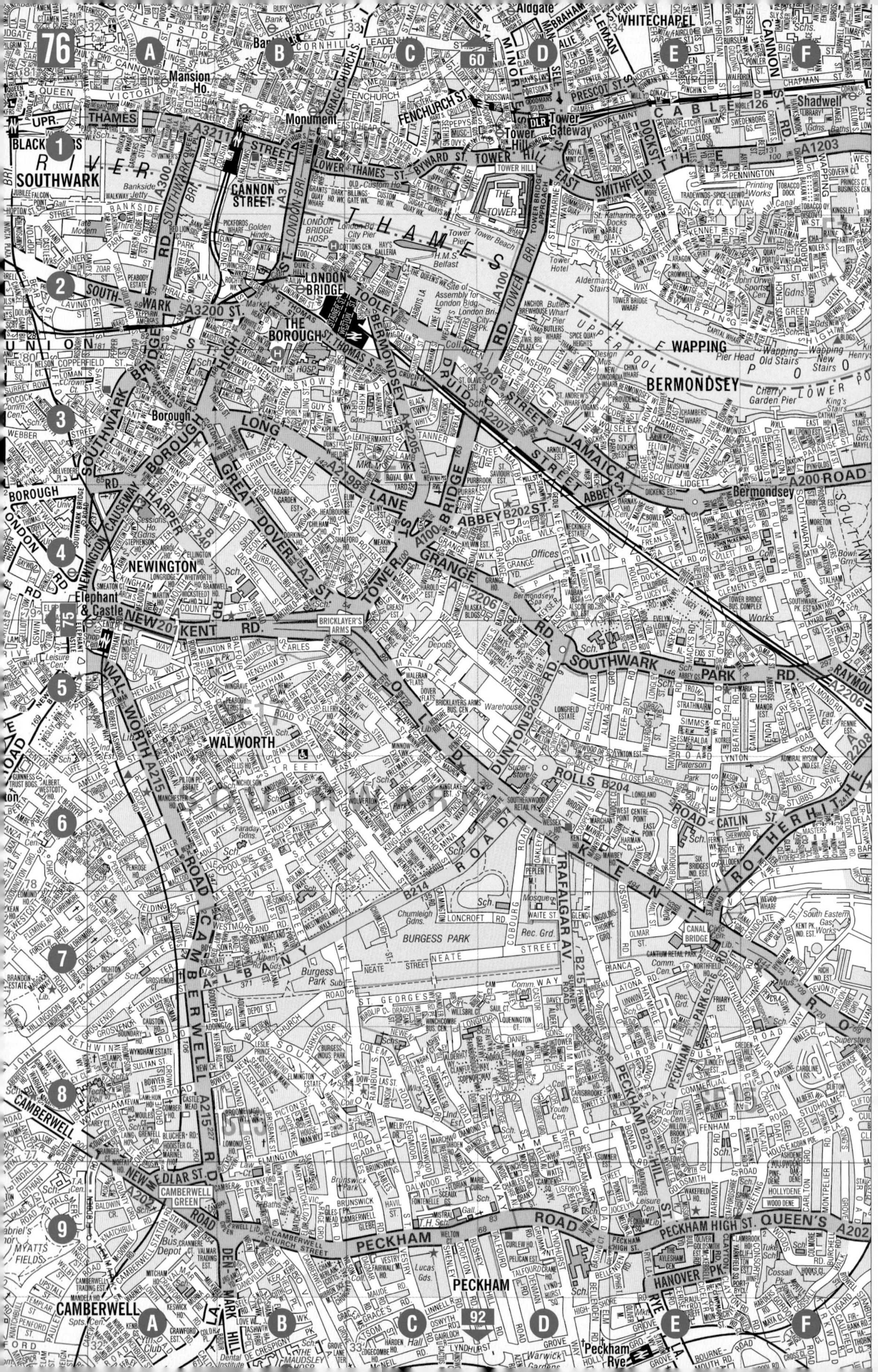
76
A
B
C
D
E
F
60
1
2
3
4
5
6
7
8
9
75
92
Aldgate
WHITECHAPEL
Mansion Ho.
Bank
Monument
FENCHURCH ST.
Tower Hill
Tower Gateway
DLR
Shadwell
RIVER
SOUTHWARK
BLACKFRIARS
CANNON STREET
THAMES
TOWER HILL
THE TOWER
H.M.S. Belfast
LONDON BRIDGE
THE BOROUGH
GUY'S HOSP.
Tate Modern
WAPPING
BERMONDSEY
UPPER POOL
LOWER POOL
Bermondsey
Borough
NEWINGTON
Elephant & Castle
NEW KENT RD.
BRICKLAYER'S ARMS
WALWORTH
SOUTHWARK PARK RD.
BURGESS PARK
Burgess Park
CAMBERWELL GREEN
CAMBERWELL
PECKHAM
Peckham Rye
PECKHAM HIGH ST.
QUEEN'S
HANOVER PK.
MYATTS FIELDS
CABLE ST.
THE HIGHWAY
EAST SMITHFIELD
TOOLEY
JAMAICA RD.
LONG LANE
GREAT DOVER ST.
TOWER BRIDGE RD.
OLD KENT RD.
WALWORTH RD.
CAMBERWELL RD.
PECKHAM RD.
ALBANY RD.
ROTHERHITHE NEW RD.
BOROUGH HIGH ST.
SOUTHWARK BRIDGE RD.
TRAFALGAR AV.
PECKHAM HILL ST.
A100
A200
A202
A215
A2
A3
A300
A1203
A2206
A2208
A3200
A3211
B202
B204
B214
B215

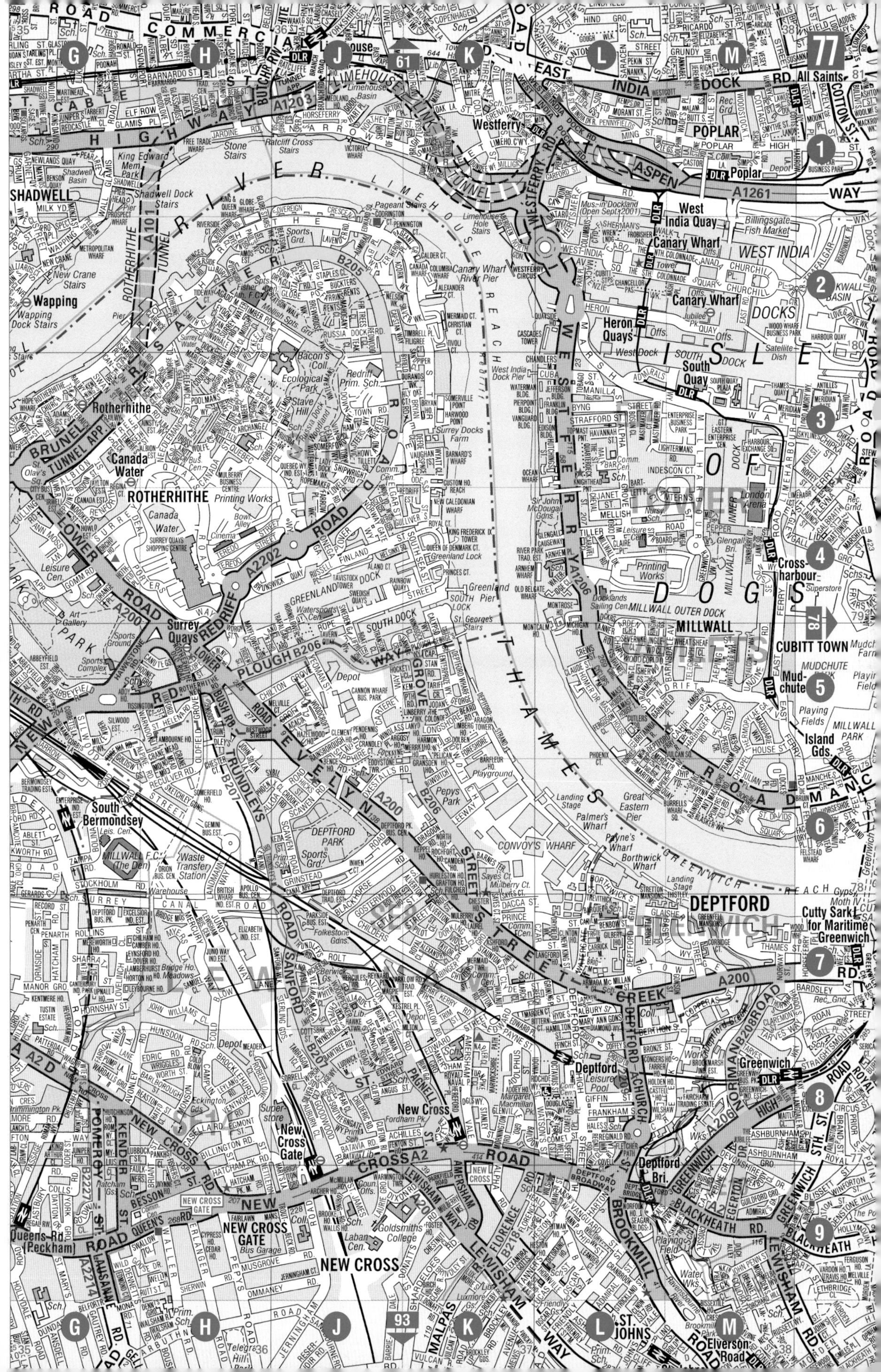
G
H
J
K
L
M
61
93
78
1
2
3
4
5
6
7
8
9
COMMERCIAL
EAST INDIA DOCK RD.
All Saints
HIGHWAY
A1203
LIMEHOUSE LINK
Limehouse
Limehouse Basin
Westferry
POPLAR
Poplar
ASPEN WAY
A1261
SHADWELL
Shadwell Basin
King Edward Mem. Park
Shadwell Dock Stairs
RIVER
Ratcliff Cross Stairs
Stone Stairs
Pageant Stairs
Limehouse Hole Stairs
Mus. in Dockland (Open Sept. 2001)
West India Quay
Billingsgate Fish Market
WEST INDIA
Canary Wharf
Canary Wharf Tower
Canary Wharf River Pier
Westferry Circus
Heron Quays
West Dock
South Quay
SOUTH DOCK
DOCKS
ISLE
OF
DOGS
Wapping
Wapping Dock Stairs
New Crane Stairs
ROTHERHITHE TUNNEL
A101
Rotherhithe
BRUNEL RD.
TUNNEL APP.
Canada Water
ROTHERHITHE
Printing Works
Surrey Quays Shopping Centre
Surrey Docks Farm
Stave Hill Ecological Park
Bacon's Coll.
Russia Dock Woodland
Redriff Prim. Sch.
ROTHERHITHE ST.
SALTER RD.
B205
A2202
REDRIFF RD.
Surrey Quays
GREENLAND DOCK
SOUTH DOCK
Greenland Pier
St. Georges Stairs
LOWER ROAD
A200
PLOUGH WAY
B206
Southwark Park
Sports Complex
LONDON ARENA
Crossharbour
Millwall Outer Dock
MILLWALL
Docklands Sailing Cen.
Superstore
CUBITT TOWN
Mudchute
Mudchute Park
Playing Fields
Island Gds.
MANCHESTER RD.
WESTFERRY RD.
A1206
THAMES
GREENWICH REACH
LIMEHOUSE REACH
Great Eastern Pier
Palmer's Wharf
Payne's Wharf
Borthwick Wharf
CONVOY'S WHARF
Landing Stage
Pepys Park
DEPTFORD
Cutty Sark for Maritime Greenwich
GREENWICH
Greenwich
A200
CREEK RD.
EVELYN ST.
DEPTFORD PARK
Folkestone Gdns.
South Bermondsey
MILLWALL F.C. (The Den)
Waste Transfer Station
B207
TRUNDLEYS RD.
SURREY CANAL RD.
OLD KENT RD.
LEWISHAM
A2
NEW CROSS RD.
New Cross Gate
New Cross
NEW CROSS
NEW CROSS GATE
Goldsmiths College
Laban Cen.
Deptford
Deptford Leisure Pool
Deptford Bri.
DEPTFORD BROADWAY
DEPTFORD CHURCH ST.
A2209
BROOKMILL RD.
LEWISHAM WAY
A20
B218
BLACKHEATH RD.
A2
GREENWICH HIGH RD.
A206
ST. JOHNS
Elverson Road
Queens Rd. (Peckham)
QUEEN'S RD.
A2214
B2227
SE14
SE15
SE8
SE10
Water Wks.
Ravensbourne River
BLACKHEATH
ROYAL HILL

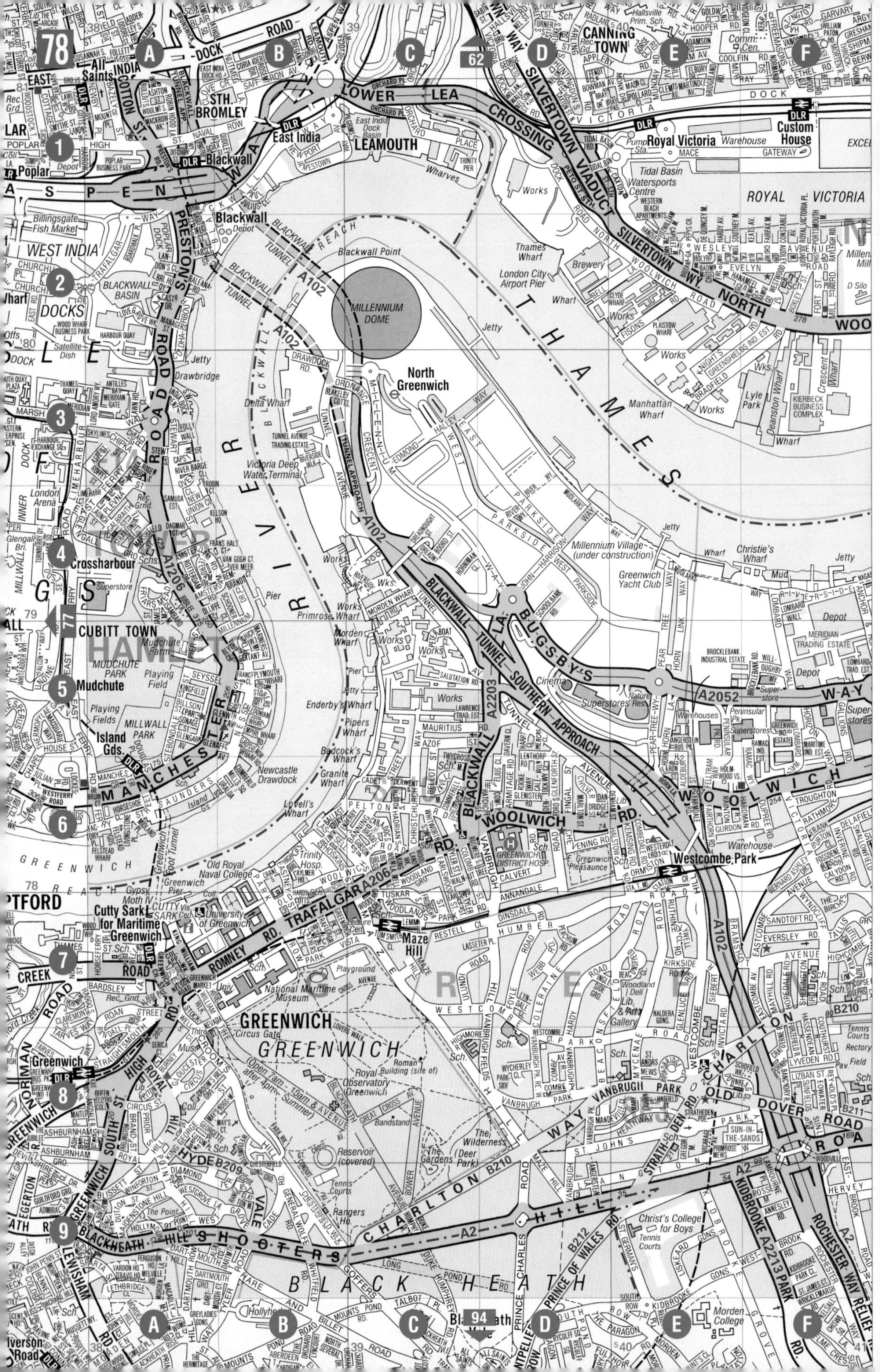

78
A
B
C
D
E
F
62
1
2
3
4
5
6
7
8
9
CANNING TOWN
All Saints
EAST INDIA DOCK ROAD
STH. BROMLEY
East India
LEAMOUTH
LOWER LEA CROSSING
SILVERTOWN VIADUCT
Royal Victoria
Custom House
DLR
Poplar
Blackwall
ASPEN WAY
PRESTONS ROAD
Billingsgate Fish Market
WEST INDIA DOCKS
BLACKWALL BASIN
HARBOUR QUAY
Tidal Basin Watersports Centre
ROYAL VICTORIA
NORTH WOOLWICH ROAD
SILVERTOWN WY.
Thames Wharf
London City Airport Pier
Brewery
Works
Manhattan Wharf
Lyle Park
Deanston Wharf
Crescent Wharf
KIERBECK BUSINESS COMPLEX
Blackwall Point
BLACKWALL REACH
BLACKWALL TUNNEL
A102
MILLENNIUM DOME
North Greenwich
Jetty
Drawbridge
Delta Wharf
Victoria Deep Water Terminal
TUNNEL AVENUE TRADING ESTATE
THAMES
RIVER
Millennium Village (under construction)
Greenwich Yacht Club
Christie's Wharf
Wharf
Mud
Depot
MERIDIAN TRADING ESTATE
BROCKLEBANK INDUSTRIAL ESTATE
BUGSBY'S WAY
A2052
Cinema
Superstores
Nature Res.
Peninsular Pk.
BLACKWALL TUNNEL SOUTHERN APPROACH
A2203
WOOLWICH RD.
London Arena
Crosstarbour
TOWER HAMLETS
CUBITT TOWN
Mudchute
MUDCHUTE PARK
Mudchute Farm
Playing Field
Playing Fields
MILLWALL PARK
Island Gds.
MANCHESTER ROAD
A1206
Primrose Wharf
Morden Wharf
Enderby's Wharf
Pipers Wharf
Badcock's Wharf
Granite Wharf
Lovell's Wharf
Newcastle Drawdock
GREENWICH REACH
Greenwich Foot Tunnel
Greenwich Pier
Old Royal Naval College
Trinity Hosp.
GREENWICH DISTRICT HOSP.
E. Greenwich Pleasaunce
Westcombe Park
PTFORD
Cutty Sark for Maritime Greenwich
University of Greenwich
Gypsy Moth IV
TRAFALGAR RD.
A206
ROMNEY RD.
Maze Hill
National Maritime Museum
GREENWICH
GREENWICH PARK
Circus Gate
Royal Observatory Greenwich
(Open 7am - 10am & after 4pm - Summer)
Reservoir (covered)
Bandstand
The Wilderness (Deer Park)
The Gardens
Rangers Ho.
Woodland Dell
Lib. & Arts Gallery
VANBRUGH PARK
CHARLTON WAY
B210
CHARLTON RD.
OLD DOVER ROAD
SUN-IN-THE-SANDS
SHOOTERS HILL
A2
Christ's College for Boys
Tennis Courts
KIDBROOKE PARK RD.
A2213
ROCHESTER WAY RELIEF
Morden College
BLACK HEATH
PRINCE OF WALES RD.
B212
CHARLES
Blackheath
94
GREENWICH HIGH RD.
Greenwich
CREEK ROAD
NORMAN
GREENWICH SOUTH ST.
HYDE VALE
B209
LEWISHAM RD.
The Point
Hollyhedge

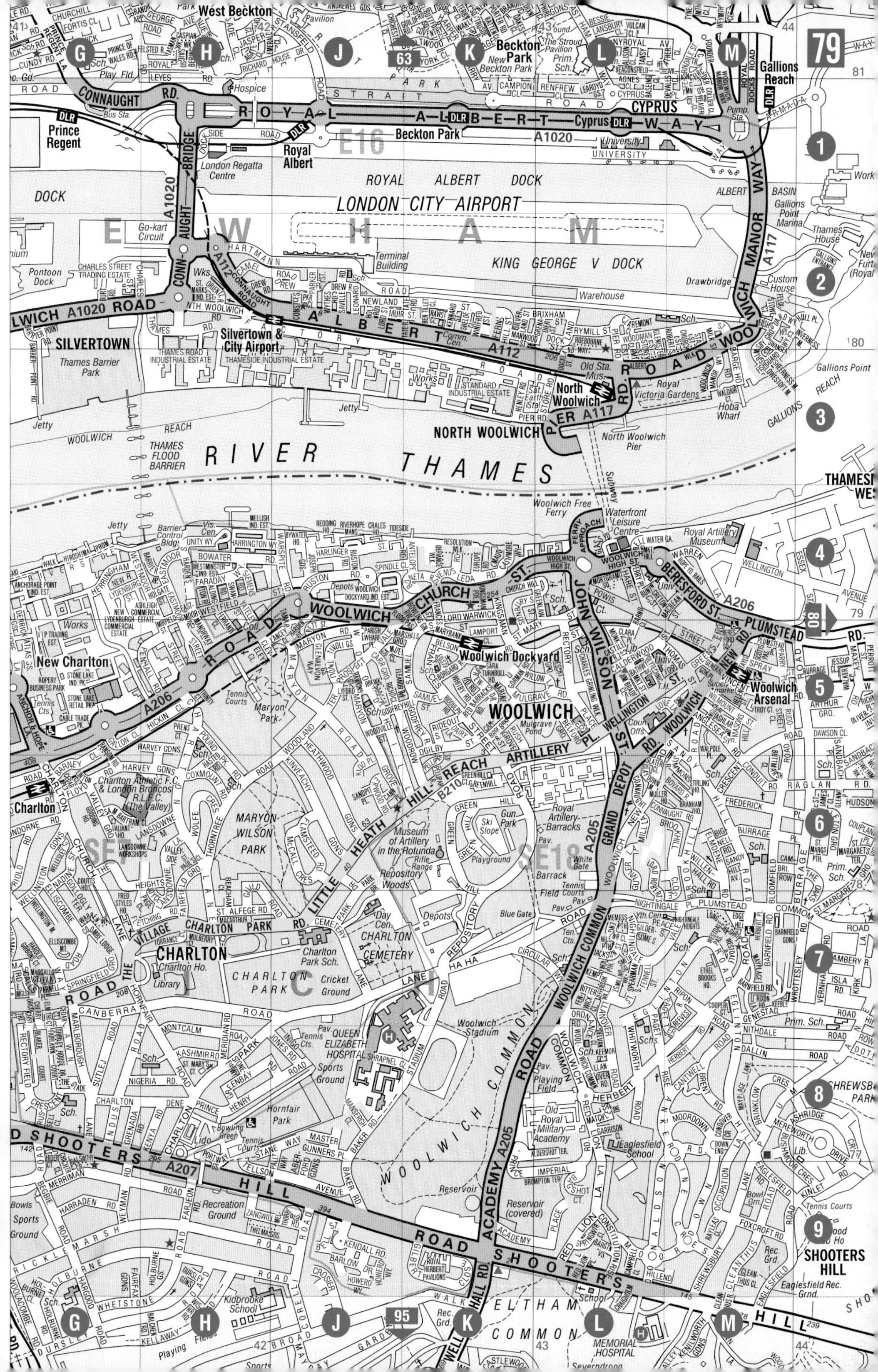
West Beckton
Beckton Park
New Beckton Park
Gallions Reach
CONNAUGHT RD.
ROYAL ALBERT WAY
Prince Regent
Royal Albert
Beckton Park
Cyprus
CYPRUS
E16
A1020
University
ROYAL ALBERT DOCK
LONDON CITY AIRPORT
London Regatta Centre
DOCK
CONNAUGHT BRIDGE
Go-kart Circuit
NEWHAM
Terminal Building
KING GEORGE V DOCK
Gallions Point Marina
Thames House
WOOLWICH MANOR WAY
A117
Drawbridge
Custom House
Warehouse
Pontoon Dock
CHARLES STREET TRADING ESTATE
WOOLWICH A1020 ROAD
ALBERT ROAD
A112
SILVERTOWN
Silvertown & City Airport
Thames Barrier Park
THAMES ROAD INDUSTRIAL ESTATE
THAMESIDE INDUSTRIAL ESTATE
STANDARD INDUSTRIAL ESTATE
North Woolwich
Old Sta. Mus.
Royal Victoria Gardens
Hoba Wharf
Gallions Point
GALLIONS REACH
NORTH WOOLWICH
PIER A117
North Woolwich Pier
WOOLWICH REACH
THAMES FLOOD BARRIER
RIVER THAMES
Subway
Woolwich Free Ferry
Waterfront Leisure Centre
Royal Artillery Museum
THAMESMEAD WEST
Barrier Control Bldg.
WOOLWICH CHURCH ST.
WOOLWICH HIGH ST.
JOHN WILSON ST.
BERESFORD ST.
A206
PLUMSTEAD RD.
80
New Charlton
Woolwich Dockyard
Woolwich Arsenal
WOOLWICH
WOOLWICH ROAD
Maryon Park
HARVEY GDNS.
Charlton Athletic F.C. & London Broncos R.L.F.C. (The Valley)
Charlton
MARYON WILSON PARK
HILL-REACH
ARTILLERY PL.
GRAND DEPOT RD.
A205
Royal Artillery Barracks
Gun Park
Ski Slope
Museum of Artillery in the Rotunda
Repository Woods
SE18
SE7
Barrack Field
CHARLTON PARK RD.
CHARLTON
Charlton Ho.
Charlton Park Sch.
CHARLTON CEMETERY
CHARLTON PARK
Cricket Ground
Woolwich Stadium
QUEEN ELIZABETH HOSPITAL
Sports Ground
WOOLWICH COMMON
WOOLWICH COMMON
Playing Field
Old Royal Military Academy
Eaglesfield School
Hornfair Park
Lido
SHOOTERS HILL
A207
Recreation Ground
Reservoir
Reservoir (covered)
ACADEMY RD.
SHOOTERS HILL ROAD
SHOOTERS HILL
Eaglesfield Rec. Grnd.
Kidbrooke School
ELTHAM COMMON
MEMORIAL HOSPITAL
Playing Fields
95
63
G H J K L M
1 2 3 4 5 6 7 8 9
41 42 43 44
79 80 81
78

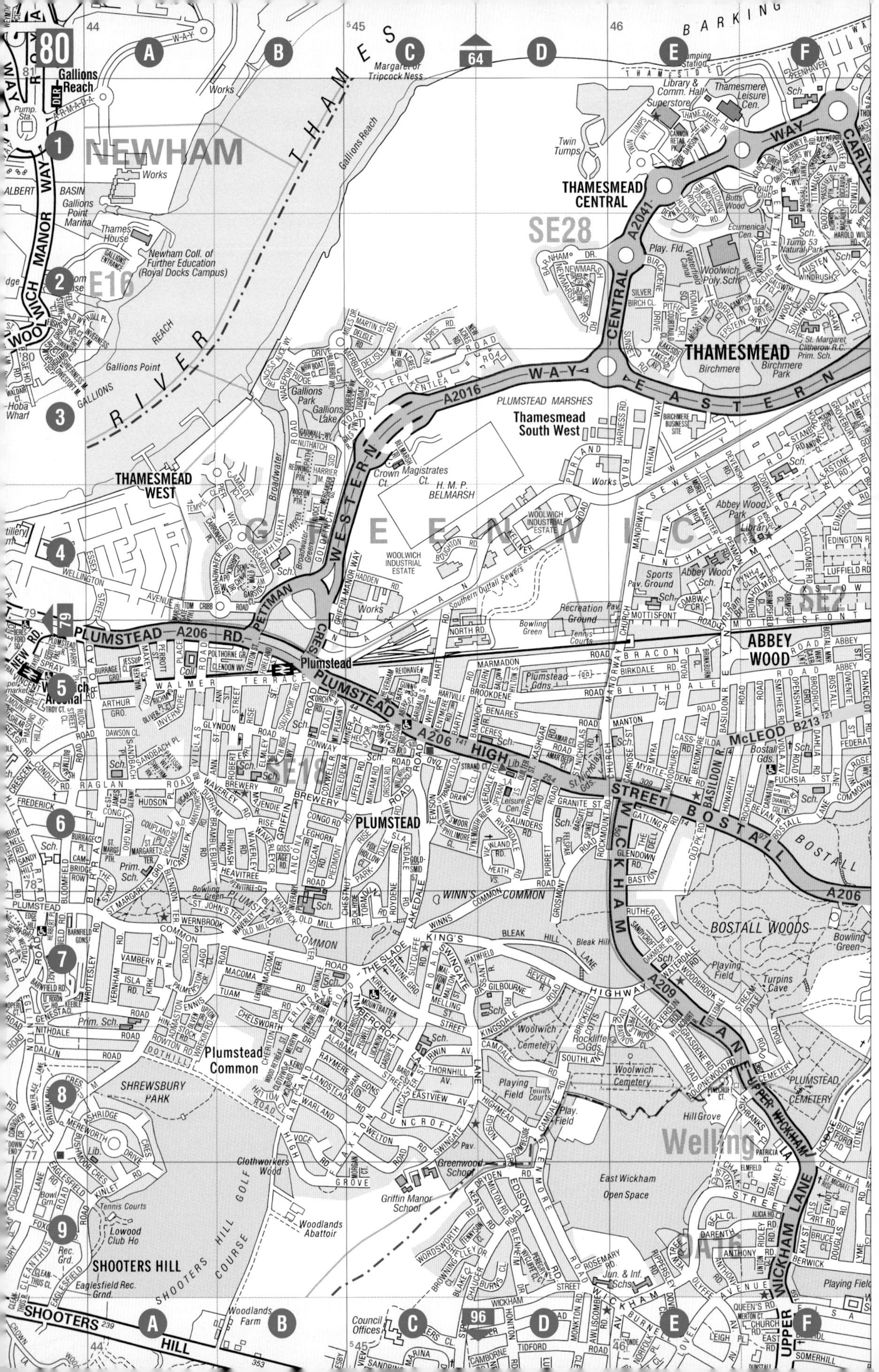
A
B
C
D
E
F
1
2
3
4
5
6
7
8
9
44
45
46
64
79
96
NEWHAM
E16
Gallions Reach
Albert Basin
Gallions Point Marina
Thames House
Newham Coll. of Further Education (Royal Docks Campus)
Gallions Point
Hoba Wharf
Works
RIVER THAMES
Gallions Reach
Margaret or Tripcock Ness
BARKING
Pumping Station
Library & Comm. Hall
Superstore
Thamesmere Leisure Cen.
Twin Tumps
THAMESMEAD CENTRAL
SE28
Butts Wood
Ecumenical Cen.
Play. Fld.
Waterfield Canal
Woolwich Poly. Sch.
Tump 53 Natural Park
THAMESMEAD
Birchmere
Birchmere Park
St. Margaret Clitherow R.C. Prim. Sch.
EASTERN WAY
A2016
A2041
PLUMSTEAD MARSHES
Thamesmead South West
Birchmere Business Site
Gallions Park
Gallions Lake
Crown Ct.
Magistrates Ct.
H.M.P. BELMARSH
Woolwich Industrial Estate
THAMESMEAD WEST
GREENWICH
WESTERN WAY
Broadwater Green
Abbey Wood Park
Library
Sports Ground
Abbey Wood Sch.
Recreation Ground
Bowling Green
Tennis Courts
Southern Outfall Sewers
SE2
ABBEY WOOD
PLUMSTEAD A206 RD.
Plumstead
Woolwich Arsenal
PLUMSTEAD A206 HIGH STREET
SE18
PLUMSTEAD
Plumstead Gdns.
Leisure Cen.
St. Nicholas Gdns.
BOSTALL
McLEOD B213
Bostall Gdns.
WICKHAM LANE
A209
BOSTALL WOODS
Bowling Green
Playing Field
Turpins Cave
WINN'S COMMON
Bleak Hill
PLUMSTEAD COMMON
Plumstead Common
SHREWSBURY PARK
Woolwich Cemetery
Playing Field
Play. Field
Greenwood School
Griffin Manor School
Clothworkers Wood
Woodlands Abattoir
SHOOTERS HILL GOLF COURSE
East Wickham Open Space
Hill Grove
Welling
DA16
PLUMSTEAD CEMETERY
UPPER WICKHAM LANE
Tennis Courts
Lowood Club Ho
Rec. Grd.
SHOOTERS HILL
Eaglesfield Rec. Grnd.
SHOOTERS HILL
Woodlands Farm
Council Offices
Jun. & Inf. Schs.
Playing Field

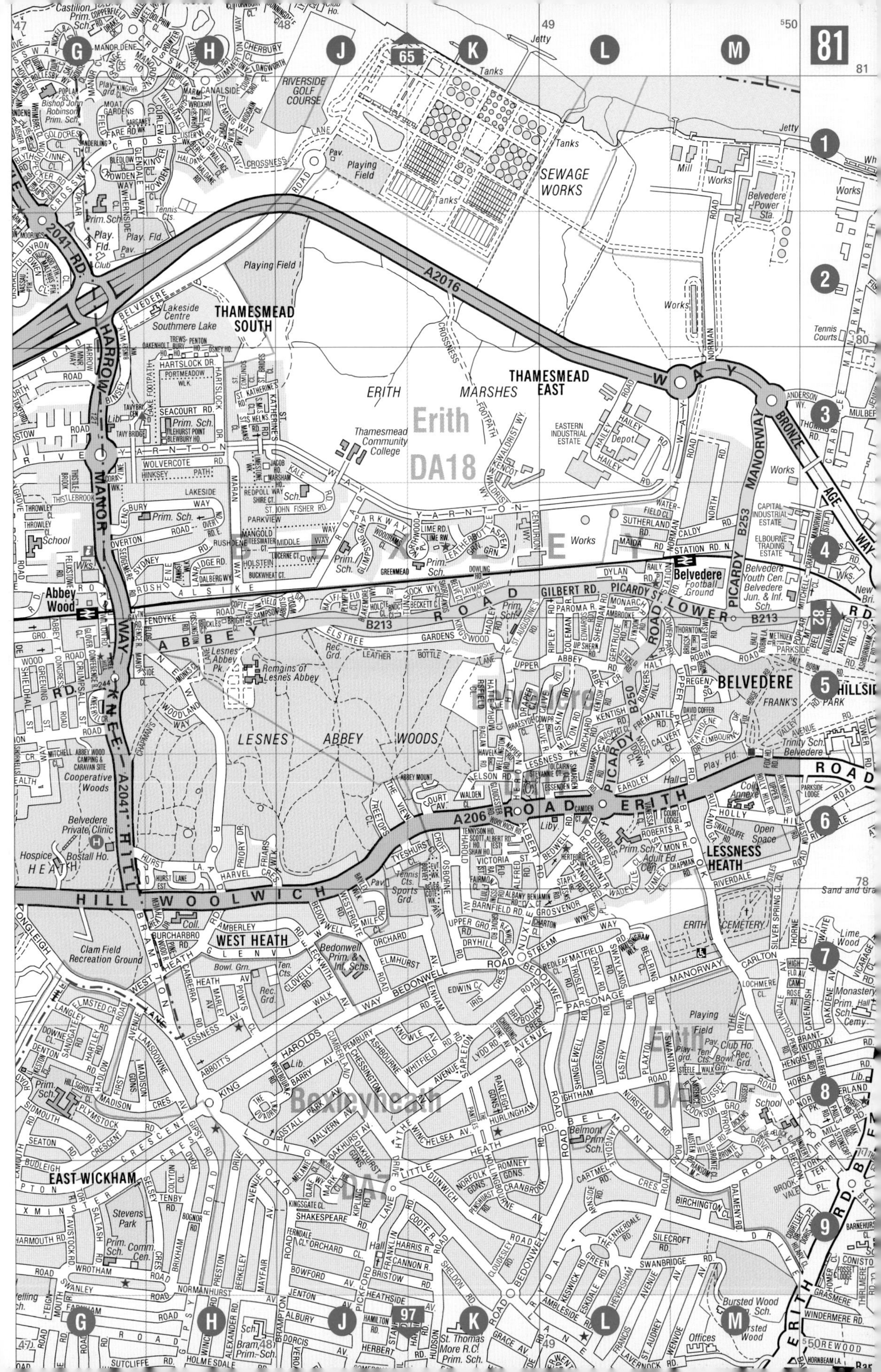
RIVERSIDE GOLF COURSE
Playing Field
SEWAGE WORKS
Tanks
Jetty
Mill
Works
Belvedere Power Sta.
THAMESMEAD SOUTH
Lakeside Centre
Southmere Lake
Playing Field
A2016
ERITH MARSHES
Erith DA18
Thamesmead Community College
THAMESMEAD EAST
EASTERN INDUSTRIAL ESTATE
CAPITAL INDUSTRIAL ESTATE
ELBOURNE TRADING ESTATE
BRONZE AGE WAY
MANORWAY B253
PICARDY
Belvedere
Belvedere Football Ground
Abbey Wood
HARROW MANOR WAY
ABBEY ROAD B213
GILBERT RD.
PICARDY ST. LOWER
Lesnes Abbey Pk.
Remains of Lesnes Abbey
LESNES ABBEY WOODS
Cooperative Woods
Belvedere Private Clinic
Hospice
Bostall Ho.
BELVEDERE
LESSNESS HEATH
A206 ROAD ERITH
KNEE HILL A2041
WOOLWICH HILL
WEST HEATH
Clam Field Recreation Ground
Bedonwell Prim. & Inf. Schs.
BEDONWELL ROAD
ERITH CEMETERY
Playing Field
Bexleyheath
DA7
EAST WICKHAM
Stevens Park
Belmont Prim. Sch.
Bursted Wood Prim. Sch.
St. Thomas More R.C. Prim. Sch.
65
97
Erith DA8

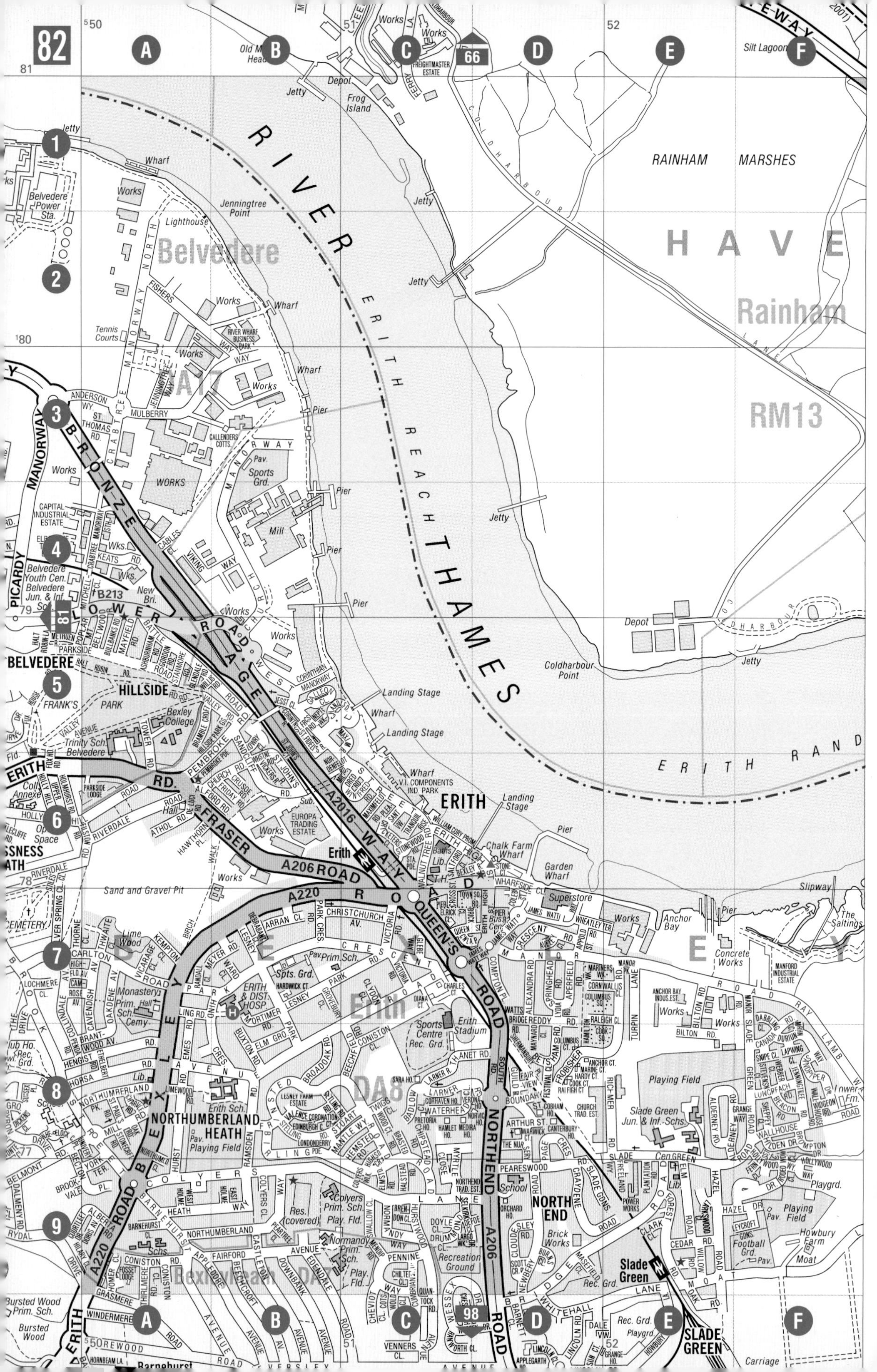

RIVER THAMES
ERITH REACH
ERITH RANDS
RAINHAM MARSHES
HAVE
Rainham
RM13
Belvedere
Belvedere Power Sta.
Jenningtree Point
Lighthouse
Frog Island
Depot
Jetty
Wharf
Pier
Works
Silt Lagoon
Coldharbour Point
Coldharbour Lane
Old Mill Head
FREIGHTMASTER ESTATE
66
RIVER WHARF BUSINESS PARK
CAPITAL INDUSTRIAL ESTATE
Tennis Courts
Sports Grd.
Mill
WORKS
Landing Stage
V.I. COMPONENTS IND. PARK
ERITH
EUROPA TRADING ESTATE
Chalk Farm Wharf
Garden Wharf
Superstore
Anchor Bay
Slipway
The Saltings
Concrete Works
MANFORD INDUSTRIAL ESTATE
ANCHOR BAY INDUS. EST.
BRONZE AGE WAY
A2016
LOWER ROAD
B213
FRASER ROAD
A206 ROAD
A220
QUEEN'S ROAD
SOUTH RD.
NORTHEND ROAD
A206
BEXLEY ROAD
MANORWAY
PICARDY
BELVEDERE
HILLSIDE
FRANK'S PARK
Bexley College
Trinity Sch. Belvedere
ERITH RD.
Sand and Gravel Pit
Lime Wood
Monastery Prim. Sch.
ERITH & DIST. HOSP.
Erith
Erith Stadium
Sports Centre Rec. Grd.
Spts. Grd.
Prim. Sch.
DA8
NORTHUMBERLAND HEATH
Erith Sch.
Playing Field
Res. (covered)
Colyers Prim. Sch. Play. Fld.
Normandy Prim. Sch.
Recreation Ground
Bexleyheath DA7
NORTHEND TRAD. EST.
School
NORTH END
Brick Works
CHURCH TRAD. EST.
Playing Field
Slade Green Jun. & Inf. Schs.
Football Grd.
Playing Field
Howbury Farm
Moat
Slade Green
SLADE GREEN
Rec. Grd.
Playgrd.
Bursted Wood Prim. Sch.
Bursted Wood
Barnehurst
98
A B C D E F
1 2 3 4 5 6 7 8 9
550 51 52
81 80 79 78 77

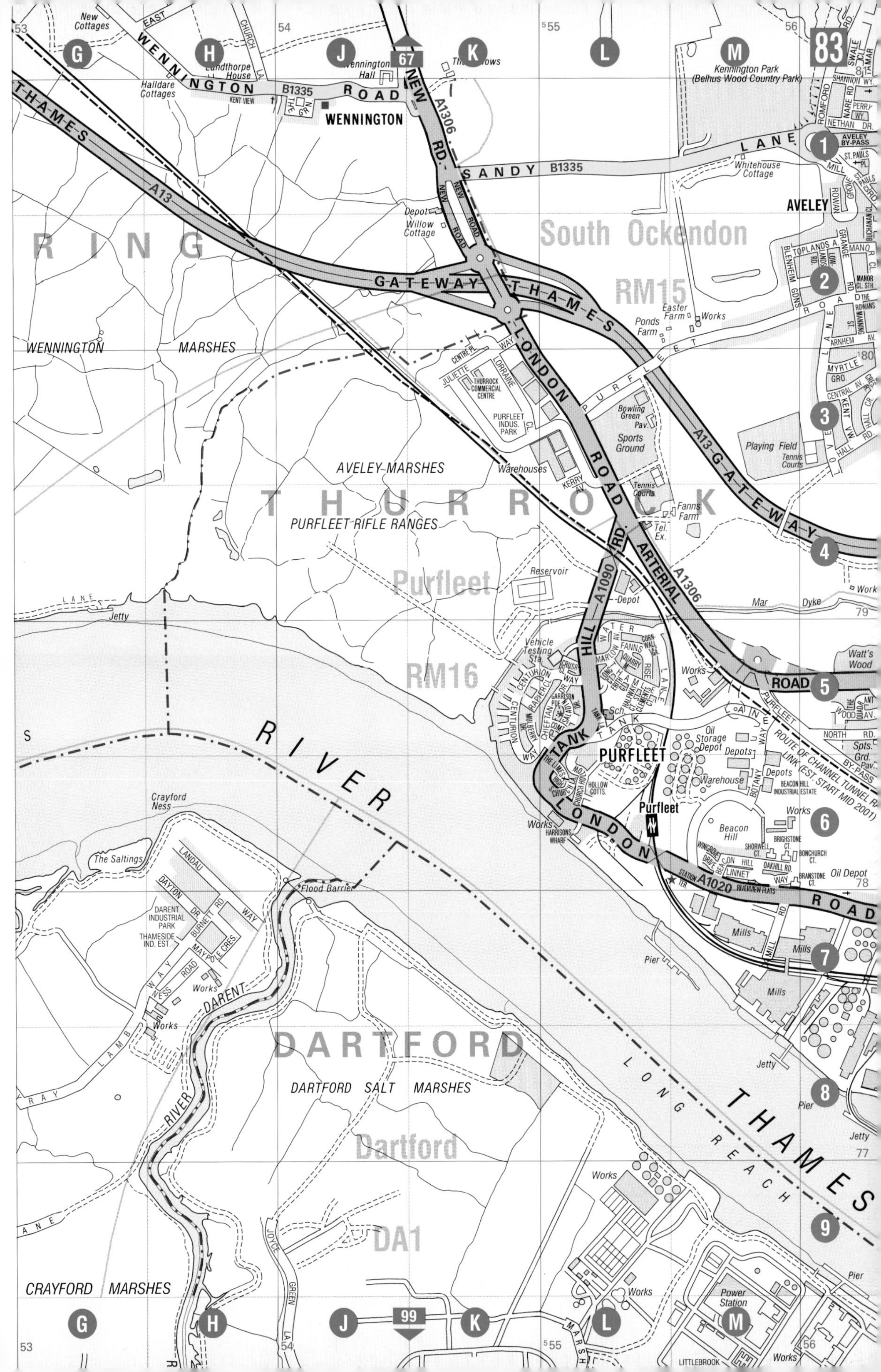

WENNINGTON
Wennington Hall
Landthorpe House
Halldare Cottages
New Cottages
WENNINGTON ROAD B1335
NEW RD. A1306
SANDY B1335 LANE
Kennington Park (Belhus Wood Country Park)
Whitehouse Cottage
AVELEY
AVELEY BY-PASS
South Ockendon
RM15
THAMES GATEWAY
A13
Depot
Willow Cottage
Easter Farm
Ponds Farm
Works
PURFLEET RD
WENNINGTON MARSHES
AVELEY MARSHES
PURFLEET RIFLE RANGES
THURROCK
THURROCK COMMERCIAL CENTRE
PURFLEET INDUS. PARK
Warehouses
Bowling Green Pav.
Sports Ground
Tennis Courts
Fanns Farm
Tel. Ex.
Playing Field
LONDON ROAD ARTERIAL A1306
HILL RD. A1090
Purfleet
Reservoir
Depot
Mar Dyke
Watt's Wood
Jetty
RM16
Vehicle Testing Sta.
PURFLEET
Purfleet
Oil Storage Depot
Depots
Warehouse
BEACON HILL INDUSTRIAL ESTATE
Beacon Hill
ROUTE OF CHANNEL TUNNEL RAIL LINK (EST. START MID 2001)
Works
HARRISONS WHARF
LONDON ROAD A1020
Oil Depot
Mills
Pier
Jetty
RIVER THAMES
LONG REACH
Crayford Ness
The Saltings
Flood Barrier
DARENT INDUSTRIAL PARK
THAMESIDE IND. EST.
RIVER DARENT
DARTFORD
DARTFORD SALT MARSHES
Dartford
DA1
CRAYFORD MARSHES
Power Station
LITTLEBROOK
67
99

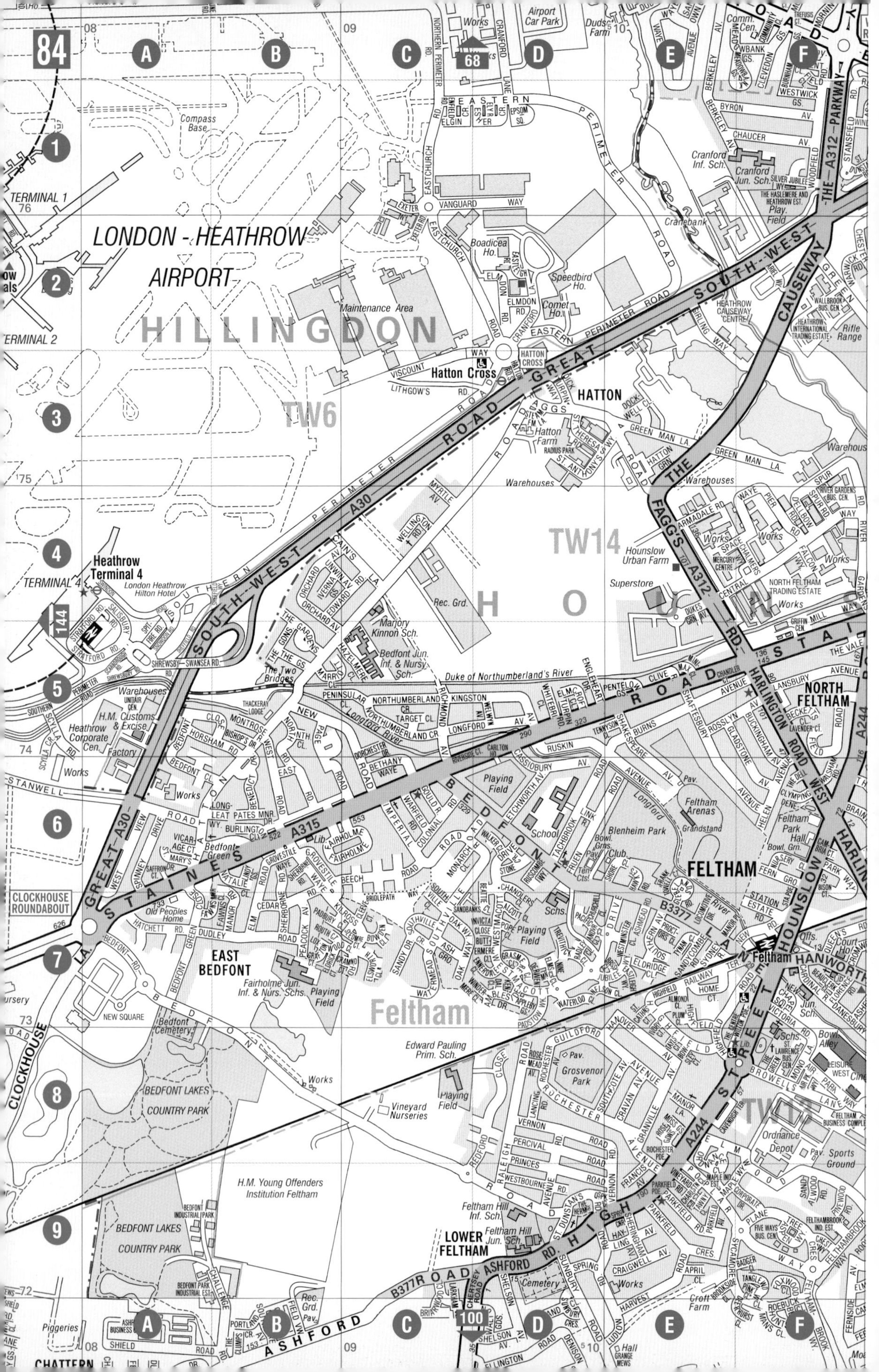
A
B
C
D
E
F
1
2
3
4
5
6
7
8
9
68
144
100
LONDON - HEATHROW
AIRPORT
HILLINGDON
TW6
TW14
HOUNSLOW
TERMINAL 1
TERMINAL 2
TERMINAL 4
Heathrow
Terminal 4
London Heathrow
Hilton Hotel
Compass
Base
Maintenance Area
Airport
Car Park
Works
Dudss
Farm
Boadicea
Ho.
Speedbird
Ho.
Comet
Ho.
Hatton Cross
HATTON
HATTON
CROSS
Hatton
Farm
RADIUS PARK
Warehouses
Hounslow
Urban Farm
Superstore
Rec. Grd.
Marjory
Kinnon Sch.
Bedfont Jun.
Inf. & Nursy.
Sch.
The Two
Bridges
Duke of Northumberland's River
Longford River
H.M. Customs
& Excise
Heathrow
Corporate
Cen.
Factory
Bedfont
Green
Old Peoples
Home
CLOCKHOUSE
ROUNDABOUT
EAST
BEDFONT
Fairholme Jun.
Inf. & Nurs. Schs.
Playing
Field
Feltham
Bedfont
Cemetery
NEW SQUARE
BEDFONT LAKES
COUNTRY PARK
H.M. Young Offenders
Institution Feltham
Vineyard
Nurseries
Edward Pauling
Prim. Sch.
Grosvenor
Park
Feltham Hill
Inf. Sch.
Feltham Hill
Jun. Sch.
LOWER
FELTHAM
Cemetery
Croft
Farm
Piggeries
FELTHAM
Feltham
Arenas
Grandstand
Blenheim Park
Bowl.
Grns.
Pav.
Club
Ten.
Cts.
School
Schs.
NORTH
FELTHAM
Feltham
Park
Hall
Cranford
Inf. Sch.
Cranford
Jun. Sch.
Cranebank
Play.
Field
HEATHROW
CAUSEWAY
CENTRE
HEATHROW
INTERNATIONAL
TRADING ESTATE
Rifle
Range
NORTH FELTHAM
TRADING ESTATE
Works
Ordnance
Depot
Sports
Ground
Bowl.
Alley
FIVE WAYS
BUS. CEN.
GREAT SOUTH-WEST ROAD
A30
A315
A312
A244
B377
B3377
STAINES ROAD
THE PARKWAY
THE CAUSEWAY
THE FAGG'S RD.
HARLINGTON ROAD WEST
HOUNSLOW ROAD
HIGH STREET
ASHFORD ROAD
BEDFONT ROAD
BEDFONT LANE
CLOCKHOUSE LANE
EASTERN PERIMETER ROAD
NORTHERN PERIMETER RD.
SOUTHERN PERIMETER ROAD
STANWELL
CHATTERN
08
09
10
72
73
74
75
76

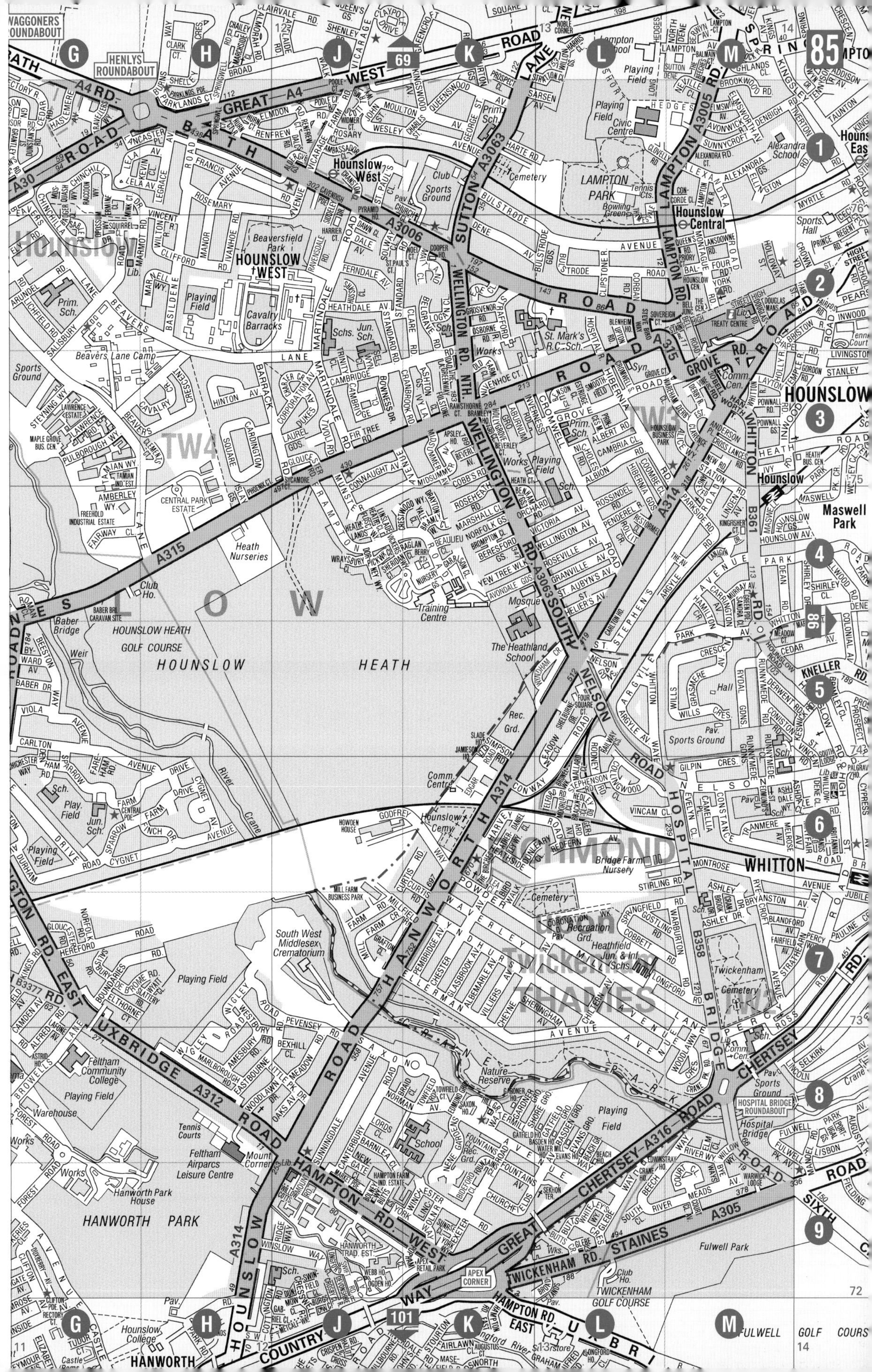
85
WAGGONERS ROUNDABOUT
HENLYS ROUNDABOUT
GREAT WEST ROAD
A4
BATH ROAD
A30
69
Hounslow West
HOUNSLOW WEST
Beaversfield Park
Cavalry Barracks
Playing Field
Hounslow
Beavers Lane Camp
Sports Ground
TW4
CENTRAL PARK ESTATE
Heath Nurseries
A315
FREEHOLD INDUSTRIAL ESTATE
MAPLE GROVE BUS. CEN.
LAWRENCE ESTATE
WELLINGTON RD. NTH.
SUTTON LANE
A3063
A3006
Lampton School
Civic Centre
LAMPTON PARK
Cemetery
Hounslow Central
LAMPTON RD.
A3005
Alexandra School
HOUNSLOW
TREATY CENTRE
St. Mark's R.C. Sch.
Syn.
Comm. Cen.
TW3
HOUNSLOW BUSINESS PARK
Hounslow
Maswell Park
HANWORTH RD.
WHITTON RD.
B361
A314
Training Centre
Mosque
The Heathland School
HOUNSLOW HEATH
HOUNSLOW HEATH GOLF COURSE
Baber Bridge
BABER BRI CARAVAN SITE
Weir
River Crane
Rec. Grd.
Comm. Centre
NELSON ROAD
Sports Ground
Hall
HOSPITAL BRIDGE ROAD
B358
Hounslow Cemy.
RICHMOND
Bridge Farm Nursery
WHITTON
Cemetery
Recreation Grd.
Heathfield Jun. & Inf. Schs.
Twickenham Cemetery
THAMES
MILL FARM BUSINESS PARK
South West Middlesex Crematorium
Playing Field
Nature Reserve
UXBRIDGE ROAD
A312
Feltham Community College
Warehouse
Tennis Courts
Feltham Airparcs Leisure Centre
Mount Corner
Hanworth Park House
HANWORTH PARK
HAMPTON RD. WEST
HAMPTON FARM IND. ESTATE
HANWORTH TRAD. EST.
APEX RETAIL PARK
APEX CORNER
School
Playing Field
CHERTSEY ROAD
A316
HOSPITAL BRIDGE ROUNDABOUT
Hospital Bridge
Sports Ground
Fulwell Park
STAINES RD.
A305
TWICKENHAM RD.
TWICKENHAM GOLF COURSE
FULWELL GOLF COURSE
GREAT CHERTSEY RD.
SIXTH CROSS ROAD
COUNTRY WAY
HOUNSLOW ROAD
101
86
Hounslow College
HANWORTH
HAMPTON RD. EAST
UXBRIDGE RD.
Longford River
G
H
J
K
L
M
1
2
3
4
5
6
7
8
9

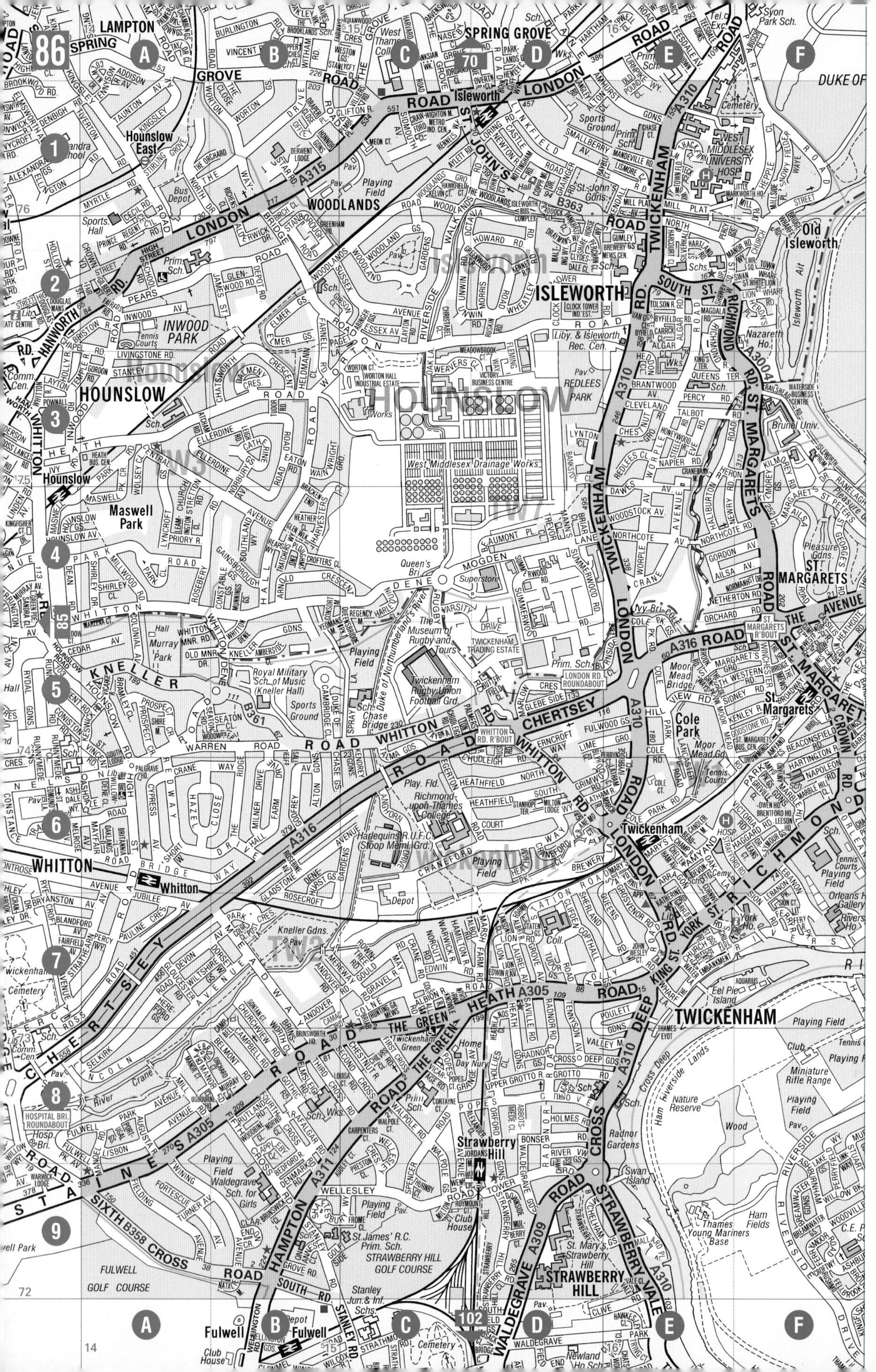
86
A
B
C
D
E
F
1
2
3
4
5
6
7
8
9
70
85
102
LAMPTON
SPRING GROVE
Syon Park Sch.
DUKE OF
Hounslow East
GROVE ROAD
LONDON ROAD
Isleworth
ST. JOHN'S
WOODLANDS
West Middlesex University Hosp.
Old Isleworth
Isleworth Ait
ISLEWORTH
INWOOD PARK
HOUNSLOW
Hounslow
TW3
TW7
West Middlesex Drainage Works
REDLEES PARK
Brunel Univ.
Maswell Park
Queen's Bri.
MOGDEN
Superstore
ST. MARGARETS
St. Margarets
Pleasure Gdns.
The Museum of Rugby and Tours
Twickenham Rugby Union Football Grd.
TWICKENHAM TRADING ESTATE
Royal Military Sch. of Music (Kneller Hall)
KNELLER
Murray Park
Sports Ground
Playing Field
Cole Park
Moor Mead Gd.
WHITTON RD. R'BOUT
LONDON RD. ROUNDABOUT
ST. MARGARETS R'BOUT
CHERTSEY
WHITTON
Whitton
Richmond-upon-Thames College
Harlequins R.U.F.C. (Stoop Meml. Grd.)
Twickenham
Orleans Ho. Gallery
York Ho.
Eel Pie Island
TWICKENHAM
Kneller Gdns.
TW2
Twickenham Cemetery
HEATH ROAD
Twickenham Green
THE GREEN
Strawberry Hill
Ham Riverside Lands
Nature Reserve
Miniature Rifle Range
Radnor Gardens
Swan Island
Ham Fields
Thames Young Mariners Base
HOSPITAL BRI. ROUNDABOUT
Waldegrave Sch. for Girls
St. James' R.C. Prim. Sch.
STRAWBERRY HILL GOLF COURSE
St. Mary's Strawberry Hill
STRAWBERRY HILL
FULWELL GOLF COURSE
Fulwell
Stanley Jun.& Inf. Schs.
Cemetery
A310
A315
A316
A305
A311
A309
A3004
B361
B363
B358
SIXTH CROSS ROAD
HAMPTON ROAD
WALDEGRAVE
STRAWBERRY VALE
RIVERSIDE
14
15
16
72
73
74
75
76

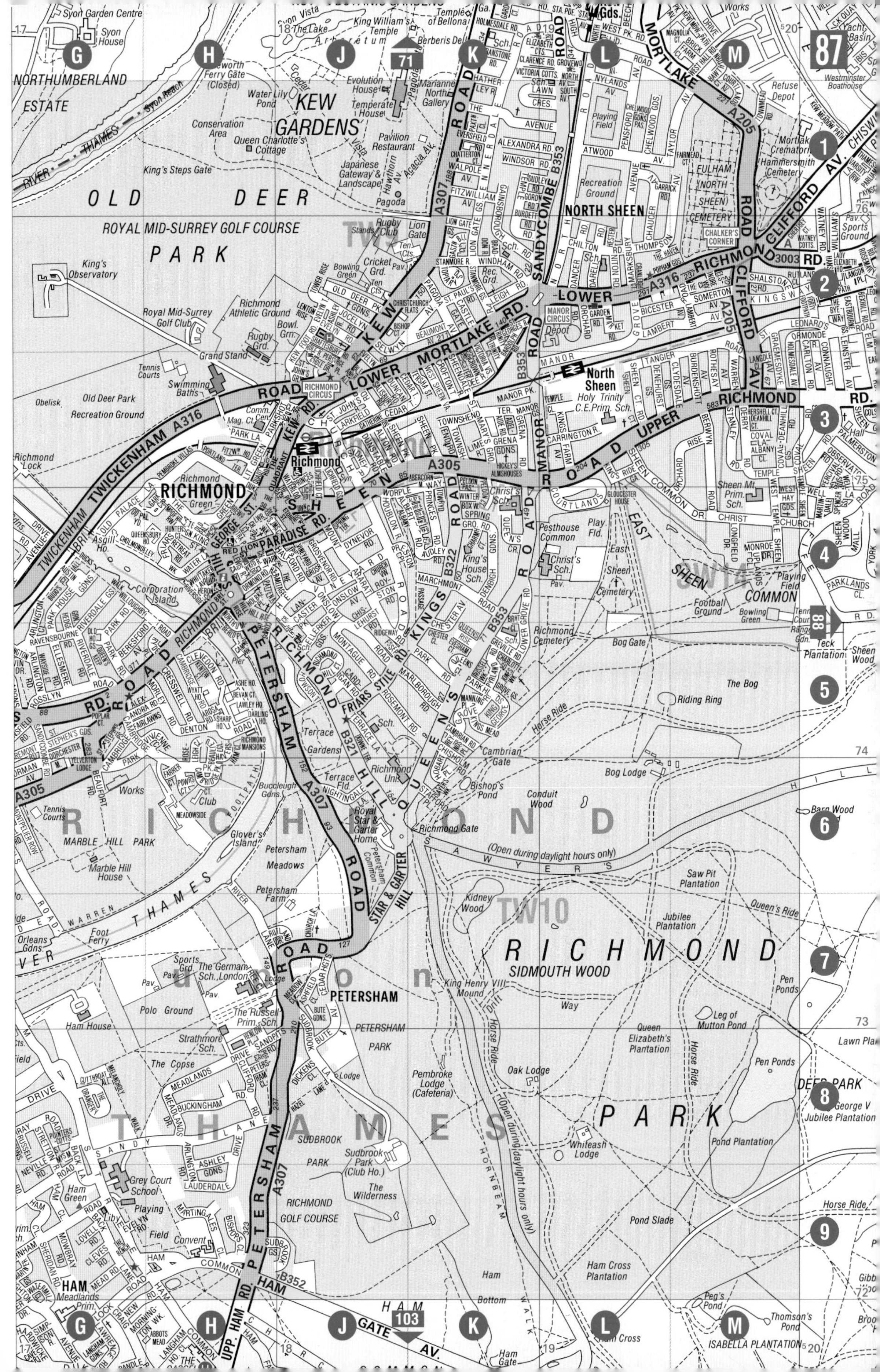
87
71
88
103
G
H
J
K
L
M
1
2
3
4
5
6
7
8
9
Syon Garden Centre
Syon House
NORTHUMBERLAND ESTATE
RIVER THAMES
Syon Reach
Isleworth Ferry Gate (Closed)
The Lake
Arboretum
King William's Temple
Temple of Bellona
Berberis Dell
Water Lily Pond
Evolution House
Temperate House
Pagoda
Marianne North Gallery
KEW GARDENS
Conservation Area
Queen Charlotte's Cottage
Pavilion Restaurant
Japanese Gateway & Landscape
King's Steps Gate
OLD DEER PARK
ROYAL MID-SURREY GOLF COURSE
King's Observatory
Rugby Club
Lion Gate
TW9
Bowling Green
Cricket Grd.
Richmond Athletic Ground
Royal Mid-Surrey Golf Club
Rugby Grd.
Grand Stand
Tennis Courts
Swimming Baths
Obelisk
Old Deer Park Recreation Ground
KEW ROAD
A307
MORTLAKE ROAD
SANDYCOMBE ROAD
B353
NORTH SHEEN
Playing Field
Recreation Ground
FULHAM (NORTH SHEEN) CEMETERY
CHALKER'S CORNER
Mortlake Crematorium
Hammersmith Cemetery
Refuse Depot
Westminster Boathouse
Yacht Basin
MORTLAKE ROAD
A205
CLIFFORD AV.
CHISWICK
Pav. Sports Ground
LOWER RICHMOND RD.
A316
LOWER MORTLAKE RD.
RICHMOND CIRCUS
North Sheen
Holy Trinity C.E.Prim. Sch.
MANOR ROAD
UPPER RICHMOND ROAD
A305
SHEEN RD.
TWICKENHAM ROAD
Richmond Lock
Richmond
RICHMOND
Richmond Green
PARADISE RD.
Asgill Ho.
Corporation Island
Christ's Sch.
Pesthouse Common
Play. Fld.
EAST SHEEN
East Sheen Cemetery
SW14
SHEEN COMMON
Sheen Mt. Prim. Sch.
Football Ground
Bowling Green
Teck Plantation
Sheen Wood
Richmond Cemetery
Bog Gate
The Bog
Riding Ring
Horse Ride
Cambrian Gate
Bog Lodge
Bishop's Pond
Conduit Wood
Barn Wood
RICHMOND ROAD
PETERSHAM ROAD
QUEENS ROAD
KINGS ROAD
B322
RICHMOND HILL
B321
FRIARS STILE RD.
Terrace Gardens
Terrace Fld.
Buccleugh Gdns.
Richmond Uni.
Royal Star & Garter Home
Richmond Gate
Petersham Common
STAR & GARTER HILL
SAWYER'S HILL
(Open during daylight hours only)
Saw Pit Plantation
Kidney Wood
TW10
Jubilee Plantation
Queen's Ride
RICHMOND PARK
SIDMOUTH WOOD
Pen Ponds
King Henry VIII Mound
Leg of Mutton Pond
Queen Elizabeth's Plantation
Lawn Plan.
Oak Lodge
Pembroke Lodge (Cafeteria)
DEER PARK
King George V Jubilee Plantation
Whiteash Lodge
Pond Plantation
Pond Slade
Ham Cross Plantation
Ham Bottom
Peg's Pond
Thomson's Pond
ISABELLA PLANTATION
Ham Cross
Ham Gate
HAM GATE AV.
HORNBEAM WALK
RICHMOND upon THAMES
MARBLE HILL PARK
Marble Hill House
Tennis Courts
Works
Club
Glover's Island
Petersham Meadows
Petersham Farm
THAMES
Foot Ferry
Orleans Gdns.
Sports Grd.
The German Sch., London
Polo Ground
Ham House
PETERSHAM
The Russell Prim. Sch.
Strathmore Sch.
PETERSHAM PARK
The Copse
SUDBROOK PARK
Sudbrook Park (Club Ho.)
The Wilderness
RICHMOND GOLF COURSE
Grey Court School
Ham Green
Playing Field
Convent
HAM
Meadlands Prim.
HAM COMMON
B352
UPP. HAM RD.
A307
SANDY LANE
HAM STREET

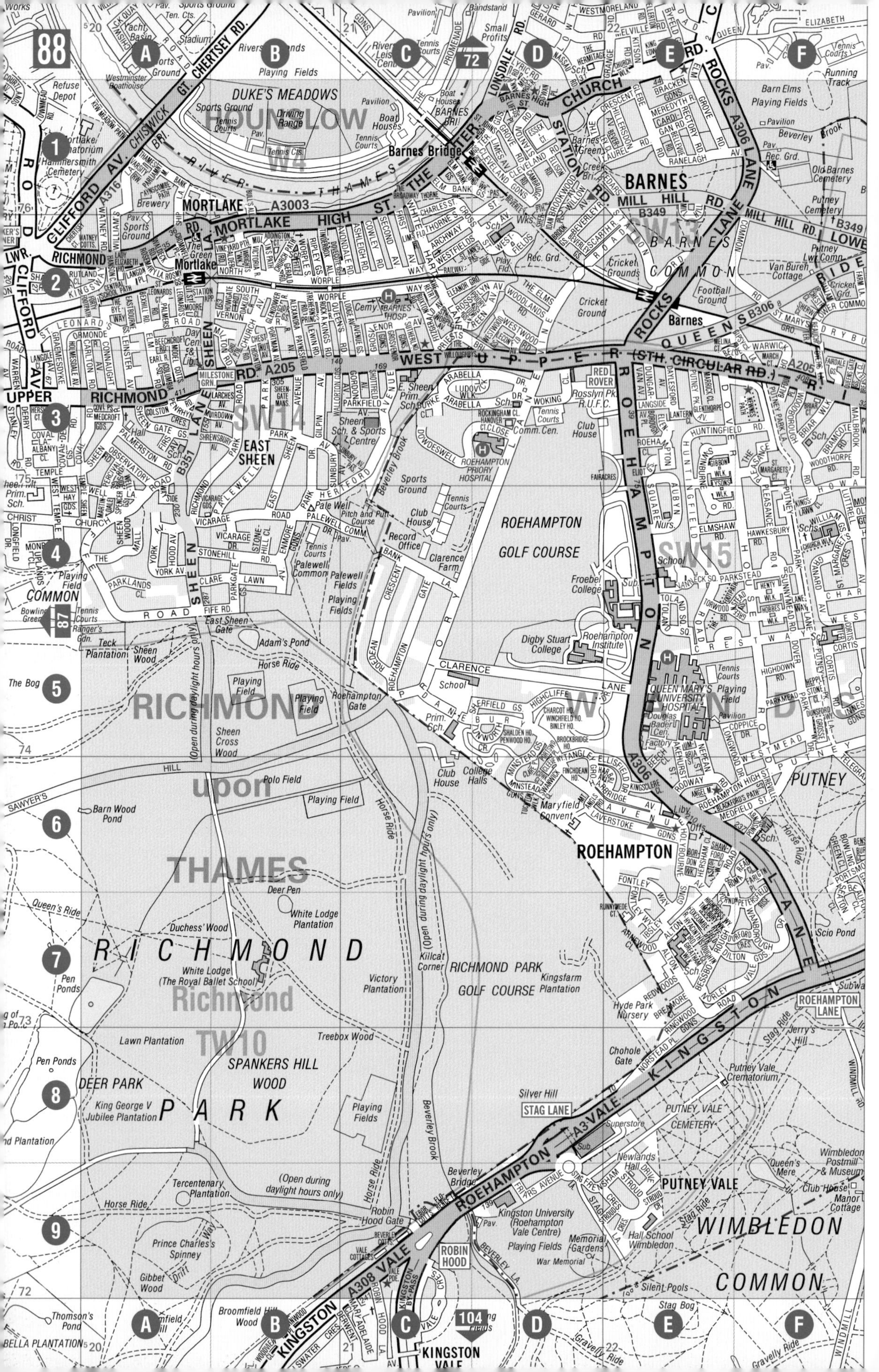
88
A
B
C
D
E
F
1
2
3
4
5
6
7
8
9
72
87
104
HOUNSLOW
W4
DUKE'S MEADOWS
Playing Fields
Sports Ground
Driving Range
RIVER THAMES
Barnes Bridge
MORTLAKE
Mortlake
MORTLAKE HIGH ST.
A3003
CHISWICK BRI.
CLIFFORD AV.
A316
CHERTSEY RD.
Mortlake Crematorium
Hammersmith Cemetery
Refuse Depot
Brewery
RICHMOND RD.
UPPER RICHMOND RD.
A205
WEST
UPPER RICHMOND RD. (STH. CIRCULAR RD.)
SHEEN LANE
B351
SW14
EAST SHEEN
BARNES
SW13
BARNES COMMON
MILL HILL RD.
B349
CHURCH RD.
STATION RD.
Barnes
Barnes Green
ROCKS LANE
A306
QUEENS RIDE
B306
Barn Elms Playing Fields
Old Barnes Cemetery
Putney Cemetery
Putney Lwr. Comn.
Van Buren Cottage
Cricket Grounds
Football Ground
Cricket Ground
Rec. Grd.
Cemy.
BARNES HOSP.
Sports Ground
Tennis Courts
Club House
Record Office
Clarence Farm
Beverley Brook
Pale Well
Pitch and Putt Course
Palewell Common
Palewell Fields
Playing Fields
RED ROVER
Rosslyn Pk. R.U.F.C.
ROEHAMPTON PRIORY HOSPITAL
Comm. Cen.
ROEHAMPTON GOLF COURSE
ROEHAMPTON LANE
SW15
Froebel College
Roehampton Institute
Digby Stuart College
QUEEN MARY'S UNIVERSITY HOSPITAL
Douglas Bader Cen.
CLARENCE LANE
Maryfield Convent
ROEHAMPTON
PUTNEY
Scio Pond
DANEBURY AV.
RICHMOND upon THAMES
East Sheen Gate
Adam's Pond
Horse Ride
Teck Plantation
Sheen Wood
The Bog
Roehampton Gate
Sheen Cross Wood
(Open during daylight hours only)
Polo Field
Playing Field
SAWYER'S HILL
Barn Wood Pond
Deer Pen
White Lodge Plantation
Queen's Ride
Duchess' Wood
RICHMOND
White Lodge (The Royal Ballet School)
Richmond TW10
Pen Ponds
Victory Plantation
Killcat Corner
RICHMOND PARK GOLF COURSE
Kingsfarm Plantation
Hyde Park Nursery
Lawn Plantation
Treebox Wood
SPANKERS HILL WOOD
DEER PARK
King George V Jubilee Plantation
PARK
Chohole Gate
Silver Hill
STAG LANE
KINGSTON
ROEHAMPTON VALE
A3
Putney Vale Crematorium
PUTNEY VALE CEMETERY
Superstore
Jerry's Hill
ROEHAMPTON LANE
Tercentenary Plantation
Beverley Bridge
Robin Hood Gate
Kingston University (Roehampton Vale Centre)
Playing Fields
Memorial Gardens
War Memorial
Newlands Hall
PUTNEY VALE
Hall School Wimbledon
WIMBLEDON COMMON
Wimbledon Postmill & Museum
Queen's Mere
Club House
Manor Cottage
Stag Ride
Prince Charles's Spinney
Gibbet Wood
ROBIN HOOD
A308
KINGSTON VALE
KINGSTON BY-PASS
Silent Pools
Stag Bog
Thomson's Pond
Broomfield Hill Wood
Gravelly Ride
BELLA PLANTATION
WINDMILL RD.

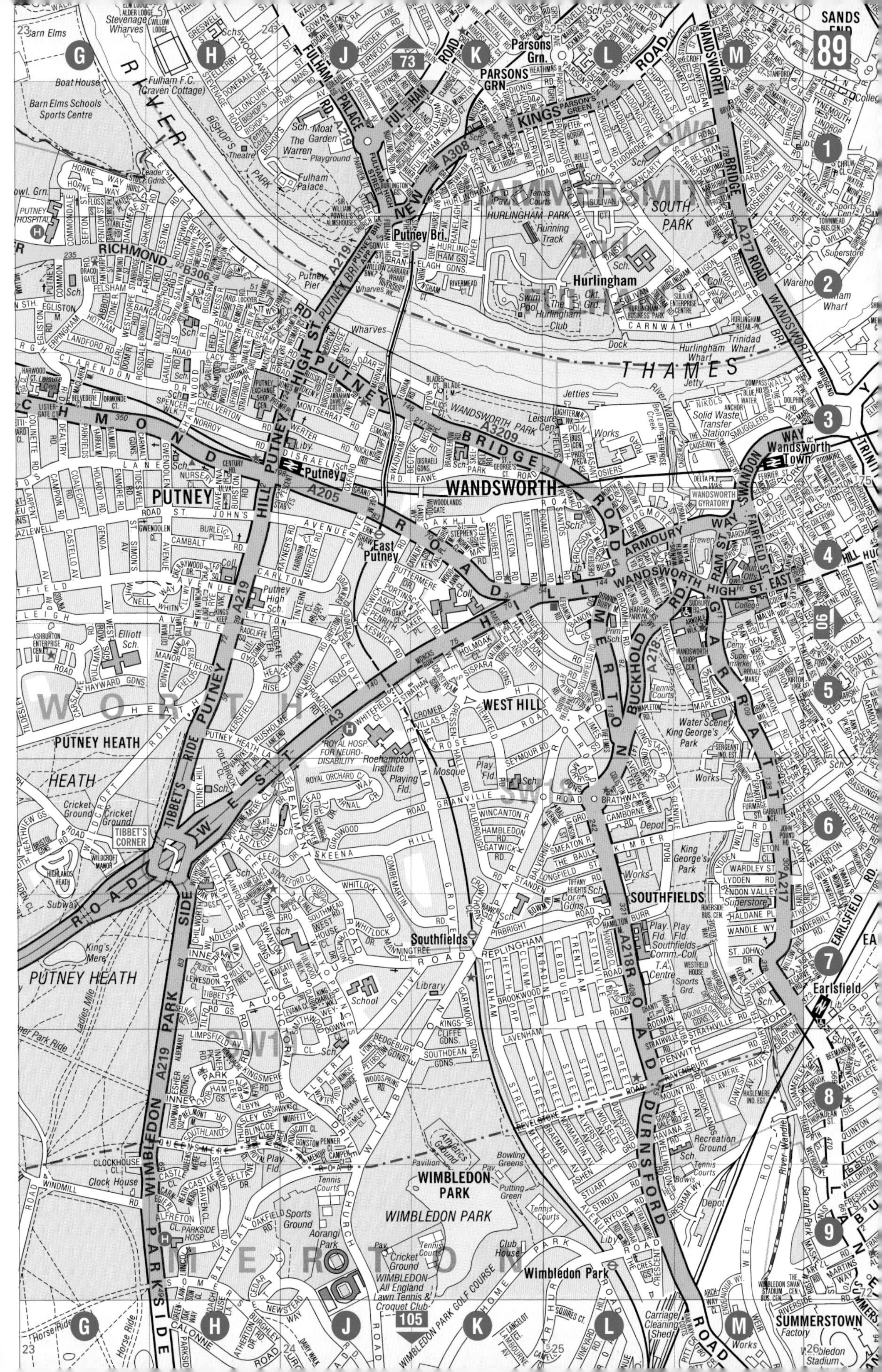
SANDS END
73
90
105
RIVER THAMES
Fulham F.C. (Craven Cottage)
Barn Elms Schools Sports Centre
Boat House
Stevenage Wharves
Bishop's Park
Fulham Palace
The Warren
Moat Garden
Parsons Grn.
PARSONS GRN
KINGS ROAD
NEW KINGS ROAD
FULHAM HIGH ST.
FULHAM PALACE RD.
A308
A219
A3209
A205
A3
A217
A218
A219
B306
Putney Bri.
PUTNEY BRIDGE
PUTNEY HIGH ST.
Putney Pier
Putney Hospital
RICHMOND ROAD
UPPER RICHMOND ROAD
PUTNEY
Putney
East Putney
HURLINGHAM PARK
Running Track
Hurlingham
Hurlingham Club
Swim. Pool
HAMMERSMITH and FULHAM
SOUTH PARK
Hurlingham Business Park
Hurlingham Retail Pk.
Hurlingham Wharf
Trinidad
WANDSWORTH BRIDGE
WANDSWORTH BRIDGE ROAD
WANDSWORTH PARK
Wharves
Jetties
Jetty
Dock
Solid Waste Transfer Station
River Wandle
Wandsworth Town
WANDSWORTH
WANDSWORTH HIGH ST.
WANDSWORTH GYRATORY
ARMOURY WAY
SWANDON WAY
FAIRFIELD ST.
RAM ST.
OLD YORK RD.
EAST HILL
WEST HILL
MERTON ROAD
BUCKHOLD RD.
GARRATT LANE
WANDSWORTH SHOP. CEN.
King George's Park
Water Scene
PUTNEY HILL
PUTNEY HEATH
PUTNEY HEATH LA.
HEATH
Cricket Ground
TIBBET'S CORNER
TIBBET'S RIDE
PUTNEY PARK SIDE
WIMBLEDON PARK SIDE
KINGSTON ROAD
ROYAL HOSP. FOR NEURO-DISABILITY
Roehampton Institute Playing Fld.
Mosque
King's Mere
Ladies Mile
Clock House
WINDMILL RD.
QUEENSMERE
SW15
SW18
SW6
SOUTHFIELDS
Southfields
Southfields Comm. Coll.
WIMBLEDON PARK
Wimbledon Park
Athletics Ground
Bowling Greens
Putting Green
WIMBLEDON All England Lawn Tennis & Croquet Club
Aorangi Park
Sports Ground
WIMBLEDON PARK GOLF COURSE
HOME PARK RD.
DURNSFORD ROAD
Earlsfield
EARLSFIELD RD.
SUMMERSTOWN
Wimbledon Stadium
Carriage Cleaning Shed
Recreation Ground
MERTON
G
H
J
K
L
M
1
2
3
4
5
6
7
8
9
23
24
25
26

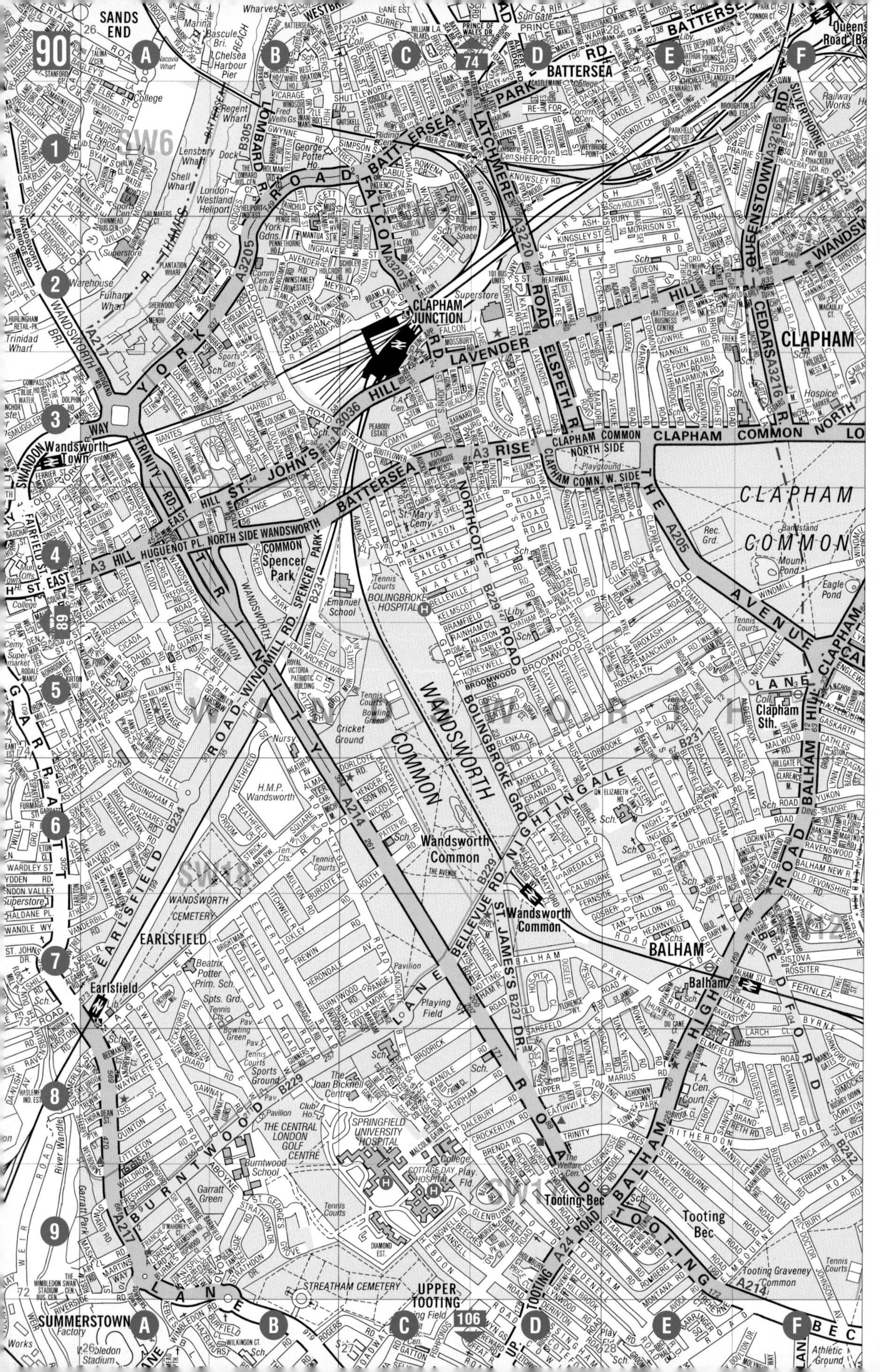
A
B
C
D
E
F
1
2
3
4
5
6
7
8
9
74
106
89
SANDS END
BATTERSEA
SW6
Chelsea Harbour Pier
Regent Wharf
Lensbury Wharf
Shell Wharf
London Westland Heliport
Fulham Wharf
Trinidad Wharf
Wandsworth Town
R. THAMES
CLAPHAM JUNCTION
CLAPHAM
CLAPHAM COMMON
Eagle Pond
Mount Pond
Clapham Sth.
Spencer Park
Emanuel School
BOLINGBROKE HOSPITAL
WANDSWORTH COMMON
Wandsworth Common
H.M.P. Wandsworth
Cricket Ground
SW18
WANDSWORTH CEMETERY
EARLSFIELD
Earlsfield
BALHAM
Balham
Tooting Bec
SW17
THE CENTRAL LONDON GOLF CENTRE
SPRINGFIELD UNIVERSITY HOSPITAL
Burntwood School
Garratt Green
STREATHAM CEMETERY
UPPER TOOTING
SUMMERSTOWN
Tooting Graveney Common
York Gdns.
Falcon Park
Playing Field
Sports Ground
LAVENDER HILL
CLAPHAM COMMON NORTH SIDE
BATTERSEA RISE
ST. JOHN'S HILL
NORTHCOTE ROAD
TRINITY ROAD
WINDMILL ROAD
EARLSFIELD ROAD
BURNTWOOD LANE
NIGHTINGALE LANE
BALHAM HIGH ROAD
TOOTING BEC ROAD
BOLINGBROKE GROVE
THE AVENUE
YORK ROAD
WANDSWORTH BRIDGE RD.
FALCON ROAD
LATCHMERE ROAD
QUEENSTOWN ROAD
CEDARS ROAD
BATTERSEA PARK RD.
ELSPETH ROAD
BELLEVUE RD.
GARRATT LANE
A3
A3036
A205
A214
A217
A24
A3205
A3207
A3220
A3216
B229
B234
B237
B305

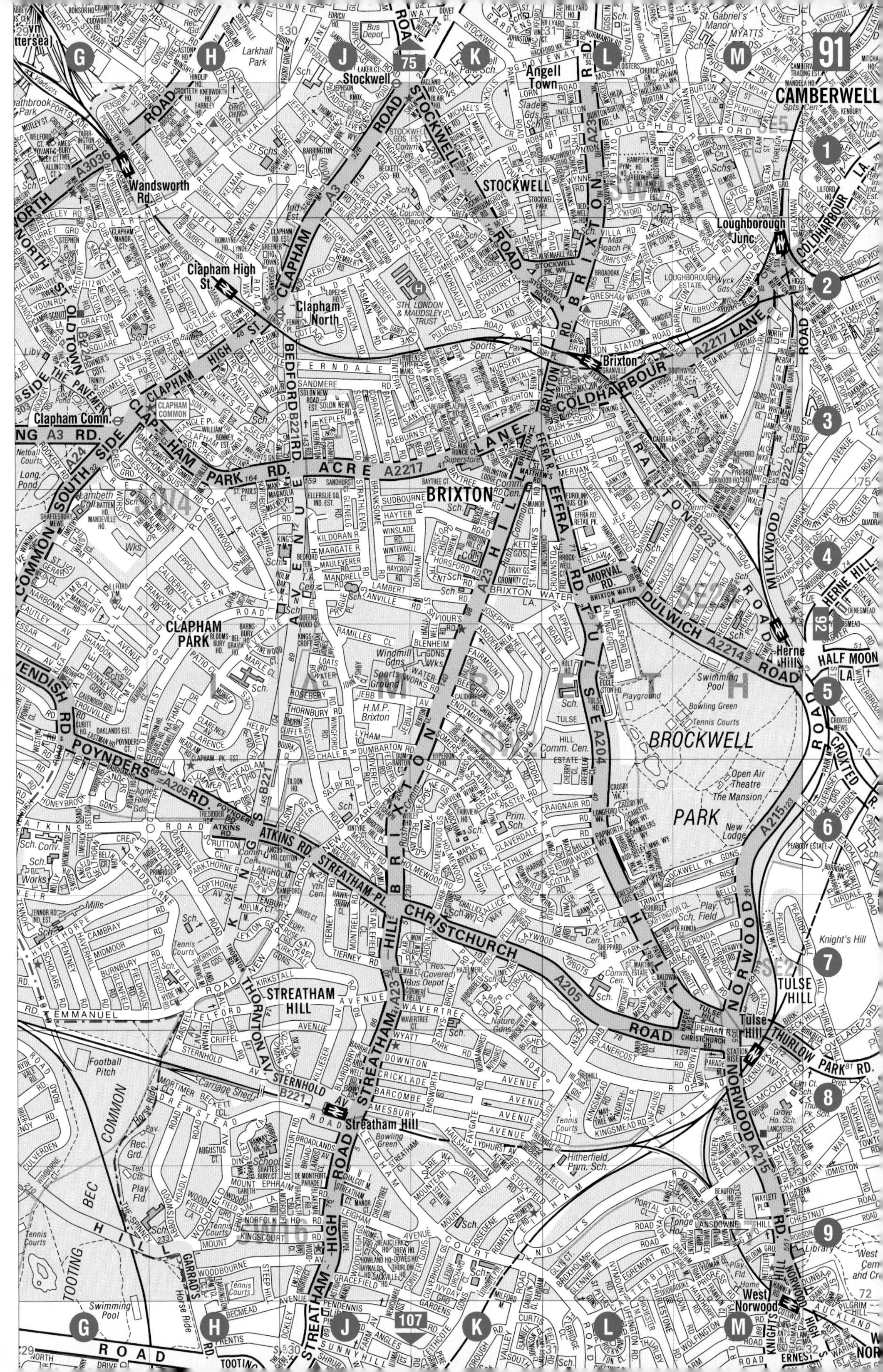

91
G
H
J
K
L
M
75
107
92
1
2
3
4
5
6
7
8
9
CAMBERWELL
Stockwell
Angell Town
STOCKWELL
Wandsworth Rd.
Clapham High St.
Clapham North
Clapham Comm.
Loughborough Junc.
Brixton
BRIXTON
CLAPHAM PARK
LAMBETH
BROCKWELL PARK
Herne Hill
Tulse Hill
TULSE HILL
STREATHAM HILL
Streatham Hill
West Norwood
Knight's Hill
SW4
SW9
SW2
SW16
SE24
SE27
SE5
CLAPHAM HIGH ST.
CLAPHAM ROAD
STOCKWELL ROAD
BRIXTON ROAD
COLDHARBOUR LANE
ACRE LANE
CLAPHAM PARK RD.
BRIXTON HILL
EFFRA RD.
DULWICH ROAD
NORWOOD ROAD
CHRISTCHURCH ROAD
POYNDERS RD.
KINGS AVENUE
BEDFORD RD.
STREATHAM HILL
STREATHAM HIGH ROAD
THURLOW PARK RD.
TULSE HILL
RAILTON RD.
CLAPHAM COMMON SOUTH SIDE
TOOTING BEC COMMON
H.M.P. Brixton
STH. LONDON & MAUDSLEY TRUST
Windmill Gdns.
Swimming Pool
Bowling Green
Tennis Courts
Open Air Theatre
The Mansion
Playground
Hitherfield Prim. Sch.
Bus Depot
Larkhall Park
Football Pitch

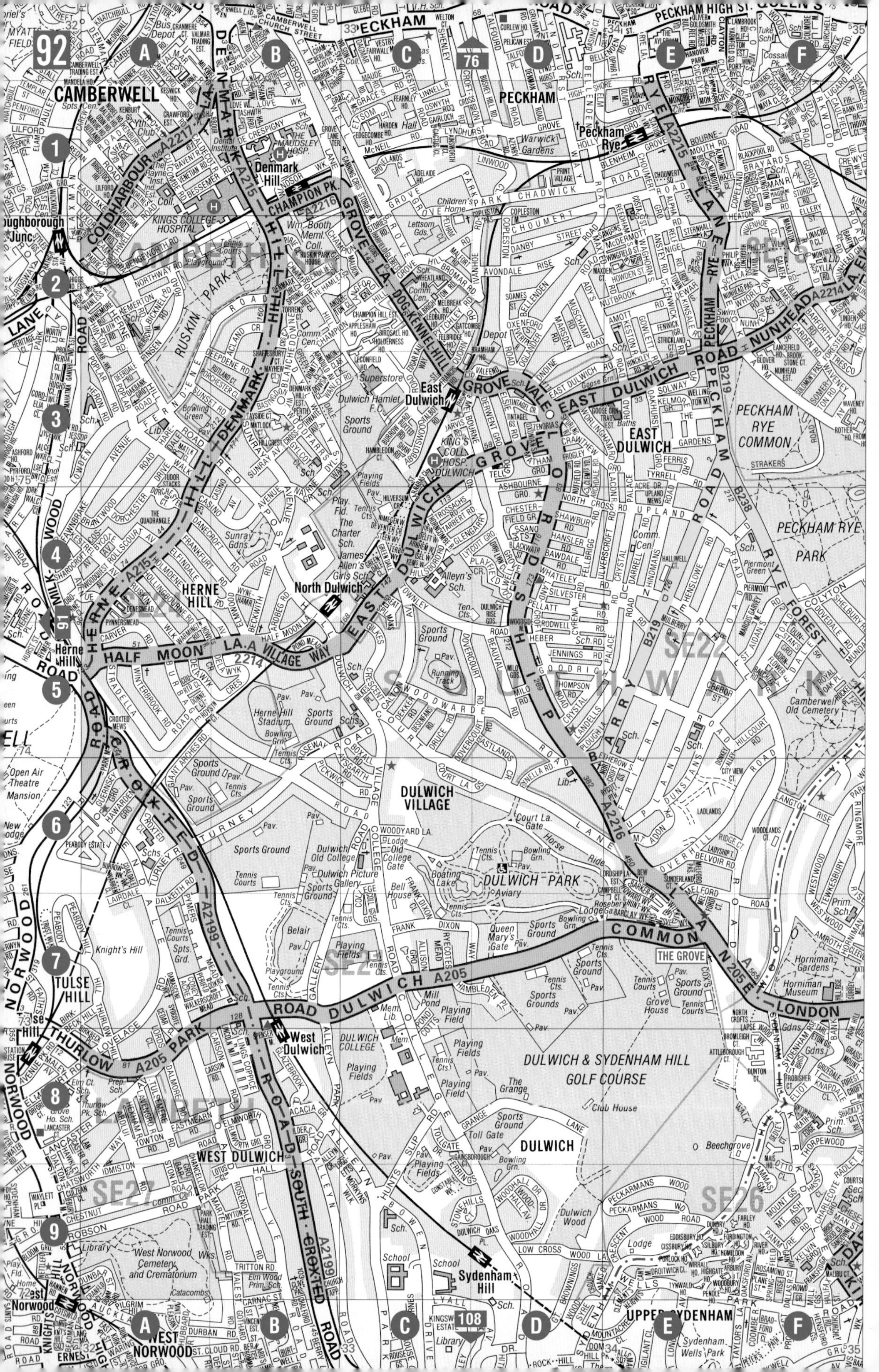

CAMBERWELL
PECKHAM
Peckham Rye
Denmark Hill
KINGS COLLEGE HOSPITAL
THE MAUDSLEY HOSP.
RUSKIN PARK
HERNE HILL
Herne Hill
North Dulwich
East Dulwich
EAST DULWICH
PECKHAM RYE COMMON
PECKHAM RYE PARK
Camberwell Old Cemetery
DULWICH VILLAGE
Dulwich Old College
Dulwich Picture Gallery
DULWICH PARK
Boating Lake
Herne Hill Stadium
DULWICH COLLEGE
West Dulwich
WEST DULWICH
DULWICH & SYDENHAM HILL GOLF COURSE
Club House
DULWICH
Dulwich Wood
Sydenham Hill
UPPER SYDENHAM
Sydenham Wells Park
Horniman Gardens
Horniman Museum
West Norwood Cemetery and Crematorium
West Norwood
WEST NORWOOD
TULSE HILL
Knight's Hill
SOUTHWARK
LAMBETH
SE5
SE21
SE22
SE27
SE26
A205
A2216
A215
A2214
A2199
A2217
76
108
91

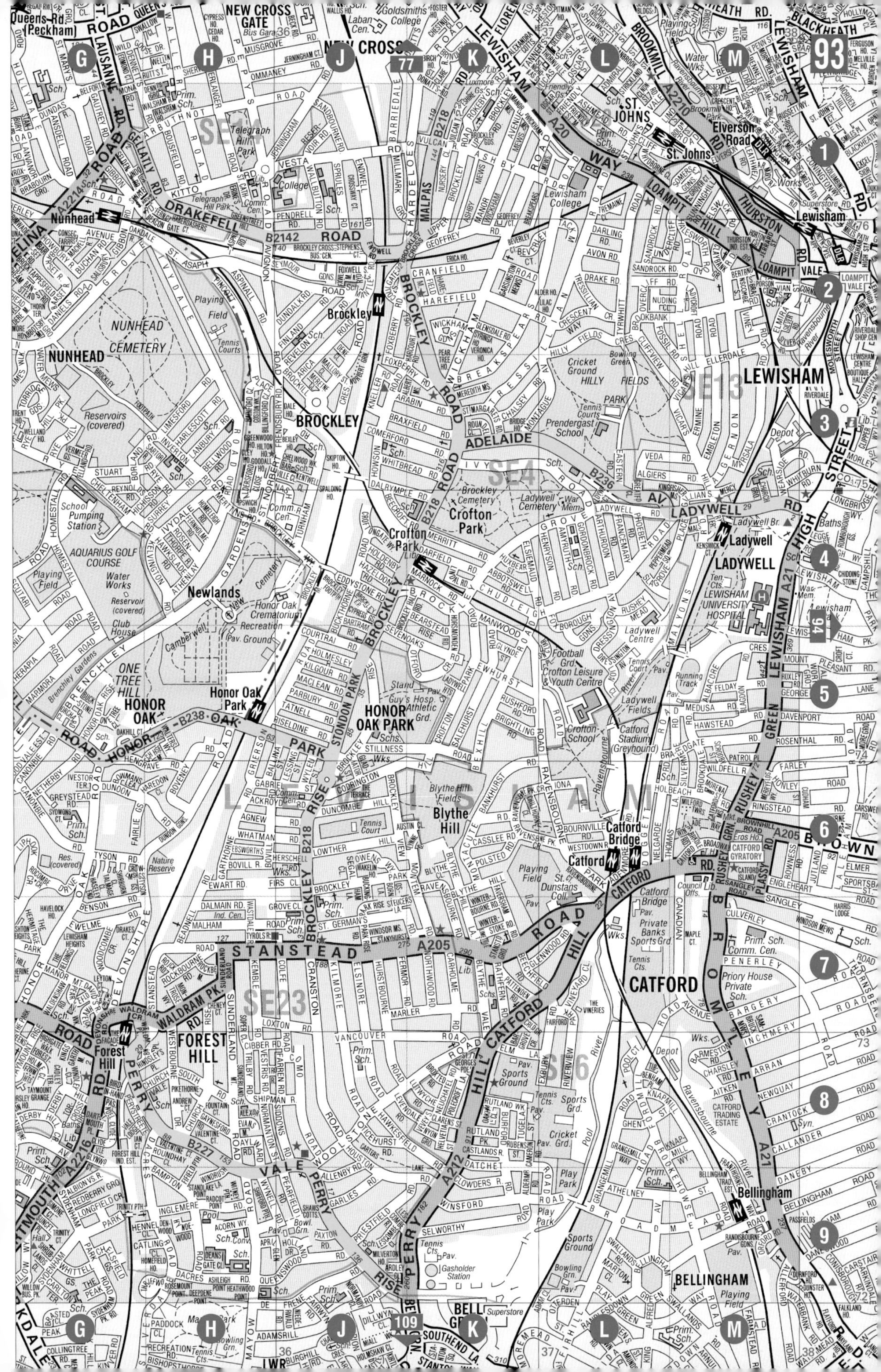
93
G
H
J
K
L
M
1
2
3
4
5
6
7
8
9
77
94
109
NEW CROSS GATE
NEW CROSS
Goldsmiths College
Queens Rd. (Peckham)
ST. JOHNS
St. Johns
Elverson Road
Lewisham
LEWISHAM
SE14
SE13
SE4
SE23
SE6
Nunhead
NUNHEAD
NUNHEAD CEMETERY
Telegraph Hill Park
DRAKEFELL
B2142 ROAD
LEWISHAM WAY
A20
LOAMPIT HILL
LOAMPIT VALE
THURSTON RD.
Brockley
BROCKLEY
BROCKLEY ROAD
B218
ADELAIDE
HILLY FIELDS
Crofton Park
Brockley Cemetery
Ladywell Cemetery
LADYWELL
Ladywell
LADYWELL RD.
LEWISHAM UNIVERSITY HOSPITAL
LEWISHAM HIGH STREET
A21
RUSHEY GREEN
AQUARIUS GOLF COURSE
Newlands
Honor Oak Crematorium
ONE TREE HILL
HONOR OAK
Honor Oak Park
HONOR OAK PARK
B238
STONDON PARK
Blythe Hill
Catford Stadium (Greyhound)
Catford Bridge
Catford
CATFORD
CATFORD GYRATORY
STANSTEAD
A205
CATFORD HILL
A212
PERRY HILL
FOREST HILL
Forest Hill
A2216
B227
PERRY VALE
BROMLEY ROAD
Bellingham
BELLINGHAM
BROWN

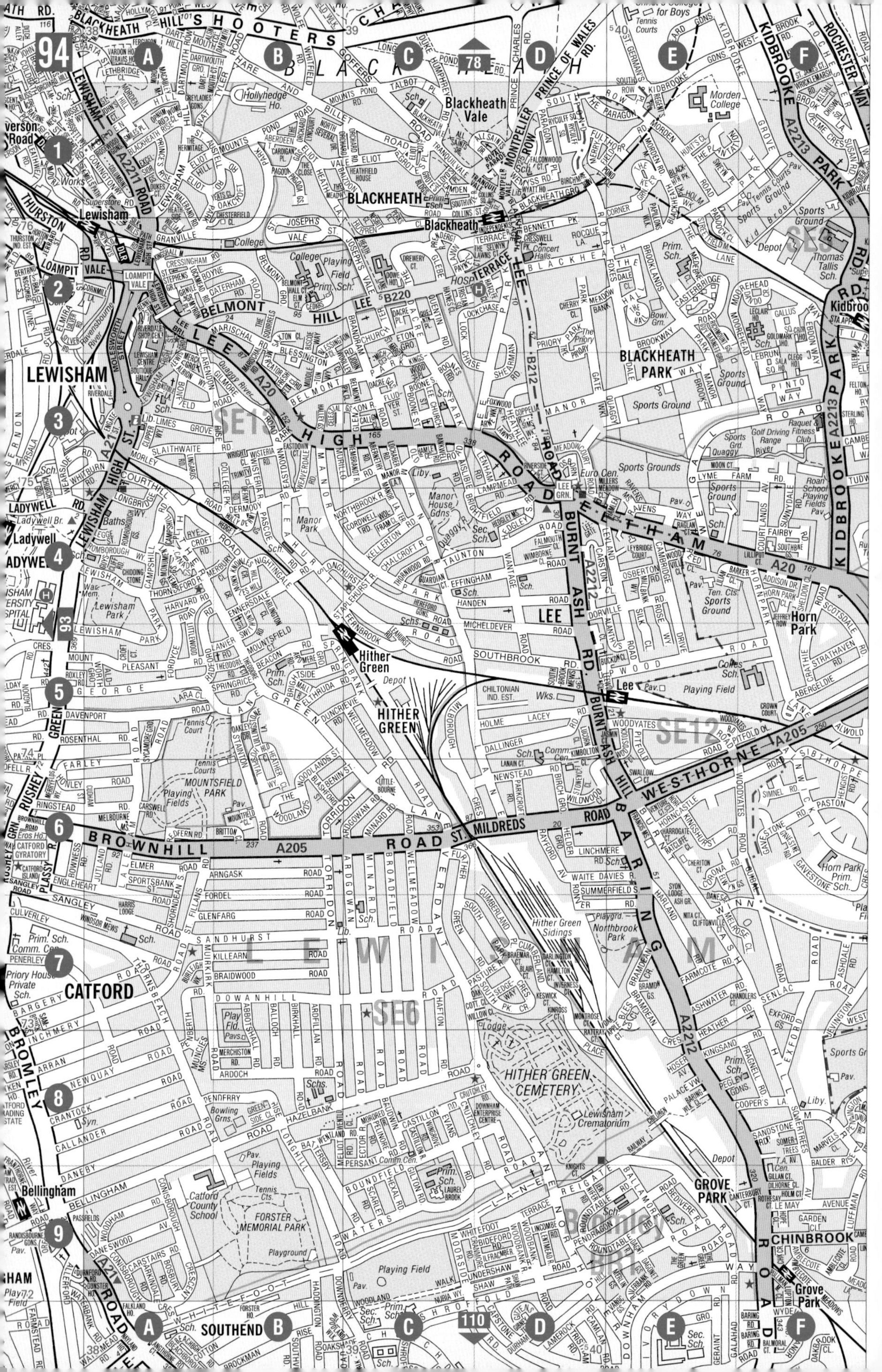
A
B
C
D
E
F
78
1
2
3
4
5
6
7
8
9
93
110
SHOOTERS HILL RD.
BLACKHEATH HILL
BLACKHEATH
Blackheath Vale
BLACKHEATH
Blackheath
Morden College
KIDBROOKE PARK RD.
A2213
ROCHESTER WAY
Lewisham
LOAMPIT VALE
LEWISHAM
LEWISHAM HIGH ST.
A21
A2211
LEWISHAM RD.
LEE HIGH ROAD
A20
BELMONT HILL
B220
SE13
SE3
BLACKHEATH PARK
Sports Ground
Sports Grounds
Kidbrooke
LEE GRN.
Manor House Gdns.
Manor Park
ELTHAM RD.
BURNT ASH HILL
A2212
LEE
Horn Park
Hither Green
HITHER GREEN
Lewisham Park
MOUNTSFIELD PARK
Playing Fields
Lee
Playing Field
SE12
WESTHORNE AV.
A205
BROWNHILL ROAD
ST. MILDREDS RD.
Ladywell
LADYWELL
RUSHEY GREEN
CATFORD
Catford
LEWISHAM
SE6
Hither Green Sidings
Northbrook Park
HITHER GREEN CEMETERY
Lewisham Crematorium
BARING ROAD
GROVE PARK
Grove Park
CHINBROOK
Bromley
BR1
Bellingham
Catford County School
FORSTER MEMORIAL PARK
Playing Field
SOUTHEND
WHITEFOOT LA.
BROMLEY RD.
Horn Park Prim. Sch.

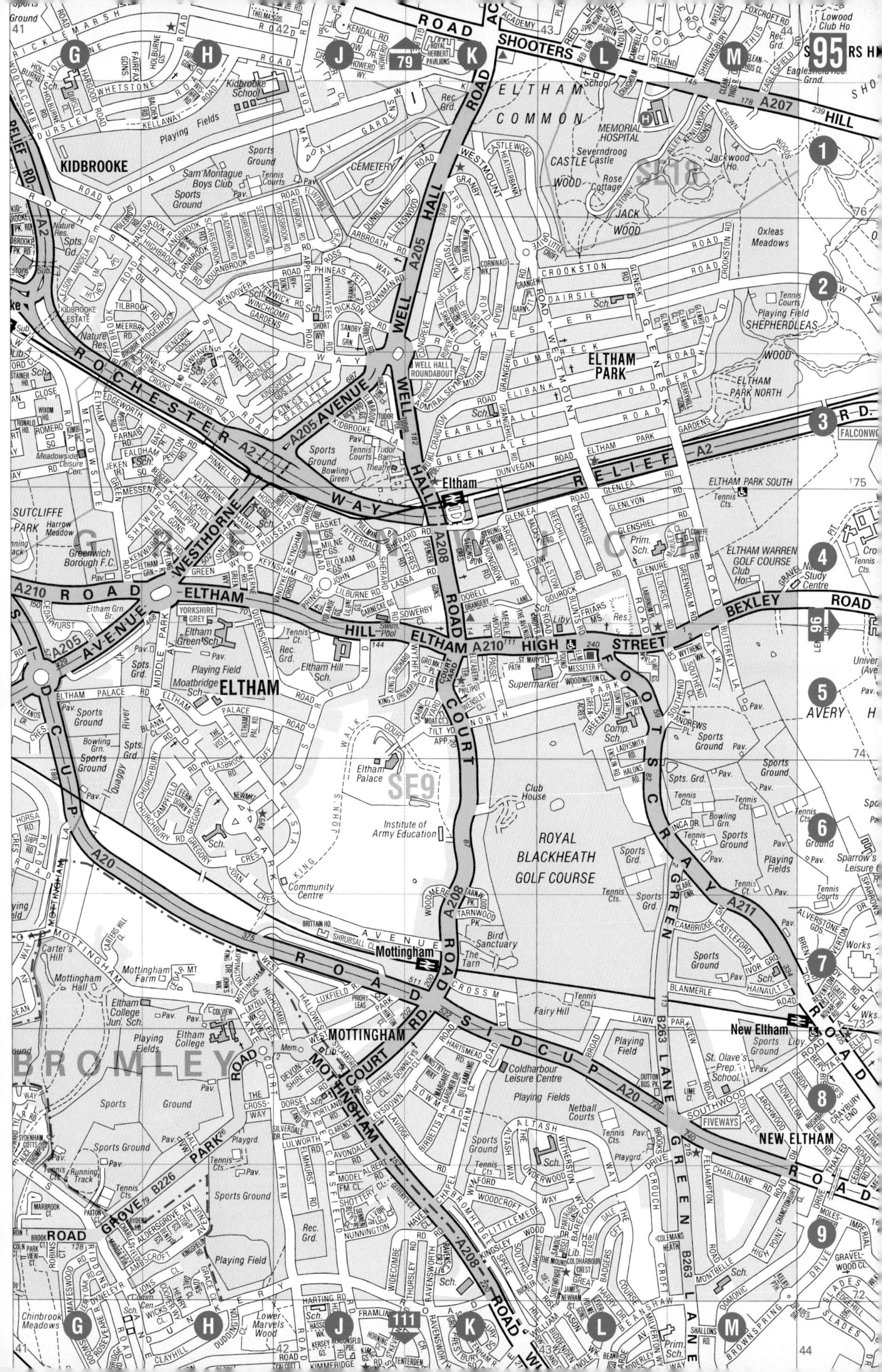
G
H
J
K
L
M
79
SHOOTERS HILL
A207
ELTHAM COMMON
MEMORIAL HOSPITAL
Severndroog Castle
CASTLE WOOD
JACK WOOD
SE18
Oxleas Meadows
KIDBROOKE
Kidbrooke School
Playing Fields
Sam Montague Boys Club
Sports Ground
CEMETERY
WELL HALL ROAD
A205
ROCHESTER WAY
ROCHESTER WAY RELIEF RD.
A2
WELL HALL ROUNDABOUT
ELTHAM PARK
SHEPHERDLEAS WOOD
ELTHAM PARK NORTH
ELTHAM PARK SOUTH
FALCONWOOD
Eltham
Tudor Barn Theatre
KIDBROOKE PARK RD.
WESTHORNE AVENUE
SUTCLIFFE PARK
Greenwich Borough F.C.
GREENWICH
A210
ELTHAM ROAD
ELTHAM HILL
ELTHAM HIGH STREET
BEXLEY ROAD
96
ELTHAM WARREN GOLF COURSE
Eltham Hill Sch.
Eltham Green Sch.
ELTHAM
Moatbridge Sch.
A208
COURT ROAD
FOOTSCRAY ROAD
A211
Eltham Palace
SE9
Institute of Army Education
ROYAL BLACKHEATH GOLF COURSE
Community Centre
Bird Sanctuary
The Tarn
Mottingham
SIDCUP ROAD
A20
Mottingham Farm
Mottingham Hall
Eltham College
Fairy Hill
Coldharbour Leisure Centre
MOTTINGHAM
MOTTINGHAM ROAD
New Eltham
NEW ELTHAM
St. Olave's Prep. School
FIVEWAYS
B263
SOUTHEND ROAD
AVERY HILL
Sparrow's Leisure
BROMLEY
B226
GROVE PARK
Chinbrook Meadows
Lower Marvels Wood
111
1
2
3
4
5
6
7
8
9
41
42
43
44

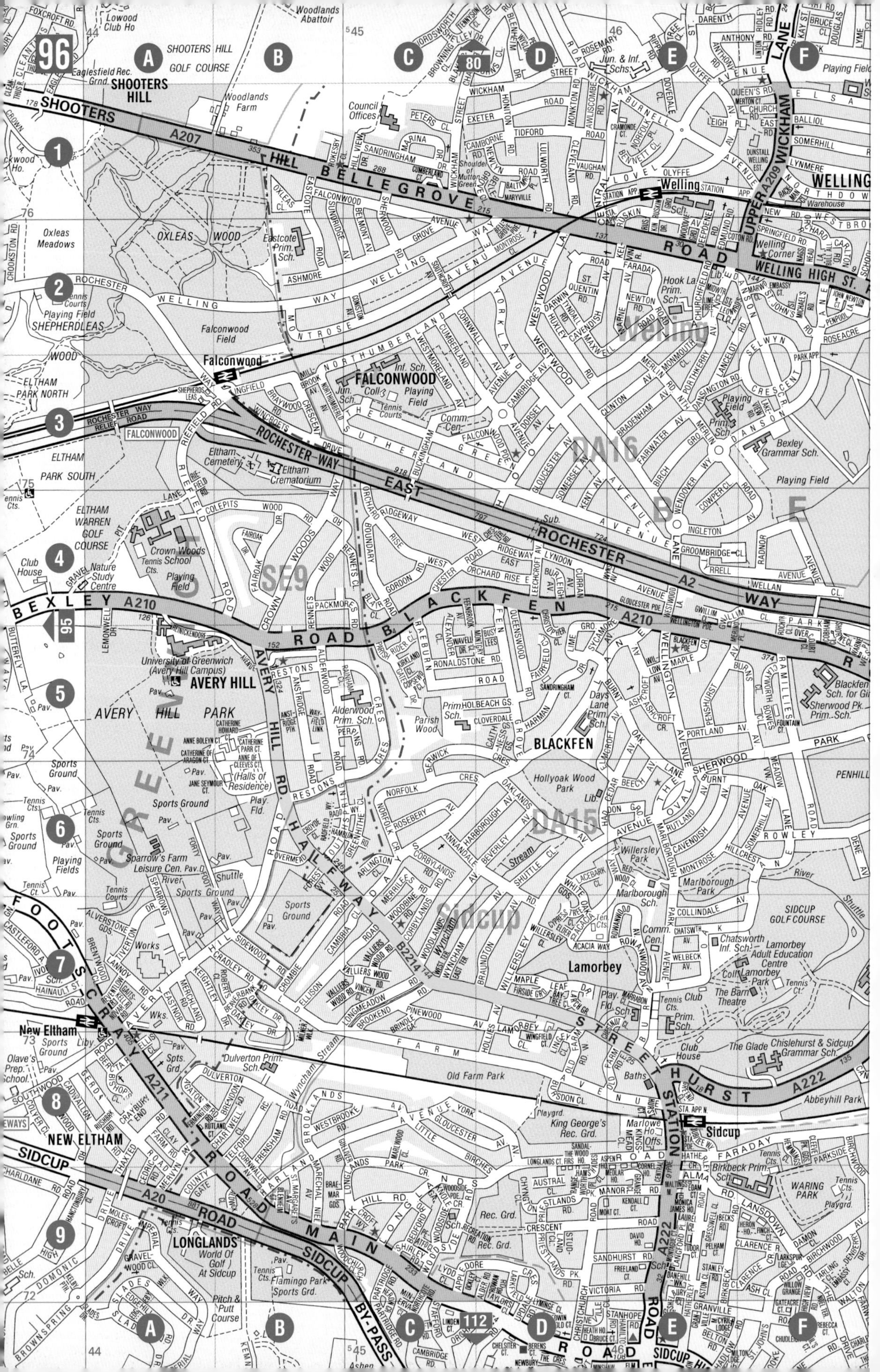
SHOOTERS HILL
SHOOTERS HILL GOLF COURSE
OXLEAS WOOD
Falconwood
FALCONWOOD
ELTHAM PARK NORTH
ELTHAM PARK SOUTH
ELTHAM WARREN GOLF COURSE
Crown Woods School
Eltham Cemetery
Eltham Crematorium
SE9
BEXLEY ROAD
BLACKFEN ROAD
ROCHESTER WAY
BELLEGROVE ROAD
Welling
WELLING
DA16
BLACKFEN
DA15
Sidcup
Lamorbey
University of Greenwich (Avery Hill Campus)
AVERY HILL
AVERY HILL PARK
HALFWAY STREET
SIDCUP GOLF COURSE
Chislehurst & Sidcup Grammar Sch.
New Eltham
NEW ELTHAM
LONGLANDS
SIDCUP ROAD
SIDCUP BY-PASS
STATION ROAD
HURST ROAD
King George's Rec. Grd.
WARING PARK
Old Farm Park
Abbeyhill Park
Flamingo Park Sports Grd.
World Of Golf At Sidcup
80
95
112

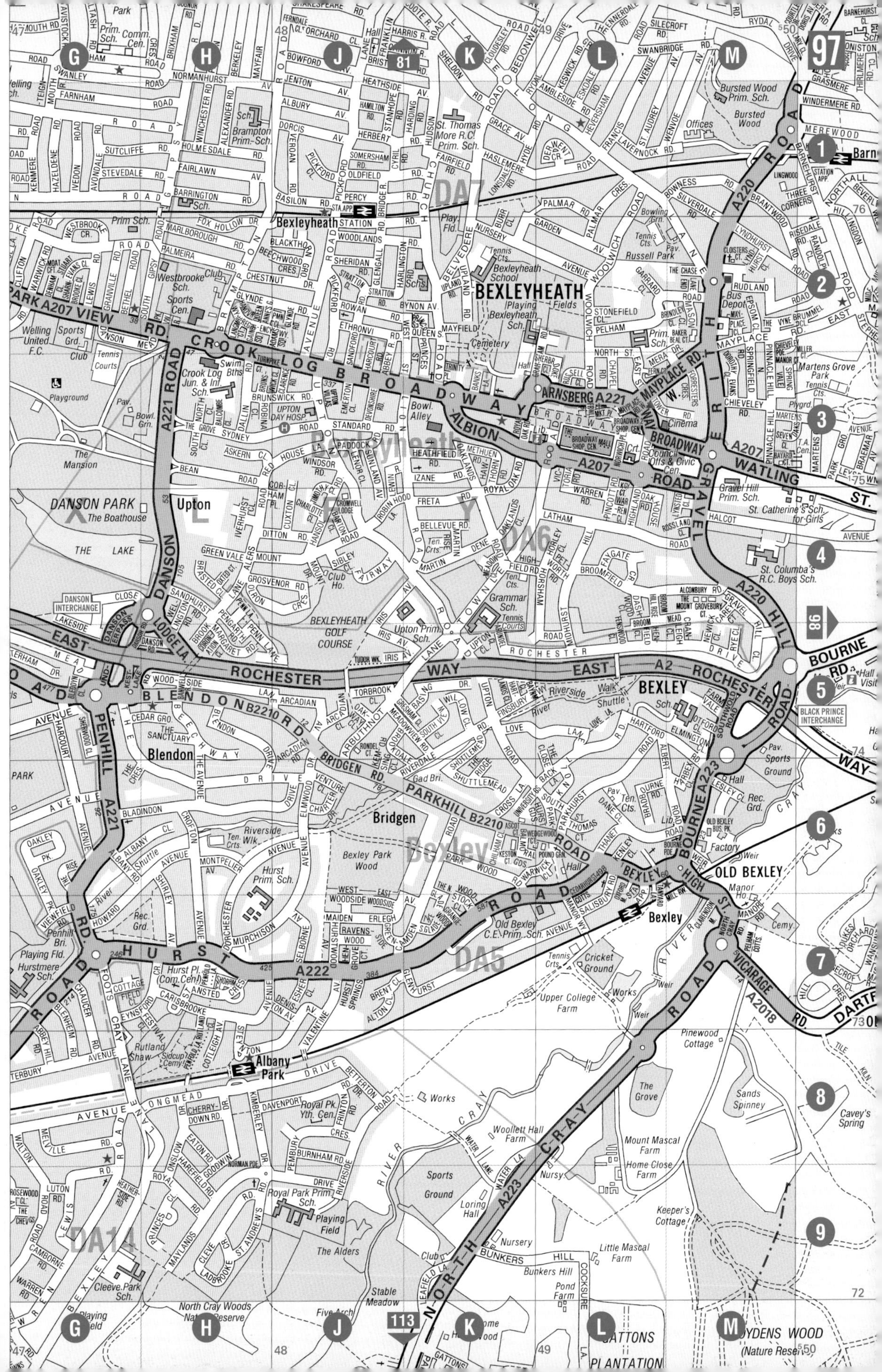
97
81
113
G
H
J
K
L
M
1
2
3
4
5
6
7
8
9
98
DA7
DA6
DA5
DA14
BEXLEYHEATH
Bexleyheath
BEXLEY
OLD BEXLEY
Bexley
Upton
Blendon
Bridgen
Welling
Albany Park
Bexleyheath Station
DANSON PARK
The Boathouse
THE LAKE
The Mansion
Playground
Welling United F.C.
Sports Grd.
Tennis Courts
DANSON INTERCHANGE
BLACK PRINCE INTERCHANGE
CROOK LOG
BROADWAY
A207 VIEW RD.
PARK
A221 ROAD
DANSON RD.
LODGE LA.
EAST ROCHESTER WAY
A2 ROCHESTER WAY
BLENDON B2210 RD.
BRIDGEN RD.
PARKHILL B2210 RD.
BEXLEY ROAD
HURST A222 ROAD
PENHILL RD.
A221
ALBION ROAD
A207
ARNSBERG A221 WAY
MAYPLACE RD. W.
GRAVEL HILL
A220 HILL
A220 ROAD
BROADWAY
WATLING ST.
BOURNE A223
BOURNE RD.
NORTH CRAY A223 ROAD
VICARAGE RD.
A2018
DARTFORD RD.
BEXLEYHEATH GOLF COURSE
Bexley Park Wood
Crook Log Jun. & Inf. Sch.
Swim. Bths.
Westbrooke Sch.
Sports Cen.
Brampton Prim. Sch.
St. Thomas More R.C. Prim. Sch.
Bexleyheath School
Playing Fields
Cemetery
Bowl. Alley
Upton Day Hosp.
Upton Prim. Sch.
Grammar Sch.
Bursted Wood Prim. Sch.
Bursted Wood
Russell Park
Bus Depot
Martens Grove Park
Gravel Hill Prim. Sch.
St. Catherine's Sch. for Girls
St. Columba's R.C. Boys Sch.
Council Offs & Civic Cen.
Cinema
Hurst Prim. Sch.
Old Bexley C.E. Prim. Sch.
Cricket Ground
Upper College Farm
Pinewood Cottage
The Grove
Sands Spinney
Cavey's Spring
Mount Mascal Farm
Home Close Farm
Woollett Hall Farm
Sports Ground
Loring Hall
Nursery
Keeper's Cottage
Little Mascal Farm
Bunkers Hill
Pond Farm
Royal Park Prim. Sch.
Playing Field
The Alders
Stable Meadow
Royal Pk. Yth. Cen.
Cleeve Park Sch.
North Cray Woods Nature Reserve
Five Arch
GATTONS PLANTATION
JOYDENS WOOD (Nature Reserve)
Rutland Shaw
Sidcup Cemy.
Hurstmere Sch.
Playing Fld.
Penhill Bri.
Riverside Wlk.
Rec. Grd.
Manor Ho.
Cemy.
Factory
Weir
Works
RIVER CRAY
RIVER SHUTTLE
Riverside Walk
NORTH CRAY ROAD

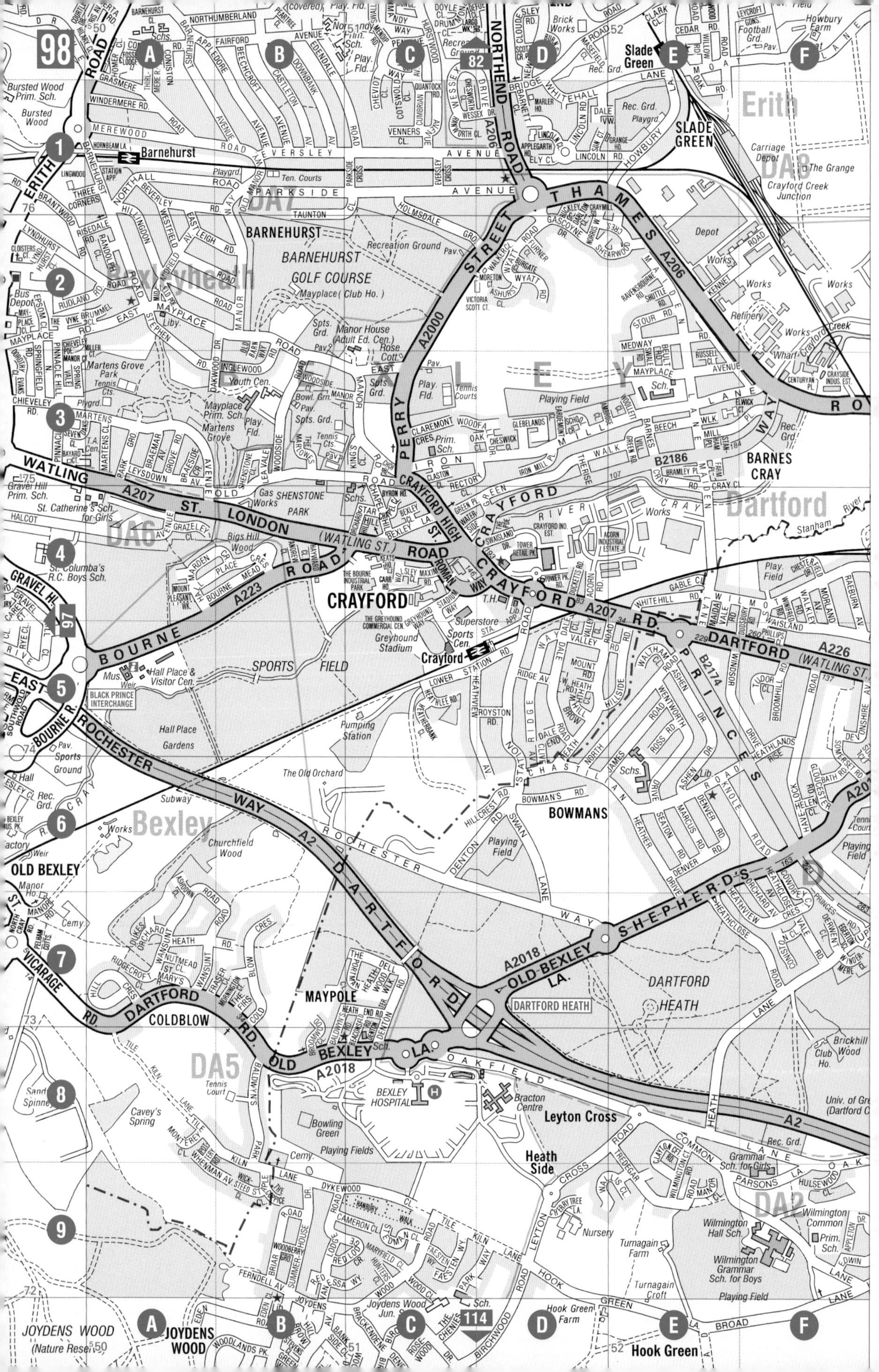

A
B
C
D
E
F
1
2
3
4
5
6
7
8
9
82
97
114
Barnehurst
BARNEHURST
BARNEHURST GOLF COURSE
Bexleyheath
DA7
DA6
DA5
DA8
DA2
Slade Green
SLADE GREEN
Erith
Carriage Depot
The Grange
Crayford Creek Junction
Depot
Works
Refinery
Wharf
Crayford Creek
BARNES CRAY
Dartford
CRAYFORD
Crayford
Greyhound Stadium
Superstore
Sports Cen.
SPORTS FIELD
Hall Place & Visitor Cen.
Hall Place Gardens
BLACK PRINCE INTERCHANGE
Bexley
OLD BEXLEY
Churchfield Wood
The Old Orchard
Pumping Station
BOWMANS
MAYPOLE
COLDBLOW
DARTFORD HEATH
Leyton Cross
Heath Side
BEXLEY HOSPITAL
Bracton Centre
Cavey's Spring
Turnagain Farm
Turnagain Croft
Hook Green Farm
Hook Green
Wilmington Hall Sch.
Wilmington Grammar Sch. for Boys
Wilmington Common
Grammar Sch. for Girls
Brickhill Wood
JOYDENS WOOD
Joydens Wood (Nature Reserve)
Bursted Wood
Bursted Wood Prim. Sch.
Gravel Hill Prim. Sch.
St. Catherine's Sch. for Girls
St. Columba's R.C. Boys Sch.
Martens Grove Park
Mayplace Prim. Sch.
Martens Grove
Manor House (Adult Ed. Cen.)
Recreation Ground
Bigs Hill Wood
Gas Works
SHENSTONE PARK
THAMES ROAD
A206
NORTHEND ROAD
PERRY STREET
A2000
CRAYFORD HIGH ST.
WATLING ST.
LONDON ROAD
A207
BOURNE ROAD
A223
CRAYFORD RD.
DARTFORD RD.
A226
PRINCES ROAD
B2174
SHEPHERD'S LANE
ROCHESTER WAY
A2
DARTFORD ROAD
OLD BEXLEY LA.
A2018
BOURNE R.
VICARAGE RD.
B2186
CRAYFORD WAY
MAYPLACE ROAD EAST
EVERSLEY AVENUE
PARKSIDE AVENUE

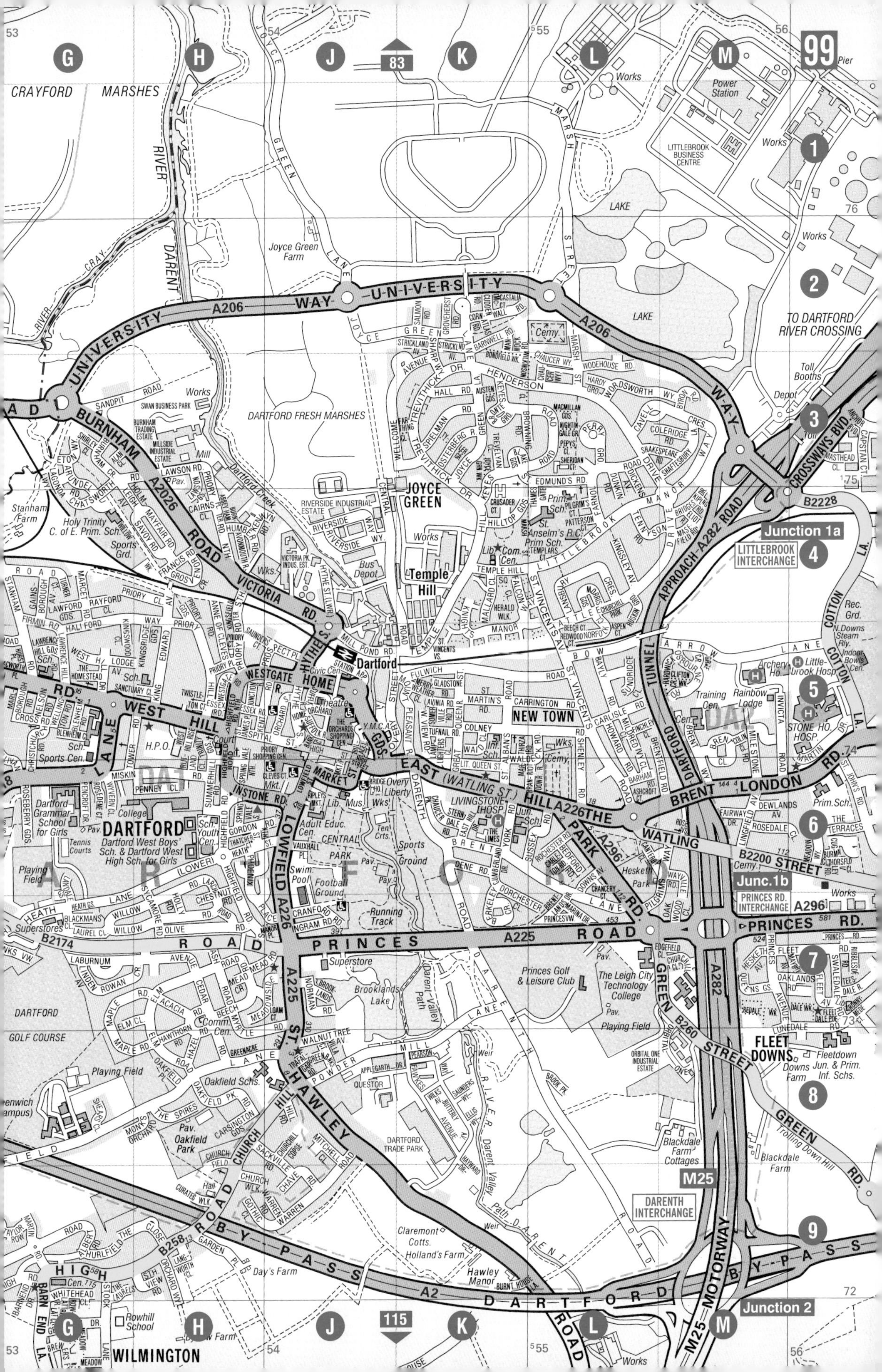
CRAYFORD MARSHES
RIVER DARENT
RIVER CRAY
Joyce Green Farm
DARTFORD FRESH MARSHES
UNIVERSITY WAY
A206
Works
Power Station
LITTLEBROOK BUSINESS CENTRE
LAKE
TO DARTFORD RIVER CROSSING
Toll Booths
Depot
Junction 1a
LITTLEBROOK INTERCHANGE
JOYCE GREEN
Temple Hill
RIVERSIDE INDUSTRIAL ESTATE
SWAN BUSINESS PARK
BURNHAM TRADING ESTATE
MILLSIDE INDUSTRIAL ESTATE
Dartford Creek
Stanham Farm
Holy Trinity C. of E. Prim. Sch.
BURNHAM ROAD
A2026
VICTORIA RD.
Dartford
NEW TOWN
WEST HILL
EAST HILL
DARTFORD
Dartford Grammar School for Girls
Dartford West Boys' Sch. & Dartford West High Sch. for Girls
CENTRAL PARK
Sports Ground
Running Track
LOWFIELD A226
PRINCES ROAD
A225
Brooklands Lake
Darent Valley Path
Princes Golf & Leisure Club
The Leigh City Technology College
Playing Field
Junc.1b
PRINCES RD. INTERCHANGE
A296
WATLING STREET
B2200
BRENT
LONDON RD.
Little-brook Hosp.
STONE HO. HOSP.
Rec. Grd.
FLEET DOWNS
Fleetdown Jun. & Prim. Inf. Schs.
Downs Farm
Blackdale Farm Cottages
Blackdale Farm
Trolling Down Hill
GREEN STREET
B260
DARTFORD GOLF COURSE
Oakfield Schs.
Oakfield Park
HAWLEY ROAD
DARTFORD TRADE PARK
DARENTH INTERCHANGE
M25 MOTORWAY
A2 DARTFORD BY-PASS
Junction 2
Claremont Cotts.
Holland's Farm
Hawley Manor
Day's Farm
Rowhill School
WILMINGTON
83
115

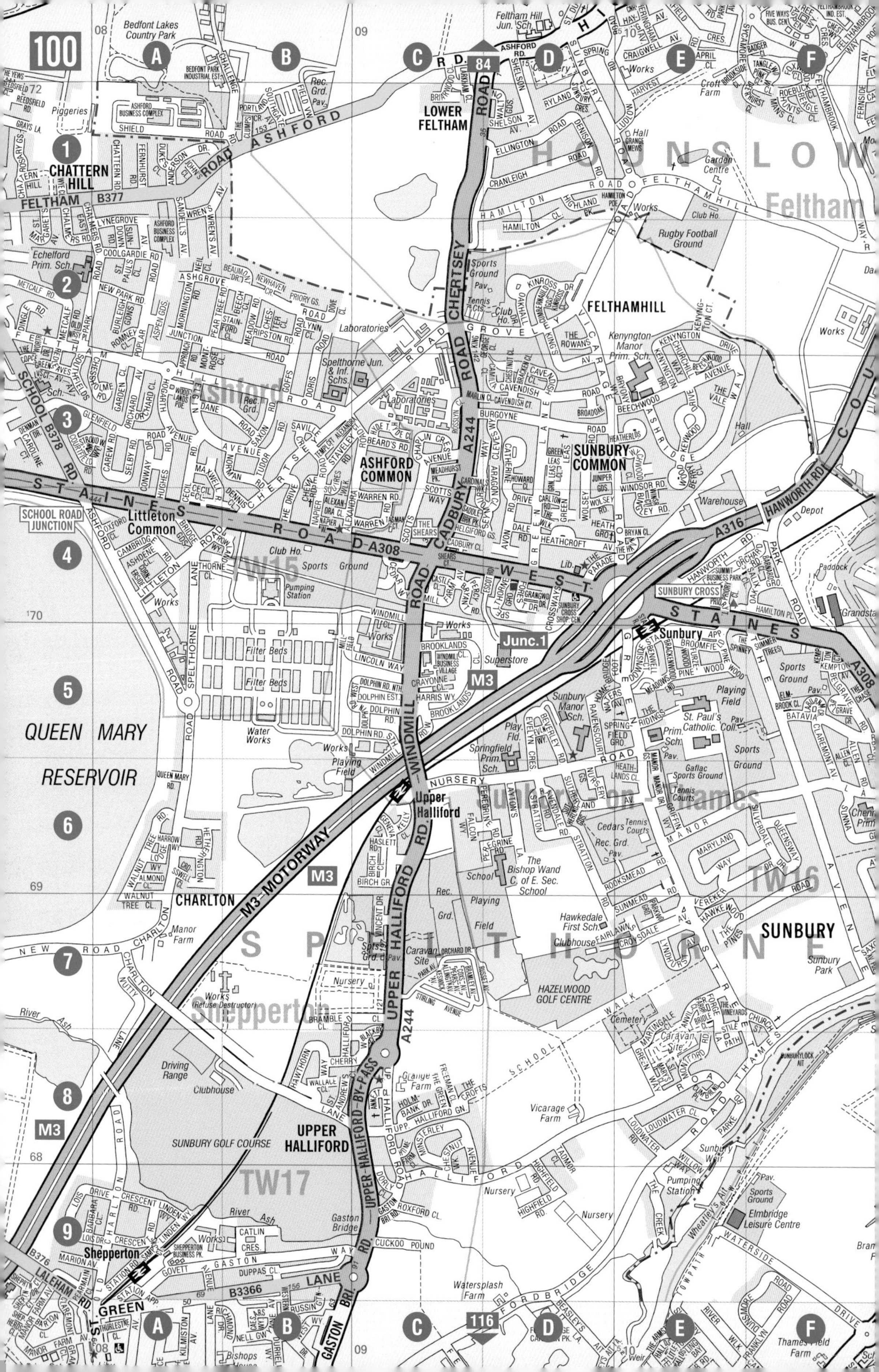

100
Bedfont Lakes Country Park
Feltham Hill Jun. Sch.
84
LOWER FELTHAM
CHATTERN HILL
FELTHAM B377
ASHFORD ROAD
CHERTSEY ROAD
HOUNSLOW
Feltham
Rugby Football Ground
FELTHAMHILL
Kenyngton Manor Prim. Sch.
Echelford Prim. Sch.
Spelthorne Jun. & Inf. Schs.
Laboratories
Ashford
ASHFORD COMMON
SUNBURY COMMON
A244
STAINES ROAD A308
SCHOOL ROAD JUNCTION
Littleton Common
TW15
Sports Ground
Pumping Station
Filter Beds
Water Works
SUNBURY CROSS
STAINES
Sunbury
Junc.1
Superstore
M3
A316
HANWORTH RD.
Warehouse
Depot
Paddock
Grandstand
QUEEN MARY RESERVOIR
Sunbury Manor Sch.
Springfield Prim. Sch.
St. Paul's Catholic. Coll.
Gaflac Sports Ground
Sunbury-on-Thames
Upper Halliford
M3-MOTORWAY
WINDMILL RD.
UPPER HALLIFORD RD.
The Bishop Wand C. of E. Sec. School
TW16
SUNBURY
Sunbury Park
Hawkedale First Sch.
CHARLTON
Manor Farm
NEW ROAD
SPELTHORNE
Caravan Site
Works (Refuse Destructor)
Shepperton
HAZELWOOD GOLF CENTRE
Cemetery
River Ash
Driving Range
Clubhouse
UPPER HALLIFORD
SUNBURY GOLF COURSE
TW17
UPPER HALLIFORD BY-PASS
Grange Farm
Vicarage Farm
Nursery
Sunbury Weir
Pumping Station
Elmbridge Leisure Centre
Wheatley's Ait
Shepperton
B376
LALEHAM RD.
B3366
GASTON WAY
Gaston Bridge
CUCKOO POUND
Watersplash Farm
FORDBRIDGE
116
GREEN
Thames Field Farm
WATERSIDE DRIVE
TOWPATH
A B C D E F
1 2 3 4 5 6 7 8 9
08 09 10
72 170 69 68

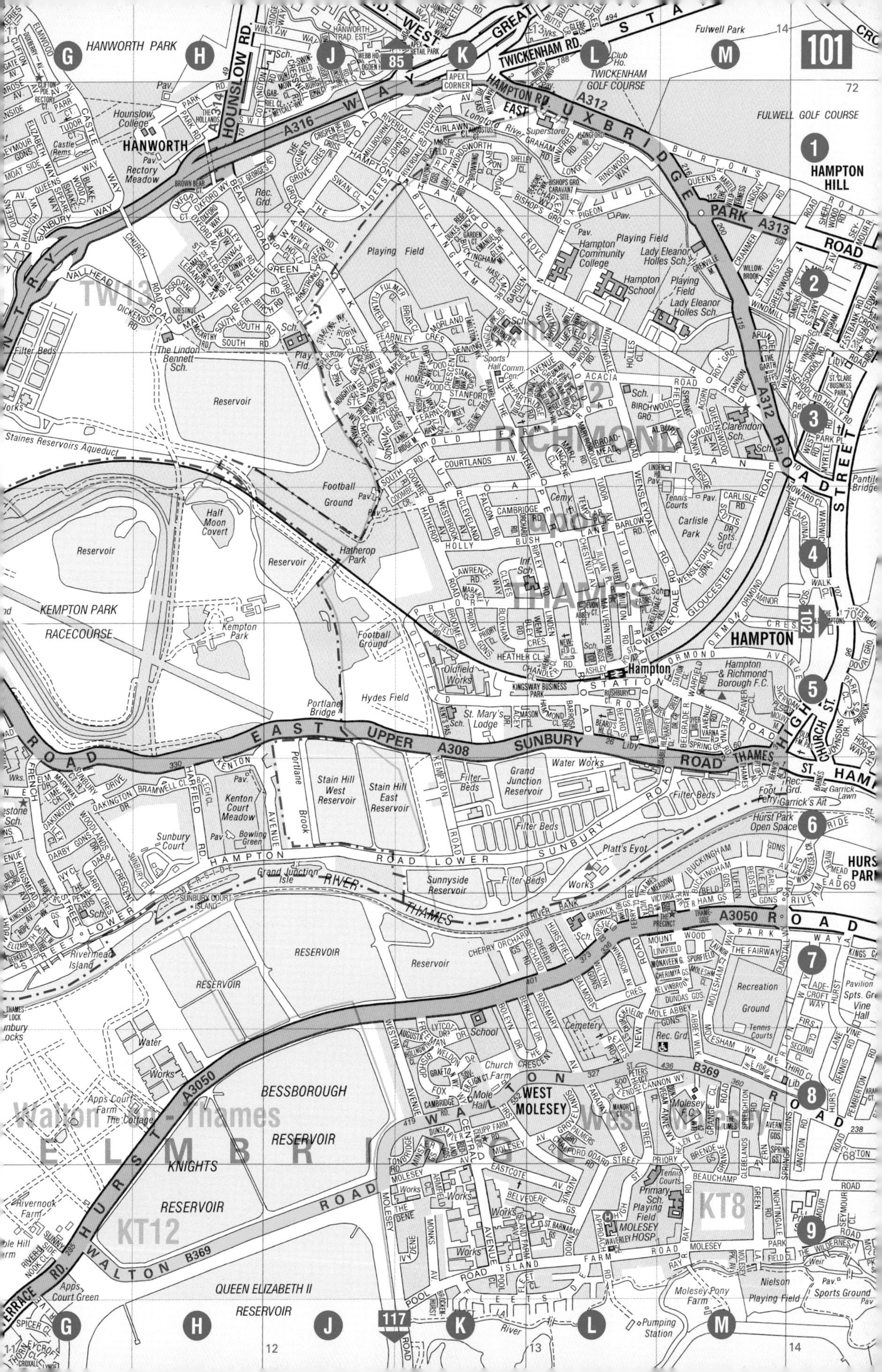
HANWORTH PARK
HANWORTH
Hounslow College
Rectory Meadow
HOUNSLOW RD.
A316
A314
APEX CORNER
HANWORTH TRAD. EST.
85
Fulwell Park
TWICKENHAM RD.
TWICKENHAM GOLF COURSE
FULWELL GOLF COURSE
HAMPTON HILL
UXBRIDGE
A312
HAMPTON RD. EAST
PARK ROAD
A313
TW13
The Lindon Bennett Sch.
Reservoir
Staines Reservoirs Aqueduct
Playing Field
Hampton Community College
Hampton School
Lady Eleanor Holles Sch.
Playing Field
RICHMOND
upon
THAMES
Football Ground
Half Moon Covert
Hatherop Park
Carlisle Park
Clarendon Sch.
KEMPTON PARK RACECOURSE
Kempton Park
Football Ground
Hydes Field
Portlane Bridge
HAMPTON
Hampton
Hampton & Richmond Borough F.C.
102
UPPER SUNBURY ROAD
A308
Kenton Court Meadow
Sunbury Court
Stain Hill West Reservoir
Stain Hill East Reservoir
Portlane Brook
Grand Junction Reservoir
Water Works
Filter Beds
Sunnyside Reservoir
Grand Junction Isle
RIVER THAMES
Platt's Eyot
Hurst Park Open Space
Garrick's Ait
Sunbury Court Island
Rivermead Island
RESERVOIR
Reservoir
A3050
Recreation Ground
Cemetery
WEST MOLESEY
West Molesey
B369
BESSBOROUGH RESERVOIR
KNIGHTS RESERVOIR
Walton-on-Thames
ELMBRIDGE
KT12
KT8
Apps Court Farm
Molesey Hosp.
Nielson Playing Field
Sports Ground
Molesey Pony Farm
Pumping Station
QUEEN ELIZABETH II RESERVOIR
Apps Court Green
117
G
H
J
K
L
M
1
2
3
4
5
6
7
8
9
12
13
14

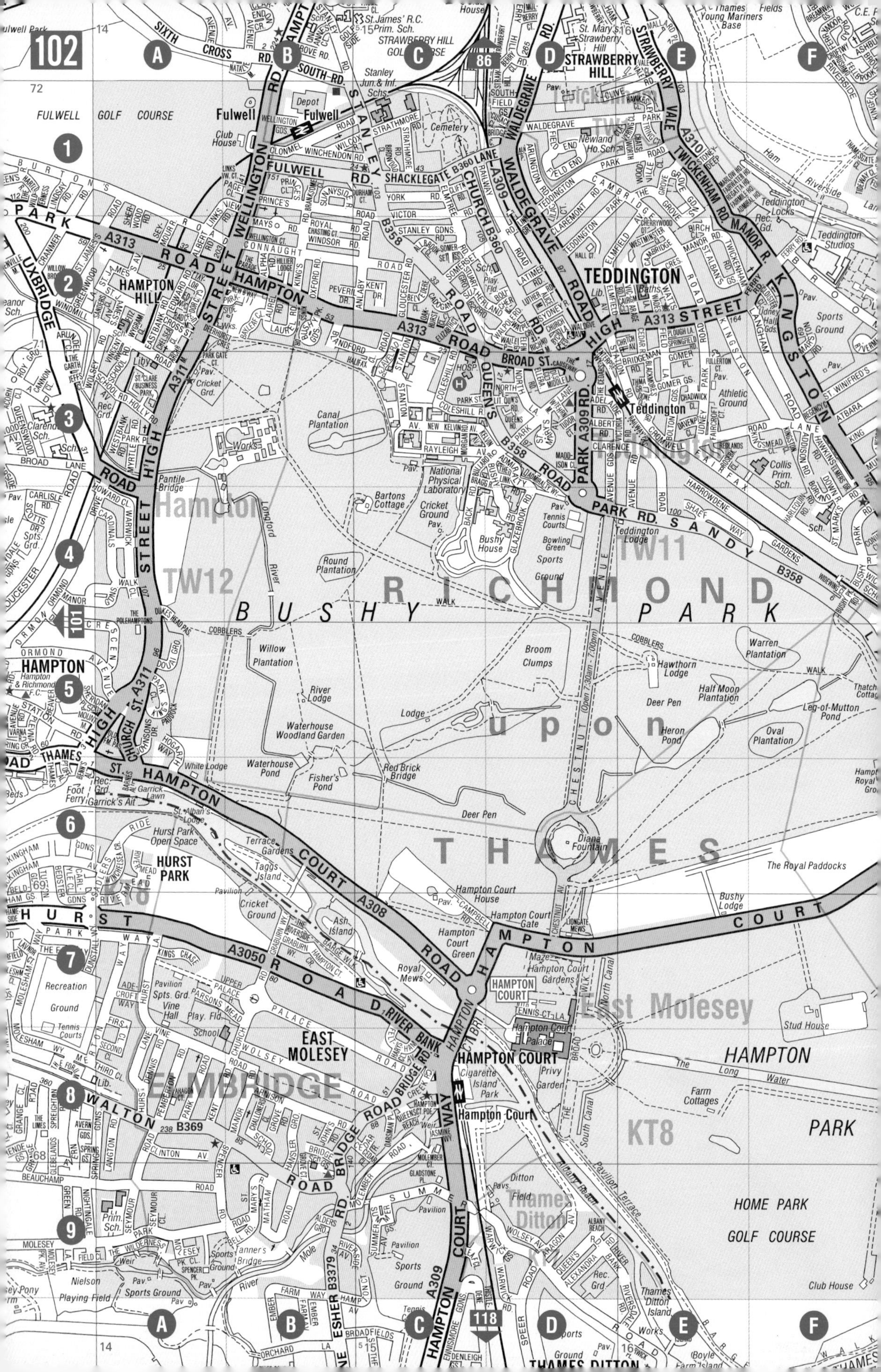
A
B
C
D
E
F
1
2
3
4
5
6
7
8
9
86
101
118
FULWELL GOLF COURSE
Fulwell
Club House
Depot
Stanley Jun.& Inf. Schs.
St.James' R.C. Prim. Sch.
STRAWBERRY HILL GOLF COURSE
STRAWBERRY HILL
St. Mary's Strawberry Hill
Thames Young Mariners Base
Ham Riverside
Teddington Locks
Teddington Studios
Cemetery
Newland Ho.Sch.
TEDDINGTON
Teddington
HAMPTON HILL
Clarendon Sch.
Cricket Grd.
Canal Plantation
Works
National Physical Laboratory
Bartons Cottage
Cricket Ground
Pantile Bridge
Hampton
Longford River
Round Plantation
Bushy House
Teddington Lodge
Sports Ground
Tennis Courts
Bowling Green
Athletic Ground
Collis Prim. Sch.
TW11
TW12
RICHMOND
BUSHY
PARK
upon
THAMES
Willow Plantation
River Lodge
Lodge
Waterhouse Woodland Garden
Waterhouse Pond
Fisher's Pond
Red Brick Bridge
Broom Clumps
Hawthorn Lodge
Deer Pen
Heron Pond
Warren Plantation
Half Moon Plantation
Leg-of-Mutton Pond
Oval Plantation
Diana Fountain
The Royal Paddocks
Bushy Lodge
HAMPTON
White Lodge
Garrick's Ait
Garrick Lawn
St. Alban's Lodge
Hurst Park Open Space
HURST PARK
Terrace Gardens
Taggs Island
Cricket Ground
Ash Island
Hampton Court House
Hampton Court Gate
Hampton Court Green
Royal Mews
Maze
Hampton Court Gardens
HAMPTON COURT
Hampton Court Palace
Privy Garden
East Molesey
EAST MOLESEY
ELMBRIDGE
Recreation Ground
Tennis Courts
Vine Hall
Play. Fld.
School
Cigarette Island Park
Hampton Court
The Long Water
Farm Cottages
Stud House
KT8
PARK
HOME PARK GOLF COURSE
Club House
Thames Ditton
Thames Ditton Island
Ditton Field
Prim. Sch.
Nielson Playing Field
Sports Ground
Tanners Bridge
River Mole
Pavilion
Sports Ground
HAMPTON COURT ROAD
HAMPTON COURT WAY
A308
A309
A310
A311
A313
A3050
B358
B360
B369
B3379
WALDEGRAVE ROAD
KINGSTON ROAD
TWICKENHAM RD.
HAMPTON ROAD
HIGH STREET
UXBRIDGE ROAD
CHESTNUT AVENUE
PARK ROAD
SANDY LANE
BROAD ST.
HURST ROAD
WALTON ROAD
BRIDGE ROAD
ESHER RD.
STANLEY RD.
FULWELL RD.
WELLINGTON RD.
SIXTH CROSS RD.
SOUTH RD.
SHACKLEGATE LANE
CHURCH RD.
QUEEN'S ROAD
STRAWBERRY VALE
BEAUCHAMP ROAD
THAMES ST.
Pavilion Terrace

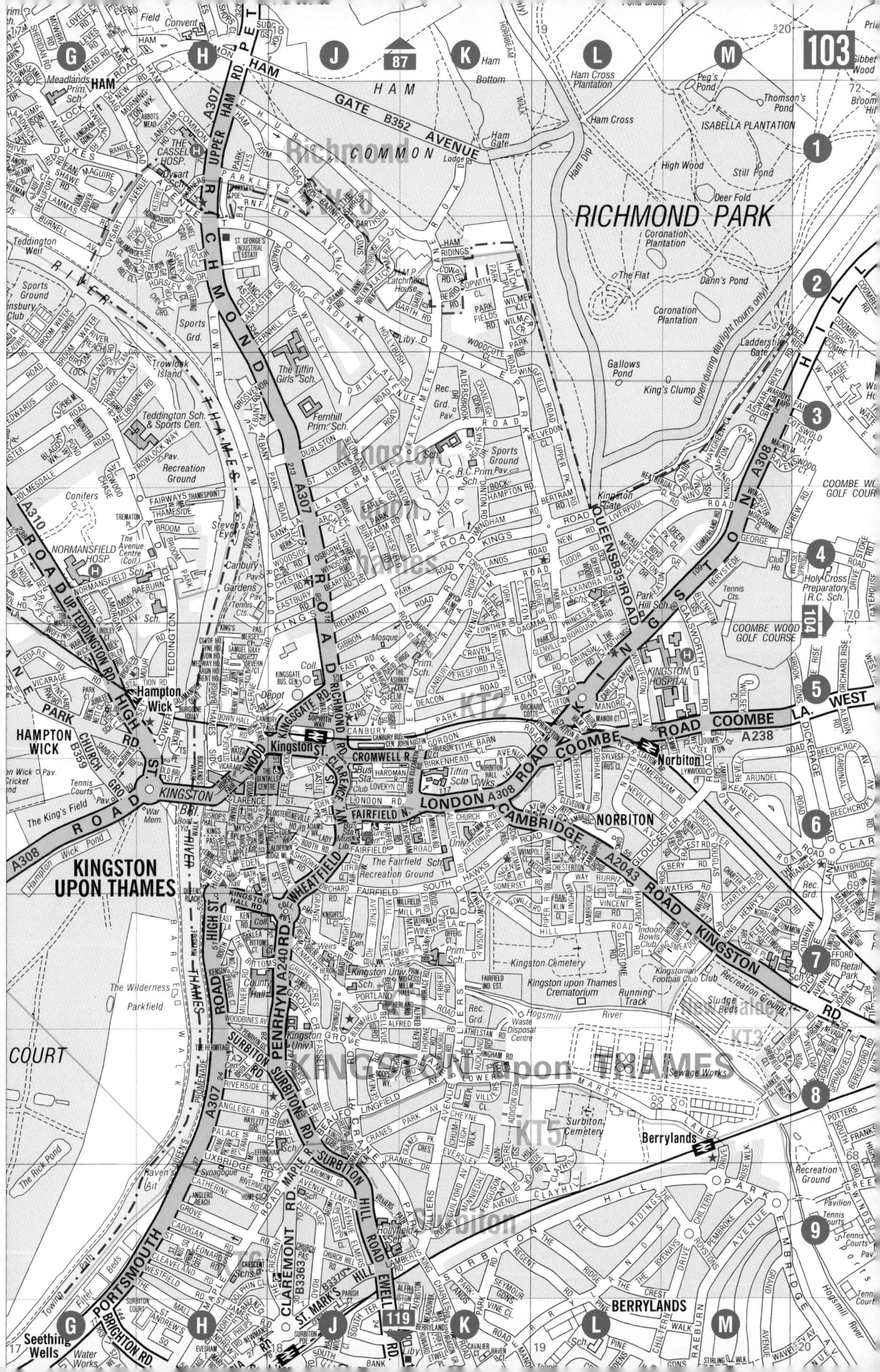
G
H
J
87
K
L
M
1
2
3
4
5
6
7
8
9
104
119
HAM
Ham Bottom
Ham Cross Plantation
Peg's Pond
Thomson's Pond
Ham Cross
ISABELLA PLANTATION
Ham Gate
HAM GATE B352 AVENUE
Richmond
COMMON
High Wood
Still Pond
Deer Fold
RICHMOND PARK
Coronation Plantation
The Flat
Dann's Pond
Ladderstile Gate
Gallows Pond
King's Clump
(Open during daylight hours only)
Ham Dip
Kingston Gate
COOMBE WOOD GOLF COURSE
Holy Cross Preparatory R.C. Sch.
Teddington Weir
RIVER THAMES
Sports Ground
Trowlock Island
Teddington Sch. & Sports Cen.
Recreation Ground
Conifers
NORMANSFIELD HOSP.
Steven's Eyot
Canbury Gardens
The Tiffin Girls' Sch.
Fernhill Prim. Sch.
St. George's Industrial Estate
H.M.P. Latchmere House
Kingston upon Thames
KT2
Hampton Wick
HAMPTON WICK
KINGSTON UPON THAMES
Kingston
KINGSTON HOSPITAL
Norbiton
NORBITON
The Fairfield Recreation Ground
Kingston Cemetery
Kingston upon Thames Crematorium
Kingstonian Football Club
Running Track
Hogsmill River
Sewage Works
KT3
KT5
Surbiton Cemetery
Berrylands
BERRYLANDS
The Wilderness
Parkfield
COURT
The Rick Pond
Raven's Ait
Surbiton
Seething Wells
Water Works
Filter Beds
Recreation Ground
Pavilion
Tennis Courts
Hogsmill River
A307
A308
A310
A238
A2043
A240
B352
B359
B3363
B3370
RICHMOND ROAD
UPPER HAM RD.
PETERSHAM RD.
KINGSTON HILL
COOMBE LA. WEST
COOMBE ROAD
LONDON ROAD
CAMBRIDGE ROAD
KINGSTON ROAD
QUEENS ROAD
PENRHYN RD.
SURBITON RD.
PORTSMOUTH ROAD
BRIGHTON RD.
EWELL RD.
SURBITON HILL ROAD
ST. MARK'S HILL
CLAREMONT RD.
MAPLE RD.
HIGH ST.
WOOD ST.
CLARENCE ST.
EDEN ST.
FAIRFIELD N.
FAIRFIELD SOUTH
KINGSTON HALL RD.
WHEATFIELD WAY
CROMWELL R.
KINGSGATE RD.
RIDGWAY
LOWER MARSH LANE
SURBITON RD.
THAMES
KING'S ROAD
LOWER HAM ROAD
TUDOR DRIVE
LATCHMERE ROAD
PARK ROAD
WOLSEY DRIVE
PARK ROAD

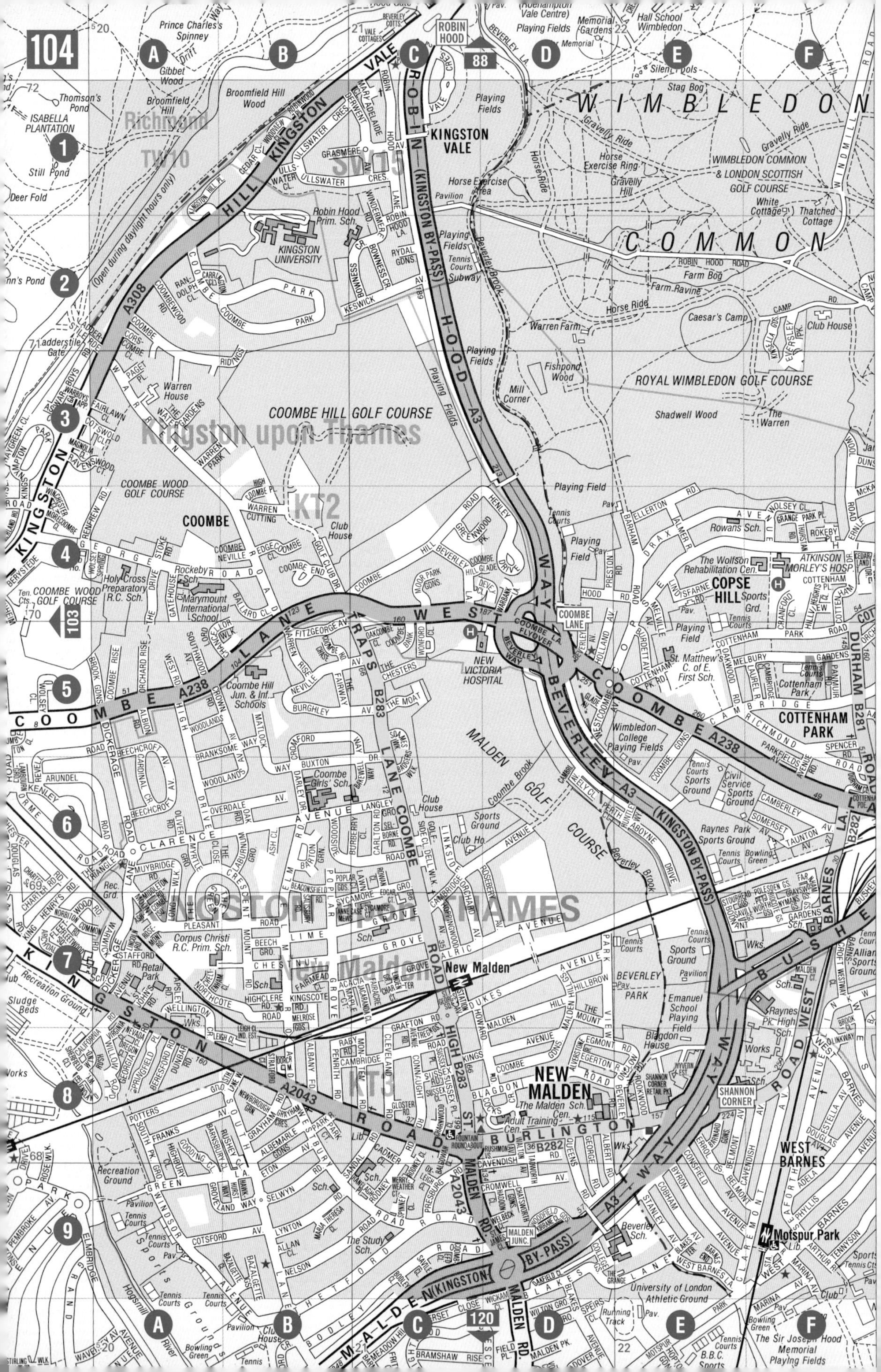

104
Prince Charles's Spinney
Gibbet Wood
Broomfield Hill Wood
Thomson's Pond
ISABELLA PLANTATION
Broomfield Hill
Richmond
TW10
Still Pond
Deer Fold
ROBIN HOOD
88
Playing Fields
Memorial Gardens
Hall School Wimbledon
Silent Pools
Stag Bog
WIMBLEDON COMMON
Gravelly Ride
KINGSTON VALE
SW15
KINGSTON HILL
ROBIN HOOD WAY (KINGSTON BY-PASS)
A3
A308
Robin Hood Prim. Sch.
KINGSTON UNIVERSITY
Horse Exercise Ring
Horse Exercise Area
Gravelly Hill
WIMBLEDON COMMON & LONDON SCOTTISH GOLF COURSE
White Cottage
Thatched Cottage
Pavilion
Playing Fields
Tennis Courts
Subway
Beverley Brook
Horse Ride
Farm Bog
Farm Ravine
Caesar's Camp
Club House
Warren Farm
Fishpond Wood
Mill Corner
ROYAL WIMBLEDON GOLF COURSE
Shadwell Wood
The Warren
Ladderstile Gate
Warren House
COOMBE HILL GOLF COURSE
Kingston upon Thames
KT2
COOMBE WOOD GOLF COURSE
COOMBE
Club House
Playing Field
Rowans Sch.
The Wolfson Rehabilitation Cen.
ATKINSON MORLEY'S HOSP.
COPSE HILL
Holy Cross Preparatory R.C. Sch.
Marymount International School
COOMBE WOOD GOLF COURSE
103
COOMBE LANE WEST
A238
NEW VICTORIA HOSPITAL
COOMBE LANE FLYOVER
St. Matthew's C. of E. First Sch.
Cottenham Park
COTTENHAM PARK
DURHAM ROAD B281
Coombe Hill Jun. & Inf. Schools
TRAPS LANE B283
COOMBE LANE
MALDEN GOLF COURSE
Coombe Brook
BEVERLEY WAY A3 (KINGSTON BY-PASS)
Wimbledon College Playing Fields
Civil Service Sports Ground
Raynes Park Sports Ground
Coombe Girls' Sch.
Sports Ground
Club Ho.
KINGSTON upon THAMES
Corpus Christi R.C. Prim. Sch.
New Malden
Beverley Park
Emanuel School Playing Field
Blagdon House
BUSHEY ROAD
Raynes Pk. High Sch.
Recreation Ground
Sludge Beds
KINGSTON ROAD A2043
KT3
NEW MALDEN
The Malden Sch.
Adult Training Cen.
BURLINGTON ROAD B282
SHANNON CORNER
WEST BARNES
WEST BARNES LANE
MALDEN ROAD A2043
Fountain Roundabout
Malden Junc.
Beverley Sch.
The Study Sch.
MALDEN WAY (KINGSTON BY-PASS)
University of London Athletic Ground
Motspur Park
The Sir Joseph Hood Memorial Playing Fields
Running Track
120
B.B.C. Sports
Bowling Green
Hogsmill River
Tennis Courts
Pavilion

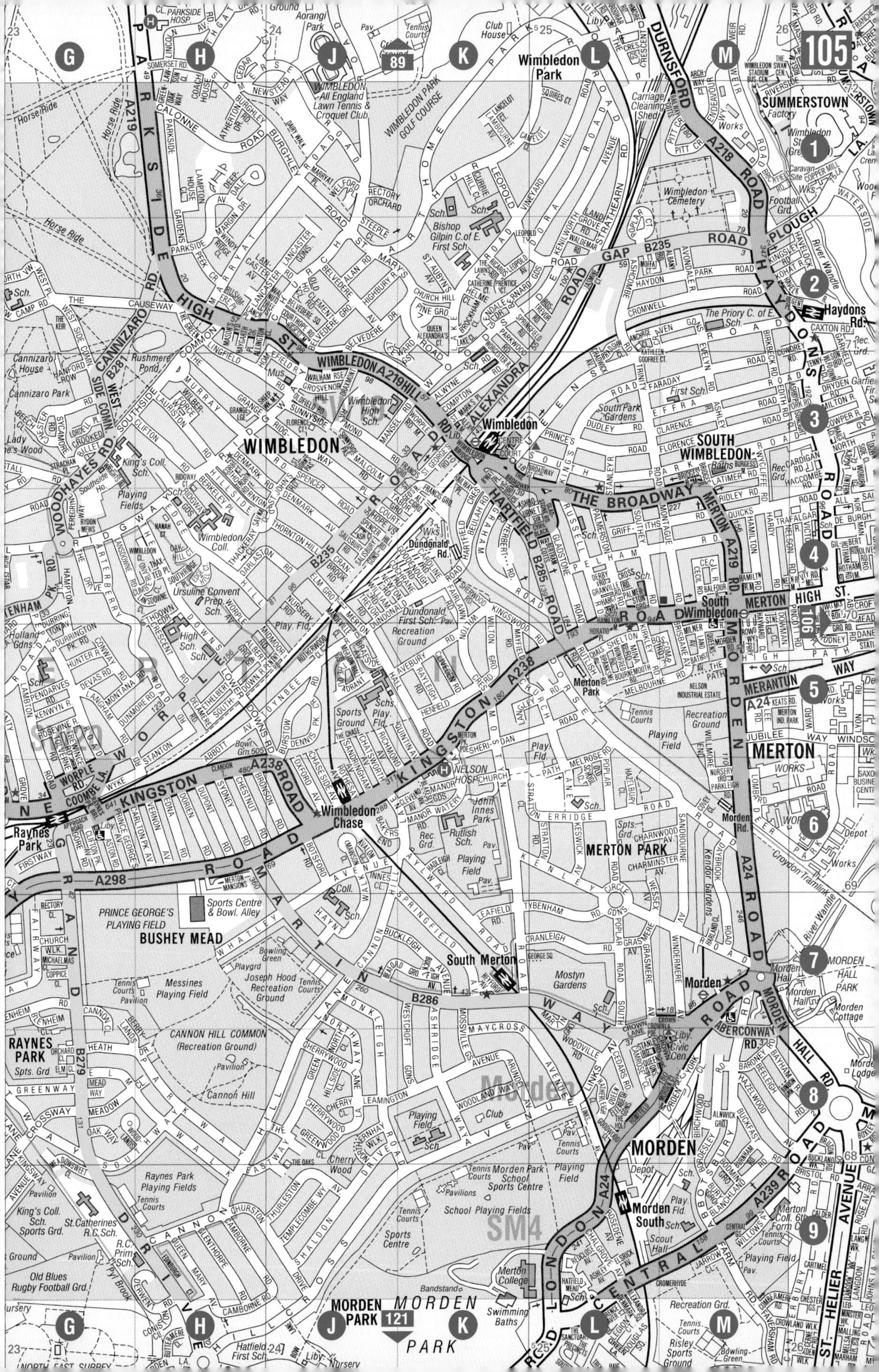

G
H
J
K
L
M
1
2
3
4
5
6
7
8
9
89
121
106
Wimbledon Park
WIMBLEDON
All England
Lawn Tennis &
Croquet Club
WIMBLEDON PARK
GOLF COURSE
SUMMERSTOWN
Wimbledon Cemetery
Haydons Rd.
Wimbledon
SOUTH
WIMBLEDON
South Wimbledon
Dundonald Rd.
Merton Park
MERTON
MERTON PARK
Wimbledon Chase
Raynes Park
RAYNES PARK
BUSHEY MEAD
PRINCE GEORGE'S
PLAYING FIELD
CANNON HILL COMMON
(Recreation Ground)
Cannon Hill
South Merton
Morden
MORDEN
Morden South
MORDEN PARK
MORDEN PARK
SW19
SW20
SM4
Cannizaro Park
Cannizaro House
Rushmere Pond
Wimbledon Coll.
Ursuline Convent Prep. Sch.
King's Coll. Sch.
Playing Fields
Raynes Park Playing Fields
Messines Playing Field
Joseph Hood Recreation Ground
Sports Centre & Bowl. Alley
Nelson Hosp.
John Innes Park
Rutlish Sch.
Mostyn Gardens
Morden Hall Park
Morden Park School Sports Centre
School Playing Fields
Merton College
Swimming Baths
Old Blues Rugby Football Grd.
St.Catherines R.C.Sch.
Kendor Gardens
Recreation Ground
Playing Field
Croydon Tramlink
River Wandle
A219
A218
A238
A298
A24
A239
B235
B281
B285
B286
B279
HIGH ST.
WIMBLEDON HILL RD.
ALEXANDRA RD.
THE BROADWAY
MERTON HIGH ST.
MERTON RD.
KINGSTON ROAD
MORDEN ROAD
LONDON RD.
MARTIN WAY
CENTRAL RD.
PARKSIDE
DURNSFORD ROAD
PLOUGH LA.
HAYDONS ROAD
WORPLE RD.
WOODHAYES RD.
THE RIDGEWAY
GAP ROAD
QUEENS ROAD
HARTFIELD ROAD
ARTHUR ROAD
CHURCH ROAD
CANNON HILL LANE
GRAND DRIVE
HILLCROSS AV.
LOWER MORDEN LA.
ST. HELIER AVENUE

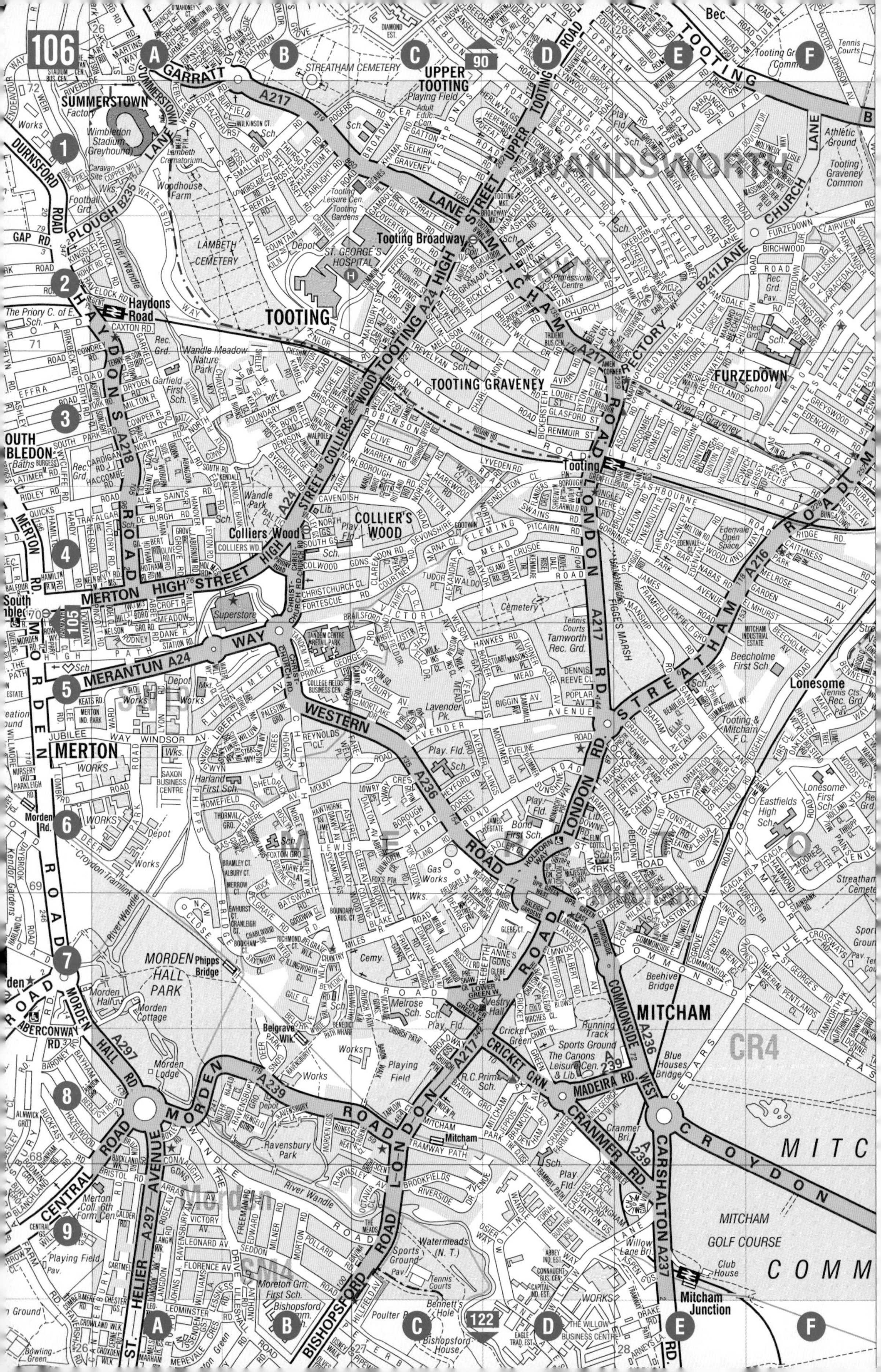
A
B
C
D
E
F
1
2
3
4
5
6
7
8
9
90
105
122
SUMMERSTOWN
Wimbledon Stadium (Greyhound)
GARRATT
A217
STREATHAM CEMETERY
UPPER TOOTING
TOOTING
Bec
Tooting Gr Comm
Athletic Ground
Tooting Graveney Common
WANDSWORTH
CHURCH
LANE
PLOUGH B235
DURNSFORD
ROAD
GAP RD.
Woodhouse Farm
LAMBETH CEMETERY
River Wandle
Haydons Road
HAYDONS
A218
Wandle Meadow Nature Park
Garfield First Sch.
Tooting Broadway
ST. GEORGE'S HOSPITAL
Tooting Leisure Cen.
Tooting Gardens
UPPER
TOOTING
HIGH
STREET
MITCHAM
A24
RECTORY
B241
FURZEDOWN
School
TOOTING GRAVENEY
River Graveney
Tooting
SOUTH
WIMBLEDON
MERTON
HIGH STREET
Colliers Wood
COLLIER'S WOOD
Superstore
Wandle Park
Edenvale Open Space
Cemetery
Tamworth Rec. Grd.
FIGGES MARSH
A217
LONDON
RD.
A216
STREATHAM
MERANTUN A24
WAY
WESTERN
A236
ROAD
JUBILEE
WINDSOR AV.
MERTON
Harland First Sch.
SAXON BUSINESS CENTRE
Lavender Pk.
Beecholme First Sch.
Lonesome
Tooting & Mitcham F.C.
Eastfields High Sch.
Lonesome First Sch.
Streatham Cemetery
Gas Works
Croydon Tramlink
Morden Rd.
MORDEN
MORDEN HALL PARK
Phipps Bridge
Morden Hall
Morden Cottage
Morden Lodge
Melrose Sch.
Vestry Hall
Cricket Green
MITCHAM
Running Track
Sports Ground
The Canons Leisure Cen. & Lib.
Beehive Bridge
Blue Houses Bridge
CR4
COMMONSIDE
WEST
A239
CRICKET GRN.
MADEIRA RD.
CRANMER RD.
Cranmer Bri.
CARSHALTON A237
CROYDON
MITCHAM
MITCHAM GOLF COURSE
Club House
Mitcham Junction
COMM
MITC
Ravensbury Park
Playing Field
Mitcham
TRAMWAY PATH
River Wandle
A297
ST. HELIER AVENUE
CENTRAL ROAD
Merton Coll. 6th Form Cen.
Playing Field
Morden
SM4
Moreton Grn. First Sch.
Bishopsford Comm.
Sports Ground
Watermeads (N. T.)
Tennis Courts
Poulter Pk
Bennett's Hole
Bishopsford House
BISHOPSFORD ROAD
LONDON
THE WILLOW BUSINESS CENTRE
Willow Lane Bri.
WORKS
Bowling Green

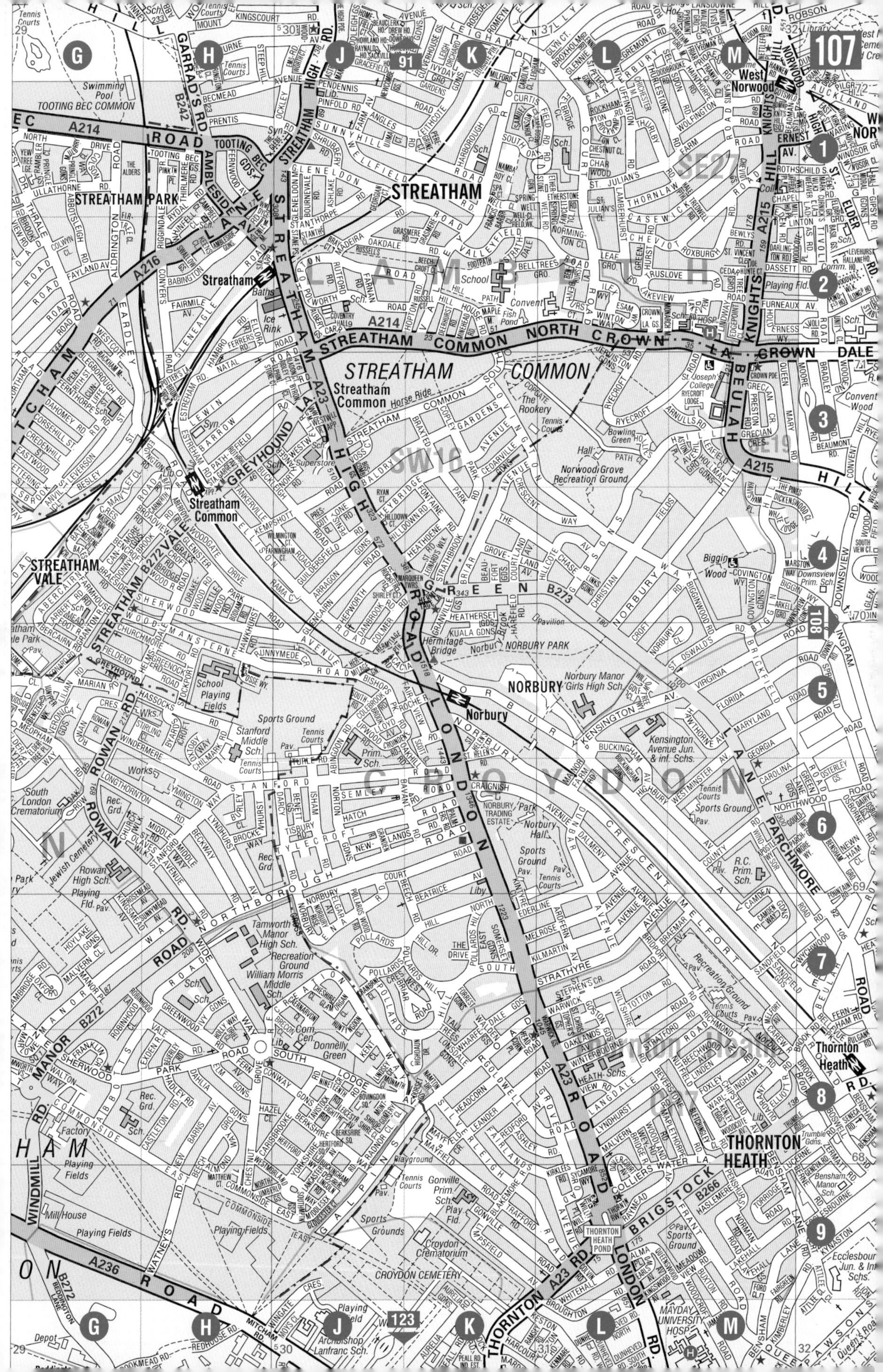

STREATHAM
STREATHAM PARK
STREATHAM VALE
STREATHAM COMMON
Streatham Common
Streatham
NORBURY
Norbury
THORNTON HEATH
Thornton Heath
West Norwood
SW16
SE27
SE19
CR7
LAMBETH
CROYDON
TOOTING BEC COMMON
NORBURY PARK
Norwood Grove Recreation Ground
Biggin Wood
South London Crematorium
Croydon Crematorium
CROYDON CEMETERY
Jewish Cemetery
Norbury Manor Girls High Sch.
Kensington Avenue Jun. & Inf. Schs.
Tamworth Manor High Sch.
William Morris Middle Sch.
Stanford Middle Sch.
MAYDAY UNIVERSITY HOSP.
Archbishop Lanfranc Sch.
Gonville Prim. Sch.
Rowan High Sch.
THORNTON HEATH POND
A23
A214
A215
A216
A236
B242
B266
B272
B273
STREATHAM HIGH RD.
STREATHAM COMMON NORTH
CROWN LA.
LONDON RD.
BRIGSTOCK RD.
91
108
123

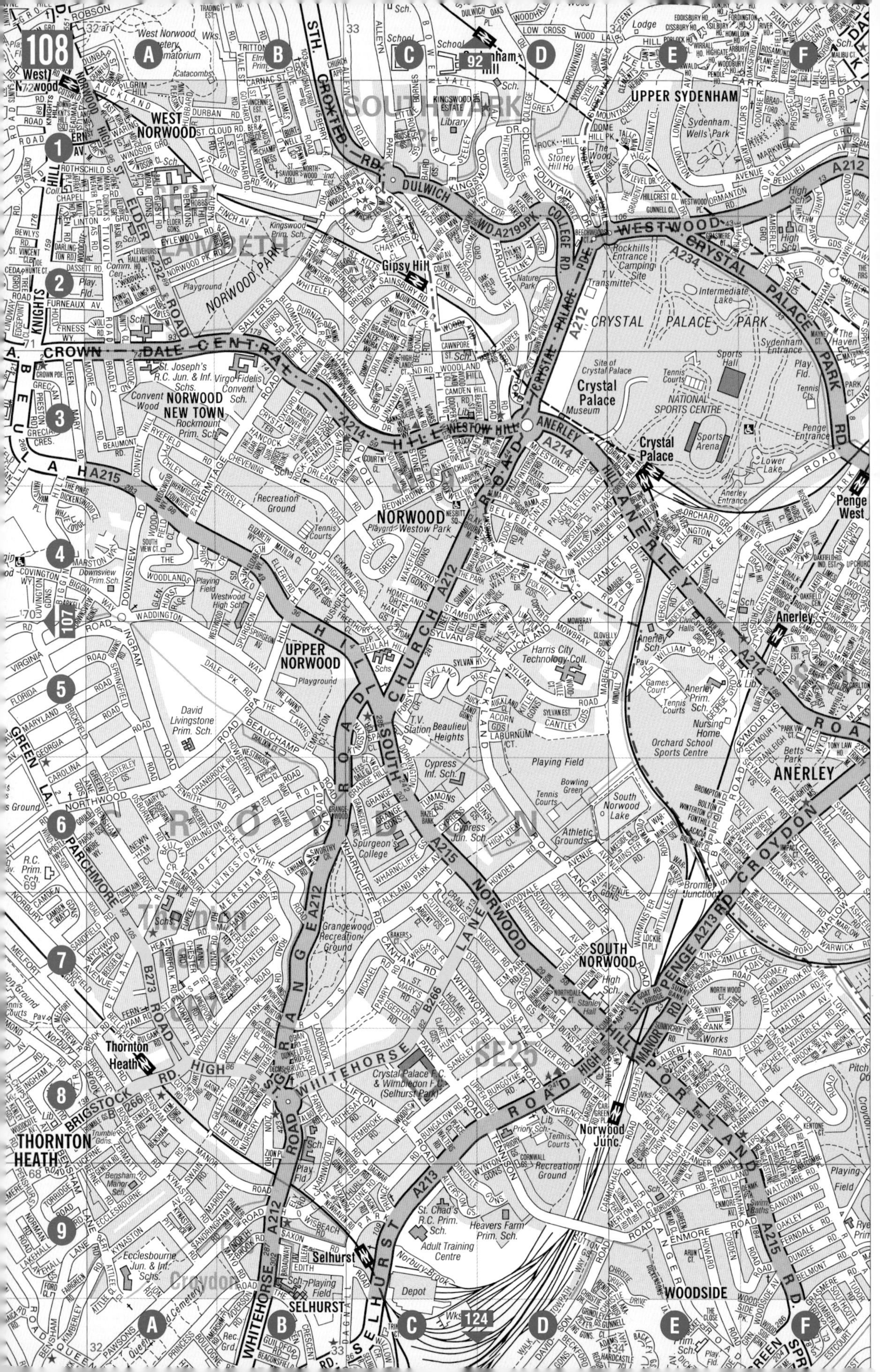
A
B
C
D
E
F
1
2
3
4
5
6
7
8
9
32
33
34
72
71
70
69
68
92
107
124
West Norwood
West Norwood Cemetery & Crematorium
Catacombs
WEST NORWOOD
SOUTHWARK
LAMBETH
UPPER SYDENHAM
Sydenham Wells Park
Kingswood Estate
Library
Stoney Hill Ho.
Sydenham Hill
Gipsy Hill
Kingswood Prim. Sch.
Norwood Park
Playground
Play. Fld.
Comm. Cen.
T.V. Transmitter
Rockhills Entrance
Camping Site
Nature Park
Intermediate Lake
CRYSTAL PALACE PARK
Sports Hall
Tennis Courts
Site of Crystal Palace
Crystal Palace Museum
NATIONAL SPORTS CENTRE
Sports Arena
Penge Entrance
Lower Lake
Anerley Entrance
Sydenham Entrance
The Haven
Crystal Palace
Penge West
St. Joseph's R.C. Jun. & Inf. Schs.
Virgo Fidelis Convent Sch.
Convent Wood
NORWOOD NEW TOWN
Rockmount Prim. Sch.
Recreation Ground
NORWOOD
Westow Park
UPPER NORWOOD
Playground
Downsview Prim. Sch.
Playing Field
Westwood High Sch.
David Livingstone Prim. Sch.
Harris City Technology Coll.
T.V. Station
Beaulieu Heights
Cypress Inf. Sch.
Cypress Jun. Sch.
Playing Field
Bowling Green
South Norwood Lake
Athletic Grounds
Spurgeon's College
Grangewood Recreation Ground
Anerley Sch.
Civic Halls
Games Court
Anerley Prim. Sch.
Nursing Home
Orchard School Sports Centre
Betts Park
ANERLEY
Anerley
Bromley Junction
SOUTH NORWOOD
High Sch.
Stanley Hall
Works
CROYDON
Thornton Heath
THORNTON HEATH
Crystal Palace F.C. & Wimbledon F.C. (Selhurst Park)
SE25
Norwood Junc.
Priory Sch.
Recreation Ground
St. Chad's R.C. Prim. Sch.
Heavers Farm Prim. Sch.
Adult Training Centre
Norbury Brook
Depot
Selhurst
SELHURST
Playing Field
Ecclesbourne Jun. & Inf. Schs.
Bensham Manor Sch.
Cemetery
Rec. Grd.
WOODSIDE
Playing Field
Swim. Baths
R.C. Prim. Sch.
A212
A214
A215
A234
A213
A2199
B266
B273
CROWN DALE
CENTRAL HILL
WESTOW HILL
CHURCH ROAD
SOUTH NORWOOD HILL
GRANGE ROAD
WHITEHORSE ROAD
SELHURST ROAD
PORTLAND ROAD
PENGE ROAD
CROYDON RD.
CRYSTAL PALACE PARK RD.
WESTWOOD HILL
CRYSTAL PALACE PDE.
COLLEGE RD.
DULWICH WOOD PK.
CROXTED RD.
GIPSY HILL
KNIGHTS HILL
NORWOOD HIGH ST.
NORWOOD ROAD
ANERLEY HILL
ANERLEY ROAD
BEULAH HILL
HIGH ST.
BRIGSTOCK RD.
PARCHMORE RD.
ELDER ROAD

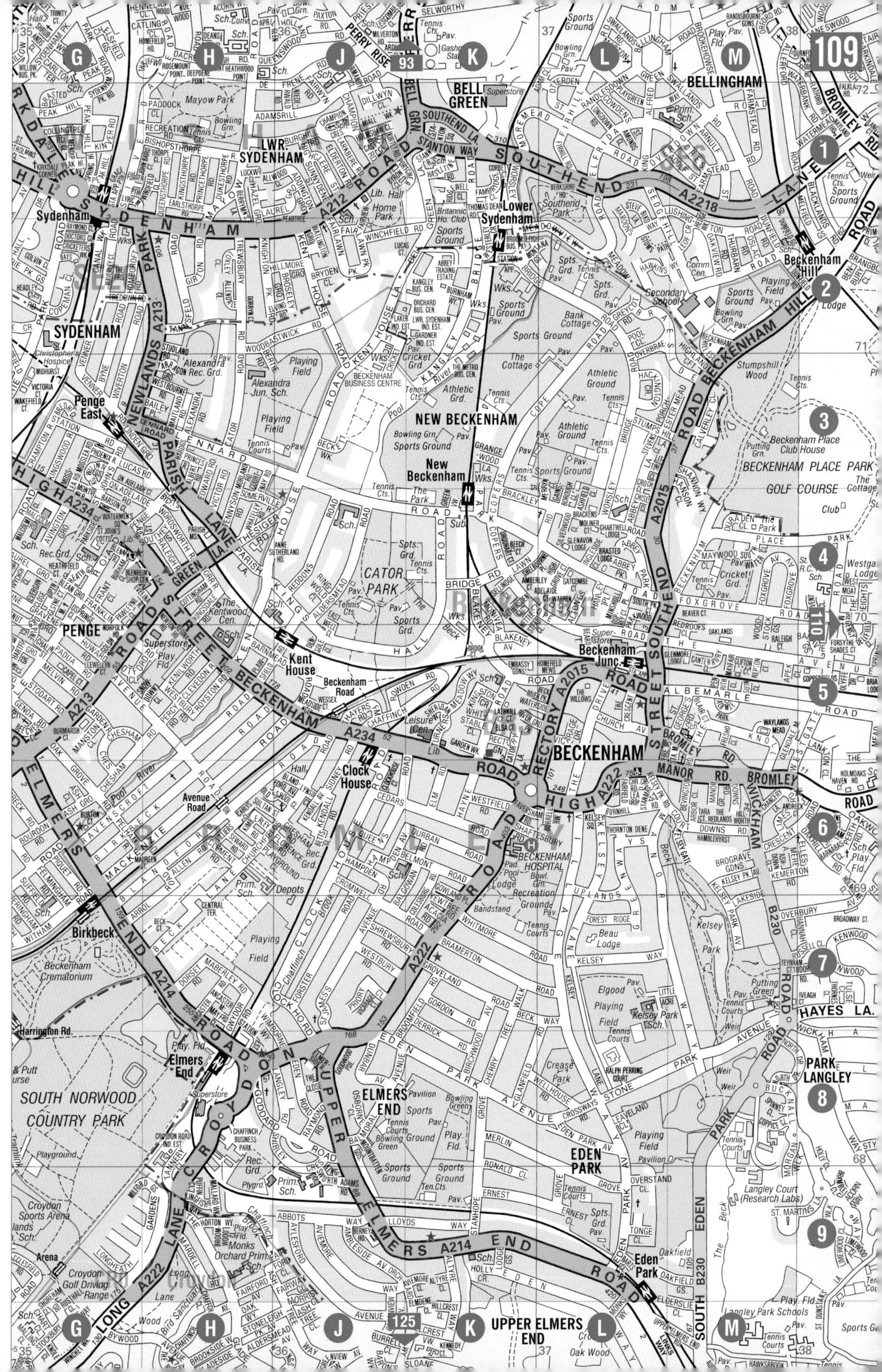

109
BELLINGHAM
BELL GREEN
LWR. SYDENHAM
Mayow Park
SYDENHAM
Sydenham
Lower Sydenham
SOUTHEND LANE
A2218
SYDENHAM ROAD
A212
Penge East
NEWLANDS PARK
A213
PARISH LANE
Alexandra Rec. Grd.
Alexandra Jun. Sch.
Playing Field
NEW BECKENHAM
New Beckenham
Beckenham Hill
BECKENHAM HILL ROAD
A2015
Stumpshill Wood
Beckenham Place Club House
BECKENHAM PLACE PARK
GOLF COURSE
CATOR PARK
Kent House
Beckenham Road
PENGE
HIGH STREET
A234
BECKENHAM ROAD
Clock House
Beckenham Junc.
BECKENHAM
SOUTHEND ROAD
BROMLEY ROAD
WICKHAM ROAD
B230
BECKENHAM HOSPITAL
Kelsey Park
Elgood Playing Field
HAYES LA.
PARK LANGLEY
Birkbeck
Beckenham Crematorium
ELMERS END ROAD
A214
Elmers End
SOUTH NORWOOD COUNTRY PARK
CROYDON ROAD
ELMERS END
UPPER ELMERS END ROAD
EDEN PARK
Eden Park
SOUTH EDEN PARK ROAD
Langley Court (Research Labs)
Langley Park Schools
Croydon Sports Arena
Croydon Golf Driving Range
LONG LANE
A222
UPPER ELMERS END
Oak Wood
93
110
125

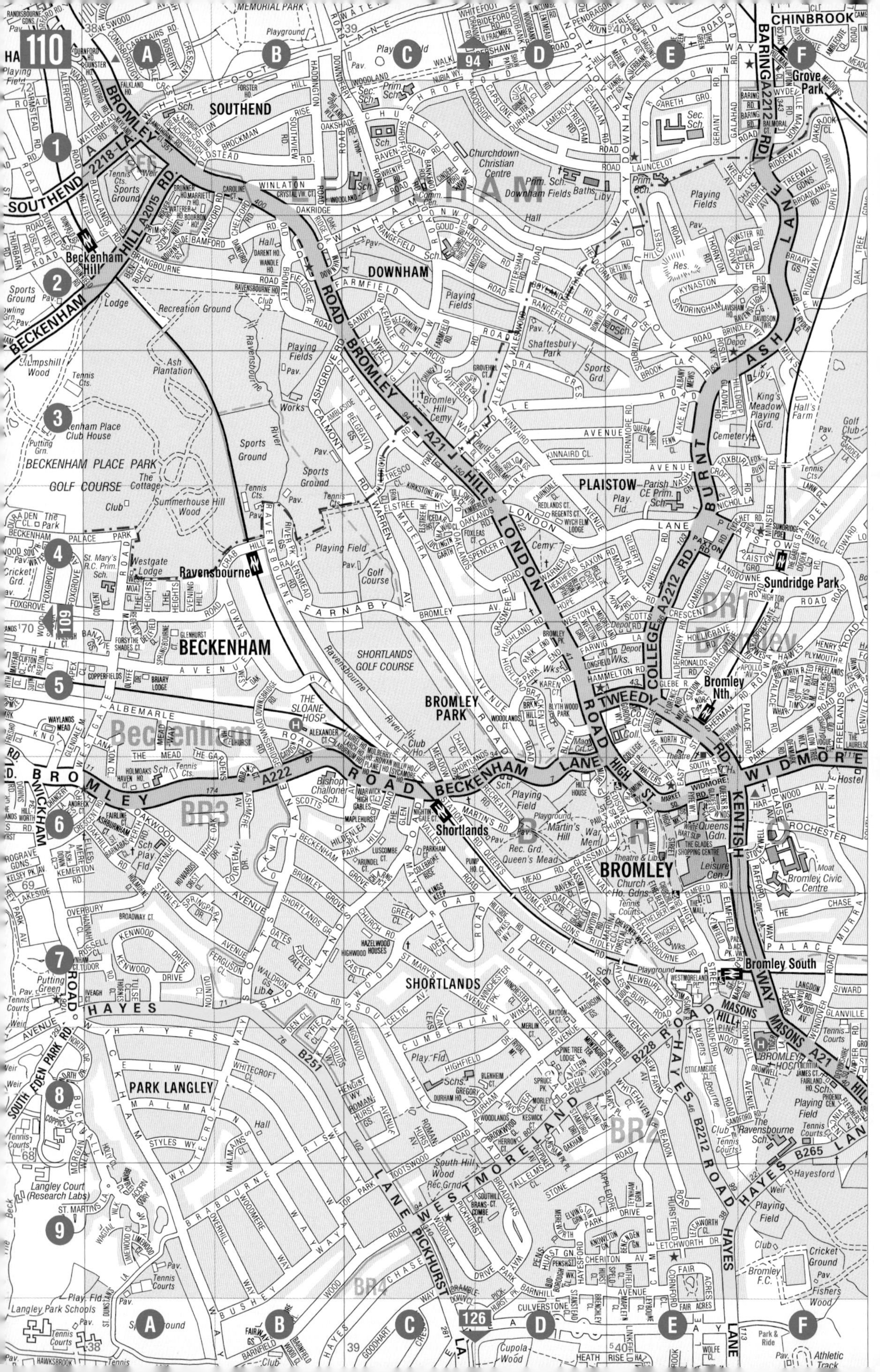
A
B
C
D
E
F
1
2
3
4
5
6
7
8
9
94
109
126
CHINBROOK
Grove Park
SOUTHEND
LEWISHAM
DOWNHAM
Churchdown Christian Centre
Downham Fields
Beckenham Hill
BECKENHAM PLACE PARK
GOLF COURSE
Beckenham Place Club House
Summerhouse Hill Wood
Ash Plantation
Recreation Ground
Sports Ground
Playing Fields
Bromley Hill Cemy.
Shaftesbury Park
King's Meadow Playing Grd.
Hall's Farm
Golf Club
PLAISTOW
Sundridge Park
Ravensbourne
BECKENHAM
Beckenham
SHORTLANDS GOLF COURSE
BROMLEY PARK
THE SLOANE HOSP.
Bishop Challoner Sch.
Shortlands
SHORTLANDS
Bromley North
BROMLEY
Bromley
Queens Gdn.
THE GLADES SHOPPING CENTRE
Leisure Cen.
Bromley Civic Centre
Bromley South
Martin's Hill
Rec. Grd. Queen's Mead
PARK LANGLEY
Langley Court (Research Labs)
Langley Park Schools
South Hill Wood
The Ravensbourne Sch.
Hayesford
Bromley F.C.
Cricket Ground
Fishers Wood
Cupola Wood
Park & Ride
Athletic Track
BR1
BR2
BR3
BR4
A21
A222
A2212
A2015
A2218
B228
B251
B265
B2212
BROMLEY ROAD
LONDON ROAD
BROMLEY HILL
BURNT ASH LANE
COLLEGE RD.
WIDMORE RD.
MASONS HILL
HAYES ROAD
HAYES LANE
BECKENHAM LANE
WESTMORELAND RD.
PICKHURST LANE
WICKHAM ROAD
SOUTHEND LANE
BECKENHAM HILL RD.

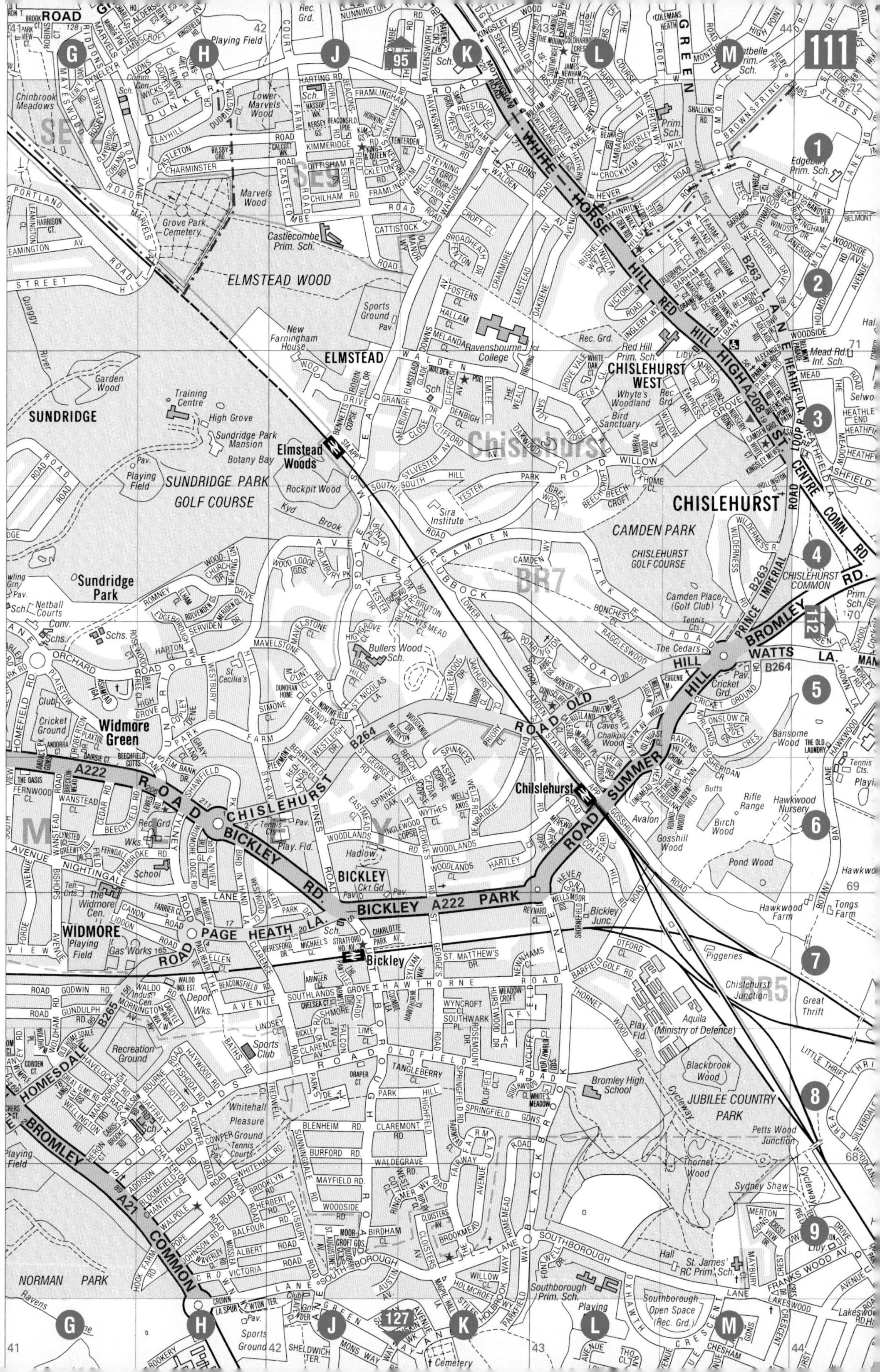

95
127
112
ELMSTEAD WOOD
ELMSTEAD
Elmstead Woods
SUNDRIDGE
SUNDRIDGE PARK GOLF COURSE
Sundridge Park Mansion
Sundridge Park
Garden Wood
High Grove
Training Centre
Botany Bay
Rockpit Wood
Grove Park Cemetery
Marvels Wood
Lower Marvels Wood
Castlecombe Prim. Sch.
Chinbrook Meadows
New Farningham House
Sports Ground
Ravensbourne College
CHISLEHURST WEST
Red Hill Prim. Sch.
Whyte's Woodland
Bird Sanctuary
Chislehurst
CHISLEHURST
CAMDEN PARK
CHISLEHURST GOLF COURSE
Camden Place (Golf Club)
The Cedars
CHISLEHURST COMMON
Sira Institute
Bullers Wood Sch.
Chalkpit Wood
Caves
Bansome Wood
Rifle Range
Birch Wood
Hawkwood Nursery
Pond Wood
Gosshill Wood
Avalon
Hawkwood Farm
Tongs Farm
Piggeries
Chislehurst Junction
Great Thrift
Aquila (Ministry of Defence)
Blackbrook Wood
JUBILEE COUNTRY PARK
Petts Wood Junction
Thornet Wood
Sydney Shaw
Bromley High School
Southborough Prim. Sch.
St. James' RC Prim. Sch.
Southborough Open Space (Rec. Grd.)
Widmore Green
WIDMORE
BICKLEY
Bickley
Bickley Junc.
Hadlow
Recreation Ground
Sports Club
Whitehall Pleasure Ground
NORMAN PARK
Cemetery
Edgebury Prim. Sch.
Mead Rd. Inf. Sch.
Marlborough
A222
A208
A21
B264
B263
B265
CHISLEHURST RD.
BICKLEY RD.
BICKLEY PARK RD.
BROMLEY COMMON
BROMLEY RD.
PAGE HEATH LA.
HIGH ST
WHITE HORSE HILL
RED HILL
SUMMER HILL
OLD HILL
WATTS LA.
PRINCE IMPERIAL RD.
ELMSTEAD LANE
LOGS HILL
SOUTHBOROUGH LANE
HAWTHORNE ROAD
OLDFIELD ROAD
SUNDRIDGE AVENUE
SE9
SE12
BR7
BR5

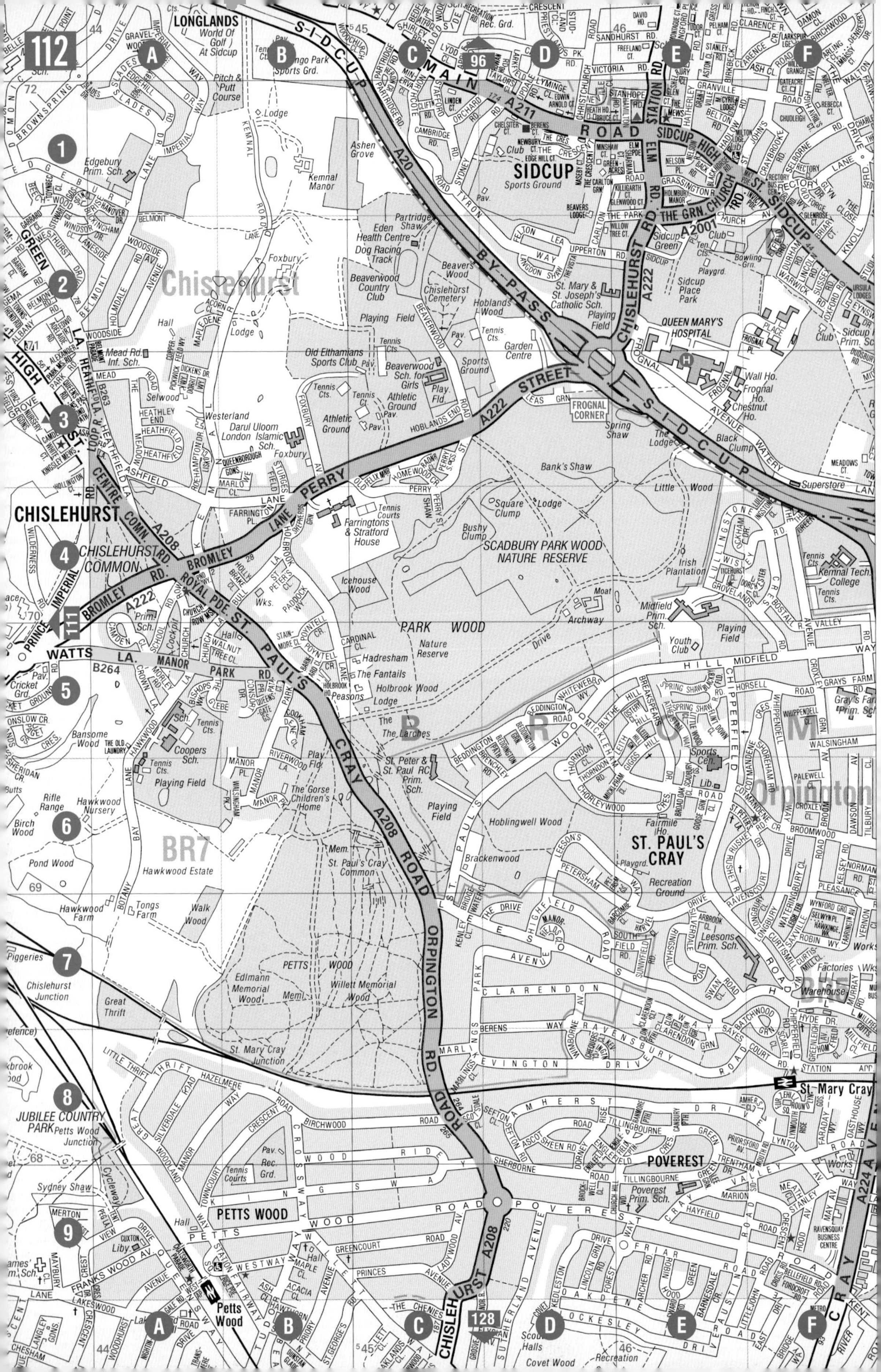

112
LONGLANDS
World Of Golf At Sidcup
Pitch & Putt Course
Kemnal Manor
Ashen Grove
SIDCUP
Sports Ground
96
Edgebury Prim. Sch.
Chislehurst
Eden Health Centre
Dog Racing Track
Beaverwood Country Club
Beavers Wood
Chislehurst Cemetery
Hoblands Wood
St. Mary & St. Joseph's Catholic Sch.
Sidcup Place Park
QUEEN MARY'S HOSPITAL
Foxbury
Old Elthamians Sports Club
Beaverwood Sch. for Girls
Athletic Ground
Garden Centre
Sports Ground
Mead Rd. Inf. Sch.
Westerland
Darul Uloom London Islamic Sch.
FROGNAL CORNER
Spring Shaw
Black Clump
Wall Ho.
Frognal Ho.
Chestnut Ho.
Bank's Shaw
Little Wood
Superstore
CHISLEHURST
CHISLEHURST COMMON
Farringtons & Stratford House
Square Clump
Bushy Clump
SCADBURY PARK WOOD NATURE RESERVE
Irish Plantation
Kemnal Tech. College
Icehouse Wood
PARK WOOD
Nature Reserve
Midfield Prim. Sch.
Youth Club
Playing Field
111
Hadresham
The Fantails
Holbrook Wood Lodge
Peasons
The Larches
Coopers Sch.
Bansome Wood
Rifle Range
Hawkwood Nursery
Birch Wood
Pond Wood
BR7
Hawkwood Estate
St. Peter & St. Paul RC Prim. Sch.
The Gorse Children's Home
Hoblingwell Wood
Brackenwood
Sports Cen.
Lib.
Fairmile Ho.
ST. PAUL'S CRAY
Recreation Ground
Leesons Prim. Sch.
Orpington
St. Paul's Cray Common
Hawkwood Farm
Tongs Farm
Walk Wood
Piggeries
Chislehurst Junction
Great Thrift
Edlmann Memorial Wood
PETTS WOOD
Willett Memorial Wood
St. Mary Cray Junction
Factories
Warehouse
St. Mary Cray
JUBILEE COUNTRY PARK
Petts Wood Junction
Sydney Shaw
Cycleway
POVEREST
Poverest Prim. Sch.
PETTS WOOD
Liby.
Petts Wood
RAVENSQUAY BUSINESS CENTRE
128
Scout Halls
Covet Wood
Recreation
SIDCUP BY-PASS
A20
A211
A222
A208
A2001
A224
B263
B264
MAIN ROAD
PERRY STREET
BROMLEY LANE
BROMLEY RD.
ST. PAUL'S CRAY ROAD
ORPINGTON RD.
CHISLEHURST ROAD
KEMNAL ROAD
WATTS LA.
MANOR PARK RD.
PRINCE IMPERIAL RD.
CLARENDON WAY
RAVENSBURY RD.
KEVINGTON DRIVE
BIRCHWOOD ROAD
KINGSWAY
WOOD RIDE
AMHERST DRIVE
TILLINGBOURNE GREEN
POVEREST ROAD
MIDFIELD WAY
WALSINGHAM
A B C D E F
1 2 3 4 5 6 7 8 9

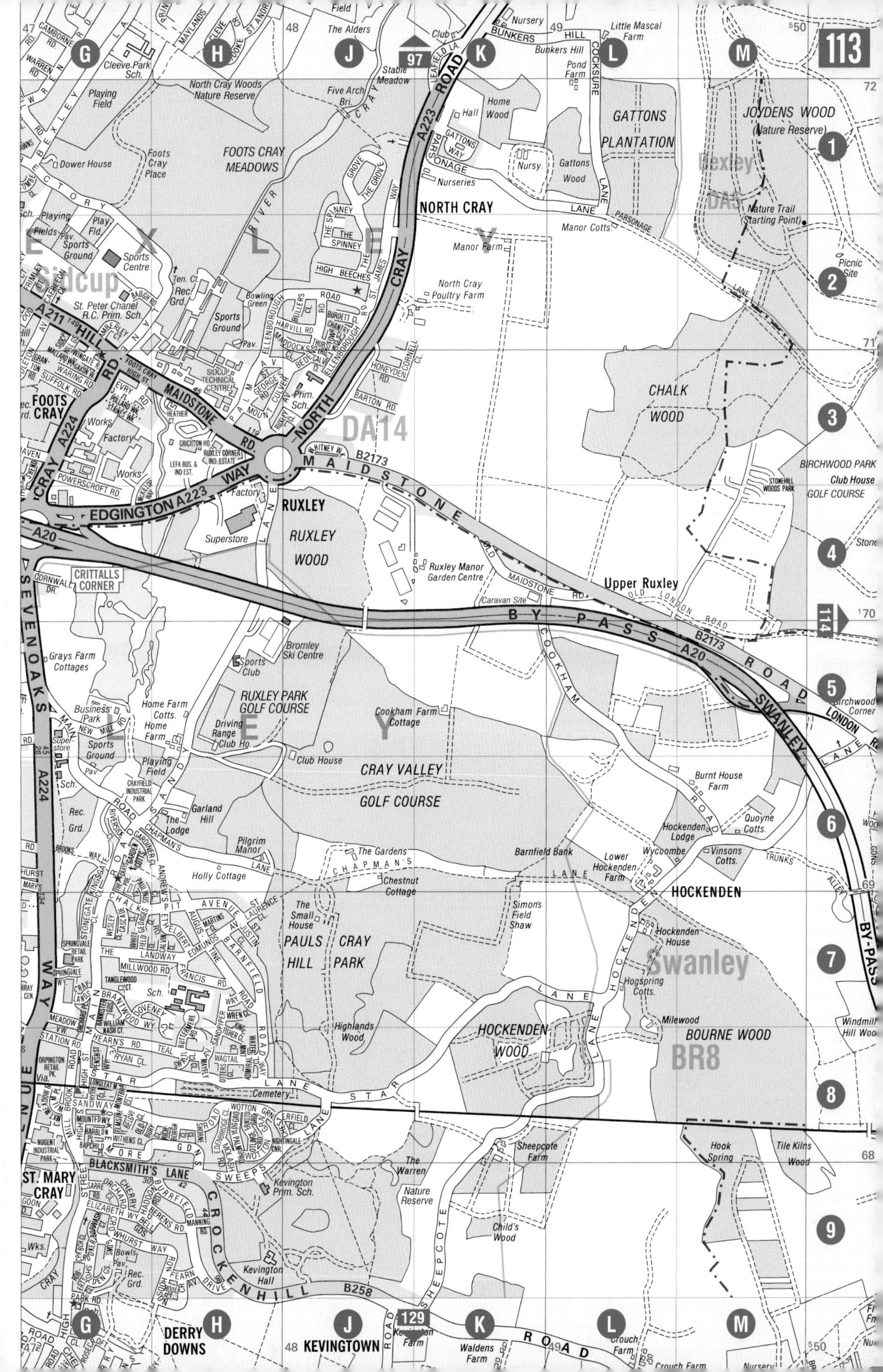

113
97
114
129
GATTONS
PLANTATION
JOYDENS WOOD
(Nature Reserve)
Bexley
DA5
FOOTS CRAY
MEADOWS
NORTH CRAY
North Cray Woods
Nature Reserve
Cleeve Park
Sch.
Playing
Field
Dower House
Foots
Cray
Place
Five Arch
Bri.
Stable
Meadow
The Alders
BUNKERS HILL
Little Mascal
Farm
Bunkers Hill
Pond
Farm
COCKSURE LANE
Home
Wood
Hall
Nursy.
Gattons
Wood
Nurseries
PARSONAGE LANE
Manor Cotts.
Manor Farm
North Cray
Poultry Farm
Nature Trail
(Starting Point)
Picnic
Site
Sidcup
Sports
Centre
Sports
Ground
Playing
Fields
Bowling
Green
HIGH BEECHES
THE SPINNEY
NORTH CRAY ROAD
A223
MAIDSTONE RD.
MAIDSTONE ROAD
B2173
A211
HILL RD.
FOOTS
CRAY
A224
CRAY
Works
Factory
POWERSCROFT RD.
EDGINGTON A223 WAY
A20
SIDCUP
TECHNICAL
CENTRE
LEFA BUS. &
IND EST.
RUXLEY CORNER
IND. ESTATE
DA14
CHALK
WOOD
BIRCHWOOD PARK
Club House
GOLF COURSE
RUXLEY
RUXLEY
WOOD
Superstore
CRITTALLS
CORNER
SEVENOAKS WAY
Ruxley Manor
Garden Centre
Caravan Site
Upper Ruxley
OLD LONDON ROAD
BY-PASS
SWANLEY
LONDON
Birchwood
Corner
Grays Farm
Cottages
Bromley
Ski Centre
Sports
Club
RUXLEY PARK
GOLF COURSE
Driving
Range
Club Ho.
Cookham Farm
Cottage
COOKHAM ROAD
CRAY VALLEY
GOLF COURSE
Club House
Business
Park
Home Farm
Cotts.
Home
Farm
Sports
Ground
Playing
Field
SANDY LANE
CRAYFIELD
INDUSTRIAL
PARK
Garland
Hill
The
Lodge
Pilgrim
Manor
CHAPMAN'S LANE
Holly Cottage
The Gardens
Chestnut
Cottage
Barnfield Bank
Burnt House
Farm
Hockenden
Lodge
Quoyne
Cotts.
Wycoombe
Vinsons
Cotts.
Lower
Hockenden
Farm
HOCKENDEN
Simon's
Field
Shaw
TRUNKS ALLEY
Hockenden
House
Swanley
Hogspring
Cotts.
Milewood
BOURNE WOOD
BR8
Windmill
Hill Wood
The
Small
House
PAULS CRAY
HILL PARK
Highlands
Wood
HOCKENDEN
WOOD
HOCKENDEN LANE
STAR LANE
Cemetery
Sheepcote
Farm
Hook
Spring
Tile Kilns
Wood
The
Warren
Nature
Reserve
Child's
Wood
Kevington
Prim. Sch.
Kevington
Hall
CROCKENHILL
B258
BLACKSMITH'S LANE
SWEEPS LANE
ST. MARY
CRAY
DERRY
DOWNS
KEVINGTOWN
Kevington
Farm
Waldens
Farm
Crouch
Farm
Crouch Farm
Nursery
SHEEPCOTE LANE
Rec.
Grd.
Sch.
SPRINGVALE
RETAIL
PARK
ORPINGTON
RETAIL
PK.
NUGENT
INDUSTRIAL
PARK
Wks.
Bowls
Pav.
G
H
J
K
L
M
1
2
3
4
5
6
7
8
9
47
48
49
550
72
71
170
69
68

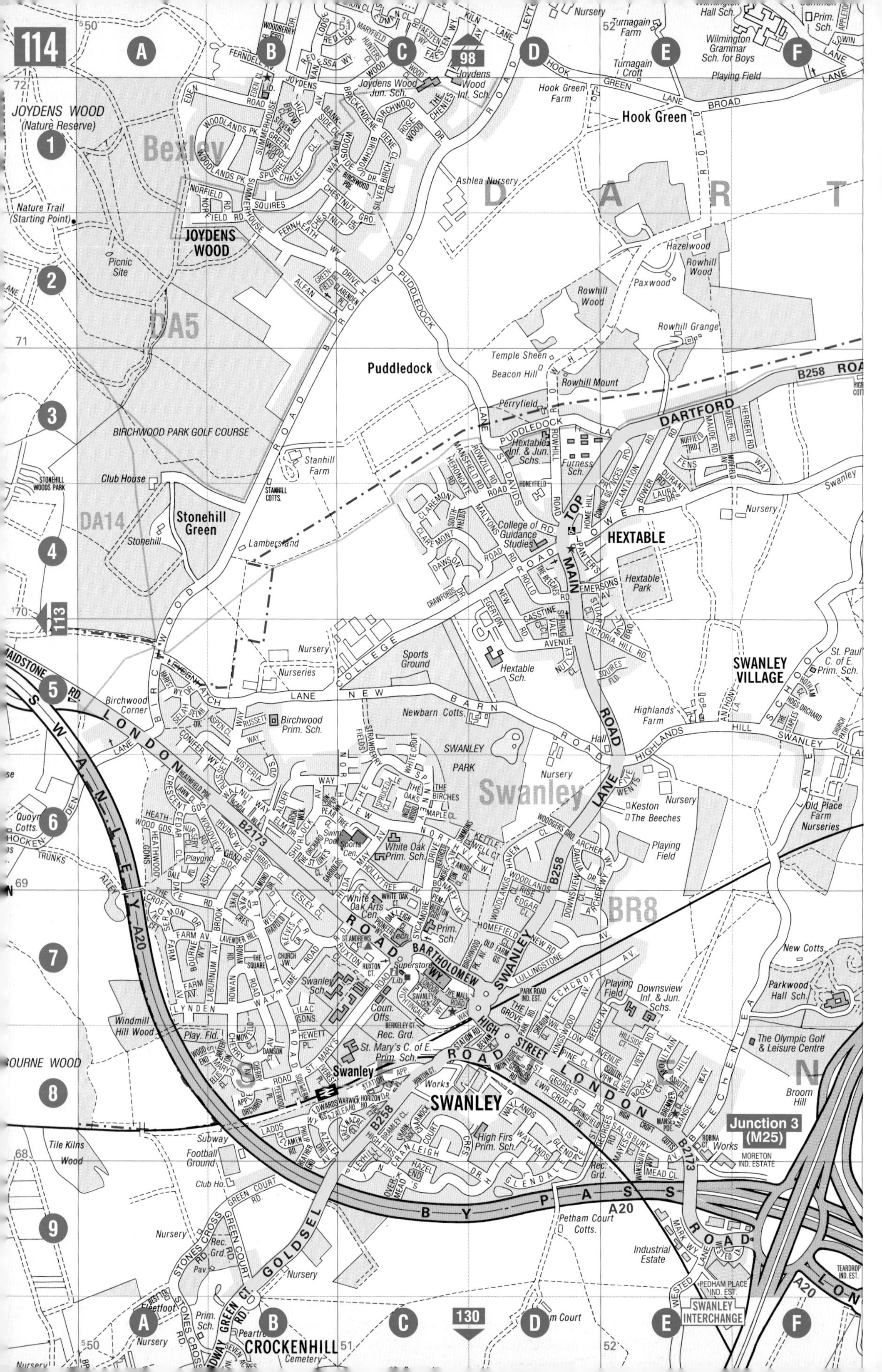

A
B
C
D
E
F
1
2
3
4
5
6
7
8
9
98
113
130
JOYDENS WOOD
(Nature Reserve)
Bexley
Nature Trail
(Starting Point)
JOYDENS WOOD
Picnic Site
DA5
DA14
BIRCHWOOD PARK GOLF COURSE
Club House
Stonehill Green
Stonehill
Lambersland
Puddledock
Hook Green
Hook Green Farm
Turnagain Farm
Turnagain Croft
Wilmington Grammar Sch. for Boys
Playing Field
Joydens Wood Jun. Sch.
Joydens Wood Inf. Sch.
Ashlea Nursery
D A R T
Hazelwood
Rowhill Wood
Paxwood
Rowhill Grange
Temple Sheen
Beacon Hill
Rowhill Mount
Perryfield
Stanhill Farm
Hextable Inf. & Jun. Schs.
Furness Sch.
College of Guidance Studies
HEXTABLE
Hextable Park
Hextable Sch.
Sports Ground
Nursery
Nurseries
Birchwood Corner
Birchwood Prim. Sch.
Newbarn Cotts.
SWANLEY PARK
Swanley
SWANLEY VILLAGE
St. Paul's C. of E. Prim. Sch.
Highlands Farm
Hall
Keston
The Beeches
Old Place Farm Nurseries
Playing Field
White Oak Prim. Sch.
Sports Cen.
BR8
White Oak Arts Cen.
Swanley Sch.
Superstore
Coun. Offs.
Rec. Grd.
St. Mary's C. of E. Prim. Sch.
Swanley
SWANLEY
Works
High Firs Prim. Sch.
Downsview Inf. & Jun. Schs.
New Cotts.
Parkwood Hall Sch.
The Olympic Golf & Leisure Centre
Broom Hill
Junction 3 (M25)
MORETON IND. ESTATE
Windmill Hill Wood
Play. Fld.
Tile Kilns Wood
Subway
Football Ground
Club Ho.
Petham Court Cotts.
Industrial Estate
PEDHAM PLACE IND. EST.
SWANLEY INTERCHANGE
TEARDROP IND. EST.
Nursery
Rec. Grd.
Pav.
Fleetfoot
Prim. Sch.
CROCKENHILL
Cemetery
SWANLEY BY-PASS
A20
B258
B2173
DARTFORD ROAD
LONDON ROAD
HIGH STREET
MAIN ROAD
TOP LANE
COLLEGE ROAD
NEW BARN ROAD
BIRCHWOOD ROAD
PUDDLEDOCK LANE
GOLDSEL ROAD

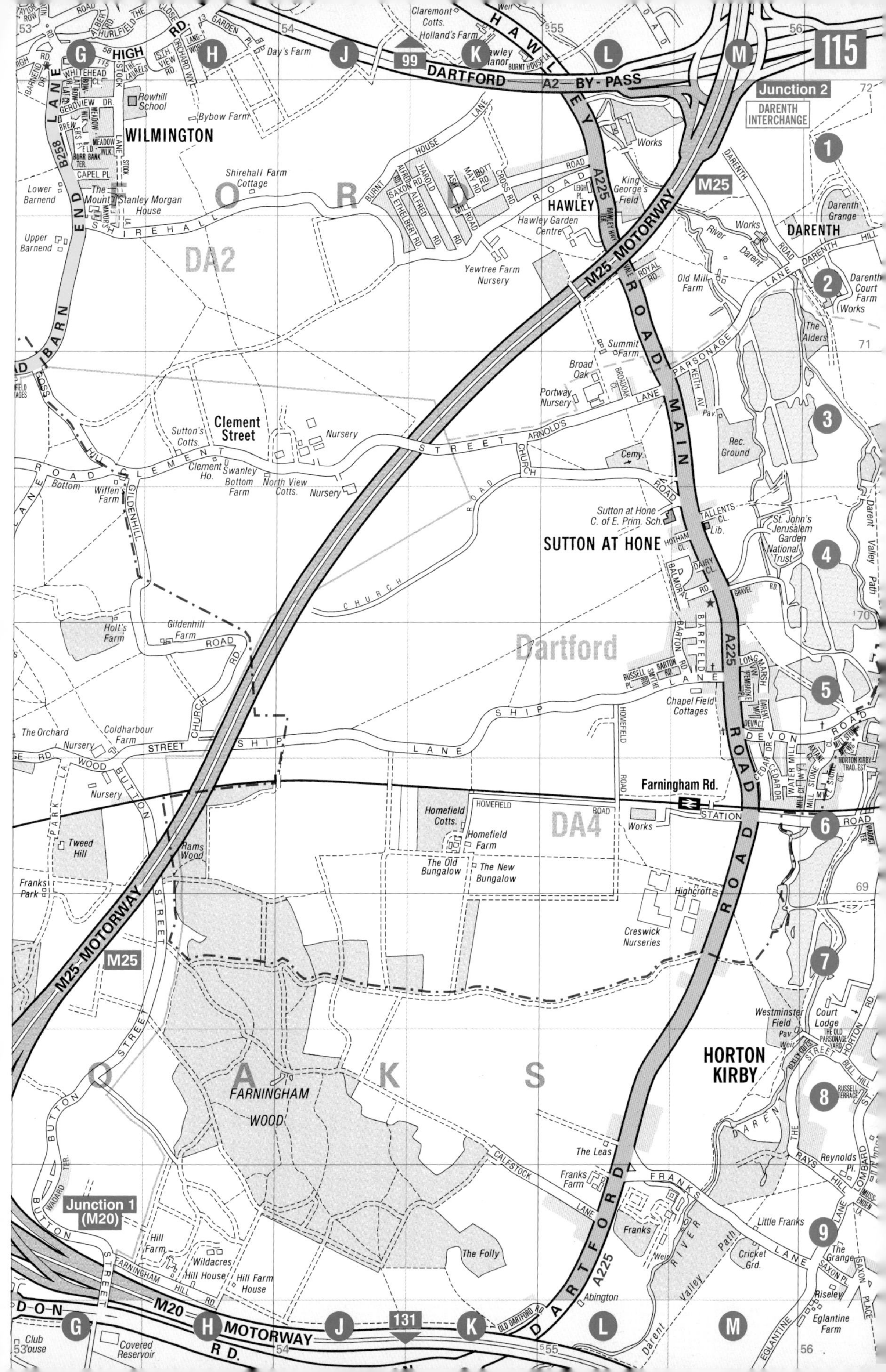
WILMINGTON
HAWLEY
DARENTH
SUTTON AT HONE
HORTON KIRBY
Clement Street
FARNINGHAM WOOD
DA2
DA4
Dartford
M25 MOTORWAY
DARTFORD A2 BY-PASS
M20 MOTORWAY
Junction 2
DARENTH INTERCHANGE
Junction 1 (M20)
Farningham Rd.
99
131

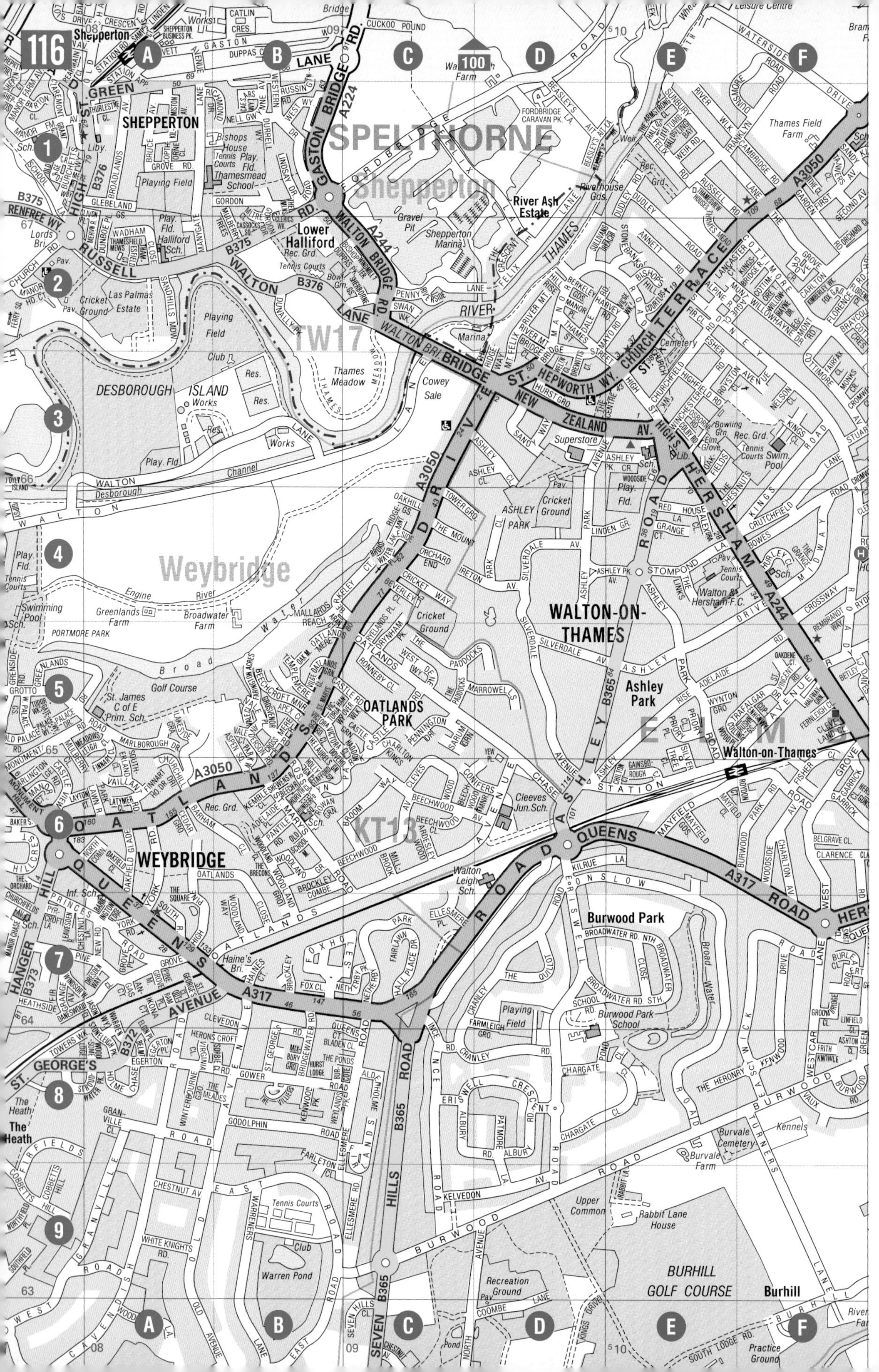
Shepperton
SHEPPERTON
SPELTHORNE
Shepperton
Lower Halliford
River Ash Estate
Shepperton Marina
Gravel Pit
TW17
Thames Meadow
DESBOROUGH ISLAND
Desborough Channel
Cowey Sale
Weybridge
Broadwater Farm
Greenlands Farm
PORTMORE PARK
Golf Course
St. James C of E Prim. Sch.
WEYBRIDGE
OATLANDS PARK
KT13
WALTON-ON-THAMES
Ashley Park
Cricket Ground
Walton-on-Thames
Walton & Hersham F.C.
Burwood Park
Burwood Park School
The Heath
Warren Pond
Recreation Ground
BURHILL GOLF COURSE
Burhill
Burvale Cemetery
Burvale Farm
Rabbit Lane House
Upper Common
Thames Field Farm
Walton Leigh Sch.
Cleeves Jun.Sch.
Haine's Bri.
WALTON BRIDGE RD.
GASTON BRIDGE RD.
NEW ZEALAND AV.
HEPWORTH WY.
CHURCH TERRACE
HERSHAM RD.
QUEENS ROAD
OATLANDS DRIVE
HILLS ROAD
SEVEN HILLS RD.
BURWOOD ROAD
RUSSELL RD.
ASHLEY RD.
A3050
A317
A244
A224
B365
B375
B376
B373
B372
100

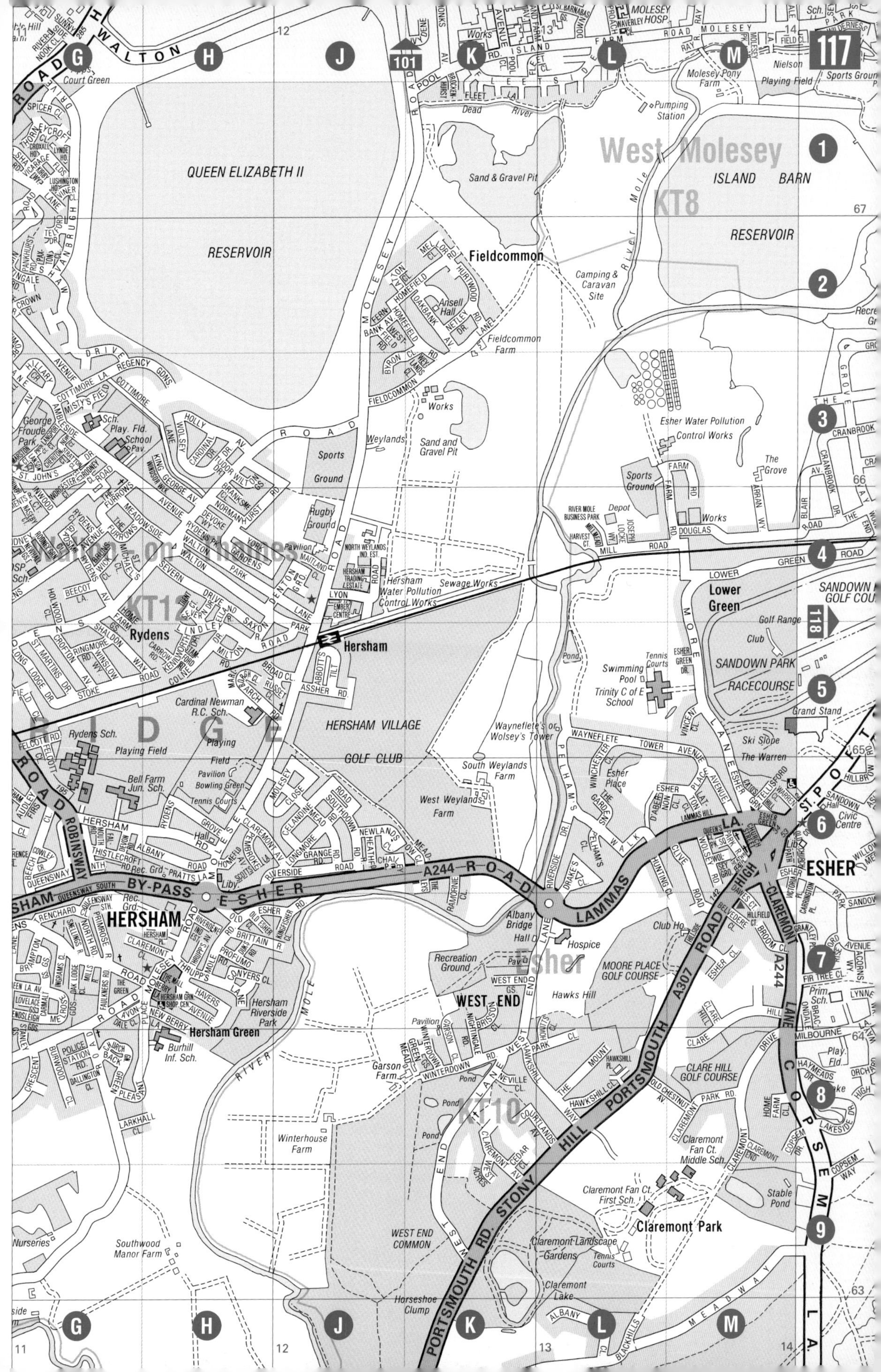
QUEEN ELIZABETH II
RESERVOIR
West Molesey
KT8
ISLAND BARN
RESERVOIR
Fieldcommon
Sand & Gravel Pit
Camping & Caravan Site
Esher Water Pollution Control Works
Walton-on-Thames
KT12
Rydens
Hersham
HERSHAM VILLAGE GOLF CLUB
Hersham Water Pollution Control Works
Sewage Works
Lower Green
SANDOWN PARK RACECOURSE
Trinity C of E School
Wayneflete's or Wolsey's Tower
South Weylands Farm
West Weylands Farm
ESHER
Esher
HERSHAM
Hersham Green
WEST END
MOORE PLACE GOLF COURSE
CLARE HILL GOLF COURSE
KT10
Winterhouse Farm
Southwood Manor Farm
Garson Farm
WEST END COMMON
Claremont Park
Claremont Landscape Gardens
Claremont Lake
Horseshoe Clump
Nurseries
A244 ROAD
ESHER BY-PASS
PORTSMOUTH RD.
A307
River Mole
101
118
G H J K L M
1 2 3 4 5 6 7 8 9
11 12 13 14
63 64 65 66 67

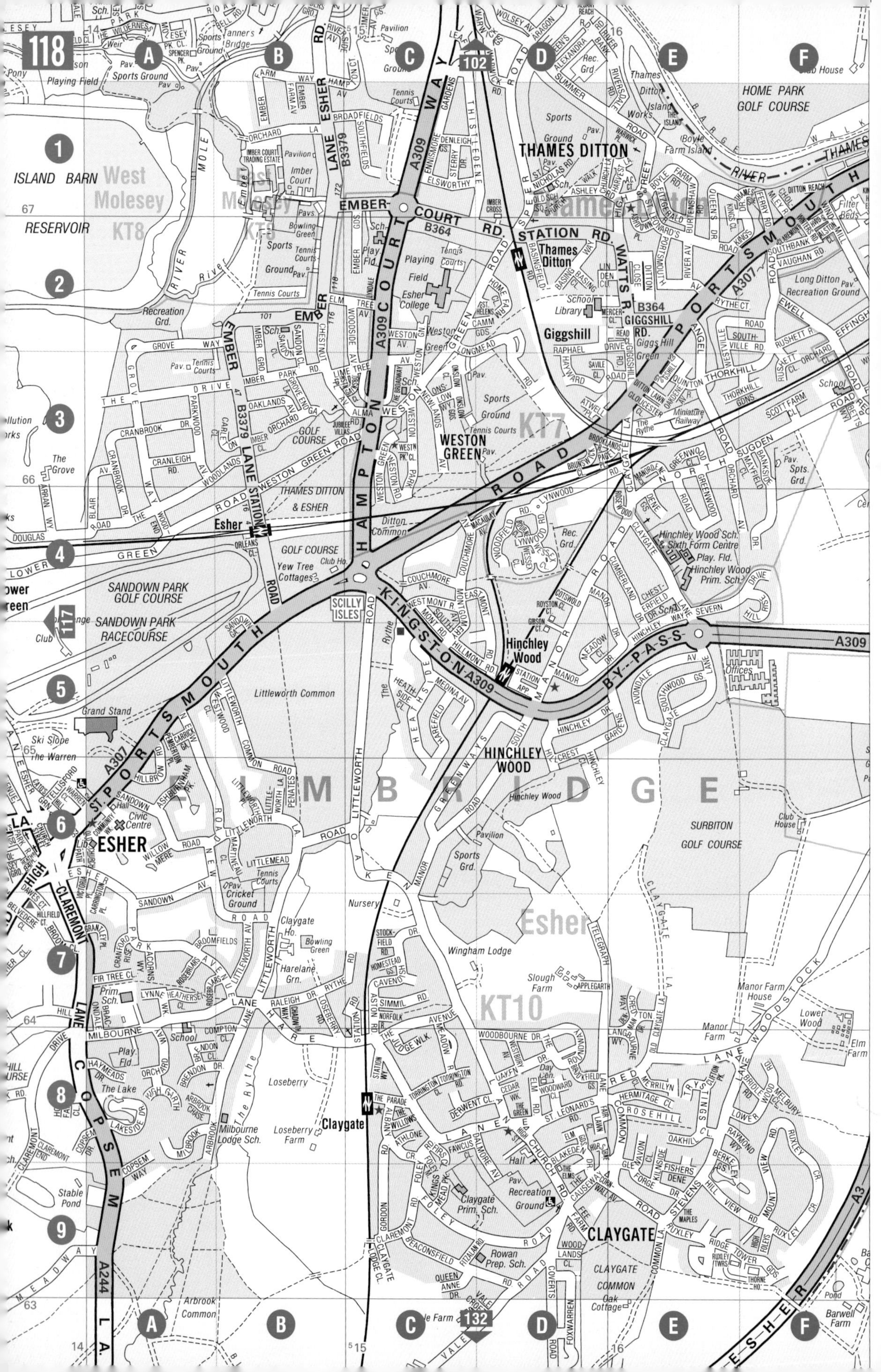

ISLAND BARN RESERVOIR
West Molesey KT8
East Molesey KT8
RIVER MOLE
Sports Ground
Playing Field
Imber Court
Imber Court Trading Estate
Recreation Grd.
EMBER LANE
ESHER RD.
B3379
A309
HAMPTON COURT WAY
EMBER COURT RD.
B364
STATION RD.
THAMES DITTON
Thames Ditton
Esher College
Playing Field
Thames Ditton Island
Boyle Farm Island
HOME PARK GOLF COURSE
RIVER THAMES
BARGE WALK
PORTSMOUTH ROAD
A307
Long Ditton Recreation Ground
Giggshill
Giggs Hill Green
KT7
WESTON GREEN
Sports Ground
GOLF COURSE
THAMES DITTON & ESHER GOLF COURSE
Esher
Ditton Common
Yew Tree Cottages
SCILLY ISLES
SANDOWN PARK GOLF COURSE
SANDOWN PARK RACECOURSE
Grand Stand
Ski Slope
The Warren
KINGSTON BY-PASS
A309
Hinchley Wood
HINCHLEY WOOD
Hinchley Wood Sch. & Sixth Form Centre
Hinchley Wood Prim. Sch.
Littleworth Common
ELMBRIDGE
ESHER
Civic Centre
SURBITON GOLF COURSE
Esher
KT10
Wingham Lodge
Slough Farm
Manor Farm House
Manor Farm
Lower Wood
Elm Farm
Claygate Ho.
Harelane Grn.
Loseberry
Loseberry Farm
Claygate
CLAYGATE
Claygate Prim. Sch.
Recreation Ground
Rowan Prep. Sch.
CLAYGATE COMMON
Oak Cottage
Milbourne Lodge Sch.
The Lake
Stable Pond
COPSEM LANE
A244
Arbrook Common
ESHER RD.
A3
Barwell Farm
102
117
132

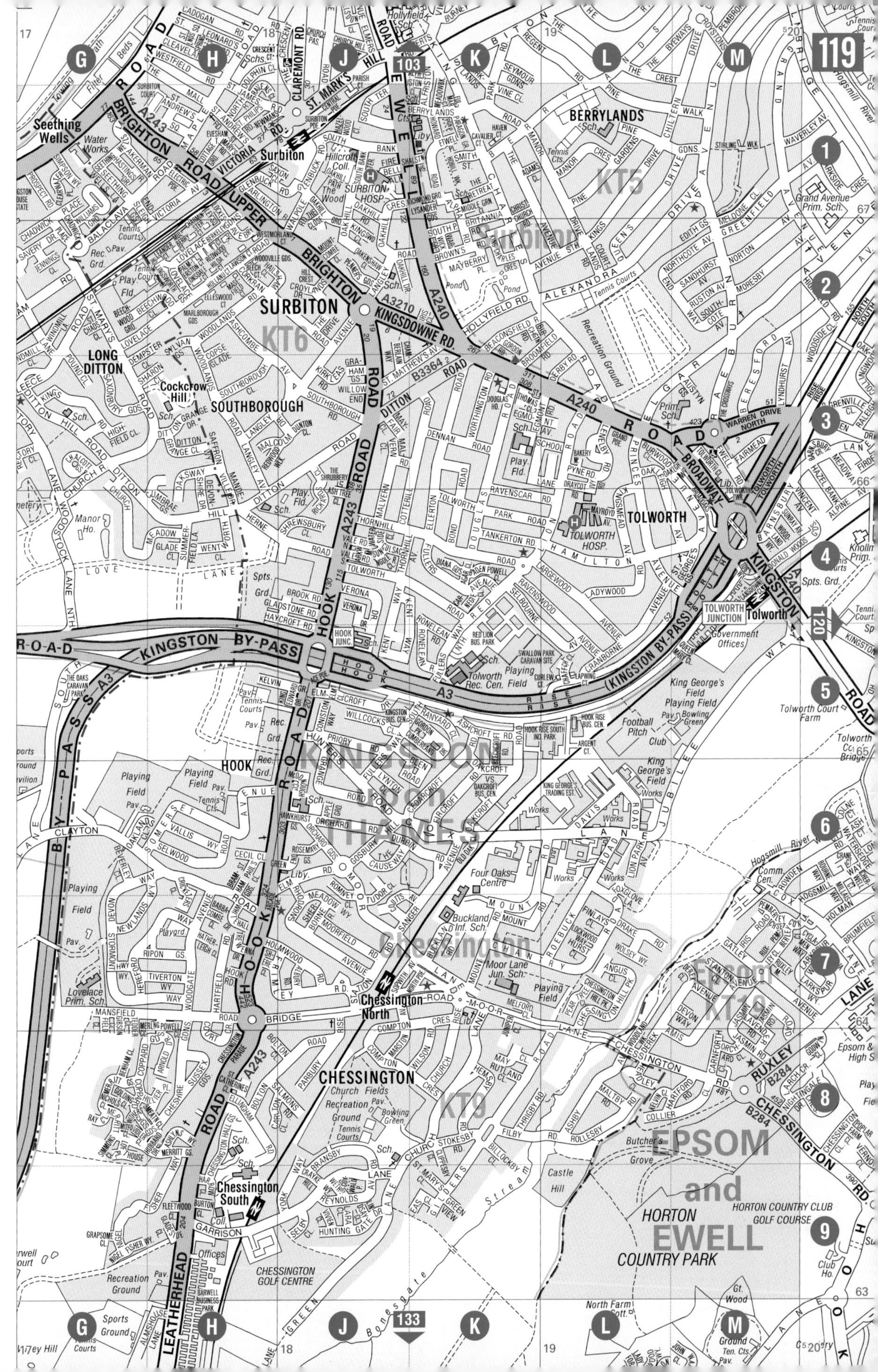
SURBITON
KT6
KT5
Surbiton
BERRYLANDS
LONG DITTON
SOUTHBOROUGH
Cockcrow Hill
TOLWORTH
Tolworth Hosp.
Tolworth Junction
Tolworth
HOOK
KINGSTON upon THAMES
Chessington
CHESSINGTON
Chessington North
Chessington South
KT9
EPSOM and EWELL
KT19
HORTON COUNTRY PARK
HORTON COUNTRY CLUB GOLF COURSE
CHESSINGTON GOLF CENTRE
KINGSTON BY-PASS
BRIGHTON ROAD
UPPER BRIGHTON ROAD
KINGSDOWNE RD.
HOOK ROAD
LEATHERHEAD ROAD
EWELL ROAD
BROADWAY
HOOK RISE
CHESSINGTON RD.
Seething Wells
Water Works
Hillcroft Coll.
Surbiton Hosp.
King George's Field
Government Offices
Four Oaks Centre
Buckland Inf. Sch.
Moor Lane Jun. Sch.
Grand Avenue Prim. Sch.
Lovelace Prim. Sch.
Recreation Ground
Football Pitch
Castle Hill
Butcher's Grove
Ruxley
103
120
133

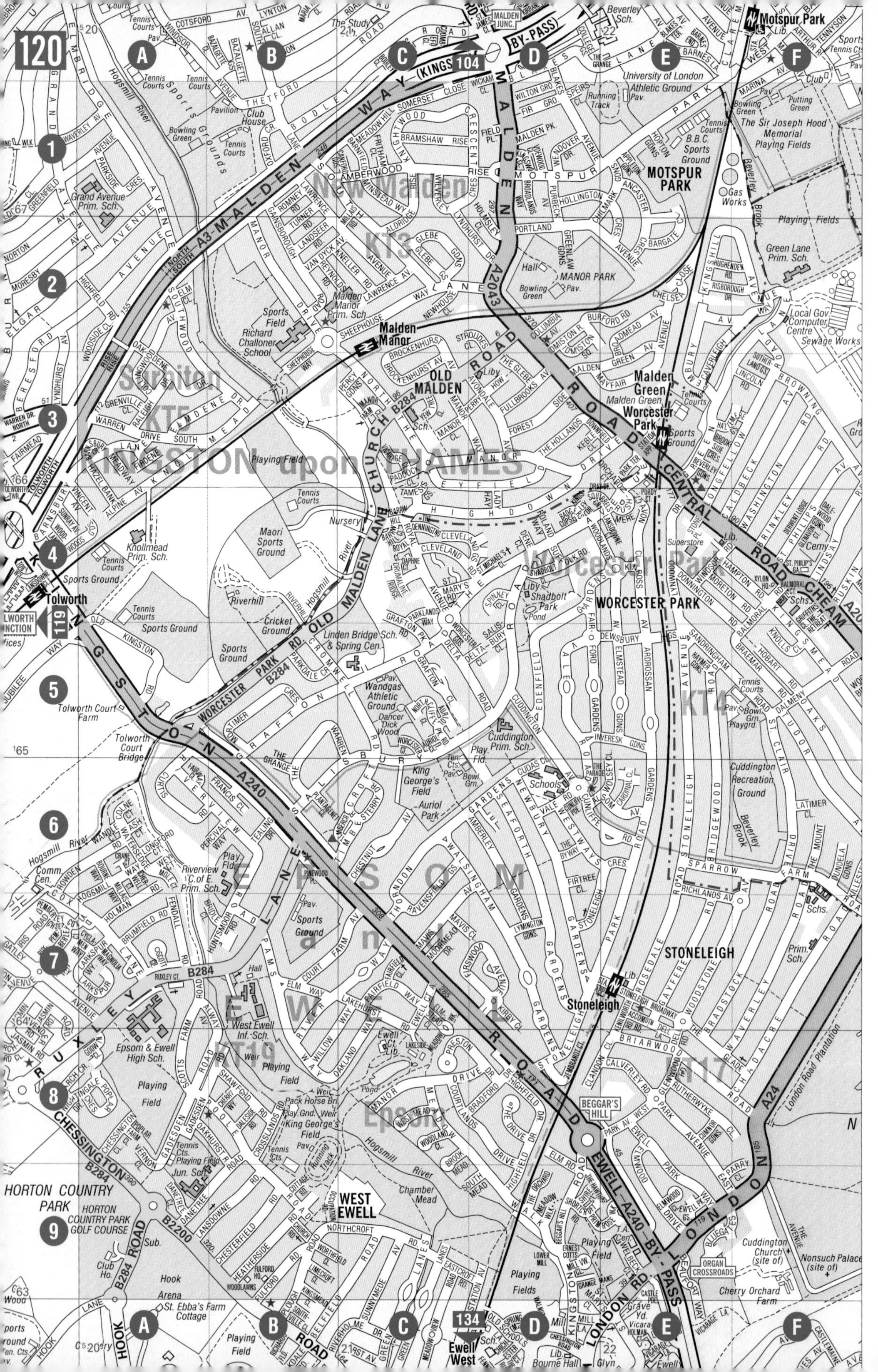
New Malden
KT3
Surbiton
KT5
KINGSTON upon THAMES
OLD MALDEN
Malden Manor
MOTSPUR PARK
Motspur Park
Malden Green
Worcester Park
WORCESTER PARK
KT4
Tolworth
EPSOM and EWELL
KT19
KT17
STONELEIGH
Stoneleigh
WEST EWELL
Ewell West
HORTON COUNTRY PARK
HORTON COUNTRY PARK GOLF COURSE
A3 MALDEN WAY (KINGSTON BY-PASS)
MALDEN ROAD A2043
CENTRAL ROAD
CHEAM ROAD
KINGSTON ROAD A240
RUXLEY LANE B284
CHESSINGTON ROAD B284
WORCESTER PARK RD. B284
OLD MALDEN LANE
LONDON ROAD A24
EWELL BY-PASS A240
MALDEN JUNC.
BEGGAR'S HILL
ORGAN CROSSROADS
University of London Athletic Ground
The Sir Joseph Hood Memorial Playing Fields
B.B.C. Sports Ground
Gas Works
MANOR PARK
Green Lane Prim. Sch.
Local Gov. Computer Centre
Sewage Works
Richard Challoner School
Malden Manor Prim. Sch.
Grand Avenue Prim. Sch.
Knollmead Prim. Sch.
Maori Sports Ground
Linden Bridge Sch. & Spring Cen.
Wandgas Athletic Ground
Cuddington Prim. Sch.
King George's Field
Auriol Park
Cuddington Recreation Ground
Riverview C.of E. Prim. Sch.
Epsom & Ewell High Sch.
West Ewell Inf. Sch.
Cuddington Church (site of)
Nonsuch Palace (site of)
Cherry Orchard Farm
Tolworth Court Farm
Tolworth Court Bridge
St. Ebba's Farm Cottage
Hook
Hogsmill River
Beverley Brook
London Road Plantation
104
119
134

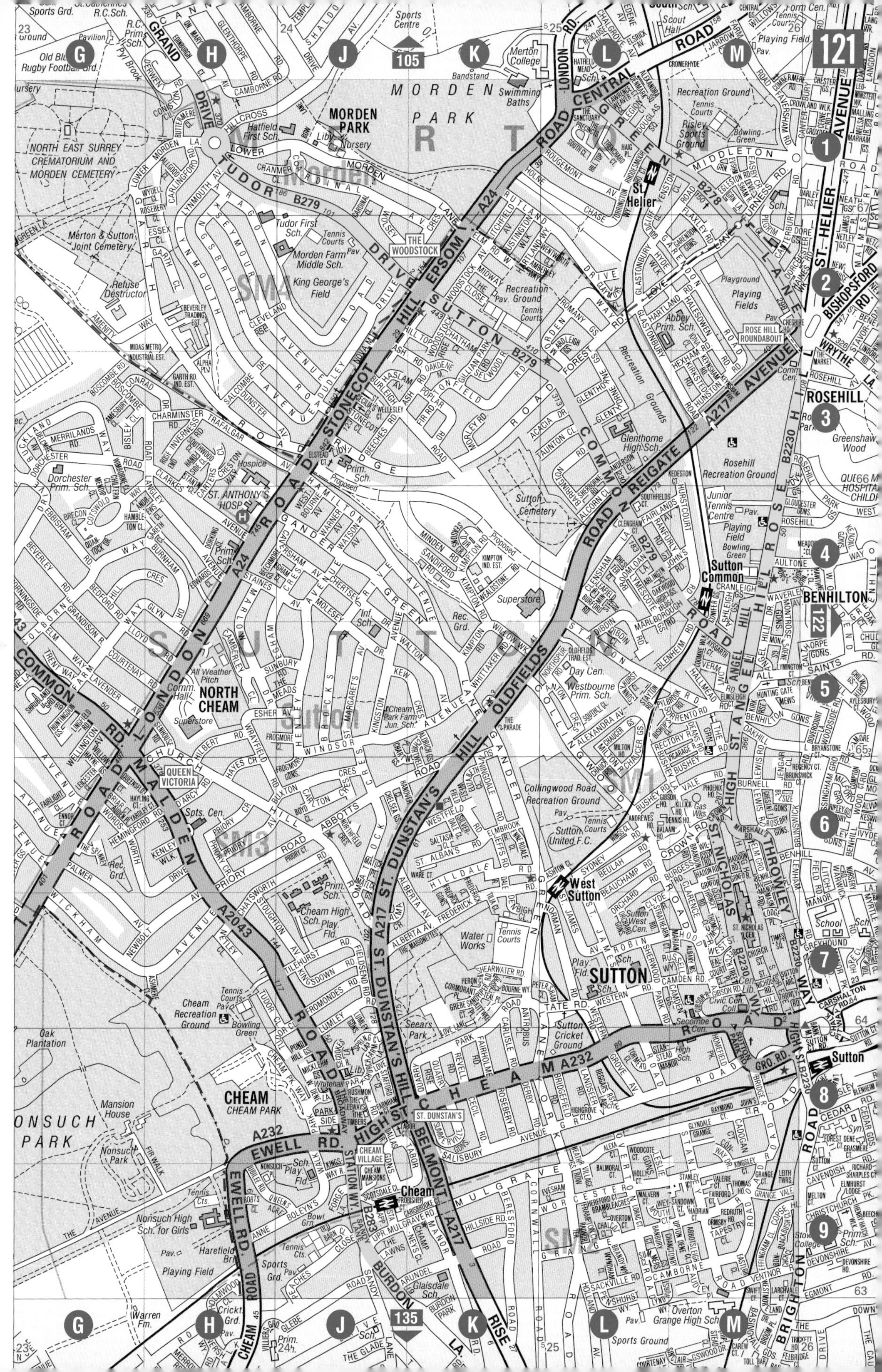

MORDEN PARK
MERTON
Merton College
Swimming Baths
NORTH EAST SURREY CREMATORIUM AND MORDEN CEMETERY
Merton & Sutton Joint Cemetery
Refuse Destructor
Morden Farm Middle Sch.
King George's Field
Tudor First Sch.
Hatfield First Sch.
THE WOODSTOCK
SM4
ST. ANTHONY'S HOSP.
Hospice
Dorchester Prim. Sch.
NORTH CHEAM
SUTTON
Sutton Cemetery
Glenthorne High Sch.
Recreation Grounds
Rosehill Recreation Ground
ROSEHILL
Sutton Common
BENHILTON
ROSE HILL ROUNDABOUT
Abbey Prim. Sch.
Recreation Ground
Risley Sports Ground
St. Helier
Superstore
Rec. Grd.
Westbourne Prim. Sch.
Collingwood Road Recreation Ground
Sutton United F.C.
SM1
West Sutton
SM3
QUEEN VICTORIA
Cheam High Sch.
Water Works
Sutton Cricket Ground
Seears Park
Cheam Recreation Ground
CHEAM
CHEAM PARK
ST. DUNSTAN'S
CHEAM VILLAGE
Cheam
NONSUCH PARK
Nonsuch High Sch. for Girls
Oak Plantation
Mansion House
Playing Field
SM2
Overton Grange High Sch.
Sports Ground
Sutton
A24
A217
A232
A2043
B279
B278
B2230
105
122
135
G H J K L M
1 2 3 4 5 6 7 8 9

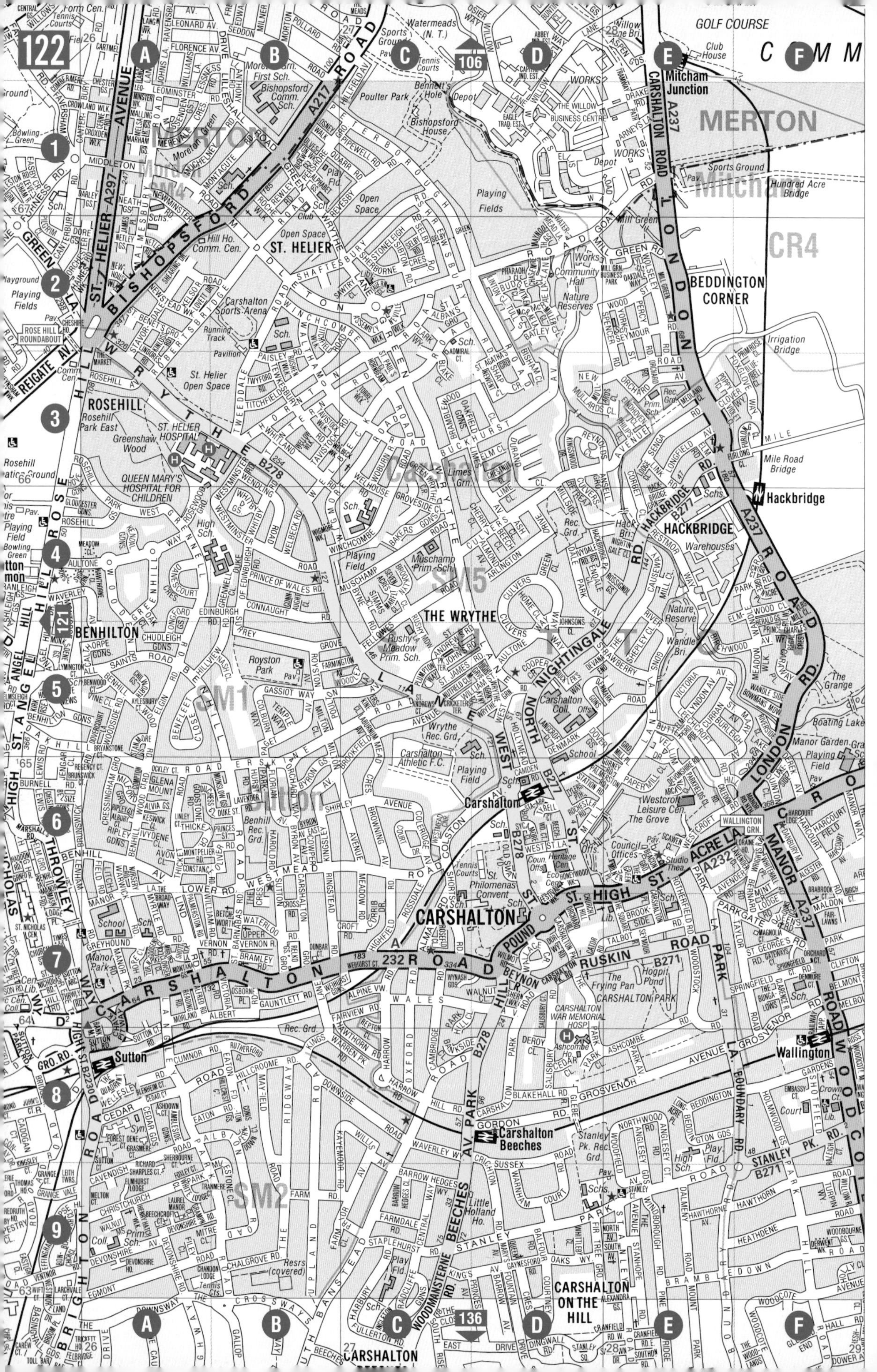
A
B
C
D
E
F
1
2
3
4
5
6
7
8
9
106
121
136
MERTON
Mitcham
CR4
SM4
SM5
SM1
SM2
GOLF COURSE
Club House
Mitcham Junction
Watermeads (N. T.)
Sports Ground
Tennis Courts
Poulter Park
Bennett's Hole
Bishopsford House
Depot
WORKS
THE WILLOW BUSINESS CENTRE
EAGLE TRAD. EST.
CAPITOL IND. EST.
ABBEY IND. EST.
Willow Lane Bri.
Sports Ground
Hundred Acre Bridge
Playing Fields
Open Space
ST. HELIER
Hill Ho. Comm. Cen.
Carshalton Sports Arena
Running Track
Pavilion
St. Helier Open Space
ROSE HILL ROUNDABOUT
ROSEHILL
Rosehill Park East
Greenshaw Wood
ST. HELIER HOSPITAL
QUEEN MARY'S HOSPITAL FOR CHILDREN
Morden
Moreton Green
Bishopsford Comm. Sch.
Community Hall
Nature Reserves
BEDDINGTON CORNER
Irrigation Bridge
Mile Road Bridge
Hackbridge
HACKBRIDGE
Warehouses
Nature Reserve
Wandle Bri.
The Grange
Boating Lake
Manor Garden
Playing Field
Carshalton
Limes Grn.
Muschamp Prim. Sch.
Playing Field
THE WRYTHE
Rushy Meadow Prim. Sch.
Royston Park
BENHILTON
Wrythe Rec. Grd.
Carshalton Athletic F.C.
Carshalton Coll.
Westcroft Leisure Cen.
The Grove
Council Offices
Studio Thea.
Heritage Cen.
Sutton
Benhill Rec. Grd.
St. Philomenas Convent
CARSHALTON
The Frying Pan
Hogpit Pond
CARSHALTON PARK
CARSHALTON WAR MEMORIAL HOSP.
Ashcombe Ho.
Wallington
WALLINGTON GRN.
Rec. Grd.
Sutton
Carshalton Beeches
Stanley Pk. Rec. Grd.
Little Holland Ho.
Resrs (covered)
CARSHALTON ON THE HILL
BISHOPSFORD ROAD
ST. HELIER AVENUE
A297
A217
A237
A232
B278
B277
B271
B2230
CARSHALTON ROAD
LONDON ROAD
WRYTHE LANE
NIGHTINGALE RD.
NORTH ST.
WEST ST.
HIGH ST.
ACRE LA.
MANOR RD.
WOODCOTE RD.
CARSHALTON ROAD
RUSKIN ROAD
POUND ST.
BEECHES AV.
BRIGHTON ROAD
THROWLEY WAY
ROSE HILL
ANGEL HILL
ST. NICHOLAS WAY
REIGATE AV.
MIDDLETON ROAD
PETERBOROUGH ROAD
GREEN WRYTHE LA.
MILL GREEN ROAD
GROSVENOR AVENUE
BOUNDARY RD.
PARK LA.
STANLEY PARK RD.
BANSTEAD ROAD
CARSHALTON

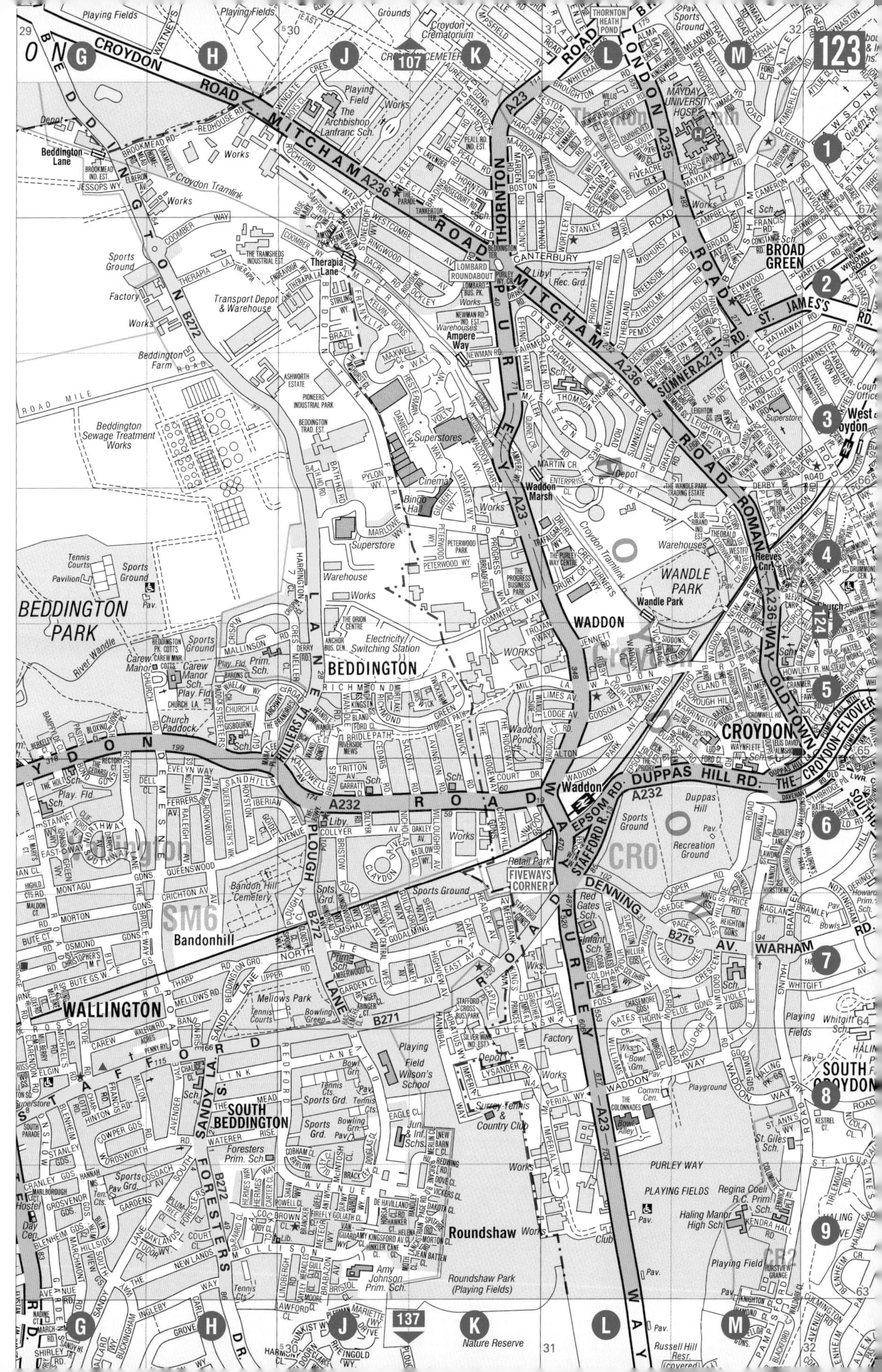

107
137
124
BEDDINGTON PARK
BEDDINGTON
WADDON
CROYDON
WALLINGTON
SOUTH BEDDINGTON
Bandonhill
Roundshaw
BROAD GREEN
SOUTH CROYDON
West Croydon
Beddington Lane
Therapia Lane
Ampere Way
Waddon Marsh
Wandle Park
Waddon
Reeves Cnr.
Beddington Sewage Treatment Works
Croydon Crematorium
Croydon Tramlink
River Wandle
WANDLE PARK
Duppas Hill
Recreation Ground
Roundshaw Park (Playing Fields)
PURLEY WAY PLAYING FIELDS
Nature Reserve
Russell Hill Resr. (covered)
MAYDAY UNIVERSITY HOSP.
The Archbishop Lanfranc Sch.
Wilson's School
Haling Manor High Sch.
Amy Johnson Prim. Sch.
Foresters Prim. Sch.
Whitgift Sch.
Surrey Tennis & Country Club
LOMBARD ROUNDABOUT
FIVEWAYS CORNER
MITCHAM ROAD A236
PURLEY WAY A23
CROYDON ROAD
DUPPAS HILL RD.
THE CROYDON FLYOVER
LONDON ROAD A235
ST. JAMES'S RD.
A232
B272
B271
B275
SM6
CR0
CR2

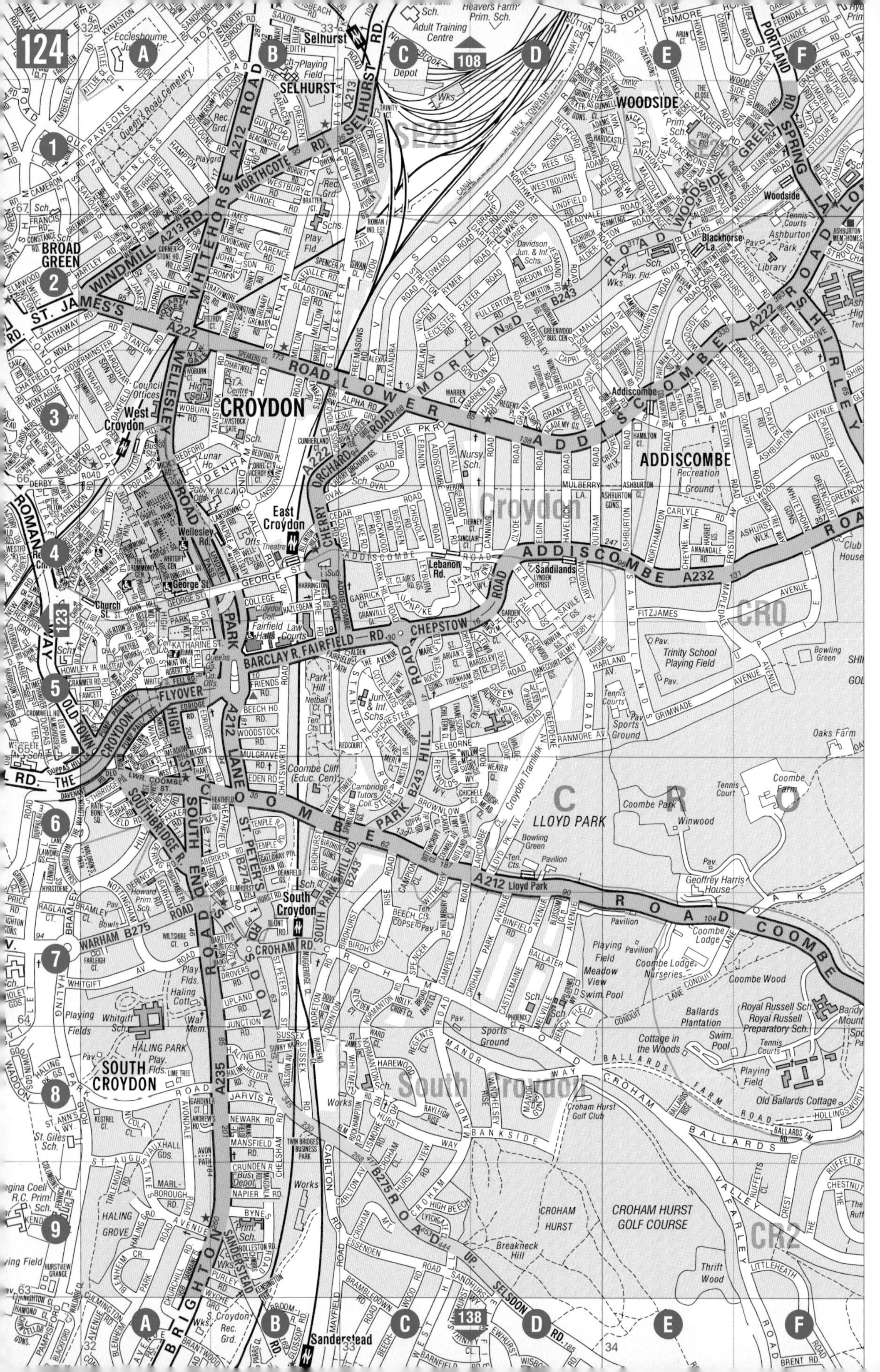

A
B
C
D
E
F
1
2
3
4
5
6
7
8
9
108
123
138
SELHURST
Selhurst
WOODSIDE
BROAD GREEN
CROYDON
West Croydon
East Croydon
ADDISCOMBE
Addiscombe
SE25
CR0
CR2
Croydon
South Croydon
SOUTH CROYDON
LLOYD PARK
Coombe Park
Coombe Farm
Winwood
Geoffrey Harris House
Coombe Lodge
Coombe Lodge Nurseries
Coombe Wood
Ballards Plantation
Royal Russell Sch.
Royal Russell Preparatory Sch.
Old Ballards Cottage
Cottage in the Woods
CROHAM HURST GOLF COURSE
CROHAM HURST
Croham Hurst Golf Club
Breakneck Hill
Thrift Wood
Trinity School Playing Field
Oaks Farm
Ashburton Park
Blackhorse La.
Lebanon Rd.
Sandilands
Wellesley Rd.
George St.
Church St.
Fairfield Halls
Law Courts
Croydon Coll.
Coombe Cliff (Educ. Cen.)
Whitgift Sch.
HALING PARK
Haling Grove
Sanderstead
Queen's Road Cemetery
Heavers Farm Prim. Sch.
Adult Training Centre
Depot
Lunar Ho.
Council Offices
Recreation Ground
Sports Ground
Playing Fields
A212
A213
A222
A232
A235
B243
B274
B275
WINDMILL RD.
WHITEHORSE ROAD
NORTHCOTE RD.
ST. JAMES'S ROAD
LOWER ADDISCOMBE ROAD
ADDISCOMBE ROAD
WOODSIDE GREEN
SHIRLEY ROAD
SPRING LA.
PORTLAND RD.
WELLESLEY ROAD
PARK LANE
CHERRY ORCHARD ROAD
COOMBE ROAD
FAIRFIELD RD.
BARCLAY R.
CHEPSTOW ROAD
PARK HILL RD.
BRIGHTON ROAD
SOUTH END
SANDERSTEAD RD.
SELSDON ROAD
CROHAM ROAD
BALLARDS WAY
CROHAM MANOR ROAD
WARHAM ROAD
BRIGHTON ROAD
OLD TOWN
ROMAN WAY
FLYOVER
CROYDON
UP. SELSDON RD.
FARLEY ROAD
BALLARDS FARM ROAD

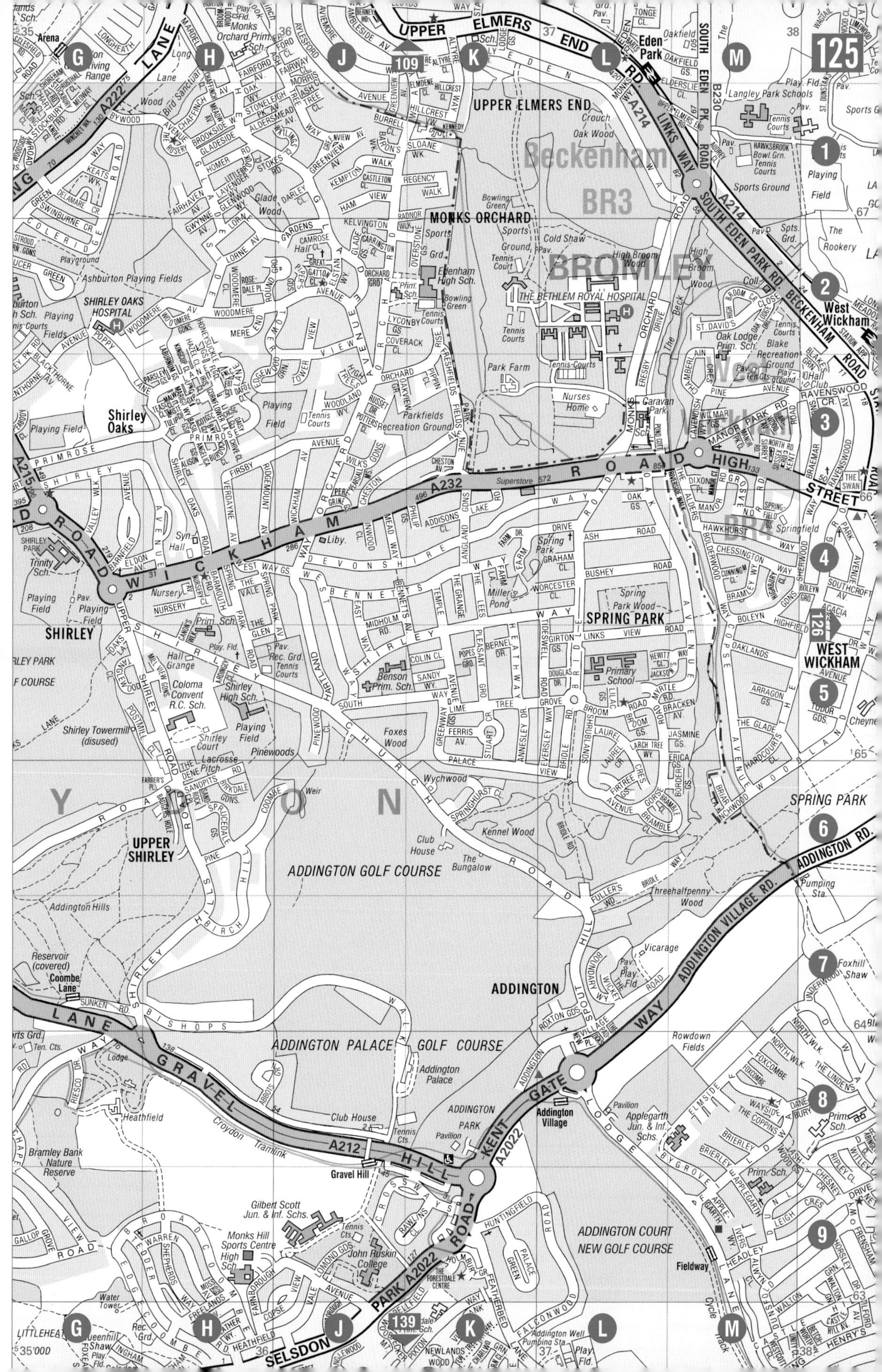
UPPER ELMERS END RD.
A214
Eden Park
UPPER ELMERS END
Beckenham
BR3
MONKS ORCHARD
BROMLEY
THE BETHLEM ROYAL HOSPITAL
Langley Park Schools
Sports Ground
SOUTH EDEN PARK RD.
BECKENHAM ROAD
LINKS WAY
West Wickham
HIGH STREET
WEST WICKHAM
BR4
SHIRLEY OAKS HOSPITAL
Shirley Oaks
Ashburton Playing Fields
Playing Field
WICKHAM ROAD
A232
A215
SHIRLEY
SPRING PARK
Spring Park Wood
Primary School
Benson Prim. Sch.
Shirley High Sch.
Coloma Convent R.C. Sch.
Shirley Towermill (disused)
Foxes Wood
Wychwood
Kennel Wood
SPRING PARK
ADDINGTON RD.
ADDINGTON VILLAGE RD.
Threehalfpenny Wood
ADDINGTON GOLF COURSE
UPPER SHIRLEY
Addington Hills
Reservoir (covered)
Coombe Lane
ADDINGTON
ADDINGTON PALACE GOLF COURSE
Addington Palace
GRAVEL HILL
A212
Croydon Tramlink
Gravel Hill
KENT GATE WAY
A2022
Addington Village
ADDINGTON PARK
Applegarth Jun. & Inf. Schs.
Rowdown Fields
Fieldway
ADDINGTON COURT NEW GOLF COURSE
Heathfield
Bramley Bank Nature Reserve
Gilbert Scott Jun. & Inf. Schs.
Monks Hill Sports Centre
John Ruskin College
THE FORESTDALE CENTRE
PARK A2022 ROAD
SELSDON
Addington Well Pumping Sta.
Foxhill Shaw
Pumping Sta.
109
126
139
G H J K L M
1 2 3 4 5 6 7 8 9
35 36 37 38
63 64 65 66 67

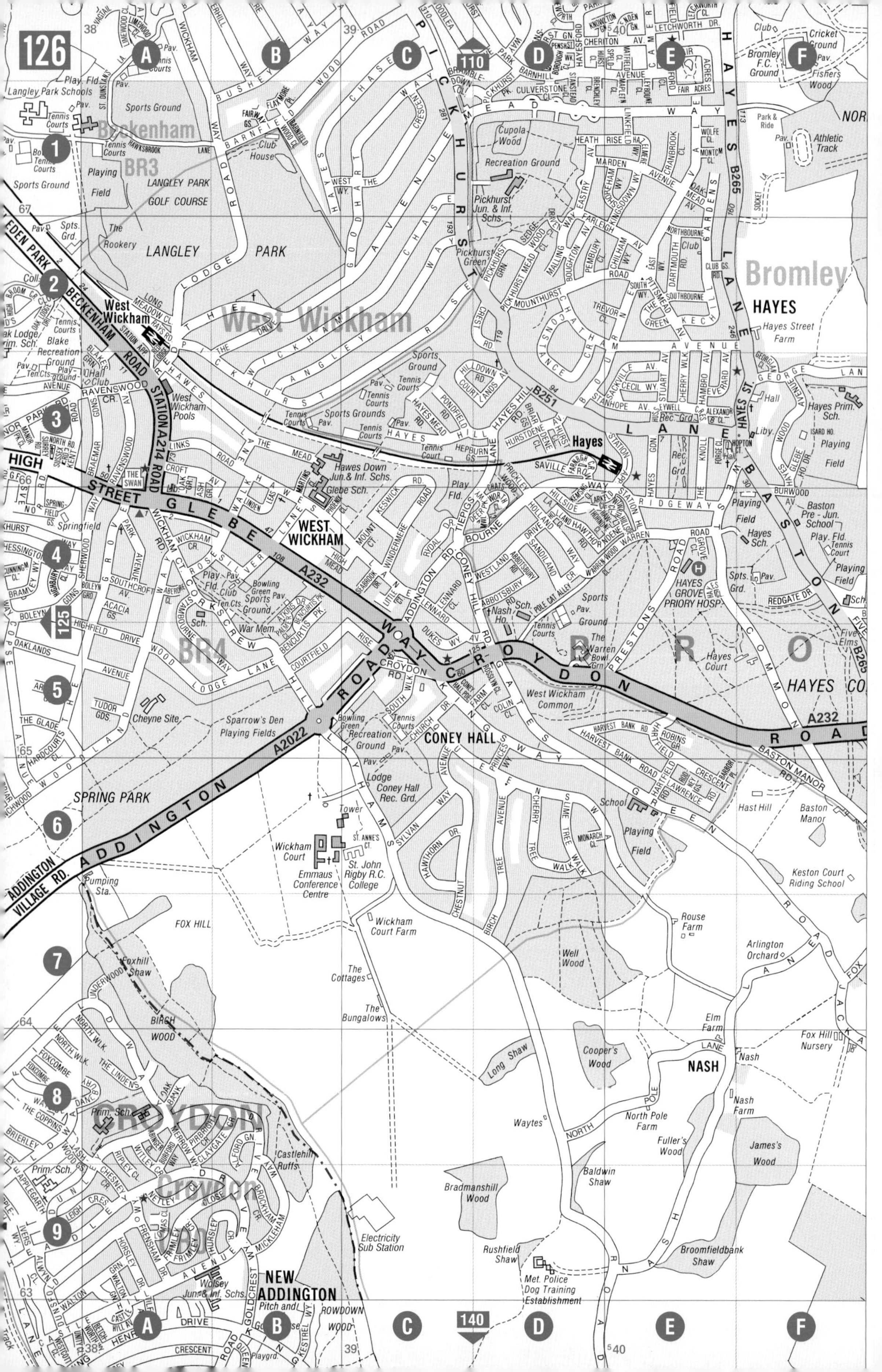

126
A
B
C
D
E
F
110
125
140
Beckenham
BR3
BR4
Langley Park Schools
Sports Ground
LANGLEY PARK GOLF COURSE
The Rookery
LANGLEY PARK
West Wickham
Pickhurst Jun. & Inf. Schs.
Recreation Ground
Cupola Wood
Bromley
HAYES
Hayes Street Farm
Hayes Prim. Sch.
Athletic Track
Bromley F.C. Ground
Cricket Ground
Fishers Wood
West Wickham Pools
Hawes Down Jun.& Inf. Schs.
Glebe Sch.
WEST WICKHAM
GLEBE WAY
A232
A2022
A214
B251
B265
HAYES LANE
CROYDON ROAD
ADDINGTON ROAD
PICKHURST LANE
HAYES CHASE
WICKHAM WAY
HIGH STREET
Hayes
Springfield
Blake Recreation Ground
War Mem.
Cheyne Site
Sparrow's Den Playing Fields
SPRING PARK
CONEY HALL
West Wickham Common
The Warren Bowl. Grn.
Hayes Court
HAYES GROVE PRIORY HOSP.
Baston Pre - Jun. School
Baston Manor
Hast Hill
Keston Court Riding School
Wickham Court
Emmaus Conference Centre
St. John Rigby R.C. College
Coney Hall Rec. Grd.
Lodge
Tower
Pumping Sta.
FOX HILL
Wickham Court Farm
The Cottages
The Bungalows
Foxhill Shaw
BIRCH WOOD
Well Wood
Rouse Farm
Arlington Orchard
Elm Farm
Fox Hill Nursery
Nash
NASH
Nash Farm
Cooper's Wood
Long Shaw
North Pole Farm
Fuller's Wood
James's Wood
Waytes
Baldwin Shaw
Bradmanshill Wood
Castlehill Ruffs
Electricity Sub Station
Rushfield Shaw
Met. Police Dog Training Establishment
Broomfieldbank Shaw
CROYDON
Croydon
NEW ADDINGTON
Wolsey Jun.& Inf. Schs.
ROWDOWN WOOD
ADDINGTON VILLAGE RD.

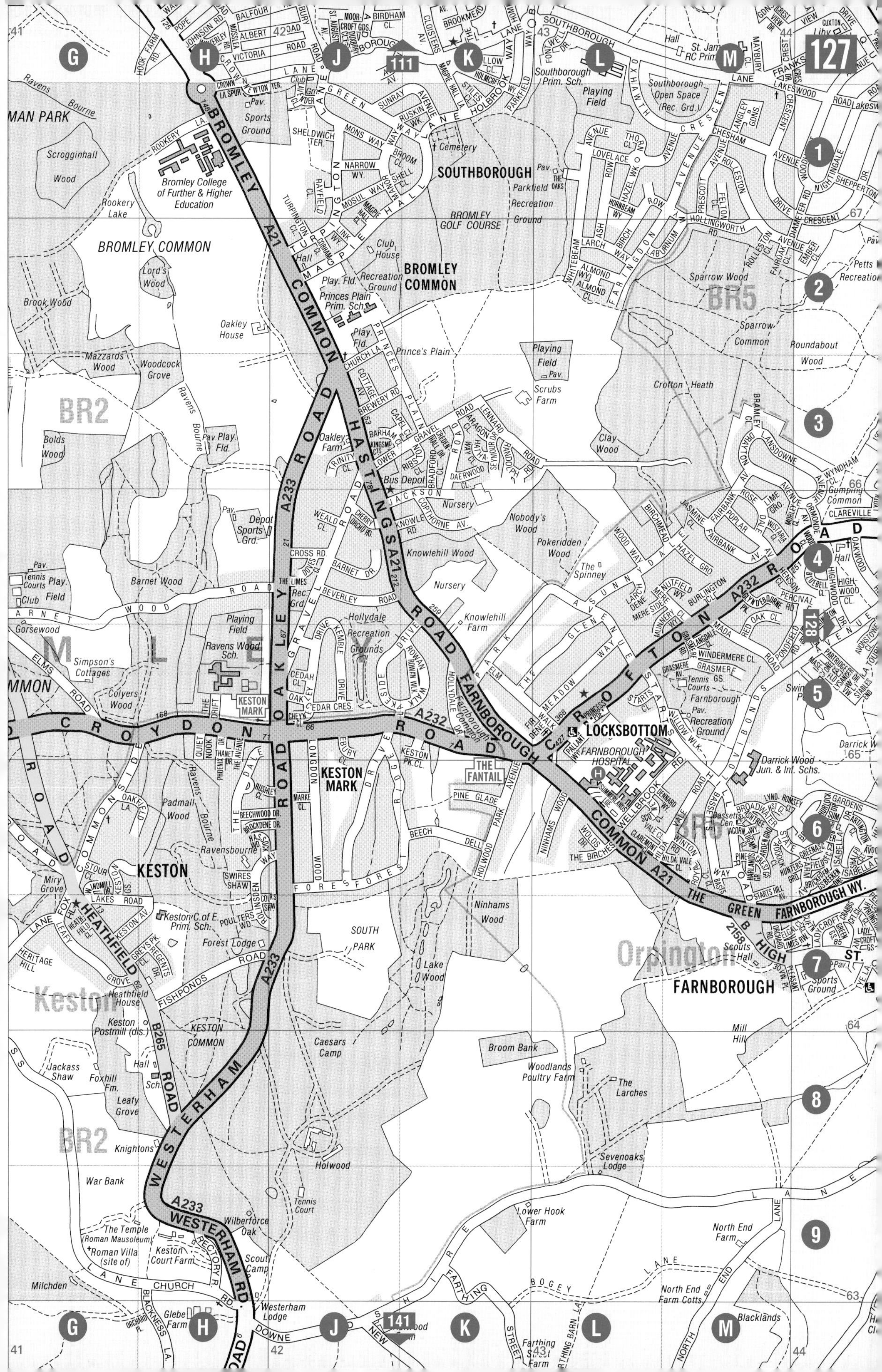
SOUTHBOROUGH
Southborough Prim. Sch.
Southborough Open Space (Rec. Grd.)
Playing Field
Sports Ground
Bromley College of Further & Higher Education
Scrogginhall Wood
Rookery Lake
BROMLEY COMMON
Lord's Wood
Brook Wood
Mazzards Wood
Woodcock Grove
BR2
Bolds Wood
Cemetery
BROMLEY GOLF COURSE
Parkfield Recreation Ground
Club House
Recreation Ground
Play. Fld.
Princes Plain Prim. Sch.
Oakley House
Prince's Plain
Playing Field
Scrubs Farm
Sparrow Wood
BR5
Sparrow Common
Roundabout Wood
Crofton Heath
Clay Wood
Gumping Common
Oakley Farm
Bus Depot
Nursery
Nobody's Wood
Pokeridden Wood
The Spinney
Knowlehill Wood
Knowlehill Farm
Depot Sports Grd.
Barnet Wood
Tennis Courts
Club
Play. Field
Gorsewood
Simpson's Cottages
Colyers Wood
Playing Field
Ravens Wood Sch.
KESTON MARK
Hollydale Recreation Grounds
Farnborough Common
THE FANTAIL
LOCKSBOTTOM
FARNBOROUGH HOSPITAL
Farnborough Recreation Ground
Darrick Wood Jun. & Inf. Schs.
Darrick Wood
KESTON MARK
Padmall Wood
Ravensbourne
KESTON
Miry Grove
Keston C. of E. Prim. Sch.
Forest Lodge
Heathfield House
Keston
Keston Postmill (dis.)
KESTON COMMON
SOUTH PARK
Ninhams Wood
Lake Wood
Caesars Camp
Broom Bank
Woodlands Poultry Farm
The Larches
Orpington
FARNBOROUGH
Scouts Hall
Sports Ground
Mill Hill
Jackass Shaw
Foxhill Fm.
Leafy Grove
Knightons
War Bank
Holwood
Tennis Court
Sevenoaks Lodge
Lower Hook Farm
North End Farm
The Temple (Roman Mausoleum)
Roman Villa (site of)
Keston Court Farm
Wilberforce Oak
Scout Camp
Milchden
Glebe Farm
Westerham Lodge
North End Farm Cotts.
Blacklands
BROMLEY COMMON A21
HASTINGS ROAD A21
FARNBOROUGH COMMON A21
OAKLEY ROAD A233
WESTERHAM ROAD A233
CROYDON ROAD A232
CROFTON ROAD A232
HEATHFIELD ROAD B265
FARNBOROUGH WY.
HIGH ST.
FISHPONDS ROAD
FORESTDRIVE
SOUTHBOROUGH LANE
HOLBROOK LANE
MAGPIE HALL LANE
TURPINGTON LANE
CROFTON LANE
JACKSON ROAD
GRAVEL ROAD
LENNARD ROAD
BARNET WOOD ROAD
COMMONSIDE
LANE CHURCH RD.
DOWNE ROAD
SHIRE LANE
BOGEY LANE
NORTH END LANE
FARTHING STREET
111
128
141
G H J K L M
1 2 3 4 5 6 7 8 9
41 42 43 44
63 64 65 66 67

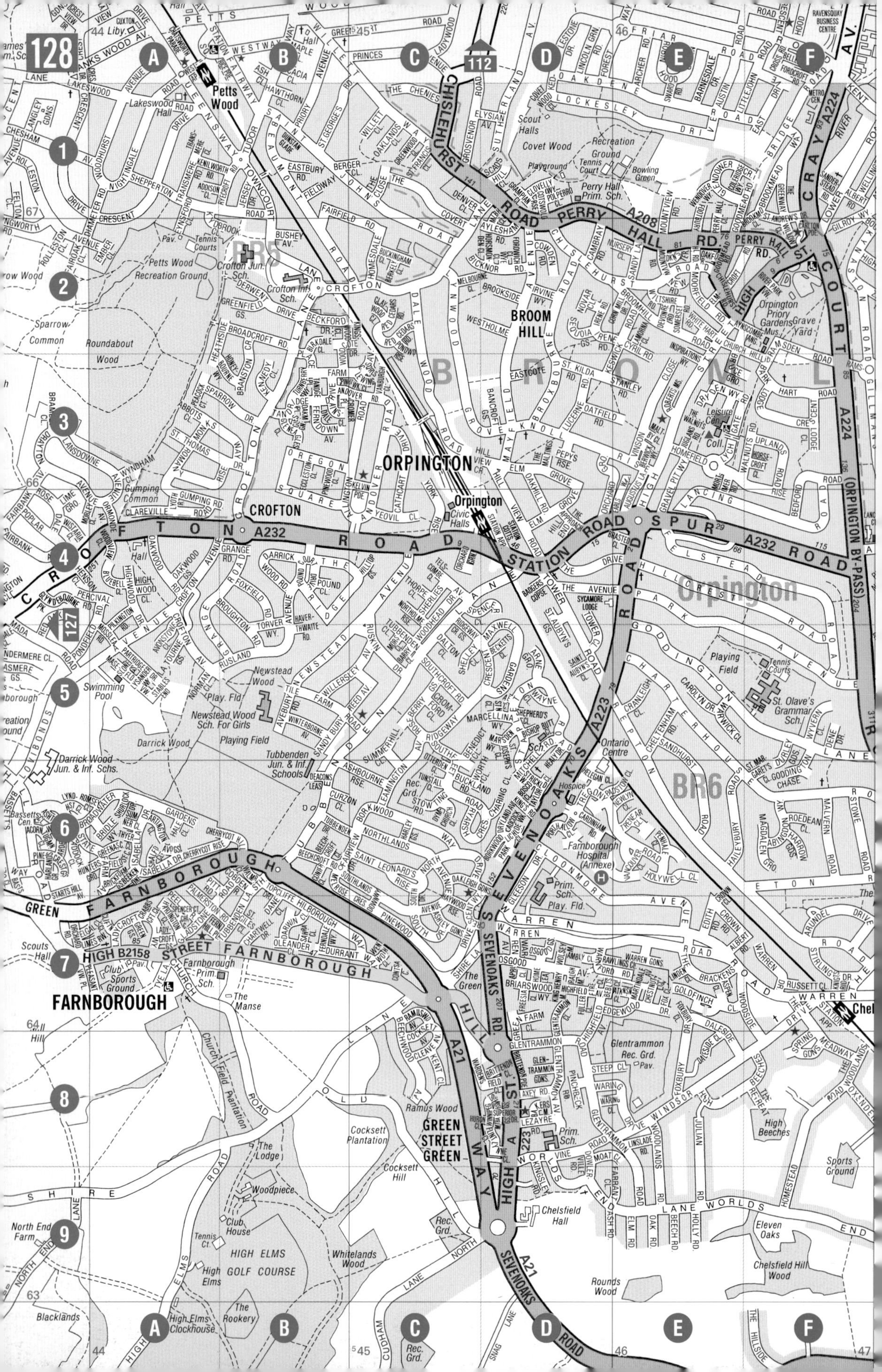

A
B
C
D
E
F
1
2
3
4
5
6
7
8
9
112
127
Petts Wood
Lakeswood Hall
Petts Wood Recreation Ground
Sparrow Common
Roundabout Wood
Crofton Jun. Sch.
Crofton Inf. Sch.
BR5
BROOM HILL
Covet Wood
Scout Halls
Recreation Ground
Playground
Tennis Court
Bowling Green
Perry Hall Prim. Sch.
Orpington Priory Gardens
Grave Yard
ORPINGTON
Orpington
Civic Halls
CROFTON
Gumping Common
CROFTON ROAD
A232
STATION ROAD
SPUR ROAD
A232 ROAD
(ORPINGTON BY-PASS)
A224
COURT
CRAY
HIGH ST.
PERRY HALL RD.
A208
CHISLEHURST
ROAD
Leisure Cen.
Coll.
Playing Field
St. Olave's Grammar Sch.
Ontario Centre
Hospice
Farnborough Hospital (Annexe)
Prim. Sch.
Play. Fld.
BR6
SEVENOAKS
A223
Newstead Wood
Newstead Wood Sch. For Girls
Playing Field
Darrick Wood
Darrick Wood Jun. & Inf. Schs.
Tubbenden Jun. & Inf. Schools
Swimming Pool
FARNBOROUGH
GREEN
HIGH B2158 STREET FARNBOROUGH
Scouts Hall
Club
Sports Ground
Farnborough Prim. Sch.
The Manse
The Green
Church Field Plantation
Ramus Wood
GREEN STREET GREEN
Cocksett Plantation
Cocksett Hill
HILL
A21
WAY
HIGH ST.
Glentrammon Rec. Grd.
Pav.
High Beeches
Sports Ground
Chelsfield Hall
WORLDS END LANE
Eleven Oaks
Chelsfield Hill Wood
Rounds Wood
Whitelands Wood
HIGH ELMS GOLF COURSE
High Elms
Club House
Tennis
The Rookery
High Elms Clockhouse
Woodpiece
The Lodge
SHIRE LANE
North End Farm
Blacklands
NORTH END
Rec. Grd.
SEVENOAKS ROAD
44
45
46
47
63
64
66
67

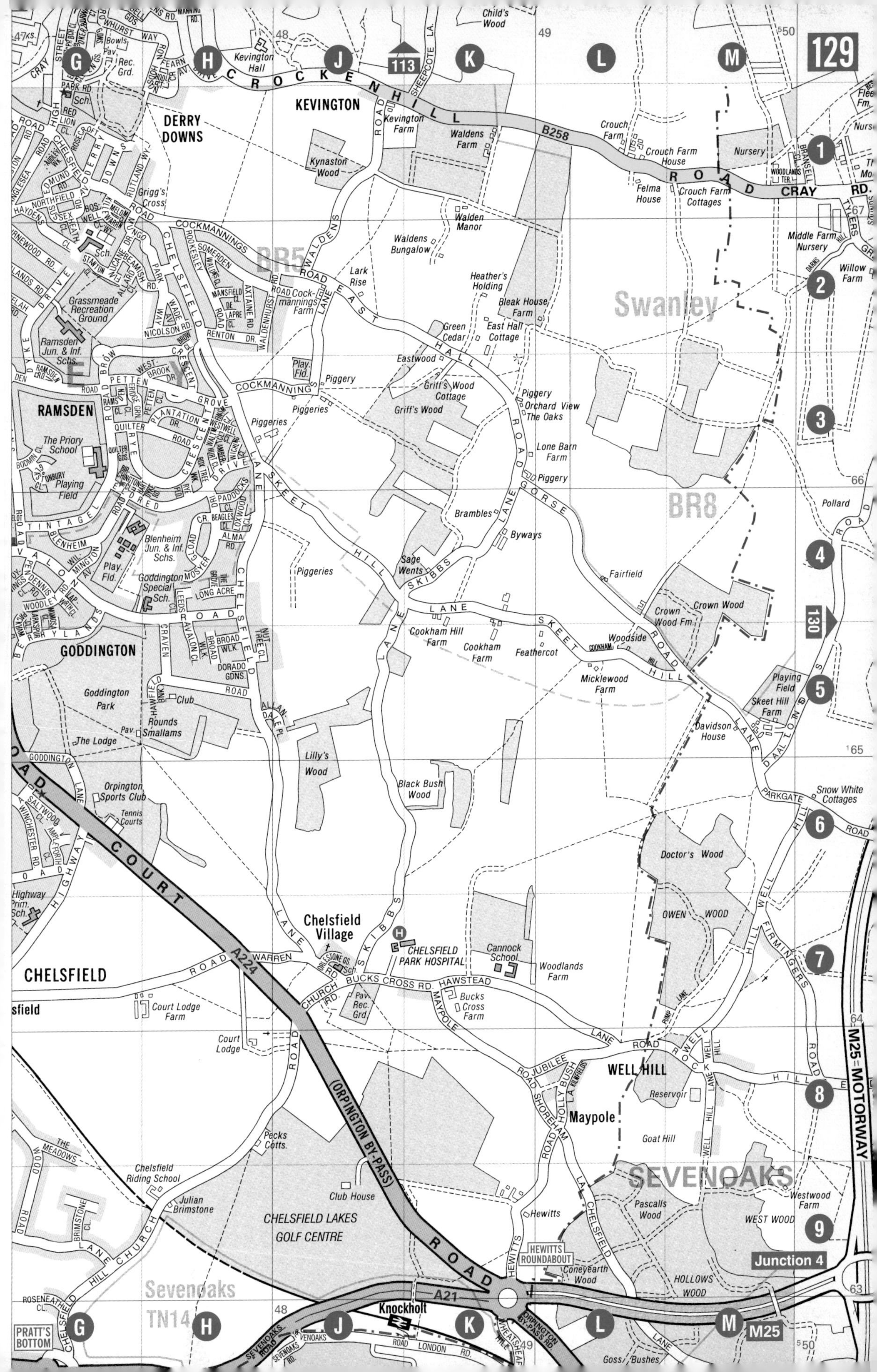
KEVINGTON
DERRY DOWNS
Kevington Hall
Kevington Farm
Waldens Farm
Kynaston Wood
Crouch Farm
Crouch Farm House
Felma House
Crouch Farm Cottages
Nursery
CRAY RD.
B258
CROCKENHILL ROAD
Grigg's Cross
Walden Manor
Waldens Bungalow
Middle Farm Nursery
Willow Farm
Lark Rise
Heather's Holding
Bleak House Farm
Swanley
BR5
Cockmannings Farm
Green Cedar
East Hall Cottage
Eastwood
Grassmeade Recreation Ground
Ramsden Jun. & Inf. Schs.
RAMSDEN
Play. Fld.
Piggery
Griff's Wood Cottage
Griff's Wood
Piggeries
Orchard View
The Oaks
Lone Barn Farm
The Priory School
Playing Field
BR8
Pollard
Brambles
Byways
Blenheim Jun. & Inf. Schs.
Goddington Special Sch.
Sage Wents
Fairfield
Crown Wood Fm.
Crown Wood
130
GODDINGTON
Cookham Hill Farm
Cookham Farm
Feathercot
Woodside
Micklewood Farm
Playing Field
Skeet Hill Farm
Goddington Park
Club
Rounds Smallams
The Lodge
Davidson House
Lilly's Wood
Black Bush Wood
Snow White Cottages
Orpington Sports Club
Tennis Courts
Doctor's Wood
OWEN WOOD
Highway Prim. Sch.
Chelsfield Village
CHELSFIELD PARK HOSPITAL
Cannock School
Woodlands Farm
CHELSFIELD
Court Lodge Farm
Bucks Cross Farm
Court Lodge
WELL HILL
Reservoir
Maypole
Goat Hill
Pecks Cotts.
SEVENOAKS
Chelsfield Riding School
Julian Brimstone
Club House
Westwood Farm
Pascalls Wood
WEST WOOD
CHELSFIELD LAKES GOLF CENTRE
Hewitts
HEWITTS ROUNDABOUT
Coneyearth Wood
Junction 4
HOLLOWS WOOD
A224
COURT ROAD (ORPINGTON BY-PASS)
A21
M25-MOTORWAY
M25
Knockholt
Sevenoaks TN14
PRATT'S BOTTOM
Goss Bushes
LONDON RD.
113
G H J K L M
1 2 3 4 5 6 7 8 9
48 49 50 63 64 65 66 67

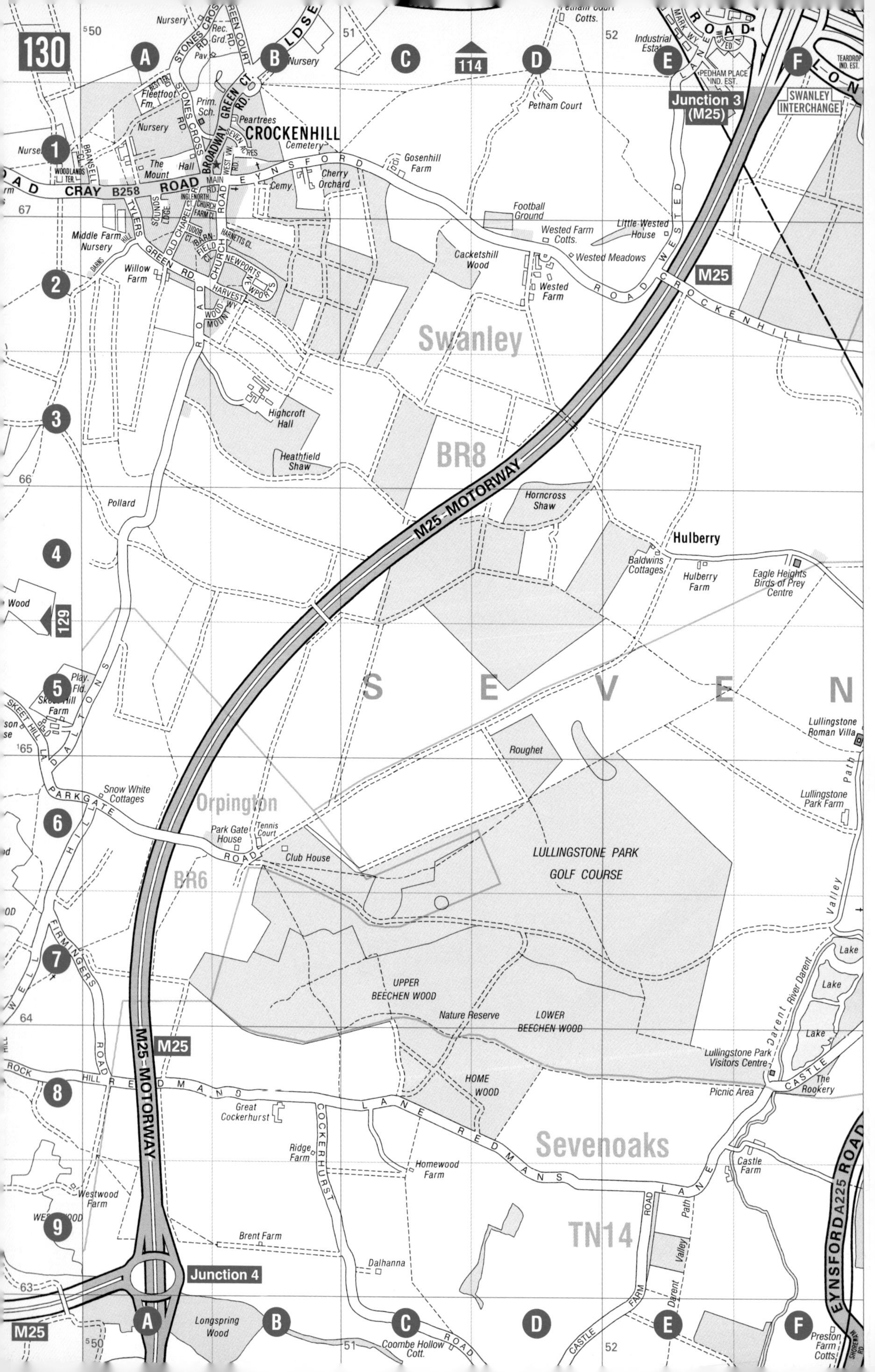

130
114
129
CROCKENHILL
Swanley
BR8
Hulberry
S E V E N
Orpington
BR6
Sevenoaks
TN14
M25 MOTORWAY
M25
Junction 3 (M25)
SWANLEY INTERCHANGE
Junction 4
CRAY B258 ROAD
EYNSFORD ROAD
WESTED LANE
CROCKENHILL ROAD
PARKGATE ROAD
REDMANS LANE
COCKERHURST ROAD
CASTLE FARM ROAD
EYNSFORD A225 ROAD
Nursery
Rec. Grd.
Pav.
Fleetfoot Fm.
Prim. Sch.
Peartrees
Cemetery
The Mount
Hall
Cemy.
Cherry Orchard
Gosenhill Farm
Petham Court
Industrial Estate
PEDHAM PLACE IND. EST.
TEARDROP IND. EST.
Football Ground
Little Wested House
Wested Farm Cotts.
Wested Meadows
Wested Farm
Cacketshill Wood
Middle Farm Nursery
Willow Farm
Highcroft Hall
Heathfield Shaw
Pollard
Horncross Shaw
Baldwins Cottages
Hulberry Farm
Eagle Heights Birds of Prey Centre
Wood
Play. Fld.
Skeet Hill Farm
Snow White Cottages
Park Gate House
Tennis Court
Club House
Roughet
LULLINGSTONE PARK GOLF COURSE
Lullingstone Roman Villa
Lullingstone Park Farm
UPPER BEECHEN WOOD
Nature Reserve
LOWER BEECHEN WOOD
HOME WOOD
Lullingstone Park Visitors Centre
Picnic Area
The Rookery
Lake
Darent River Darent
Darent Valley Path
Great Cockerhurst
Ridge Farm
Homewood Farm
Castle Farm
Westwood Farm
Brent Farm
Dalhanna
Longspring Wood
Coombe Hollow Cott.
Preston Farm Cotts.

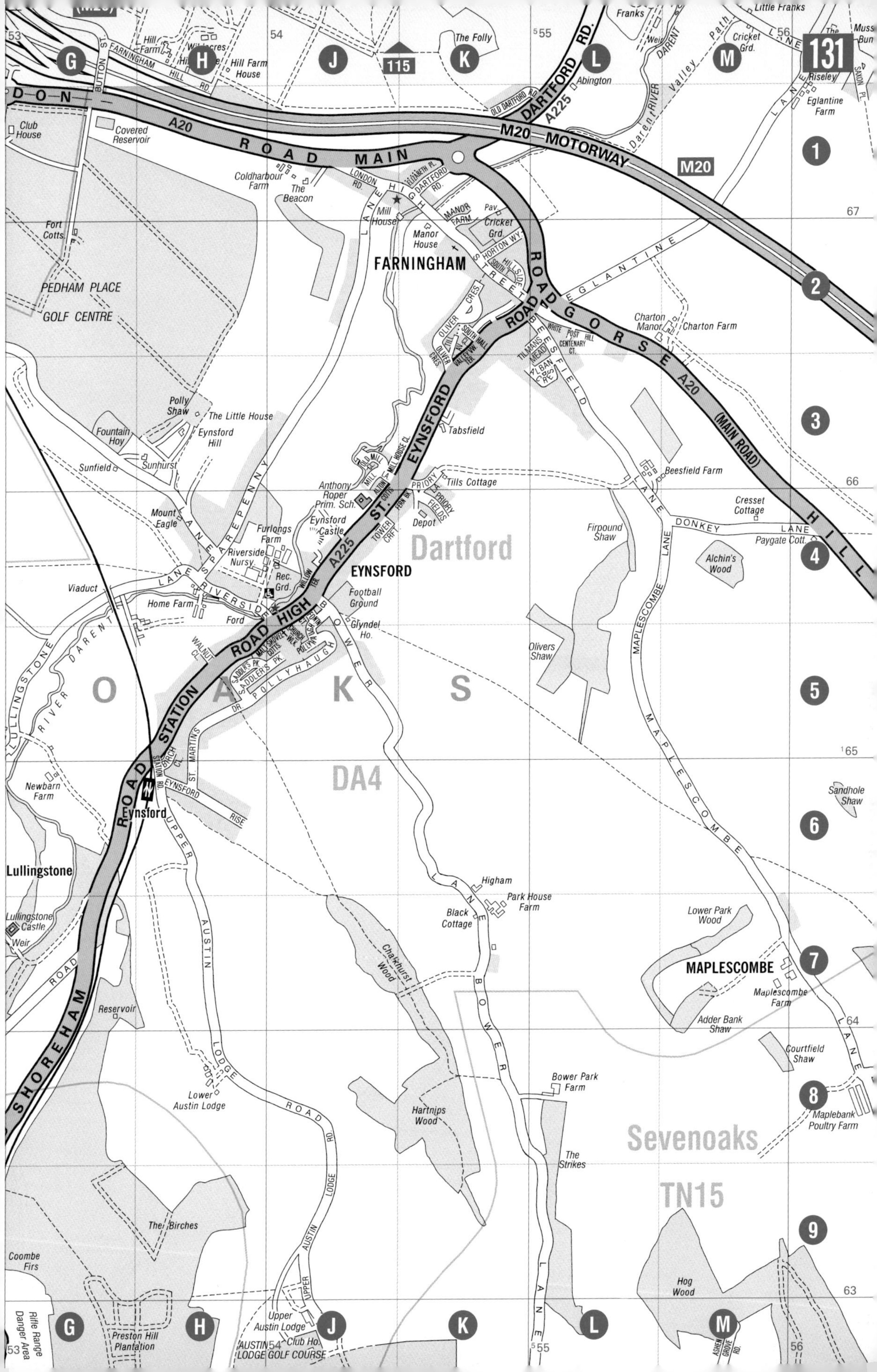

FARNINGHAM
EYNSFORD
Dartford
DA4
Sevenoaks
TN15
Lullingstone
MAPLESCOMBE
M20 MOTORWAY
M20
A20
A225
MAIN ROAD
GORSE HILL
EYNSFORD ROAD
HIGH ST.
STATION ROAD
SHOREHAM ROAD
AUSTIN LODGE ROAD
BOWER LANE
MAPLESCOMBE LANE
DONKEY LANE
EGLANTINE LANE
SPAREPENNY LANE
RIVERSIDE
PEDHAM PLACE GOLF CENTRE
Covered Reservoir
Club House
Coldharbour Farm
The Beacon
Fort Cotts.
Hill Farm
Wildacres
Hill Farm House
The Folly
Franks
Little Franks
Abington
Cricket Grd.
Riseley
Eglantine Farm
Mill House
Manor House
Manor Farm
Cricket Grd.
Pav.
Charton Manor
Charton Farm
Polly Shaw
The Little House
Fountain Hoy
Eynsford Hill
Sunfield
Sunhurst
Mount Eagle
Tabsfield
Anthony Roper Prim. Sch.
Eynsford Castle
Furlongs Farm
Riverside Nursy.
Rec. Grd.
Tills Cottage
Depot
Beesfield Farm
Cresset Cottage
Paygate Cott.
Alchin's Wood
Firpound Shaw
Football Ground
Glyndel Ho.
Olivers Shaw
Viaduct
Home Farm
Ford
Newbarn Farm
Eynsford
Lullingstone Castle
Weir
Reservoir
Sandhole Shaw
Higham
Park House Farm
Black Cottage
Chalkhurst Wood
Lower Park Wood
Maplescombe Farm
Adder Bank Shaw
Courtfield Shaw
Maplebank Poultry Farm
Bower Park Farm
Hartnips Wood
The Strikes
Lower Austin Lodge
The Birches
Coombe Firs
Preston Hill Plantation
Rifle Range Danger Area
Upper Austin Lodge
Club Ho.
AUSTIN LODGE GOLF COURSE
Hog Wood
ASHEN GROVE RD.
115
G H J K L M
1 2 3 4 5 6 7 8 9
53 54 55 56
67 66 65 64 63

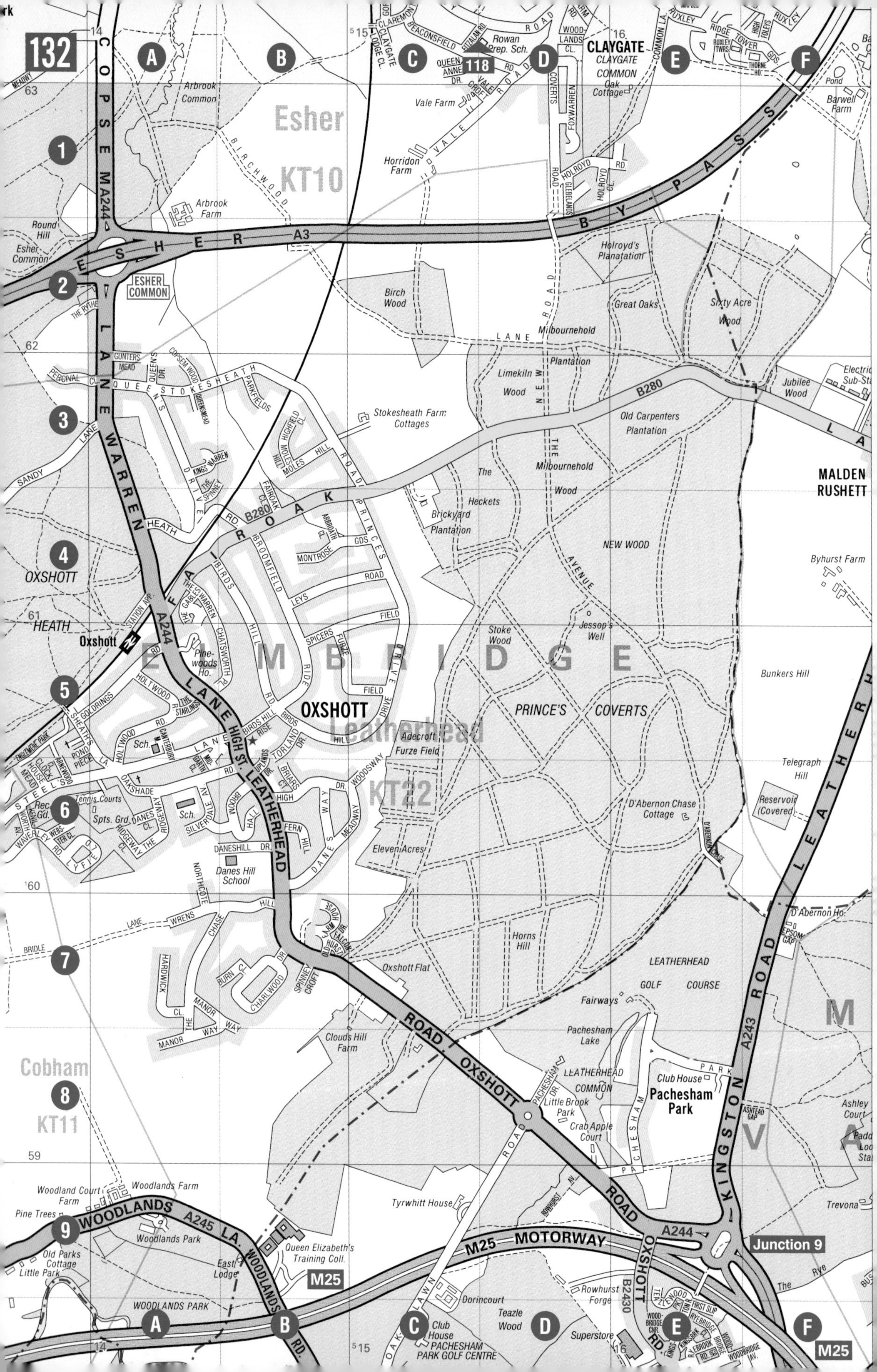

132
118
Arbrook Common
Esher
KT10
Vale Farm
Rowan Prep. Sch.
CLAYGATE
CLAYGATE COMMON
Oak Cottage
Barwell Farm
Horridon Farm
Arbrook Farm
Round Hill
Esher Common
ESHER COMMON
ESHER BYPASS
A3
Holroyd's Planatation
Birch Wood
Great Oaks
Sixty Acre Wood
Milbournehold Plantation
Limekiln Wood
Electric Sub-Sta
Jubilee Wood
B280
Old Carpenters Plantation
Stokesheath Farm Cottages
The Milbournehold Wood
The Heckets
Brickyard Plantation
MALDEN RUSHETT
NEW WOOD
Byhurst Farm
OXSHOTT
OXSHOTT HEATH
Oxshott
Stoke Wood
Jessop's Well
ELMBRIDGE
Pinewoods Ho.
Bunkers Hill
PRINCE'S COVERTS
Leatherhead
Adecroft Furze Field
KT22
Telegraph Hill
Reservoir (Covered)
D'Abernon Chase Cottage
Eleven Acres
Danes Hill School
Tennis Courts
Spts. Grd.
Rec. Gd.
D'Abernon Ho.
Horns Hill
Oxshott Flat
LEATHERHEAD GOLF COURSE
Fairways
Pachesham Lake
Clouds Hill Farm
LEATHERHEAD COMMON
Club House
Pachesham Park
Little Brook Park
Crab Apple Court
Cobham
KT11
Ashley Court
Woodland Court Farm
Woodlands Farm
Pine Trees
Woodlands Park
Old Parks Cottage
Little Park
East Lodge
Queen Elizabeth's Training Coll.
Tyrwhitt House
M25 MOTORWAY
A244
Junction 9
The Rye
Trevona
Dorincourt
Rowhurst Forge
Teazle Wood
Superstore
Club House PACHESHAM PARK GOLF CENTRE
WOODLANDS PARK
WOODLANDS LA. A245
COPSE LANE
WARREN LANE
A244
HIGH ST. LEATHERHEAD
OXSHOTT ROAD
KINGSTON ROAD A243
LEATHERHEAD ROAD
OXSHOTT RD. B2430
M25

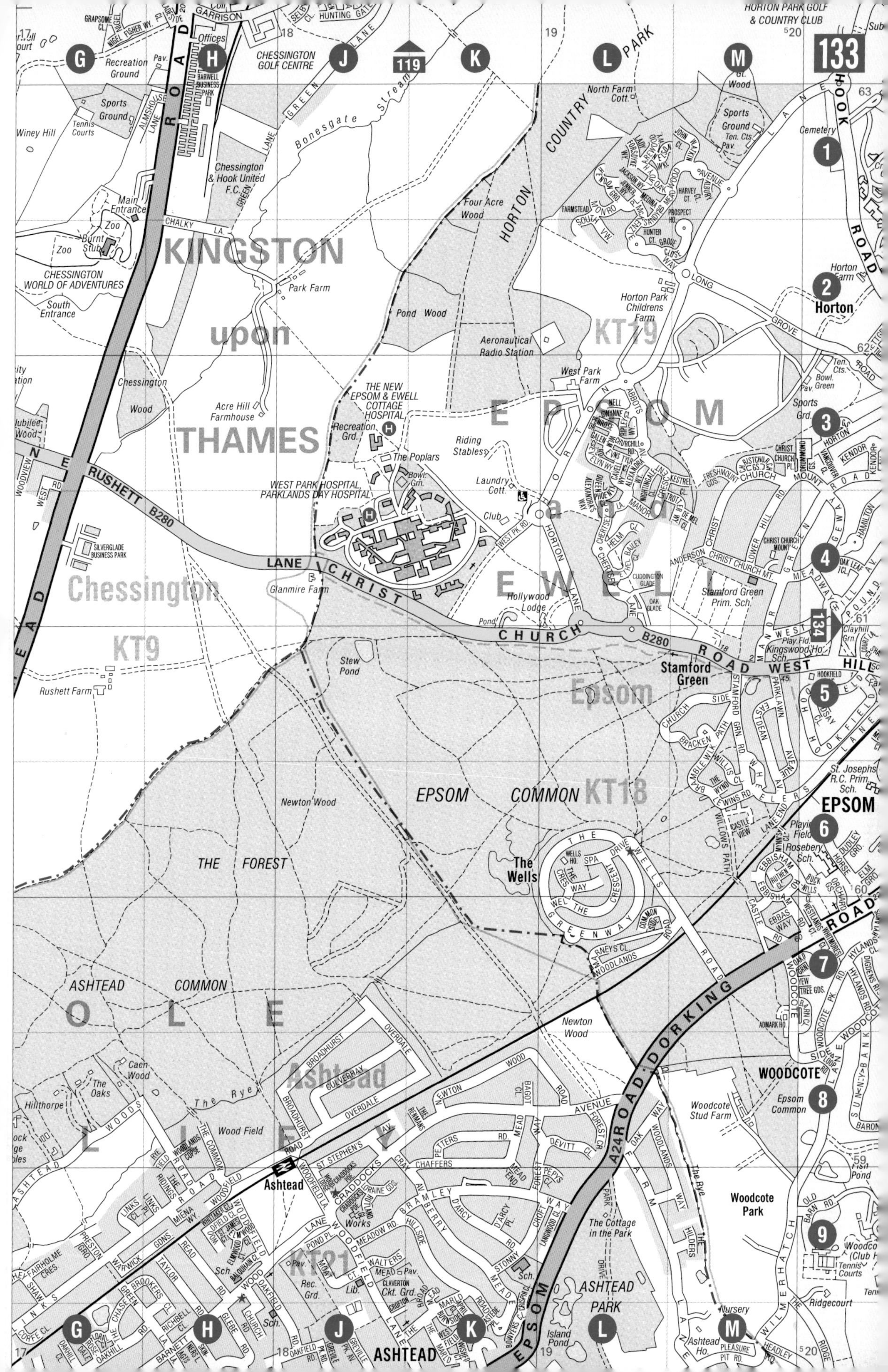
HORTON PARK GOLF & COUNTRY CLUB
GARRISON
HUNTING GATE
Offices
Recreation Ground
Pav.
CHESSINGTON GOLF CENTRE
119
North Farm Cott.
Gt. Wood
Sports Ground
Ten. Cts. Pav.
Cemetery
HOOK ROAD
Sports Ground
Tennis Courts
Winey Hill
ALMSHOUSE LANE
BARWELL BUSINESS PARK
Bonesgate Stream
GREEN LANE
COUNTRY PARK
Chessington & Hook United F.C.
Four Acre Wood
HORTON LANE
FARMSTEAD
SOUTH VW.
PROSPECT HO.
HUNTER CT.
LONG GROVE
Main Entrance
Zoo
Burnt Stub
CHALKY LA.
KINGSTON
CHESSINGTON WORLD OF ADVENTURES
South Entrance
Park Farm
Pond Wood
Horton Park Childrens Farm
Horton Farm
Horton
upon
Aeronautical Radio Station
KT19
Ten. Cts.
Bowl. Green
Chessington
Wood
Acre Hill Farmhouse
THE NEW EPSOM & EWELL COTTAGE HOSPITAL
West Park Farm
E P S O M
Sports Grd.
Jubilee Wood
THAMES
Recreation Grd.
Riding Stables
The Poplars
CHRIST CHURCH MOUNT ROAD
KENDOR
RUSHETT
B280
WEST PARK HOSPITAL, PARKLANDS DAY HOSPITAL
Laundry Cott.
Club
and
SILVERGLADE BUSINESS PARK
LANE
CHRIST CHURCH
Glanmire Farm
Chessington
E W E L L
Hollywood Lodge
HORTON LANE
CUDDINGTON GLADE
OAK GLADE
Stamford Green Prim. Sch.
ANDERSON CHRIST CHURCH MT.
KT9
Pond
B280
ROAD
WEST HILL
Kingswood Ho. Sch.
134
Rushett Farm
Stew Pond
Stamford Green
Epsom
STAMFORD GRN. RD.
PARKLAWN
HOOKFIELD
St. Josephs R.C. Prim. Sch.
EPSOM
Newton Wood
EPSOM COMMON
KT18
Rosebery Sch.
THE FOREST
The Wells
THE CRESCENT
THE GREENWAY
WOODLANDS
ASHTEAD COMMON
OLE
DORKING
Newton Wood
OVERDALE
BROADHURST
CULVERHAY
Ashtead
WOODCOTE
Epsom Common
Woodcote Stud Farm
Caen Wood
The Oaks
The Rye
Hillthorpe
Wood Field
LEY
A24 ROAD
ASHTEAD
Ashtead
Woodcote Park
The Cottage in the Park
Works
KT21
Pav.
Rec. Grd.
Lib.
CLAVERTON Ckt. Grd.
Sch.
ASHTEAD PARK
Nursery
Tennis Courts
Ridgecourt
Ashtead Ho.
PLEASURE PIT RD.
Island Pond
ASHTEAD
EPSOM
WILMERHATCH
HEADLEY RD.
G
H
J
K
L
M
1
2
3
4
5
6
7
8
9
17
18
19
20
59
60
61
62
63

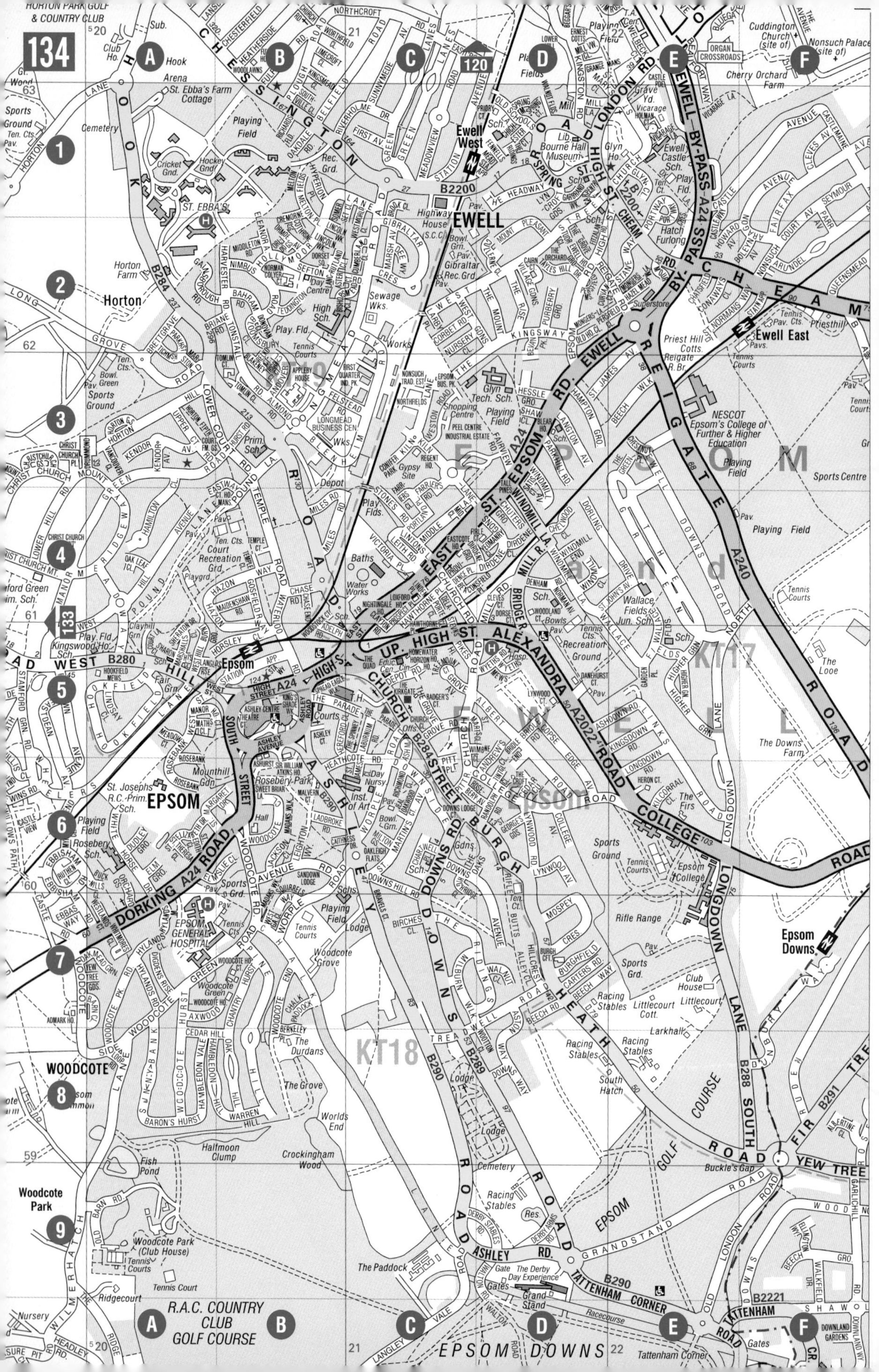

134
HORTON PARK GOLF & COUNTRY CLUB
Hook Arena
St. Ebba's Farm Cottage
Cemetery
Sports Ground
Playing Field
Cricket Gnd.
Hockey Gnd.
ST. EBBA'S
Horton Farm
Horton
CHESSINGTON ROAD
HOOK ROAD
B284
Ewell West
B2200
EWELL
Highway House
Gibraltar Rec. Grd.
Sewage Wks.
High Sch.
Play. Fld.
Works
Bourne Hall Museum
Glyn Ho.
LONDON RD.
HIGH ST.
CHEAM ROAD
Hatch Furlong
EWELL BY-PASS A24
Cuddington Church (site of)
Nonsuch Palace (site of)
Cherry Orchard Farm
ORGAN CROSSROADS
Ewell Castle Sch.
Superstore
Priest Hill Cotts.
Ewell East
Tennis Courts
KINGSWAY
REIGATE ROAD
A240
NESCOT Epsom's College of Further & Higher Education
Playing Field
Sports Centre
Playing Field
KT19
LONGMEAD BUSINESS CEN.
NONSUCH TRAD. EST.
EPSOM BUS. PK.
Glyn Tech. Sch.
Playing Field
PEEL CENTRE INDUSTRIAL ESTATE
Gypsy Site
EPSOM
EWELL
EPSOM RD.
EAST ST.
A24
Baths
Water Works
Court Recreation Grd.
Kingswood Ho.
133
WEST HILL
B280
Epsom
UP. HIGH ST.
ALEXANDRA ROAD
A2022
Recreation Ground
Wallace Fields Jun. Sch.
KT17
The Looe
The Downs Farm
ASHLEY CENTRE
ASHLEY AVENUE
SOUTH STREET
Rosebery Park
CHURCH STREET
B284
Inst. of Art
EPSOM
St. Josephs R.C. Prim. Sch.
Rosebery Sch.
Epsom
COLLEGE ROAD
Sports Ground
Epsom College
Rifle Range
The Firs
LONGDOWN LANE
Epsom Downs
DORKING ROAD
A24
EPSOM GENERAL HOSPITAL
Sports Grd.
Playing Field
Woodcote Grove
Woodcote Green
DOWNS ROAD
BURGH HEATH ROAD
Racing Stables
Littlecourt Cott.
Larkhall
South Hatch
Club House
KT18
The Durdans
The Grove
Worlds End
WOODCOTE
Epsom Common
Halfmoon Clump
Crockingham Wood
Fish Pond
Woodcote Park
Woodcote Park (Club House)
Tennis Courts
Tennis Court
Ridgecourt
Nursery
Cemetery
Racing Stables
Res.
EPSOM GOLF COURSE
B288
Buckle's Gap
YEW TREE
B291
B290
B289
ASHLEY RD.
GRANDSTAND ROAD
The Paddock
The Derby Day Experience
Gates
Grand Stand
Racecourse
TATTENHAM CORNER ROAD
B2221
TATTENHAM
Tattenham Corner
R.A.C. COUNTRY CLUB GOLF COURSE
EPSOM DOWNS
LANGLEY VALE
WILMERHATCH LANE

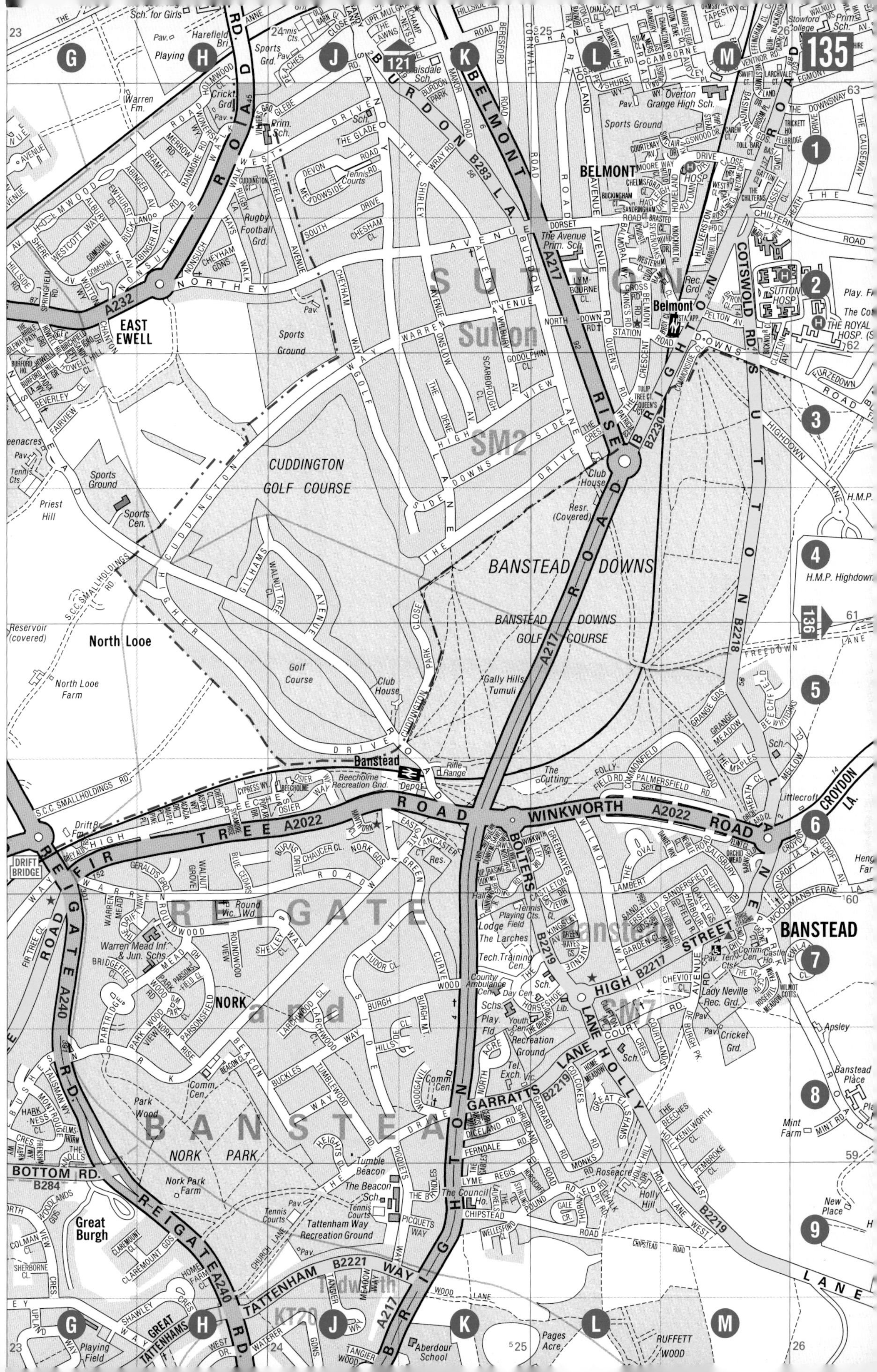

SUTTON
Sutton
SM2
BELMONT
Belmont
EAST EWELL
CUDDINGTON GOLF COURSE
BANSTEAD DOWNS
BANSTEAD DOWNS GOLF COURSE
Gally Hills Tumuli
North Looe
North Looe Farm
Priest Hill
Sports Ground
Sports Cen.
Banstead
BANSTEAD
Banstead
SM7
REIGATE and BANSTEAD
NORK
NORK PARK
Nork Park Farm
Park Wood
Great Burgh
Tadworth
KT20
Aberdour School
Pages Acre
RUFFETT WOOD
Holly Hill
Lady Neville Rec. Grd.
Cricket Grd.
Apsley
Banstead Place
Mint Farm
New Place
Littlecroft
H.M.P. Highdown
SUTTON HOSP.
THE ROYAL HOSP.
Overton Grange High Sch.
The Avenue Prim. Sch.
Beecholme Recreation Gnd.
Rifle Range
The Cutting
Tattenham Way Recreation Ground
Tumble Beacon
The Beacon Sch.
Warren Mead Inf. & Jun. Schs.
Round Wd.
Recreation Ground
The Larches
Tech. Training Cen.
Drift Br.
DRIFT BRIDGE
Reservoir (covered)
Resr. (Covered)
Club House
Rugby Football Grd.
Playing Field
A217
A232
A240
A2022
A2022
B2230
B2218
B2219
B2217
B2221
B284
B283
BRIGHTON ROAD
BELMONT RISE
REIGATE ROAD
FIR TREE ROAD
WINKWORTH ROAD
HIGH STREET
GARRATTS LANE
HOLLY LANE
TATTENHAM WAY
CROYDON LA.
COTSWOLD RD.
SUTTON LANE
BURDON LANE
NORTHEY AV.
CUDDINGTON WAY
HIGHER DRIVE
CHIPSTEAD ROAD
WOOD LANE
BOTTOM RD.
NONSUCH WALK
NORK WAY
WARREN ROAD
DOWNS SIDE
DOWNS ROAD
121
136
G
H
J
K
L
M
1
2
3
4
5
6
7
8
9
23
24
25
26
59
60
61
62
63

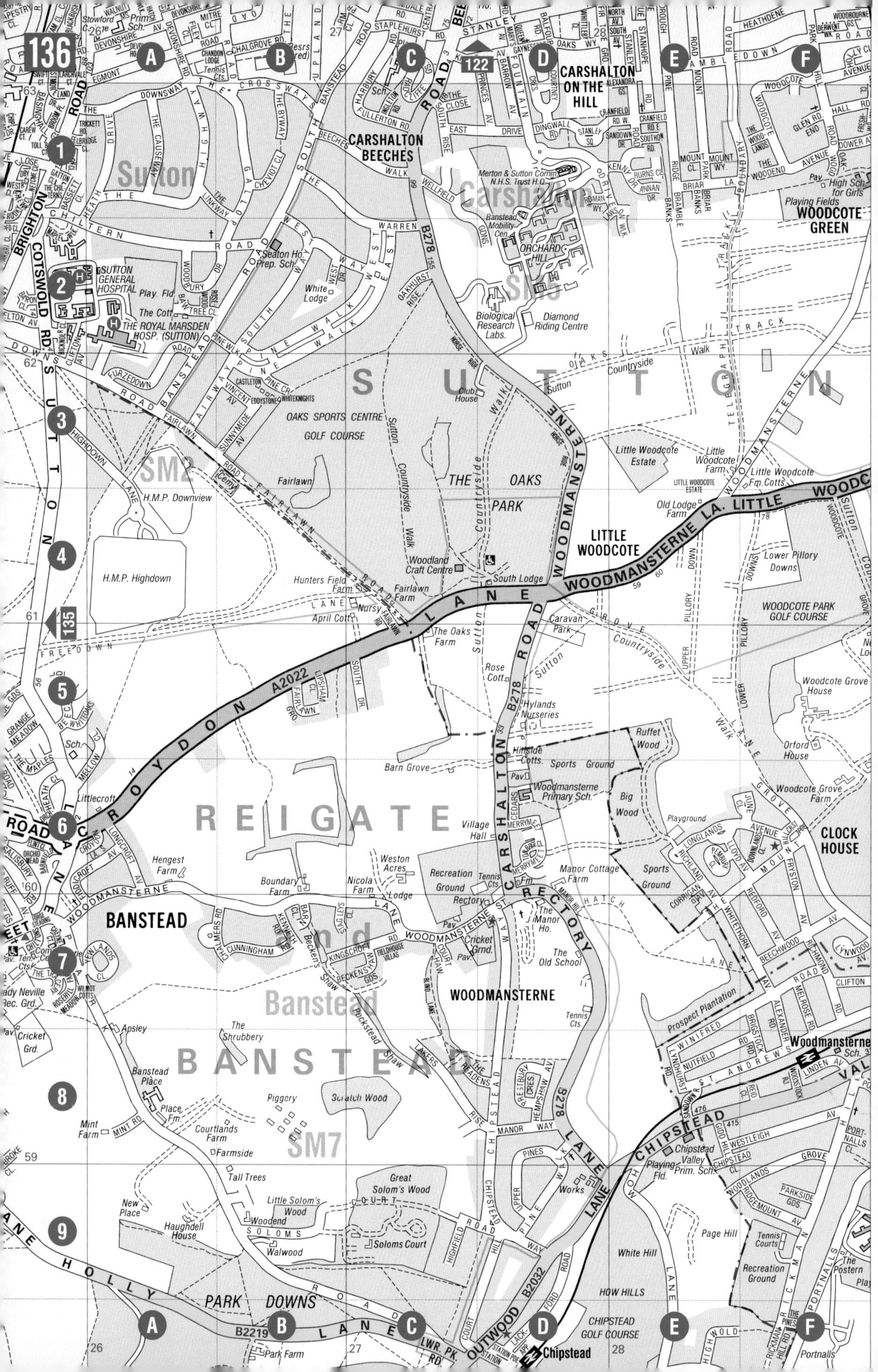
CARSHALTON ON THE HILL
CARSHALTON BEECHES
Sutton
Carshalton
WOODCOTE GREEN
SUTTON GENERAL HOSPITAL
THE ROYAL MARSDEN HOSP. (SUTTON)
Seaton Ho. Prep. Sch.
White Lodge
Merton & Sutton Comm. N.H.S. Trust H.Q.
Banstead Mobility Cen.
ORCHARD HILL
SM5
Biological Research Labs.
Diamond Riding Centre
High Sch. for Girls
Playing Fields
S U T T O N
OAKS SPORTS CENTRE GOLF COURSE
Fairlawn
THE OAKS PARK
Club House
Little Woodcote Estate
Little Woodcote Farm
Little Woodcote Fm. Cotts.
Old Lodge Farm
LITTLE WOODCOTE
WOODMANSTERNE LA.
SM2
H.M.P. Downview
H.M.P. Highdown
Hunters Field Farm
Fairlawn Farm
Woodland Craft Centre
South Lodge
April Cott.
The Oaks Farm
Caravan Park
Lower Pillory Downs
WOODCOTE PARK GOLF COURSE
Woodcote Grove House
Orford House
Woodcote Grove Farm
ROYDON A2022
Rose Cott.
Hylands Nurseries
Ruffet Wood
Barn Grove
Sports Ground
Big Wood
Woodmansterne Primary Sch.
Village Hall
R E I G A T E
CLOCK HOUSE
Littlecroft
Hengest Farm
Boundary Farm
Weston Acres
Nicola Farm
Lodge
Recreation Ground
Rectory
Manor Cottage Farm
The Manor Ho.
Cricket Grnd.
The Old School
BANSTEAD
WOODMANSTERNE
and
Banstead
Beckens Shaw
Puckstead Shaw
Prospect Plantation
Woodmansterne
Tennis Cts.
Apsley
The Shrubbery
B A N S T E A D
Banstead Place
Place Fm.
Piggory
Scratch Wood
Mint Farm
Courtlands Farm
Farmside
SM7
Tall Trees
Cricket Grd.
Chipstead Valley Prim. Sch.
Playing Fld.
Works
New Place
Haughdell House
Little Solom's Wood
Woodend
Great Solom's Wood
Soloms Court
Walwood
Page Hill
White Hill
Tennis Courts
Recreation Ground
HOW HILLS
The Postern
PARK DOWNS
B2219
HOLLY LANE
CHIPSTEAD GOLF COURSE
Chipstead
Park Farm
Portnalls
B278
B2032
CARSHALTON ROAD
WOODMANSTERNE LANE
CHIPSTEAD VALLEY ROAD
122
135

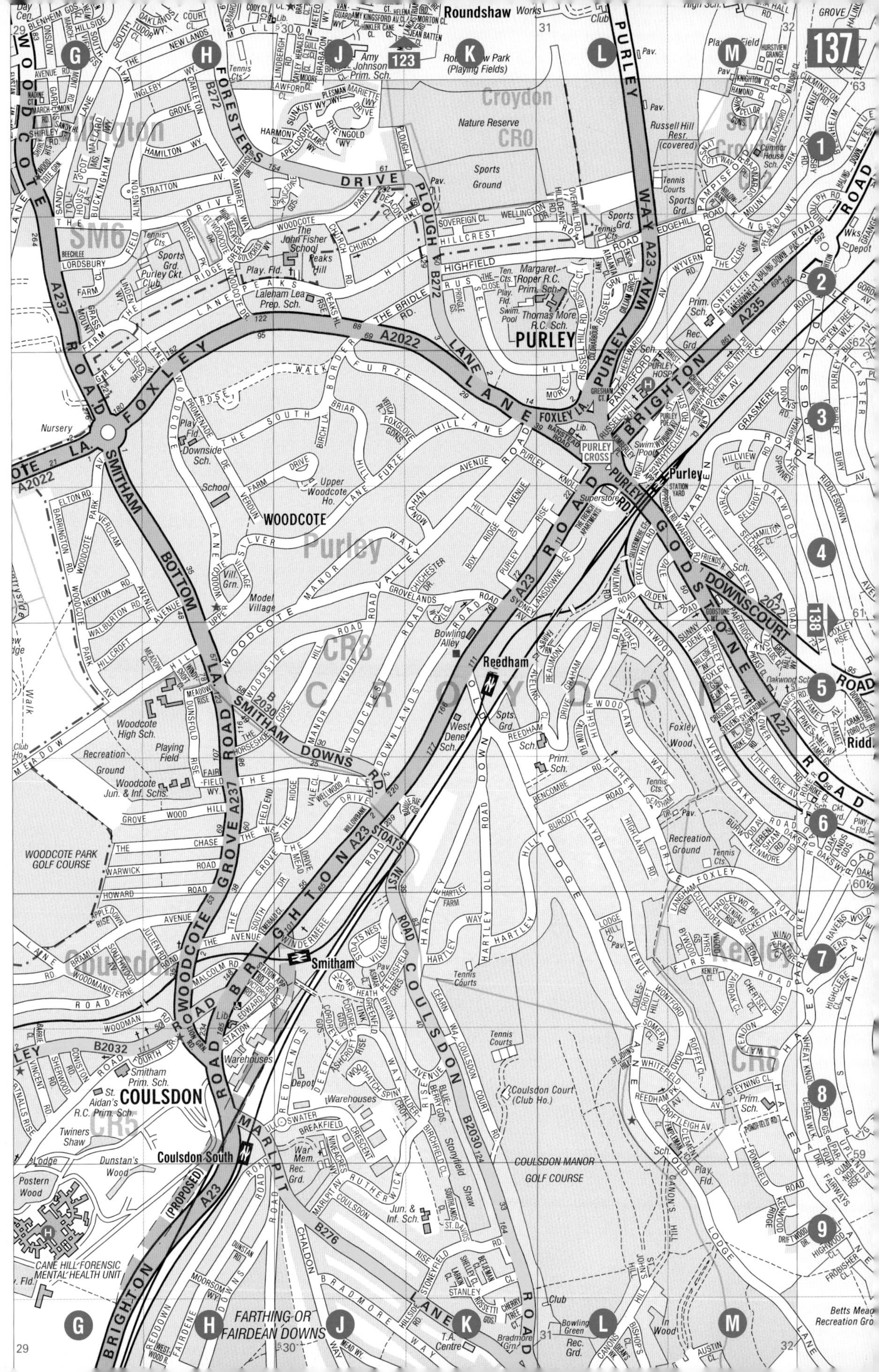
137
Roundshaw
123
Amy Johnson Prim. Sch.
Roundshaw Park (Playing Fields)
Croydon
Nature Reserve
CR0
Sports Ground
Russell Hill Resr. (covered)
Wallington
SM6
FORESTERS DRIVE
PLOUGH LANE
PURLEY WAY A23
The John Fisher School
Peaks Hill
Laleham Lea Prep. Sch.
Margaret Roper R.C. Prim. Sch.
Thomas More R.C. Sch.
PURLEY
A2022
FOXLEY LANE
WOODCOTE ROAD A237
FOXLEY LA.
BRIGHTON ROAD
Purley Hosp.
PURLEY CROSS
Purley
A235
Downside Sch.
Upper Woodcote Ho.
WOODCOTE
Purley
Model Village
SMITHAM BOTTOM
GODSTONE ROAD
DOWNSCOURT
138
CR8
CROYDON
Bowling Alley
Reedham
West Dene Sch.
Reedham Sch.
Foxley Wood
Woodcote High Sch.
Playing Field
Recreation Ground
Woodcote Jun. & Inf. Schs.
SMITHAM DOWNS RD.
WOODCOTE PARK GOLF COURSE
Recreation Ground
Kenley
Coulsdon
Smitham
Smitham Prim. Sch.
St. Aidan's R.C. Prim. Sch.
COULSDON
CR5
Coulsdon South
Coulsdon Court (Club Ho.)
COULSDON MANOR GOLF COURSE
Stoneyfield Shaw
Jun. & Inf. Sch.
MARLPIT
CANE HILL FORENSIC MENTAL HEALTH UNIT
FARTHING OR FAIRDEAN DOWNS
Betts Mead Recreation Ground
G H J K L M
1 2 3 4 5 6 7 8 9

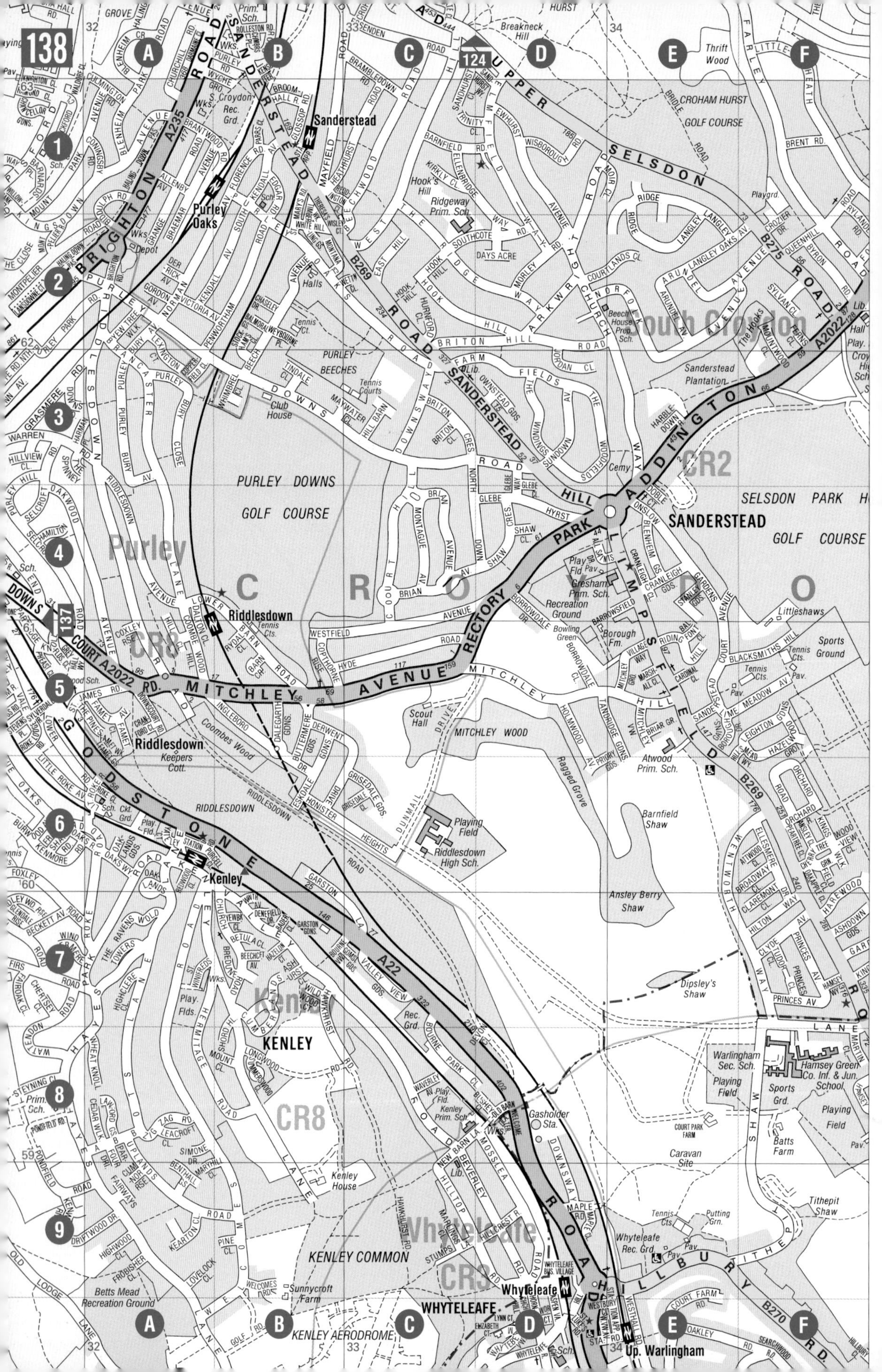

124
137
A
B
C
D
E
F
1
2
3
4
5
6
7
8
9
32
33
34
Breakneck Hill
Thrift Wood
CROHAM HURST
GOLF COURSE
UPPER SELSDON ROAD
SANDERSTEAD ROAD
Sanderstead
BRIGHTON ROAD
A235
Purley Oaks
S. Croydon Rec. Grd.
Depot
Hook's Hill
Ridgeway Prim. Sch.
DAYS ACRE
B269
B275
A2022
South Croydon
Sanderstead Plantation
Beech House Prep. Sch.
ADDINGTON
CR2
SELSDON PARK
GOLF COURSE
SANDERSTEAD
PURLEY BEECHES
Club House
PURLEY DOWNS
GOLF COURSE
Purley
CROYDON
Riddlesdown
CR8
RECTORY PARK
LIMPSFIELD
Gresham Prim. Sch.
Recreation Ground
Bowling Green
Borough Fm.
Littleshaws
Sports Ground
MITCHLEY AVENUE
MITCHLEY WOOD
Scout Hall
Coombes Wood
Keepers Cott.
RIDDLESDOWN
Ragged Grove
Atwood Prim. Sch.
Barnfield Shaw
Playing Field
Riddlesdown High Sch.
GODSTONE ROAD
A22
Kenley
KENLEY
Ansley Berry Shaw
Dipsley's Shaw
Warlingham Sec. Sch.
Playing Field
Hamsey Green Co. Inf. & Jun. School
Sports Grd.
Playing Field
Batts Farm
Gasholder Sta.
Caravan Site
COURT PARK FARM
Kenley Prim. Sch.
Kenley House
Whyteleafe
CR3
KENLEY COMMON
Tithepit Shaw
Whyteleafe Rec. Grd.
HILLBURY ROAD
B270
Sunnycroft Farm
Betts Mead Recreation Ground
KENLEY AERODROME
WHYTELEAFE
Up. Warlingham

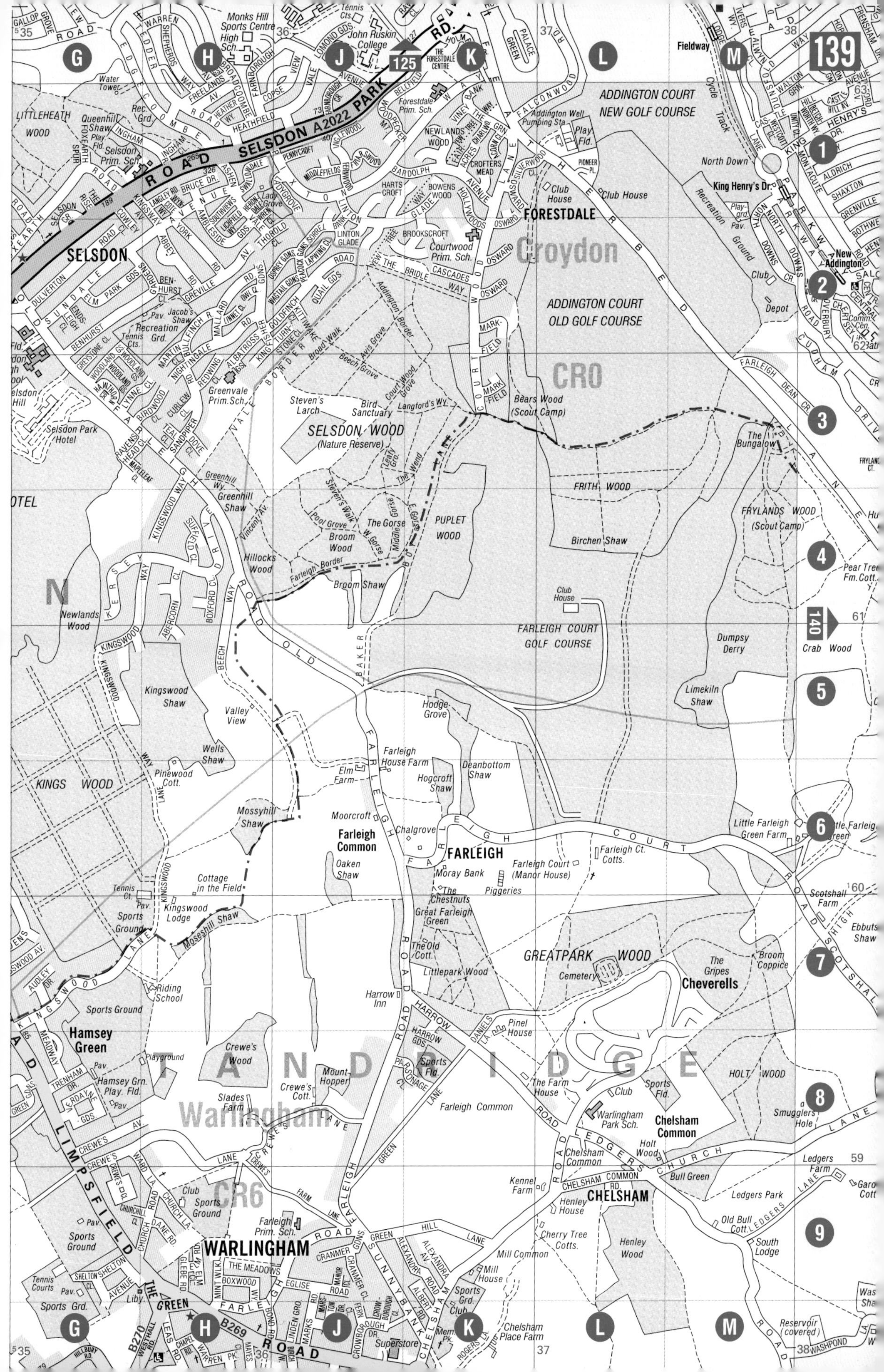

ADDINGTON COURT NEW GOLF COURSE
ADDINGTON COURT OLD GOLF COURSE
FARLEIGH COURT GOLF COURSE
SELSDON
FORESTDALE
Croydon
CR0
SELSDON WOOD (Nature Reserve)
Monks Hill Sports Centre
John Ruskin College
Forestdale Prim. Sch.
Courtwood Prim. Sch.
Greenvale Prim.Sch.
Selsdon Prim. Sch.
Selsdon Park Hotel
SELSDON A2022 PARK ROAD
Littleheath Wood
Newlands Wood
Bears Wood (Scout Camp)
FRYLANDS WOOD (Scout Camp)
FRITH WOOD
Birchen Shaw
PUPLET WOOD
Broom Wood
Hillocks Wood
Broom Shaw
Dumpsy Derry
Limekiln Shaw
Crab Wood
Kingswood Shaw
KINGS WOOD
Valley View
Wells Shaw
Mossyhill Shaw
Hodge Grove
Farleigh House Farm
Hogcroft Shaw
Deanbottom Shaw
Elm Farm
Moorcroft
Farleigh Common
FARLEIGH
Farleigh Court (Manor House)
Oaken Shaw
Great Farleigh Green
GREATPARK WOOD
Cemetery
Cheverells
The Gripes
Broom Coppice
Little Farleigh Green Farm
Scotshall Farm
Harrow Inn
Littlepark Wood
Hamsey Green
Crewe's Wood
Mount Hopper
Slades Farm
TANDRIDGE
Warlingham
CR6
WARLINGHAM
Farleigh Prim. Sch.
Warlingham Park Sch.
Chelsham Common
CHELSHAM
HOLT WOOD
Smugglers' Hole
Ledgers Farm
Ledgers Park
Henley Wood
Mill Common
Chelsham Place Farm
Superstore
Reservoir (covered)
North Down
New Addington
Fieldway
Recreation Ground
Cycle Track
LIMPSFIELD ROAD
B269 ROAD

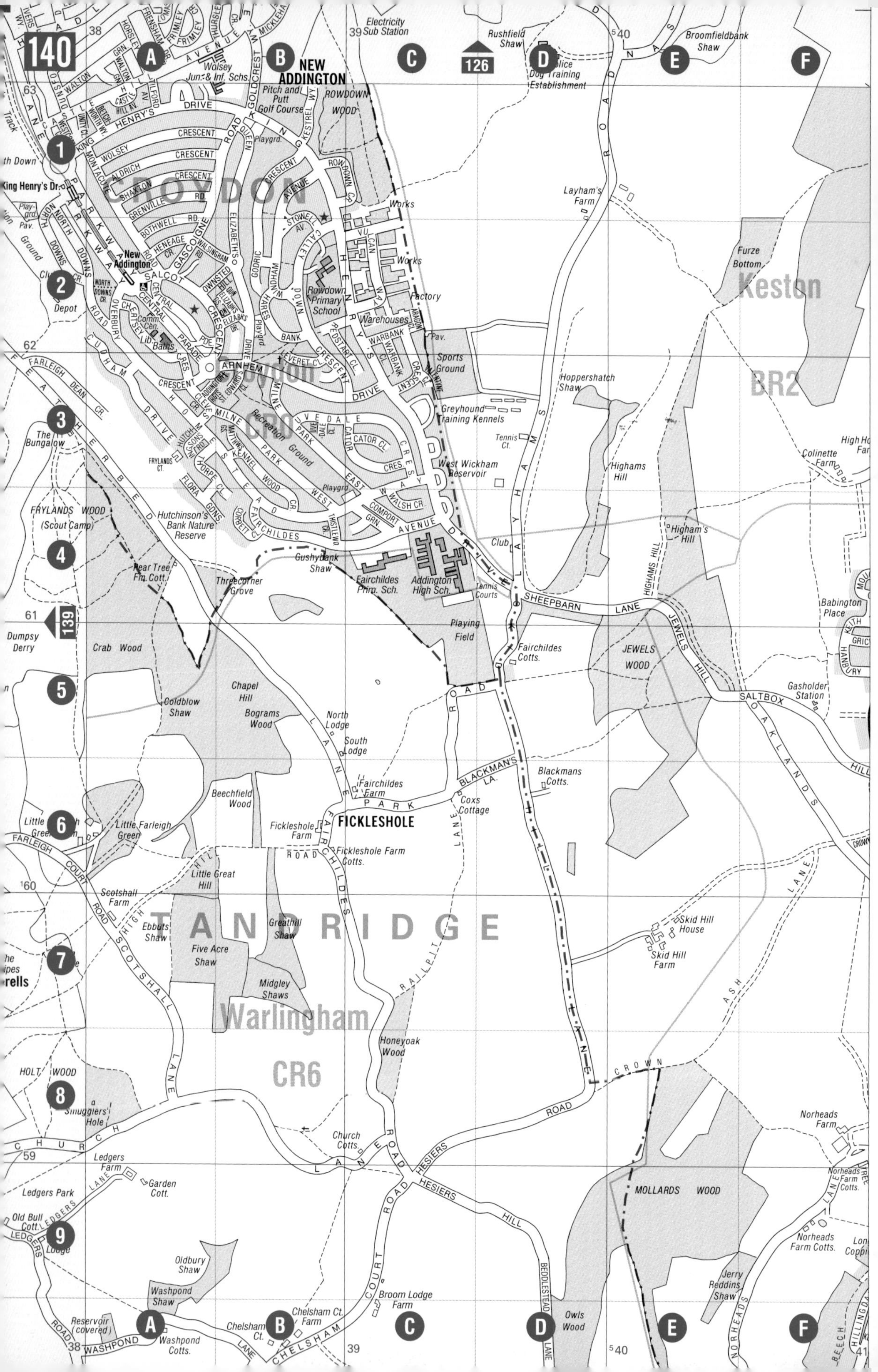
NEW ADDINGTON
CROYDON
Croydon
CR0
Keston
BR2
FICKLESHOLE
TANDRIDGE
Warlingham
CR6
126
139
Electricity Sub Station
Rushfield Shaw
Broomfieldbank Shaw
Police Dog Training Establishment
Wolsey Jun. & Inf. Schs.
Pitch and Putt Golf Course
ROWDOWN WOOD
Rowdown Primary School
Warehouses
Works
Factory
Sports Ground
Greyhound Training Kennels
West Wickham Reservoir
Layham's Farm
Furze Bottom
Hoppershatch Shaw
Highams Hill
Higham's Hill
Colinette Farm
Babington Place
Gasholder Station
JEWELS WOOD
Fairchildes Cotts.
Addington High Sch.
Fairchildes Prim. Sch.
Playing Field
Gushybank Shaw
Threecorner Grove
Hutchinson's Bank Nature Reserve
Recreation Ground
FRYLANDS WOOD (Scout Camp)
The Bungalow
Pear Tree Fm. Cott.
Dumpsy Derry
Crab Wood
Chapel Hill
Bograms Wood
Coldblow Shaw
North Lodge
South Lodge
Fairchildes Farm
Fickleshole Farm
Fickleshole Farm Cotts.
Blackmans Cotts.
Coxs Cottage
Beechfield Wood
Little Farleigh Green
Little Great Hill
Scotshall Farm
Ebbuts Shaw
Five Acre Shaw
Greathill Shaw
Midgley Shaws
Skid Hill House
Skid Hill Farm
Honeyoak Wood
HOLT WOOD
Smugglers' Hole
Church Cotts.
Norheads Farm
Norheads Farm Cotts.
MOLLARDS WOOD
Ledgers Farm
Garden Cott.
Ledgers Park
Old Bull Cott.
Lodge
Oldbury Shaw
Washpond Shaw
Reservoir (covered)
Washpond Cotts.
Chelsham Ct.
Chelsham Ct. Farm
Broom Lodge Farm
Jerry Reddins Shaw
Owls Wood
KING HENRY'S DRIVE
PARKWAY
SALCOT CRES.
CENTRAL PARADE
ARNHEM DRIVE
MILNE PARK EAST
UVEDALE CRES.
CATOR CL.
EAST WAY
COMPORT GRN.
WALSH CR.
FAIRCHILDES AVENUE
KING HENRY'S DRIVE
HENRY'S AVENUE
GOLDCREST WAY
KESTREL WAY
ROWDOWN CRESCENT
VULCAN WAY
WARBANK CRES.
SHEEPBARN LANE
JEWELS HILL
SALTBOX HILL
OAKLANDS
LAYHAMS ROAD
HIGHAMS HILL
BLACKMAN'S LA.
PARK ROAD
FAIRCHILDES ROAD
FICKLESHOLE ROAD
SCOTSHALL LANE
FARLEIGH COURT ROAD
FARLEIGH DEAN CR.
FEATHERBED LANE
CHURCH LANE
CROWN ROAD
HESIERS ROAD
HESIERS HILL
BEDDLESTEAD LANE
CHELSHAM COURT ROAD
LEDGERS LANE
LEDGERS RD.
WASHPOND LANE
NORHEADS LANE
ASH LANE
RAILPIT LANE
CUDHAM DRIVE
GASCOIGNE ROAD
ELIZABETH WAY
WINDHAM AV.
HARES BANK
CALLEY DOWN CRESCENT
STOWELL AV.
GODRIC CRESCENT
QUEEN ELIZABETH'S DRIVE
MONTACUTE RD.
WOLSEY CRESCENT
ALDRICH CRESCENT
SHAXTON CRESCENT
GRENVILLE RD.
BOTHWELL RD.
HENEAGE CR.
WALSINGHAM RD.
OWNSTED HILL
NORTH DOWNS CRES.
OVERBURY CRES.
CHERTSEY CRES.
STEEP HILL
MATTHEWS GDNS.
KENNEL WOOD CR.
FLORA GDNS.
THORPE CL.
HUTCHINGSON'S RD.
FRYLANDS CT.
CORBETT CL.
THISTLEWD CR.
EVERET CL.
REDSTART CL.
Comm. Cen.
Lib.
Baths
New Addington
King Henry's Dr.
Playgrd.
Pav.
Depot
Club
Tennis Ct.
Tennis Courts
A B C D E F
1 2 3 4 5 6 7 8 9
38 39 40 41
59 60 61 62 63

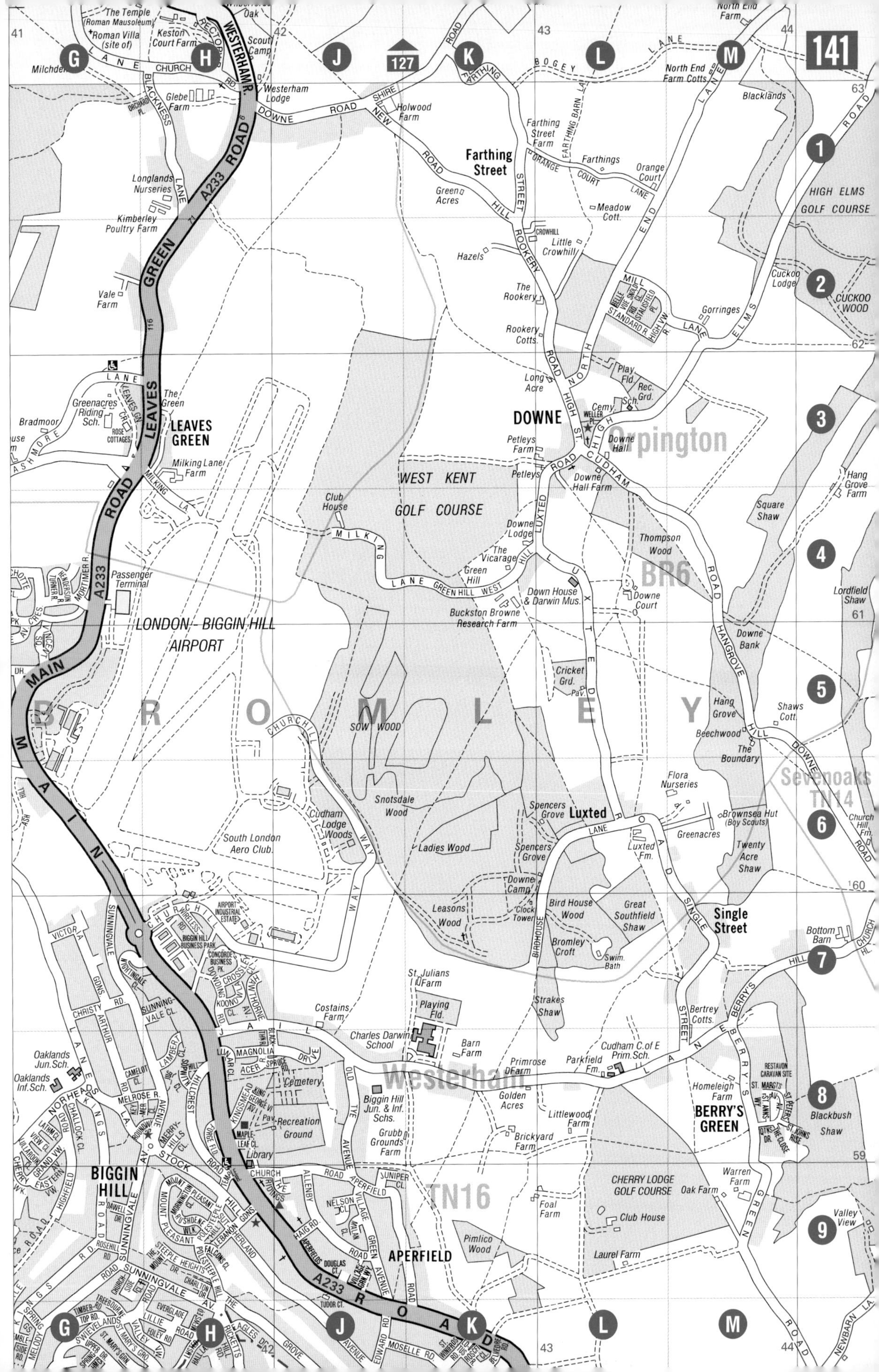

127
Farthing Street
DOWNE
Orpington
WEST KENT GOLF COURSE
LEAVES GREEN
LONDON - BIGGIN HILL AIRPORT
BROMLEY
BR6
HIGH ELMS GOLF COURSE
Sevenoaks TN14
Luxted
Single Street
Westerham
BERRY'S GREEN
BIGGIN HILL
APERFIELD
TN16
CHERRY LODGE GOLF COURSE

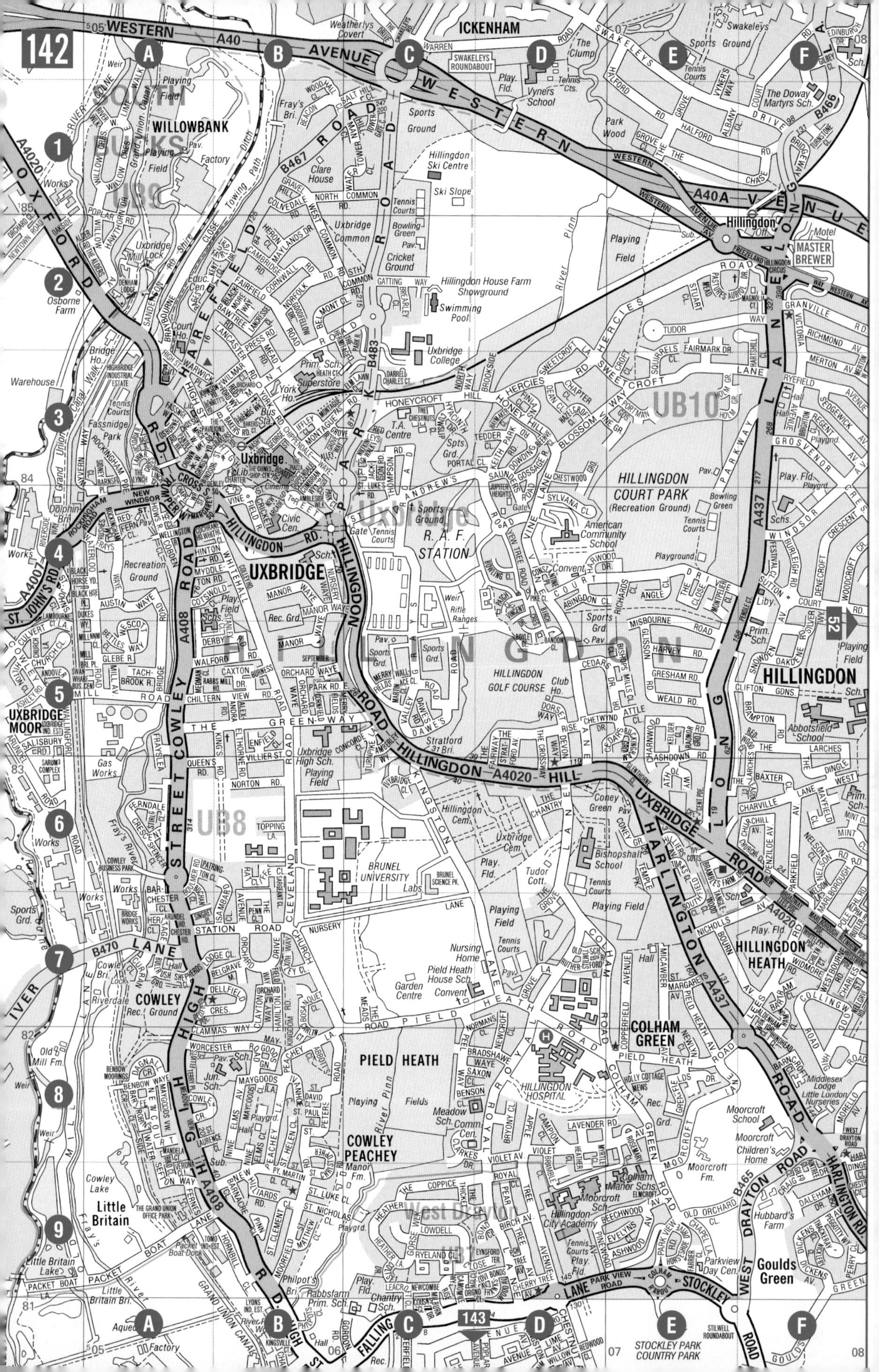
WESTERN A40 AVENUE
ICKENHAM
SWAKELEYS ROUNDABOUT
Weatherlys Covert
Vyners School
Sports Ground
WILLOWBANK
Hillingdon Ski Centre
Ski Slope
Clare House
Uxbridge Common
Cricket Ground
Hillingdon House Farm Showground
Swimming Pool
Uxbridge College
Superstore
Osborne Farm
Uxbridge Lock
Denham Lodge
Warehouse
Fassnidge Park
T.A. Centre
Uxbridge
Civic Cen.
R.A.F. STATION
HILLINGDON COURT PARK (Recreation Ground)
American Community School
Hillingdon Golf Course
Club Ho.
Rifle Ranges
UB10
UB8
UXBRIDGE
HILLINGDON
UXBRIDGE MOOR
Recreation Ground
Gas Works
Uxbridge High Sch.
Hillingdon Cem.
Uxbridge Cem.
BRUNEL UNIVERSITY
Bishopshalt School
Tudor Cott.
Playing Field
Abbotsfield School
HILLINGDON HEATH
Nursing Home
Pield Heath House Sch.
Garden Centre
COWLEY
PIELD HEATH
Pinn Fields
COLHAM GREEN
HILLINGDON HOSPITAL
Meadow Sch.
COWLEY PEACHEY
Manor Fm.
Moorcroft School
Moorcroft Children's Home
Moorcroft Fm.
Middlesex Lodge Little London Nurseries
Hubbard's Farm
Goulds Green
West Drayton
Hillingdon City Academy
Colham Manor Schs.
Parkview Day Cen.
Cowley Lake
Little Britain
Little Britain Lake
Little Britain Bri.
Riverdale
Old Mill Fm.
Rabbsfarm Prim. Sch.
Chantry Sch.
STOCKLEY PARK COUNTRY PARK
STILWELL ROUNDABOUT
COLHAM R'BOUT
HIGH STREET COWLEY ROAD A408
HILLINGDON HILL A4020
HARLINGTON ROAD A437
LONG LANE A437
WEST DRAYTON ROAD B465
OXFORD RD. A4020
STOCKLEY ROAD
PARK ROAD B483
Hillingdon Circus
MASTER BREWER
Motel
52
143

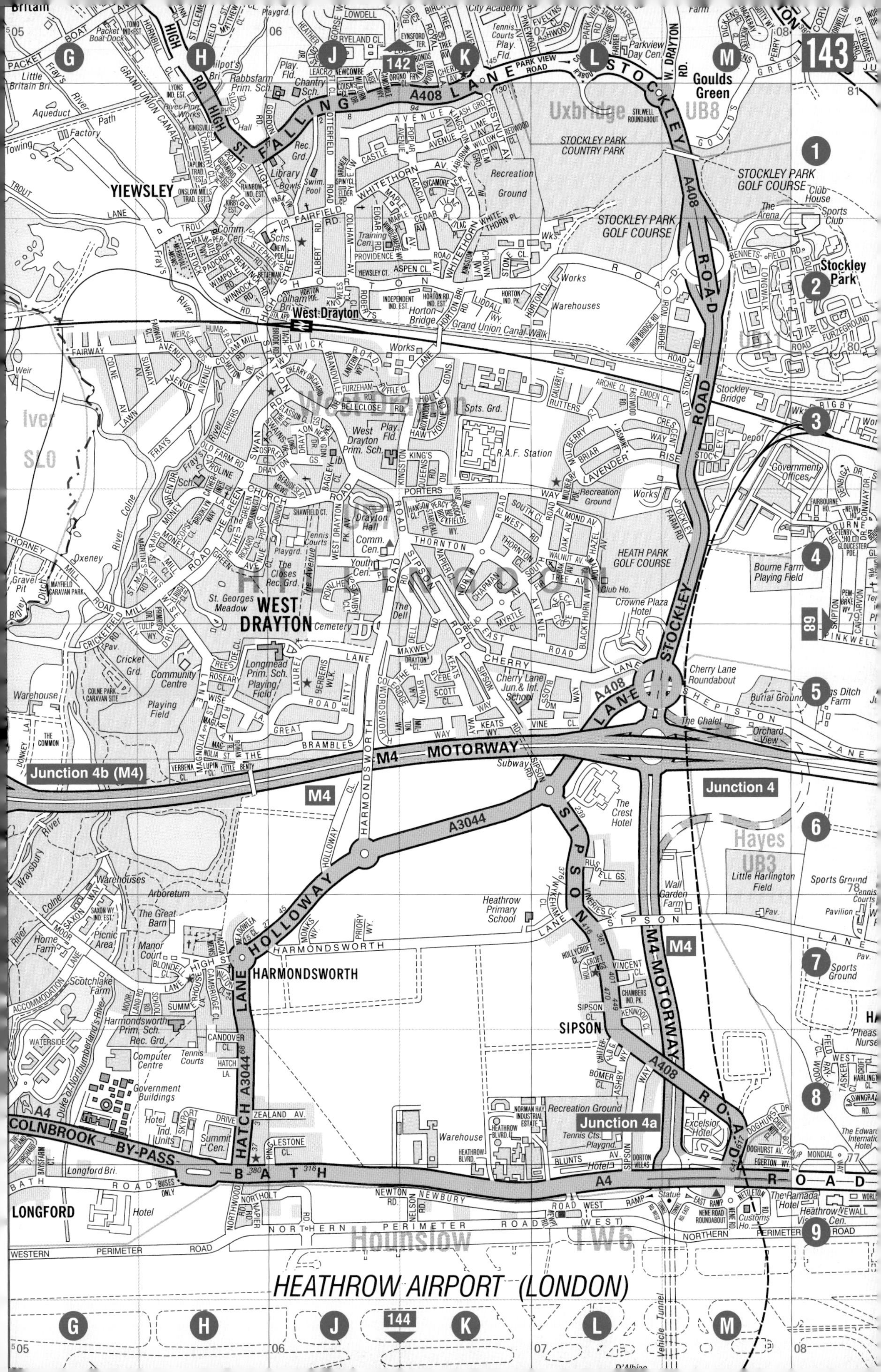
YIEWSLEY
WEST DRAYTON
HARMONDSWORTH
SIPSON
LONGFORD
Goulds Green
Stockley Park
Uxbridge UB8
Iver SL0
Hayes UB3
Hounslow TW6
HILLINGDON
HEATHROW AIRPORT (LONDON)
STOCKLEY PARK COUNTRY PARK
STOCKLEY PARK GOLF COURSE
HEATH PARK GOLF COURSE
West Drayton
R.A.F. Station
Crowne Plaza Hotel
The Crest Hotel
Excelsior Hotel
Heathrow Primary School
Longmead Prim. Sch.
West Drayton Prim. Sch.
Harmondsworth Prim. Sch.
Cherry Lane Jun. & Inf. School
Cherry Lane Roundabout
Government Buildings
Government Offices
Bourne Farm Playing Field
Little Harlington Field
Recreation Ground
Cemetery
Junction 4b (M4)
Junction 4
Junction 4a
M4 MOTORWAY
A408
A3044
A4
COLNBROOK BY-PASS
BATH ROAD
NORTHERN PERIMETER ROAD
WESTERN PERIMETER ROAD
STOCKLEY ROAD
FALLING LANE
HIGH ST.
STATION RD.
SIPSON ROAD
HOLLOWAY LANE
HATCH LANE
HARMONDSWORTH LANE
SHEPISTON LANE
HORTON ROAD
Grand Union Canal
Grand Union Canal Walk
River Colne
Frays River
Duke of Northumberland's River
Wraysbury River
142
144
68
G H J K L M
1 2 3 4 5 6 7 8 9
05 06 07 08
81 80 79 78 77

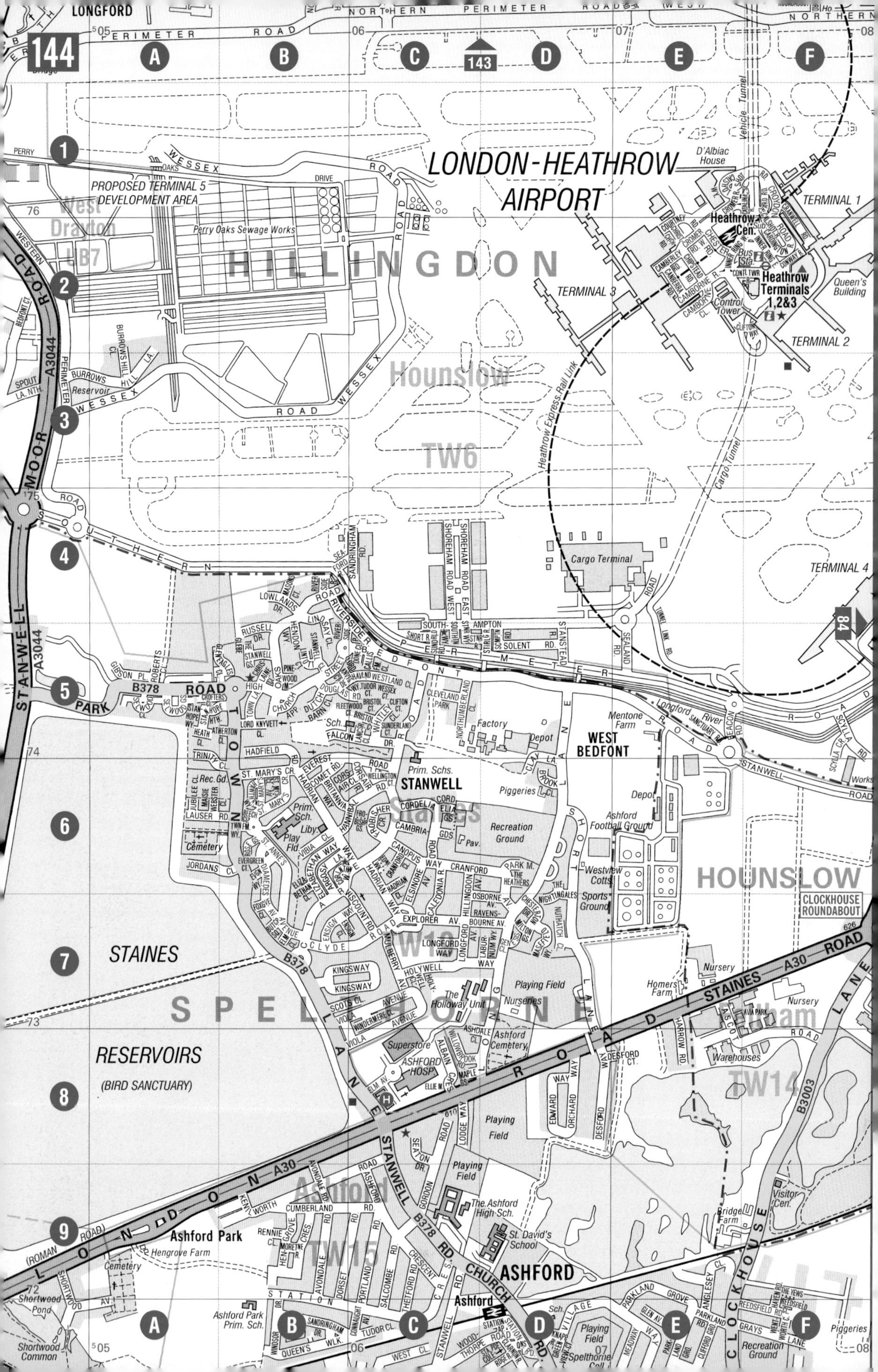
LONDON-HEATHROW AIRPORT
HILLINGDON
PROPOSED TERMINAL 5 DEVELOPMENT AREA
Perry Oaks Sewage Works
Hounslow
TW6
TERMINAL 3
TERMINAL 1
TERMINAL 2
TERMINAL 4
Heathrow Terminals 1,2&3
Cargo Terminal
STANWELL
WEST BEDFONT
HOUNSLOW
CLOCKHOUSE ROUNDABOUT
STAINES
SPELTHORNE
RESERVOIRS
(BIRD SANCTUARY)
Ashford Park
ASHFORD
Recreation Ground
Playing Field
Superstore
ASHFORD HOSP.
The Ashford High Sch.
St. David's School
Warehouses
Bridge Farm
Visitor Cen.
LONGFORD
143
84

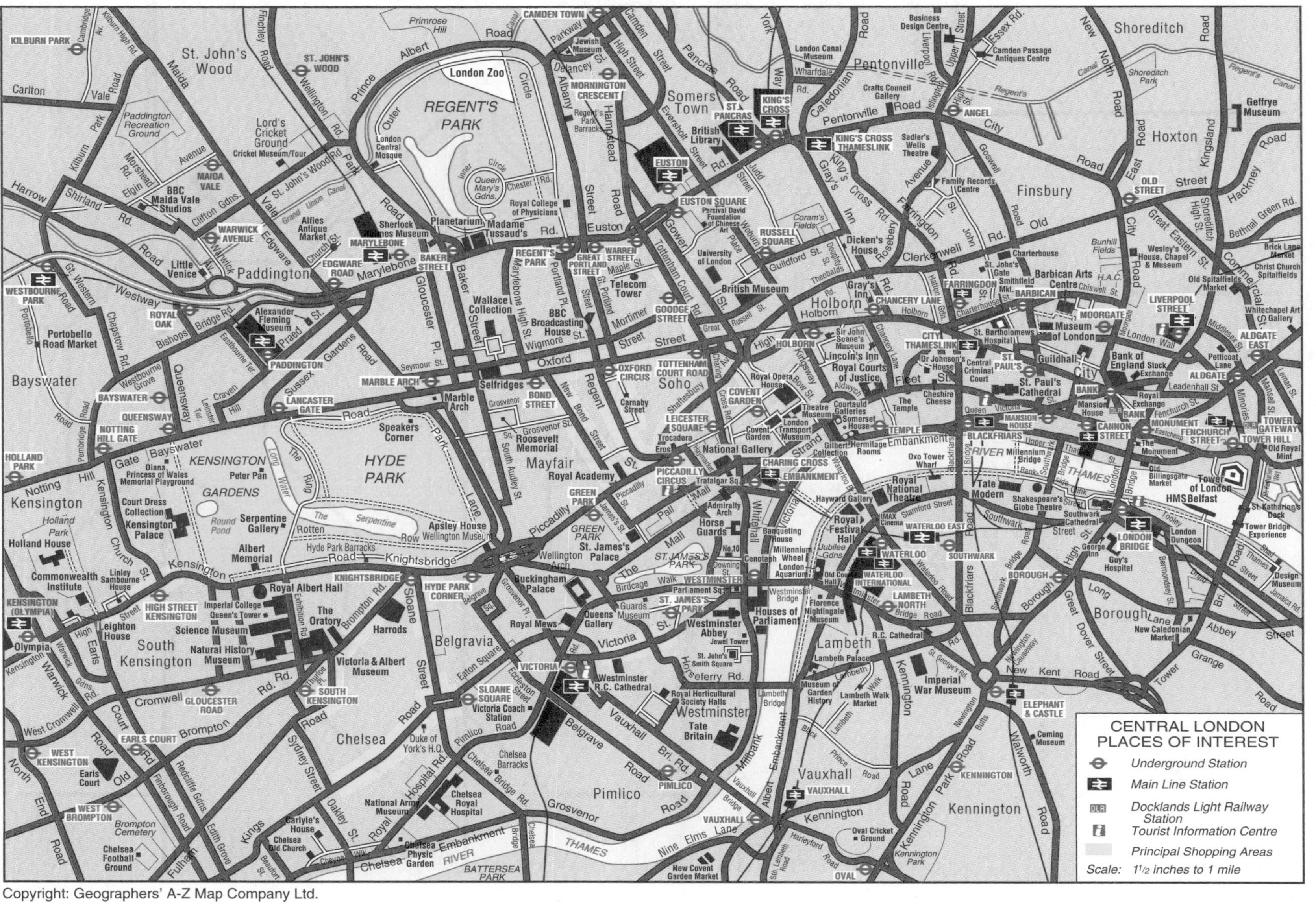

CENTRAL LONDON
PLACES OF INTEREST

Underground Station
Main Line Station
Docklands Light Railway Station
Tourist Information Centre
Principal Shopping Areas

Scale: 1½ inches to 1 mile

Copyright: Geographers' A-Z Map Company Ltd.

145

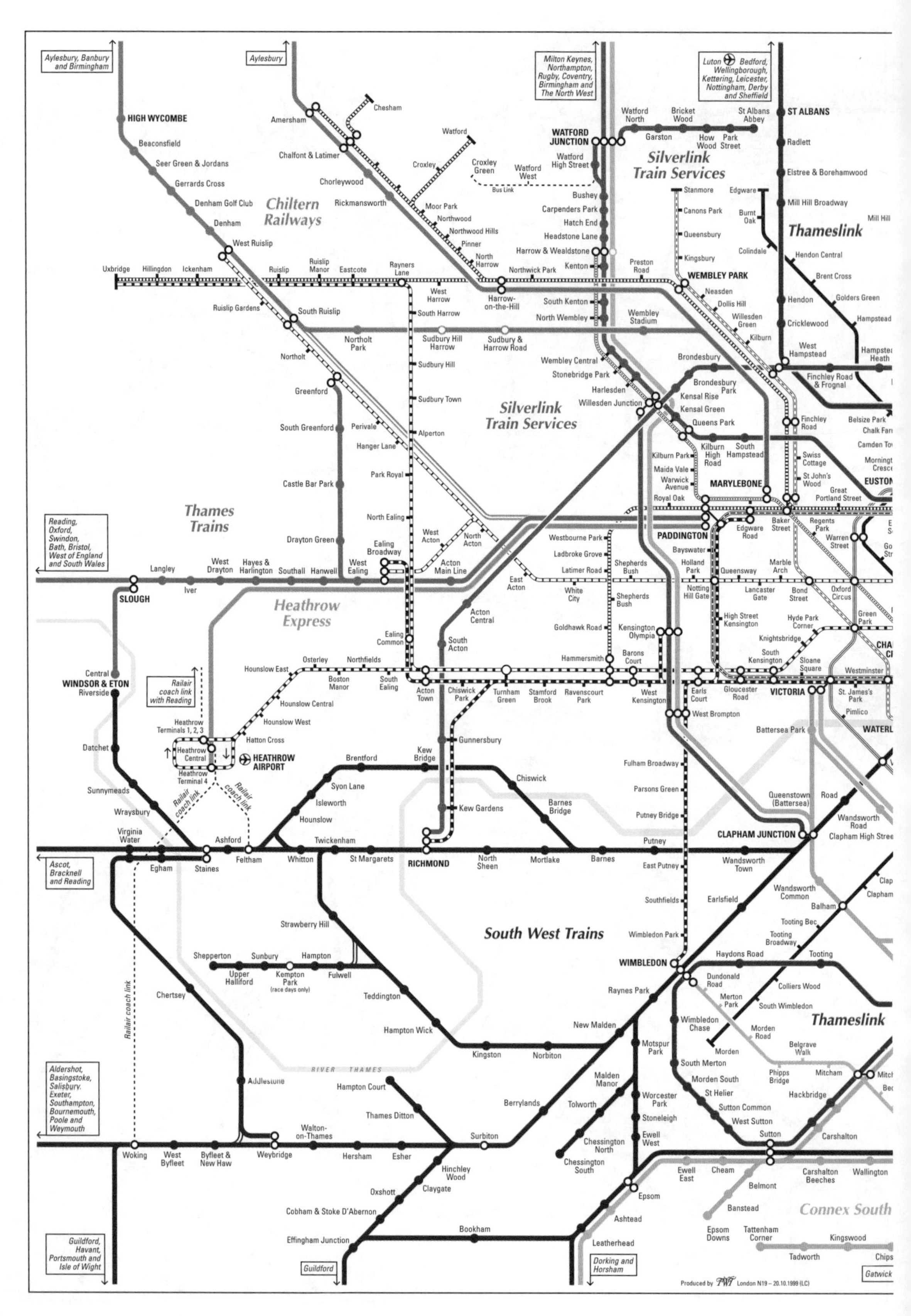

Aylesbury, Banbury and Birmingham
Aylesbury
Milton Keynes, Northampton, Rugby, Coventry, Birmingham and The North West
Luton Bedford, Wellingborough, Kettering, Leicester, Nottingham, Derby and Sheffield
HIGH WYCOMBE
Beaconsfield
Seer Green & Jordans
Gerrards Cross
Denham Golf Club
Denham
West Ruislip
Chiltern Railways
Amersham
Chesham
Chalfont & Latimer
Chorleywood
Rickmansworth
Watford
Croxley
Croxley Green
Watford West
Bus Link
Moor Park
Northwood
Northwood Hills
Pinner
North Harrow
WATFORD JUNCTION
Watford High Street
Watford North
Garston
Bricket Wood
How Wood
Park Street
St Albans Abbey
ST ALBANS
Radlett
Elstree & Borehamwood
Mill Hill Broadway
Silverlink Train Services
Thameslink
Bushey
Carpenders Park
Hatch End
Headstone Lane
Harrow & Wealdstone
Kenton
Stanmore
Canons Park
Queensbury
Kingsbury
Edgware
Burnt Oak
Colindale
Hendon Central
Brent Cross
Golders Green
Hampstead
Hendon
Cricklewood
West Hampstead
Uxbridge
Hillingdon
Ickenham
Ruislip
Ruislip Manor
Eastcote
Rayners Lane
West Harrow
Harrow-on-the-Hill
Northwick Park
Preston Road
WEMBLEY PARK
Neasden
Dollis Hill
Willesden Green
Kilburn
Ruislip Gardens
South Ruislip
South Harrow
Northolt Park
Sudbury Hill Harrow
Sudbury & Harrow Road
South Kenton
North Wembley
Wembley Stadium
Northolt
Sudbury Hill
Wembley Central
Stonebridge Park
Harlesden
Willesden Junction
Brondesbury
Brondesbury Park
Kensal Rise
Kensal Green
Queens Park
Finchley Road & Frognal
Finchley Road
Belsize Park
Greenford
Sudbury Town
Silverlink Train Services
South Greenford
Perivale
Alperton
Hanger Lane
Park Royal
Castle Bar Park
Kilburn Park
Kilburn High Road
South Hampstead
Maida Vale
Warwick Avenue
MARYLEBONE
Swiss Cottage
St John's Wood
Great Portland Street
Royal Oak
Thames Trains
Reading, Oxford, Swindon, Bath, Bristol, West of England and South Wales
North Ealing
West Acton
North Acton
Drayton Green
Ealing Broadway
PADDINGTON
Edgware Road
Baker Street
Regents Park
Warren Street
Westbourne Park
Ladbroke Grove
Latimer Road
Shepherds Bush
Bayswater
Holland Park
Queensway
Marble Arch
Langley
West Drayton
Hayes & Harlington
Southall
Hanwell
West Ealing
Acton Main Line
East Acton
White City
Notting Hill Gate
Lancaster Gate
Bond Street
Oxford Circus
Iver
SLOUGH
Heathrow Express
Acton Central
Shepherds Bush
High Street Kensington
Hyde Park Corner
Green Park
Goldhawk Road
Kensington Olympia
Knightsbridge
South Acton
Ealing Common
Hammersmith
Barons Court
South Kensington
Sloane Square
Westminster
Central
WINDSOR & ETON
Riverside
Osterley
Northfields
Hounslow East
Boston Manor
South Ealing
Acton Town
Chiswick Park
Turnham Green
Stamford Brook
Ravenscourt Park
West Kensington
Earls Court
Gloucester Road
VICTORIA
St. James's Park
Pimlico
Railair coach link with Reading
Hounslow Central
Hounslow West
West Brompton
Battersea Park
Heathrow Terminals 1, 2, 3
Hatton Cross
Heathrow Central
HEATHROW AIRPORT
Heathrow Terminal 4
Datchet
Gunnersbury
Brentford
Kew Bridge
Fulham Broadway
Sunnymeads
Syon Lane
Chiswick
Parsons Green
Isleworth
Kew Gardens
Barnes Bridge
Queenstown Road (Battersea)
Wraysbury
Railair coach link
Hounslow
Putney Bridge
Wandsworth Road
Virginia Water
Ashford
Twickenham
Putney
CLAPHAM JUNCTION
Clapham High Street
Ascot, Bracknell and Reading
Egham
Staines
Feltham
Whitton
St Margarets
RICHMOND
North Sheen
Mortlake
Barnes
East Putney
Wandsworth Town
Southfields
Earlsfield
Wandsworth Common
Balham
Strawberry Hill
South West Trains
Wimbledon Park
Tooting Bec
Tooting Broadway
Shepperton
Sunbury
Hampton
Upper Halliford
Kempton Park (race days only)
Fulwell
WIMBLEDON
Haydons Road
Tooting
Dundonald Road
Colliers Wood
Chertsey
Teddington
Raynes Park
Merton Park
South Wimbledon
Railair coach link
Hampton Wick
New Malden
Wimbledon Chase
Morden Road
Kingston
Norbiton
Motspur Park
Morden
Belgrave Walk
River Thames
South Merton
Aldershot, Basingstoke, Salisbury, Exeter, Southampton, Bournemouth, Poole and Weymouth
Addlestone
Hampton Court
Malden Manor
Morden South
Phipps Bridge
Mitcham
Berrylands
Tolworth
Worcester Park
St Helier
Hackbridge
Thames Ditton
Stoneleigh
Sutton Common
West Sutton
Walton-on-Thames
Surbiton
Ewell West
Sutton
Carshalton
Woking
West Byfleet
Byfleet & New Haw
Weybridge
Hersham
Esher
Chessington North
Hinchley Wood
Chessington South
Ewell East
Cheam
Carshalton Beeches
Wallington
Belmont
Oxshott
Claygate
Epsom
Cobham & Stoke D'Abernon
Ashtead
Banstead
Connex South
Bookham
Epsom Downs
Tattenham Corner
Kingswood
Effingham Junction
Leatherhead
Tadworth
Guildford, Havant, Portsmouth and Isle of Wight
Guildford
Dorking and Horsham
Produced by TWT London N19 – 20.10.1999 (LC)

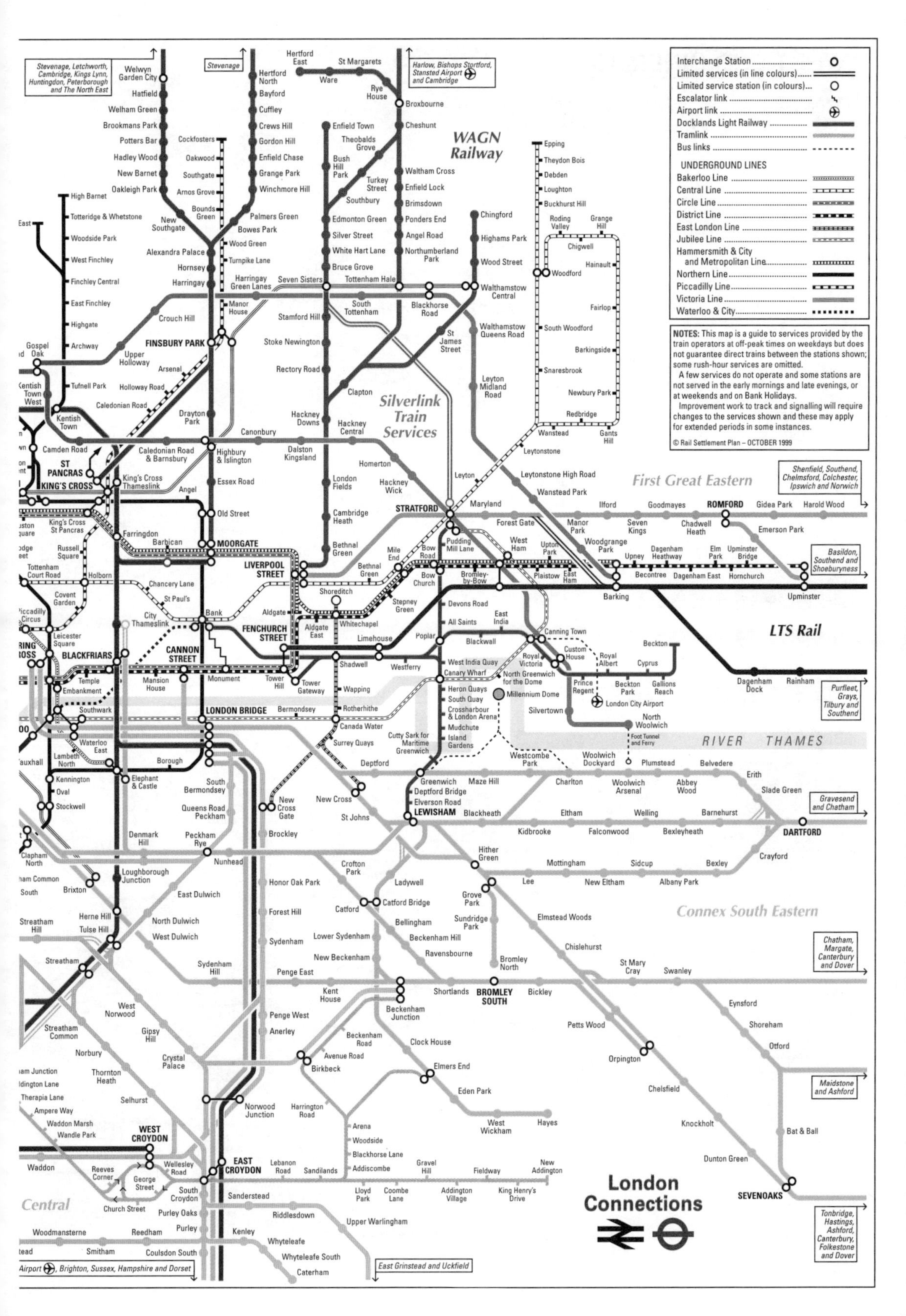

Stevenage, Letchworth, Cambridge, Kings Lynn, Huntingdon, Peterborough and The North East
Welwyn Garden City
Hatfield
Welham Green
Brookmans Park
Potters Bar
Hadley Wood
New Barnet
Oakleigh Park
New Southgate
Alexandra Palace
Hornsey
Harringay
Stevenage
Cockfosters
Oakwood
Southgate
Arnos Grove
Bounds Green
Wood Green
Turnpike Lane
Manor House
Hertford North
Bayford
Cuffley
Crews Hill
Gordon Hill
Enfield Chase
Grange Park
Winchmore Hill
Palmers Green
Bowes Park
Harringay Green Lanes
Hertford East
St Margarets
Ware
Rye House
Harlow, Bishops Stortford, Stansted Airport and Cambridge
Broxbourne
Cheshunt
Enfield Town
Theobalds Grove
Bush Hill Park
Turkey Street
Southbury
Edmonton Green
Silver Street
White Hart Lane
Bruce Grove
Seven Sisters
Tottenham Hale
Waltham Cross
Enfield Lock
Brimsdown
Ponders End
Angel Road
Northumberland Park
WAGN Railway
Chingford
Highams Park
Wood Street
Walthamstow Central
Walthamstow Queens Road
Leyton Midland Road
Blackhorse Road
St James Street
South Tottenham
Stamford Hill
Stoke Newington
Rectory Road
Clapton
Hackney Downs
Hackney Central
Silverlink Train Services
High Barnet
Totteridge & Whetstone
Woodside Park
West Finchley
Finchley Central
East Finchley
Highgate
Archway
Tufnell Park
Kentish Town
Kentish Town West
Gospel Oak
Camden Road
Crouch Hill
Upper Holloway
FINSBURY PARK
Arsenal
Holloway Road
Caledonian Road
Drayton Park
Canonbury
Highbury & Islington
Caledonian Road & Barnsbury
Dalston Kingsland
Homerton
Hackney Wick
London Fields
Cambridge Heath
Bethnal Green
ST PANCRAS
KING'S CROSS
King's Cross Thameslink
Angel
Essex Road
Old Street
King's Cross St Pancras
Farringdon
Barbican
MOORGATE
LIVERPOOL STREET
Russell Square
Holborn
Chancery Lane
St Paul's
Covent Garden
Tottenham Court Road
Piccadilly Circus
Leicester Square
City Thameslink
Bank
Aldgate
Aldgate East
FENCHURCH STREET
Shoreditch
Whitechapel
Bethnal Green
Mile End
Stepney Green
Bow Road
Bow Church
Pudding Mill Lane
STRATFORD
Leyton
Leytonstone
Leytonstone High Road
Wanstead Park
Maryland
Forest Gate
Manor Park
Ilford
Seven Kings
Goodmayes
Chadwell Heath
ROMFORD
Gidea Park
Harold Wood
Emerson Park
First Great Eastern
Shenfield, Southend, Chelmsford, Colchester, Ipswich and Norwich
West Ham
Upton Park
Plaistow
East Ham
Woodgrange Park
Barking
Upney
Becontree
Dagenham Heathway
Dagenham East
Elm Park
Hornchurch
Upminster Bridge
Upminster
Basildon, Southend and Shoeburyness
Bromley-by-Bow
Devons Road
All Saints
East India
Blackwall
Poplar
Limehouse
Shadwell
Westferry
West India Quay
Canary Wharf
Heron Quays
South Quay
Crossharbour & London Arena
Mudchute
Island Gardens
Cutty Sark for Maritime Greenwich
Canning Town
Royal Victoria
Custom House
Royal Albert
Prince Regent
Beckton Park
Cyprus
Gallions Reach
Beckton
London City Airport
North Greenwich for the Dome
Millennium Dome
Silvertown
North Woolwich
Foot Tunnel and Ferry
LTS Rail
Dagenham Dock
Rainham
Purfleet, Grays, Tilbury and Southend
RIVER THAMES
Epping
Theydon Bois
Debden
Loughton
Buckhurst Hill
Roding Valley
Grange Hill
Chigwell
Hainault
Woodford
Fairlop
South Woodford
Barkingside
Snaresbrook
Newbury Park
Redbridge
Wanstead
Gants Hill
BLACKFRIARS
CANNON STREET
Temple
Embankment
Mansion House
Monument
Tower Hill
Tower Gateway
Wapping
Rotherhithe
Canada Water
Surrey Quays
Bermondsey
LONDON BRIDGE
Southwark
Waterloo East
Lambeth North
Borough
Elephant & Castle
Kennington
Oval
Stockwell
Vauxhall
South Bermondsey
Queens Road Peckham
New Cross Gate
New Cross
Deptford
Greenwich
Deptford Bridge
Elverson Road
LEWISHAM
St Johns
Brockley
Denmark Hill
Peckham Rye
Nunhead
Maze Hill
Blackheath
Westcombe Park
Charlton
Woolwich Dockyard
Woolwich Arsenal
Plumstead
Abbey Wood
Belvedere
Erith
Slade Green
Gravesend and Chatham
Kidbrooke
Eltham
Falconwood
Welling
Bexleyheath
Barnehurst
DARTFORD
Clapham North
Clapham Common
Brixton
Loughborough Junction
East Dulwich
Crofton Park
Honor Oak Park
Hither Green
Mottingham
Sidcup
Bexley
Crayford
Lee
New Eltham
Albany Park
Ladywell
Catford
Catford Bridge
Grove Park
Forest Hill
Bellingham
Sundridge Park
Elmstead Woods
Connex South Eastern
Herne Hill
Tulse Hill
North Dulwich
West Dulwich
Streatham Hill
Streatham
Sydenham
Lower Sydenham
Beckenham Hill
Ravensbourne
Bromley North
Chislehurst
St Mary Cray
Swanley
Chatham, Margate, Canterbury and Dover
Sydenham Hill
Penge East
New Beckenham
Kent House
Shortlands
BROMLEY SOUTH
Bickley
Beckenham Junction
West Norwood
Streatham Common
Gipsy Hill
Penge West
Anerley
Beckenham Road
Clock House
Avenue Road
Birkbeck
Elmers End
Eden Park
Petts Wood
Orpington
Eynsford
Shoreham
Otford
Norbury
Thornton Heath
Crystal Palace
Selhurst
Norwood Junction
Harrington Road
Arena
Woodside
Blackhorse Lane
Addiscombe
West Wickham
Hayes
Chelsfield
Maidstone and Ashford
Knockholt
Bat & Ball
Dunton Green
SEVENOAKS
Therapia Lane
Ampere Way
Waddon Marsh
Wandle Park
WEST CROYDON
Wellesley Road
EAST CROYDON
Lebanon Road
Sandilands
Gravel Hill
Fieldway
New Addington
Waddon
Reeves Corner
George Street
Church Street
South Croydon
Purley Oaks
Purley
Reedham
Sanderstead
Riddlesdown
Kenley
Lloyd Park
Coombe Lane
Addington Village
King Henry's Drive
Upper Warlingham
Whyteleafe
Whyteleafe South
Caterham
Central
Woodmansterne
Smitham
Coulsdon South
Airport, Brighton, Sussex, Hampshire and Dorset
East Grinstead and Uckfield
London Connections
Tonbridge, Hastings, Ashford, Canterbury, Folkestone and Dover
Interchange Station
Limited services (in line colours)
Limited service station (in colours)
Escalator link
Airport link
Docklands Light Railway
Tramlink
Bus links
UNDERGROUND LINES
Bakerloo Line
Central Line
Circle Line
District Line
East London Line
Jubilee Line
Hammersmith & City and Metropolitan Line
Northern Line
Piccadilly Line
Victoria Line
Waterloo & City
NOTES: This map is a guide to services provided by the train operators at off-peak times on weekdays but does not guarantee direct trains between the stations shown; some rush-hour services are omitted.
A few services do not operate and some stations are not served in the early mornings and late evenings, or at weekends and on Bank Holidays.
Improvement work to track and signalling will require changes to the services shown and these may apply for extended periods in some instances.
© Rail Settlement Plan – OCTOBER 1999

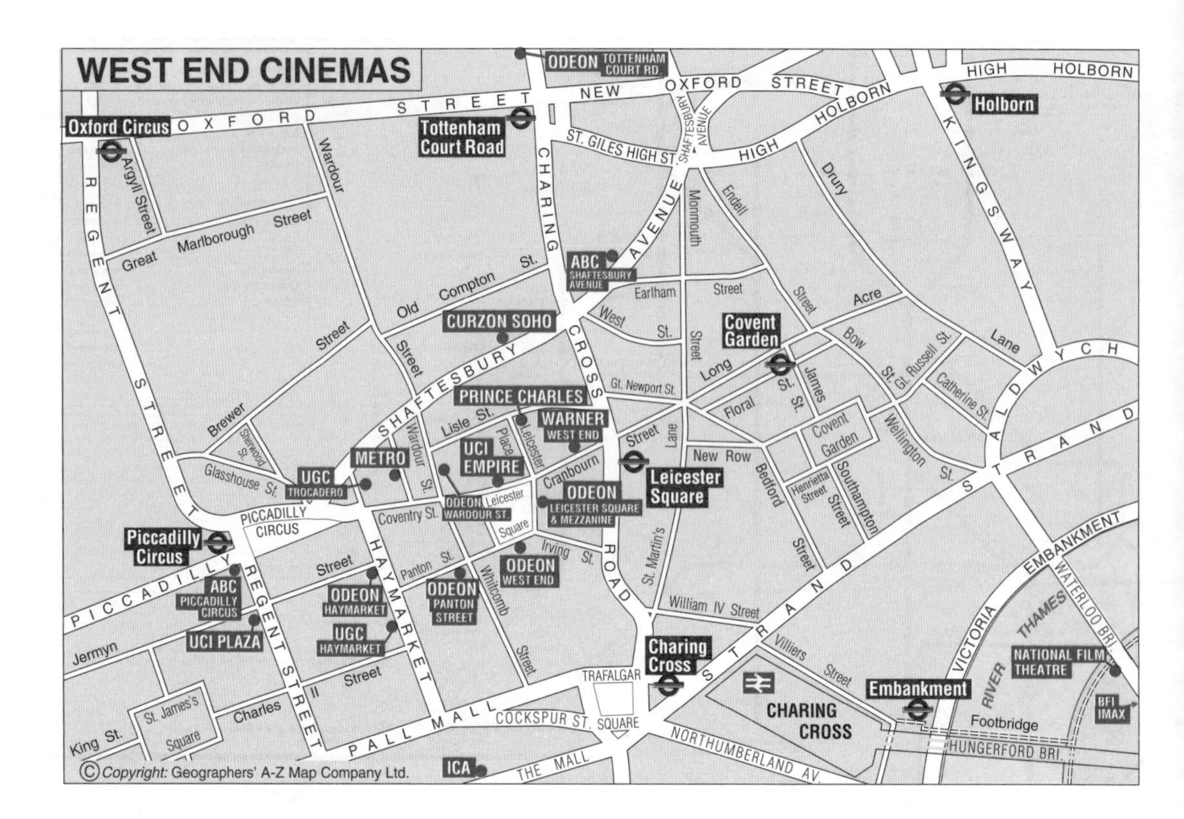

WEST END CINEMAS

ODEON TOTTENHAM COURT RD.

HIGH HOLBORN

Holborn

Oxford Circus OXFORD STREET NEW OXFORD STREET HIGH HOLBORN

ST. GILES HIGH ST.

Tottenham Court Road

SHAFTESBURY AVENUE

Argyll Street

Wardour

Great Marlborough Street

Drury

Endell

Kingsway

ABC SHAFTESBURY AVENUE

Earlham

Street

Acre

Lane

CURZON SOHO

Old Compton St.

West St.

Covent Garden

Bow

St. Gt. Russell St.

Catherine St.

REGENT STREET

PRINCE CHARLES

Lisle St.

WARNER WEST END

Gt. Newport St.

Long

St.

James St.

ALDWYCH

METRO

UCI EMPIRE

Leicester Place

Floral

Covent Garden

Wellington St.

STRAND

UGC TROCADERO

Cranbourn

New Row

Bedford

Henrietta Street

Southampton Street

Brewer

Shaveury St.

Glasshouse St.

Coventry St.

ODEON Leicester WARDOUR ST.

ODEON LEICESTER SQUARE & MEZZANINE

Leicester Square

Leicester Square

St. Martin's

PICCADILLY CIRCUS

Piccadilly Circus

ABC PICCADILLY CIRCUS

Street

Panton St.

ODEON WEST END

Irving St.

EMBANKMENT

WATERLOO BRI.

ODEON HAYMARKET

Whitcomb

William IV Street

Victoria

NATIONAL FILM THEATRE

UCI PLAZA

ODEON PANTON STREET

THAMES

Jermyn

REGENT STREET

UGC HAYMARKET

Street

Charing Cross

STRAND

Villiers

Street

Embankment

RIVER

Footbridge

BFI IMAX

King St.

St. James's Square

Charles

PALL MALL

TRAFALGAR

COCKSPUR ST. SQUARE

NORTHUMBERLAND AV.

CHARING CROSS

HUNGERFORD BRI.

© Copyright: Geographers' A-Z Map Company Ltd.

ICA

THE MALL

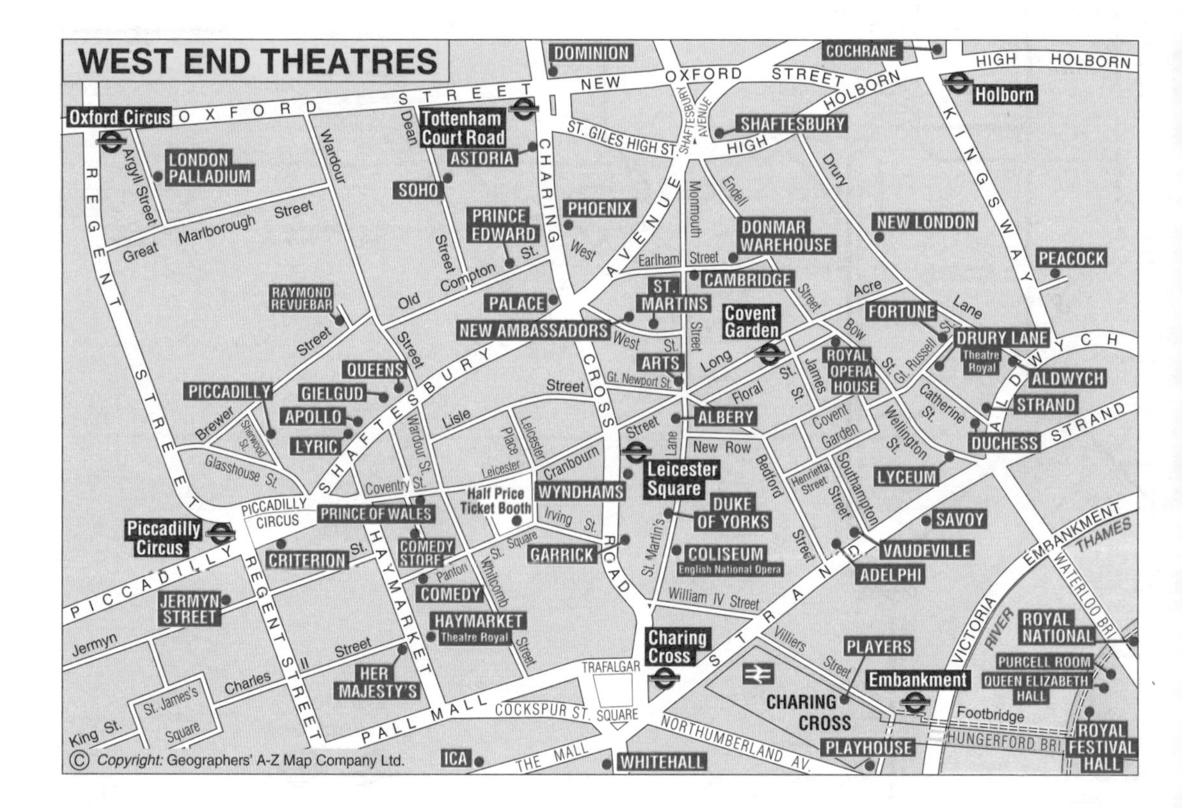

WEST END THEATRES

DOMINION

COCHRANE

HIGH HOLBORN

Holborn

Oxford Circus OXFORD STREET NEW OXFORD STREET HOLBORN

SHAFTESBURY

ST. GILES HIGH ST. HIGH

Tottenham Court Road

LONDON PALLADIUM

Dean

Wardour

ASTORIA

CHARING

Monmouth

Endell

Drury

Kingsway

NEW LONDON

Argyll Street

SOHO

DONMAR WAREHOUSE

PEACOCK

Great Marlborough Street

PRINCE EDWARD

PHOENIX

AVENUE

Earlham

Street

Acre

Lane

RAYMOND REVUEBAR

Old Compton St.

West

CAMBRIDGE

St.

FORTUNE

ALDWYCH

Street

PALACE

ST. MARTINS

Bow

St. Gt. Russell St.

DRURY LANE Theatre Royal

QUEENS

NEW AMBASSADORS

West Street

Covent Garden

ROYAL OPERA HOUSE

James St.

Catherine St.

ALDWYCH

PICCADILLY

GIELGUD

Gt. Newport St.

Long

Floral

St.

Covent Garden

Wellington St.

STRAND

STRAND

Brewer

APOLLO

ARTS

DUCHESS

LYRIC

SHAFTESBURY

Wardour St.

Lisle

ALBERY

Lane

New Row

Bedford

Henrietta Street

Southampton Street

LYCEUM

Glasshouse St.

Coventry St.

Leicester Place

Leicester

Cranbourn

Leicester Square

PICCADILLY CIRCUS

PRINCE OF WALES

Half Price Ticket Booth

WYNDHAMS

DUKE OF YORKS

SAVOY

Piccadilly Circus

CRITERION

Comedy Store

St.

Panton

Irving St.

GARRICK

St. Martin's Lane

COLISEUM English National Opera

Street

VAUDEVILLE

JERMYN STREET

COMEDY

Whitcomb

ADELPHI

WATERLOO BRI.

Jermyn

REGENT STREET

HAYMARKET Theatre Royal

William IV Street

Charing Cross

PLAYERS

Victoria

ROYAL NATIONAL

THAMES

HER MAJESTY'S

Street

Villiers

Street

Embankment

RIVER

PURCELL ROOM QUEEN ELIZABETH HALL

King St.

St. James's Square

Charles

PALL MALL

TRAFALGAR

COCKSPUR ST. SQUARE

NORTHUMBERLAND AV.

CHARING CROSS

Footbridge

HUNGERFORD BRI.

ROYAL FESTIVAL HALL

PLAYHOUSE

© Copyright: Geographers' A-Z Map Company Ltd.

ICA

THE MALL

WHITEHALL

INDEX

Including Streets, Places & Areas, Industrial Estates, Selected Subsidiary Addresses,
Junction Names and Selected Places of Interest.

HOW TO USE THIS INDEX

1. Each street name is followed by its Postal District (or, if outside the London Postal Districts, by its Posttown or Postal Locality), and then by its map reference;
e.g. Aaron Hill Rd. *E6* —8L **63** is in the East 6 Postal District and is found in square 8L on page **63**. The page number being shown in bold type.
A strict alphabetical order is followed in which Av., Rd., St. etc. (though abbreviated) are read in full and as part of the street name; e.g. Abbotsmede Clo. appears after Abbots Mead but before Abbots Pk.

2. Streets and a selection of Subsidiary names not shown on the Maps, appear in this index in *Italics* with the thoroughfare to which it is connected shown in brackets;
e.g. *Abady Ho. SW1* —5H **75** *(off Page St.)*

3. Places and areas are shown in the index in **bold type** the map reference referring to the actual map square in which the town or area is located and not to the place name;
e.g. **Abbey Wood.** —5G **81**

4. An example of a selected place of interest is **Admiralty Arch.** —2H **75**

GENERAL ABBREVIATIONS

All : Alley	Cir : Circus	Gt : Great	M : Mews	Sq : Square
App : Approach	Clo : Close	Grn : Green	Mt : Mount	Sta : Station
Arc : Arcade	Comn : Common	Gro : Grove	Mus : Museum	St : Street
Av : Avenue	Cotts : Cottages	Ho : House	N : North	Ter : Terrace
Bk : Back	Ct : Court	Ind : Industrial	Pal : Palace	Trad : Trading
Boulevd : Boulevard	Cres : Crescent	Info : Information	Pde : Parade	Up : Upper
Bri : Bridge	Cft : Croft	Junct : Junction	Pk : Park	Va : Vale
B'way : Broadway	Dri : Drive	La : Lane	Pas : Passage	Vw : View
Bldgs : Buildings	E : East	Lit : Little	Pl : Place	Vs : Villas
Bus : Business	Embkmt : Embankment	Lwr : Lower	Quad : Quadrant	Vis : Visitors
Cvn : Caravan	Est : Estate	Mc : Mac	Res : Residential	Wlk : Walk
Cen : Centre	Fld : Field	Mnr : Manor	Ri : Rise	W : West
Chu : Church	Gdns : Gardens	Mans : Mansions	Rd : Road	Yd : Yard
Chyd : Churchyard	Gth : Garth	Mkt : Market	Shop : Shopping	
Circ : Circle	Ga : Gate	Mdw : Meadow	S : South	

POSTTOWN AND POSTAL LOCALITY ABBREVIATIONS

Ab L : Abbots Langley	*Chst* : Chislehurst	*Ham* : Ham	*Mit J* : Mitcham Junction	*Stai* : Staines
Abr : Abridge	*Clar P* : Claremont Park	*Hamp* : Hampton	*Mord* : Morden	*Stan* : Stanmore
A'ham : Aldenham	*Clay* : Claygate	*Hamp H* : Hampton Hill	*Nave* : Navestock	*Stanw* : Stanwell
Ark : Arkley	*Cob* : Cobham	*Hamp W* : Hampton Wick	*New Ad* : New Addington	*Stap A* : Stapleford Abbotts
Ashf : Ashford	*Cockf* : Cockfosters	*Hanw* : Hanworth	*New Bar* : New Barnet	*Stoke D* : Stoke D'Abernon
Asht : Ashtead	*Col R* : Collier Row	*Hare* : Harefield	*N Mald* : New Malden	*Stne* : Stone
Ave : Aveley	*Coln* : Colnbrook	*Harm* : Harmondsworth	*Noak H* : Noak Hill	*S'leigh* : Stoneleigh
Badg M : Badgers Mount	*Col S* : Colney Street	*H Hill* : Harold Hill	*N Har* : North Harrow	*Sun* : Sunbury-On-Thames
Bans : Banstead	*Coul* : Coulsdon	*H Wood* : Harold Wood	*N Ock* : North Ockendon	*Surb* : Surbiton
Bark : Barking	*Cow* : Cowley	*Harr* : Harrow	*N'holt* : Northolt	*Sutt* : Sutton
B'side : Barkingside	*Cran* : Cranford	*Har W* : Harrow Weald	*N Hth* : Northumberland Heath	*S at H* : Sutton At Hone
Barn : Barnet	*Cray* : Crayford	*Hav* : Havering-Atte-Bower	*N'wd* : Northwood	*Swan* : Swanley
B Hth : Batchworth Heath	*Crock* : Crockenhill	*Hawl* : Hawley	*Orp* : Orpington	*Tad* : Tadworth
Bean : Bean	*Crox G* : Croxley Green	*Hayes* : Hayes (Kent)	*Oxs* : Oxshott	*Tats* : Tatsfield
Beck : Beckenham	*Croy* : Croydon	*Hay* : Hayes (Middlesex)	*Park* : Park Street	*Tedd* : Teddington
Bedd : Beddington	*Cud* : Cudham	*H'row* : Heathrow	*Pet W* : Petts Wood	*Th Dit* : Thames Ditton
Bedf : Bedfont	*Dag* : Dagenham	*Hers* : Hersham	*Pil H* : Pilgrims Hatch	*T Hth* : Thornton Heath
Bedm : Bedmond	*Dart* : Dartford	*Hex* : Hextable	*Pinn* : Pinner	*Twic* : Twickenham
Belm : Belmont	*Den* : Denham	*High Bar* : High Barnet	*Pot B* : Potters Bar	*Upm* : Upminster
Belv : Belvedere	*Dit H* : Ditton Hill	*H Bee* : High Beech	*Prat B* : Pratts Bottom	*Uxb* : Uxbridge
Berr G : Berrys Green	*Dow* : Downe	*Hil* : Hillingdon	*Purf* : Purfleet	*Wall* : Wallington
Bex : Bexley	*E Barn* : East Barnet	*Hin W* : Hinchley Wood	*Purl* : Purley	*Wal A* : Waltham Abbey
Bexh : Bexleyheath	*E Mol* : East Molesey	*Horn* : Hornchurch	*Rad* : Radlett	*Wal X* : Waltham Cross
Big H : Biggin Hill	*Eastc* : Eastcote	*Hort K* : Horton Kirby	*Rain* : Rainham	*W on T* : Walton-On-Thames
Borwd : Borehamwood	*Edgw* : Edgware	*Houn* : Hounslow	*Rich* : Richmond	*War* : Warley
Bren : Brentford	*Elm P* : Elm Park	*Ick* : Ickenham	*Rick* : Rickmansworth	*Warl* : Warlingham
Brtwd : Brentwood	*Els* : Elstree	*Ilf* : Ilford	*Ridg* : Ridgeway, The	*Wat* : Watford
Brick : Brickendon	*Enf* : Enfield	*Iswth* : Isleworth	*Romf* : Romford	*W'stone* : Wealdstone
Brick W : Bricket Wood	*Epp* : Epping	*Iver* : Iver	*Ruis* : Ruislip	*Well E* : Well End
Brim : Brimsdown	*Eps* : Epsom	*Kenl* : Kenley	*Rush G* : Rush Green	*Well* : Welling
Brom : Bromley	*Eri* : Erith	*Kent* : Kenton	*St Alb* : St Albans	*Wemb* : Wembley
Buck H : Buckhurst Hill	*Esh* : Esher	*Kes* : Keston	*St M* : St Mary Cray	*Wen* : Wennington
Bush : Bushey	*Ewe* : Ewell	*Kew* : Kew	*St P* : St Pauls Cray	*W Dray* : West Drayton
Bus H : Bushey Heath	*Eyns* : Eynsford	*K Lan* : Kings Langley	*Shenl* : Shenley	*W End* : West End
Cars : Carshalton	*Farnb* : Farnborough	*King T* : Kingston Upon Thames	*Shep* : Shepperton	*W Ewe* : West Ewell
Cat : Caterham	*F'ham* : Farningham	*Kgswd* : Kingswood	*Shor* : Shoreham	*W Mol* : West Molesey
Chad H : Chadwell Heath	*Fawk* : Fawkham	*Knat* : Knatts Valley	*Short* : Shortlands	*W W'ck* : West Wickham
Chan X : Chandlers Cross	*Felt* : Feltham	*Lea* : Leatherhead	*Sidc* : Sidcup	*W'ham* : Westerham
Cheam : Cheam	*Frog* : Frogmore	*Leav* : Leavesden	*Slou* : Slough	*Wey* : Weybridge
Chels : Chelsfield	*Gid P* : Gidea Park	*Let H* : Letchmore Heath	*S Croy* : South Croydon	*W Vill* : Whiteley Village
Chel : Chelsham	*G Oak* : Goffs Oak	*L Hth* : Little Heath	*S Dar* : South Darenth	*Whit* : Whitton
Chesh : Cheshunt	*Gnfd* : Greenford	*H'row A* : London Heathrow Airport	*S Harr* : South Harrow	*Whyt* : Whyteleafe
Chess : Chessington	*Grnh* : Greenhithe	*Lou* : Loughton	*S Ock* : South Ockendon	*Wilm* : Wilmington
Chig : Chigwell	*Grn St* : Green Street Green	*Mawn* : Mawneys	*S Ruis* : South Ruislip	*Wfd G* : Woodford Green
Chips : Chipstead	*Hack* : Hackbridge	*Mitc* : Mitcham	*S Wea* : South Weald	*Wor Pk* : Worcester Park
	Hals : Halstead		*S'hall* : Southall	*Yiew* : Yiewsley

INDEX

101 Bus. Units. *SW11* —2D **90**
***198 Gallery.* —5M 91**
(off Railton Rd.)

Aaron Hill Rd. *E6* —8L **63**
Abady Ho. SW1 —5H **75**
(off Page St.)
Abberley M. *SW4* —2F **90**
Abberton Wlk. *Rain* —4D **66**
Abbess Clo. *E6* —8J **63**
Abbess Clo. *SW2* —7M **91**
Abbeville M. *N8* —2H **43**
Abbeville Rd. *SW4* —5G **91**
Abbey Av. *Wemb* —5J **55**
Abbey Bus. Cen. *SW8* —9G **75**

Abbey Clo. *Hay* —2F **68**
Abbey Clo. *N'holt* —6K **53**
Abbey Clo. *Pinn* —1F **36**
Abbey Clo. *Romf* —4E **50**
Abbey Ct. *NW8* —5A **58**
(off Abbey Rd.)
Abbey Ct. *SE17* —6A **76**
(off Macleod St.)
Abbey Ct. *Hamp* —4L **101**
Abbey Ct. *Wal A* —7H **7**
Abbey Cres. *Belv* —5L **81**
Abbeydale Ct. *E17* —1B **46**
Abbeydale Ct. S'hall —9M **53**
(off Dormers Ri.)
Abbeydale Rd. *Wemb* —4K **55**
Abbey Dri. *SW17* —2E **106**
Abbey Dri. *Ab L* —5E **4**

Abbey Est. *NW8* —4M **57**
Abbeyfield Clo. *Mitc* —6C **106**
Abbeyfield Est. *SE16* —5G **77**
Abbeyfield Rd. *SE16* —5G **77**
(in two parts)
Abbeyfields Clo. *NW10* —6L **55**
Abbey Gdns. *NW8* —5A **58**
Abbey Gdns. *SE16* —5E **76**
Abbey Gdns. *W6* —7J **73**
Abbey Gdns. *Chst* —5L **111**
Abbey Gro. *SE2* —5F **80**
Abbey Hill Rd. *Sidc* —8G **97**
Abbey Ho. E15 —5C **62**
(off Baker's Row)
Abbey Ho. NW8 —6A **58**
(off Garden Rd.)
Abbey Ind. Est. *Mitc* —9D **106**

Abbey Ind. Est. *Wemb* —4K **55**
Abbey La. *E15* —5A **62**
Abbey La. *Beck* —4L **109**
Abbey La. Commercial Est. *E15*
—5C **62**
Abbey Life Ct. *E16* —8F **62**
Abbey Lodge. NW1 —6C **58**
(off Park Rd.)
Abbey Mead Ind. Est. *Wal A* —7J **7**
Abbey M. *E17* —3L **45**
Abbey Mills. *Wal A* —6H **7**
Abbey Mt. *Belv* —6K **81**
Abbey Orchard St. *SW1* —4H **75**
Abbey Orchard St. Est. *SW1*
(in two parts) —4H **75**
Abbey Pde. SW19 —4A **106**
(off Merton High St.)

Abbey Pde. *W5* —6K **55**
Abbey Pk. *Beck* —4L **109**
Abbey Pl. *Dart* —4H **99**
Abbey Retail Pk. *Bark* —3M **63**
Abbey Rd. *E15* —5B **62**
Abbey Rd. *NW6 & NW8* —3M **57**
Abbey Rd. *NW10* —4M **55**
Abbey Rd. *SW19* —4A **106**
Abbey Rd. *Bark* —3M **63**
Abbey Rd. *Belv* —5H **81**
Abbey Rd. *Bexh* —3J **97**
Abbey Rd. *Croy* —5M **123**
Abbey Rd. *Enf* —7C **16**
Abbey Rd. *Ilf* —3B **48**
Abbey Rd. *S Croy* —2H **139**
Abbey Rd. *Wal X* —7E **6**
Abbey St. *E13* —7E **62**

149

Abbey St.—Admiral Pl.

Abbey St. SE1 —4C 76
Abbey Ter. SE2 —5G 81
Abbey Trad. Est. SE26 —2K 109
Abbey Vw. NW7 —3D 24
Abbey Vw. Wal A —6H 7
Abbey Vw. Wat —9H 5
Abbey Wlk. W Mol —7M 101
Abbey Wharf Ind. Est. Bark —6B 64
Abbey Wood. —5G 81
Abbey Wood Camping & Cvn. Site. SE2 —5G 81
Abbey Wood La. Rain —5H 67
Abbey Wood Rd. SE2 —5F 80
Abbot Ct. SW8 —8J 75
(off Hartington Rd.)
Abbot Ho. E14 —1M 77
(off Smythe St.)
Abbots Av. Eps —3L 133
Abbotsbury Clo. E15 —5A 62
Abbotsbury Gdns. Pinn —5G 37
Abbotsbury M. SE15 —2G 93
Abbotsbury Rd. W14 —3J 73
Abbotsbury Rd. Brom —4D 126
Abbotsbury Rd. Mord —9M 105
Abbots Clo. Orp —3A 128
Abbots Clo. Rain —5G 67
Abbots Clo. Ruis —8H 37
Abbots Ct. Romf —8K 35
(off Queen's Pk. Rd.)
Abbots Dri. Harr —7L 37
Abbotsford Av. N15 —2A 44
Abbotsford Gdns. Wfd G —7E 30
Abbotsford Rd. Ilf —7E 48
Abbots Gdns. N2 —2B 42
Abbots Grn. Croy —8H 125
Abbotshade Rd. SE16 —2H 77
Abbotshall Av. N14 —3G 27
Abbotshall Rd. SE6 —7B 94
Abbot's Ho. W14 —4K 73
Abbots La. SE1 —2C 76
Abbots La. Kenl —8A 138
Abbots Langley. —3C 4
Abbotsleigh Clo. Sutt —9M 121
Abbotsleigh Rd. SW16 —1G 107
Abbots Mnr. SW1 —6F 74
Abbots Mead. Rich —1H 103
Abbotsmede Clo. Twic —8D 86
Abbots Pk. SW2 —7L 91
Abbot's Pl. NW6 —4M 57
Abbots Pl. Borwd —1M 11
Abbot's Rd. E6 —4H 63
Abbots Rd. Ab L —4A 4
Abbots Rd. Edgw —7A 24
Abbots Ter. N8 —4J 43
Abbotstone Rd. SW15 —2G 89
Abbot St. E8 —2D 60
Abbots Wlk. W8 —4M 73
Abbotswell Rd. SE4 —4K 93
Abbotswood Clo. Belv —4J 81
Abbotswood Gdns. Ilf —1K 47
Abbotswood Rd. SE22 —3C 92
Abbotswood Rd. SW16 —9H 91
Abbotswood Way. Hay —2F 68
Abbott Av. SW20 —5H 105
Abbott Clo. Hamp —3J 101
Abbott Clo. N'holt —2K 53
Abbott Rd. E14 —8A 62
(in two parts)
Abbottsbury Clo. W14 —3J 73
Abbotts Clo. N1 —2A 60
Abbotts Clo. SE28 —1G 81
Abbotts Clo. Romf —1M 49
Abbotts Clo. Swan —8E 114
Abbott's Clo. Uxb —8B 142
Abbotts Cres. E4 —4B 30
Abbotts Cres. Enf —4M 15
Abbotts Dri. Wemb —7K 38
Abbotts Ho. SW1 —6H 75
(off Aylesford St.)
Abbotts Pk. Rd. E10 —5A 46
Abbotts Rd. Mitc —8G 107
(in two parts)
Abbotts Rd. New Bar —6M 13
Abbotts Rd. S'hall —2J 69
Abbotts Rd. Sutt —6J 121
Abbott's Tilt. W on T —5J 117
Abbott's Wlk. Bexh —8H 81
Abbotts Wharf. E14 —9L 61
(off Stainsby Pl.)
Abbs Cross. Horn —6G 51
Abbs Cross Gdns. Horn —6G 51
Abbs Cross La. Horn —9G 51
Abby Pk. Ind. Est. Bark —5A 64
Abchurch La. EC4 —1B 76
(in two parts)
Abchurch Yd. EC4 —1B 76
Abdale Rd. W12 —2F 72
Abel Ho. SE11 —7L 75
(off Kennington Rd.)
Abenglen Ind. Est. Hay —3B 68
Aberavon Rd. E3 —6J 61
Abercairn Rd. SW16 —4G 107
Aberconway Rd. Mord —8M 105
Abercorn Clo. NW7 —7J 25
Abercorn Clo. NW8 —6A 58
Abercorn Clo. S Croy —5H 139
Abercorn Commercial Cen. Wemb —4H 55
Abercorn Cres. Harr —6M 37
Abercorn Gdns. Harr —5H 39
Abercorn Gdns. Romf —4F 48
Abercorn Gro. Ruis —2B 36
Abercorn Ho. SE10 —8M 77
(off Tarves Way)
Abercorn Mans. NW8 —5A 58
(off Abercorn Pl.)
Abercorn M. Rich —3K 87
Abercorn Pl. NW8 —6A 58
Abercorn Rd. NW7 —7J 25
Abercorn Rd. Stan —7G 23
Abercorn Way. SE1 —6E 76
Abercrombie Dri. Enf —3E 16
Abercrombie St. SW11 —1C 90
Aberdare Clo. W W'ck —4A 126
Aberdare Gdns. NW6 —3M 57
Aberdare Gdns. NW7 —7H 25
Aberdare Rd. Enf —6G 17
Aberdeen Cotts. Stan —7G 23
Aberdeen Ct. W9 —7A 58
(off Lanark Pl.)
Aberdeen La. N5 —1A 60
Aberdeen Mans. WC1 —7J 59
(off Kenton St.)
Aberdeen Pde. N18 —5F 28
(off Aberdeen Rd.)
Aberdeen Pk. N5 —1A 60
Aberdeen Pl. NW8 —7B 58
Aberdeen Rd. N5 —9A 44
Aberdeen Rd. N18 —5E 28
(in two parts)
Aberdeen Rd. NW10 —1D 56
Aberdeen Rd. Croy —6A 124
Aberdeen Rd. Harr —9D 22
Aberdeen Sq. E14 —2K 77
Aberdeen Ter. SE3 —1B 94
Aberdour Rd. Ilf —8F 48
Aberdour St. SE1 —5C 76
Aberfeldy Ho. SE5 —8M 75
(in two parts)
Aberfeldy St. E14 —9A 62
(in two parts)
Aberford Gdns. SE18 —9J 79
Aberford Rd. Borwd —4L 11
Aberfoyle Rd. SW16 —3H 107
(in two parts)
Abergeldie Rd. SE12 —5F 94
Abernethy Rd. SE13 —3C 94
Abersham Rd. E8 —1D 60
Abery St. SE18 —5C 80
Abigail M. Romf —9K 35
Abingdon. W14 —5K 73
(off Kensington Village)
Abingdon Clo. NW1 —2H 59
Abingdon Clo. SE1 —5D 76
(off Bushwood Dri.)
Abingdon Clo. SW19 —3A 106
Abingdon Clo. Uxb —4D 142
Abingdon Ct. W8 —4L 73
(off Abingdon Vs.)
Abingdon Gdns. W8 —4L 73
Abingdon Ho. E2 —7D 60
(off Boundary St.)
Abingdon Lodge. W8 —4L 73
Abingdon Lodge. Brom —5D 110
(off Beckenham La.)
Abingdon Rd. N3 —9A 26
Abingdon Rd. SW16 —6J 107
Abingdon Rd. W8 —4L 73
Abingdon St. SW1 —4J 75
Abingdon Vs. W8 —4L 73
Abingdon Way. Orp —6F 128
Abinger Av. Sutt —1G 135
Abinger Clo. Bark —9E 48
Abinger Clo. Brom —7J 111
Abinger Clo. New Ad —8A 126
Abinger Clo. Wall —7J 123
Abinger Ct. W5 —1G 71
Abinger Ct. Wall —7J 123
Abinger Gdns. Iswth —2C 86
Abinger Gro. SE8 —7K 77
Abinger Ho. SE1 —3B 76
(off Gt. Dover St.)
Abinger M. W9 —7L 57
Abinger Rd. W4 —4C 72
Abington Ct. Upm —6M 51
Ablett St. SE16 —6G 77
Abney Gdns. N16 —7D 44
Aboyne Dri. SW20 —6E 104
Aboyne Rd. NW10 —8C 40
Aboyne Rd. SW17 —9B 90
Abridge Clo. Wal X —8D 6
Abridge Gdns. Romf —6L 33
Abridge Way. Bark —5F 64
Abyssinia Clo. SW11 —3C 90
Abyssinia Ct. N8 —3K 43
Abyssinia Rd. SW11 —3C 90
Acacia Av. N17 —7B 28
Acacia Av. Bren —8F 70
Acacia Av. Hay —9D 52
Acacia Av. Horn —7D 50
Acacia Av. Ruis —6E 36
Acacia Av. Wemb —1J 55
Acacia Av. W Dray —1K 143
Acacia Bus. Cen. E11 —8C 46
Acacia Clo. SE8 —5J 77
Acacia Clo. SE20 —6E 108
Acacia Clo. Orp —9B 112
Acacia Clo. Stan —6C 22
Acacia Ct. Harr —3M 37
Acacia Dri. Bans —6H 135
Acacia Dri. Sutt —3L 121
Acacia Dri. Upm —9L 51
Acacia Gdns. NW8 —5B 58
Acacia Gdns. W W'ck —4A 126
Acacia Gro. SE21 —8B 92
Acacia Gro. N Mald —7B 104
Acacia Ho. N22 —8L 27
(off Douglas Rd.)
Acacia M. W Dray —7H 143
Acacia Pl. NW8 —5B 58
Acacia Rd. E11 —7C 46
Acacia Rd. E17 —4J 45
Acacia Rd. N22 —8L 27
Acacia Rd. NW8 —5B 58
Acacia Rd. SW16 —5J 107
Acacia Rd. W3 —1A 72
Acacia Rd. Beck —7K 109
Acacia Rd. Dart —7H 99
Acacia Rd. Enf —3B 16
Acacia Rd. Hamp —3L 101
Acacia Rd. Mitc —6E 106
Acacias, The. Barn —7B 14
Acacia Wlk. Swan —6B 114
Acacia Way. Sidc —7D 96
Academy Bldgs. N1 —6C 60
(off Fanshaw St.)
Academy Ct. E2 —6G 61
(off Kirkwall Pl.)
Academy Gdns. Croy —3D 124
Academy Gdns. N'holt —5H 53
Academy Ho. E3 —8M 61
(off Violet Rd.)
Academy Ho. Borwd —6L 11
(off Station Rd.)
Academy Pl. SE18 —9K 79
Academy Rd. SE18 —9K 79
Acanthus Dri. SE1 —6E 76
Acanthus Rd. SW11 —2E 90
Accommodation La. W Dray —7G 143
Accommodation Rd. NW11 —6K 41
Accommodation Rd. Wor Pk —7E 120
A.C. Court. Th Dit —1E 118
Accrington Ho. H Hill —5H 35
(off Barnstaple Rd.)
Ace Pde. Chess —5J 119
Acer Av. Hay —8J 53
Acer Av. Rain —6H 67
Acer Rd. Big H —8H 141
Acers. Park —1M 5
Acfold Rd. SW6 —9M 73
Achilles Clo. SE1 —6E 76
Achilles Ho. E2 —5F 60
(off Old Bethnal Grn. Rd.)
Achilles Rd. NW6 —1L 57
Achilles St. SE14 —8J 77
Achilles Way. W1 —2E 74
Acklam Rd. W10 —8J 57
(in two parts)
Acklington Dri. NW9 —8C 24
Ackmar Rd. SW6 —9L 73
Ackroyd Dri. E3 —8L 61
Ackroyd Rd. SE23 —6H 93
Acland Clo. SE18 —8B 80
Acland Cres. SE5 —2B 92
Acland Ho. SW9 —9K 75
Acland Rd. NW2 —2F 56
Acme Rd. Wat —2E 8
Acock Gro. N'holt —9M 37
Acol Ct. NW6 —3L 57
Acol Cres. Ruis —1F 52
Acol Rd. NW6 —3L 57
Aconbury Rd. Dag —4F 64
Acorn Cen., The. Ilf —6F 32
Acorn Clo. E4 —5M 29
Acorn Clo. Chst —2A 112
Acorn Clo. Enf —3M 15
Acorn Clo. Hamp —3M 101
Acorn Clo. Stan —7F 22
Acorn Ct. E6 —3J 63
Acorn Ct. Ilf —4C 48
Acorn Ct. Wal X —6D 6
Acorn Gdns. SE19 —5D 108
Acorn Gdns. W3 —8B 56
Acorn Gro. Hay —8D 68
Acorn Gro. Ruis —9D 36
Acorn Ind. Pk. Dart —4D 98
Acorn Pde. SE15 —8F 76
Acorn Pl. Wat —1E 8
Acorn Production Cen. N7 —3J 59
Acorn Rd. Dart —4D 98
Acorns, The. Chig —4C 32
Acorns Way. Esh —7A 118
Acorn Wlk. SE16 —2J 77
Acorn Way. SE23 —9H 93
Acorn Way. Beck —9A 110
Acorn Way. Orp —6M 127
Acre Dri. SE22 —3E 92
Acrefield Ho. NW4 —2H 41
(off Belle Vue Est.)
Acre Path. N'holt —2J 53
(off Arnold Rd.)
Acre Rd. SW19 —3B 106
Acre Rd. Dag —3M 65
Acre Rd. King T —5J 103
Acre Vw. Horn —2J 51
Acre Way. N'wd —8D 20
Acris St. SW18 —4A 90
Acropolis Ho. King T —7K 103
(off Winery La.)
Acton. —2A 72
Acton Central Ind. Est. W3 —2M 71
Acton Clo. N9 —2E 28
Acton Clo. Chesh —4E 6
Acton Green. —4A 72
Acton Hill M. W3 —2M 71
Acton Ho. E8 —4D 60
(off Lee St.)
Acton La. NW10 —6A 56
Acton La. W3 & W4 —3A 72
(in three parts)
Acton M. E8 —4D 60
Acton Pk. Est. W3 —3B 72
Acton St. WC1 —6K 59
Acton Va. Ind. Pk. W3 —2D 72
Acuba Rd. SW18 —8M 89
Acworth Clo. N9 —9G 17
Acworth Ho. SE18 —7M 79
(off Barnfield Rd.)
Acworth Pl. Dart —5G 99
Ada Ct. N1 —4A 60
(off Packington St.)
Ada Ct. NW8 —6A 58
Ada Gdns. E14 —9B 62
Ada Gdns. E15 —4D 62
Ada Ho. E2 —4E 60
(off Ada Pl.)
Adair Clo. SE25 —7F 108
Adair Rd. W10 —7J 57
Adair Tower. W10 —7J 57
(off Appleford Rd.)
Ada Kennedy Ct. SE10 —8A 78
(off Greenwich S. St.)
Adam & Eve Ct. W1 —9G 59
(off Oxford St.)
Adam & Eve M. W8 —4L 73
Adam Clo. SE6 —1K 109
Adam Ct. SE11 —5M 75
(off Opal St.)
Adam Ct. SW7 —5A 74
(off Gloucester Rd.)
Adam Rd. E4 —6K 29
Adams Bri. Bus. Cen. Wemb —1M 55
Adams Clo. N3 —7L 25
Adams Clo. NW9 —7M 39
Adams Clo. Surb —1K 119
Adams Ct. E17 —4J 45
Adams Ct. EC2 —9C 60
Adams Gdns. Est. SE16 —3G 77
Adams Ho. E14 —9B 62
(off Aberfeldy St.)
Adamson Ct. N2 —1C 42
Adamson Rd. E16 —9E 62
Adamson Rd. NW3 —3B 58
Adams Pl. E14 —2M 77
(off N. Colonnade, The)
Adams Pl. N7 —1K 59
Adamsrill Clo. Enf —8B 16
Adamsrill Rd. SE26 —1H 109
Adams Rd. N17 —9B 28
Adams Rd. Beck —9J 109
Adam's Row. W1 —1E 74
Adams Sq. Bexh —2J 97
Adam St. WC2 —1J 75
Adams Wlk. King T —6J 103
Adams Way. Croy —1D 124
Adam Wlk. SW6 —8G 73
(off Crabtree La.)
Ada Pl. E2 —4E 60
Adare Wlk. SW16 —9K 91
Ada Rd. SE5 —8C 76
Ada Rd. Wemb —8H 39
Adastral Ho. WC1 —8K 59
(off New North St.)
Ada St. E8 —4F 60
Ada Workshops. E8 —4F 60
Adcock Wlk. Orp —6D 128
Adderley Gdns. SE9 —1L 111
Adderley Gro. SW11 —4E 90
Adderley Rd. Harr —8D 22
Adderley St. E14 —9A 62
Addey Ho. SE8 —8K 77
Addington. —7L 125
Addington Ct. SW14 —2B 88
Addington Dri. N12 —6B 26
Addington Gro. SE26 —1J 109
Addington Heights. New Ad —3A 140
Addington Ho. SW9 —1K 91
(off Stockwell Rd.)
Addington Rd. E3 —6L 61
Addington Rd. E16 —7C 62
Addington Rd. N4 —4L 43
Addington Rd. Croy —3L 123
Addington Rd. S Croy —4E 138
Addington Rd. W W'ck —6A 126
Addington Sq. SE5 —7B 76
(in two parts)
Addington St. SE1 —3K 75
Addington Village Rd. Croy —8K 125
(in two parts)
Addis Clo. Enf —3H 17
Addiscombe. —3E 124
Addiscombe Av. Croy —3E 124
Addiscombe Clo. Harr —3G 39
Addiscombe Ct. Rd. Croy —3C 124
Addiscombe Gro. Croy —4C 124
Addiscombe Rd. Croy —4C 124
Addiscombe Rd. Wat —6F 8
Addis Ho. E1 —8G 61
(off Lindley St.)
Addisland Ct. W14 —3J 73
(off Holland Vs. Rd.)
Addison Av. N14 —8F 14
Addison Av. W11 —2J 73
Addison Av. Houn —9A 70
Addison Bri. Pl. W14 —5K 73
Addison Clo. N'wd —8E 20
Addison Clo. Orp —1A 128
Addison Cres. W14 —4J 73
Addison Dri. SE12 —4F 94
Addison Gdns. W14 —4H 73
Addison Gdns. Surb —8K 103
Addison Gro. W4 —4C 72
Addison Ho. NW8 —6B 58
(off Grove End Rd.)
Addison Pk. Mans. W14 —4H 73
(off Richmond Way)
Addison Pl. SE25 —8E 108
Addison Pl. W11 —2J 73
Addison Pl. S'hall —1L 69
Addison Rd. E11 —4E 46
Addison Rd. E17 —3M 45
Addison Rd. SE25 —8E 108
Addison Rd. W14 —3J 73
Addison Rd. Brom —9G 111
Addison Rd. Enf —3G 17
Addison Rd. Ilf —8A 32
Addison Rd. Tedd —3F 102
Addisons Clo. Croy —4K 125
Addison Ter. W4 —5A 72
(off Chiswick Rd.)
Addison Way. NW11 —2K 41
Addison Way. Hay —9E 52
Addison Way. N'wd —8D 20
Addle Hill. EC4 —9M 59
Addle St. EC2 —9A 60
Addmar Rd. Dag —8H 49
Addy Ho. SE16 —5G 77
Adecroft Way. W Mol —7A 102
Adela Av. N Mald —9F 104
Adela Ho. W6 —6G 73
(off Queen Caroline St.)
Adelaide Av. SE4 —3K 93
Adelaide Clo. Enf —2C 16
Adelaide Clo. Stan —4E 22
Adelaide Ct. NW8 —5A 58
(off Abercorn Pl.)
Adelaide Ct. W7 —3D 70
Adelaide Ct. Beck —4K 109
Adelaide Gdns. Romf —3J 49
Adelaide Gro. W12 —2E 72
Adelaide Ho. E15 —5D 62
Adelaide Ho. E17 —9K 29
Adelaide Ho. SE5 —1C 92
Adelaide Ho. W11 —9K 57
(off Portobello Rd.)
Adelaide Pl. Wey —6B 116
Adelaide Rd. E10 —8M 45
Adelaide Rd. NW3 —3B 58
Adelaide Rd. SW18 —4L 89
Adelaide Rd. W13 —2E 70
Adelaide Rd. Chst —2M 111
Adelaide Rd. Houn —9J 69
Adelaide Rd. Ilf —7M 47
Adelaide Rd. Rich —3K 87
Adelaide Rd. S'hall —5J 69
Adelaide Rd. Surb —9J 103
Adelaide Rd. Tedd —3D 102
Adelaide Rd. W on T —5E 116
Adelaide St. WC2 —1J 75
Adelaide Ter. Bren —6H 71
Adelaide Wlk. SW9 —3L 91
Adela St. W10 —7J 57
Adelina Gro. E1 —8G 61
Adelina M. SW12 —7H 91
Adeline Pl. WC1 —8H 59
Adeliza Clo. Bark —3A 64
Adelphi Ct. W4 —7B 72
Adelphi Cres. Hay —6C 52
Adelphi Cres. Horn —7E 50
Adelphi Rd. Eps —5B 134
Adelphi Ter. WC2 —1J 75
Adelphi Theatre. —1J 75
(off Strand)
Adelphi Way. Hay —6D 52
Adeney Clo. W6 —7H 73
Aden Gro. N16 —9B 44
Aden Ho. E1 —8H 61
(off Duckett St.)
Adenmore Rd. SE6 —6L 93
Aden Rd. Enf —6J 17
Aden Rd. Ilf —5A 48
Aden Ter. N16 —9B 44
Adeyfield Ho. EC1 —6B 60
(off Cranwood St.)
Adhara Rd. N'wd —5D 20
Adie Rd. W6 —4G 73
Adine Rd. E13 —7F 62
Adler Ind. Est. Hay —3B 68
Adler St. E1 —9E 60
Adley St. E5 —1J 61
Adlington Clo. N18 —5C 28
Admark Ho. Eps —7M 133
Admaston Rd. SE18 —8A 80
Admiral Clo. Orp —8H 113
Admiral Ct. SW10 —9A 74
(off Admiral Sq.)
Admiral Ct. W1 —8E 58
(off Blandford St.)
Admiral Ct. Bark —5F 64
Admiral Ct. Cars —3C 122
Admiral Ho. SW1 —5G 75
(off Willow Pl.)
Admiral Ho. Tedd —1E 102
Admiral Hyson Ind. Est. SE16 —6F 76
Admiral M. W10 —7H 57
Admiral Pl. SE16 —2J 77

Admirals Clo.—Alders Clo.

Admirals Clo. E18 —2F 46
Admirals Ct. E6 —9M 63
(off Trader Rd.)
Admirals Ct. SE1 —2D 76
(off Horselydown La.)
Admiral Seymour Rd. SE9 —3K 95
Admiral's Ga. SE10 —9M 77
Admirals Lodge. Romf —2D 50
Admiral Sq. SW10 —9A 74
Admiral St. SE8 —1L 93
Admirals Wlk. NW3 —8A 42
Admirals Way. E14 —3L 77
Admiralty Arch. —2H 75
Admiralty Clo. SE8 —8L 77
Admiralty Rd. Tedd —3D 102
Admiralty Way. Tedd —3D 102
Admiral Wlk. W9 —8L 57
Adnams Wlk. Rain —2E 66
Adolf St. SE6 —1M 109
Adolphus Rd. N4 —7M 43
Adolphus St. SE8 —8K 77
Adpar St. W2 —8B 58
Adrian Av. NW2 —6F 40
Adrian Boult Ho. E2 —6F 60
(off Mansford St.)
Adrian Ho. N1 —4K 59
(off Barnsbury Est.)
Adrian Ho. SW8 —8J 75
(off Wyvil Rd.)
Adrian M. SW10 —7M 73
Adrian Rd. Ab L —4C 4
Adriatic Building. E14 —1J 77
(off Horseferry Rd.)
Adriatic Ho. E1 —7H 61
(off Ernest St.)
Adrienne Av. S'hall —7K 53
Adron Ho. SE16 —5G 77
(off Millender Wlk.)
Adstock Ho. N1 —3M 59
(off Sutton Est., The)
Advance Rd. SE27 —1A 108
Adventurers Ct. E14 —1B 78
(off Newport Av.)
Advent Way. N18 —5H 29
Adys Lawn. NW2 —2F 56
Ady's Rd. SE15 —2D 92
Aegon Ho. E14 —4M 77
(off Lanark Sq.)
Aerodrome Rd. NW9 & NW4 —1D 40
Aerodrome Way. Houn —7G 69
Aeroville. NW9 —9C 24
Affleck St. N1 —5K 59
Afghan Rd. SW11 —1C 90
Afsil Ho. EC1 —8L 59
(off Viaduct Bldgs.)
Agamemnon Rd. NW6 —9K 41
Agar Clo. Surb —4K 119
Agar Gro. NW1 —3G 59
Agar Gro. Est. NW1 —3H 59
Agar Ho. King T —7J 103
(off Denmark Rd.)
Agar Pl. NW1 —3G 59
Agar St. WC2 —1J 75
Agate Clo. E16 —9H 63
Agate Rd. W6 —4G 73
Agates La. Asht —9H 133
Agatha Clo. E1 —2F 76
Agaton Rd. SE9 —8A 96
Agave Rd. NW2 —9G 41
Agdon St. EC1 —7M 59
Agincourt Rd. NW3 —9D 42
Agister Rd. Chig —5E 32
Agnes Av. Ilf —9L 47
Agnes Clo. E6 —1L 79
Agnesfield Clo. N12 —6C 26
Agnes Gdns. Dag —9H 49
Agnes Ho. W11 —1H 73
(off St Ann's Rd.)
Agnes Rd. W3 —2D 72
Agnes Scott Ct. Wey —5A 116
(off Palace Dri.)
Agnes St. E14 —9K 61
Agnew Rd. SE23 —6H 93
Agricola Pl. Enf —7D 16
Aidan Clo. Dag —8J 49
Aigburth Mans. SW9 —8L 75
(off Mowll St.)
Aileen Wlk. E15 —3D 62
Ailsa Av. Twic —4E 86
Ailsa Ho. E16 —1L 79
(off University Way)
Ailsa Rd. Twic —4F 86
Ailsa St. E14 —8A 62
Aimes Green. —2M 7
Ainger M. NW3 —3D 58
(off Ainger Rd., in two parts)
Ainger Rd. NW3 —3D 58
Ainsdale. NW1 —5G 59
(off Harrington St.)
Ainsdale Clo. Orp —3B 128
Ainsdale Cres. Pinn —1L 37
Ainsdale Dri. SE1 —6E 76
Ainsdale Rd. W5 —7H 55
Ainsdale Rd. Wat —3G 21
Ainsley Av. Romf —4M 49
Ainsley Clo. N9 —1C 28
Ainsley St. E2 —6F 60
Ainslie Ct. Wemb —5J 55
Ainslie Wlk. SW12 —6F 90
Ainslie Wood Cres. E4 —5M 29
Ainslie Wood Gdns. E4 —4M 29
Ainslie Wood Rd. E4 —5L 29
Ainsty Est. SE16 —3H 77
Ainsty St. SE16 —3G 77
Ainsworth Clo. NW2 —8E 40
Ainsworth Clo. SE15 —1C 92
Ainsworth Ho. NW8 —4M 57
Ainsworth Rd. E9 —3G 61
Ainsworth Rd. Croy —3M 123
Ainsworth Way. NW8 —4A 58
Aintree Av. E6 —4J 63
Aintree Clo. Uxb —9F 142
Aintree Cres. Ilf —9A 32
Aintree Est. SW6 —8J 73
(off Aintree St.)
Aintree Gro. Upm —8K 51
Aintree Rd. Gnfd —5F 54
Aintree St. SW6 —8J 73
Airbourne Ho. Wall —6G 123
(off Maldon Rd.)
Air Call Bus. Cen. NW9 —1B 40
Aird Ho. SE1 —4A 76
(off Rockingham St.)
Airdrie Clo. N1 —3K 59
Airdrie Clo. Hay —8J 53
Airedale Av. W4 —5D 72
Airedale Av. S. W4 —6D 72
Airedale Rd. SW12 —6D 90
Airedale Rd. W5 —4G 71
Airfield Pathway. Horn —3G 67
Airfield Way. Horn —2F 66
Airlie Gdns. W8 —2L 73
Airlie Gdns. Ilf —6M 47
Airlinks Ind. Est. Houn —6G 69
Air Pk. Way. Felt —8F 84
Airport Ind. Est. Big H —7H 141
Air St. W1 —1G 75
Airthrie Rd. Ilf —7F 48
Aisgill Av. W14 —6K 73
(in two parts)
Aisher Rd. SE28 —1G 81
Aislibie Rd. SE12 —3C 94
Aiten Pl. W6 —5E 72
Aithan Ho. E14 —9K 61
(off Copenhagen Pl.)
Aitken Clo. E8 —4E 60
Aitken Clo. Mitc —2D 122
Aitken Rd. SE6 —8M 93
Aitken Rd. Barn —7G 13
Ajax Av. NW9 —1C 40
Ajax Ho. E2 —5F 60
(off Old Bethnal Grn. Rd.)
Ajax Rd. NW6 —9K 41
Akabusi Clo. Croy —1E 124
Akbar Ho. E14 —5M 77
(off Cahir St.)
Akehurst St. SW15 —5E 88
Akenside Rd. NW3 —1B 58
Akerman Rd. SW9 —1M 91
Akerman Rd. Surb —1G 119
Akintaro Ho. SE8 —7K 77
(off Alverton St.)
Alabama St. SE18 —8B 80
Alacross Rd. W5 —3G 71
Alan Clo. Dart —3G 99
Alandale Dri. Pinn —8F 20
Aland Ct. SE16 —4J 77
Alander M. E17 —2A 46
Alan Dri. Barn —8J 13
Alan Gdns. Romf —5L 49
Alan Hocken Way. E15 —5C 62
Alan Preece Ct. NW6 —3H 57
Alan Rd. SW19 —2J 105
Alanthus Clo. SE12 —5E 94
Alaska Bldgs. SE1 —4D 76
Alaska St. SE1 —2L 75
Alba Clo. Hay —7H 53
Albacore Cres. SE13 —5M 93
Alba Gdns. NW11 —4J 41
Albain Cres. Ashf —8C 144
Alban Cres. Borwd —3M 11
Alban Cres. F'ham —3L 131
Alban Highwalk. EC2 —8A 60
(off Addle St., in two parts)
Alban Ho. Borwd —3M 11
Albans Vw. Wat —6F 4
Albany. N12 —6M 25
Albany. W1 —1G 75
Albany Clo. N15 —2M 43
Albany Clo. SW14 —3M 87
Albany Clo. Bex —6G 97
Albany Clo. Bush —8B 10
Albany Clo. Esh —9L 117
Albany Clo. Uxb —1E 142
Albany Ct. E4 —8L 17
(Sewardstone Rd.)
Albany Ct. E4 —5K 29
(Westward Rd.)
Albany Ct. E10 —5L 45
Albany Ct. NW8 —5B 58
(off Abbey Rd.)
Albany Ct. NW9 —8B 24
Albany Courtyard. W1 —1G 75
(off Piccadilly)
Albany Cres. Clay —8C 118
Albany Cres. Edgw —7L 23
Albany Mans. SW11 —8C 74
Albany M. N1 —3L 59
Albany M. SE5 —7A 76
Albany M. Brom —3E 110
Albany M. King T —3H 103
Albany M. Sutt —7M 121
Albany Pde. Bren —7J 71
Albany Pk. Av. Enf —3G 17
Albany Pk. Rd. King T —3H 103
Albany Pas. Rich —4J 87
Albany Pl. N7 —9L 43
Albany Reach. Th Dit —9D 102
Albany Rd. E10 —5L 45
Albany Rd. E12 —9H 47
Albany Rd. E17 —4J 45
Albany Rd. N4 —4L 43
Albany Rd. N18 —5G 29
Albany Rd. SE5 —7B 76
Albany Rd. SW19 —2M 105
Albany Rd. W13 —1F 70
Albany Rd. Belv —7K 81
Albany Rd. Bex —6G 97
Albany Rd. Bren —7H 71
Albany Rd. Chst —2M 111
Albany Rd. Enf —1H 17
Albany Rd. Horn —6E 50
Albany Rd. N Mald —8B 104
Albany Rd. Rich —4K 87
Albany Rd. Romf —4K 49
Albany Rd. W on T —6H 117
Albany St. NW1 —5F 58
Albany Ter. NW1 —7F 58
(off Marylebone Rd.)
Albany Ter. Rich —4K 87
(off Albany Pas.)
Albany, The. Wfd G —4D 30
Albany Vw. Buck H —1E 30
Alba Pl. W11 —9K 57
Albatross. NW9 —9D 24
Albatross Gdns. S Croy —3H 139
Albatross St. SE18 —8C 80
Albatross Way. SE16 —3H 77
Albemarle. SW19 —8H 89
Albemarle App. Ilf —4M 47
Albemarle Av. Chesh —1C 6
Albemarle Av. Twic —7K 85
Albemarle Gdns. Ilf —4M 47
Albemarle Gdns. N Mald —8B 104
Albemarle Ho. SE8 —5K 77
(off Foreshore)
Albemarle Ho. SW9 —2L 91
Albemarle Pk. Beck —5M 109
Albemarle Pk. Stan —5G 23
Albemarle Rd. Beck —5M 109
Albemarle Rd. E Barn —9C 14
Albemarle St. W1 —1F 74
Albemarle Way. EC1 —7M 59
Alberon Gdns. NW11 —2K 41
Alberta Av. Sutt —6J 121
Alberta Est. SE17 —6M 75
(off Alberta St.)
Alberta Ho. E14 —2A 78
(off Gaselee St.)
Alberta Rd. Enf —8D 16
Alberta Rd. Eri —9A 82
Alberta St. SE17 —6M 75
Albert Av. E4 —4L 29
Albert Av. SW8 —8K 75
Albert Barnes Ho. SE1 —4A 76
(off New Kent Rd.)
Albert Bigg Point. E15 —5A 62
(off Godfrey St.)
Albert Bri. SW3 & SW11 —7C 74
Albert Bri. Rd. SW11 —8C 74
Albert Carr Gdns. SW16 —2J 107
Albert Clo. E9 —4F 60
Albert Clo. N22 —8H 27
Albert Cotts. E1 —8E 60
(off Deal St.)
Albert Ct. E7 —9E 46
Albert Ct. SW7 —4B 74
Albert Ct. Ga. SW7 —3D 74
(off Knightsbridge)
Albert Cres. E4 —4L 29
Albert Dane Cen. S'hall —4J 69
Albert Dri. SW19 —8J 89
Albert Embkmt. SE1 —6J 75
(in two parts)
Albert Gdns. E1 —9H 61
Albert Ga. SW1 —3D 74
Albert Gray Ho. SW10 —8B 74
(off Worlds End Est.)
Albert Gro. SW20 —5H 105
Albert Hall Mans. SW7 —3B 74
(in two parts)
Albert Ho. E18 —1F 46
(off Albert Rd.)
Albertine Clo. Eps —8F 134
Albert Mans. Croy —3B 124
(off Lansdowne Rd.)
Albert Memorial. —3B 74
Albert M. E14 —1J 77
(off Northey St.)
Albert M. N4 —6K 43
Albert M. SE4 —3K 93
Albert M. W8 —4A 74
Albert Pal. Mans. SW11 —9F 74
(off Lurline Gdns.)
Albert Pl. N3 —8L 25
Albert Pl. N17 —1D 44
Albert Pl. W8 —4M 73
Albert Rd. E10 —7A 46
Albert Rd. E16 —2J 79
Albert Rd. E17 —3L 45
Albert Rd. E18 —1F 46
Albert Rd. N4 —6K 43
Albert Rd. N15 —4C 44
Albert Rd. N22 —8G 27
Albert Rd. NW4 —2H 41
Albert Rd. NW6 —5K 57
Albert Rd. NW7 —5D 24
Albert Rd. SE9 —9J 95
Albert Rd. SE20 —3H 109
Albert Rd. SE25 —8E 108
Albert Rd. W5 —7F 54
Albert Rd. Barn —6A 14
Albert Rd. Belv —6K 81
Albert Rd. Bex —5L 97
Albert Rd. Brom —9H 111
Albert Rd. Buck H —2H 31
Albert Rd. Chels —7E 128
Albert Rd. Dag —6L 49
Albert Rd. Dart —9G 99
Albert Rd. Eps —5D 134
Albert Rd. Hamp H —2A 102
Albert Rd. Harr —1A 38
Albert Rd. Hay —4C 68
Albert Rd. Houn —3L 85
Albert Rd. Ilf —8M 47
Albert Rd. King T —6K 103
Albert Rd. Mitc —7D 106
Albert Rd. N Mald —8D 104
Albert Rd. Rich —4J 87
Albert Rd. Romf —3D 50
Albert Rd. St M —1F 128
Albert Rd. S'hall —4H 69
Albert Rd. Sutt —7B 122
Albert Rd. Tedd —3D 102
Albert Rd. Twic —7D 86
Albert Rd. Warl —9K 139
Albert Rd. W Dray —2J 143
Albert Rd. Est. Belv —6K 81
Albert Rd. N. Wat —5F 8
Albert Rd. S. Wat —5F 8
Albert Sq. E15 —1C 62
Albert Sq. SW8 —8K 75
Albert Starr Ho. SE8 —5H 77
(off Bush Rd.)
Albert St. N12 —5A 26
Albert St. NW1 —4F 58
Albert Studios. SW11 —9D 74
Albert Ter. NW1 —4E 58
Albert Ter. NW10 —4A 56
Albert Ter. W5 —7F 54
Albert Ter. Buck H —2J 31
Albert Ter. M. NW1 —4E 58
Albert Victoria Ho. N22 —8L 27
(off Pellatt Gro.)
Albert Wlk. E16 —3L 79
Albert Way. SE15 —8F 76
Albert Westcott Ho. SE17 —6M 75
Albert Whicker Ho. E17 —2A 46
Albert Yd. SE19 —3C 108
Albery Theatre. —1J 75
(off St Martin's La.)
Albion Av. N10 —8E 26
Albion Av. SW8 —1H 91
Albion Clo. W2 —1C 74
Albion Clo. Romf —4B 50
Albion Ct. W6 —5F 72
(off Albion Pl.)
Albion Dri. E8 —3D 60
(in two parts)
Albion Est. SE16 —3H 77
Albion Gdns. W6 —5F 72
Albion Ga. W2 —1C 74
(off Albion St., in two parts)
Albion Gro. N16 —9C 44
Albion Hill. Lou —7G 19
Albion Ho. E16 —2M 79
(off Church St.)
Albion Ho. SE8 —8L 77
(off Watsons St.)
Albion M. N1 —4L 59
Albion M. W2 —1C 74
Albion M. W6 —5F 72
Albion Pk. Lou —7H 19
Albion Pl. EC1 —8M 59
Albion Pl. EC2 —8B 60
Albion Pl. SE25 —7E 108
Albion Pl. W6 —5F 72
Albion Rd. E17 —1A 46
Albion Rd. N16 —9B 44
Albion Rd. N17 —9E 28
Albion Rd. Bexh —3K 97
Albion Rd. Hay —9C 52
Albion Rd. Houn —3L 85
Albion Rd. King T —5A 104
Albion Rd. Sutt —8B 122
Albion Rd. Twic —7C 86
Albion Sq. E8 —3D 60
Albion St. SE16 —3G 77
Albion St. W2 —9C 58
Albion St. Croy —3M 123
Albion Ter. E4 —6M 17
Albion Ter. E8 —3D 60
Albion Vs. Rd. SE26 —9G 93
Albion Way. EC1 —8A 60
Albion Way. SE13 —3A 94
Albion Way. Wemb —8L 39
Albion Wharf. SW11 —8C 74
Albion Yd. N1 —5J 59
Albright Ind. Est. Rain —7D 66
Albrighton Rd. SE22 —2C 92
Albuhera Clo. Enf —3L 15
Albury Av. Bexh —1J 97
Albury Av. Iswth —8D 70
Albury Av. Sutt —1G 135
Albury Clo. Eps —1M 133
Albury Clo. Hamp —3M 101
Albury Ct. Croy —6A 124
(off Tanfield Rd.)
Albury Ct. Mitc —6B 106
Albury Ct. N'holt —6G 53
(off Canberra Dri.)
Albury Ct. Sutt —6A 122
Albury Dri. Pinn —8G 21
Albury Gro. Rd. Chesh —3D 6
Albury Ho. SE1 —3M 75
(off Boyfield St.)
Albury M. E12 —7G 47
Albury Ride. Chesh —4D 6
Albury Rd. Chess —7J 119
Albury Rd. W on T —8C 116
Albury St. SE8 —7L 77
Albury Wlk. Chesh —3C 6
(in two parts)
Albyfield. Brom —8K 111
Albyn Rd. SE8 —9L 77
Albyns Clo. Rain —3E 66
Alcester Cres. E5 —7F 44
Alcester Ho. Romf —5H 35
(off Northallerton Way)
Alcester Rd. Wall —6F 122
Alcock Clo. Wall —9H 123
Alcock Rd. Houn —8H 69
Alconbury. Bexh —4M 97
Alconbury Rd. E5 —7E 44
Alcorn Clo. Sutt —4L 121
Alcott Clo. W7 —8D 54
Alcott Clo. Felt —7D 84
Alcuin Ct. Stan —7G 23
Aldam Pl. N16 —7D 44
Aldborough Ct. Ilf —3D 48
(off Aldborough Rd. N.)
Aldborough Hatch. —2D 48
Aldborough Rd. Dag —2A 66
Aldborough Rd. Upm —7K 51
Aldborough Rd. N. Ilf —3D 48
Aldborough Rd. S. Ilf —6C 48
(in two parts)
Aldbourne Rd. W3 —2D 72
(in two parts)
Aldbridge St. SE17 —6C 76
Aldburgh M. W1 —9E 58
(in two parts)
Aldbury Av. Wemb —3M 55
Aldbury Clo. Wat —9H 5
Aldbury Ho. SW3 —5C 74
(off Ixworth Pl.)
Aldbury M. N9 —9B 16
Aldebert Ter. SW8 —8J 75
Aldeburgh Clo. E5 —7F 44
Aldeburgh Pl. Wfd G —4E 30
Aldeburgh St. SE10 —6E 78
Alden Av. E15 —6D 62
Alden Ct. Croy —5C 124
Aldenham. —2M 9
Aldenham Av. Rad —1E 10
Aldenham Country Pk. —7F 10
Aldenham Dri. Uxb —7F 142
Aldenham Ho. NW1 —5G 59
(off Aldenham St.)
Aldenham Rd. Els —5E 10
Aldenham Rd. Let H & Els —3C 10
Aldenham Rd. Wat & Bush —8H 9
Aldenham St. NW1 —5G 59
Aldenholme. Wey —8C 116
Alden Ho. E8 —4F 60
(off Duncan Rd.)
Alden Mead. Pinn —6L 21
(off Avenue, The)
Aldensley Rd. W6 —4F 72
Alder Av. Upm —9K 51
Alderbrook Rd. SW12 —5F 90
Alderbury Rd. SW13 —7E 72
Alder Clo. SE15 —7D 76
Alder Clo. Park —1M 5
Aldercroft. Coul —8K 137
Alder Gro. NW2 —7E 40
Aldergrove Gdns. Houn —1J 85
Aldergrove Wlk. Horn —2G 67
Alderholt Way. SE15 —8C 76
Alder Ho. NW3 —2D 58
Alder Ho. SE4 —2L 93
Alder Ho. SE15 —7D 76
(off Alder Clo.)
Alder Lodge. SW6 —9G 73
Alderman Av. Bark —6E 64
Aldermanbury. EC2 —9A 60
Aldermanbury Sq. EC2 —8A 60
Alderman Judge Mall. King T —6J 103
Aldermans Hill. N13 —4J 27
Aldermans Wlk. EC2 —8C 60
Aldermary Rd. Brom —5E 110
Alder M. N19 —7G 43
Aldermoor Rd. SE6 —9K 93
Alderney Av. Houn —8M 69
Alderney Gdns. N'holt —3K 53
Alderney Ho. N1 —2A 60
(off Arran Wlk.)
Alderney Ho. Enf —2H 17
Alderney Rd. E1 —7H 61
Alderney Rd. Eri —8E 82
Alderney St. SW1 —5F 74
Alder Rd. SW14 —2B 88
Alder Rd. Den —2A 142
Alder Rd. Sidc —9D 96
Alders Av. Wfd G —6C 30
Aldersbrook. —7F 46
Aldersbrook Av. Enf —4C 16
Aldersbrook Dri. King T —3K 103
Aldersbrook La. E12 —8K 47
Aldersbrook Rd. E11 & E12 —7F 46
Alders Clo. E11 —7F 46
Alders Clo. W5 —4H 71
Alders Clo. Edgw —5A 24

Aldersey Gdns.—Altham Ct.

Aldersey Gdns. Bark —2B 64
Aldersford Clo. SE4 —4H 93
Aldersgate St. EC1 —8A 60
Alders Gro. E Mol —9B 102
Aldersgrove. Wal A —7L 7
Aldersgrove Av. SE9 —9H 95
Aldershot Rd. NW6 —4K 57
Aldershot Ter. SE18 —8L 79
Aldersmead Av. Croy —1H 125
Aldersmead Rd. Beck —4J 109
Alderson Pl. S'hall —2A 70
Alderson St. W10 —7J 57
Alders Rd. Edgw —5A 24
Alders, The. N21 —8L 15
Alders, The. SW16 —1G 107
Alders, The. Den —2A 142
Alders, The. Felt —1J 101
Alders, The. Houn —7K 69
Alders, The. W W'ck —3M 125
Alderton Clo. NW10 —8B 40
Alderton Clo. Lou —6L 19
Alderton Cres. NW4 —3F 40
Alderton Hall La. Lou —6L 19
Alderton Hill. Lou —7J 19
Alderton M. Lou —6L 19
Alderton Ri. Lou —6L 19
Alderton Rd. SE24 —2A 92
Alderton Rd. Croy —2D 124
Alderton Way. NW4 —3F 40
Alderton Way. Lou —7K 19
Alderville Rd. SW6 —1K 89
Alder Wlk. Ilf —1A 64
Alder Wlk. Wat —8F 4
Alder Way. Swan —6B 114
Alderwick Ct. N7 —2K 59
(off St Clement St.)
Alderwick Dri. Houn —2B 86
Alderwood Rd. SE9 —5B 96
Aldford Ho. W1 —2E 74
(off Park St.)
Aldford St. W1 —2E 74
Aldgate. (Junct.) —9D 60
Aldgate. E1 —9D 60
(off Whitechapel High St.)
Aldgate. EC3 —9C 60
Aldgate Av. E1 —9D 60
Aldgate Barrs. E1 —9D 60
(off Whitechapel High St.)
Aldgate High St. EC3 —9D 60
Aldgate Triangle. E1 —9E 60
(off Coke St.)
Aldham Ho. SE4 —1K 93
Aldine Ct. W12 —3G 73
(off Aldine St.)
Aldine Pl. W12 —3G 73
Aldine St. W12 —3G 73
Aldingham Ct. Horn —1F 66
(off Easedale Dri.)
Aldingham Gdns. Horn —1E 66
Aldington Clo. Dag —6G 49
Aldington Ct. E8 —3E 60
(off Lansdowne Dri.)
Aldington Rd. SE18 —4H 79
Aldis M. SW17 —2C 106
Aldis St. SW17 —2C 106
Aldred Rd. NW6 —1L 57
Aldren Rd. SW17 —9A 90
Aldrich Cres. New Ad —1A 140
Aldriche Way. E4 —6A 30
Aldrich Gdns. Sutt —5K 121
Aldrich Ter. SW18 —8A 90
Aldrick Ho. N1 —4K 59
(off Barnsbury Est.)
Aldridge Av. Edgw —3M 23
Aldridge Av. Enf —2L 17
Aldridge Av. Ruis —7G 37
Aldridge Av. Stan —8J 23
Aldridge Ri. N Mald —2C 120
Aldridge Rd. Vs. W11 —8K 57
Aldridge Wlk. N14 —9J 15
Aldrington Rd. SW16 —2G 107
Aldsworth Clo. W9 —7M 57
Aldwick Clo. SE9 —9B 96
Aldwick Rd. Croy —5K 123
Aldworth Gro. SE13 —5A 94
Aldworth Rd. E15 —3C 62
Aldwych. WC2 —9K 59
Aldwych Av. Ilf —2A 48
Aldwych Clo. Horn —6E 50
Aldwych Theatre. —9K 59
(off Aldwych)
Aldwyn Ho. SW8 —8J 75
(off Davidson Gdns.)
Alers Rd. Bexh —4H 97
Alesia Clo. N22 —7J 27
Alestan Beck Rd. E16 —9H 63
Alexa Ct. W8 —5L 73
Alexa Ct. Sutt —8L 121
Alexander Av. NW10 —3F 56
Alexander Clo. Barn —6B 14
Alexander Clo. Brom —3E 126
Alexander Clo. Sidc —5C 96
Alexander Clo. S'hall —2A 70
Alexander Clo. Twic —8C 86
Alexander Ct. Beck —5B 110
Alexander Ct. Stan —1K 39
Alexander Evans M. SE23 —8H 93
Alexander Fleming Mus. —9B 58
(off Praed St.)
Alexander Ho. E14 —4L 77
(off Tiller Rd.)
Alexander M. W2 —9M 57
Alexander Pl. SW7 —5C 74
Alexander Rd. N19 —8J 43
Alexander Rd. Bexh —1H 97
Alexander Rd. Chst —3M 111
Alexander Rd. Coul —7F 136
Alexander Sq. SW3 —5C 74
Alexander St. W2 —9L 57
Alexander Studios. SW11 —3B 90
(off Haydon Way)
Alexandra Av. N22 —8H 27
Alexandra Av. SW11 —9E 74
Alexandra Av. W4 —8B 72
Alexandra Av. Harr —6K 37
Alexandra Av. S'hall —1K 69
Alexandra Av. Sutt —5L 121
Alexandra Av. Warl —9K 139
Alexandra Clo. SE8 —7K 77
Alexandra Clo. Ashf —4B 100
Alexandra Clo. Harr —8L 37
Alexandra Clo. Swan —6C 114
Alexandra Clo. W on T —4E 116
Alexandra Cotts. SE14 —9K 77
Alexandra Ct. N14 —7G 15
Alexandra Ct. SW7 —4A 74
(off Queen's Ga.)
Alexandra Ct. W2 —1M 73
(off Moscow Rd.)
Alexandra Ct. W9 —7A 58
(off Maida Va.)
Alexandra Ct. Ashf —3B 100
Alexandra Ct. Chesh —3D 6
Alexandra Ct. Gnfd —5M 53
Alexandra Ct. Houn —1M 85
Alexandra Ct. Wat —4G 9
Alexandra Cres. Brom —3D 110
Alexandra Dri. SE19 —2C 108
Alexandra Dri. Surb —2L 119
Alexandra Gdns. N10 —2F 42
Alexandra Gdns. W4 —8C 72
Alexandra Gdns. Cars —9E 122
Alexandra Gdns. Houn —1M 85
Alexandra Gro. N4 —6M 43
Alexandra Gro. N12 —5M 25
Alexandra Ho. W6 —6G 73
(off Queen Caroline St.)
Alexandra Mans. SW3 —7B 74
(off Moravian Clo.)
Alexandra M. N2 —1D 42
Alexandra M. SW19 —3K 105
Alexandra Palace. —9H 27
Alexandra Pal. Way. N22 —2G 43
Alexandra Pde. Harr —9M 37
Alexandra Pk. Rd. N10 —9F 26
Alexandra Pk. Rd. N22 —8G 27
Alexandra Pl. NW8 —4A 58
Alexandra Pl. SE25 —9B 108
Alexandra Pl. Croy —3C 124
Alexandra Rd. E6 —6L 63
Alexandra Rd. E10 —8A 46
Alexandra Rd. E17 —4K 45
Alexandra Rd. E18 —1F 46
Alexandra Rd. N8 —1L 43
Alexandra Rd. N9 —9F 16
Alexandra Rd. N10 —8F 26
Alexandra Rd. N15 —3B 44
Alexandra Rd. NW4 —2H 41
Alexandra Rd. NW8 —4A 58
Alexandra Rd. SE26 —3H 109
Alexandra Rd. SW14 —2B 88
Alexandra Rd. SW19 —3K 105
Alexandra Rd. W4 —3B 72
Alexandra Rd. Ashf —4B 100
Alexandra Rd. Borwd —2B 12
Alexandra Rd. Bren —7H 71
Alexandra Rd. Chad H —4J 49
Alexandra Rd. Croy —3C 124
Alexandra Rd. Enf —6H 17
Alexandra Rd. Eps —5D 134
Alexandra Rd. Eri —7D 82
Alexandra Rd. Houn —1M 85
Alexandra Rd. King T —4L 103
Alexandra Rd. Mitc —4C 106
Alexandra Rd. Rain —4D 66
Alexandra Rd. Rich —1K 87
Alexandra Rd. Romf —4D 50
Alexandra Rd. Th Dit —9D 102
Alexandra Rd. Twic —5G 87
Alexandra Rd. Uxb —5B 142
Alexandra Rd. Warl —9K 139
Alexandra Rd. Wat —4E 8
Alexandra Rd. Ind. Est. Enf —6H 17
Alexandra Sq. Mord —9L 105
Alexandra St. E16 —8E 62
Alexandra St. SE14 —8J 77
Alexandra Ter. E14 —6M 77
(off Westferry Rd.)
Alexandra Wlk. SE19 —2C 108
Alexandra Way. Eps —3L 133
Alexandra Way. Wal X —7F 6
Alexandra Yd. E9 —4H 61
Alexandria Rd. W13 —1E 70
Alexis St. SE16 —5E 76
Alfan La. Dart —2B 114
Alfearn Rd. E5 —9G 45
Alford Ct. N1 —5A 60
(off Shepherdess Wlk.)
Alford Grn. New Ad —8B 126
Alford Ho. N6 —4G 43
Alford Pl. N1 —5A 60
Alford Rd. Eri —6A 82
Alfoxton Av. N8 —2M 43
Alfreda St. SW11 —9F 74
Alfred Clo. W4 —5B 72
Alfred Finlay Ho. N22 —9M 27
Alfred Gdns. S'hall —1J 69
Alfred Ho. E9 —1J 61
(off Homerton Rd.)
Alfred Ho. E12 —3J 63
(off Tennyson Av.)
Alfred M. W1 —8H 59
Alfred Nunn Ho. NW10 —4D 56
Alfred Pl. WC1 —8H 59
Alfred Prior Ho. E12 —9L 47
Alfred Rd. E15 —1D 62
Alfred Rd. SE25 —9E 108
Alfred Rd. W2 —8L 57
Alfred Rd. W3 —2A 72
Alfred Rd. Belv —6K 81
Alfred Rd. Buck H —2H 31
Alfred Rd. Dart —1J 115
(in two parts)
Alfred Rd. Felt —8G 85
Alfred Rd. King T —7J 103
Alfred Rd. Sutt —7A 122
Alfred's Gdns. Bark —5C 64
Alfred St. E3 —6K 61
Alfreds Way. Bark —6M 63
Alfred's Way Ind. Est. Bark —5E 64
Alfreton Clo. SW19 —9H 89
Alfriston. Surb —1K 119
Alfriston Av. Croy —2J 123
Alfriston Av. Harr —4L 37
Alfriston Clo. Surb —9K 103
Alfriston Rd. SW11 —4D 90
Algar Clo. Iswth —2E 86
Algar Clo. Stan —5D 22
Algar Ho. SE1 —3M 75
(off Webber Row)
Algar Rd. Iswth —2E 86
Algarve Rd. SW18 —7M 89
Algernon Rd. NW4 —4E 40
Algernon Rd. NW6 —4L 57
Algernon Rd. SE13 —3M 93
Algers Clo. Lou —7H 19
Algers Rd. Lou —7H 19
Alghers Mead. Lou —7H 19
Algiers Rd. SE13 —3L 93
Alibon Gdns. Dag —1L 65
Alibon Rd. Dag —1K 65
Alice Ct. SW15 —3K 89
Alice Gilliatt Ct. W14 —7K 73
(off Star Rd.)
Alice La. E3 —4K 61
Alice M. Tedd —2D 102
Alice Owen Technology Cen. EC1
(off Goswell Rd.) —6M 59
Alice Shepherd Ho. E14 —3A 78
(off Manchester Rd.)
Alice St. SE1 —4C 76
(in two parts)
Alice Thompson Clo. SE12 —8G 95
Alice Walker Clo. SE24 —3M 91
Alice Way. Houn —3M 85
Alicia Av. Harr —2F 38
Alicia Clo. Harr —3G 39
Alicia Gdns. Harr —2F 38
Alicia Ho. Well —9F 80
Alie St. E1 —9D 60
Alington Cres. NW9 —5A 40
Alington Gro. Wall —1G 137
Alison Clo. E6 —9L 63
Alison Clo. Croy —3H 125
Alison Ct. SE1 —6E 76
Aliwal Rd. SW11 —3C 90
Alkerden Rd. W4 —6C 72
Alkham Rd. N16 —7D 44
Allan Barclay Clo. N15 —4D 44
Allan Clo. N Mald —9B 104
Allandale Av. N3 —1J 41
Allandale Pl. Orp —5H 129
Allandale Rd. Enf —9D 6
Allandale Rd. Horn —5D 50
Allanson Ct. E10 —7L 45
(off Leyton Grange Est.)
Allan Way. W3 —8A 56
Allard Clo. Orp —2G 129
Allard Cres. Bus H —1A 22
Allard Gdns. SW4 —4H 91
Allardyce St. SW4 —3K 91
Allbrook Clo. Tedd —2C 102
Allcroft Rd. NW5 —1E 58
Allenby Av. S Croy —1A 138
Allenby Clo. Gnfd —6L 53
Allenby Dri. Horn —6J 51
Allenby Rd. SE23 —9J 93
Allenby Rd. Big H —9J 141
Allenby Rd. S'hall —9L 53
Allen Clo. Mitc —5F 106
Allen Clo. Sun —5F 100
Allen Ct. E17 —4L 45
(off Yunus Khan Clo.)
Allen Ct. Gnfd —1D 54
Allendale Av. S'hall —9L 53
Allendale Clo. SE5 —1B 92
Allendale Clo. SE26 —2H 109
Allendale Rd. Gnfd —2F 54
Allen Edwards Dri. SW8 —9J 75
Allenford Ho. SW15 —5D 88
(off Tunworth Cres.)
Allen Rd. E3 —5K 61
Allen Rd. N16 —9C 44
Allen Rd. Beck —6H 109
Allen Rd. Croy —3L 123
Allen Rd. Rain —5G 67
Allen Rd. Sun —5F 100
Allensbury Pl. NW1 —3H 59
Allens Rd. Enf —7G 17
Allen St. W8 —4L 73
Allenswood Rd. SE9 —2J 95
Allerford Ct. Harr —3A 38
Allerford Rd. SE6 —9M 93
Allerton Clo. Borwd —2K 11
Allerton Ho. N1 —6B 60
(off Provost Est.)
Allerton Rd. N16 —7A 44
Allerton Rd. Borwd —2J 11
Allerton St. N1 —6B 60
Allerton Wlk. N7 —7K 43
Allestree Rd. SW6 —8J 73
Alleyn Cres. SE21 —8B 92
Alleyndale Rd. Dag —7G 49
Alleyn Ho. SE1 —4B 76
(off Burbage Clo.)
Alleyn Pk. SE21 —8B 92
Alleyn Pk. S'hall —6L 69
Alleyn Rd. SE21 —9B 92
Allfarthing La. SW18 —5M 89
Allgood Clo. Mord —1H 121
Allgood St. E2 —5D 60
Allhallows La. EC4 —1B 76
Allhallows Rd. E6 —8J 63
All Hallows Rd. N17 —8C 28
Alliance Clo. Wemb —9H 39
Alliance Ct. W3 —8M 55
Alliance Rd. E13 —8G 63
Alliance Rd. SE18 —7E 80
Alliance Rd. W3 —7M 55
Allied Ind. Est. W3 —3C 72
Allied Way. W3 —3C 72
Allingham Clo. W7 —1D 70
Allingham St. N1 —5A 60
Allington Av. N17 —6C 28
Allington Av. Shep —7C 100
Allington Clo. SW19 —2H 105
Allington Clo. Gnfd —3A 54
Allington Ct. SW1 —4F 74
(off Allington St.)
Allington Ct. SW8 —1G 91
Allington Ct. Enf —7H 17
(in two parts)
Allington Rd. NW4 —3F 40
Allington Rd. W10 —6J 57
Allington Rd. Harr —3A 38
Allington Rd. Orp —4B 128
Allington St. SW1 —4F 74
Allison Clo. SE10 —9A 78
Allison Clo. Wal A —5M 7
Allison Gro. SE21 —7C 92
Allison Rd. N8 —3L 43
Allison Rd. W3 —9A 56
Alliston Ho. E2 —6D 60
(off Gibraltar Wlk.)
Allitsen Rd. NW8 —5C 58
(in two parts)
Allnutt Way. SW4 —4H 91
Alloa Rd. SE8 —6H 77
Alloa Rd. Ilf —7E 48
Allom Ho. W11 —1J 73
(off Clarendon Rd.)
Allonby Dri. Ruis —5A 36
Allonby Gdns. Wemb —6G 39
Allonby Ho. E14 —8J 61
(off Aston St.)
Alloway Rd. E3 —6J 61
Allport Ho. SE5 —2B 92
(off Denmark Hill)
All Saints Clo. N9 —2E 28
All Saints Clo. Chig —3E 32
All Saints Ct. E1 —1G 77
(off Johnson St.)
All Saints Ct. SW11 —8F 74
(off Prince of Wales Dri.)
All Saints Ct. Houn —9H 69
(off Springwell Rd.)
All Saints Cres. Wat —6H 5
All Saints Dri. SE3 —1C 94
All Saints Dri. S Croy —4D 138
All Saints Ho. W11 —8K 57
All Saints M. Harr —6C 22
All Saints Pas. SW18 —4L 89
All Saints Rd. SW19 —4A 106
(in two parts)
All Saints Rd. W3 —4A 72
All Saints Rd. W11 —8K 57
All Saints Rd. Sutt —5M 121
All Saints St. N1 —5K 59
All Saints Tower. E10 —5M 45
All Seasons Ct. E1 —2E 76
(off Aragon M.)
Allsop Pl. NW1 —7D 58
All Souls Av. NW10 —5F 56
All Souls' Pl. W1 —8F 58
Allum La. Els —7J 11
Allum Way. N20 —1A 26
Allwood Clo. SE26 —1H 109
Alma Av. E4 —7A 30
Alma Av. Horn —9J 51
Almack Rd. E5 —9G 45
Alma Clo. N10 —8F 26
Alma Ct. Borwd —2K 11
Alma Ct. Harr —7B 38
Alma Cres. Sutt —7J 121
Alma Gro. SE1 —5D 76
Alma Ho. Bren —7J 71
Alma Pl. NW10 —6F 56
Alma Pl. SE19 —4D 108
Alma Pl. T Hth —9L 107
Alma Rd. N10 —7F 26
Alma Rd. SW18 —3A 90
Alma Rd. Cars —7C 122
Alma Rd. Enf —7J 17
Alma Rd. Esh —3C 118
Alma Rd. Orp —4H 129
Alma Rd. Sidc —9E 96
Alma Rd. S'hall —1J 69
Alma Rd. Ind. Est. Enf —6H 17
Alma Row. Harr —8B 22
Alma Sq. NW8 —5A 58
Alma St. E15 —2B 62
Alma St. NW5 —2F 58
Alma Ter. SW18 —6B 90
Alma Ter. W8 —4L 73
Almeida St. N1 —4M 59
Almeida Theatre. —4M 59
(off Almeida St.)
Almeric Rd. SW11 —3D 90
Almer Rd. SW20 —4E 104
Almington St. N4 —6K 43
Almond Av. W5 —4H 71
Almond Av. Cars —4D 122
Almond Av. Uxb —8A 36
Almond Av. W Dray —4L 143
Almond Clo. SE15 —1E 92
Almond Clo. Brom —2L 127
Almond Clo. Felt —7E 84
Almond Clo. Hay —1C 68
Almond Clo. Ruis —8D 36
Almond Clo. Shep —6A 100
Almond Dri. Swan —6B 114
Almond Gro. Bren —8F 70
Almond Rd. N17 —7E 28
Almond Rd. SE16 —5F 76
Almond Rd. Eps —3B 134
Almonds Av. Buck H —2E 30
Almondsbury Ct. SE15 —8C 76
(off Newent Clo.)
Almond Way. Borwd —6M 11
Almond Way. Brom —2L 127
Almond Way. Harr —9M 21
Almond Way. Mitc —9H 107
Almorah Rd. N1 —3B 60
Almorah Rd. Houn —9H 69
Almshouse La. Chess —1G 133
Almshouse La. Enf —1F 16
Almshouses. Lou —3K 19
Almshouses, The. Chesh —3D 6
(off Turner's Hill)
Alnmouth Ct. S'hall —9A 54
(off Fleming Rd.)
Alnwick. N17 —7F 28
Alnwick Ct. Dart —5M 99
(off Osbourne Rd.)
Alnwick Gro. Mord —8M 105
Alnwick Rd. E16 —9G 63
Alnwick Rd. SE12 —5F 94
Alperton. —5J 55
Alperton La. Gnfd & Wemb —6G 55
Alperton St. W10 —7K 57
Alphabet Gdns. Cars —1B 122
Alphabet Sq. E3 —8L 61
Alpha Bus. Cen. E17 —3K 45
Alpha Clo. NW1 —7C 58
Alpha Est. Hay —3C 68
Alpha Gro. E14 —3L 77
Alpha Ho. NW1 —7C 58
(off Ashbridge St.)
Alpha Ho. NW6 —5L 57
Alpha Ho. SW9 —3K 91
Alpha Pl. NW6 —5L 57
Alpha Pl. SW3 —7C 74
Alpha Pl. Mord —3H 121
Alpha Rd. E4 —3L 29
Alpha Rd. N18 —6E 28
Alpha Rd. SE14 —9K 77
Alpha Rd. Croy —3C 124
Alpha Rd. Enf —6J 17
Alpha Rd. Surb —1K 119
Alpha Rd. Tedd —2B 102
Alpha Rd. Uxb —7F 142
Alpha St. SE15 —1E 92
Alphea Clo. SW19 —4C 106
Alpine Av. Surb —4A 120
Alpine Bus. Cen. E6 —8L 63
Alpine Clo. Croy —5C 124
Alpine Copse. Brom —6L 111
Alpine Rd. SE16 —5G 77
(in two parts)
Alpine Rd. W on T —2E 116
Alpine Vw. Cars —7C 122
Alpine Wlk. Stan —2C 22
Alpine Way. E6 —8L 63
Alric Av. NW10 —3B 56
Alric Av. N Mald —7C 104
Alroy Rd. N4 —5L 43
Alsace Rd. SE17 —6C 76
Alscot Rd. SE1 —5D 76
(in two parts)
Alscot Rd. Ind. Est. SE1 —4D 76
Alscot Way. SE1 —5D 76
Alsike Rd. SE2 & Eri —4H 81
Alsom Av. Wor Pk —6E 120
Alston Clo. Surb —2F 118
Alston Rd. N18 —5F 28
Alston Rd. SW17 —1B 106
Alston Rd. Barn —5J 13
Altair Clo. N17 —6D 28
Altair Way. N'wd —4D 20
Altash Way. SE9 —8K 95
Altenburg Av. W13 —4F 70
Altenburg Gdns. SW11 —3D 90
Alt Gro. SW19 —4K 105
Altham Ct. Harr —8M 21

Altham Rd.—Antigua Wlk.

Altham Rd. Pinn —7J 21
Althea St. SW6 —1M 89
Althorne Gdns. E18 —2D 46
Althorne Way. Dag —7L 49
Althorp Clo. Barn —9E 12
Althorpe M. SW11 —9B 74
Althorpe Rd. Harr —3A 38
Althorp Rd. SW17 —7D 90
Altior Ct. N6 —4G 43
Altmore Av. E6 —3K 63
Alton Av. Stan —7D 22
Alton Clo. Bex —7J 97
Alton Clo. Iswth —1D 86
Alton Cotts. F'ham —3J 131
Alton Gdns. Beck —4L 109
Alton Gdns. Twic —6B 86
Alton Rd. N17 —1B 44
Alton Rd. SW15 —7E 88
Alton Rd. Croy —5L 123
Alton Rd. Rich —3J 87
Alton St. E14 —8M 61
Altyre Clo. Beck —9K 109
Altyre Rd. Croy —4B 124
Altyre Way. Beck —9K 109
Aluna Ct. SE15 —2G 93
Alvanley Gdns. NW6 —1M 57
Alva Way. Wat —2H 21
Alverstoke Rd. Romf —7J 35
Alverstone Av. SW19 —8L 89
Alverstone Av. Barn & E Barn —9C 14
Alverstone Gdns. SE9 —7A 96
Alverstone Ho. SE11 —7L 75
Alverstone Rd. E12 —9L 47
Alverstone Rd. NW2 —3G 57
Alverstone Rd. N Mald —8D 104
Alverstone Rd. Wemb —6K 39
Alverston Gdns. SE25 —9C 108
Alverton St. SE8 —6K 77
(in two parts)
Alveston Av. Harr —1F 38
Alvey St. SE17 —6C 76
Alvia Gdns. Sutt —6A 122
Alvington Cres. E8 —1D 60
Alway Av. Eps —7B 120
Alwin Pl. Wat —6C 8
Alwold Cres. SE12 —5F 94
Alwyn Av. W4 —6B 72
Alwyn Clo. Els —8K 11
Alwyn Clo. New Ad —9M 125
Alwyne La. N1 —3M 59
Alwyne Pl. N1 —2A 60
Alwyne Rd. N1 —3A 60
Alwyne Rd. SW19 —3K 105
Alwyne Rd. W7 —1C 70
Alwyne Sq. N1 —2A 60
Alwyne Vs. N1 —3M 59
Alwyn Gdns. NW4 —2E 40
Alwyn Gdns. W3 —9M 55
Alyth Gdns. NW11 —4L 41
Alzette Ho. E2 —5H 61
(off Mace St.)
Amadeus Ho. Brom —7F 110
(off Elmfield Rd.)
Amalgamated Dri. Bren —7E 70
Amanda Clo. Chig —6B 32
Amanda M. Romf —3A 50
Amar Ct. SE18 —5D 80
Amar Deep Ct. SE18 —6D 80
Amazon St. E1 —9E 60
Ambassador Clo. Houn —1J 85
Ambassador Gdns. E6 —8K 63
Ambassadors' Ct. SW1 —2G 75
(off St James' Pal.)
Ambassador Sq. E14 —5M 77
Ambassadors Theatre. —1H 75
(off West St.)
Amber Av. E17 —8J 29
Amberden Av. N3 —1L 41
Ambergate St. SE17 —6M 75
Amber Gro. NW2 —6H 41
Amberley Clo. Orp —7D 128
Amberley Clo. Pinn —1K 37
Amberley Ct. Beck —4K 109
Amberley Ct. Sidc —2G 113
Amberley Gdns. Enf —9C 16
Amberley Gdns. Eps —6D 120
Amberley Gro. SE26 —2F 108
Amberley Gro. Croy —2D 124
Amberley Rd. E10 —5L 45
Amberley Rd. N13 —2K 27
Amberley Rd. SE2 —7H 81
Amberley Rd. W9 —8L 57
Amberley Rd. Buck H —1G 31
Amberley Rd. Enf —9D 16
Amberley Ter. Wat —8J 9
(off Villiers Rd.)
Amberley Way. Houn —4G 85
Amberley Way. Mord —2K 121
Amberley Way. Romf —2M 49
Amberley Way. Uxb —5C 142
Amberside Clo. Iswth —5B 86
Amberwood Clo. Wall —7J 123
Amberwood Ri. N Mald —1C 120
Amblecote Clo. SE12 —9F 94
Amblecote Meadows. SE12 —9F 94
Amblecote Rd. SE12 —9F 94
Ambler Rd. N4 —8M 43
Ambleside. NW1 —5F 58
(off Augustus St.)
Ambleside. Brom —3B 110
Ambleside Av. SW16 —1H 107
Ambleside Av. Beck —9J 109
Ambleside Av. Horn —1F 66
Ambleside Av. W on T —3G 117
Ambleside Clo. E9 —1G 61
Ambleside Clo. E10 —5M 45
Ambleside Cres. Enf —5H 17
Ambleside Dri. Felt —7D 84
Ambleside Gdns. SW16 —2H 107
Ambleside Gdns. Ilf —2J 47
Ambleside Gdns. S Croy —1H 139
Ambleside Gdns. Sutt —8A 122
Ambleside Gdns. Wemb —6H 39
Ambleside Point. SE15 —8G 77
(off Tustin Est.)
Ambleside Rd. NW10 —3D 56
Ambleside Rd. Bexh —1L 97
Ambleside Wlk. Uxb —4B 142
(off Cumbrian Way)
Ambrey Way. Wall —1H 137
Ambrooke Rd. Belv —4L 81
Ambrosden Av. SW1 —4G 75
Ambrose Av. NW11 —5J 41
Ambrose Clo. E6 —8K 63
Ambrose Clo. Cray —3D 98
Ambrose Clo. Orp —5D 128
Ambrose Ho. E14 —8L 61
(off Selsey St.)
Ambrose M. SW11 —1D 90
Ambrose St. SE16 —5F 76
Ambrose Wlk. E3 —5L 61
AMC Bus. Cen. NW10 —6M 55
Amelia Ho. W6 —6G 73
(off Queen Caroline St.)
Amelia St. SE17 —6A 76
Amen Corner. EC4 —9M 59
Amen Corner. SW17 —3D 106
Amen Ct. EC4 —9M 59
Amenity Way. Mord —2G 121
America Sq. EC3 —1D 76
America St. SE1 —2A 76
Amerland Rd. SW18 —4K 89
Amersham Av. N18 —6B 28
Amersham Clo. Romf —6K 35
Amersham Dri. Romf —6J 35
Amersham Gro. SE14 —8K 77
Amersham Ho. Wat —9C 8
(off Chenies Way)
Amersham Rd. SE14 —9K 77
Amersham Rd. Croy —1A 124
Amersham Rd. Romf —6J 35
Amersham Va. SE14 —8K 77
Amersham Wlk. Romf —6K 35
Amery Gdns. NW10 —4G 57
Amery Gdns. Romf —1H 51
Amery Ho. SE17 —6C 76
(off Kinglake St.)
Amery Rd. Harr —7E 38
Amesbury. Wal A —5M 7
Amesbury Av. SW2 —8J 91
Amesbury Clo. Wor Pk —3G 121
Amesbury Ct. Enf —4L 15
Amesbury Dri. E4 —8M 17
Amesbury Rd. Brom —7H 111
Amesbury Rd. Dag —3H 65
Amesbury Rd. Felt —8H 85
Amesbury Tower. SW8 —1G 91
Ames Cotts. E14 —8J 61
Ames Ho. E2 —5H 61
(off Mace St.)
Amethyst Rd. E15 —9B 46
Amherst Av. W13 —9G 55
Amherst Clo. Orp —8E 112
Amherst Dri. Orp —8D 112
Amherst Gdns. W13 —9G 55
(off Amherst Rd.)
Amherst Rd. W13 —9G 55
Amhurst Gdns. Iswth —1E 86
Amhurst Pk. N16 —5B 44
Amhurst Pas. E8 —1E 60
Amhurst Rd. E8 —1F 60
Amhurst Rd. N16 & E8 —9D 44
Amhurst Ter. E8 —9E 44
Amhurst Wlk. SE28 —2E 80
Amias Ho. EC1 —7A 60
(off Central St.)
Amidas Gdns. Dag —9F 48
Amiel St. E1 —7G 61
Amies St. SW11 —2D 90
Amigo Ho. SE1 —4L 75
(off Morley St.)
Amina Way. SE16 —4E 76
Amis Av. Eps —8M 119
Amity Gro. SW20 —5F 104
Amity Rd. E15 —3D 62
Ammanford Grn. NW9 —4C 40
Amner Rd. SW11 —5E 90
Amor Rd. W6 —4G 73
Amory Ho. N1 —4K 59
(off Barnsbury Est.)
Amott Rd. SE15 —2E 92
Amoy Pl. E14 —9K 61
(in two parts)
Ampere Way. Croy —2J 123
(in two parts)
Ampleforth Clo. Orp —6G 129
Ampleforth Rd. SE2 —3F 80
Ampthill Est. NW1 —5G 59
Ampthill Ho. H Hill —5H 35
(off Montgomery Cres.)
Ampton Pl. WC1 —6K 59
Ampton St. WC1 —6K 59
Amroth Clo. SE23 —7F 92
Amroth Grn. NW9 —4C 40
Amstel Ct. SE15 —8D 76
(off Garnies Clo.)
Amsterdam Rd. E14 —4A 78
Amundsen Ct. E14 —6L 77
(off Napier Av.)
Amunsden Ho. NW10 —3B 56
(off Stonebridge Pk.)
Amwell Clo. Enf —7B 16
Amwell Clo. Wat —8J 5
Amwell Ct. Wal A —6M 7
Amwell Ct. Est. N16 —7A 44
Amwell St. N1 —6L 59
Amwell Vw. Ilf —5F 32
Amyand Cotts. Twic —5F 86
Amyand La. Twic —6F 86
Amyand Pk. Gdns. Twic —6F 86
Amyand Pk. Rd. Twic —6E 86
Amy Clo. Wall —9J 123
Amy Johnson Ct. Edgw —9M 23
Amyruth Rd. SE4 —4L 93
Amy Warne Clo. E6 —7J 63
Anatola Rd. N19 —7F 42
Ancaster Cres. N Mald —1E 120
Ancaster M. Beck —7H 109
Ancaster Rd. Beck —7H 109
Ancaster St. SE18 —8C 80
Anchor. SW18 —3M 89
Anchorage Clo. SW19 —2L 105
Anchorage Ho. E14 —1B 78
(off Clove Cres.)
Anchorage Ho. E14 —3K 77
(off Cuba St.)
Anchorage Point Ind. Est. SE7 —4G 79
Anchor & Hope La. SE7 —4F 78
Anchor Bay Ind. Est. Eri —7E 82
Anchor Boulevd. Dart —3M 99
Anchor Brewhouse. SE1 —2D 76
Anchor Bus. Cen. Croy —5J 123
Anchor Clo. Chesh —1D 6
Anchor Ct. SW1 —5H 75
(off Vauxhall Bri. Rd.)
Anchor Ct. Enf —7C 16
Anchor Ct. Eri —8D 82
Anchor Dri. Rain —7F 66
Anchor Ho. E16 —8D 62
(off Barking Rd.)
Anchor Ho. E16 —9G 63
(off Prince Regent La.)
Anchor Ho. EC1 —7A 60
(off Old St.)
Anchor M. SW12 —5F 90
Anchor St. SE16 —5F 76
Anchor Wharf. E3 —8M 61
(off Yeo St.)
Anchor Yd. EC1 —7A 60
Ancient Almshouses. Wal X —3D 6
(off Turner's Hill)
Ancill Clo. W6 —7J 73
Ancona Rd. NW10 —5E 56
Ancona Rd. SE18 —6B 80
Andace Pk. Gdns. Brom —6G 111
Andalus Rd. SW9 —2J 91
Andaman Ho. E1 —8J 61
(off Duckett St.)
Ander Clo. Wemb —9H 39
Anderson Clo. N21 —7K 15
Anderson Clo. W3 —9B 56
Anderson Clo. Eps —4M 133
Anderson Clo. Sutt —3L 121
Anderson Ct. NW2 —6G 41
Anderson Dri. Ashf —1A 100
Anderson Ho. E14 —1A 78
(off Woolmore St.)
Anderson Ho. Bark —5B 64
Anderson Pl. Houn —3M 85
Anderson Rd. E9 —2H 61
Anderson Rd. Wey —5B 116
Anderson Rd. Wfd G —1H 47
Anderson Sq. N1 —4M 59
(off Gaskin St.)
Anderson St. SW3 —6D 74
Anderson Way. Belv —3A 82
Anderton Clo. SE5 —2B 92
Anderton Ct. N22 —9H 27
Andorra Ct. Brom —5G 111
Andover Av. E16 —9H 63
Andover Clo. Eps —3B 134
Andover Clo. Felt —7D 84
Andover Clo. Gnfd —7M 53
Andover Clo. Uxb —5A 142
Andover Pl. NW6 —5M 57
Andover Rd. N7 —7K 43
Andover Rd. Orp —3B 128
Andover Rd. Twic —7B 86
Andoversford Ct. SE15 —7C 76
(off Bibury Clo.)
Andreck Ct. Beck —6M 109
Andre St. E8 —1E 60
Andrew Borde St. WC2 —9H 59
Andrew Clo. Dart —4B 98
Andrew Clo. Ilf —6B 32
Andrew Ct. SE23 —8H 93
Andrewes Gdns. E6 —9J 63
Andrewes Highwalk. EC2 —8A 60
(off Fore St.)
Andrewes Ho. EC2 —8A 60
(off Fore St.)
Andrewes Ho. Sutt —6L 121
Andrew Pl. SW8 —8H 75
Andrew Reed Ct. Wat —4G 9
(off Keele Clo.)
Andrews Clo. Buck H —2G 31
Andrew's Clo. Eps —6D 134
Andrews Clo. Harr —5B 38
Andrew's Clo. Orp —6H 113
Andrews Clo. Wor Pk —4H 121
Andrews Crosse. WC2 —9L 59
(off Chancery La.)
Andrew's Ho. S Croy —8A 124
Andrew's La. G Oak & Chesh —1A 6
(in two parts)
Andrews Pl. SE9 —5M 95
Andrew's Rd. E8 —4F 60
Andrew St. E14 —9A 62
Andrews Wlk. SE17 —7M 75
Andringham Lodge. Brom —5F 110
(off Palace Gro.)
Andromeda Ct. H Hill —7G 35
Andwell Clo. SE2 —3F 80
Anerley. —6F 108
Anerley Gro. SE19 —4D 108
Anerley Hill. SE19 —3D 108
Anerley Pk. SE20 —4E 108
Anerley Pk. Rd. SE20 —4F 108
Anerley Rd. SE19 & SE20 —4E 108
Anerley Sta. Rd. SE20 —5F 108
Anerley St. SW11 —1D 90
Anerley Va. SE19 —4D 108
Aneurin Bevan Ct. NW2 —7F 40
Aneurin Bevan Ho. N11 —7H 27
Anfield Clo. SW12 —6G 91
Angas Ct. Wey —7A 116
Angel. (Junct.) —5L 59
Angela Davies Ind. Est. SE24 —3M 91
Angel All. E1 —9D 60
(off Whitechapel High St.)
Angel Cen., The. N1 —5L 59
(off St John St.)
Angel Clo. N18 —5D 28
Angel Corner Pde. N18 —4E 28
Angel Ct. EC2 —9B 60
Angel Ct. SW1 —2G 75
Angel Edmonton. (Junct.) —5E 28
Angelfield. Houn —3M 85
Angel Ga. EC1 —6M 59
(in three parts)
Angel Hill. Sutt —5M 121
(in two parts)
Angel Hill Dri. Sutt —5M 121
Angelica Clo. W Dray —9D 142
Angelica Dri. E6 —8L 63
Angelica Gdns. Croy —3H 125
Angelina Ho. SE15 —9E 76
(off Goldsmith Rd.)
Angel La. E15 —2B 62
Angel La. Hay —8B 52
Angell Pk. Gdns. SW9 —2L 91
Angell Rd. SW9 —2L 91
Angell Town. —9L 75
Angell Town Est. SW9 —1L 91
Angel M. E1 —1F 76
Angel M. N1 —5L 59
Angel M. SW15 —6E 88
Angel Pas. EC4 —1B 76
Angel Pl. N18 —4E 28
Angel Pl. SE1 —3B 76
Angel Rd. N18 —5E 28
Angel Rd. Harr —4C 38
Angel Rd. Th Dit —2E 118
Angel Rd. Works. N18 —5G 29
Angel Sq. N1 —5L 59
Angel St. EC1 —9A 60
Angel Wlk. W6 —5G 73
Angel Way. Romf —3C 50
Angel Yd. N6 —6E 42
Angerstein Bus. Pk. SE10 —5E 78
Angerstein La. SE3 —9D 78
Anglebury. W2 —9L 57
(off Talbot Rd.)
Angle Clo. Uxb —4E 142
Angle Grn. Dag —6G 49
Anglers Clo. Rich —1G 103
Angler's La. NW5 —2F 58
Anglers Reach. Surb —9H 103
Anglers, The. King T —7H 103
(off High St.)
Anglesea Av. SE18 —5M 79
Anglesea Ho. King T —8H 103
(off Anglesea Rd.)
Anglesea Rd. SE18 —5M 79
Anglesea Rd. King T —8H 103
Anglesea Rd. Orp —1G 129
Anglesey Clo. Ashf —9E 144
Anglesey Ct. W7 —7D 54
Anglesey Ct. Rd. Cars —8E 122
Anglesey Dri. Rain —7E 66
Anglesey Gdns. Cars —8E 122
Anglesey Ho. E14 —9L 61
(off Lindfield St.)
Anglesey Rd. Enf —6F 16
Anglesey Rd. Wat —5G 21
Anglesmede Cres. Pinn —1L 37
Anglesmede Way. Pinn —1L 37
Angles Rd. SW16 —1J 107
Anglia Clo. N17 —7F 28
Anglia Ct. Dag —6H 49
(off Spring Clo.)
Anglia Ho. E14 —9J 61
Anglian Clo. Wat —4G 9
Anglian Ind. Est. Bark —7D 64
Anglian Rd. E11 —8B 46
Anglia Wlk. E6 —4L 63
(off Napier Rd.)
Anglo Rd. E3 —5K 61
Angrave Ct. E8 —4D 60
(off Scriven St.)
Angrave Pas. E8 —4D 60
Angus Clo. Chess —7L 119
Angus Dri. Ruis —9G 37
Angus Gdns. NW9 —8B 24
Angus Ho. SW2 —6H 91
Angus Rd. E13 —6G 63
Angus St. SE14 —8J 77
Anhalt Rd. SW11 —8C 74
Ankerdine Cres. SE18 —8M 79
Anlaby Rd. Tedd —2C 102
Anley Rd. W6 —3H 73
Anmersh Gro. Stan —8H 23
Annabel Clo. E14 —9M 61
Anna Clo. E8 —4D 60
Annandale Gro. Uxb —8A 36
Annandale Rd. SE10 —7D 78
Annandale Rd. W4 —6C 72
Annandale Rd. Croy —4E 124
Annandale Rd. Sidc —6C 96
Annan Dri. Cars —1E 136
Anna Neagle Clo. E7 —9E 46
Annan Way. Romf —8C 34
Anne Boleyn Ct. SE9 —5B 96
Anne Boleyn's Wlk. King T —2J 103
Anne Boleyn's Wlk. Sutt —9H 121
Anne Case M. N Mald —7B 104
Anne Goodman Ho. E1 —9G 61
(off Jubilee St.)
Anne Nastri Ct. Romf —3F 50
(off Heath Pk. Rd.)
Anne of Cleeves Ct. SE9 —6B 96
Anne of Cleves Rd. Dart —4H 99
Annesley Av. NW9 —1B 40
Annesley Clo. NW10 —8C 40
Annesley Dri. Croy —5K 125
Annesley Ho. SW9 —9L 75
Annesley Rd. SE3 —9F 78
Annesley Wlk. N19 —7G 43
Anne St. E13 —7E 62
Anne Sutherland Ho. Beck —4J 109
Annett Clo. Shep —8C 100
Annette Clo. Harr —9C 22
Annette Rd. N7 —8K 43
(in two parts)
Annett Rd. W on T —2E 116
Annetts Cres. N1 —3A 60
Anne Way. Ilf —6A 32
Anne Way. W Mol —8M 101
Annie Besant Clo. E3 —4K 61
Annie Taylor Ho. E12 —9L 47
(off Walton Rd.)
Anning St. EC2 —7C 60
Annington Rd. N2 —1D 42
Annis Rd. E9 —2J 61
Ann La. SW10 —7B 74
Ann Moss Way. SE16 —4G 77
Ann's Clo. SW1 —3D 74
(off Kinnerton St.)
Ann's Pl. E1 —8D 60
(off Wentworth St.)
Ann St. SE18 —6A 80
(in two parts)
Annsworthy Av. T Hth —7B 108
Annsworthy Cres. SE25 —6B 108
Ansar Gdns. E17 —3K 45
Ansdell Rd. SE15 —1G 93
Ansdell St. W8 —4M 73
Ansdell Ter. W8 —4M 73
Ansell Gro. Cars —3E 122
Ansell Ho. E1 —8G 61
(off Mile End Rd.)
Ansell Rd. SW17 —9C 90
Anselm Clo. Croy —5D 124
Anselm Rd. SW6 —7L 73
Anselm Rd. Pinn —7K 21
Ansford Rd. Brom —2A 110
Ansleigh Pl. W11 —1H 73
Ansley Clo. S Croy —6F 138
Anson Clo. Romf —9M 33
Anson Ho. E1 —7J 61
(off Shandy St.)
Anson Ho. SW1 —7G 75
(off Churchill Gdns.)
Anson Rd. N19 —9G 43
Anson Rd. NW2 —9F 40
Anson Ter. N'holt —2M 53
Anson Wlk. N'wd —4A 20
Anstead Dri. Rain —5E 66
Anstey Ct. W3 —3M 71
Anstey Rd. SE15 —2E 92
Anstey Wlk. N15 —2M 43
Anstice Clo. W4 —8C 72
Anstridge Path. SE9 —5B 96
Anstridge Rd. SE9 —5B 96
Antelope Rd. SE18 —4K 79
Antenor Ho. E2 —5F 60
(off Old Bethnal Grn. Rd.)
Anthony Clo. NW7 —4C 24
Anthony Clo. Wat —1G 21
Anthony Cope Ct. N1 —6B 60
(off Chart St.)
Anthony Ho. NW1 —7C 58
(off Ashbridge St.)
Anthony La. Swan —5E 114
Anthony Rd. SE25 —1E 124
Anthony Rd. Borwd —4K 11
Anthony Rd. Gnfd —6C 54
Anthony Rd. Well —9E 80
Anthony St. E1 —9F 60
Anthus M. N'wd —7C 20
Antigua Wlk. SE19 —2B 108

Antilles Bay. E14 —3A 78
Antill Rd. E3 —6J 61
Antill Rd. N15 —2E 44
Antill Ter. E1 —9H 61
Antlers Hill. E4 —7M 17
Antoinette Ct. Ab L —2D 4
Anton Cres. Sutt —5L 121
Antoneys Clo. Pinn —9H 21
Anton St. E8 —1E 60
Antony Ho. SE14 —8H 77
(off Barlborough St.)
Antony Ho. SE16 —5G 77
(off Raymouth Rd.)
Antrim Gro. NW3 —2D 58
Antrim Rd. NW3 —2D 58
Antrobus Clo. Sutt —7K 121
Antrobus Rd. W4 —5A 72
Anvil Clo. SW16 —4G 107
Anvil Rd. Sun —7E 100
Anworth Clo. Wfd G —6F 30
Apeldoorn Dri. Wall —1J 137
Aperfield. —9J 141
Aperfield Rd. Big H —9J 141
Aperfield Rd. Eri —7D 82
Aperfields. W'ham —9J 141
Apex Clo. Beck —5M 109
Apex Clo. Wey —5B 116
Apex Corner. (Junct.) —4B 24
(Edgware)
Apex Corner. (Junct.) —9K 85
(Hanworth)
Apex Ct. W13 —1E 70
Apex Ind. Est. NW10 —7D 56
Apex Pde. NW7 —4B 24
(off Selvage La.)
Apex Retail Pk. Felt —9K 85
Aphrodite Ct. E14 —5L 77
(off Homer Dri.)
Aplin Way. Iswth —9C 70
Apollo Av. Brom —5F 110
Apollo Av. N'wd —5E 20
Apollo Bus. Cen. SE8 —6H 77
Apollo Clo. Horn —7F 50
Apollo Ct. E1 —1E 76
(off Thomas More St.)
Apollo Ct. SW9 —9L 75
(off Southey Rd.)
Apollo Ho. E2 —5F 60
(off St Jude's Rd.)
Apollo Ho. N6 —5E 42
Apollo Ho. SW10 —8B 74
(off Riley St.)
Apollo Pl. E11 —8C 46
Apollo Pl. SW10 —8B 74
Apollo Theatre. —1H 75
(off Shaftesbury Av.)
Apollo Victoria Theatre. —4G 75
(off Wilton Rd.)
Apollo Way. SE28 —4B 80
Apostle Way. T Hth —6M 107
Apothecary St. EC4 —9M 59
Appach Rd. SW2 —4L 91
Apple Blossom Ct. SW8 —8H 75
(off Pascal St.)
Appleby Clo. E4 —6A 30
Appleby Clo. N15 —3B 44
Appleby Clo. Twic —8B 86
Appleby Dri. Romf —5G 35
Appleby Gdns. Felt —7D 84
Appleby Grn. Romf —5G 35
Appleby Ho. Eps —3B 134
Appleby Rd. E8 —3E 60
Appleby Rd. E16 —9D 62
Appleby St. E2 —5D 60
Applecroft. Park —1M 5
Appledore Av. Bexh —9A 82
Appledore Av. Ruis —8F 36
Appledore Clo. SW17 —8D 90
Appledore Clo. Brom —9D 110
Appledore Clo. Edgw —8L 23
Appledore Clo. Romf —8G 35
Appledore Cres. Sidc —9C 96
Appledown Ri. Coul —7G 137
Appleford Ho. W10 —7J 57
(off Bosworth Rd.)
Appleford Rd. W10 —7J 57
Apple Gth. Bren —5H 71
Applegarth. Clay —7D 118
Applegarth. New Ad —9M 125
(in two parts)
Applegarth Dri. Dart —8J 99
Applegarth Dri. Ilf —2D 48
Applegarth Ho. SE1 —3M 75
(off Nelson Sq.)
Applegarth Ho. SE15 —8E 76
(off Bird in Bush Rd.)
Applegarth Ho. Eri —1D 98
Applegarth Rd. SE28 —2F 80
Applegarth Rd. W14 —4H 73
Apple Gro. Chess —6J 119
Apple Gro. Enf —5C 16
Apple Mkt. King T —6H 103
Apple Orchard. Swan —8B 114
Apple Rd. E11 —8C 46
Appleshaw Ho. SE5 —2C 92
Appleton Dri. Dart —9F 98
Appleton Gdns. N Mald —1E 120
Appleton Rd. SE3 —2J 95
Appleton Rd. Lou —5M 19
Appleton Sq. Mitc —5C 106
Appleton Way. Horn —6H 51
Apple Tree Av. Uxb & W Dray —8D 142
Appletree Clo. SE20 —5F 108
Appletree Gdns. Barn —6C 14
Appletree Wlk. Wat —7F 4
Apple Tree Yd. SW1 —2G 75
Applewood Clo. N20 —1C 26
(in two parts)
Applewood Clo. NW2 —8F 40
Appleyard Ter. Enf —1G 17
Appold St. EC2 —8C 60
Appold St. Eri —7D 82
Apprentice Way. E5 —9F 44
Approach Clo. N16 —9C 44
Approach Rd. E2 —5G 61
Approach Rd. SW20 —6G 105
Approach Rd. Ashf —3A 100
Approach Rd. Barn —6B 14
Approach Rd. Edgw —6L 23
Approach Rd. Purl —4L 137
Approach Rd. W Mol —9L 101
Approach, The. NW4 —3H 41
Approach, The. W3 —9B 56
Approach, The. Enf —4F 16
Approach, The. Orp —4D 128
Approach, The. Upm —8M 51
Aprey Gdns. NW4 —2G 41
April Clo. W7 —1C 70
April Clo. Asht —9K 133
April Clo. Felt —9E 84
April Clo. Orp —7D 128
April Ct. E2 —5E 60
(off Teale St.)
April Glen. SE23 —9H 93
April St. E8 —9D 44
Apsley Clo. Harr —3A 38
Apsley Ho. E1 —8G 61
(off Stepney Way)
Apsley Ho. NW8 —5B 58
(off Finchley Rd.)
Apsley Ho. Houn —3K 85
Apsley Rd. SE25 —8F 108
Apsley Rd. N Mald —7A 104
Apsley Way. NW2 —7E 40
Apsley Way. W1 —3E 74
(in two parts)
Aquarius. Twic —7F 86
Aquarius Way. N'wd —5E 20
Aquila Clo. N'wd —4E 20
Aquila St. NW8 —5B 58
Aquinas St. SE1 —2L 75
Arabella Dri. SW15 —3C 88
Arabia Clo. E4 —9B 18
Arabian Ho. E1 —7J 61
(off Ernest St.)
Arabin Rd. SE4 —3J 93
Aragon Av. Eps —2F 134
Aragon Av. Th Dit —9D 102
Aragon Clo. Brom —3K 127
Aragon Clo. Enf —2K 15
Aragon Clo. Lou —8J 19
Aragon Clo. New Ad —2C 140
Aragon Clo. Romf —6M 33
Aragon Clo. Sun —3D 100
Aragon Ct. E Mol —8A 102
Aragon Ct. Ilf —7A 32
Aragon Dri. Ilf —7A 32
Aragon Dri. Ruis —6H 37
Aragon M. E1 —2E 76
Aragon Rd. King T —2J 103
Aragon Rd. Mord —1H 121
Aragon Tower. SE8 —5K 77
Aral Ho. E1 —7H 61
(off Ernest St.)
Aran Ct. Wey —4B 116
Arandora Cres. Romf —5F 48
Aran Dri. Stan —4G 23
Arapiles Ho. E14 —9B 62
(off Blair St.)
Arbery Rd. E3 —6J 61
Arbon Ct. N1 —4A 60
(off Linton St.)
Arbor Clo. Beck —6M 109
Arbor Ct. N16 —7B 44
Arborfield Clo. SW2 —7K 91
Arborfield Ho. E14 —1L 77
(off E. India Dock Rd.)
Arbor Rd. E4 —3B 30
Arbour Ho. E1 —9H 61
(off Arbour Sq.)
Arbour Rd. Enf —5H 17
Arbour Sq. E1 —9H 61
Arbour Way. Horn —1F 66
Arbroath Grn. Wat —3E 20
Arbroath Rd. SE9 —2J 95
Arbrook Chase. Esh —8A 118
Arbrook Clo. Orp —7E 112
Arbrook La. Esh —8A 118
Arbury Ct. SE20 —5F 108
Arbury Ter. SE26 —9E 92
Arbuthnot La. Bex —5J 97
Arbuthnot Rd. SE14 —1H 93
Arbutus St. E8 —4D 60
Arcade. Croy —4A 124
Arcade Pde. Chess —7H 119
Arcade Pl. Romf —3C 50
Arcade, The. E14 —9M 61
Arcade, The. E17 —2L 45
Arcade, The. EC2 —8C 60
(off Liverpool St.)
Arcade, The. Bark —3A 64
Arcade, The. Croy —5A 124
(off High St.)
Arcade, The. Romf —5H 35
(off Farnham Rd.)
Arcadia Av. N3 —9L 25
Arcadia Cen., The. W5 —1H 71
Arcadia Clo. Cars —6E 122
Arcadia Ct. E1 —8D 60
(off Old Castle St.)
Arcadian Av. Bex —5J 97
Arcadian Clo. Bex —5J 97
Arcadian Gdns. N22 —7K 27
Arcadian Rd. Bex —5J 97
Arcadia St. E14 —9L 61
Archangel St. SE16 —3H 77
Archbishop's Pl. SW2 —6K 91
Archdale Bus. Cen. Harr —7A 38
Archdale Ct. W12 —2F 72
Archdale Ho. SE1 —4C 76
(off Long La.)
Archdale Pl. N Mald —7M 103
Archdale Rd. SE22 —4D 92
Archel Rd. W14 —7K 73
Archer Clo. King T —4J 103
Archer Ho. SE14 —9J 77
Archer Ho. SW11 —9B 74
Archer Ho. W11 —1K 73
(off Westbourne Gro.)
Archer Ho. W13 —2F 70
(off Sherwood Clo.)
Archer M. Hamp H —3A 102
Archer Rd. SE25 —8F 108
Archer Rd. Orp —9E 112
Archers Ct. Brom —8F 110
Archers Ct. S Croy —7A 124
(off Nottingham Rd.)
Archers Dri. Enf —4G 17
Archers Lodge. SE16 —6E 76
(off Culloden Clo.)
Archer Sq. SE14 —7J 77
Archer St. W1 —1H 75
Archer Ter. W Dray —1J 143
Archer Way. Swan —6D 114
Archery Clo. W2 —9C 58
Archery Clo. Harr —1D 38
Archery Rd. SE9 —4K 95
Archery Steps. W2 —1C 74
(off St George's Fields)
Arches Bus. Cen., The. S'hall —3K 69
(off Merrick Rd.)
Arches, The. NW1 —3F 58
Arches, The. SW8 —8H 75
Arches, The. WC2 —2J 75
(off Villiers St.)
Arches, The. Harr —7M 37
Archgate Bus. Cen. N12 —5A 26
Archibald M. W1 —1E 74
Archibald Rd. N7 —9H 43
Archibald Rd. Romf —8L 35
Archibald St. E3 —6L 61
Archie Clo. W Dray —3L 143
Arch Rd. W on T —5H 117
Arch St. SE1 —4A 76
Archway. (Junct.) —7G 43
Archway. Romf —6F 34
Archway Bus. Cen. N19 —8H 43
Archway Clo. N19 —7G 43
Archway Clo. SW19 —9M 89
Archway Clo. W10 —8H 57
Archway Clo. Wall —5H 123
Archway Mall. N19 —7G 43
Archway Rd. N6 & N19 —4E 42
Archway St. SW13 —2C 88
Arcola St. E8 —1D 60
Arcon Ter. N9 —9E 16
Arctic St. NW5 —1F 58
Arcus Rd. Brom —3C 110
Ardbeg Rd. SE24 —4B 92
Arden Clo. Bus H —9D 10
Arden Clo. Harr —8B 38
Arden Ct. Gdns. N2 —4B 42
Arden Cres. E14 —5L 77
Arden Cres. Dag —3G 65
Arden Est. N1 —5C 60
Arden Grange. N12 —4A 26
Arden Gro. Orp —6M 127
Arden Ho. N1 —5C 60
(off Arden Est.)
Arden Ho. SE11 —5K 75
(off Black Prince Rd.)
Arden Ho. SW9 —1J 91
(off Grantham Rd.)
Arden M. E17 —3M 45
Arden Mhor. Pinn —2F 36
Arden Rd. N3 —1K 41
Arden Rd. W13 —1G 71
Ardent Clo. SE25 —7C 108
Ardent Ho. E3 —5J 61
(off Roman Rd.)
Ardesley Wood. Wey —6C 116
Ardfern Av. SW16 —7L 107
Ardfillan Rd. SE6 —7B 94
Ardgowan Rd. SE6 —6C 94
(in two parts)
Ardilaun Rd. N5 —9A 44
Ardingly Clo. Croy —5H 125
Ardleigh Clo. Horn —1H 51
Ardleigh Gdns. Sutt —2L 121
Ardleigh Green. —2G 51
Ardleigh Grn. Rd. Horn —4H 51
Ardleigh Ho. Bark —4A 64
Ardleigh M. Ilf —8M 47
Ardleigh Rd. E17 —8K 29
Ardleigh Rd. N1 —2C 60
Ardleigh Ter. E17 —8K 29
Ardley Clo. NW10 —8C 40
Ardley Clo. SE6 —9J 93
Ardley Clo. Ruis —5A 36
Ardlui Rd. SE27 —8A 92
Ardmay Gdns. Surb —9J 103
Ardmere Rd. SE13 —5B 94
Ardmore La. Buck H —9F 18
Ardmore Pl. Buck H —9F 18
Ardoch Rd. SE6 —8B 94
Ardra Rd. N9 —3H 29
Ardrossan Gdns. Wor Pk —5E 120
Ardross Av. N'wd —5C 20
Ardshiel Clo. SW15 —2H 89
Ardwell Av. Ilf —3A 48
Ardwell Rd. SW2 —8J 91
Ardwick Rd. NW2 —9L 41
Arena Bus. Cen. N4 —4A 44
Arena Est. N4 —4M 43
Arena, The. Enf —2K 17
Ares Ct. E14 —5L 77
(off Homer Dri.)
Arethusa Ho. E14 —5L 77
(off Cahir St.)
Arewater Green. —4L 19
Argali Ho. Eri —4J 81
(off Kale Rd.)
Argall Av. E10 —5H 45
Argall Way. E10 —6H 45
Argenta Way. NW10 —3M 55
Argenta Way. Wemb & NW10 —2L 55
Argent Cen., The. Hay —3E 68
Argent Ct. Chess —5L 119
Argon M. SW6 —8L 73
Argon Rd. N18 —5H 29
Argos Ct. SW9 —9L 75
(off Caldwell St.)
Argos Ho. E2 —5F 60
(off Old Bethnal Grn. Rd.)
Argosy Ho. SE8 —5J 77
Argosy La. Stanw —6B 144
Argus Clo. Romf —8M 33
Argus Way. N'holt —6J 53
Argyle Av. Houn —5L 85
(in two parts)
Argyle Clo. W13 —7E 54
Argyle Ct. Wat —6D 8
Argyle Ho. E14 —4A 78
Argyle Pas. N17 —8D 28
Argyle Pl. W6 —5F 72
Argyle Rd. E1 —7H 61
Argyle Rd. E15 —9C 46
Argyle Rd. E16 —9F 62
Argyle Rd. N12 —5M 25
Argyle Rd. N17 —8E 28
Argyle Rd. N18 —4E 28
Argyle Rd. Barn —6G 13
Argyle Rd. Gnfd & W13 —6D 54
Argyle Rd. Harr —4M 37
Argyle Rd. Houn —4M 85
Argyle Rd. Ilf —7L 47
Argyle Sq. WC1 —6J 59
Argyle St. NW1 —6J 59
Argyle Wlk. WC1 —6J 59
Argyle Way. SE16 —6E 76
(off St James Rd.)
Argyll Av. S'hall —2M 69
Argyll Clo. SW9 —2K 91
Argyll Gdns. Edgw —9M 23
Argyll Mans. SW3 —7B 74
Argyll Mans. W14 —5J 73
(off Hammersmith Rd.)
Argyll Rd. W8 —3L 73
Argyll St. W1 —9G 59
Arica Ho. SE16 —4F 76
(off Slippers Pl.)
Arica Rd. SE4 —3J 93
Ariel Ct. SE11 —5M 75
Ariel Rd. NW6 —2L 57
Ariel Way. W12 —2G 73
Ariel Way. Houn —2F 84
Aristotle Rd. SW4 —2H 91
Arkell Gro. SE19 —4M 107
Arkindale Rd. SE6 —9A 94
Arkley. —7E 12
Arkley Cres. E17 —3K 45
Arkley Dri. Barn —6E 12
Arkley La. Barn —2D 12
(in two parts)
Arkley Rd. E17 —3K 45
Arkley Vw. Barn —6F 12
Arklow Ho. SE5 —7B 76
(off Albany Rd.)
Arklow M. Surb —4J 119
Arklow Rd. SE14 —7K 77
Arklow Rd. Trad. Est. SE14 —7J 77
Arkwright Ho. SW2 —6J 91
(off Streatham Pl.)
Arkwright Rd. NW3 —1A 58
Arkwright Rd. S Croy —2D 138
Arlesey Clo. SW15 —4J 89
Arlesford Rd. SW9 —2J 91
Arlingford Rd. SW2 —4L 91
Arlington. N12 —3L 25
Arlington Av. N1 —4A 60
(in two parts)
Arlington Clo. SE13 —4B 94
Arlington Clo. Sidc —6C 96
Arlington Clo. Sutt —4L 121
Arlington Clo. Twic —5G 87
Arlington Ct. W3 —3M 71
(off Mill Hill Rd.)
Arlington Ct. Hay —6C 68
Arlington Cres. Wal X —7E 6
Arlington Dri. Cars —4D 122
Arlington Dri. Ruis —4B 36
Arlington Gdns. W4 —6A 72
Arlington Gdns. Ilf —6L 47
Arlington Gdns. Romf —8J 35
Arlington Ho. EC1 —6L 59
(off Arlington Way)
Arlington Ho. SE8 —7K 77
(off Evelyn St.)
Arlington Ho. SW1 —2G 75
Arlington Ho. W12 —2F 72
(off Tunis Rd.)
Arlington Lodge. SW2 —3K 91
Arlington Lodge. Wey —6A 116
Arlington M. Twic —5F 86
Arlington M. Wal A —6J 7
(off Sun St.)
Arlington Pk. Mans. W4 —6A 72
(off Sutton La. N.)
Arlington Pas. Tedd —1D 102
Arlington Pl. SE10 —8A 78
Arlington Rd. N14 —2F 26
Arlington Rd. NW1 —4F 58
Arlington Rd. W13 —9F 54
Arlington Rd. Rich —8H 87
Arlington Rd. Surb —1H 119
Arlington Rd. Tedd —1D 102
Arlington Rd. Twic —5G 87
Arlington Rd. Wfd G —8E 30
Arlington Sq. N1 —4A 60
Arlington St. W1 —2G 75
Arlington Way. EC1 —6L 59
Arliss Way. N'holt —4G 53
Arlow Rd. N21 —1L 27
Armada Ct. SE8 —7L 77
Armadale Clo. N17 —2F 44
Armadale Rd. SW6 —8L 73
Armadale Rd. Felt —4E 84
Armada St. SE8 —7L 77
(off McMillan St.)
Armada Way. E6 —1M 79
Armagh Rd. E3 —4K 61
Armand Clo. Wat —2D 8
Armfield Clo. W Mol —9K 101
Armfield Cres. Mitc —6D 106
Armfield Rd. Enf —3B 16
Arminger Rd. W12 —2F 72
Armistice Gdns. SE25 —7E 108
Armitage Rd. NW11 —6J 41
Armitage Rd. SE10 —6D 78
Armour Clo. N7 —2K 59
Armoury Rd. SE8 —1M 93
Armoury Way. SW18 —4L 89
Armsby Ho. E1 —8G 61
(off Stepney Way)
Armstead Wlk. Dag —3L 65
Armstrong Av. Wfd G —6C 30
Armstrong Clo. E6 —9K 63
Armstrong Clo. Brom —7J 111
Armstrong Clo. Dag —5H 49
Armstrong Clo. Pinn —4E 36
Armstrong Clo. W on T —1E 116
Armstrong Cres. Cockf —5B 14
Armstrong Rd. SW7 —4B 74
Armstrong Rd. W3 —2D 72
Armstrong Rd. Felt —2J 101
Armstrong Way. S'hall —3M 69
Armytage Rd. Houn —8H 69
Arnal Cres. SW18 —6J 89
Arncliffe. NW6 —5M 57
Arncliffe Clo. N11 —6E 26
Arncroft Ct. Bark —6F 64
Arndale Wlk. SW18 —4M 89
Arne Gro. Orp —5D 128
Arne Ho. SE11 —6K 75
(off Worgan St.)
Arne St. WC2 —9J 59
Arnett Sq. E4 —6K 29
Arne Wlk. SE3 —3D 94
Arneways Av. Romf —1H 49
Arneway St. SW1 —4H 75
Arnewood Clo. SW15 —7E 88
Arnewood Clo. Oxs —6A 132
Arneys La. Mitc —1E 122
Arngask Rd. SE6 —6B 94
Arnhem Av. Ave —2M 83
Arnhem Dri. New Ad —3B 140
Arnhem Pl. E14 —4L 77
Arnhem Way. SE22 —4C 92
Arnhem Wharf. E14 —4K 77
Arnison Rd. E Mol —8B 102
Arnold Av. E. Enf —2L 17
Arnold Av. W. Enf —2K 17
Arnold Cir. E2 —6D 60
Arnold Clo. Harr —5K 39
Arnold Ct. N22 —7J 27
Arnold Cres. Iswth —4B 86
Arnold Dri. Chess —8H 119
Arnold Est. SE1 —3D 76
(in two parts)
Arnold Gdns. N13 —5M 27
Arnold Ho. SE3 —8G 79
(off Shooters Hill Rd.)
Arnold Ho. SE17 —6M 75
(off Doddington Gro.)
Arnold Mans. W14 —7K 73
(off Queen's Club Gdns.)
Arnold Rd. E3 —6L 61
Arnold Rd. N15 —1D 44
Arnold Rd. SW17 —4D 106
Arnold Rd. Dag —3K 65
Arnold Rd. N'holt —2J 53
Arnold Rd. Wal A —8J 7
Arnold's La. S at H —3K 115

Arnold Ter.—Ashridge Gdns.

Arnold Ter. Stan —5D 22
Arnos Gro. N14 —4H 27
Arnos Gro. Ct. N11 —5G 27
(off Palmer's Rd.)
Arnos Rd. N11 —4G 27
Arnot Ho. SE5 —8A 76
(off Comber Gro.)
Arnott Clo. SE28 —2G 81
Arnott Clo. W4 —5B 72
Arnould Av. SE5 —3B 92
Arnsberga Way. Bexh —3L 97
Arnside Gdns. Wemb —6H 39
Arnside Rd. Bexh —9L 81
Arnside St. SE17 —7B 76
Arnulf St. SE6 —1M 109
Arnulls Rd. SW16 —3M 107
Arodene Rd. SW2 —5K 91
Arosa Rd. Twic —5H 87
(in two parts)
Arpley Sq. SE20 —4G 109
(off High St.)
Arragon Gdns. SW16 —4J 107
Arragon Gdns. W W'ck —5M 125
Arragon Rd. E6 —4H 63
Arragon Rd. SW18 —7L 89
Arragon Rd. Twic —6E 86
Arran Clo. Eri —7B 82
Arran Clo. Wall —6F 122
Arran Ct. NW9 —9D 24
Arran Ct. NW10 —8B 40
Arran Dri. E12 —6H 47
Arran Grn. Wat —4H 21
Arran Ho. E14 —2A 78
(off Raleana Rd.)
Arran M. W5 —2K 71
Arranmore Ct. Bush —6J 9
Arran Rd. SE6 —8M 93
Arran Wlk. N1 —3A 60
Arran Way. Esh —4M 117
Arras Av. Mord —9A 106
Arrol Ho. SE1 —4A 76
Arrol Rd. Beck —7G 109
Arrow Ct. SW5 —5L 73
(off W. Cromwell Rd.)
Arrowhead Ct. E11 —4B 46
Arrow Rd. E3 —6M 61
Arrowscout Wlk. N'holt —6J 53
Arrowsmith Clo. Chig —5D 32
Arrowsmith Ho. SE11 —6K 75
(off Wickham St.)
Arrowsmith Path. Chig —5D 32
Arrowsmith Rd. Chig —5C 32
Arsenal F.C. —8M 43
Arsenal Rd. SE9 —1K 95
Artemis Ct. E14 —5L 77
(off Homer Dri.)
Arterberry Rd. SW20 —4G 105
Arterial Av. Rain —7F 66
Arterial Rd. Purf —4L 83
Artesian Clo. NW10 —3B 56
Artesian Gro. Barn —6A 14
Artesian Rd. W2 —9L 57
Artesian Wlk. E11 —8C 46
Artespian Clo. Horn —4D 50
Arthingworth St. E15 —4C 62
Arthur Ct. SW11 —9E 74
Arthur Ct. W2 —9M 57
(off Queensway)
Arthur Ct. W10 —9H 57
(off Silchester Rd.)
Arthur Ct. Croy —5C 124
(off Fairfield Path)
Arthur Deakin Ho. E1 —8E 60
(off Hunton St.)
Arthurdon Rd. SE4 —4L 93
Arthur Gro. SE18 —5A 80
Arthur Henderson Ho. SW6 —1K 89
(off Fulham Rd.)
Arthur Horsley Wlk. E7 —1D 62
(off Tower Hamlets Rd.)
Arthur Rd. E6 —5K 63
Arthur Rd. N7 —9K 43
Arthur Rd. N9 —2D 28
Arthur Rd. SW19 —2K 105
Arthur Rd. Big H —7G 141
Arthur Rd. King T —4L 103
Arthur Rd. N Mald —9F 104
Arthur Rd. Romf —4G 49
Arthur St. EC4 —1B 76
Arthur St. Bush —5H 9
Arthur St. Eri —8D 82
Artichoke Hill. E1 —1F 76
Artichoke M. SE5 —9B 76
(off Artichoke Pl.)
Artichoke Pl. SE5 —9B 76
Artillery Clo. Ilf —4A 48
Artillery Ho. E15 —2C 62
Artillery Ho. SE18 —6L 79
(off Connaught M.)
Artillery La. E1 —8C 60
Artillery La. W12 —9E 56
Artillery Pas. E1 —8D 60
(off Artillery La.)
Artillery Pl. SE18 —6K 79
Artillery Pl. SW1 —4H 75
Artillery Pl. Harr —7A 22
Artillery Row. SW1 —4G 75
Artington Clo. Orp —6A 128
Artisan Clo. E6 —9M 63
Artizan St. E1 —9D 60
(off Harrow Pl.)
Arts & Unicorn Theatre. —1J 75
(off St Martin's St.)
Arun Ct. SE25 —9E 108
Arundale. King T —8H 103
(off Anglesea Rd.)
Arundel Av. Eps —2F 134
Arundel Av. Mord —8K 105
Arundel Av. S Croy —2E 138
Arundel Bldgs. SE1 —4C 76
(off Swan Mead)
Arundel Clo. E15 —9C 46
Arundel Clo. SW11 —4C 90
Arundel Clo. Bex —5K 97
Arundel Clo. Chesh —1C 6
Arundel Clo. Croy —5M 123
Arundel Clo. Hamp H —2M 101
Arundel Ct. N12 —6C 26
Arundel Ct. N17 —8E 28
Arundel Ct. SW3 —6C 74
(off Jubilee Pl.)
Arundel Ct. Short —6C 110
Arundel Ct. S Harr —9L 37
Arundel Dri. Borwd —6A 12
Arundel Dri. Harr —9K 37
Arundel Dri. Orp —7F 128
Arundel Dri. Wfd G —7E 30
Arundel Gdns. N21 —1L 27
Arundel Gdns. W11 —1K 73
Arundel Gdns. Edgw —7B 24
Arundel Gdns. Ilf —7E 48
Arundel Gt. Ct. WC2 —1K 75
Arundel Gro. N16 —1C 60
Arundel Ho. W3 —3M 71
(off Park Rd. N.)
Arundel Ho. Borwd —6A 12
(off Arundel Dri.)
Arundel Ho. Croy —7B 124
(off Heathfield Rd.)
Arundel Ho. Uxb —7A 142
Arundel Mans. SW6 —9K 73
(off Kelvedon Rd.)
Arundel Pl. N1 —2L 59
Arundel Rd. Ab L —5E 4
Arundel Rd. Cockf —5C 14
Arundel Rd. Croy —1B 124
Arundel Rd. Dart —3G 99
Arundel Rd. Houn —2G 85
Arundel Rd. King T —6M 103
Arundel Rd. Romf —7K 35
Arundel Rd. Sutt —9K 121
Arundel Rd. Uxb —5A 142
Arundel Sq. N7 —2L 59
Arundel St. WC2 —1K 75
Arundel Ter. SW13 —7F 72
Arun Ho. King T —5H 103
Arvon Rd. N5 —1L 59
(in two parts)
Asa Ct. Hay —4D 68
Ascalon Ho. SW8 —8G 75
(off Thessaly Rd.)
Ascalon St. SW8 —8G 75
Ascension Rd. Romf —6A 34
Ascham Dri. E4 —7M 29
Ascham End. E17 —8J 29
Ascham St. NW5 —1G 59
Aschurch Rd. Croy —2D 124
Ascot Clo. Els —7L 11
Ascot Clo. Ilf —6C 32
Ascot Clo. N'holt —1L 53
Ascot Ct. NW8 —6B 58
(off Grove End Rd.)
Ascot Ct. Bex —6K 97
Ascot Gdns. Enf —1G 17
Ascot Gdns. Horn —9J 51
Ascot Gdns. S'hall —8K 53
Ascot Ho. NW1 —6F 58
(off Redhill St.)
Ascot Ho. W9 —7L 57
(off Harrow Rd.)
Ascot Lodge. NW6 —4M 57
Ascot M. Wall —1G 137
Ascot Pl. Stan —5G 23
Ascot Rd. E6 —6K 63
Ascot Rd. N15 —3B 44
Ascot Rd. N18 —4E 28
Ascot Rd. SW17 —3E 106
Ascot Rd. Felt —7E 144
Ascot Rd. Orp —8D 112
Ascot Rd. Wat —7C 8
(in two parts)
Ascott Av. W5 —3J 71
Ascott Clo. Pinn —2E 36
Ashbee Ho. E2 —6G 61
(off Portman Pl.)
Ashbourne Av. E18 —2F 46
Ashbourne Av. N20 —2D 26
Ashbourne Av. NW11 —3K 41
Ashbourne Av. Bexh —8J 81
Ashbourne Av. Harr —7B 38
Ashbourne Clo. N12 —4M 25
Ashbourne Clo. W5 —8L 55
Ashbourne Ct. E5 —9J 45
Ashbourne Ct. N12 —4M 25
(off Ashbourne Clo.)
Ashbourne Gro. NW7 —5B 24
Ashbourne Gro. SE22 —3D 92
Ashbourne Gro. W4 —6C 72
Ashbourne Pde. NW11 —2K 41
Ashbourne Pde. W5 —7K 55
Ashbourne Ri. Orp —6B 128
Ashbourne Rd. W5 —7K 55
Ashbourne Rd. Mitc —4E 106
Ashbourne Rd. Romf —4G 35
Ashbourne Sq. N'wd —6C 20
Ashbourne Ter. SW19 —4K 105
Ashbourne Way. NW11 —2K 41
Ashbridge Rd. E11 —5C 46
Ashbridge St. NW8 —7C 58
Ashbrook. Edgw —6K 23
Ashbrook Rd. N19 —6H 43
Ashbrook Rd. Dag —8M 49
Ashburn Gdns. SW7 —5A 74
Ashburnham Av. Harr —4D 38
Ashburnham Clo. N2 —1B 42
Ashburnham Clo. Wat —3E 20
Ashburnham Ct. Beck —6A 110
Ashburnham Ct. Pinn —1H 37
Ashburnham Dri. Wat —3E 20
Ashburnham Gdns. Harr —4D 38
Ashburnham Gdns. Upm —6M 51
Ashburnham Gro. SE10 —8M 77
Ashburnham Mans. SW10 —8A 74
(off Ashburnham Rd.)
Ashburnham Pk. Esh —6A 118
Ashburnham Pl. SE10 —8M 77
Ashburnham Retreat. SE10 —8M 77
Ashburnham Rd. NW10 —6G 57
Ashburnham Rd. SW10 —8A 74
Ashburnham Rd. Belv —5A 82
Ashburnham Rd. Rich —9F 86
Ashburnham Tower. SW10
(off Worlds End Est.) —8B 74
Ashburn Pl. SW7 —5A 74
Ashburton Av. Croy —3F 124
Ashburton Av. Ilf —1C 64
Ashburton Clo. Croy —3E 124
Ashburton Enterprise Cen. SW15 —5G 89
Ashburton Gdns. Croy —4E 124
Ashburton Gro. N7 —9L 43
Ashburton Ho. W9 —7K 57
(off Fernhead Rd.)
Ashburton Memorial Homes. Croy —2F 124
Ashburton Rd. E16 —9E 62
Ashburton Rd. Croy —4E 124
Ashburton Rd. Ruis —7E 36
Ashburton Ter. E13 —5E 62
Ashbury Dri. Uxb —8A 36
Ashbury Gdns. Romf —3H 49
Ashbury Pl. SW19 —3A 106
Ashbury Rd. SW11 —2D 90
Ashby Av. Chess —8L 119
Ashby Clo. Horn —6L 51
Ashby Ct. NW8 —7B 58
(off Pollitt Dri.)
Ashby Gro. N1 —3A 60
Ashby Ho. N1 —3A 60
(off Essex Rd.)
Ashby Ho. SW9 —1M 91
Ashby M. SE4 —1K 93
Ashby Rd. N15 —3F 44
Ashby Rd. SE4 —1K 93
Ashby Rd. Wat —2E 8
Ashby St. EC1 —6M 59
Ashby Wlk. Croy —1A 124
Ashby Way. W Dray —8L 143
Ashchurch Gro. W12 —4E 72
Ashchurch Pk. Vs. W12 —4E 72
Ashchurch Ter. W12 —4E 72
Ash Clo. SE20 —6G 109
Ash Clo. Ab L —5B 4
Ash Clo. Cars —4D 122
Ash Clo. Edgw —4A 24
Ash Clo. N Mald —6B 104
Ash Clo. Orp —9B 112
Ash Clo. Romf —7M 33
Ash Clo. Sidc —9F 96
Ash Clo. Stan —6E 22
Ash Clo. Swan —6A 114
Ash Clo. Wat —8F 4
Ashcombe Av. Surb —2H 119
Ashcombe Gdns. Edgw —4L 23
Ashcombe Pk. NW2 —8C 40
Ashcombe Rd. SW19 —2L 105
Ashcombe Rd. Cars —8E 122
Ashcombe Sq. N Mald —7A 104
Ashcombe St. SW6 —1M 89
Ash Copse. Brick W —4K 5
Ash Ct. NW5 —1G 59
Ash Ct. SW19 —4J 105
Ash Ct. W1 —9D 58
(off Harrowby St.)
Ash Ct. Eps —6A 120
Ashcroft. N14 —2H 27
Ash Cft. Pinn —6L 21
Ashcroft Av. Sidc —5E 96
Ashcroft Ct. N20 —2B 26
Ashcroft Ct. Dart —6L 99
Ashcroft Cres. Sidc —5E 96
Ashcroft Ho. SW8 —9G 75
(off Wadhurst Rd.)
Ashcroft Ri. Coul —8J 137
Ashcroft Rd. E3 —6J 61
Ashcroft Rd. Chess —5K 119
Ashcroft Sq. W6 —5G 73
Ashdale Clo. Stai —8C 144
Ashdale Clo. Twic —6A 86
Ashdale Gro. Stan —6D 22
Ashdale Ho. N4 —5B 44
Ashdale Rd. SE12 —7F 94
Ashdale Way. Twic —6M 85
Ashdene. SE15 —8F 76
Ashdene. Pinn —1G 37
Ashdene Clo. Ashf —4A 100
Ashdon Clo. Wfd G —6F 30
Ashdon Rd. NW10 —4D 56
Ashdon Rd. Bush —5H 9
Ashdown. W13 —8F 54
(off Clivedon Ct.)
Ashdown Clo. Beck —6M 109
Ashdown Clo. Bex —6A 98
Ashdown Ct. Sutt —8A 122
Ashdown Cres. NW5 —1E 58
Ashdown Cres. Chesh —1E 6
Ashdown Dri. Borwd —4K 11
Ashdowne Ct. N17 —8E 28
Ashdown Est. E11 —9B 46
Ashdown Gdns. S Croy —7F 138
Ashdown Ho. SW1 —4G 75
(off Victoria St.)
Ashdown Pl. Th Dit —2E 118
Ashdown Rd. Enf —4G 17
Ashdown Rd. Eps —5D 134
Ashdown Rd. King T —6J 103
Ashdown Rd. Uxb —5E 142
Ashdown Wlk. E14 —5L 77
(off Copeland Dri.)
Ashdown Wlk. Romf —8M 33
Ashdown Way. SW17 —8E 90
Ashe Ho. Twic —5H 87
Ashenden. SE1 —5A 76
(off Deacon Way)
Ashenden Rd. E5 —1J 61
Ashen Dri. Dart —6E 98
Ashen Gro. SW19 —9L 89
Ashen Gro. Rd. Knat —9M 131
Ashentree Ct. EC4 —9L 59
(off Whitefriars St.)
Ashen Va. S Croy —1H 139
Asher Loftus Way. N11 —6D 26
Asher Way. E1 —1E 76
Ashfield Av. Bush —8M 9
Ashfield Av. Felt —7F 84
Ashfield Clo. Beck —4L 109
Ashfield Clo. Rich —7J 87
Ashfield Ho. W14 —6K 73
Ashfield La. Chst —3M 111
(in three parts)
Ashfield Pde. N14 —1H 27
Ashfield Rd. N4 —4A 44
Ashfield Rd. N14 —3G 27
Ashfield Rd. W3 —2D 72
Ashfields. Lou —4K 19
Ashfields. Wat —8D 4
Ashfield St. E1 —8F 60
Ashfield Yd. E1 —8G 61
Ashford. —9D 144
Ashford Av. N8 —2J 43
Ashford Av. Hay —9H 53
Ashford Bus. Complex. Ashf
(Sandell's Av.) —2A 100
Ashford Bus. Complex. Ashf
(Shield Rd.) —1A 100
Ashford Clo. E17 —4K 45
Ashford Common. —4B 100
Ashford Ct. Edgw —3M 23
Ashford Cres. Ashf —9C 144
Ashford Cres. Enf —4G 17
Ashford Grn. Wat —5H 21
Ashford Ho. SE8 —7K 77
Ashford Ho. SW9 —3M 91
Ashford Park. —9A 144
Ashford Pas. NW2 —9H 41
Ashford Rd. E6 —3L 63
Ashford Rd. E18 —9F 30
Ashford Rd. NW2 —9H 41
Ashford Rd. Ashf —4A 100
Ashford Rd. Felt —1B 100
Ashford St. N1 —6C 60
Ash Gro. E8 —4F 60
(in two parts)
Ash Gro. N13 —3A 28
Ash Gro. NW2 —9H 41
Ash Gro. SE12 —7E 94
Ash Gro. SE20 —6G 109
Ash Gro. W5 —3J 71
Ash Gro. Enf —9C 16
Ash Gro. Felt —7C 84
Ash Gro. Hay —1B 68
Ash Gro. Houn —9H 69
Ash Gro. S'hall —8L 53
Ash Gro. Wemb —9E 38
Ash Gro. W Dray —1K 143
Ash Gro. W W'ck —4A 126
Ashgrove Ct. W9 —8L 57
(off Elmfield Way)
Ashgrove Ho. SW1 —6H 75
(off Lindsay Sq.)
Ashgrove Rd. Ashf —2A 100
Ashgrove Rd. Brom —3B 110
Ashgrove Rd. Ilf —6D 48
Ash Hill Clo. Bush —1M 21
Ash Hill Dri. Pinn —1G 37
Ash Ho. E14 —3A 78
(off E. Ferry Rd.)
Ash Ho. SE1 —5D 76
(off Longfield Est.)
Ash Ho. W10 —7J 57
(off Heather Wlk.)
Ashingdon Clo. E4 —3A 30
Ashington Ho. E1 —7F 60
(off Barnsley St.)
Ashington Rd. SW6 —1K 89
Ashlake Rd. SW16 —1J 107
Ashland Pl. W1 —8E 58
Ash La. Horn —2K 51
Ash La. Romf —6E 34
Ashlar Pl. SE18 —5M 79
Ashleigh Commercial Est. SE7 —4G 79
Ashleigh Ct. N14 —9G 15
Ashleigh Ct. W5 —5H 71
(off Murray Rd.)
Ashleigh Gdns. Sutt —4M 121
Ashleigh Point. SE23 —9H 93
Ashleigh Rd. SE20 —7F 108
Ashleigh Rd. SW14 —2C 88
Ashley Av. Eps —5B 134
Ashley Av. Ilf —9M 31
Ashley Av. Mord —9L 105
Ashley Cen. Eps —5B 134
Ashley Clo. NW4 —9G 25
Ashley Clo. Pinn —9F 20
Ashley Clo. W on T —3D 116
Ashley Ct. NW4 —9G 25
Ashley Ct. NW9 —9D 24
(off Guilfoyle)
Ashley Ct. SW1 —4G 75
(off Morpeth Ter.)
Ashley Ct. Barn —7A 14
Ashley Ct. Eps —5B 134
Ashley Ct. N'holt —4J 53
Ashley Cres. N22 —9L 27
Ashley Cres. SW11 —2E 90
Ashley Dri. Bans —6L 135
Ashley Dri. Borwd —7A 12
Ashley Dri. Iswth —7C 70
Ashley Dri. Twic —7M 85
Ashley Dri. W on T —5E 116
Ashley Gdns. N13 —4A 28
Ashley Gdns. SW1 —4G 75
(in three parts)
Ashley Gdns. Orp —7C 128
Ashley Gdns. Rich —8H 87
Ashley Gdns. Wemb —7J 39
Ashley Gro. Lou —5J 19
Ashley La. NW4 —7G 25
(in two parts)
Ashley La. Croy —6M 123
Ashley Park. —5E 116
Ashley Pk. Av. W on T —4D 116
Ashley Pk. Cres. W on T —3E 116
Ashley Pk. Rd. W on T —4E 116
Ashley Pl. SW1 —4G 75
(in two parts)
Ashley Ri. W on T —6D 116
Ashley Rd. E4 —6L 29
Ashley Rd. E7 —3G 63
Ashley Rd. N17 —1E 44
Ashley Rd. N19 —6J 43
Ashley Rd. SW19 —3M 105
Ashley Rd. Enf —4G 17
Ashley Rd. Eps —5B 134
Ashley Rd. Hamp —5L 101
Ashley Rd. Rich —2J 87
Ashley Rd. Th Dit —1D 118
Ashley Rd. T Hth —8K 107
Ashley Rd. Uxb —5A 142
Ashley Rd. W on T —6D 116
Ashley Sq. Eps —5B 134
(off Ashley Cen.)
Ashley Wlk. NW7 —7H 25
Ashling Rd. Croy —3E 124
Ashlin Rd. E15 —9B 46
Ashlone Rd. SW15 —2G 89
Ashlyn Clo. Bush —6J 9
Ashlyn Ct. Wat —6J 9
Ashlyn Gro. Horn —1H 51
Ashlyns Way. Chess —8H 119
Ashmead. N14 —7G 15
Ashmead Bus. Cen. E3 —7B 62
Ashmead Ga. Brom —5G 111
Ashmead Ho. E9 —1J 61
(off Homerton Rd.)
Ashmead Rd. SE8 —1L 93
Ashmead Rd. Felt —7E 84
Ashmeads. Lou —5K 19
Ashmere Av. Beck —6B 110
Ashmere Clo. Sutt —7H 121
Ashmere Gro. SW2 —3J 91
Ash M. Eps —5C 134
Ashmill St. NW1 —8C 58
Ashmole Pl. SW8 —7K 75
(in two parts)
Ashmole St. SW8 —7K 75
Ashmore. NW1 —3H 59
(off Agar Gro.)
Ashmore Ct. N11 —6D 26
Ashmore Ct. Houn —7L 69
Ashmore Gro. Well —2B 96
Ashmore Ho. W14 —4J 73
(off Russell Rd.)
Ashmore La. Kes —3G 141
Ashmore Rd. W9 —5K 57
Ashmount Est. N19 —5H 43
Ashmount Rd. N6 —5G 43
Ashmount Rd. N15 —3D 44
Ashmount Ter. W5 —5H 71
Ashmour Gdns. Romf —9B 34
Ashneal Gdns. Harr —8B 38
Ashness Gdns. Gnfd —2F 54
Ashness Rd. SW11 —4D 90
Ashpark Ho. E14 —9K 61
(off Norbiton Rd.)
Ashridge Clo. Harr —4G 39
Ashridge Ct. N14 —7G 15
Ashridge Ct. S'hall —9A 54
(off Redcroft Rd.)
Ashridge Cres. SE18 —8A 80
Ashridge Dri. Brick W —3J 5
Ashridge Dri. Wat —5G 21
Ashridge Gdns. N13 —5H 27
Ashridge Gdns. Pinn —2J 37

Ashridge Ho.—Avenue, The

Ashridge Ho. Wat —9C 8
(off Chenies Way)
Ashridge Way. Mord —7K 105
Ashridge Way. Sun —3E 100
Ash Rd. E15 —1C 62
Ash Rd. Croy —4L 125
Ash Rd. Dart —7H 99
Ash Rd. Hawl —1K 115
Ash Rd. Orp —9D 128
Ash Rd. Sutt —2J 121
Ash Row. Brom —2L 127
Ashtead Gap. Lea —8F 132
Ashtead Rd. E5 —5E 44
Ashtead Woods Rd. Asht —9G 133
Ashton Clo. Sutt —6L 121
Ashton Clo. W on T —8F 116
Ashton Ct. Harr —8D 38
Ashton Gdns. Houn —3K 85
Ashton Gdns. Romf —4J 49
Ashton Heights. SE23 —7G 93
Ashton Ho. SW9 —8L 75
Ashton Rd. E15 —1B 62
Ashton Rd. Enf —9E 6
Ashton Rd. H Hill —7H 35
Ashton St. E14 —1A 78
Ashtree Av. Mitc —6B 106
Ash Tree Clo. Croy —1J 125
Ashtree Clo. Orp —6M 127
Ash Tree Clo. Surb —4J 119
Ashtree Dell. NW9 —3B 40
Ash Tree Rd. Wat —9F 4
Ash Tree Way. Croy —9H 109
Ashurst. Eps —6B 134
Ashurst Clo. SE20 —5F 108
Ashurst Clo. Dart —2D 98
Ashurst Clo. Kenl —7B 138
Ashurst Clo. N'wd —7C 20
Ashurst Dri. Ilf —4M 47
Ashurst Gdns. SW2 —7L 91
Ashurst Rd. N12 —5C 26
Ashurst Rd. Barn —7D 14
Ashurst Wlk. Croy —4F 124
Ashvale Gdns. Romf —5B 34
Ashvale Rd. SW17 —2D 106
Ashville Rd. E11 —7B 46
Ash Wlk. Wemb —8G 39
Ashwater Rd. SE12 —7E 94
Ashway Cen., The. King T —5J 103
Ashwell Clo. E6 —9J 63
Ashwin St. E8 —2D 60
Ashwood Av. Rain —6F 66
Ashwood Av. Uxb —9E 142
Ashwood Gdns. Hay —5D 68
Ashwood Gdns. New Ad —8M 125
Ashwood Ho. H End —6L 21
(off Avenue, The)
Ashwood Rd. E4 —3B 30
Ashworth Clo. SE5 —1B 92
Ashworth Est. Croy —3J 123
Ashworth Mans. W9 —6M 57
(off Elgin Av.)
Ashworth Rd. W9 —6M 57
Aske Ho. N1 —6C 60
(off Fanshaw St., in two parts)
Asker Ho. N7 —9J 43
Askern Clo. Bexh —3H 97
Aske St. N1 —6C 60
Askew Cres. W12 —3D 72
Askew Est. W12 —2D 72
(off Uxbridge Rd.)
Askew Rd. W12 —2D 72
Askew Rd. N'wd —2B 20
Askham Ct. W12 —2E 72
Askham Rd. W12 —2E 72
Askill Dri. SW15 —4J 89
Askwith Rd. Rain —6B 66
Asland Rd. E15 —4C 62
Aslett St. SW18 —6M 89
Asmara Rd. NW2 —1J 57
Asmar Clo. Coul —7J 137
Asmuns Hill. NW11 —3L 41
Asmuns Pl. NW11 —3K 41
Asolando Dri. SE17 —5A 76
(off King & Queen St.)
Aspen Clo. N19 —7G 43
Aspen Clo. W5 —3K 71
Aspen Clo. Brick W —3J 5
Aspen Clo. Orp —7E 128
Aspen Clo. Swan —5B 114
Aspen Clo. W Dray —2K 143
Aspen Copse. Brom —6K 111
Aspen Ct. Dart —5L 99
Aspen Dri. Wemb —8E 38
Aspen Gdns. W6 —6F 72
Aspen Gdns. Ashf —2A 100
Aspen Gdns. Mitc —9E 106
Aspen Grn. Eri —4K 81
Aspen Gro. Upm —9L 51
Aspen Ho. SE15 —7G 77
(off Sharratt St.)
Aspen Ho. Sidc —9E 96
Aspen La. N'holt —6J 53
Aspenlea Rd. W6 —7H 73
Aspen Lodge. W8 —4M 73
Aspen Pk. Dri. Wat —8F 4
Aspen Sq. Wey —5B 116
Aspen Va. Whyt —9D 138
Aspen Way. E14 —1M 77
Aspen Way. Bans —6H 135
Aspen Way. Enf —8D 6
Aspen Way. Felt —9F 84
Aspern Gro. NW3 —1C 58
Aspinall Rd. SE4 —2H 93
Aspinden Rd. SE16 —5F 76
Aspley Rd. SW18 —4M 89
Asplins Rd. N17 —8E 28
Asquith Clo. Dag —6G 49
Assam St. E1 —9E 60
Assata M. N1 —2M 59
Assembly Pas. E1 —8G 61
Assembly Wlk. Cars —2C 122
Assher Rd. W on T —5J 117
Ass Ho. La. Harr —4M 21
Association Gallery, The. —7C 60
(off Leonard St.)
Astall Clo. Harr —8C 22
Astbury Ho. SE11 —4L 75
(off Lambeth Wlk.)
Astbury Rd. SE15 —9G 77
Astede Pl. Asht —9K 133
Astell St. SW3 —6C 74
Aste St. E14 —3A 78
Astey's Row. N1 —3A 60
Asthall Gdns. Ilf —2A 48
Astins Ho. E17 —2M 45
Astle St. SW11 —1E 90
Astley Av. NW2 —1G 57
Astley Ho. SE1 —6D 76
(off Rowcross St.)
Aston Av. Harr —5G 39
Aston Clo. Bush —8A 10
Aston Clo. Sidc —9E 96
Aston Clo. Wat —4G 9
Aston Ct. Wfd G —6E 30
Aston Grn. Houn —1G 85
Aston Ho. SW8 —9H 75
Aston Ho. W11 —1K 73
(off Westbourne Gro.)
Aston M. Romf —5G 49
Aston Pl. SW16 —3M 107
Aston Rd. SW20 —6G 105
Aston Rd. W5 —9H 55
Aston Rd. Clay —7C 118
Astons Rd. N'wd —3A 20
Aston St. E14 —8J 61
Aston Ter. SW12 —5F 90
Astonville St. SW18 —7L 89
Aston Way. Eps —7D 134
Astor Av. Romf —4A 50
Astor Clo. King T —3M 103
Astor Ct. E16 —9G 63
(off Ripley Rd.)
Astor Ct. SW6 —8A 74
(off Maynard Clo.)
Astoria Mans. SW16 —9J 91
Astoria Wlk. SW9 —2L 91
Astra Clo. Horn —2F 66
Astra Ct. Wat —7D 8
Astra Ho. SE14 —7K 77
(off Arklow Rd.)
Astrid Ho. Felt —8G 85
Astrop M. W6 —4G 73
Astrop Ter. W6 —3G 73
Astwood M. SW7 —5A 74
Asylum Rd. SE15 —8F 76
Atalanta Clo. Purl —2L 137
Atalanta St. SW6 —8H 73
Atbara Rd. Tedd —3F 102
Atcham Rd. Houn —3A 86
Atcost Rd. Bark —8E 64
Atcraft Cen. Wemb —4J 55
Atheldene Rd. SW18 —7M 89
Athelney St. SE6 —9L 93
Athelstan Clo. Romf —9K 35
Athelstane Gro. E3 —5K 61
Athelstane M. N4 —6L 43
Athelstan Gdns. NW6 —3J 57
Athelstan Ho. King T —8K 103
(off Athelstan Rd.)
Athelstan Rd. King T —8K 103
Athelstan Rd. Romf —8K 35
Athelstan Way. Orp —5E 112
Athelstone Rd. Harr —9B 22
Athena Clo. Harr —7B 38
Athena Clo. King T —7K 103
Athenaeum Ct. N5 —9A 44
Athenaeum Pl. N10 —1F 42
Athenaeum Rd. N20 —1A 26
Athena Pl. N'wd —8D 20
Athenia Ho. E14 —9B 62
(off Blair St.)
Athenlay Rd. SE15 —4H 93
Athens Gdns. W9 —7L 57
(off Harrow Rd.)
Atherden Rd. E5 —9G 45
Atherfold Rd. SW9 —2J 91
Atherley Way. Houn —6K 85
Atherstone Ct. W2 —8M 57
(off Delamere Ter.)
Atherstone M. SW7 —5A 74
Atherton Clo. Stanw —5B 144
Atherton Dri. SW19 —1H 105
Atherton Heights. Wemb —2G 55
Atherton Ho. Romf —7J 35
(off Leyburn Cres.)
Atherton M. E7 —2D 62
Atherton Pl. Harr —1B 38
Atherton Pl. S'hall —1L 69
Atherton Rd. E7 —2D 62
Atherton Rd. SW13 —8E 72
Atherton Rd. Ilf —9J 31
Atherton St. SW11 —1C 90
Athlone. Clay —8C 118
Athlone Clo. E5 —1F 60
Athlone Ct. E17 —1B 46
Athlone Ho. E1 —9G 61
(off Sidney St.)
Athlone Rd. SW2 —6K 91
Athlone St. NW5 —2E 58
Athlon Ind. Est. Wemb —4H 55
Athlon Rd. Wemb —5H 55
Athol Clo. Pinn —8F 20
Athole Gdns. Enf —7C 16
Athol Gdns. Pinn —8F 20
Atholl Ho. W9 —6A 58
(off Maida Va.)
Atholl Rd. Ilf —5E 48
Athol Rd. Eri —6A 82
Athol Sq. E14 —9A 62
Athol Way. Uxb —6E 142
Atkin Building. WC1 —8K 59
(off Raymond Bldgs.)
Atkins Dri. W W'ck —4B 126
Atkinson Clo. Orp —7E 128
Atkinson Ct. E10 —5M 45
(off Kings Clo.)
Atkinson Ho. E2 —5E 60
(off Pritchards Rd.)
Atkinson Ho. E13 —7D 62
(off Sutton Rd.)
Atkinson Ho. SE17 —5B 76
(off Catesby St.)
Atkinson Rd. E16 —8G 63
Atkins Rd. E10 —4M 45
Atkins Rd. SW12 —6G 91
Atlanta Boulevd. Romf —4C 50
Atlantic Ct. E14 —1B 78
(off Jamestown Way)
Atlantic Ho. E1 —8J 61
(off Harford St.)
Atlantic Rd. SW9 —3L 91
Atlas Bus. Cen. NW2 —6F 40
Atlas Gdns. SE7 —5G 79
Atlas M. E8 —2D 60
Atlas M. N7 —2K 59
Atlas Rd. E13 —5E 62
Atlas Rd. N11 —7E 26
Atlas Rd. NW10 —6C 56
Atlas Rd. Dart —2K 99
Atlas Rd. Wemb —9A 40
Atlas Wharf. E9 —2L 61
Atley Rd. E3 —4L 61
Atlip Rd. Wemb —4J 55
Atney Rd. SW15 —3J 89
Atria Rd. N'wd —5E 20
Attenborough Clo. Wat —3J 21
Atterbury Rd. N4 —4L 43
Atterbury St. SW1 —5J 75
Attewood Av. NW10 —8C 40
Attewood Rd. N'holt —2J 53
Attfield Clo. N20 —2B 26
Attfield Ct. King T —6K 103
(off Albert Rd.)
Attilburgh Ho. SE1 —4D 76
(off Abbey St.)
Attleborough Ct. SE26 —8E 92
Attle Clo. Uxb —5E 142
Attlee Clo. Hay —6F 52
Attlee Clo. T Hth —9A 108
Attlee Dri. Dart —4L 99
Attlee Rd. SE28 —1F 80
Attlee Rd. Hay —6E 52
Attlee Ter. E17 —2M 45
Attneave St. WC1 —6L 59
Attwell's Yd. Uxb —3B 142
(off High St.)
Attwood Clo. S Croy —6F 138
Atwater Clo. SW2 —7L 91
Atwell Clo. E10 —4M 45
Atwell Pl. Th Dit —3D 118
Atwell Rd. SE15 —1E 92
Atwood Av. Rich —1L 87
Atwood Rd. W6 —5F 72
Atwoods All. Rich —9L 71
Aubert Ct. N5 —9M 43
Aubert Pk. N5 —9M 43
Aubert Rd. N5 —9M 43
Aubretia Clo. H Wood —8J 35
Aubrey Beardsley Ho. SW1 —5G 75
(off Vauxhall Bri. Rd.)
Aubrey Mans. NW1 —8C 58
(off Lisson St.)
Aubrey Moore Point. E15 —5A 62
(off Abbey La.)
Aubrey Pl. NW8 —5A 58
Aubrey Rd. E17 —1L 45
Aubrey Rd. N8 —3J 43
Aubrey Rd. W8 —2K 73
Aubrey Wlk. W8 —2K 73
Auburn Clo. SE14 —8J 77
Aubyn Hill. SE27 —1A 108
Aubyn Sq. SW15 —4E 88
Auckland Av. Rain —6D 66
Auckland Clo. SE19 —5D 108
Auckland Clo. Enf —1F 16
Auckland Ct. Hay —7G 53
Auckland Gdns. SE19 —5C 108
Auckland Hill. SE27 —1A 108
Auckland Ho. W12 —1F 72
(off White City Est.)
Auckland Ri. SE19 —5C 108
Auckland Rd. E10 —8M 45
Auckland Rd. SE19 —5D 108
Auckland Rd. SW11 —3C 90
Auckland Rd. Ilf —6M 47
Auckland Rd. King T —8K 103
Auckland St. SE11 —6K 75
Audax. NW9 —9D 24
Auden Pl. NW1 —4E 58
(in two parts)
Auden Pl. Cheam —6G 121
Audleigh Pl. Chig —6L 31
Audley Clo. N10 —7F 26
Audley Clo. SW11 —2E 90
Audley Clo. Borwd —5L 11
Audley Ct. E18 —2D 46
Audley Ct. N'holt —6G 53
Audley Ct. Pinn —9G 21
Audley Ct. Twic —9B 86
Audley Dri. E16 —2F 78
Audley Dri. Warl —7G 139
Audley Firs. W on T —6G 117
Audley Gdns. Ilf —7D 48
Audley Gdns. Wal A —7J 7
Audley Pl. Sutt —9M 121
Audley Rd. NW4 —3E 40
Audley Rd. W5 —8K 55
Audley Rd. Enf —4M 15
Audley Rd. Rich —4K 87
Audley Sq. W1 —2E 74
Audley Wlk. Orp —1G 129
Audrey Clo. Beck —1M 125
Audrey Gdns. Wemb —7F 38
Audrey Rd. Ilf —8M 47
Audrey St. E2 —5E 60
Audric Clo. King T —5L 103
Audwick Clo. Chesh —1E 6
Augurs La. E13 —6F 62
Augusta Clo. W Mol —8K 101
Augusta Rd. Twic —8A 86
Augusta St. E14 —9M 61
Augustine Rd. W14 —4H 73
Augustine Rd. Harr —8M 21
Augustine Rd. Orp —7H 113
Augustus Clo. W12 —3F 72
Augustus Clo. Bren —8G 71
Augustus Ct. SW16 —8H 91
Augustus Ct. Felt —1K 101
Augustus Ho. NW1 —5G 59
(off Augustus St.)
Augustus La. Orp —4E 128
Augustus Rd. SW19 —7H 89
Augustus St. NW1 —5F 58
Aultone Way. Cars —5D 122
Aultone Way. Sutt —4M 121
Aulton Pl. SE11 —6L 75
Aurelia Gdns. Croy —9K 107
Aurelia Rd. Croy —1J 123
Auriel Av. Dag —2B 66
Auriga M. N1 —1B 60
Auriol Clo. Wor Pk —5C 120
Auriol Dri. Gnfd —3B 54
Auriol Dri. Uxb —2E 142
Auriol Pk. Rd. Wor Pk —5C 120
Auriol Rd. W14 —5J 73
Aurora Ho. E14 —9M 61
(off Kerbey St.)
Austell Gdns. NW7 —3C 24
Austen Clo. SE28 —2F 80
Austen Gdns. Dart —3K 99
Austen Ho. NW6 —6L 57
(off Cambridge Rd.)
Austen Rd. Eri —8M 81
Austen Rd. Harr —7M 37
Austin Av. Brom —9J 111
Austin Clo. SE23 —6J 93
Austin Clo. Coul —9M 137
Austin Clo. Twic —4G 87
Austin Ct. E6 —4G 63
Austin Ct. SE15 —2E 92
(off Philip Wlk.)
Austin Ct. Enf —7C 16
Austin Friars. EC2 —9B 60
(in two parts)
Austin Friars Pas. EC2 —9B 60
(off Austin Friars)
Austin Friars Sq. EC2 —9B 60
(off Austin Friars)
Austin Ho. SE14 —8K 77
(off Achilles St.)
Austin Rd. SW11 —9E 74
Austin Rd. Hay —3D 68
Austin Rd. Orp —1E 128
Austin's La. Uxb —8A 36
(in two parts)
Austin St. E2 —6D 60
Austin Ter. SE1 —4L 75
Austin Waye. Uxb —4A 142
Austral Clo. Sidc —9D 96
Austral Dri. Horn —5H 51
Australia Rd. W12 —1F 72
Austral St. SE11 —5M 75
Austyn Gdns. Surb —3M 119
Autumn Clo. SW19 —3A 106
Autumn Clo. Enf —3E 16
Autumn Dri. Sutt —1M 135
Autumn Lodge. S Croy —6C 124
(off South Pk. Hill Rd.)
Autumn St. E3 —4L 61
Avalon Clo. SW20 —6J 105
Avalon Clo. W13 —8E 54
Avalon Clo. Enf —4L 15
Avalon Clo. Orp —5H 129
Avalon Clo. Wat —5J 5
Avalon Rd. SW6 —9M 73
Avalon Rd. W13 —7E 54
Avalon Rd. Orp —4F 128
Avard Gdns. Orp —6A 128
Avarn Rd. SW17 —3D 106
Avebury Ct. N1 —4B 60
(off Imber St.)
Avebury Pk. Surb —2H 119
Avebury Rd. E11 —6B 46
Avebury Rd. SW19 —5K 105
Avebury Rd. Orp —5B 128
Avebury St. N1 —4B 60
Aveley By-Pass. S Ock —1M 83
Aveley Clo. Eri —7D 82
Aveley Mans. Bark —3M 63
(off Whiting Av.)
Aveley Rd. Romf —2B 50
Aveley Rd. Upm —2M 67
Aveline St. SE11 —6L 75
Aveling Clo. Purl —5K 137
Aveling Pk. Rd. E17 —9L 29
Avelon Rd. Rain —4E 66
Avelon Rd. Romf —6B 34
Ave Maria La. EC4 —9M 59
Avenell Rd. N5 —8M 43
Avenfield Ho. W1 —1D 74
(off Park La.)
Avening Rd. SW18 —6L 89
Avening Ter. SW18 —6L 89
Avenons Rd. E13 —7E 62
Avenue Clo. N14 —8G 15
Avenue Clo. NW8 —4C 58
Avenue Clo. Houn —9F 68
Avenue Clo. Romf —7K 35
Avenue Clo. W Dray —4H 143
Avenue Ct. N14 —8G 15
Avenue Ct. NW2 —8K 41
Avenue Ct. SW3 —5D 74
(off Draycott Av.)
Avenue Cres. W3 —3M 71
Avenue Cres. Houn —9F 68
Avenue Elmers. Surb —9J 103
Avenue Gdns. SE25 —6E 108
Avenue Gdns. SW14 —2C 88
Avenue Gdns. W3 —3M 71
Avenue Gdns. Houn —8F 68
Avenue Gdns. Tedd —4D 102
Avenue Ga. Lou —8G 19
Avenue Ho. NW8 —5C 58
(off Allitsen Rd.)
Avenue Ind. Est. E4 —6K 29
Avenue Ind. Est. Romf —9H 35
Avenue Lodge. NW8 —3B 58
(off Avenue Rd.)
Avenue Mans. NW3 —1M 57
(off Finchley Rd.)
Avenue M. N10 —1F 42
Avenue Pde. N21 —9B 16
Avenue Pde. Sun —7F 100
Avenue Pk. Rd. SE27 —8M 91
Avenue Ri. Bush —7L 9
Avenue Rd. E7 —9F 46
Avenue Rd. N6 —5G 43
Avenue Rd. N12 —4A 26
Avenue Rd. N14 —9G 15
Avenue Rd. N15 —3B 44
Avenue Rd. NW3 & NW8 —3B 58
Avenue Rd. NW10 —5D 56
Avenue Rd. SE20 & Beck —5G 109
Avenue Rd. SE25 —6D 108
Avenue Rd. SW16 —6H 107
Avenue Rd. SW20 —6F 104
Avenue Rd. W3 —3M 71
Avenue Rd. Bans —7M 135
Avenue Rd. Belv —5A 82
Avenue Rd. Bexh —2J 97
Avenue Rd. Bren —6G 71
Avenue Rd. Chad H —6G 49
Avenue Rd. Eps —6B 134
Avenue Rd. Eri —8A 82
Avenue Rd. Felt —9D 84
Avenue Rd. Hamp —5M 101
Avenue Rd. H Wood —7K 35
Avenue Rd. Iswth —9D 70
Avenue Rd. King T —7J 103
Avenue Rd. N Mald —8C 104
Avenue Rd. Pinn —1J 37
Avenue Rd. S'hall —2K 69
Avenue Rd. Sutt —2L 135
Avenue Rd. Tedd —4E 102
Avenue Rd. Wall —9G 123
Avenue Rd. Wfd G —6G 31
Avenue S. Surb —2L 119
Avenue Ter. N Mald —7A 104
Avenue Ter. Wat —8J 9
Avenue, The. E4 —6B 30
Avenue, The. E11 —4F 46
Avenue, The. N3 —9L 25
Avenue, The. N8 —1L 43
Avenue, The. N10 —9G 27
Avenue, The. N11 —5F 26
Avenue, The. N17 —1B 44
Avenue, The. NW6 —4H 57
Avenue, The. SE9 —4K 95
Avenue, The. SE10 —8B 78
Avenue, The. SW4 —4E 90
Avenue, The. SW18 —6C 90
Avenue, The. W4 —4C 72
Avenue, The. W13 —9F 54
Avenue, The. Barn —5J 13
Avenue, The. Beck —5M 109
Avenue, The. Bex —6H 97
Avenue, The. Brom —7H 111
Avenue, The. Bush —7K 9
Avenue, The. Cars —9E 122
Avenue, The. Clay —8C 118
Avenue, The. Coul —7H 137
Avenue, The. Cow —7B 142
Avenue, The. Cran —9E 68
Avenue, The. Croy —5C 124

Avenue, The—Balmoral Rd.

Avenue, The. Eps & Sutt —9F 120
Avenue, The. Hamp —3K 101
Avenue, The. Harr —8D 22
Avenue, The. H End —6K 21
Avenue, The. Horn —7G 51
Avenue, The. Houn —4M 85
Avenue, The. Kes —6H 127
Avenue, The. Lou —8H 19
Avenue, The. N'wd —6A 20
Avenue, The. Orp —4D 128
Avenue, The. Oxs —3D 132
Avenue, The. Pinn —5K 37
Avenue, The. Rich —1K 87
Avenue, The. Romf —2B 50
Avenue, The. St P —4F 112
Avenue, The. Sun —5F 100
Avenue, The. Surb —1K 119
Avenue, The. Sutt —2K 135
Avenue, The. Twic —4F 86
Avenue, The. Wat —4E 8
Avenue, The. Wemb —6J 39
Avenue, The. W W'ck —2C 126
Avenue, The. Wor Pk —4D 120
Averil Gro. SW16 —3M 107
Averill St. W6 —7H 73
Avern Gdns. W Mol —8M 101
Avern Rd. W Mol —8M 101
Avery Farm Row. SW1 —5E 74
Avery Gdns. Ilf —3K 47
Avery Hill. —5B 96
Avery Hill Rd. SE9 —5B 96
Avery Row. W1 —1F 74
Avey La. Wal A & Lou —9K 7
Avia Pk. Felt —7F 144
Aviary Clo. E16 —8D 62
Aviemore Clo. Beck —9K 109
Aviemore Way. Beck —9J 109
Avignon Rd. SE4 —2H 93
Avington Ct. SE1 —5C 76
(off Old Kent Rd.)
Avington Gro. SE20 —4G 109
Avington Way. SE15 —8D 76
Avion Cres. NW9 —8E 24
Avior Dri. N'wd —4D 20
Avis Sq. E1 —9H 61
Avoca Rd. SW17 —1E 106
Avocet Clo. SE1 —6E 76
Avocet M. SE28 —4B 80
Avon Clo. Hay —7G 53
Avon Clo. Sutt —6A 122
Avon Clo. Wat —7G 5
Avon Clo. Wor Pk —4E 120
Avon Ct. E4 —1A 30
Avon Ct. N12 —5M 25
Avon Ct. Buck H —1F 30
Avon Ct. Gnfd —7M 53
Avon Ct. Pinn —7L 21
(off Avenue, The)
Avondale Av. N12 —5M 25
Avondale Av. NW2 —8C 40
Avondale Av. Barn —1D 26
Avondale Av. Esh —5E 118
Avondale Av. Wor Pk —3D 120
Avondale Clo. Lou —9K 19
Avondale Clo. W on T —7G 117
Avondale Ct. E11 —6C 46
Avondale Ct. E16 —8C 62
Avondale Ct. E18 —8F 30
Avondale Cres. Enf —5J 17
Avondale Cres. Ilf —3H 47
Avondale Dri. Hay —2E 68
Avondale Dri. Lou —9K 19
Avondale Gdns. Houn —4K 85
Avondale Ho. SE1 —6E 76
(off Avondale Sq.)
Avondale Pk. Gdns. W11 —1J 73
Avondale Pk. Rd. W11 —1J 73
Avondale Ri. SE15 —2D 92
Avondale Rd. E16 —8C 62
Avondale Rd. E17 —5L 45
Avondale Rd. N3 —8A 26
Avondale Rd. N13 —2L 27
Avondale Rd. N15 —3M 43
Avondale Rd. SE9 —8J 95
Avondale Rd. SW14 —2C 88
Avondale Rd. SW19 —2M 105
Avondale Rd. Ashf —9B 144
Avondale Rd. Brom —3C 110
Avondale Rd. Harr —1D 38
Avondale Rd. S Croy —8A 124
Avondale Rd. Well —1G 97
Avondale Sq. SE1 —6E 76
Avonfield Ct. E17 —1B 46
Avon Ho. W8 —4L 73
(off Allen St.)
Avon Ho. W14 —5K 73
(off Avonmore Rd.)
Avon Ho. King T —5H 103
Avonhurst Ho. NW2 —3J 57
Avonley Rd. SE14 —8G 77
Avon M. Pinn —7K 21
Avonmore Gdns. W14 —5K 73
Avonmore Pl. W14 —5J 73
(off Avonmore Rd.)
Avonmore Rd. W14 —5J 73
Avonmouth Rd. Dart —4H 99
Avonmouth St. SE1 —4A 76
Avon Path. S Croy —8A 124
Avon Pl. SE1 —3A 76
Avon Rd. E17 —1B 46
Avon Rd. SE4 —2L 93
Avon Rd. Gnfd —7L 53
Avon Rd. Sun —4D 100
Avonstowe Clo. Orp —5A 128
Avon Way. E18 —1E 46
Avonwick Rd. Houn —1M 85
Avril Way. E4 —5A 30
Avro Ho. SW8 —8F 74
(off Havelock Ter.)
Avro Way. Wall —9J 123
Awberry Ct. Wat —8B 8
Awlfield Av. N17 —8B 28
Awliscombe Rd. Well —1D 96
Axe St. Bark —4A 64
(in two parts)
Axholme Av. Edgw —8L 23
Axminster Cres. Well —9G 81
Axminster Rd. N7 —8J 43
Axtaine Rd. Orp —2H 129
Axtane Clo. S at H —5M 115
Axwood. Eps —7A 134
Aybrook St. W1 —8E 58
Aycliffe Clo. Brom —8K 111
Aycliffe Rd. W12 —2E 72
Aycliffe Rd. Borwd —3J 11
Ayerst Ct. E10 —5A 46
Aylands Clo. Wemb —7J 39
Aylands Rd. Enf —9C 6
Aylesbury Clo. E7 —2D 62
Aylesbury Ct. Sutt —5A 122
Aylesbury Ho. SE15 —7E 76
(off Friary Est.)
Aylesbury Rd. SE17 —6B 76
Aylesbury Rd. Brom —7E 110
Aylesbury St. EC1 —7M 59
Aylesbury St. NW10 —8B 40
Aylesford Av. Beck —9J 109
Aylesford Ho. SE1 —3B 76
(off Long La.)
Aylesford St. SW1 —6H 75
Aylesham Cen., The. SE15 —9E 76
Aylesham Clo. NW7 —7E 24
Aylesham Rd. Orp —2D 128
Ayles Rd. Hay & N'holt —6F 52
Aylestone Av. NW6 —3H 57
Aylett Rd. SE25 —8F 108
Aylett Rd. Iswth —1C 86
Ayley Cft. Enf —7E 16
Ayliffe Clo. King T —6L 103
Aylmer Clo. Stan —4E 22
Aylmer Ct. N2 —3D 42
Aylmer Dri. Stan —4E 22
Aylmer Ho. SE10 —6B 78
Aylmer Pde. N2 —3D 42
Aylmer Rd. E11 —6D 46
Aylmer Rd. N2 —3C 42
Aylmer Rd. W12 —3D 72
Aylmer Rd. Dag —8J 49
Ayloffe Rd. Dag —2K 65
Ayloffs Clo. Horn —2H 51
Ayloffs Wlk. Horn —3H 51
Aylsham Dri. Uxb —7A 36
Aylsham La. Romf —4G 35
Aylton Est. SE16 —3G 77
Aylward Ho. E14 —8J 61
(off Dupont St.)
Aylward Rd. SE23 —8H 93
Aylward Rd. SW20 —6K 105
Aylwards Ri. Stan —4E 22
Aylward St. E1 —9G 61
(in two parts)
Aylwin Est. SE1 —4C 76
Aynhoe Mans. W14 —5H 73
(off Aynhoe Rd.)
Aynhoe Rd. W14 —5H 73
Aynho St. Wat —7F 8
Aynscombe Angle. Orp —2E 128
Aynscombe Path. SW14 —1A 88
Ayot Path. Borwd —1L 11
Ayr Ct. W3 —9L 55
Ayres Clo. E13 —6E 62
Ayres Cres. NW10 —3B 56
Ayres St. SE1 —3A 76
Ayr Grn. Romf —8C 34
Ayrsome Rd. N16 —8C 44
Ayrton Gould Ho. E2 —6H 61
(off Roman Rd.)
Ayrton Rd. SW7 —4B 74
Ayr Way. Romf —8C 34
Aysgarth Ct. Sutt —5M 121
Aysgarth Rd. SE21 —6C 92
Ayshford Ho. E2 —6F 60
(off Viaduct St.)
Ayston Ho. SE16 —5H 77
(off Plough Way)
Ayton Ho. SE5 —8B 76
(off Edmund St.)
Aytoun Pl. SW9 —1K 91
Aytoun Rd. SW9 —1K 91
Azalea Clo. W7 —2D 70
Azalea Clo. Ilf —1M 63
Azalea Ct. W7 —2D 70
Azalea Ct. Wfd G —6C 30
Azalea Dri. Swan —8B 114
Azalea Ho. SE14 —8K 77
(off Achilles St.)
Azalea Wlk. Pinn —3F 36
Azania M. NW5 —2F 58
Azenby Rd. SE15 —1D 92
Azof St. SE10 —5C 78
Azov Ho. E1 —7J 61
(off Commodore St.)

Baalbec Rd. N5 —1M 59
Babbacombe Clo. Chess —7H 119
Babbacombe Gdns. Ilf —2J 47
Babbacombe Rd. Brom —5E 110
Baber Bri. Cvn. Site. Felt —4G 85
Baber Dri. Felt —5G 85
Babington Ct. WC1 —8J 59
(off Orde Hall St.)
Babington Ho. SE1 —3A 76
(off Disney St.)
Babington Ri. Wemb —2L 55
Babington Rd. NW4 —2F 40
Babington Rd. SW16 —2H 107
Babington Rd. Dag —1G 65
Babington Rd. Horn —6F 50
Babmaes St. SW1 —1H 75
Bacchus Wlk. N1 —5C 60
(off Regan Way)
Bache's St. N1 —6B 60
Back All. EC3 —9C 60
(off Northumberland All.)
Bk. Church La. E1 —9E 60
Back Grn. W on T —8G 117
Back Hill. EC1 —7L 59
Backhouse Pl. SE17 —5C 76
(off Surrey Sq.)
Back La. N8 —3J 43
Back La. NW3 —9A 42
Back La. Bark —4A 64
Back La. Bex —6L 97
Back La. Bren —7H 71
Back La. Edgw —8A 24
Back La. Let H —3C 10
Back La. Rich —8G 87
(in two parts)
Back La. Romf —5H 49
Backley Gdns. SE25 —1E 124
Back Rd. Sidc —1E 112
Back Rd. Tedd —4C 102
Bacon Gro. SE1 —4D 76
Bacon La. NW9 —2M 39
Bacon La. Edgw —8L 23
Bacon Link. Romf —6M 33
Bacons La. N6 —6E 42
Bacon St. E1 & E2 —7D 60
Bacon Ter. Dag —1F 64
Bacton St. E2 —6G 61
Badburgham Ct. Wal A —6M 7
Baddeley Clo. Enf —1L 17
Baddesley Ho. SE11 —6K 75
(off Jonathan St.)
Baddow Clo. Dag —4L 65
Baddow Clo. Wfd G —6H 31
Baddow Wlk. N1 —4A 60
(off New N. Rd.)
Baden Pl. SE1 —3B 76
Baden Powell Clo. Dag —4J 65
Baden Powell Clo. Surb —4K 119
Baden Powell Ho. SW7 —5A 74
(off Queens Ga.)
Baden Powell Ho. Belv —4L 81
Baden Rd. N8 —2H 43
Baden Rd. Ilf —1M 63
Bader Clo. Kenl —7B 138
Bader Way. Rain —2E 66
Badger Clo. Felt —9F 84
Badger Clo. Houn —2G 85
Badger Clo. Ilf —4A 48
Badger Ct. NW2 —8G 41
Badgers Clo. Borwd —4K 11
Badgers Clo. Enf —5M 15
Badgers Clo. Harr —4B 38
Badgers Clo. Hay —1C 68
Badgers Copse. Orp —4D 128
Badgers Copse. Wor Pk —4D 120
Badger's Ct. Eps —5C 134
Badgers Cft. N20 —9J 13
Badgers Cft. SE9 —9L 95
Badgers Hole. Croy —6H 125
Badgers Wlk. N Mald —6C 104
Badgers Wlk. Purl —3G 137
Badlis Rd. E17 —1L 45
Badlow Clo. Eri —8C 82
Badminton Clo. Borwd —4L 11
Badminton Clo. Harr —2C 38
Badminton Clo. N'holt —2L 53
Badminton Ho. Wat —4G 9
(off Anglian Clo.)
Badminton M. E16 —2E 78
Badminton Rd. SW12 —5E 90
Badsworth Rd. SE5 —9A 76
Baffin Way. E14 —2A 78
(off Blackwall Way)
Bagley Clo. W Dray —3J 143
Bagley's La. SW6 —9M 73
Bagleys Spring. Romf —2J 49
Bagnigge Ho. WC1 —6L 59
(off Margery St.)
Bagot Clo. Asht —8K 133
Bagshot Ct. SE18 —9L 79
Bagshot Ho. NW1 —6F 58
(off Redhill St.)
Bagshot Rd. Enf —9D 16
Bagshot St. SE17 —6C 76
Bahram Rd. Eps —2B 134
Baildon. E2 —5G 61
(off Cyprus St.)
Baildon St. SE8 —8K 77
Bailey Clo. E4 —4A 30
Bailey Clo. N11 —7H 27
Bailey M. W4 —7M 71
(off Hervert Gdns.)
Bailey Pl. SE26 —3H 109
Baillie Clo. Rain —7F 66
Baillies Wlk. W5 —3H 71
Bainbridge Clo. Rich —2J 103
Bainbridge Rd. Dag —9K 49
Bainbridge St. WC1 —9H 59
Baines Clo. S Croy —7B 124
Baird Av. S'hall —1M 69
Baird Clo. E10 —6L 45
Baird Clo. NW9 —4A 40
Baird Clo. Bush —8M 9
Baird Gdns. SE19 —1C 108
Baird Ho. W12 —1F 72
(off White City Est.)
Baird Memorial Cotts. N14 —2H 27
(off Balaams La.)
Baird Rd. Enf —5F 16
Baird St. EC1 —7A 60
Bairstow Clo. Borwd —3J 11
Baisley Ho. Chesh —1A 6
Baizdon Rd. SE3 —1C 94
Baker Beal Ct. Bexh —2M 97
Baker Boy La. New Ad —5J 139
Baker Ct. Borwd —4M 11
Baker Ho. W7 —2D 70
Baker La. Mitc —6E 106
Baker Pass. NW10 —4C 56
Baker Rd. NW10 —4C 56
Baker Rd. SE18 —8J 79
Bakers Av. E17 —4M 45
Bakers Ct. SE25 —7C 108
Bakers Ct. Uxb —3B 142
Bakerscroft. Chesh —1E 6
Bakers End. SW20 —6J 105
Baker's Fld. N7 —9J 43
Bakers Gdns. Cars —4C 122
Bakers Hall Ct. EC3 —1C 76
(off Cross La.)
Bakers Hill. E5 —6G 45
Bakers Hill. New Bar —4M 13
Bakers Ho. W5 —2H 71
(off Grove, The)
Bakers La. N6 —4D 42
Baker's M. W1 —9E 58
Bakers M. Grn St —8D 128
Bakers Pas. NW3 —9A 42
(off Heath St.)
Baker's Rents. E2 —6D 60
Bakers Rd. Chesh —3B 6
Bakers Rd. Uxb —3B 142
Baker's Row. E15 —5C 62
Baker's Row. EC1 —7L 59
Baker Street. (Junct.) —8D 58
Baker St. NW1 & W1 —7D 58
Baker St. Enf —5B 16
Baker St. Wey —6A 116
Baker's Yd. EC1 —7L 59
(off Bakers Rd.)
Bakers Yd. Uxb —3B 142
Bakery Clo. SW9 —8K 75
Bakery M. Surb —3L 119
Bakery Path. Edgw —6M 23
(off St Margaret's Rd.)
Bakery Pl. SW11 —3D 90
Bakewell Way. N Mald —6C 104
Balaam Ho. Sutt —6L 121
Balaams La. N14 —2H 27
Balaam St. E13 —7E 62
Balaclava Rd. SE1 —5D 76
Balaclava Rd. Surb —2G 119
Balcaskie Rd. SE9 —4K 95
Balchen Rd. SE3 —1H 95
Balchier Rd. SE22 —5F 92
Balcombe Clo. Bexh —3H 97
Balcombe Ho. NW1 —7C 58
(off Taunton Pl.)
Balcombe St. NW1 —7D 58
Balcon Ct. W5 —9K 55
Balcon Way. Borwd —3A 12
Balcorne St. E9 —3G 61
Balder Ri. SE12 —8F 94
Balderton Flats. W1 —9E 58
(off Balderton St.)
Balderton St. W1 —9E 58
Baldewyne Ct. N17 —8E 28
Baldock St. E3 —5M 61
Baldock Way. Borwd —3K 11
Baldrey Ho. SE10 —6D 78
(off Blackwall La.)
Baldry Gdns. SW16 —3J 107
Baldwin Cres. SE5 —9A 76
Baldwin Gdns. Houn —9A 70
Baldwin Ho. SW2 —7L 91
Baldwins Gdns. WC1 —8L 59
Baldwins Hill. Lou —4K 19
Baldwin's La. Crox G —6A 8
Baldwin St. EC1 —6B 60
Baldwin Ter. N1 —5A 60
Baldwyn Gdns. W3 —1B 72
Baldwyn's Pk. Bex —8B 98
Baldwyn's Rd. Bex —8B 98
Bale Rd. E1 —8J 61
Bales Ter. N9 —3D 28
Balfern Gro. W4 —6C 72
Balfern St. SW11 —1C 90
Balfe St. N1 —5J 59
Balfont Clo. S Croy —5E 138
Balforn Tower. E14 —9A 62
Balfour Av. W7 —2D 70
Balfour Bus. Cen. S'hall —4G 69
Balfour Gro. N20 —3D 26
Balfour Ho. W10 —8H 57
(off St Charles Sq.)
Balfour M. N9 —3E 28
Balfour M. W1 —2E 74
Balfour Pl. SW15 —3F 88
Balfour Pl. W1 —1E 74
Balfour Rd. N5 —9A 44
Balfour Rd. SE25 —9E 108
Balfour Rd. SW19 —4M 105
Balfour Rd. W3 —8A 56
Balfour Rd. W13 —3E 70
Balfour Rd. Brom —9H 111
Balfour Rd. Cars —9D 122
Balfour Rd. Harr —3B 38
Balfour Rd. Houn —2M 85
Balfour Rd. Ilf —7M 47
Balfour Rd. S'hall —4H 69
Balfour St. SE17 —5B 76
Balfour Ter. N3 —9M 25
Balfron Tower. E14 —9A 62
Balgonie Rd. E4 —1B 30
Balgores Cres. Romf —1F 50
Balgores La. Romf —1F 50
Balgores Sq. Romf —2F 50
Balgowan Clo. N Mald —9C 104
Balgowan Rd. Beck —7J 109
Balgowan St. SE18 —5D 80
Balham. —7F 90
Balham Continental Mkt. SW12
(off Shipka Rd.) —7F 90
Balham Gro. SW12 —6E 90
Balham High Rd. SW17 & SW12 —9E 90
Balham Hill. SW12 —6F 90
Balham New Rd. SW12 —6F 90
Balham Pk. Rd. SW12 —7D 90
Balham Rd. N9 —2E 28
Balham Sta. Rd. SW12 —7F 90
Balin Ho. SE1 —3B 76
(off Long La.)
Balkan Wlk. E1 —1F 76
Balladier Wlk. E14 —8M 61
Ballamore Rd. Brom —9E 94
Ballance Rd. E9 —2H 61
Ballantine St. SW18 —3A 90
Ballantrae Ho. NW2 —9K 41
Ballard Clo. King T —4B 104
Ballard Ho. SE10 —7M 77
(off Thames St.)
Ballards Clo. Dag —4M 65
Ballards Farm Rd. S Croy & Croy
(in two parts) —8E 124
Ballards La. N3 & N12 —8L 25
Ballards M. Edgw —6L 23
Ballards Ri. S Croy —8E 124
Ballards Rd. NW2 —7E 40
Ballards Rd. Dag —5M 65
Ballards Way. S Croy & Croy —8E 124
Ballast Quay. SE10 —6B 78
Ballater Clo. Wat —4G 21
Ballater Rd. SW2 —3J 91
Ballater Rd. S Croy —7D 124
Ball Ct. EC3 —9B 60
(off Cornhill)
Ballina St. SE23 —6H 93
Ballin Ct. E14 —3A 78
(off Stewart St.)
Ballingdon Rd. SW11 —5E 90
Ballinger Ct. Wat —5F 8
Balliol Av. E4 —4C 30
Balliol Rd. N17 —8C 28
Balliol Rd. W10 —9G 57
Balliol Rd. Well —1F 96
Balloch Rd. SE6 —7B 94
Ballogie Av. NW10 —9C 40
Ballow Clo. SE5 —8C 76
Ball's Pond Pl. N1 —2B 60
Balls Pond Rd. N1 —2B 60
Balmain Clo. W5 —2H 71
Balmain Ct. Houn —9M 69
Balmain Lodge. Surb —8J 103
(off Cranes Pk. Av.)
Balman Ho. SE16 —5H 77
(off Rotherhithe New Rd.)
Balmer Rd. E3 —5K 61
Balmes Rd. N1 —4B 60
Balmoral Av. N11 —6E 26
Balmoral Av. Beck —8J 109
Balmoral Clo. SW15 —5H 89
Balmoral Clo. Park —1M 5
Balmoral Ct. SE12 —1F 110
Balmoral Ct. SE16 —2H 77
(off King & Queen Wharf)
Balmoral Ct. SE27 —1A 108
Balmoral Ct. Sutt —9L 121
Balmoral Ct. Wemb —8K 39
Balmoral Ct. Wor Pk —4F 120
Balmoral Cres. W Mol —7L 101
Balmoral Dri. Borwd —7B 12
Balmoral Dri. Hay —7C 52
Balmoral Dri. S'hall —7K 53
Balmoral Gdns. W13 —4E 70
Balmoral Gdns. Bex —6K 97
Balmoral Gdns. Ilf —6D 48
Balmoral Gdns. S Croy —2B 138
Balmoral Gro. N7 —2K 59
Balmoral Ho. E14 —4M 77
(off Lanark Sq.)
Balmoral Ho. W14 —5J 73
(off Windsor Way)
Balmoral M. W12 —4D 72
Balmoral Rd. E7 —9G 47
Balmoral Rd. E10 —7M 45
Balmoral Rd. NW2 —2F 56
Balmoral Rd. Ab L —5E 4
Balmoral Rd. Enf —9D 6
Balmoral Rd. Harr —9L 37

Barringers Ct.—Beauchamp Pl.

Barringers Ct. Ruis —5B 36
Barringer Sq. SW17 —1E 106
Barrington Clo. NW5 —1E 58
Barrington Clo. Ilf —8K 31
Barrington Ct. NW5 —1E 58
Barrington Ct. SW4 —1J 91
Barrington Ct. W3 —3M 71
(off Cheltenham Pl.)
Barrington Lodge. Wey —7A 116
Barrington Rd. E12 —2L 63
Barrington Rd. N8 —3H 43
Barrington Rd. SW9 —2M 91
Barrington Rd. Bexh —1H 97
Barrington Rd. Purl —4G 137
Barrington Rd. Sutt —4L 121
Barrington Vs. SE18 —9L 79
Barrington Wlk. SE19 —3C 108
Barrosa Dri. Hamp —5L 101
Barrow Av. Cars —9D 122
Barrow Clo. N21 —3M 27
Barrow Ct. SE6 —7D 94
(off Cumberland Pk.)
Barrowdene Clo. Pinn —9J 21
Barrowell Grn. N21 —2M 27
Barrowfield Clo. N9 —3F 28
Barrowgate Rd. W4 —6A 72
Barrow Hedges Clo. Cars —9C 122
Barrow Hedges Way. Cars —9C 122
Barrowhill. Wor Pk —4C 120
Barrowhill Clo. Wor Pk —4C 120
Barrow Hill Est. NW8 —5C 58
(off Barrow Hill Rd.)
Barrow Hill Rd. NW8 —5C 58
Barrow La. Chesh —3A 6
Barrow Point Av. Pinn —9J 21
Barrow Point La. Pinn —9J 21
Barrow Rd. SW16 —3H 107
Barrow Rd. Croy —7L 123
Barrowsfield. S Croy —4D 138
Barrow Wlk. Bren —7G 71
Barrs Rd. NW10 —3B 56
Barry Av. N15 —4D 44
Barry Av. Bexh —8J 81
Barry Clo. Orp —5C 128
Barry Ct. Romf —5B 34
Barry Ct. Wat —7G 9
(off Cardiff Rd.)
Barrydene. N20 —1B 26
Barry Ho. SE16 —5F 76
(off Rennie Est.)
Barry Rd. E6 —9J 63
Barry Rd. NW10 —3A 56
Barry Rd. SE22 —5E 92
Barset Rd. SE15 —2G 93
(in three parts)
Barson Clo. SE20 —4G 109
Barston Rd. SE27 —9A 92
Barstow Cres. SW2 —7K 91
Barter St. WC1 —8J 59
Barters Wlk. Pinn —1J 37
Bartholomew Clo. EC1 —8A 60
(in two parts)
Bartholomew Clo. SW18 —3A 90
Bartholomew Ct. E14 —1B 78
(off Newport Av.)
Bartholomew Ct. EC1 —7A 60
(off Old St.)
Bartholomew Ct. Edgw —7H 23
Bartholomew Ct. Enf —1J 17
Bartholomew Dri. H Wood —9H 35
Bartholomew La. EC2 —9B 60
Bartholomew Pl. EC1 —8A 60
(off Kinghorn St.)
Bartholomew Rd. NW5 —2G 59
Bartholomew Sq. E1 —7F 60
Bartholomew Sq. EC1 —7A 60
Bartholomew St. SE1 —4B 76
Bartholomew Vs. NW5 —2G 59
Bartholomew Way. Swan —7C 114
Barth Rd. SE18 —5C 80
Bartle Av. E6 —5J 63
Bartle Rd. W11 —9J 57
Bartlett Clo. E14 —9L 61
Bartlett Ct. EC4 —9L 59
Bartlett Houses. Dag —3M 65
(off Vicarage Rd.)
Bartletts Pas. EC4 —9L 59
(off Fetter La.)
Bartlett St. S Croy —7B 124
Bartlett Ter. Croy —4J 125
Bartlow Gdns. Romf —8B 34
Barton Av. Romf —6M 49
Barton Clo. E6 —9K 63
Barton Clo. E9 —1G 61
Barton Clo. NW4 —2E 40
Barton Clo. SE15 —2F 92
Barton Clo. Bexh —4J 97
Barton Clo. Chig —2A 32
Barton Clo. Shep —1A 116
Barton Ct. W14 —6J 73
(off Baron's Ct. Rd.)
Barton Friars. Chig —2A 32
Barton Grn. N Mald —6B 104
Barton Ho. N1 —3M 59
(off Sable St.)
Barton Ho. SW6 —2M 89
(off Wandsworth Bri. Rd.)
Barton Meadows. Ilf —2M 47
Barton Rd. W14 —6J 73
Barton Rd. Horn —6E 50
Barton Rd. Sidc —3J 113
Barton Rd. S at H —5M 115
Bartons, The. Els —8H 11
Barton St. SW1 —4J 75
Bartonway. NW8 —4B 58
(off Queen's Ter.)
Barton Way. Borwd —4L 11
Bartram Clo. Uxb —7F 142
Bartram Rd. SE4 —4J 93
Bartrams La. Barn —2A 14
Bartrip St. E9 —2K 61
Barts Clo. Beck —9L 109
Barville Clo. SE4 —3J 93
Barwell Bus Pk. Chess —9H 119
Barwell Ho. E2 —7E 60
(off Menotti St.)
Barwick Ho. W3 —3A 72
(off Strafford Rd.)
Barwick Rd. E7 —9F 46
Barwood Av. W W'ck —3M 125
Basden Gro. Felt —8L 85
Basden Ho. Felt —8L 85
Basedale Rd. Dag —3F 64
Baseing Clo. E6 —1L 79
Basevi Way. SE8 —7L 77
Bashley Rd. NW10 —7B 56
Basil Av. E6 —6J 63
Basildene Rd. Houn —2H 85
Basildon Av. Ilf —8L 31
Basildon Clo. Sutt —1M 135
Basildon Clo. Wat —8A 8
Basildon Ct. W1 —8E 58
(off Devonshire Rd.)
Basildon Rd. SE2 —6E 80
Basil Gdns. SE27 —2A 108
Basil Gdns. Croy —3H 125
Basil Ho. SW8 —8J 75
(off Wyvil Rd.)
Basilon Rd. Bexh —1J 97
Basil Spence Ho. N22 —8K 27
Basil St. SW3 —4D 74
Basin App. E14 —9J 61
Basing Clo. Th Dit —2D 118
Basing Ct. SE15 —9D 76
Basingdon Way. SE5 —3B 92
Basing Dri. Bex —5K 97
Basingfield Rd. Th Dit —2D 118
Basinghall Av. EC2 —9B 60
Basinghall Gdns. Sutt —1M 135
Basinghall St. EC2 —9B 60
Basing Hill. NW11 —6K 41
Basing Hill. Wemb —7K 39
Basing Ho. Bark —4B 64
(off St Margarets)
Basing Ho. Yd. E2 —6C 60
Basing Pl. E2 —6C 60
Basing Rd. Bans —6K 135
Basing St. W11 —9K 57
Basing Way. N3 —1L 41
Basing Way. Th Dit —2D 118
Basire St. N1 —4A 60
Baskerville Gdns. NW10 —9C 40
Baskerville Rd. SW18 —6C 90
Basket Gdns. SE9 —4J 95
Baslow Clo. Harr —8B 22
Baslow Wlk. E5 —9H 45
Basnett Rd. SW11 —2E 90
Basque Ct. SE16 —3H 77
(off Garter Way)
Bassano St. SE22 —4D 92
Bassant Rd. SE18 —7D 80
Bassein Pk. Rd. W12 —3D 72
Bassett Clo. Sutt —1M 135
Bassett Gdns. Iswth —8A 70
Bassett Rd. E7 —9H 47
Bassett Rd. W10 —9H 57
Bassett Rd. Uxb —3A 142
Bassett's Clo. Orp —6M 127
Bassett St. NW5 —2E 58
Bassett's Way. Orp —6M 127
Bassett Way. Gnfd —9M 53
Bassingbourn Ho. N1 —3L 59
(off Sutton Est., The)
Bassingham Rd. SW18 —6A 90
Bassingham Rd. Wemb —2H 55
Bassishaw Highwalk. EC2 —8B 60
(off London Wall)
Basswood Clo. SE15 —2F 92
Bastable Av. Bark —5C 64
Basterfield Ho. EC1 —7A 60
(off Golden La. Est.)
Bastion Highwalk. EC2 —8A 60
(off London Wall)
Bastion Ho. EC2 —8A 60
(off London Wall)
Bastion Rd. SE2 —6E 80
Baston Mnr. Rd. Brom —5F 126
Baston Rd. Brom —3F 126
Bastwick St. EC1 —7A 60
Basuto Rd. SW6 —9L 73
Batavia Clo. Sun —5F 100
Batavia Ho. SE14 —8J 77
(off Batavia Rd.)
Batavia M. SE14 —8J 77
Batavia Rd. SE14 —8J 77
Batavia Rd. Sun —5F 100
Batchelor St. N1 —4L 59
Batchwood Grn. Orp —7E 112
Batchworth La. N'wd —5A 20
Bateman Clo. Bark —2A 64
Bateman Ho. SE11 —7M 75
(off Brandon Est.)
Bateman Rd. E4 —6L 29
Bateman's Bldgs. W1 —9H 59
(off Bateman St.)
Bateman's Row. EC2 —7C 60
Bateman St. W1 —9H 59
Bates Bus. Cen. H Wood —7L 35
Bates Cres. SW16 —4G 107
Bates Cres. Croy —7L 123
Bates Ind. Est. H Wood —7L 35
Bateson St. SE18 —5C 80
Bates Point. E13 —4E 62
(off Pelly Rd.)
Bates Rd. Romf —7L 35
Bate St. E14 —1K 77
Bath Clo. SE15 —8F 76
Bath Ct. EC1 —7L 59
(off St Lukes Est.)
Bath Ct. SE26 —9E 92
(off Droitwich Clo.)
Bathgate Rd. SW19 —9H 89
Bath Gro. E2 —5E 60
(off Horatio St.)
Bath Ho. E2 —7E 60
(off Ramsey St.)
Bath Ho. SE1 —4A 76
(off Bath Ter.)
Bath Ho. Rd. Croy —3J 123
Bath Pas. King T —6H 103
Bath Pl. EC2 —6C 60
Bath Pl. W6 —6G 73
(off Fulham Pal. Rd.)
Bath Pl. Barn —5K 13
Bath Rd. E7 —2H 63
Bath Rd. N9 —2F 28
Bath Rd. W4 —5C 72
Bath Rd. Dart —6F 98
Bath Rd. Hay & H'row A —9C 68
Bath Rd. Houn —9G 69
Bath Rd. Romf —4J 49
Bath Rd. W Dray & H'row A —9G 143
Baths App. SW6 —8K 73
Baths Rd. Brom —8H 111
Bath St. EC1 —6A 60
Bath Ter. SE1 —4A 76
Bathurst Av. SW19 —5M 105
Bathurst Gdns. NW10 —5F 56
Bathurst Ho. W12 —1F 72
(off White City Est.)
Bathurst M. W2 —9B 58
Bathurst Rd. Ilf —6M 47
Bathurst St. W2 —1B 74
Bathway. SE18 —5L 79
Batley Clo. Mitc —2D 122
Batley Pl. N16 —8D 44
Batley Rd. N16 —8D 44
Batley Rd. Enf —3A 16
Batman Clo. W12 —2F 72
Batoum Gdns. W6 —4G 73
Batson Ho. E1 —9E 60
(off Fairclough St.)
Batson St. W12 —3E 72
Batsworth Rd. Mitc —7B 106
Battenberg Wlk. SE19 —3C 108
Batten Clo. E6 —9K 63
Batten Ho. SW4 —4G 91
Batten Ho. W10 —6J 57
(off Third Av.)
Batten St. SW11 —2C 90
Battersby Rd. SE6 —8B 94
Battersea. —9E 74
Battersea Bri. SW3 & SW11 —8B 74
Battersea Bri. Rd. SW11 —8C 74
Battersea Bus. Cen. SW11 —2E 90
Battersea Chu. Rd. SW11 —9B 74
Battersea Dogs' Home. —8F 74
Battersea High St. SW11 —9B 74
(in two parts)
Battersea Pk. —8E 74
Battersea Pk. Children's Zoo. —8E 74
Battersea Pk. Rd. SW11 & SW8 —1C 90
Battersea Ri. SW11 —4C 90
Battersea Sq. SW11 —9B 74
Battery Rd. SE28 —3C 80
Battishill St. N1 —3M 59
Battis, The. Romf —4C 50
Battlebridge Ct. N1 —5J 59
(off Wharfdale Rd.)
Battle Bri. La. SE1 —2C 76
Battle Bri. Rd. NW1 —5J 59
Battle Clo. SW19 —3A 106
Battledean Rd. N5 —1M 59
Battle Ho. SE15 —7E 76
(off Haymerle Rd.)
Battle Rd. Belv & Eri —5A 82
Battlers Green. —1C 10
Battlers Grn. Dri. Rad —1C 10
Batty St. E1 —9E 60
Baudene M. NW4 —2F 40
(off Burroughs, The)
Baudwin Rd. SE6 —8C 94
Baugh Rd. Sidc —2G 113
Baulk, The. SW18 —6L 89
Bavant Rd. SW16 —6J 107
Bavaria Rd. N19 —7J 43
(in two parts)
Bavent Rd. SE5 —1A 92
Bawdale Rd. SE22 —4D 92
Bawdsey Av. Ilf —2D 48
Bawtree Clo. Sutt —2A 136
Bawtree Rd. SE14 —8J 77
Bawtree Rd. Uxb —2B 142
Bawtry Rd. N20 —3D 26
Baxendale. N20 —2A 26
Baxendale St. E2 —6E 60
Baxter Clo. S'hall —4M 69
Baxter Clo. Uxb —6F 142
Baxter Gdns. Noak H —2G 35
Baxter Rd. E16 —9G 63
Baxter Rd. N1 —2B 60
Baxter Rd. N18 —4F 28
Baxter Rd. Ilf —1M 63
Bayard Ct. Bexh —3M 97
(off Watling St.)
Bay Ct. E1 —7H 61
(off Frimley Way)
Bay Ct. W5 —4J 71
Baycroft Clo. Pinn —1G 37
Baydon Ct. Short —7D 110
Bayer Ho. EC1 —7A 60
(off Golden La. Est.)
Bayes Ct. NW3 —2D 58
(off Primrose Hill Rd.)
Bayfield Ho. SE4 —3H 93
(off Coston Wlk.)
Bayfield Rd. SE9 —3H 95
Bayford M. E8 —3F 60
(off Bayford St.)
Bayford Rd. NW10 —6H 57
Bayford St. E8 —3F 60
Bayford St. Ind. Est. E9 —3J 61
Baygrove M. Hamp W —5G 103
Bayham Pl. NW1 —4G 59
Bayham Rd. W4 —4B 72
Bayham Rd. W13 —1F 70
Bayham Rd. Mord —8M 105
Bayham St. NW1 —4G 59
Bayhurst Dri. N'wd —6D 20
Bayleaf Clo. Hamp H —2B 102
Bayley St. W1 —8H 59
Bayley Wlk. SE2 —6J 81
Baylis Rd. SE1 —3L 75
Bayliss Av. SE28 —1H 81
Bayliss Clo. N21 —7J 15
Bayly Rd. Dart —5L 99
Baynard St. EC4 —1A 76
Bayne Clo. E6 —9K 63
Baynes Clo. Enf —3E 16
Baynes M. NW3 —2B 58
Baynes St. NW1 —3G 59
Baynham Clo. Bex —5K 97
Bayonne Rd. W6 —7J 73
Bays Clo. SE26 —2G 109
Bays Ct. Edgw —5M 23
Baysfarm Ct. W Dray —9G 143
Bayshill Ri. N'holt —2M 53
Bayston Rd. N16 —8D 44
Bayswater. —1A 74
Bayswater Rd. W2 —1M 73
Baythorne St. E3 —8K 61
Bayton Ct. E8 —3E 60
(off Lansdowne Dri.)
Bay Tree Clo. Brom —5H 111
Bay Tree Clo. Park —1M 5
Baytree Clo. Sidc —7D 96
Baytree Ct. SW2 —3K 91
Baytree Ho. E4 —9M 17
Baytree Rd. SW2 —3K 91
Bay Tree Wlk. Wat —2D 8
Baywood Sq. Chig —4F 32
Bazalgette Clo. N Mald —9B 104
Bazalgette Gdns. N Mald —9B 104
Bazalgette Ho. NW8 —7B 58
(off Orchardson St.)
Bazeley Ho. SE1 —3M 75
(off Library St.)
Bazely St. E14 —1A 78
Bazile Rd. N21 —8L 15
Beacham Clo. SE7 —6H 79
Beachborough Rd. Brom —1A 110
Beachcroft Rd. E11 —8C 46
Beachcroft Way. N19 —6H 43
Beach Gro. Felt —8L 85
Beach Ho. SW5 —6L 73
(off Philbeach Gdns.)
Beach Ho. Felt —8L 85
Beachy Rd. E3 —3L 61
Beacon Clo. Bans —8H 135
Beacon Clo. Uxb —1B 142
Beacon Ga. SE14 —2H 93
Beacon Gro. Cars —6E 122
Beacon Hill. N7 —1J 59
Beacon Hill. Purf —6M 83
Beacon Hill Ind. Est. Purf —6M 83
Beacon Ho. E14 —6M 77
(off Burrells Wharf Sq.)
Beacon Ho. SE5 —8C 76
(off Southampton Way)
Beacon Pl. Croy —5J 123
Beacon Rd. SE13 —5B 94
Beacon Rd. Eri —8F 82
Beacon Rd. H'row A —5E 144
Beacons Clo. E6 —8J 63
Beaconsfield Clo. N11 —5E 26
Beaconsfield Clo. SE3 —7E 78
Beaconsfield Clo. W4 —6A 72
Beaconsfield Ct. Leav —5F 4
(off Horsehoe La.)
Beaconsfield Pde. SE9 —1J 111
Beaconsfield Pl. Eps —4C 134
Beaconsfield Rd. E10 —7A 46
Beaconsfield Rd. E16 —7D 62
Beaconsfield Rd. E17 —4K 45
Beaconsfield Rd. N9 —3E 28
Beaconsfield Rd. N11 —3E 26
Beaconsfield Rd. N15 —2C 44
Beaconsfield Rd. NW10 —2D 56
Beaconsfield Rd. SE3 —8D 78
Beaconsfield Rd. SE9 —8J 95
Beaconsfield Rd. SE17 —6B 76
Beaconsfield Rd. W4 —4B 72
Beaconsfield Rd. W5 —3G 71
Beaconsfield Rd. Bex —8C 98
Beaconsfield Rd. Brom —7H 111
Beaconsfield Rd. Clay —9C 118
Beaconsfield Rd. Croy —1B 124
Beaconsfield Rd. Enf —1H 17
Beaconsfield Rd. Hay —2G 69
Beaconsfield Rd. N Mald —6B 104
Beaconsfield Rd. S'hall —2H 69
Beaconsfield Rd. Surb —2K 119
Beaconsfield Rd. Twic —5F 86
Beaconsfield Ter. Romf —4H 49
Beaconsfield Ter. Rd. W14 —4J 73
Beaconsfield Wlk. E6 —9L 63
Beaconsfield Wlk. SW6 —9K 73
Beacons, The. Lou —2L 19
Beacontree Av. E17 —8B 30
Beacontree Heath. —7L 49
Beacontree Rd. E11 —6D 46
Beacon Way. Bans —8H 135
Beadle's Pde. Dag —2A 66
Beadlow Clo. Cars —1B 122
Beadman St. SE27 —1M 107
Beadnell Rd. SE23 —7H 93
Beadon Rd. W6 —5G 73
Beadon Rd. Brom —8E 110
Beaford Gro. SW20 —7J 105
Beagle Clo. Felt —1F 100
Beagle Clo. Rad —1D 10
Beagles Clo. Orp —4H 129
Beak St. W1 —1G 75
Beal Clo. Well —9E 80
Beale Clo. N13 —5M 27
Beale Pl. E3 —5K 61
Beale Rd. E3 —4K 61
Beal Rd. Ilf —7L 47
Beam Av. Dag —4M 65
Beaminster Gdns. Ilf —9M 31
Beaminster Ho. SW8 —8K 75
(off Dorset Rd.)
Beamish Dri. Bus H —1A 22
Beamish Ho. SE16 —5F 76
(off Rennie Est.)
Beamish Rd. N9 —1E 28
Beamish Rd. Orp —2G 129
Beam Vs. Dag —5A 66
Beamway. Dag —3B 66
Beanacre Clo. E9 —2K 61
Bean Rd. Bexh —3H 97
Beanshaw. SE9 —1L 111
Beansland Gro. Romf —9J 33
Bear All. EC4 —9M 59
Bear Clo. Romf —4M 49
Beardell St. SE19 —3D 108
Beardow Gro. N14 —8G 15
Beard Rd. King T —2K 103
Beardsfield. E13 —5E 62
Beard's Hill. Hamp —5L 101
Beard's Hill Clo. Hamp —5L 101
Beardsley Ter. Dag —1F 64
(off Fitzstephen Rd.)
Beardsley Way. W3 —3B 72
Beard's Rd. Ashf —3C 100
Bearfield Rd. King T —4J 103
Bear Gdns. SE1 —2A 76
Bearing Clo. Chig —4E 32
Bearing Way. Chig —4E 32
Bear La. SE1 —2M 75
Bear Rd. Felt —1H 101
Bearsted Ri. SE4 —4K 93
Bearsted Ter. Beck —5L 109
Bear St. WC2 —1H 75
Beasley's Ait. Sun —1D 116
Beasley's Ait La. Sun —1D 116
Beaton Clo. SE15 —9D 76
Beatrice Av. SW16 —7K 107
Beatrice Av. Wemb —1J 55
Beatrice Clo. E13 —7E 62
Beatrice Clo. Pinn —2E 36
Beatrice Ct. Buck H —2H 31
Beatrice Ho. W6 —6G 73
(off Queen Caroline St.)
Beatrice Pl. W8 —4M 73
Beatrice Rd. E17 —3L 45
Beatrice Rd. N4 —5L 43
Beatrice Rd. N9 —9G 17
Beatrice Rd. SE1 —5E 76
Beatrice Rd. Rich —4K 87
Beatrice Rd. S'hall —2K 69
Beatrix Ho. SW5 —6M 73
(off Old Brompton Rd.)
Beatson Wlk. SE16 —2J 77
(in two parts)
Beattie Clo. Felt —6D 84
Beattie Ho. SW8 —9G 75
Beattock Ri. N10 —2F 42
Beatty Ho. E14 —3L 77
(off Admirals Pl.)
Beatty Ho. NW1 —7G 59
Beatty Ho. SW1 —6G 75
(off Dolphin Sq.)
Beatty Rd. N16 —9C 44
Beatty Rd. Stan —6G 23
Beatty Rd. Wal X —7F 6
Beatty St. NW1 —5G 59
Beattyville Gdns. Ilf —2L 47
Beauchamp Clo. W4 —4A 72
Beauchamp Ct. Stan —5G 23
Beauchamp Pl. SW3 —4C 74

Begonia Clo.—Berkeley Av.

Begonia Clo. E6 —8K 63
Begonia Pl. Hamp —3L 101
Begonia Wlk. W12 —9D 56
Beira St. SW12 —6F 90
Beken Ct. Wat —8G 5
Bekesbourne St. E14 —9J 61
Belcroft Clo. Brom —4D 110
Beldanes Lodge. NW10 —3E 56
Beldham Gdns. W Mol —6M 101
Belfairs Dri. Romf —5G 49
Belfairs Grn. Wat —5H 21
Belfast Rd. N16 —7D 44
Belfast Rd. SE25 —8F 108
Belfield Rd. Eps —1B 134
Belfont Wlk. N7 —9J 43
(in two parts)
Belford Gro. SE18 —5L 79
Belford Ho. E8 —4D 60
Belford Rd. Borwd —2K 11
Belfort Rd. SE15 —1G 93
Belfry Clo. SE16 —6F 76
Belgrade Rd. N16 —9C 44
Belgrade Rd. Hamp —5M 101
Belgrave Av. Romf —1G 51
Belgrave Av. Wat —7D 8
Belgrave Clo. N14 —7G 15
Belgrave Clo. NW7 —5B 24
Belgrave Clo. W3 —3M 71
Belgrave Clo. Orp —8G 113
Belgrave Clo. W on T —6F 116
Belgrave Ct. E13 —7G 63
Belgrave Ct. SW8 —8G 75
(off Ascalon St.)
Belgrave Ct. W4 —6A 72
Belgrave Cres. Sun —5F 100
Belgrave Dri. K Lan —1A 4
Belgrave Gdns. N14 —6H 15
Belgrave Gdns. NW8 —4M 57
Belgrave Gdns. Stan —5G 23
Belgrave Heights. E11 —6E 46
Belgrave Ho. SW9 —8L 75
Belgrave M. Uxb —7B 142
Belgrave M. N. SW1 —3E 74
Belgrave M. S. SW1 —4E 74
Belgrave M. W. SW1 —4E 74
Belgrave Pl. SW1 —4E 74
Belgrave Rd. E10 —6A 46
Belgrave Rd. E11 —7E 46
Belgrave Rd. E13 —7G 63
Belgrave Rd. E17 —3L 45
Belgrave Rd. SE25 —8D 108
Belgrave Rd. SW1 —5F 74
Belgrave Rd. SW13 —8D 72
Belgrave Rd. Houn —2K 85
Belgrave Rd. Ilf —6K 47
Belgrave Rd. Mitc —7B 106
Belgrave Rd. Sun —5F 100
Belgrave Sq. SW1 —4E 74
Belgrave St. E1 —8H 61
Belgrave Ter. Wfd G —3E 30
Belgrave Wlk. Mitc —7B 106
Belgrave Yd. SW1 —4F 74
(off Lwr. Belgrave St.)
Belgravia. —4E 74
Belgravia Clo. Barn —5K 13
Belgravia Ct. SW1 —4F 74
(off Ebury St.)
Belgravia Gdns. Brom —3C 110
Belgravia Ho. SW1 —4E 74
(off Halkin Pl.)
Belgravia Ho. SW4 —5H 91
Belgravia M. King T —8H 103
Belgravia Workshops. N19 —7J 43
(off Marlborough Rd.)
Belgrove St. NW1 —6J 59
Belham Wlk. SE5 —9B 76
Belhaven Ct. Borwd —3K 11
Belinda Rd. SW9 —2M 91
Belitha Vs. N1 —3K 59
Bellamy Clo. E14 —3L 77
Bellamy Clo. W14 —6K 73
Bellamy Clo. Edgw —2A 24
Bellamy Clo. Wat —3E 8
Bellamy Ct. Stan —8F 22
Bellamy Dri. Stan —8F 22
Bellamy Ho. Houn —7L 69
Bellamy Rd. E4 —6M 29
Bellamy Rd. Chesh —2E 6
Bellamy Rd. Enf —4B 16
Bellamy's Ct. SE16 —2H 77
(off Abbotshade Rd.)
Bellamy St. SW12 —6F 90
Bellasis Av. SW2 —8J 91
Bell Av. Romf —8F 34
Bell Av. W Dray —5K 143
Bell Clo. Bedm —1D 4
Bell Clo. Pinn —9G 21
Bell Clo. Ruis —8D 36
Bellclose Rd. W Dray —3J 143
Bell Corner. Upm —7M 51
Bell Ct. NW4 —2G 41
Bell Dri. SW18 —6J 89
Bellefield Rd. Orp —9F 112
Bellefields Rd. SW9 —2K 91
Bellegrove Clo. Well —1D 96
Bellegrove Pde. Well —2D 96
Bellegrove Rd. Well —1C 96
Bellenden Rd. SE15 —9D 76
Bellestaines Pleasaunce. E4 —2L 29
Belleville Rd. SW11 —4C 90
Belle Vue. Gnfd —4B 54
Belle Vue Est. NW4 —2H 41
Bellevue La. Bus H —1B 22
Bellevue M. N11 —5E 26
Bellevue Pk. T Hth —7A 108
Bellevue Pl. E1 —7G 61
Belle Vue Rd. E17 —9B 30
Bellevue Rd. N11 —4E 26
Belle Vue Rd. NW4 —2H 41
Bellevue Rd. SW13 —1E 88
Bellevue Rd. SW17 —7C 90
Bellevue Rd. W13 —7F 54
Bellevue Rd. Bexh —4K 97
Bellevue Rd. Horn —6K 51
Bellevue Rd. King T —7J 103
(in two parts)
Belle Vue Rd. Orp —2L 141
Belle Vue Rd. Romf —6A 34
Bellew St. SW17 —9A 90
Bell Farm Av. Dag —8A 50
Bellfield. Croy —1J 139
Bellfield Av. Harr —6B 22
Bellflower Clo. E6 —8J 63
Bellflower Path. Romf —7G 35
Bell Gdns. E10 —6L 45
(off Church Rd.)
Bell Gdns. Orp —9G 113
Bellgate M. NW5 —9F 42
Bell Green. —1J 109
Bell Grn. SE26 —1K 109
Bell Grn. La. SE26 —2K 109
Bell Hill. Croy —4A 124
Bell Ho. SE10 —7A 78
(off Haddo St.)
Bellhouse Cotts. Hay —1C 68
Bell Ho. Rd. Romf —6A 50
Bellina M. NW5 —9F 42
Bell Ind. Est. W4 —5A 72
Bellingham. —9M 93
Bellingham. N17 —7F 28
(off Park La.)
Bellingham Ct. Bark —6F 64
Bellingham Grn. SE6 —9L 93
Bellingham Rd. SE6 —9M 93
Bellingham Trad. Est. SE6 —9M 93
Bell Inn Yd. EC3 —9B 60
Bell Junct. Houn —2M 85
Bell La. E1 —8D 60
Bell La. E16 —2D 78
Bell La. NW4 & NW11 —2H 41
Bell La. Bedm —1D 4
Bell La. Enf —2H 17
Bell La. Twic —7E 86
Bell La. Wemb —8H 39
Bell Mdw. SE19 —2C 108
Bell Moor. NW3 —8A 42
(off E. Heath Rd.)
Bellmount Wood Av. Wat —3C 8
Bello Clo. SE24 —6M 91
Bellot Gdns. SE10 —6C 78
(off Bellot St.)
Bellot St. SE10 —6C 78
Bellring Clo. Belv —7L 81
Bell Rd. E Mol —9B 102
Bell Rd. Enf —3B 16
Bell Rd. Houn —2M 85
Bells All. SW6 —1L 89
Bells Hill. Barn —7H 13
Bell St. NW1 —8C 58
Bell St. SE18 —9J 79
Bell, The. (Junct.) —1L 45
Belltrees Gro. SW16 —2K 107
Bell Vw. Mnr. Ruis —5B 36
Bell Water Ga. SE18 —4L 79
Bell Wharf La. EC4 —1A 76
Bellwood Rd. SE15 —3H 93
Bell Yd. WC2 —9L 59
Belmarsh Rd. SE28 —3C 80
Belmont. —9E 22
(Harrow)
Belmont. —2L 135
(Sutton)
Belmont. Wey —8A 116
Belmont Av. N9 —1E 28
Belmont Av. N13 —5K 27
Belmont Av. N17 —1A 44
Belmont Av. Barn —7D 14
Belmont Av. N Mald —8E 104
Belmont Av. S'hall —4J 69
Belmont Av. Upm —7K 51
Belmont Av. Well —1C 96
Belmont Av. Wemb —4K 55
Belmont Circ. Harr —8F 22
Belmont Clo. E4 —5B 30
Belmont Clo. N20 —1M 25
Belmont Clo. SW4 —2G 91
Belmont Clo. Cockf —6D 14
Belmont Clo. Uxb —2B 142
Belmont Clo. Wfd G —4F 30
Belmont Ct. N5 —9A 44
Belmont Ct. NW11 —3K 41
Belmont Gro. SE13 —2B 94
Belmont Gro. W4 —5B 72
Belmont Hall Ct. SE13 —2B 94
Belmont Hill. SE13 —2A 94
Belmont La. Chst —2M 111
(in two parts)
Belmont La. Stan —8G 23
Belmont Lodge. Har W —7B 22
Belmont M. SW19 —8H 89
Belmont Pde. Chst —2A 112
Belmont Pk. SE13 —3B 94
Belmont Pk. Clo. SE13 —3C 94
Belmont Pk. Rd. E10 —4M 45
Belmont Ri. Sutt —8K 121
Belmont Rd. N15 & N17 —2A 44
Belmont Rd. SE25 —9F 108
Belmont Rd. SW4 —2G 91
Belmont Rd. W4 —5B 72
Belmont Rd. Beck —6J 109
Belmont Rd. Bush —7J 9
Belmont Rd. Chst —2M 111
Belmont Rd. Eri —8L 81
Belmont Rd. Harr —1D 38
Belmont Rd. Horn —8H 51
Belmont Rd. Ilf —8A 48
Belmont Rd. Sutt —2L 135
Belmont Rd. Twic —8B 86
Belmont Rd. Uxb —3B 142
Belmont Rd. Wall —7F 122
Belmont St. NW1 —3E 58
Belmont Ter. W4 —5B 72
Belmor. Els —8L 11
Belmore Av. Hay —9E 52
Belmore La. N7 —1H 59
Belmore St. SW8 —9H 75
Beloe Clo. SW15 —3E 88
Belsham St. E9 —2G 61
Belsize Av. N13 —6K 27
Belsize Av. NW3 —2B 58
Belsize Av. W13 —4F 70
Belsize Ct. NW3 —1B 58
Belsize Ct. Garages. NW3 —1B 58
(off Belsize La.)
Belsize Cres. NW3 —1B 58
Belsize Gdns. Sutt —6M 121
Belsize Gro. NW3 —2C 58
Belsize La. NW3 —2B 58
Belsize M. NW3 —2B 58
Belsize Pk. NW3 —2B 58
Belsize Pk. Gdns. NW3 —2B 58
Belsize Pk. M. NW3 —2B 58
Belsize Pl. NW3 —1B 58
Belsize Rd. NW6 —4L 57
Belsize Rd. Harr —7B 22
Belsize Sq. NW3 —2B 58
Belsize Ter. NW3 —2B 58
Belson Rd. SE18 —5K 79
Beltane Dri. SW19 —9H 89
Belthorn Cres. SW12 —6G 91
Beltinge Rd. Romf —9K 35
Beltona Gdns. Chesh —1D 6
Belton Rd. E7 —3F 62
Belton Rd. E11 —9C 46
Belton Rd. N17 —1C 44
Belton Rd. NW2 —2E 56
Belton Rd. Sidc —1E 112
Belton Way. E3 —8L 61
Beltran Rd. SW6 —1M 89
Beltwood Rd. Belv —5A 82
Belvedere. —4M 81
Belvedere Av. SW19 —2J 105
Belvedere Av. Ilf —9M 31
Belvedere Bldgs. SE1 —3M 75
Belvedere Clo. Esh —7M 117
Belvedere Clo. Tedd —2C 102
Belvedere Ct. SW15 —3G 89
Belvedere Ct. Belv —4K 81
Belvedere Dri. SW19 —2J 105
Belvedere Gdns. W Mol —9K 101
Belvedere Gro. SW19 —2J 105
Belvedere M. SE15 —2G 93
Belvedere Pl. SE1 —3M 75
Belvedere Pl. SW2 —3K 91
Belvedere Rd. E10 —6J 45
Belvedere Rd. SE1 —2K 75
Belvedere Rd. SE2 —2G 81
Belvedere Rd. SE19 —4D 108
Belvedere Rd. W7 —4D 70
Belvedere Rd. Bexh —2K 97
Belvedere Rd. Big H —9K 141
Belvedere Sq. SW19 —2J 105
Belvedere Strand. NW9 —9D 24
Belvedere, The. SW10 —9A 74
(off Chelsea Harbour)
Belvedere Way. Harr —4J 39
Belvoir Clo. SE9 —9J 95
Belvoir Rd. SE22 —6E 92
Belvue Bus. Cen. N'holt —3M 53
Belvue Clo. N'holt —3L 53
Belvue Rd. N'holt —3L 53
Bembridge Clo. NW6 —3J 57
Bembridge Gdns. Ruis —7B 36
Bembridge Ho. SE8 —5K 77
(off Longshore)
Bembridge Pl. Wat —6E 4
Bemersyde Point. E13 —6F 62
(off Dongola Rd. W.)
Bemerton Est. N1 —3J 59
Bemerton St. N1 —4K 59
Bemish Rd. SW15 —2H 89
Bempton Dri. Ruis —7F 36
Bemsted Rd. E17 —1K 45
Benares Rd. SE18 —5D 80
Benbow Ct. W6 —4G 73
(off Benbow Rd.)
Benbow Ho. SE8 —7L 77
(off Benbow St.)
Benbow Moorings. Uxb —8A 142
Benbow Rd. W6 —4F 72
Benbow St. SE8 —7L 77
Benbow Waye. Uxb —8A 142
Benbury Clo. Brom —2A 110
Bence Ho. SE8 —6J 77
Bench Fld. S Croy —8D 124
Bench, The. Rich —9G 87
Bencombe Rd. Purl —6L 137
Bencroft Rd. SW16 —4G 107
Bencurtis Pk. W W'ck —5B 126
Bendall M. NW1 —8C 58
(off Bell St.)
Bendemeer Rd. SW15 —2H 89
Benden Ho. SE13 —4A 94
(off Monument Gdns.)
Bendish Rd. E6 —3J 63
Bendmore Av. SE2 —6E 80
Bendon Valley. SW18 —6M 89
Bendysh Rd. Bush —5J 9
Benedict Clo. Belv —4J 81
Benedict Clo. Orp —5C 128
Benedict Ct. Romf —4K 49
Benedict Dri. Felt —6B 84
Benedict Rd. SW9 —2K 91
Benedict Rd. Mitc —7B 106
Benedict Way. N2 —1A 42
Benedict Wharf. Mitc —7B 106
Benenden Grn. Brom —9E 110
Benets Rd. Horn —6L 51
Benett Gdns. SW16 —6J 107
Ben Ezra Ct. SE17 —5A 76
(off Asolando Dri.)
Benfleet Clo. Sutt —5A 122
Benfleet Ct. E8 —4D 60
Benfleet Way. N11 —2E 26
Bengal Ct. EC3 —9B 60
(off Birchin La.)
Bengal Ho. E1 —8H 61
(off Duckett St.)
Bengal Rd. Ilf —9M 47
Bengarth Dri. Harr —9B 22
Bengarth Rd. N'holt —4J 53
Bengeworth Rd. SE5 —2A 92
Bengeworth Rd. Harr —7E 38
Ben Hale Clo. Stan —5F 22
Benham Clo. SW11 —2B 90
Benham Clo. Chess —8G 119
Benham Gdns. Houn —4K 85
Benham Rd. W7 —8C 54
Benham's Pl. NW3 —9A 42
Benhill Av. Sutt —6M 121
Benhill Rd. SE5 —8B 76
Benhill Rd. Sutt —5A 122
Benhill Wood Rd. Sutt —5A 122
Benhilton. —4M 121
Benhilton Gdns. Sutt —5M 121
Benhurst Av. Horn —9F 50
Benhurst Clo. S Croy —2H 139
Benhurst Ct. SW16 —2L 107
Benhurst Gdns. S Croy —2G 139
Benhurst La. SW16 —2L 107
Benin St. SE13 —6B 94
Benjafield Clo. N18 —4F 28
Benjamin Clo. E8 —4E 60
Benjamin Clo. Horn —4E 50
Benjamin Ct. Belv —7K 81
Benjamin St. EC1 —8M 59
Ben Jonson Ct. N1 —5C 60
Ben Jonson Ho. EC2 —8A 60
(off Beech St.)
Ben Jonson Pl. EC2 —8A 60
(off Beech St.)
Ben Jonson Rd. E1 —8H 61
Benledi St. E14 —9B 62
Benneck Ho. Wat —8C 8
Bennelong Clo. W12 —1F 72
Bennerley Rd. SW11 —4C 90
Bennets Fld. Rd. Uxb —2M 143
Bennet's Hill. EC4 —1A 76
Bennet St. SW1 —2G 75
Bennett Clo. Hamp W —5G 103
Bennett Clo. N'wd —7D 20
Bennett Clo. Well —1E 96
Bennett Ct. N7 —8K 43
Bennett Gro. SE13 —9M 77
Bennett Ho. SW1 —5H 75
(off Page St.)
Bennett Pk. SE3 —2D 94
Bennett Rd. E13 —7G 63
Bennett Rd. N16 —9C 44
Bennett Rd. Romf —4J 49
Bennetts Av. Croy —4J 125
Bennetts Av. Gnfd —4C 54
Bennett's Castle La. Dag —7G 49
Bennetts Clo. N17 —6D 28
Bennetts Clo. Mitc —5F 106
Bennetts Copse. Chst —3J 111
Bennett St. W4 —7C 72
Bennetts Way. Croy —4J 125
Bennett's Yd. SW1 —4H 75
Bennett's Yd. Uxb —3A 142
Benningholme Rd. Edgw —6C 24
Bennington Rd. E4 —7C 30
Bennington Rd. N17 —8C 28
Bennions Clo. Horn —2G 67
Bennison Dri. H Wood —9H 35
Benn's All. Hamp —6M 101
Benn St. E9 —2J 61
Benns Wlk. Rich —3J 87
(off Michelsdale Dri.)
Benrek Clo. Ilf —7A 32
Bensbury Clo. SW15 —6F 88
Bensham Clo. T Hth —8A 108
Bensham Gro. T Hth —6A 108
Bensham La. T Hth & Croy —8M 107
Bensham Mnr. Rd. T Hth —8A 108
Benskin Rd. Wat —7E 8
Benskins La. Noak H —1H 35
Bensley Clo. N11 —5D 26
Ben Smith Way. SE16 —4E 76
Benson Av. E6 —5G 63
Benson Clo. Houn —3L 85
Benson Clo. Uxb —8C 142
Benson Ho. E2 —7D 60
(off Ligonier St.)
Benson Ho. SE1 —2M 75
(off Hatfields)
Benson Quay. E1 —1G 77
Benson Rd. SE23 —7G 93
Benson Rd. Croy —5L 123
Bentalls Cen., The. King T —6H 103
Bentfield Gdns. SE9 —9H 95
Benthall Gdns. Kenl —9A 138
Benthal Rd. N16 —8E 44
Bentham Ct. N1 —3A 60
(off Ecclesbourne Rd.)
Bentham Ct. SE1 —4B 76
(off Falmouth Rd.)
Bentham Rd. E9 —2H 61
Bentham Rd. SE28 —1F 80
Bentham Wlk. NW10 —1A 56
Ben Tillet Clo. E16 —2K 79
Ben Tillet Clo. Bark —3E 64
Ben Tillet Ho. N15 —1M 43
Bentinck Clo. NW8 —5C 58
Bentinck Ho. W12 —1F 72
(off White City Est.)
Bentinck M. W1 —9E 58
Bentinck Rd. W Dray —2H 143
Bentinck St. W1 —9E 58
Bentley Dri. NW2 —8K 41
Bentley Dri. Ilf —4A 48
Bentley Ho. SE5 —9C 76
(off Peckham Rd.)
Bentley Rd. N1 —2C 60
Bentley Way. Stan —5E 22
Bentley Way. Wfd G —3E 30
Benton Rd. Ilf —6B 48
Benton Rd. Wat —5H 21
Bentons La. SE27 —1A 108
Benton's Ri. SE27 —2B 108
Bentry Clo. Dag —7J 49
Bentry Rd. Dag —7J 49
Bentworth Ct. E2 —7E 60
(off Granby St.)
Bentworth Rd. W12 —9F 56
Benville Ho. SW8 —8K 75
(off Oval Pl.)
Benwell Ct. Sun —5E 100
Benwell Rd. N7 —9L 43
Benwick Clo. SE16 —5F 76
Benwood Ct. Sutt —5A 122
Benworth St. E3 —6K 61
Benyon Ct. N1 —4C 60
(off De Beauvoir Est.)
Benyon Ho. EC1 —6L 59
(off Myddelton Pas.)
Benyon Rd. N1 —4B 60
Berberis Ct. Ilf —2M 63
Berberis Ho. E3 —8L 61
(off Gale St.)
Berberis Wlk. W Dray —5J 143
Berber Pl. E14 —1L 77
Berber Rd. SW11 —4D 90
Berberry Clo. Edgw —4A 24
Berceau Wlk. Wat —3C 8
Bercta Rd. SE9 —8A 96
Berenger Tower. SW10 —8B 74
(off Worlds End Est.)
Berenger Wlk. SW10 —8B 74
(off Worlds End Est.)
Berens Ct. Sidc —1D 112
Berens Rd. NW10 —6H 57
Berens Rd. Orp —9H 113
Berens Way. Chst —7D 112
Beresford Av. N20 —2D 26
Beresford Av. W7 —8B 54
Beresford Av. Surb —3M 119
Beresford Av. Twic —5G 87
Beresford Av. Wemb —4K 55
Beresford Dri. Brom —7H 111
Beresford Dri. Wfd G —4G 31
Beresford Gdns. Enf —6C 16
Beresford Gdns. Houn —4K 85
Beresford Gdns. Romf —3J 49
Beresford Rd. E4 —1C 30
Beresford Rd. E17 —8M 29
Beresford Rd. N2 —1C 42
Beresford Rd. N5 —1B 60
Beresford Rd. N8 —3L 43
Beresford Rd. Harr —3B 38
Beresford Rd. King T —5K 103
Beresford Rd. N Mald —8A 104
Beresford Rd. S'hall —2H 69
Beresford Rd. Sutt —9K 121
Beresford Sq. SE18 —5M 79
Beresford St. SE18 —4M 79
Beresford Ter. N5 —1A 60
Berestede Rd. W4 —6D 72
Bere St. E1 —1H 77
Bergen Ho. SE5 —1A 92
(off Carew St.)
Bergen Sq. SE16 —4J 77
Berger Clo. Orp —1B 128
Berger Rd. E9 —2H 61
Berghem M. W14 —4H 73
Bergholt Av. Ilf —3J 47
Bergholt Cres. N16 —5C 44
Bergholt M. NW1 —3G 59
Berglen Ct. E14 —9J 61
Berglen Ho. E14 —9J 61
Bering Sq. E14 —6L 77
Bering Wlk. E16 —9H 63
Berisford M. SW18 —5A 90
Berkeley Av. Bexh —9H 81

Berkeley Av.—Birch Av.

Berkeley Av. Gnfd —2C 54
Berkeley Av. Houn —9E 68
Berkeley Av. Ilf —9L 31
Berkeley Av. Romf —7A 34
Berkeley Clo. Ab L —5D 4
Berkeley Clo. Bren —7E 70
Berkeley Clo. Els —7L 11
Berkeley Clo. Horn —7M 51
Berkeley Clo. King T —4J 103
Berkeley Clo. Orp —2C 128
Berkeley Clo. Ruis —8E 36
Berkeley Clo. Twic —9C 86
(off Wellesley Rd.)
Berkeley Ct. N3 —8M 25
Berkeley Ct. N14 —8G 15
Berkeley Ct. NW1 —7D 58
(off Marylebone Rd.)
Berkeley Ct. NW10 —9C 40
Berkeley Ct. NW11 —5K 41
(off Ravenscroft Av.)
Berkeley Ct. W5 —1G 71
(off Gordon Rd.)
Berkeley Ct. Crox G —7B 8
Berkeley Ct. Croy —6B 124
(off Coombe Rd.)
Berkeley Ct. Surb —2H 119
Berkeley Ct. Swan —7C 114
Berkeley Ct. Wall —5G 123
Berkeley Ct. Wey —4B 116
Berkeley Cres. Barn —7B 14
Berkeley Cres. Dart —7K 99
Berkeley Dri. Horn —6L 51
Berkeley Dri. W Mol —7K 101
Berkeley Gdns. N21 —9B 16
Berkeley Gdns. W8 —2L 73
Berkeley Gdns. Clay —8E 118
Berkeley Gdns. W on T —2D 116
Berkeley Ho. SE8 —6K 77
(off Grove St.)
Berkeley Ho. Bren —7H 71
(off Albany Rd.)
Berkeley M. W1 —9D 58
Berkeley Pl. SW19 —3H 105
Berkeley Pl. Eps —8B 134
Berkeley Rd. E12 —1J 63
Berkeley Rd. N8 —3H 43
Berkeley Rd. N15 —4B 44
Berkeley Rd. NW9 —2L 39
Berkeley Rd. SW13 —9E 72
Berkeley Rd. Uxb —3A 52
Berkeley Sq. W1 —1F 74
Berkeley St. W1 —1F 74
Berkeley Wlk. N4 —7K 43
(off Durham Rd.)
Berkeley Waye. Houn —7H 69
Berkely Clo. Sun —7G 101
Berkhampstead Rd. Belv —6L 81
Berkhamsted Av. Wemb —2K 55
Berkley Av. Wal X —7D 6
Berkley Gro. NW1 —3E 58
Berkley Pl. Wal X —7D 6
Berkley Rd. NW1 —3D 58
Berkshire Ct. W7 —7D 54
(off Copley Clo.)
Berkshire Gdns. N13 —6L 27
Berkshire Gdns. N18 —5F 28
Berkshire Ho. SE6 —1L 109
Berkshire Rd. E9 —2K 61
Berkshire Sq. Mitc —9J 107
Berkshire Way. Horn —3L 51
Berkshire Way. Mitc —8J 107
Bermans Way. NW10 —9C 40
Bermer Rd. Wat —3E 9
Bermondsey. —3E 76
Bermondsey Sq. SE1 —4C 76
Bermondsey St. SE1 —2C 76
Bermondsey Trad. Est. SE16 —6G 77
Bermondsey Wall E. SE16 —3E 76
Bermondsey Wall W. SE16 —3E 76
Bernal Clo. SE28 —1H 81
Bernard Angell Ho. SE10 —7B 78
(off Trafalgar Rd.)
Bernard Ashley Dri. SE7 —6F 78
Bernard Av. W13 —4F 70
Bernard Cassidy St. E16 —8D 62
Bernard Gdns. SW19 —2K 105
Bernard Gro. Wal A —6H 7
Bernard Mans. WC1 —7J 59
Bernard Rd. N15 —3D 44
Bernard Rd. Romf —5A 50
Bernard Rd. Wall —6F 122
Bernards Clo. Ilf —7B 32
Bernard Shaw Ct. NW1 —3G 59
(off St Pancras Way)
Bernard St. WC1 —7J 59
Bernard Sunley Ho. SW9 —8L 75
(off S. Island Pl.)
Bernays Clo. Stan —6G 23
Bernays Gro. SW9 —3K 91
Bernel Dri. Croy —5K 125
Berne Rd. T Hth —9A 108
Berners Dri. W13 —1E 70
Berners Ho. N1 —5L 59
(off Barnsbury Est.)
Berners M. W1 —8G 59
Berners Pl. W1 —9G 59
Berners Rd. N1 —4M 59
Berners Rd. N22 —8L 27
Berners St. W1 —8G 59
Berner Ter. E1 —9E 60
(off Fairclough St.)
Berney Ho. Beck —9J 109
Berney Rd. Croy —2B 124
Bernhart Clo. Edgw —7A 24
Bernice Clo. Rain —7G 67
Bernville Way. Harr —3K 39
Bernwell Rd. E4 —3C 30
Berridge Grn. Edgw —7L 23
Berridge M. NW6 —1L 57
Berridge Rd. SE19 —2B 108
Berriman Rd. N7 —8K 43
Berriton Rd. Harr —6K 37
Berry Av. Wat —9F 4
Berrybank Clo. E4 —2A 30
Berry Clo. N21 —1M 27
Berry Clo. NW10 —3C 56
Berry Clo. Horn —1G 67
Berry Ct. Houn —4K 85
Berrydale Rd. Hay —7J 53
Berryfield Clo. E17 —2M 45
Berryfield Clo. Brom —5J 111
Berryfield Rd. SE17 —6M 75
Berrygrove. (Junct.) —2K 9
Berry Gro. La. Wat —2J 9
(in two parts)
Berryhill. SE9 —3M 95
Berry Hill. Stan —4H 23
Berryhill Gdns. SE9 —3M 95
Berry Ho. E1 —7F 60
(off Headlam St.)
Berrylands. —1L 119
Berrylands. SW20 —7G 105
Berrylands. Orp —5G 129
Berrylands. Surb —1K 119
Berrylands Rd. Surb —1K 119
Berry La. SE21 —1B 108
Berry La. W on T —7H 117
Berryman Clo. Dag —8G 49
Berryman's La. SE26 —1H 109
Berry Meade. Asht —9K 133
Berrymead Gdns. W3 —2A 72
Berrymede Rd. W4 —4B 72
Berry Pl. EC1 —6M 59
Berry's Green. —8M 141
Berry's Grn. Rd. Berr G —8M 141
Berry's Hill. Berr G —7M 141
Berry St. EC1 —7M 59
Berry Way. W5 —4J 71
Bertal Rd. SW17 —1B 106
Bertha Hollamby Ct. Sidc —2G 113
(off Sidcup Hill)
Bertha James Ct. Brom —8F 110
Berther Rd. Horn —5H 51
Berthold M. Wal A —6H 7
Berthons Gdns. E17 —3B 46
(off Wood St.)
Berthon St. SE8 —8L 77
Bertie Rd. NW10 —2E 56
Bertie Rd. SE26 —3H 109
Bertram Cotts. SW19 —4L 105
Bertram Rd. NW4 —4E 40
Bertram Rd. Enf —6E 16
Bertram Rd. King T —4L 103
Bertram St. N19 —7F 42
Bertrand Ho. SW16 —9J 91
(off Leigham Av.)
Bertrand St. SE13 —2M 93
Bertrand Way. SE28 —1F 80
Bert Rd. T Hth —9A 108
Bert Way. Enf —6D 16
Berwick Av. Hay —9H 53
Berwick Clo. Stan —6D 22
Berwick Clo. Wal X —7G 7
Berwick Cres. Sidc —6C 96
Berwick Ho. N2 —9B 26
Berwick Pond Clo. Rain —5H 67
Berwick Pond Rd. Rain & Upm —5K 67
Berwick Rd. E16 —9F 62
Berwick Rd. N22 —8M 27
Berwick Rd. Borwd —2K 11
Berwick Rd. Rain —5H 67
Berwick Rd. Well —9F 80
Berwick St. W1 —9G 59
Berwick Way. Orp —3E 128
Berwyn Av. Houn —9M 69
Berwyn Rd. SE24 —7M 91
Berwyn Rd. Rich —3M 87
Beryl Av. E6 —8J 63
Beryl Rd. W6 —6H 73
Berystede. King T —4M 103
Besant Clo. NW2 —8J 41
Besant Ct. N1 —1B 60
Besant Ho. NW8 —4A 58
(off Boundary Rd.)
Besant Ho. Wat —4H 9
Besant Rd. NW2 —9J 41
Besant Wlk. N7 —7K 43
Besant Way. NW10 —1A 56
Besford Ho. E2 —5E 60
(off Pritchard's Rd.)
Besley St. SW16 —3G 107
Bessant Dri. Rich —9L 71
Bessborough Gdns. SW1 —6H 75
Bessborough Pl. SW1 —6H 75
Bessborough Rd. SW15 —7E 88
Bessborough Rd. Harr —6B 38
Bessborough St. SW1 —6H 75
Bessemer Ct. NW1 —3G 59
(off Rochester Sq.)
Bessemer Rd. SE5 —1A 92
Bessie Lansbury Clo. E6 —9L 63
Bessingby Rd. Ruis —7F 36
Bessingham Wlk. SE4 —3H 93
(off Aldersford Clo.)
Besson St. SE14 —9G 77
Bessy St. E2 —6G 61
Best Ter. Swan —1A 130
Bestwood St. SE8 —5H 77
Beswick M. NW6 —2M 57
Betam Rd. Hay —3B 68
Beta Pl. SW9 —3K 91
Betchworth Clo. Sutt —7B 122
Betchworth Rd. Ilf —7C 48
Betchworth Way. New Ad —1A 140
Bethal Est. SE1 —2C 76
(off Tooley St.)
Betham Rd. Gnfd —7B 54
Bethany Waye. Felt —6C 84
Bethecar Rd. Harr —3C 38
Bethell Av. E16 —7D 62
Bethell Av. Ilf —5L 47
Bethel Rd. Well —2G 97
Bethersden Clo. Beck —4K 109
Bethersden Ho. SE17 —6C 76
(off Kinglake St.)
Bethlehem Ho. E14 —1K 77
(off Limehouse Causeway)
Bethnal Green. —6F 60
Bethnal Green Mus. of Childhood. —6G 61
Bethnal Grn. Rd. E1 & E2 —7D 60
Bethune Av. N11 —4D 26
Bethune Clo. N16 —6C 44
Bethune Rd. N16 —5B 44
Bethune Rd. NW10 —7B 56
Bethwin Rd. SE5 —8M 75
Betjeman Clo. Chesh —1A 6
Betjeman Clo. Coul —9K 137
Betjeman Clo. Pinn —2L 37
Betjeman Ct. W Dray —2H 143
Betley Ct. W on T —5F 116
Betony Clo. Croy —3H 125
Betony Rd. Romf —6G 35
Betoyne Av. E4 —4C 30
Betsham Ho. SE1 —3B 76
(off Newcomen St.)
Betsham Rd. Eri —8D 82
Betstyle Cir. N11 —4F 26
Betstyle Ho. N10 —7E 26
Betstyle Rd. N11 —4F 26
Betterton Dri. Sidc —8J 97
Betterton Ho. WC2 —9J 59
(off Betterton St.)
Betterton Rd. Rain —6C 66
Betterton St. WC2 —9J 59
Bettles Clo. Uxb —5A 142
Bettons Pk. E15 —4C 62
Bettridge Rd. SW6 —1K 89
Betts Clo. Beck —6J 109
Betts Ho. E1 —1F 76
(off Betts St.)
Betts M. E17 —4K 45
Betts Rd. E16 —1F 78
Betts St. E1 —1F 76
Betts Way. SE20 —5F 108
Betts Way. Surb —3F 118
Betty Brooks Ho. E11 —8B 46
Betty May Gray Ho. E14 —5A 78
(off Pier St.)
Betula Clo. Kenl —7B 138
Betula Wlk. Rain —6H 67
Beulah Av. T Hth —6A 108
Beulah Clo. Edgw —3M 23
Beulah Cres. T Hth —6A 108
Beulah Gro. Croy —1A 124
Beulah Hill. SE19 —3M 107
Beulah Path. E17 —3A 46
Beulah Rd. E17 —3M 45
Beulah Rd. SW19 —4K 105
Beulah Rd. Horn —8G 51
Beulah Rd. Sutt —6L 121
Beulah Rd. T Hth —7A 108
Beult Rd. Dart —3E 98
Bevan Av. Bark —3E 64
Bevan Ct. Croy —7L 123
Bevan Ho. WC1 —8J 59
(off Boswell St.)
Bevan Ho. Twic —5H 87
Bevan Ho. Wat —4H 9
Bevan Pk. Eps —2D 134
Bevan Pl. Swan —8D 114
Bevan Rd. SE2 —6F 80
Bevan Rd. Barn —6D 14
Bevan St. N1 —4A 60
Bevan Way. Horn —9K 51
Bev Callender Clo. SW8 —2F 90
Bevenden St. N1 —6B 60
Bevercote Wlk. Belv —7K 81
Beverley Av. SW20 —5D 104
Beverley Av. Houn —3K 85
Beverley Av. Sidc —6D 96
Beverley Clo. N21 —1A 28
Beverley Clo. SW11 —3B 90
Beverley Clo. SW13 —1E 88
Beverley Clo. Chess —6G 119
Beverley Clo. Enf —6C 16
Beverley Clo. Eps —3G 135
Beverley Clo. Horn —5K 51
Beverley Clo. Wey —4C 116
Beverley Cotts. SW15 —9C 88
Beverley Ct. N2 —2D 42
(off Western Rd.)
Beverley Ct. N14 —9G 15
Beverley Ct. SE4 —2K 93
Beverley Ct. W4 —6A 72
Beverley Ct. Harr —1B 38
Beverley Ct. Houn —3K 85
Beverley Ct. Kent —2G 39
Beverley Cres. Wfd G —8F 30
Beverley Dri. Edgw —1L 39
Beverley Gdns. NW11 —5J 41
Beverley Gdns. SW13 —2D 88
Beverley Gdns. Chesh —3A 6
Beverley Gdns. Horn —5K 51
Beverley Gdns. Stan —8E 22
Beverley Gdns. Wemb —6K 39
Beverley Gdns. Wor Pk —3E 120
Beverley Ho. Brom —2B 110
(off Brangbourne Rd.)
Beverley La. SW15 —9D 88
Beverley La. King T —4C 104
Beverley M. E4 —6B 30
Beverley Path. SW13 —1D 88
Beverley Rd. E4 —6B 30
Beverley Rd. E6 —6H 63
Beverley Rd. SE20 —6F 108
Beverley Rd. SW13 —2D 88
Beverley Rd. W4 —6D 72
Beverley Rd. Bexh —1A 98
Beverley Rd. Brom —4J 127
Beverley Rd. Dag —9J 49
Beverley Rd. King T —5G 103
Beverley Rd. Mitc —8H 107
Beverley Rd. N Mald —8E 104
Beverley Rd. Ruis —7E 36
Beverley Rd. S'hall —5J 69
Beverley Rd. Sun —5D 100
Beverley Rd. Whyt —8C 138
Beverley Rd. Wor Pk —4G 121
Beverley Trad. Est. Mord —2H 121
Beverley Way. SW20 & N Mald —5D 104
Beversbrook Rd. N19 —8H 43
Beverstone Rd. SW2 —4K 91
Beverstone Rd. T Hth —8L 107
Beverston M. W1 —8D 58
(off Up. Montagu St.)
Bevill Allen Clo. SW17 —2D 106
Bevill Clo. SE25 —7E 108
Bevin Clo. SE16 —2J 77
Bevin Ct. WC1 —6K 59
Bevington Rd. W10 —8J 57
Bevington Rd. Beck —6M 109
Bevington St. SE16 —3E 76
Bevin Ho. E2 —6G 61
(off Butler St.)
Bevin Rd. Hay —6E 52
Bevin Sq. SW17 —9D 90
Bevin Way. WC1 —5L 59
Bevis Marks. EC3 —9C 60
Bewcastle Gdns. Enf —6J 15
Bew Ct. SE22 —6E 92
Bewdley St. N1 —3L 59
Bewick St. SW8 —1F 90
Bewley Clo. Chesh —4D 6
Bewley Ho. E1 —1F 76
(off Bewley St.)
Bewley St. E1 —1G 77
Bewlys Rd. SE27 —2M 107
Bexhill Clo. Felt —8J 85
Bexhill Rd. N11 —5H 27
Bexhill Rd. SE4 —5K 93
Bexhill Rd. SW14 —2A 88
Bexhill Wlk. E15 —4C 62
Bexley. —6L 97
Bexley Clo. Dart —4C 98
Bexley Cotts. Hort K —8M 115
Bexley Gdns. N9 —3B 28
Bexley Gdns. Chad H —3F 48
Bexley Hall Place Vis. Cen. —5A 98
Bexleyheath. —3L 97
Bexley High St. Bex —6L 97
Bexley Ho. SE4 —3J 93
Bexley La. Dart —4C 98
Bexley La. Sidc —1G 113
Bexley Local Studies & Archive Cen. —5A 98
Bexley Rd. SE9 —4M 95
Bexley Rd. Eri —9A 82
(in two parts)
Beynon Rd. Cars —7D 122
Bianca Rd. SE15 —7E 76
Bibsworth Rd. N3 —9K 25
Bibury Clo. SE15 —7C 76
(in two parts)
Bicester Rd. Rich —2L 87
Bickenhall Mans. NW1 —8D 58
(off Bickenhall St., in two parts)
Bickenhall St. W1 —8D 58
Bickersteth Rd. SW17 —3D 106
Bickerton Rd. N19 —7G 43
Bickley. —7J 111
Bickley Cres. Brom —8J 111
Bickley Pk. Rd. Brom —7J 111
Bickley Rd. E10 —5M 45
Bickley Rd. Brom —6H 111
Bickley St. SW17 —2C 106
Bicknell Ho. E1 —9E 60
(off Ellen St.)
Bicknell Rd. SE5 —2A 92
Bicknoller Clo. Sutt —2M 135
Bicknoller Rd. Enf —3C 16
Bicknor Rd. Orp —2C 128
Bidborough Clo. Brom —9D 110
Bidborough St. WC1 —6J 59
Biddenden Way. SE9 —1L 111
Biddenham Ho. SE16 —5H 77
(off Plough Way)
Biddenham Turn. Wat —8G 5
Bidder St. E16 —8C 62
(in two parts)
Biddesden Ho. SW3 —5D 74
(off Cadogan St.)
Biddestone Rd. N7 —9K 43
Biddulph Ho. SE18 —5K 79
Biddulph Mans. W9 —6M 57
(off Elgin Av.)
Biddulph Rd. W9 —6M 57
Biddulph Rd. S Croy —2A 138
Bideford Av. Gnfd —5F 54
Bideford Clo. Edgw —8L 23
Bideford Clo. Felt —9K 85
Bideford Clo. Romf —8G 35
Bideford Gdns. Enf —9C 16
Bideford Rd. Brom —9D 94
Bideford Rd. Enf —2K 17
Bideford Rd. Ruis —8F 36
Bideford Rd. Well —8F 80
Bidwell Gdns. N11 —7G 27
Bidwell St. SE15 —9F 76
Big Ben. —3J 75
Bigbury Clo. N17 —7B 28
Biggerstaff Rd. E15 —4A 62
Biggerstaff St. N4 —7L 43
Biggin Av. Mitc —5D 106
Biggin Hill. —9H 141
Biggin Hill. SE19 —5M 107
Biggin Hill Bus. Pk. Big H —7H 141
Biggin Hill Clo. King T —2G 103
Biggin Way. SE19 —4M 107
Bigginwood Rd. SW16 —4M 107
Biggs Row. SW15 —2H 89
Big Hill. E5 —6F 44
Bigland St. E1 —9F 60
Bignell Rd. SE18 —6M 79
Bignold Rd. E7 —9E 46
Bigwood Ct. NW11 —3M 41
Bigwood Rd. NW11 —3M 41
Biko Clo. Uxb —9A 142
Bilberry Ho. E3 —8L 61
(off Watts Gro.)
Billet Clo. Romf —1H 49
Billet La. Horn —6H 51
Billet Rd. E17 —8H 29
Billet Rd. Romf —1F 48
Billets Hart Clo. W7 —3C 70
Bill Hamling Clo. SE9 —8K 95
Billing Clo. Dag —3G 65
Billingford Clo. SE4 —3H 93
Billing Ho. E1 —9H 61
(off Bower St.)
Billingley. NW1 —4G 59
(off Pratt St.)
Billing Pl. SW10 —8M 73
Billing Rd. SW10 —8M 73
Billingsgate Fish Market. —2M 77
Billingsgate Rd. E14 —1L 77
Billing St. SW6 —8M 73
Billington Rd. SE14 —8H 77
Billinton Hill. Croy —4B 124
Billiter Sq. EC3 —9C 60
(off Fenchurch Av.)
Billiter St. EC3 —9C 60
Bill Nicholson Way. N17 —7D 28
(off High Rd.)
Billockby Clo. Chess —8K 119
Billson St. E14 —5A 78
Bilsby Gro. SE9 —1H 111
Bilsby Lodge. Wemb —8A 40
(off Chalklands)
Bilton Cen., The. Gnfd —4F 54
Bilton Rd. Eri —8E 82
Bilton Rd. Gnfd —4E 54
Bilton Towers. W1 —9D 58
(off Gt. Cumberland Pl.)
Bilton Way. Enf —3J 17
Bilton Way. Hay —3F 68
Bina Gdns. SW5 —5A 74
Binbrook Ho. W10 —8G 57
(off Sutton Way)
Bincote Rd. Enf —5K 15
Binden Rd. W12 —4D 72
Bindon Grn. Mord —8M 105
Binfield Rd. SW8 —9J 75
Binfield Rd. S Croy —7D 124
Bingfield St. N1 —4J 59
(in two parts)
Bingham Ct. N1 —3M 59
(off Halton Rd.)
Bingham Pl. W1 —8E 58
Bingham Rd. Croy —3E 124
Bingham St. N1 —2B 60
Bingley Rd. E16 —9G 63
Bingley Rd. Gnfd —7A 54
Bingley Rd. Sun —4E 100
Binley Ho. SW15 —5D 88
Binney St. W1 —9E 58
Binnie Ct. SE10 —8M 77
(off Greenwich High Rd.)
Binnie Ho. SE1 —4A 76
(off Bath Ter.)
Binns Rd. W4 —6C 72
Binns Ter. W4 —6C 72
Binsey Wlk. SE2 —3G 81
Binstead Clo. Hay —8J 53
Binyon Cres. Stan —5D 22
Birbetts Rd. SE9 —8K 95
Bircham Path. SE4 —3H 93
(off Aldersford Clo.)
Birchanger Rd. SE25 —9E 108
Birch Av. N13 —3A 28
Birch Av. W Dray —9D 142

Birch Clo.—Blantyre Wlk.

Birch Clo. E16 —8C 62
Birch Clo. N19 —7G 43
Birch Clo. SE15 —1E 92
(off Bournemouth Clo.)
Birch Clo. Bren —8F 70
Birch Clo. Buck H —3H 31
Birch Clo. Eyns —5H 131
Birch Clo. Houn —1B 86
Birch Clo. Romf —1M 49
Birch Clo. Shep —6C 100
Birch Clo. Tedd —2E 102
Birch Copse. Brick W —3J 5
Birch Ct. N'wd —6A 20
Birch Ct. Wall —6F 122
Birch Cres. Horn —2J 51
Birch Cres. Uxb —4D 142
Birchdale Gdns. Romf —5H 49
Birchdale Rd. E7 —1G 63
Birchdene Dri. SE28 —2E 80
Birchen Clo. NW9 —7B 40
Birchend Clo. S Croy —8B 124
Birchen Gro. NW9 —7B 40
Birches Clo. Eps —7C 134
Birches Clo. Mitc —7D 106
Birches Clo. Pinn —3J 37
Birches, The. E12 —9J 47
Birches, The. N21 —8K 15
Birches, The. SE7 —7F 78
Birches, The. Brom —8D 110
(off Durham Rd.)
Birches, The. Bush —7A 10
Birches, The. Houn —6K 85
Birches, The. Orp —6L 127
Birches, The. Swan —6C 114
Birchfield Clo. Coul —8K 137
Birchfield Gro. Eps —2G 135
Birchfield Ho. E14 —1L 77
(off Birchfield St.)
Birchfield Rd. Chesh —2B 6
Birchfield St. E14 —1L 77
Birch Gdns. Dag —8A 50
Birch Grn. NW9 —7C 24
Birch Gro. E11 —9C 46
Birch Gro. SE12 —6D 94
Birch Gro. W3 —2L 71
Birch Gro. Shep —6C 100
Birch Gro. Well —3E 96
Birch Hill. Croy —7H 125
Birch Ho. N22 —8L 27
(off Acacia Rd.)
Birch Ho. SE14 —9K 77
Birch Ho. SW2 —5L 91
(off Tulse Hill)
Birch Ho. W10 —7J 57
(off Droop St.)
Birchington Clo. Bexh —9M 81
Birchington Clo. Orp —3G 129
Birchington Ct. NW6 —4M 57
(off W. End La.)
Birchington Ho. E5 —1F 60
Birchington Rd. N8 —4H 43
Birchington Rd. NW6 —4L 57
Birchington Rd. Surb —2K 119
Birchin La. EC3 —9B 60
Birchlands Av. SW12 —6D 90
Birch La. Purl —3J 137
Birchmead. Orp —4L 127
Birchmead. Wat —2D 8
Birchmead Av. Pinn —2G 37
Birchmere Bus. Site. SE28 —3E 80
Birchmere Lodge. SE16 —6F 76
(off Sherwood Gdns.)
Birchmere Row. SE3 —1D 94
Birchmore Hall. N5 —8A 44
Birchmore Wlk. N5 —8A 44
Birch Pk. Harr —7A 22
Birch Rd. Felt —2H 101
Birch Rd. Romf —1M 49
Birch Row. Brom —2L 127
Birch Tree Av. W W'ck —7D 126
Birch Tree Wlk. Wat —1D 8
Birch Tree Way. Croy —4F 124
Birch Va. Ct. NW8 —7B 58
(off Pollitt Dri.)
Birchville Ct. Bus H —1C 22
Birch Wlk. Borwd —3L 11
Birch Wlk. Eri —7A 82
Birch Wlk. Mitc —5F 106
Birchway. Hay —2E 68
Birch Way. Warl —9J 139
Birchwood. Wal A —7L 7
Birchwood Av. N10 —1E 42
Birchwood Av. Beck —8K 109
Birchwood Av. Sidc —8F 96
Birchwood Av. Wall —5E 122
Birchwood Clo. Mord —8M 105
Birchwood Ct. N13 —5M 27
Birchwood Ct. Edgw —9A 24
Birchwood Dri. NW3 —8M 41
Birchwood Dri. Dart —1C 114
Birchwood Gro. Hamp —3L 101
Birchwood La. Esh & Oxs —1B 132
Birchwood Pde. Dart —1C 114
Birchwood Pk. Av. Swan —7C 114
Birchwood Rd. SW17 —2F 106
Birchwood Rd. Orp —8B 112
Birchwood Rd. Swan & Dart —5A 114
Birchwood Way. Park —1M 5
Birdbrook Clo. Dag —3A 66
Birdbrook Ho. N1 —3A 60
(off Popham Rd.)
Birdbrook Rd. SE3 —3G 95
Birdcage Wlk. SW1 —3G 75
Birdham Clo. Brom —9J 111
Birdhouse La. Orp —7K 141
Birdhurst Av. S Croy —6B 124
Birdhurst Gdns. S Croy —6B 124
Birdhurst Ri. S Croy —7C 124
Birdhurst Rd. SW18 —4A 90
Birdhurst Rd. SW19 —3C 106
Birdhurst Rd. S Croy —7C 124
Bird in Bush Rd. SE15 —8E 76
Bird in Hand La. Brom —6H 111
Bird-in-Hand Pas. SE23 —8G 93
Bird in Hand Yd. NW3 —9A 42
Birdlip Clo. SE15 —7C 76
Birdsall Ho. SE5 —2C 92
Birds Farm Av. Romf —7M 33
Birdsfield La. E3 —4K 61
Birds Hill Dri. Oxs —5B 132
Birds Hill Ri. Oxs —5B 132
Birds Hill Rd. Oxs —4B 132
Bird St. W1 —9E 58
Bird Wlk. Twic —7K 85
Birdwood Clo. S Croy —3G 139
Birdwood Clo. Tedd —1C 102
Birkbeck Av. W3 —1A 72
Birkbeck Av. Gnfd —4A 54
Birkbeck Ct. W3 —2B 72
Birkbeck Gdns. Wfd G —2E 30
Birkbeck Gro. W3 —3B 72
Birkbeck Hill. SE21 —7M 91
Birkbeck M. E8 —1D 60
Birkbeck M. W3 —2B 72
Birkbeck Pl. SE21 —8A 92
Birkbeck Rd. E8 —1D 60
Birkbeck Rd. N8 —2J 43
Birkbeck Rd. N12 —5A 26
Birkbeck Rd. N17 —8D 28
Birkbeck Rd. NW7 —5D 24
Birkbeck Rd. SW19 —2M 105
Birkbeck Rd. W3 —2B 72
Birkbeck Rd. W5 —5G 71
Birkbeck Rd. Beck —6G 109
Birkbeck Rd. Enf —3B 16
Birkbeck Rd. Ilf —3B 48
Birkbeck Rd. Romf —6B 50
Birkbeck Rd. Sidc —9E 96
Birkbeck St. E2 —6F 60
Birkbeck Way. Gnfd —4B 54
Birkdale Av. Pinn —1L 37
Birkdale Av. Romf —7K 35
Birkdale Clo. SE16 —6F 76
Birkdale Clo. Orp —2B 128
Birkdale Ct. S'hall —9A 54
(off Redcroft Rd.)
Birkdale Gdns. Croy —6H 125
Birkdale Gdns. Wat —3H 21
Birkdale Rd. SE2 —5E 80
Birkdale Rd. W5 —7J 55
Birkenhead Av. King T —6K 103
Birkenhead St. WC1 —6J 59
Birken M. N'wd —5A 20
Birkhall Rd. SE6 —7B 94
Birkwood Clo. SW12 —6H 91
Birley Lodge. NW8 —5B 58
(off Acacia Rd.)
Birley Rd. N20 —2A 26
Birley St. SW11 —1E 90
Birling Rd. Eri —8B 82
Birnam Rd. N4 —7K 43
Birnbeck Ct. NW11 —3K 41
Birnbeck Ct. Barn —6H 13
Birrell Ho. SW9 —1K 91
(off Stockwell Rd.)
Birse Cres. NW10 —8C 40
Birstall Grn. Wat —4H 21
Birstall Rd. N15 —3C 44
Biscay Ho. E1 —7H 61
(off Mile End Rd.)
Biscay Rd. W6 —6H 73
Biscoe Clo. Houn —7L 69
Biscoe Way. SE13 —2B 94
Biscott Ho. E3 —7M 61
Bisenden Rd. Croy —4C 124
Bisham Clo. Cars —3D 122
Bisham Gdns. N6 —6E 42
Bishop Butt Clo. Orp —5D 128
Bishop Ct. N12 —4M 25
Bishop Ct. Rich —2J 87
Bishop Duppas Pk. Shep —2C 116
Bishop Fox Way. W Mol —8K 101
Bishop Ken Rd. Harr —9D 22
Bishop King's Rd. W14 —5J 73
Bishop Rd. N14 —9F 14
Bishop's Av. E13 —4F 62
Bishop's Av. SW6 —1H 89
Bishops Av. Brom —6G 111
Bishops Av. Els —7K 11
Bishops Av. N'wd —4C 20
Bishops Av. Romf —4G 49
Bishops Av., The. N2 —4B 42
Bishop's Bri. Rd. W2 —9M 57
Bishops Clo. E17 —2M 45
Bishop's Clo. N19 —8G 43
Bishop's Clo. SE9 —8A 96
Bishops Clo. W4 —6A 72
Bishops Clo. Barn —8B 13
Bishop's Clo. Coul —9L 137
Bishops Clo. Enf —4F 16
Bishops Clo. Rich —9H 87
Bishop's Clo. Sutt —5L 121
Bishops Clo. Uxb —5E 142
Bishop's Ct. EC4 —9M 59
(off Old Bailey)
Bishops Ct. W2 —9M 57
(off Bishop's Bri. Rd.)
Bishop's Ct. WC2 —9L 59
(off Star Yd.)
Bishops Ct. Chesh —3B 6
Bishopsdale Ho. NW6 —4L 57
(off Kilburn Va.)
Bishop's Dri. Felt —5B 84
Bishops Dri. N'holt —4J 53
Bishopsford Rd. Mord —2A 122
Bishopsgate. EC2 —9C 60
Bishopsgate Arc. EC2 —8C 60
(off Bishopsgate)
Bishopsgate Chu. Yd. EC2 —8C 60
Bishopsgate Institute & Libraries. (off Bishopsgate) —8C 60
Bishops Grn. Brom —5F 110
(off Up. Park Rd.)
Bishops Gro. N2 —4C 42
Bishop's Gro. Hamp —1K 101
Bishops Gro. Cvn. Site. Hamp —1L 101
Bishop's Hall. King T —6H 103
Bishops Hill. W on T —2E 116
Bishops Ho. SW8 —8J 75
Bishop's Mans. SW6 —1H 89
(in two parts)
Bishops Mead. SE5 —8A 76
(off Camberwell Rd.)
Bishopsmead Clo. Eps —2B 134
Bishop's Pk. Rd. SW6 —1H 89
Bishops Pk. Rd. SW16 —5J 107
Bishops Rd. N6 —4E 42
Bishops Rd. SW6 —9J 73
Bishop's Rd. SW11 —8C 74
Bishops Rd. W7 —3C 70
Bishop's Rd. Croy —2M 123
Bishop's Rd. Hay —9A 52
Bishop's Ter. SE11 —5L 75
Bishopsthorpe Rd. SE26 —1H 109
Bishop St. N1 —4A 60
Bishops Vw. Ct. N10 —2F 42
Bishops Wlk. Chst —5A 112
Bishops Wlk. Croy —7H 125
Bishops Wlk. Pinn —1J 37
Bishop's Way. E2 —5F 60
Bishopswood Rd. N6 —5D 42
Bishop Way. NW10 —3C 56
Bishop Wilfred Wood Clo. SE15 —1E 92
Bishop Wilfred Wood Ct. E13 (off Pragel St.) —5G 63
Biskra. Wat —3E 8
Bisley Clo. Wal X —6D 6
Bisley Clo. Wor Pk —3G 121
Bison Ct. Felt —6F 84
Bispham Rd. NW10 —6K 55
Bissextile Ho. SE8 —1M 93
Bisson Rd. E15 —5A 62
Bisterne Av. E17 —1B 46
Bittacy Bus. Cen. NW7 —6J 25
Bittacy Clo. NW7 —6H 25
Bittacy Ct. NW7 —7J 25
Bittacy Hill. NW7 —6H 25
Bittacy Pk. Av. NW7 —5H 25
Bittacy Ri. NW7 —6G 25
Bittacy Rd. NW7 —6H 25
Bittern Clo. Hay —8H 53
Bittern Ct. NW9 —9C 24
Bittern Ct. SE8 —7L 77
Bittern Ho. SE1 —3A 76
(off Gt. Suffolk St.)
Bittern Pl. N22 —9K 27
Bittern St. SE1 —3A 76
Bittoms Ct. King T —7H 103
Bittoms, The. King T —7H 103
(in two parts)
Bixley Clo. S'hall —5K 69
Blackall St. EC2 —7C 60
Blackberry Clo. Shep —8C 100
Blackberry Farm Clo. Houn —8J 69
Blackberry Fld. Orp —5E 112
Blackbird Ct. NW9 —7B 40
Blackbird Hill. NW9 —7A 40
Blackbirds La. A'ham —7M 5
Blackbird Yd. E2 —6D 60
Blackborne Rd. Dag —2L 65
Black Boy La. N15 —3A 44
Black Boy Wood. Brick W —3L 5
Blackbrook La. Brom —9L 111
Blackburn. NW9 —9D 24
Blackburne's M. W1 —1E 74
Blackburn Rd. NW6 —2M 57
Blackbush Av. Romf —3H 49
Blackbush Clo. Sutt —9M 121
Blackdown Clo. N2 —9A 26
Blackett St. SW15 —2H 89
Black Fan Clo. Enf —3A 16
Blackfen. —5E 96
Blackfen Pde. Sidc —5E 96
Blackfen Rd. Sidc —5C 96
Blackford Clo. S Croy —1M 137
Blackford Rd. Wat —5H 21
Blackford's Path. SW15 —6E 88
Blackfriars Bri. SE1 & EC4 —1M 75
Blackfriars Ct. EC4 —1M 75
(off New Bri. St.)
Black Friars La. EC4 —9M 59
(in two parts)
Blackfriars Pas. EC4 —1M 75
Blackfriars Rd. SE1 —3M 75
Blackfriars Underpass. EC4 —1L 75
Black Gates. Pinn —1K 37
Blackheath. —1D 94
Blackheath Av. SE10 —8B 78
Blackheath Bus. Est. SE10 —9A 78
(off Blackheath Hill)
Blackheath Gro. SE3 —1D 94
Blackheath Hill. SE10 —9A 78
Blackheath Park. —3E 94
Blackheath Pk. SE3 —2D 94
Blackheath Ri. SE13 —1A 94
Blackheath Rd. SE10 —9M 77
Blackheath Vale. —1D 94
Blackheath Va. SE3 —1C 94
Blackheath Village. SE3 —1D 94
Blackhills. Esh —9L 117
Black Horse Ct. SE1 —4B 76
(off Gt. Dover St.)
Blackhorse La. E17 —9H 29
Black Horse La. Croy —2E 124
Blackhorse M. E17 —1H 45
Black Horse Pde. Eastc —3F 36
Blackhorse Pl. Uxb —4A 142
Blackhorse Road. (Junct.) —2H 45
Blackhorse Rd. E17 —2H 45
Blackhorse Rd. SE8 —7J 77
Blackhorse Rd. Sidc —1E 112
Black Horse Yd. Uxb —4A 142
Blacklands Dri. Hay —7A 52
Blacklands Rd. SE6 —1A 110
Blacklands Ter. SW3 —5D 74
Blackley Clo. Wat —1D 8
Black Lion La. W6 —5E 72
Black Lion M. W6 —5E 72
Blackmans Clo. Dart —7G 99
Blackman's La. Warl —6C 140
Blackmans Yd. E2 —7E 60
(off Grimsby St.)
Blackmoor La. Wat —7B 8
Blackmore Av. S'hall —2B 70
Blackmore Ho. N1 —4K 59
(off Barnsbury Est.)
Blackmore Rd. Buck H —9J 19
Blackmore's Gro. Tedd —3E 102
Blackmore Tower. W3 —4A 72
(off Stanley Rd.)
Blackmore Way. Uxb —2B 142
Blackness La. Kes —1H 141
Black Path. E10 —5J 45
Blackpool Gdns. Hay —7C 52
Blackpool Rd. SE15 —1F 92
Black Prince Interchange. (Junct.) —5M 97
Black Prince Rd. SE1 & SE11 —5K 75
Black Rod Clo. Hay —4D 68
Blackshaw Rd. SW17 —1A 106
Blacksmiths Clo. Romf —4G 49
Blacksmiths Hill. S Croy —5E 138
Blacksmiths Ho. E17 —2L 45
(off Gillards M.)
Blacksmith's La. Orp —9G 113
Blacksmith's La. Rain —4D 66
Blacks Rd. W6 —6G 73
Blackstock M. N4 —7M 43
Blackstock Rd. N4 & N5 —7M 43
Blackstone Est. E8 —3F 60
Blackstone Ho. SW1 —6G 75
(off Churchill Gdns.)
Blackstone Rd. NW2 —1G 57
Black Swan Yd. SE1 —3C 76
Blackthorn Av. W Dray —5L 143
Blackthorn Clo. Wat —5F 4
Blackthorn Ct. Houn —8J 69
Blackthorne Av. Croy —3G 125
Blackthorne Ct. SE15 —8D 76
(off Cator St.)
Blackthorne Ct. S'hall —2M 69
(off Dormers Wells La.)
Blackthorne Dri. E4 —4B 30
Blackthorn Gro. Bexh —2J 97
Blackthorn Rd. Big H —8H 141
Blackthorn St. E3 —7L 61
Blacktree M. SW9 —2L 91
Blackwall. —1A 78
Blackwall La. SE10 —6C 78
(in two parts)
Blackwall Trad. Est. E14 —8B 62
Blackwall Tunnel. E14 & SE10 (in two parts) —2B 78
Blackwall Tunnel App. E14 —1A 78
Blackwall Tunnel Northern App. E3 & E14 —5M 61
Blackwall Tunnel Southern App. SE10 —4C 78
Blackwall Way. E14 —1A 78
Blackwater Clo. E7 —9D 46
Blackwater Clo. Rain —8B 66
Blackwater Ho. NW8 —8B 58
(off Church St.)
Blackwater St. SE22 —4D 92
Blackwell Clo. E5 —9H 45
Blackwell Clo. Harr —7B 22
Blackwell Dri. Wat —8G 9
Blackwell Gdns. Edgw —4L 23
Blackwell Ho. SW4 —5H 91
Blackwood Ho. E1 —7F 60
(off Collingwood St.)
Blackwood St. SE17 —6B 76
Blade M. SW15 —3K 89
Bladen Ho. E1 —9H 61
(off Dunelm St.)
Blades Ct. SW15 —3K 89
Blades Ho. SE11 —7L 75
(off Kennington Oval)
Bladindon Dri. Bex —6G 97
Bladon Clo. Wey —8B 116
Bladon Ct. SW16 —3J 107
Bladon Gdns. Harr —4M 37
Blagdens Clo. N14 —2H 27
Blagdens La. N14 —2H 27
Blagdon Ct. W7 —1C 70
Blagdon Rd. SE13 —5M 93
Blagdon Rd. N Mald —8D 104
Blagdon Wlk. Tedd —3G 103
Blagrove Rd. W10 —8J 57
Blair Av. NW9 —5C 40
Blair Av. Esh —4A 118
Blair Clo. N1 —2A 60
Blair Clo. Hay —5E 68
Blair Clo. Sidc —4C 96
Blair Ct. NW8 —4B 58
Blair Ct. SE6 —7D 94
Blair Ct. Beck —5M 109
Blairderry Rd. SW2 —8J 91
Blairhead Dri. Wat —3F 20
Blair Ho. SW9 —1K 91
Blair St. E14 —9A 62
Blake Av. Bark —4C 64
Blakeborough Dri. H Wood —9J 35
Blake Clo. Cars —3C 122
Blake Clo. Rain —4D 66
Blake Clo. Well —9C 80
Blake Ct. NW6 —6L 57
(off Stafford Clo.)
Blake Ct. SE16 —6F 76
(off Stubbs Dri.)
Blakeden Dri. Clay —8D 118
Blake Gdns. SW6 —9M 73
Blake Gdns. Dart —3K 99
Blake Hall Cres. E11 —6E 46
Blake Hall Rd. E11 —5E 46
Blakehall Rd. Cars —8D 122
Blake Ho. E14 —3L 77
(off Admirals Way)
Blake Ho. SE1 —4L 75
Blake Ho. SE8 —7L 77
(off New King St.)
Blakeley Cotts. SE10 —3B 78
Blakemore Rd. SW16 —9J 91
Blakemore Rd. T Hth —9K 107
Blakemore Way. Belv —4J 81
Blakeney Av. Beck —5K 109
Blakeney Clo. E8 —1E 60
Blakeney Clo. N20 —1A 26
Blakeney Clo. NW1 —3H 59
Blakeney Clo. Eps —3B 134
Blakeney Rd. Beck —4K 109
Blakenham Rd. SW17 —1D 106
Blaker Ct. SE7 —8G 79
(in two parts)
Blake Rd. E16 —7D 62
Blake Rd. N11 —7G 27
Blake Rd. Croy —4C 124
Blake Rd. Mitc —7C 106
Blaker Rd. E15 —4A 62
Blakes Av. N Mald —9D 104
Blakes Clo. W10 —8G 57
Blake's Grn. W W'ck —3A 126
Blakes La. N Mald —9D 104
Blakesley Av. W5 —9G 55
Blakesley Wlk. SW20 —6K 105
Blake's Rd. SE15 —8C 76
Blakes Ter. N Mald —9E 104
Blakesware Gdns. N9 —9B 16
Blakewood Clo. Felt —1G 101
Blanchard Clo. SE9 —9J 95
Blanchard Gro. Enf —2M 17
Blanchard Ho. Twic —5H 87
(off Clevedon Rd.)
Blanchard M. Romf —7K 35
Blanchard Way. E8 —2E 60
Blanch Clo. SE15 —8G 77
Blanchedowne. SE5 —3B 92
Blanche St. E16 —7D 62
Blanchland Rd. Mord —9M 105
Blandfield Rd. SW12 —6E 90
Blandford Av. Beck —6J 109
Blandford Av. Twic —7M 85
Blandford Clo. N2 —2A 42
Blandford Clo. Croy —5J 123
Blandford Clo. Romf —2L 49
Blandford Ct. E8 —3C 60
(off St Peter's Way)
Blandford Ct. NW6 —3H 57
Blandford Cres. E4 —9A 18
Blandford Ho. SW8 —8K 75
(off Richborne Ter.)
Blandford Rd. W4 —4C 72
Blandford Rd. W5 —3H 71
Blandford Rd. Beck —7G 109
Blandford Rd. S'hall —5L 69
Blandford Rd. Tedd —2B 102
Blandford Sq. NW1 —7C 58
Blandford St. W1 —9D 58
Blandford Waye. Hay —9G 53
Bland Ho. SE11 —6K 75
(off Vauxhall St.)
Bland St. SE9 —3H 95
Blaney Cres. E6 —6M 63
Blanmerle Rd. SE9 —7M 95
Blann Clo. SE9 —5H 95
Blantyre St. SW10 —8B 74
Blantyre Tower. SW10 —8B 74
(off Blantyre St.)
Blantyre Wlk. SW10 —8B 74
(off Worlds End Est.)

Blashford. NW3 —3D 58
(off Adelaide Rd.)
Blashford St. SE13 —6B 94
Blasker Wlk. E14 —6M 77
Blattner Clo. Els —6J 11
Blawith Rd. Harr —2C 38
Blaxland Ho. W12 —1F 72
(off White City Est.)
Blaxland Ter. Chesh —1D 6
(off Davison Dri.)
Blaydon Clo. N17 —7F 28
Blaydon Clo. Ruis —5C 36
Blaydon Ct. N'holt —2L 53
Blazer Ct. NW8 —6B 58
(off St John's Wood Rd.)
Bleak Hill La. SE18 —7D 80
Blean Gro. SE20 —4G 109
Blear Ho. Eps —3D 134
Bleasdale Av. Gnfd —5E 54
Blechynden St. W10 —1H 73
Bleddyn Clo. Sidc —5G 97
Bledlow Clo. SE28 —1G 81
Bledlow Ho. NW8 —7B 58
(off Capland St.)
Bledlow Ri. Gnfd —5A 54
Bleeding Heart Yd. EC1 —8L 59
(off Greville St.)
Blegborough Rd. SW16 —3G 107
Blendon. —5H 97
Blendon Dri. Bex —5H 97
Blendon Path. Brom —4D 110
Blendon Rd. Bex —5H 97
Blendon Row. SE17 —5B 76
(off Townley St.)
Blendon Ter. SE18 —6A 80
Blendworth Way. SE15 —8C 76
(off Clanfield Way)
Blenheim Av. Ilf —4L 47
Blenheim Clo. N21 —1A 28
Blenheim Clo. SW20 —7G 105
Blenheim Clo. Dart —5G 99
Blenheim Clo. Gnfd —5B 54
Blenheim Clo. Romf —2A 50
Blenheim Clo. Wall —9G 123
Blenheim Clo. Wat —9G 9
Blenheim Ct. N19 —7J 43
Blenheim Ct. SE16 —2H 77
(off King & Queen Wharf)
Blenheim Ct. Brom —8D 110
Blenheim Ct. Horn —1G 67
Blenheim Ct. Kent —4E 38
Blenheim Ct. Sidc —9B 96
Blenheim Ct. Sutt —8A 122
Blenheim Cres. W11 —1J 73
Blenheim Cres. Ruis —7B 36
Blenheim Cres. S Croy —9A 124
Blenheim Dri. Well —9D 80
Blenheim Gdns. NW2 —2G 57
Blenheim Gdns. SW2 —5K 91
Blenheim Gdns. Ave —2M 83
Blenheim Gdns. King T —4M 103
Blenheim Gdns. S Croy —4E 138
Blenheim Gdns. Wall —8G 123
Blenheim Gdns. Wemb —8J 39
Blenheim Gro. SE15 —1E 92
Blenheim Ho. Houn —2L 85
Blenheim Pde. Uxb —7F 142
Blenheim Pk. Rd. S Croy —1A 138
Blenheim Pas. NW8 —5A 58
(in two parts)
Blenheim Ri. N15 —2D 44
Blenheim Rd. E6 —6H 63
Blenheim Rd. E15 —9C 46
Blenheim Rd. E17 —1H 45
Blenheim Rd. NW8 —5A 58
Blenheim Rd. SE20 —4G 109
Blenheim Rd. SW20 —7G 105
Blenheim Rd. W4 —4C 72
Blenheim Rd. Ab L —5E 4
Blenheim Rd. Barn —5H 13
Blenheim Rd. Brom —8J 111
Blenheim Rd. Dart —5G 99
Blenheim Rd. Eps —3B 134
Blenheim Rd. Harr —4M 37
Blenheim Rd. N'holt —2M 53
Blenheim Rd. Orp —4G 129
Blenheim Rd. Sidc —7G 97
Blenheim Rd. Sutt —5L 121
Blenheim Shop. Cen. SE20 —4G 109
Blenheim St. W1 —9F 58
Blenheim Ter. NW8 —5A 58
Blenheim Way. Iswth —9E 70
Blenkarne Rd. SW11 —5D 90
Bleriot. NW9 —9D 24
(off Belvedere Strand)
Bleriot Rd. Houn —8G 69
Blessbury Rd. Edgw —8A 24
Blessington Clo. SE13 —2B 94
Blessington Rd. SE13 —2B 94
Blessing Way. Bark —6G 65
Bletchingley Clo. T Hth —8M 107
Bletchley Ct. N1 —5B 60
(off Bletchley St., in two parts)
Bletchley St. N1 —5B 60
Bletchmore Clo. Hay —6B 68
Bletsoe Wlk. N1 —5A 60
Blewbury Ho. SE2 —3H 81
Blewetts Cotts. Rain —6D 66
(off New Rd.)
Blick Ho. SE16 —4G 77
(off Neptune St.)
Blincoe Clo. SW19 —8H 89
Blind La. Bans —7C 136
Blind La. Lou —4C 18
Blindman's La. Chesh —3D 6
Bliss Cres. SE13 —1M 93
Blissett St. SE10 —9A 78
Blisworth Clo. Hay —7J 53
Blisworth Ho. E2 —4E 60
(off Whiston Rd.)
Blithbury Rd. Dag —2F 64
Blithdale Rd. SE2 —5E 80
Blithfield St. W8 —4M 73
Blockley Rd. Wemb —7F 38
Bloemfontein Av. W12 —2F 72
Bloemfontein Rd. W12 —1F 72
Bloemfontein Way. W12 —2F 72
Blomfield Ct. W9 —7A 58
(off Lanark Pl.)
Blomfield Rd. W9 —8M 57
Blomfield St. EC2 —8B 60
Blomfield Vs. W2 —8M 57
Blomville Rd. Dag —8J 49
Blondell Clo. W Dray —7H 143
Blondel St. SW11 —1E 90
Blondin Av. W5 —5G 71
Blondin St. E3 —5L 61
Bloomburg St. SW1 —5H 75
Bloomfield Ct. N6 —4E 42
Bloomfield Cres. Ilf —4M 47
Bloomfield Ho. E1 —8E 60
(off Old Montague St.)
Bloomfield Pl. W1 —1F 74
(off Grosvenor Hill)
Bloomfield Rd. N6 —4E 42
Bloomfield Rd. SE18 —7M 79
Bloomfield Rd. Brom —9H 111
Bloomfield Rd. King T —8J 103
Bloomfields, The. Bark —2A 64
Bloomfield Ter. SW1 —6E 74
Bloom Gro. SE27 —9M 91
Bloomhall Rd. SE19 —2B 108
Bloom Pk. Rd. SW6 —8K 73
Bloomsbury. —8J 59
Bloomsbury Clo. W5 —1K 71
Bloomsbury Clo. Eps —2B 134
Bloomsbury Ct. WC1 —8J 59
(off Barter St.)
Bloomsbury Ct. Houn —9F 68
Bloomsbury Ct. Pinn —1K 37
Bloomsbury Ho. SW4 —5H 91
Bloomsbury Pl. SW18 —4A 90
Bloomsbury Pl. WC1 —8J 59
Bloomsbury Sq. WC1 —8J 59
Bloomsbury St. WC1 —8H 59
Bloomsbury Theatre. —7H 59
(off Gordon St.)
Bloomsbury Way. WC1 —8J 59
Blore Clo. SW8 —9H 75
Blore Ct. W1 —9H 59
(off Berwick St.)
Blossom Clo. W5 —3J 71
Blossom Clo. Dag —4K 65
Blossom Clo. S Croy —7D 124
Blossom La. Enf —3A 16
Blossom St. E1 —7C 60
Blossom Way. Uxb —3D 142
Blossom Way. W Dray —5L 143
Blossom Waye. Houn —7J 69
Blount Ho. E14 —8J 61
Blount St. E14 —8J 61
Bloxam Gdns. SE9 —4J 95
Bloxhall Rd. E10 —6K 45
Bloxham Cres. Hamp —4K 101
Bloxworth Clo. Wall —5G 123
Blucher Rd. SE5 —8A 76
Blue Anchor All. Rich —3J 87
Blue Anchor La. SE16 —5E 76
Blue Anchor Yd. E1 —1E 76
Blue Ball Yd. SW1 —2G 75
Bluebell Av. E12 —1H 63
Bluebell Clo. E9 —4G 61
Bluebell Clo. SE26 —1D 108
Bluebell Clo. Orp —4A 128
Bluebell Clo. Rush G —7C 50
Bluebell Clo. Wall —3F 122
Bluebell Dri. Bedm —1D 4
Bluebell Way. Ilf —2M 63
Blueberry Clo. Wfd G —6E 30
Blueberry Gdns. Coul —8K 137
Bluebird La. Dag —3L 65
Bluebird Wlk. Wemb —8M 39
Bluebird Way. SE28 —3B 80
Bluebird Way. Brick W —3K 5
Blue Cedars. Bans —6H 135
Bluefield Clo. Hamp —2L 101
Bluegates. Ewe —9E 120
Bluehouse Rd. E4 —2C 30
Blue Riband Ind. Est. Croy —4M 123
Blue Water. SW18 —3M 89
Blundell Ho. SE14 —8J 77
(off Goodwood Rd.)
Blundell Rd. Edgw —8B 24
Blundell St. N7 —3J 59
Blunden Clo. Dag —6G 49
Blunt Rd. S Croy —7B 124
Blunts Av. W Dray —8L 143
Blunts Rd. SE9 —4L 95
Blurton Rd. E5 —9G 45
Blydon Ct. N21 —7K 15
(off Chaseville Pk. Rd.)
Blyth Clo. E14 —5B 78
Blyth Clo. Borwd —3K 11
Blyth Clo. Twic —5D 86
Blyth Ct. Brom —5D 110
(off Blyth Rd.)
Blythe Clo. SE6 —6K 93
Blythe Hill. —6K 93
Blythe Hill. SE6 —6K 93
Blythe Hill. Orp —5D 112
Blythe Hill La. SE6 —6K 93
Blythe Ho. SE11 —7L 75
Blythe M. W14 —4H 73
Blythendale Ho. E2 —5E 60
(off Mansford St.)
Blythe Rd. W14 —4H 73
Blythe St. E2 —6F 60
Blythe Va. SE6 —7K 93
Blyth Hill Pl. SE6 —6M 93
Blyth Rd. E17 —5K 45
Blyth Rd. SE28 —1G 81
Blyth Rd. Brom —5D 110
Blyth Rd. Hay —3C 68
Blythswood Rd. Ilf —6E 48
Blyth Wood Pk. Brom —5D 110
Blythwood Rd. N4 —5J 43
Blythwood Rd. Pinn —8H 21
Boades M. NW3 —9B 42
Boadicea St. N1 —4K 59
Boakes Clo. NW9 —2A 40
Boar Clo. Chig —5E 32
Boardman Av. E4 —7M 17
Boardman Clo. Barn —7J 13
Boardwalk Pl. E14 —2A 78
Boarhound. NW9 —9D 24
(off Further Acre)
Boarley Ho. SE17 —5C 76
(off Massinger St.)
Boars Head Yd. Bren —8H 71
Boathouse Wlk. SE15 —8D 76
(in two parts)
Boat Lifter Way. SE16 —5J 77
Bob Anker Clo. E13 —6E 62
Bobbin Clo. SW4 —2G 91
Bobby Moore Way. N12 —7D 26
Bob Marley Way. SE24 —3L 91
Bobs La. Romf —7E 34
Bockhampton Rd. King T —4K 103
Bocking St. E8 —4F 60
Boddicott Clo. SW19 —8J 89
Boddington Ho. SE14 —9G 77
(off Pomeroy St.)
Bodeney Ho. SE5 —9C 76
(off Peckham Rd.)
Boden Ho. E1 —8E 60
(off Woodseer St.)
Bodiam Clo. Enf —4C 16
Bodiam Rd. SW16 —4H 107
Bodington Ct. W12 —3H 73
Bodley Clo. N Mald —9C 104
Bodley Mnr. Way. SW2 —6L 91
Bodley Rd. N Mald —1B 120
Bodmin. NW9 —9D 24
(off Further Acre)
Bodmin Clo. Harr —8K 37
Bodmin Clo. Orp —3G 129
Bodmin Gro. Mord —9M 105
Bodmin Pl. SE27 —1M 107
Bodmin St. SW18 —7L 89
Bodnant Gdns. SW20 —7E 104
Bodney Rd. E8 —1F 60
Boeing Way. S'hall —4F 68
Boevey Path. Belv —6K 81
Bogey La. Orp —9L 127
Bognor Gdns. Wat —5G 21
Bognor Rd. Well —9H 81
Bohemia Pl. E8 —2G 61
Bohn Rd. E1 —8J 61
Bohun Gro. Barn —8C 14
Boileau Pde. W5 —9K 55
(off Boileau Rd.)
Boileau Rd. SW13 —8E 72
Boileau Rd. W5 —9K 55
Boisseau Ho. E1 —8G 61
(off Stepney Way)
Bolden St. SE8 —1M 93
Boldero Pl. NW8 —7C 58
(off Gateforth St.)
Bolderwood Way. W W'ck —4M 125
Boldmere Rd. Pinn —5G 37
Boleyn Av. Enf —3F 16
Boleyn Av. Eps —2F 134
Boleyn Clo. E17 —2L 45
Boleyn Clo. Lou —8J 19
Boleyn Ct. Buck H —1E 30
Boleyn Dri. Ruis —7H 37
Boleyn Dri. W Mol —7K 101
Boleyn Gdns. Dag —3A 66
Boleyn Gdns. W W'ck —4M 125
Boleyn Gro. W W'ck —4A 126
Boleyn Rd. E6 —5H 63
Boleyn Rd. E7 —3E 62
Boleyn Rd. N16 —1C 60
Boleyn Way. Barn —5A 14
Boleyn Way. Ilf —6A 32
Bolina Rd. SE16 —6G 77
Bolingbroke Gro. SW11 —3C 90
Bolingbroke Rd. W14 —4H 73
Bolingbroke Wlk. SW11 —9B 74
Bolingbroke Way. Hay —2B 68
Bolliger Ct. NW10 —7A 56
Bollo Bri. Rd. W3 —4M 71
Bollo Ct. W3 —4A 72
(off Bollo Bri. Rd.)
Bollo La. W3 & W4 —3M 71
Bolney Ga. SW7 —3C 74
Bolney St. SW8 —8K 75
Bolney Way. Felt —9J 85
Bolsover St. W1 —7F 58
Bolstead Rd. Mitc —5F 106
Bolster Gro. N22 —7H 27
Bolt Ct. EC4 —9L 59
Bolters La. Bans —6K 135
Boltmore Clo. NW4 —1H 41
Bolton Clo. SE20 —6E 108
Bolton Clo. Chess —8H 119
Bolton Cres. SE5 —8M 75
Bolton Gdns. NW10 —5H 57
Bolton Gdns. SW5 —6M 73
Bolton Gdns. Brom —3D 110
Bolton Gdns. Tedd —3E 102
Bolton Gdns. M. SW10 —6A 74
Bolton Ho. SE10 —6C 78
(off Trafalgar Rd.)
Bolton Pl. NW8 —4M 57
(off Bolton Rd.)
Bolton Rd. E15 —2D 62
Bolton Rd. N18 —5D 28
Bolton Rd. NW8 —4M 57
Bolton Rd. NW10 —4C 56
Bolton Rd. W4 —8A 72
Bolton Rd. Chess —8H 119
Bolton Rd. Harr —2A 38
Boltons Ct. SW5 —6M 73
(off Old Brompton Rd.)
Bolton's La. Hay —8M 143
Boltons Pl. SW5 —6A 74
Boltons, The. SW10 —6A 74
Boltons, The. Wemb —9D 38
Bolton St. W1 —2F 74
Bolton Studios. SW10 —6A 74
Bolton Wlk. N4 —7K 43
(off Durham Rd.)
Bombay St. SE16 —5F 76
Bomer Clo. W Dray —8L 143
Bomore Rd. W11 —1J 73
Bonar Pl. Chst —4J 111
Bonar Rd. SE15 —8E 76
Bonchester Clo. Chst —4L 111
Bonchurch Clo. Sutt —9M 121
Bonchurch Ct. Purf —6M 83
Bonchurch Rd. W10 —8J 57
Bonchurch Rd. W13 —2F 70
Bond Clo. W Dray —9D 142
Bond Ct. EC4 —1B 76
Bondfield Av. Hay —6E 52
Bondfield Rd. E6 —8K 63
Bondfield Wlk. Dart —3K 99
Bond Gdns. Wall —6G 123
Bond Ho. NW6 —5K 57
(off Rupert Rd.)
Bond Ho. SE14 —8J 77
(off Goodwood Rd.)
Bonding Yd. Wlk. SE16 —4J 77
Bond Rd. Mitc —6C 106
Bond Rd. Surb —4K 119
Bond Rd. Warl —9H 139
Bond St. E15 —1C 62
Bond St. W4 —5B 72
Bond St. W5 —1H 71
Bondway. SW8 —7J 75
Boneta Rd. SE18 —4K 79
Bonfield Rd. SE13 —3A 94
Bonham Gdns. Dag —7H 49
Bonham Rd. SW2 —4K 91
Bonham Rd. Dag —7H 49
Bonheur Rd. W4 —3B 72
Bonhill St. EC2 —7B 60
Boniface Gdns. Harr —7M 21
Boniface Rd. Uxb —8A 36
Boniface Wlk. Harr —7M 21
Bonington Rd. Horn —1H 67
Bon Marche Ter. M. SE27 —1C 108
Bonner Ct. Chesh —1D 6
(off Coopers Wlk.)
Bonner Hill Rd. King T —6K 103
(in two parts)
Bonner Rd. E2 —5G 61
Bonnersfield Clo. Harr —4D 38
Bonnersfield La. Harr —4D 38
Bonner St. E2 —5G 61
Bonnett M. Horn —6J 51
Bonneville Gdns. SW4 —5G 91
Bonney Gro. G Oak —3A 6
Bonney Way. Swan —6C 114
Bonnington Ct. N'holt —5H 53
(off Gallery Gdns.)
Bonnington Ho. N1 —5K 59
Bonnington Sq. SW8 —7K 75
Bonny St. NW1 —3G 59
Bonser Rd. Twic —8D 86
Bonsey's Yd. Uxb —3B 142
Bonsor Ho. SW8 —9G 75
Bonsor St. SE5 —8C 76
Bonville Gdns. NW4 —2F 40
Bonville Rd. Brom —2D 110
Bookbinders Cottage Homes. N20 —3D 26
Booker Clo. E14 —8K 61
Booker Rd. N18 —5E 28
Bookham Ct. SW19 —7B 106
Boomes Ind. Est. Rain —7D 66
Boone Ct. N9 —3G 29
Boones Rd. SE13 —3C 94
Boone St. SE13 —3C 94
Boord St. SE10 —4C 78
Boothby Ct. E4 —3A 30
Boothby Rd. N19 —7H 43
Booth Clo. E9 —4F 60
Booth Clo. SE28 —2F 80
Booth La. EC4 —1A 76
(off Baynard St.)
Boothman Ho. Kent —1H 39
Booth Rd. NW9 —9B 24
Booth Rd. Croy —4M 123
Booth's Pl. W1 —8G 59
Boot Pde. Edgw —6L 23
(off High St.)
Boot St. N1 —6C 60
Bordars Rd. W7 —8C 54
Bordars Wlk. W7 —8C 54
Borden Av. Enf —8B 16
Border Cres. SE26 —2F 108
Border Gdns. Croy —6M 125
Bordergate. Mitc —5C 106
Border Rd. SE26 —2F 108
Border's La. Lou —6L 19
Bordesley Rd. Mord —9M 105
Bordeston Ct. Bren —8G 71
(off Augustus Clo.)
Bordon Wlk. SW15 —6E 88
Boreas Wlk. N1 —5M 59
(off Nelson Pl.)
Boreham Av. E16 —9E 62
Boreham Clo. E10 —6A 46
Boreham Holt. Els —6K 11
Boreham Rd. N22 —9A 28
Borehamwood. —5L 11
Borehamwood Enterprise Cen. Borwd —5K 11
Borehamwood F.C. —4M 11
Borehamwood Ind. Pk. Borwd —4B 12
Boreman Ho. SE10 —7A 78
(off Thames St.)
Borgard Rd. SE18 —5K 79
Borkwood Pk. Orp —6D 128
Borkwood Way. Orp —6C 128
Borland Rd. SE15 —3G 93
Borland Rd. Tedd —4F 102
Borneo St. SW15 —2G 89
Borough High St. SE1 —3A 76
Borough Hill. Croy —5M 123
Borough Rd. SE1 —4M 75
Borough Rd. Iswth —9C 70
Borough Rd. King T —5L 103
Borough Rd. Mitc —6C 106
Borough Sq. SE1 —3A 76
(off McCoid Way)
Borough, The. —3B 76
Borrett Clo. SE17 —6A 76
Borrodaile Rd. SW18 —5M 89
Borrowdale. NW1 —6G 59
(off Robert St.)
Borrowdale Av. Harr —9E 22
Borrowdale Clo. Ilf —2J 47
Borrowdale Clo. S Croy —5D 138
Borrowdale Ct. Enf —3A 16
Borrowdale Dri. S Croy —4D 138
Borthwick M. E15 —9C 46
Borthwick Rd. E15 —9C 46
Borthwick Rd. NW9 —4D 40
Borthwick St. SE8 —6L 77
Borwick Av. E17 —1K 45
Bosanquet Clo. Uxb —7B 142
Bosbury Rd. SE6 —9A 94
Boscastle Rd. NW5 —8F 42
Boscobel Ho. E8 —2F 60
Boscobel Pl. SW1 —5E 74
Boscobel St. W2 —7B 58
Bosco Clo. Orp —6D 128
Boscombe Av. E10 —5B 46
Boscombe Av. Horn —5H 51
Boscombe Clo. E5 —1J 61
Boscombe Gdns. SW16 —3J 107
Boscombe Ho. Croy —3B 124
(off Sydenham Rd.)
Boscombe Rd. SW17 —3E 106
Boscombe Rd. SW19 —5M 105
Boscombe Rd. W12 —2E 72
Boscombe Rd. Wor Pk —3G 121
Bose Clo. N3 —8J 25
Bosgrove. E4 —2A 30
Boss Ho. SE1 —3D 76
(off Boss St.)
Boss St. SE1 —3D 76
Bostall Hill. SE2 —6E 80
Bostall La. SE2 —6F 80
Bostall Mnr. Way. SE2 —5F 80
Bostall Pk. Av. Bexh —8J 81
Bostall Rd. Orp —4F 112
Bostock Ho. Houn —7L 69
Boston Bus. Pk. W7 —4C 70
Boston Gdns. W4 —7C 72
Boston Gdns. W7 —5E 70
Boston Gdns. Bren —5F 70
Boston Gro. Ruis —4A 36
Boston Manor. —5E 70
Boston Manor House. —6F 70
Boston Mnr. Rd. Bren —5F 70
Boston Pde. W7 —4E 70
Boston Pk. Rd. Bren —6G 71
Boston Pl. NW1 —7D 58
Boston Rd. E6 —6J 63
Boston Rd. E17 —4L 45
Boston Rd. W7 —2C 70
Boston Rd. Croy —1K 123
Boston Rd. Edgw —7A 24
Bostonthorpe Rd. W7 —3C 70
Boston Va. W7 —5E 70
Bosun Clo. E14 —3L 77
Boswell Clo. Orp —1G 129

Boswell Ct.—Braemar Rd.

Boswell Ct. W14 —4H 73
(off Blythe Rd.)
Boswell Ct. WC1 —8J 59
Boswell Ct. King T —5K 103
(off Clifton Rd.)
Boswell Ho. WC1 —8J 59
(off Boswell St.)
Boswell Path. Hay —5D 68
Boswell Rd. T Hth —8A 108
Boswell St. WC1 —8J 59
Bosworth Clo. E17 —8K 29
Bosworth Cres. Romf —6G 35
Bosworth Ho. W10 —7J 57
(off Bosworth Rd.)
Bosworth Ho. Eri —6C 82
(off Saltford Clo.)
Bosworth Rd. N11 —6H 27
Bosworth Rd. W10 —7J 57
Bosworth Rd. Barn —5L 13
Bosworth Rd. Dag —8L 49
Botany Bay. —1H 15
Botany Bay La. Chst —7A 112
Botany Clo. Barn —6C 14
Botany Way. Purf —6M 83
Boteley Clo. E4 —2B 30
Botham Clo. Edgw —7A 24
Botha Rd. E13 —8F 62
Bothwell Clo. E16 —8D 62
Bothwell Rd. New Ad —4M 124
Bothwell St. SW6 —7H 73
Botolph All. EC3 —1C 76
(off Botolph La.)
Botolph La. EC3 —1C 76
Botsford Rd. SW20 —6J 105
Bott Rd. Dart —1K 115
Botts M. W2 —9L 57
Botwell Comn. Rd. Hay —1B 68
Botwell Cres. Hay —9C 52
Botwell La. Hay —1C 68
Boucher Clo. Tedd —2D 102
Bouchier Ho. N2 —9B 26
Bouchier Wlk. Rain —2E 66
Bough Beech Ct. Enf —1H 17
Boughton Av. Brom —2D 126
Boughton Ho. SE1 —3B 76
(off Tennis St.)
Boughton Rd. SE28 —4C 80
Boulcott St. E1 —9H 61
Boulevard Cen., The. Borwd —5L 11
Boulevard, The. SW17 —8E 90
Boulevard, The. SW18 —3M 89
Boulevard, The. Pinn —2L 37
(in two parts)
Boulevard, The. Wat —7B 8
Boulevard, The. Wfd G —6L 31
Boulevard 25. Borwd —5L 11
Boulmer Rd. Uxb —6A 142
Boulogne Ho. SE1 —4D 76
(off Abbey St.)
Boulogne Rd. Croy —1A 124
Boulter Gdns. Rain —2E 66
Boulter Ho. SE14 —9G 77
(off Kender St.)
Boulton Ho. Bren —6J 71
Boulton Rd. Dag —7J 49
Boultwood Rd. E6 —9K 63
Bounces La. N9 —2F 28
Bounces Rd. N9 —2F 28
Boundaries Rd. SW12 —8D 90
Boundaries Rd. Felt —7G 85
Boundary Av. E17 —5K 45
Boundary Bus. Ct. Mitc —7B 106
Boundary Clo. SE25 —6E 108
Boundary Clo. Barn —3K 13
Boundary Clo. Ilf —9C 48
Boundary Clo. King T —7M 103
Boundary Clo. S'hall —6L 69
Boundary Ct. N18 —6D 28
(off Snells Pk.)
Boundary Ho. SE5 —8A 76
Boundary La. E13 —6H 63
Boundary La. SE5 —7A 76
Boundary M. NW8 —4A 58
(off Boundary Rd.)
Boundary Pas. E1 —7D 60
Boundary Rd. E13 —5G 63
Boundary Rd. E17 —5K 45
Boundary Rd. N2 —8B 26
Boundary Rd. N9 —8G 17
Boundary Rd. N22 —1M 43
Boundary Rd. NW8 —4M 57
Boundary Rd. SW19 —3B 106
Boundary Rd. Bark —5A 64
(in two parts)
Boundary Rd. Cars & Wall —8F 122
Boundary Rd. Pinn —5H 37
Boundary Rd. Romf —4E 50
Boundary Rd. Sidc —4C 96
Boundary Rd. Upm —8L 51
Boundary Rd. Wemb —8J 39
Boundary Row. SE1 —3M 75
Boundary St. E2 —6D 60
(in two parts)
Boundary St. Eri —8D 82
Boundary Way. Croy —7L 125
Boundary Way. Wat —5F 4
Boundfield Rd. SE6 —9C 94
Bounds Green. —6H 27
Bounds Grn. Ct. N11 —6H 27
(off Bounds Grn. Rd.)
Bounds Grn. Ind. Est. N11 —6G 27
Bounds Grn. Rd. N11 & N22 —6G 27
Bourbon Ho. SE6 —2A 110
Bourchier St. W1 —1H 75
(in two parts)
Bourdon Pl. W1 —1F 74
(off Bourdon St.)
Bourdon Rd. SE20 —6G 109
Bourdon St. W1 —1F 74
Bourke Clo. NW10 —2C 56
Bourke Clo. SW4 —5J 91
Bourlet Clo. W1 —8G 59
Bourn Av. N15 —2B 44
Bourn Av. Uxb —7E 142
Bournbrook Rd. SE3 —2H 95
Bourne Av. N14 —2J 27
Bourne Av. Barn —7B 14
Bourne Av. Hay —4A 68
Bourne Av. Ruis —1G 53
Bournebridge. —1M 33
Bournebridge La. Stap A —1M 33
Bourne Cir. Hay —4A 68
Bourne Clo. Th Dit —4D 118
Bourne Ct. W4 —7A 72
Bourne Ct. S Ruis —1F 52
Bourne Ct. Wfd G —1H 47
Bourne Dri. Mitc —6B 106
Bourne End. Horn —5L 51
Bourne End Rd. N'wd —4C 20
Bourne Est. EC1 —8L 59
Bourne Gdns. E4 —4M 29
Bournehall. Bush —8L 9
Bournehall Av. Bush —7L 9
Bournehall La. Bush —8L 9
Bourne Hall Mus. —1D 134
Bournehall Rd. Bush —8L 9
Bourne Hill. N14 —1J 27
Bourne Hill Clo. N13 —2K 27
Bourne Ind. Pk., The. Dart —4C 98
Bourne Mead. Bex —4A 98
Bournemead Av. N'holt —5E 52
Bournemead Clo. N'holt —6E 52
Bournemead Way. N'holt —5F 52
Bourne M. W1 —9E 58
Bournemouth Clo. SE15 —1E 92
Bournemouth Rd. SE15 —1E 92
Bournemouth Rd. SW19 —5L 105
Bourne Pde. Bex —6M 97
Bourne Pk. Clo. Kenl —8C 138
Bourne Pl. W4 —6B 72
Bourne Rd. E7 —8D 46
Bourne Rd. N8 —4J 43
Bourne Rd. Bex & Dart —6M 97
Bourne Rd. Brom —8H 111
Bourne Rd. Bush —7L 9
Bournes Ho. N15 —4C 44
(off Chisley Rd.)
Bourneside Cres. N14 —1H 27
Bourneside Gdns. SE6 —2A 110
Bourne St. SW1 —5E 74
Bourne St. Croy —4M 123
Bourne Ter. W2 —8M 57
Bourne, The. N14 —1H 27
Bourne Va. Brom —3D 126
Bournevale Rd. SW16 —1J 107
Bourne Vw. Gnfd —2D 54
Bourne Vw. Kenl —7B 138
Bourne Way. Brom —4D 126
Bourne Way. Eps —6A 120
Bourne Way. Sutt —7K 121
Bourne Way. Swan —7A 114
Bournewood Rd. SE18 —8E 80
Bournewood Rd. Orp —2F 128
Bournville Rd. SE6 —6L 93
Bournwell Clo. Barn —5D 14
Bourton Clo. Hay —2E 68
Bousfield Rd. SE14 —1H 93
Boutflower Rd. SW11 —3C 90
Boutique Hall. SE13 —3A 94
Bouverie Gdns. Harr —4H 39
Bouverie Gdns. Purl —6K 137
Bouverie M. N16 —7C 44
Bouverie Pl. W2 —9B 58
Bouverie Rd. N16 —7C 44
Bouverie Rd. Harr —4A 38
Bouverie St. EC4 —9L 59
Bouvier Rd. Enf —2G 17
Boveney Rd. SE23 —6H 93
Bovill Rd. SE23 —6H 93
Bovingdon Av. Wemb —2L 55
Bovingdon Clo. N19 —7G 43
Bovingdon Cres. Wat —7H 5
Bovingdon La. NW9 —8C 24
Bovingdon Rd. SW6 —9M 73
Bovingdon Sq. Mitc —8J 107
Bow. —6L 61
Bow Arrow La. Dart —5L 99
Bowater Clo. NW9 —3B 40
Bowater Clo. SW2 —5J 91
Bowater Ho. EC1 —7A 60
(off Golden La. Est.)
Bowater Pl. SE3 —8F 78
Bowater Rd. SE18 —4H 79
Bow Bri. Est. E3 —6M 61
Bow Brook, The. E2 —5H 61
(off Mace St.)
Bow Chyd. EC4 —9A 60
(off Cheapside)
Bow Common. —8L 61
Bow Comn. La. E3 —7K 61
Bowden Clo. Felt —7C 84
Bowden Dri. Horn —6J 51
Bowden St. SE11 —6L 75
Bowditch. SE8 —5K 77
(in two parts)
Bowdon Rd. E17 —5L 45
Bowen Dri. SE21 —9C 92
Bowen Rd. Harr —5A 38
Bowen St. E14 —9M 61
Bowens Wood. Croy —1K 139
Bower Av. SE10 —9C 78
Bower Clo. N'holt —5G 53
Bower Clo. Romf —7B 34
Bower Ct. E4 —1A 30
(off Ridgeway, The)
Bowerdean St. SW6 —9M 73
Bower Farm Rd. Hav —3A 34
Bower Ho. SE14 —9H 77
(off Besson St.)
Bower La. Eyns & Knat —4J 131
Bowerman Av. SE14 —7J 77
Bowerman Ct. N19 —7H 43
(off St John's Way)
Bower Rd. Swan —4E 114
Bower St. E1 —9H 61
Bowers Wlk. E6 —9K 63
Bowes Clo. Sidc —5F 96
Bowes Ct. Dart —5M 99
(off Osbourne Rd.)
Bowe's Ho. Bark —3M 63
Bowes-Lyon Hall. E16 —2E 78
(off Wesley Av., in two parts)
Bowes Park. —7J 27
Bowes Rd. N11 & N13 —5G 27
Bowes Rd. W3 —1C 72
Bowes Rd. Dag —9G 49
Bowes Rd. W on T —4F 116
Bowfell Rd. W6 —7G 73
Bowford Av. Bexh —9J 81
Bowhill Clo. SW9 —8L 75
Bowie Clo. SW4 —6H 91
Bow Ind. Pk. E15 —3L 61
Bow Interchange. (Junct.) —5M 61
Bowland Rd. SW4 —3H 91
Bowland Rd. Wfd G —5G 31
Bowland Yd. SW1 —3D 74
(off Kinnerton St.)
Bow La. EC4 —9A 60
Bow La. N12 —7A 26
Bow La. Mord —1J 121
Bowl Ct. EC2 —7C 60
Bowles Grn. Enf —9B 6
Bowles Rd. SE1 —7E 76
Bowley Clo. SE19 —3D 108
Bowley Ho. SE16 —4E 76
Bowley La. SE19 —2D 108
Bowling Clo. Uxb —4D 142
Bowling Ct. Wat —6E 8
Bowling Grn. Clo. SW15 —6F 88
Bowling Grn. Ct. Wemb —7K 39
Bowling Grn. La. EC1 —7L 59
Bowling Grn. Pl. SE1 —3D 76
Bowling Grn. Row. SE18 —4K 79
Bowling Grn. St. SE11 —7L 75
Bowling Grn. Wlk. N1 —6C 60
Bowls Clo. Stan —5F 22
Bowls, The. Chig —3C 32
Bowman Av. E16 —1D 78
Bowman M. SW18 —7K 89
Bowmans. —6D 98
Bowman's Bldgs. NW1 —8C 58
(off Penfold Pl.)
Bowmans Clo. W13 —2F 70
Bowmans Grn. Wat —9J 5
Bowmans Lea. SE23 —6G 93
Bowmans Mdw. Wall —5F 122
Bowman's M. E1 —1E 76
Bowman's M. N7 —8J 43
Bowman's Pl. N7 —8J 43
Bowman's Rd. Dart —6D 98
Bowman Trad. Est. NW9 —2L 39
Bowmead. SE9 —8K 95
Bowmore Wlk. NW1 —3H 59
Bowness Clo. E8 —2D 60
(off Beechwood Rd.)
Bowness Cres. SW15 —2C 104
Bowness Dri. Houn —3J 85
Bowness Ho. SE15 —8G 77
(off Hillbeck Clo.)
Bowness Rd. SE6 —6M 93
Bowness Rd. Bexh —1M 97
Bowness Way. Horn —1E 66
Bowood Rd. SW11 —4E 90
Bowood Rd. Enf —4H 17
Bowring Grn. Wat —5G 21
Bow Rd. E3 —6K 61
Bowrons Av. Wemb —3H 55
Bowry Ho. E14 —8K 61
(off Wallwood St.)
Bowsley Ct. Felt —8E 84
Bowsprit Point. E14 —4L 77
(off Westferry Rd.)
Bow St. E15 —1C 62
Bow St. WC2 —9J 59
Bow Triangle Bus. Cen. E3 —7L 61
Bowyer Clo. E6 —8K 63
Bowyer Ho. N1 —4C 60
(off Whitmore Est.)
Bowyer Pl. SE5 —8A 76
Bowyers Clo. Asht —9K 133
Bowyer St. SE5 —8A 76
Boxall Rd. SE21 —5C 92
Boxelder Clo. Edgw —5A 24
Boxford Clo. S Croy —4H 139
Boxgrove Rd. SE2 —3F 80
Box La. Bark —5F 64
Boxley Rd. Mord —8A 106
Boxley St. E16 —2F 78
Boxmoor Ho. W11 —2H 73
(off Queensdale Cres.)
Boxmoor Ho. W11 —2H 73
(off Queensdale Cres.)
Boxmoor Rd. Harr —2F 38
Boxmoor Rd. Romf —5A 34
Boxoll Rd. Dag —9K 49
Box Ridge Av. Purl —4K 137
Boxted Clo. Buck H —1J 31
Box Tree Ho. SE8 —7J 77
Boxtree La. Harr —8A 22
Boxtree Rd. Harr —7B 22
Box Tree Wlk. Orp —3H 129
Boxwood Clo. W Dray —3K 143
Boxwood Way. Warl —9H 139
Boxworth Clo. N12 —5B 26
Boxworth Gro. N1 —4K 59
Boyard Rd. SE18 —6M 79
Boyce Clo. Borwd —3J 11
Boyce Ho. W10 —6K 57
(off Bruckner St.)
Boyce Way. E13 —7E 62
Boycroft Av. NW9 —4A 40
Boyd Av. S'hall —2K 69
Boyd Clo. King T —4L 103
Boydell Ct. NW8 —3B 58
Boyden Ho. E17 —1A 46
Boyd Rd. SW19 —3B 106
Boyd St. E1 —9E 60
Boyfield St. SE1 —3M 75
Boyland Rd. Brom —2D 110
Boyle Av. Stan —6E 22
Boyle Clo. Uxb —5D 142
Boyle Farm Rd. Th Dit —1E 118
Boyle St. W1 —1G 75
Boyne Av. NW4 —2H 41
Boyne Rd. SE13 —2A 94
Boyne Rd. Dag —8L 49
Boyne Ter. M. W11 —2K 73
Boyseland Ct. Edgw —2A 24
Boyson Rd. SE5 —7A 76
(in two parts)
Boyson Wlk. SE17 —7B 76
Boyton Clo. E1 —7G 61
Boyton Clo. N8 —1J 43
Boyton Ho. NW8 —5B 58
(off Wellington Rd.)
Boyton Rd. N8 —1J 43
Brabant Ct. EC3 —1C 76
(off Philpot La.)
Brabant Rd. N22 —9K 27
Brabazon Av. Wall —9J 123
Brabazon Rd. Houn —8G 69
Brabazon Rd. N'holt —5L 53
Brabazon St. E14 —9M 61
Brabner Ho. E2 —6E 60
(off Wellington Row)
Brabourne Clo. SE19 —2C 108
Brabourne Cres. Bexh —7K 81
Brabourne Heights. NW7 —3C 24
Brabourne Ri. Beck —9A 110
Brabourn Gro. SE15 —1G 93
Brabrook Ct. Wall —6F 122
Brabstone Ho. Gnfd —5D 54
Bracer Ho. N1 —5C 60
(off Whitmore Est.)
Bracewell Av. Gnfd —1D 54
Bracewell Rd. W10 —8G 57
Bracewood Gdns. Croy —5D 124
Bracey M. N19 —7J 43
Bracey St. N4 —7J 43
Bracken Av. SW12 —5E 90
Bracken Av. Croy —5L 125
Brackenbridge Dri. Ruis —8H 37
Brackenbury. N4 —6L 43
(off Osborne Rd.)
Brackenbury Gdns. W6 —4F 72
Brackenbury Rd. N2 —1A 42
Brackenbury Rd. W6 —4F 72
Bracken Clo. E6 —8K 63
Bracken Clo. Borwd —3M 11
Bracken Clo. Sun —3D 100
Bracken Clo. Twic —6L 85
Brackendale. N21 —2K 27
Brackendale Clo. Houn —9M 69
Brackendale Gdns. Upm —9M 51
Brackendene. Brick W —3K 5
Brackendene. Dart —1C 114
Bracken Dri. Chig —6M 31
Bracken End. Iswth —4B 86
Brackenfield Clo. E5 —8F 44
Bracken Gdns. SW13 —1E 88
Brackenhill. Ruis —9J 37
Bracken Hill Clo. Brom —5D 110
Bracken Hill La. Brom —5D 110
Bracken Ho. E3 —8L 61
(off Devons Rd.)
Bracken Ind. Est. Ilf —7D 32
Bracken M. E4 —1A 30
Bracken M. Romf —4M 49
Bracken Path. Eps —5M 133
Brackens. Beck —4L 109
Brackens, The. Enf —9C 16
Brackens, The. Orp —7E 128
Bracken, The. E4 —2A 30
Brackenwood. Sun —5E 100
Brackenwood Lodge. Barn —6L 13
(off Prospect Rd.)
Brackley. Wey —7B 116
Brackley Clo. Wall —9J 123
Brackley Ct. NW8 —7B 58
(off Henderson Dri.)
Brackley Rd. W4 —6C 72
Brackley Rd. Beck —4K 109
Brackley Sq. Wfd G —7H 31
Brackley St. EC1 —7A 60
Brackley Ter. W4 —6C 72
Bracklyn Ct. N1 —5B 60
(in three parts)
Bracklyn St. N1 —5B 60
Bracknell Clo. N22 —8L 27
Bracknell Gdns. NW3 —9M 41
Bracknell Ga. NW3 —1M 57
Bracknell Way. NW3 —9M 41
Bracondale. Esh —7A 118
Bracondale Rd. SE2 —5E 80
Bradbeer Ho. E2 —6G 61
(off Cornwall Av.)
Bradbourne Rd. Bex —6L 97
Bradbourne St. SW6 —1L 89
Bradbury Clo. Borwd —3M 11
Bradbury Clo. S'hall —5K 69
Bradbury M. N16 —1C 60
(off Bradbury St.)
Bradbury St. N16 —1C 60
Braddock Clo. Iswth —1D 86
Braddon Ct. Barn —5J 13
Braddon Rd. Rich —2K 87
Braddyll St. SE10 —6C 78
Bradenham. SE17 —7B 76
(off Bradenham Clo.)
Bradenham Av. Well —3E 96
Bradenham Clo. SE17 —7B 76
Bradenham Rd. Harr —2F 38
Bradenham Rd. Hay —6C 52
Braden St. W9 —7M 57
Bradfield Ct. NW1 —3F 58
(off Hawley Rd.)
Bradfield Dri. Bark —1E 64
Bradfield Rd. E16 —3E 78
Bradfield Rd. Ruis —1J 53
Bradford Clo. N17 —6D 28
Bradford Clo. SE26 —1F 108
Bradford Clo. Brom —3K 127
Bradford Dri. Eps —8D 120
Bradford Ho. W14 —4H 73
(off Spring Va. Ter.)
Bradford Rd. W3 —3C 72
Bradford Rd. Ilf —6B 48
Bradgate Rd. SE6 —5M 93
Brading Cres. E11 —7F 46
Brading Rd. SW2 —6K 91
Brading Rd. Croy —1K 123
Brading Ter. W12 —4E 72
Bradiston Rd. W9 —6K 57
Bradley Clo. N7 —2J 59
Bradley Clo. Belm —2M 135
Bradley Ct. Enf —2J 17
(off Bradley Rd.)
Bradley Gdns. W13 —9F 54
Bradley Ho. E2 —5E 60
(off Claredale St.)
Bradley Ho. SE16 —5G 77
(off Raymouth Rd.)
Bradley M. SW17 —7D 90
Bradley Rd. N22 —9K 27
Bradley Rd. SE19 —3A 108
Bradley Rd. Enf —2J 17
Bradley Rd. Wal A —8J 7
Bradley's Clo. N1 —5L 59
Bradley Stone Rd. E6 —8K 63
Bradman Row. Edgw —7A 24
Bradmead. SW8 —8F 74
Bradmore Ho. E1 —8G 61
(off Jamaica St.)
Bradmore Pk. Rd. W6 —5F 72
Bradmore Way. Coul —9J 137
Bradshaw Clo. SW19 —3L 105
Bradshawe Waye. Uxb —8D 142
Bradshaw Rd. Wat —3G 9
Bradshaws Clo. SE25 —7E 108
Bradstock Ho. E9 —3H 61
Bradstock Rd. E9 —2H 61
Bradstock Rd. Eps —7E 120
Brad St. SE1 —2L 75
Bradwell Av. Dag —7L 49
Bradwell Clo. E18 —2D 46
Bradwell Clo. Horn —2F 66
Bradwell Ho. NW6 —4M 57
(off Mortimer Cres.)
Bradwell M. N18 —4E 28
Bradwell Rd. Buck H —9J 19
Brady Ct. Dag —6H 49
Brady Ho. SW8 —9G 75
(off Corunna Rd.)
Bradymead. E6 —9L 63
Brady St. E1 —7F 60
Braeburn Ct. Barn —6B 14
Braemar Av. N22 —8J 27
Braemar Av. NW10 —8B 40
Braemar Av. SW19 —8L 89
Braemar Av. Bexh —3A 98
Braemar Av. S Croy —2A 138
Braemar Av. T Hth —7L 107
Braemar Av. Wemb —3H 55
Braemar Ct. SE6 —7D 94
Braemar Gdns. NW9 —8B 24
Braemar Gdns. Horn —4L 51
Braemar Gdns. Sidc —9B 96
Braemar Gdns. W W'ck —3A 126
Braemar Ho. W9 —6A 58
(off Maida Va.)
Braemar Rd. E13 —7D 62
Braemar Rd. N15 —3C 44
Braemar Rd. Bren —7H 71
Braemar Rd. Wor Pk —5F 120

Braemer Clo. SE16 —6F 76
(off Masters Dri.)
Braeside. Beck —2L 109
Braeside Av. SW19 —5J 105
Braeside Clo. Pinn —7L 21
Braeside Cres. Bexh —3A 98
Braeside Rd. SW16 —4G 107
Braes St. N1 —3M 59
Braesyde Clo. Belv —5K 81
Brafferton Rd. Croy —6A 124
Braganza St. SE17 —6M 75
Bragg Clo. Dag —2F 64
Bragg Rd. Tedd —3C 102
Braham Ho. SE11 —6K 75
Braham St. E1 —9D 60
Braid Av. W3 —9C 56
Braid Clo. Felt —8K 85
Braid Ho. SE10 —9A 78
(off Blackheath Hill)
Braidwood Pas. EC1 —8A 60
(off Aldersgate St.)
Braidwood Rd. SE6 —7B 94
Brailsford Clo. SW19 —4C 106
Brailsford Rd. SW2 —4L 91
Brainton Av. Felt —6F 84
Braintree Av. Ilf —2J 47
Braintree Ho. E1 —7G 61
(off Malcolm Rd.)
Braintree Rd. Dag —8L 49
Braintree Rd. Ruis —9F 36
Braintree St. E2 —6G 61
Braithwaite Av. Romf —5L 49
Braithwaite Gdns. Stan —8G 23
Braithwaite Ho. E14 —9B 62
Braithwaite Ho. EC1 —7B 60
(off Bunhill Row)
Braithwaite Rd. Enf —5K 17
Braithwaite Tower. W2 —8B 58
(off Hall Pl.)
Bramah Grn. SW9 —9L 75
Bramah Tea & Coffee Mus.
(off Maguire St.) —3D 76
Bramalea Clo. N6 —4E 42
Bramall Clo. E15 —1D 62
Bramall Ct. N7 —1K 59
(off George's Rd.)
Bramber. WC1 —6J 59
(off Cromer St.)
Bramber Ct. W5 —5J 71
Bramber Ct. Dart —5M 99
(off Bow Arrow La.)
Bramber Rd. N12 —5C 26
Bramber Rd. W14 —7K 73
Brambleacres Clo. Sutt —9L 121
Bramble Banks. Cars —1E 136
Bramblebury Rd. SE18 —6A 80
Bramble Clo. N15 —2E 44
Bramble Clo. Beck —9A 110
Bramble Clo. Croy —6L 125
Bramble Clo. Shep —7B 100
Bramble Clo. Stan —7H 23
Bramble Clo. Uxb —9D 142
Bramble Clo. Wat —7E 4
Bramble Cft. Eri —5A 82
Brambledown Clo. W W'ck —9C 110
Brambledown Rd. Cars & Wall —9E 122
Brambledown Rd. S Croy —9C 124
Bramble Gdns. W12 —1D 72
Bramble Ho. E3 —8L 61
(off Devons Rd.)
Bramble La. Hamp —3K 101
Brambles Clo. Iswth —8F 70
Brambles Farm Dri. Uxb —6E 142
Brambles, The. SW19 —2K 105
(off Woodside)
Brambles, The. Chesh —4D 6
Brambles, The. Chig —5A 32
Brambles, The. W Dray —5J 143
Bramble Wlk. Eps —6M 133
Bramblewood Clo. Cars —3C 122
Brambling Clo. Bush —6J 9
Brambling Ct. SE8 —7K 77
(off Abinger Gro.)
Bramblings, The. E4 —4B 30
Bramcote Av. Mitc —8D 106
Bramcote Gro. SE16 —6G 77
Bramcote Rd. SW15 —3F 88
Bramdean Cres. SE12 —7E 94
Bramdean Gdns. SE12 —7E 94
Bramerton Rd. Beck —7K 109
Bramerton St. SW3 —7C 74
Bramfield. Wat —7J 5
Bramfield Ct. N4 —8A 44
(off Queens Dri.)
Bramfield Rd. SW11 —5C 90
Bramford Ct. N14 —2H 27
Bramford Rd. SW18 —3A 90
Bramham Ct. N'wd —6C 20
Bramham Gdns. SW5 —6M 73
Bramham Gdns. Chess —6H 119
Bramham Ho. SE15 —2D 92
Bramhope La. SE7 —7F 78
Bramlands Clo. SW11 —2C 90
Bramleas. Wat —7D 8
Bramley Av. Coul —7G 137
Bramley Av. Shep —7C 100
Bramley Clo. E17 —9J 29
Bramley Clo. N14 —7F 14
Bramley Clo. Eastc —1D 36
Bramley Clo. Hay —1E 68
Bramley Clo. Orp —3M 127
Bramley Clo. S Croy —7A 124
Bramley Clo. Swan —8C 114
Bramley Clo. Twic —5A 86
Bramley Ct. E4 —1A 30
(off Ridgeway, The)
Bramley Ct. Barn —6C 14
Bramley Ct. Mitc —6B 106
Bramley Ct. S'hall —1A 70
(off Baird Av.)
Bramley Ct. Wat —5F 4
Bramley Ct. Well —9F 80
Bramley Cres. SW8 —8H 75
Bramley Cres. Ilf —4L 47
Bramley Gdns. Wat —5G 21
Bramley Hill. S Croy —7M 123
Bramley Ho. SW15 —5D 88
(off Tunworth Cres.)
Bramley Ho. W10 —9H 57
Bramley Ho. Houn —3K 85
Bramley Ho. Ct. Enf —1B 16
Bramleyhyrst. S Croy —6A 124
(off Bramley Hill)
Bramley Pde. N14 —6G 15
Bramley Pl. Dart —3E 98
Bramley Rd. N14 —7F 14
Bramley Rd. W5 —4G 71
Bramley Rd. W10 —9H 57
Bramley Rd. Cheam —1H 135
Bramley Rd. Sutt —7B 122
Bramley Shaw. Wal A —6M 7
Bramley Way. Asht —9K 133
Bramley Way. Houn —4K 85
Bramley Way. W W'ck —4M 125
Brampton. WC1 —8K 59
(off Red Lion Sq.)
Brampton Clo. E5 —7F 44
Brampton Clo. Chesh —1A 6
Brampton Ct. NW4 —2F 40
Brampton Gdns. N15 —3A 44
Brampton Gdns. W on T —7G 117
Brampton Gro. NW4 —2F 40
Brampton Gro. Harr —2E 38
Brampton Gro. Wemb —6L 39
Brampton La. NW4 —2G 41
Brampton Pk. Rd. N8 —1L 43
Brampton Rd. E6 —6H 63
Brampton Rd. N15 —3A 44
Brampton Rd. NW9 —2L 39
Brampton Rd. SE2 & Bexh —7G 81
Brampton Rd. Croy —2D 124
Brampton Rd. Uxb —5F 142
Brampton Rd. Wat —3E 20
Brampton Ter. Borwd —2L 11
(off Stapleton Rd.)
Bramshaw Gdns. Wat —5H 21
Bramshaw Ri. N Mald —1C 120
Bramshaw Rd. E9 —2H 61
Bramshill Clo. Chig —5C 32
Bramshill Gdns. NW5 —8F 42
Bramshill Rd. NW10 —5D 56
Bramshot Av. SE7 —7E 78
Bramshot Way. Wat —2E 20
Bramshurst. NW8 —4M 57
(off Abbey Rd.)
Bramston Clo. Ilf —6D 32
Bramston Rd. NW10 —5E 56
Bramston Rd. SW17 —9A 90
Bramwell Clo. Sun —6H 101
Bramwell Ho. SE1 —4A 76
Bramwell Ho. SW1 —6G 75
(off Churchill Gdns.)
Bramwell M. N1 —4K 59
Brancaster Dri. NW7 —7E 24
Brancaster Ho. E1 —6H 61
(off Moody St.)
Brancaster La. Purl —2A 138
Brancaster Pl. Lou —5K 19
Brancaster Rd. E12 —9K 47
Brancaster Rd. SW16 —9J 91
Brancaster Rd. Ilf —4C 48
Brancepeth Gdns. Buck H —2E 30
Branch Hill. NW3 —8A 42
Branch Hill Ho. NW3 —8M 41
Branch Pl. N1 —4B 60
Branch Rd. E14 —1J 77
Branch Rd. Ilf —5F 32
Branch St. SE5 —8C 76
Brancker Clo. Wall —9J 123
Brancker Rd. Harr —1H 39
Brancroft Way. Enf —3J 17
Brand Clo. N4 —6M 43
Brandesbury Sq. Wfd G —7L 31
Brandlehow Rd. SW15 —3K 89
Brandon. NW9 —9D 24
(off Further Acre)
Brandon Est. SE17 —7M 75
Brandon Ho. Beck —2M 109
(off Beckenham Hill Rd.)
Brandon Mans. W14 —7J 73
(off Queen's Club Gdns.)
Brandon M. EC2 —8B 60
(off Silk St.)
Brandon Rd. E17 —2A 46
Brandon Rd. N7 —3J 59
Brandon Rd. Dart —6L 99
Brandon Rd. S'hall —6K 69
Brandon Rd. Sutt —6M 121
Brandon St. SE17 —5A 76
(in three parts)
Brandram M. SE13 —3C 94
(off Brandram Rd.)
Brandram Rd. SE13 —2C 94
Brandreth Ct. Harr —4D 38
Brandreth Rd. E6 —9K 63
Brandreth Rd. SW17 —8F 90
Brandries, The. Wall —5H 123
Brand St. SE10 —8A 78
Brandt Ct. Borwd —4B 12
(off Elstree Way)
Brandville Gdns. Ilf —2M 47
Brandville Rd. W Dray —3J 143
Brandy Way. Sutt —9L 121
Branfill Rd. Upm —7M 51
Brangbourne Rd. Brom —2A 110
Brangton Rd. SE11 —6K 75
Brangwyn Ct. W14 —4J 73
(off Blythe Rd.)
Brangwyn Cres. SW19 —5A 106
Branham Ho. SE18 —6M 79
Branksea St. SW6 —8J 73
Branksome Av. N18 —6D 28
Branksome Clo. Tedd —1B 102
Branksome Clo. W on T —4H 117
Branksome Ho. SW8 —8K 75
(off Meadow Rd.)
Branksome Rd. SW2 —4J 91
Branksome Rd. SW19 —5L 105
Branksome Way. Harr —4K 39
Branksome Way. N Mald —5A 104
Branksone Ct. N2 —1A 42
Bransby Rd. Chess —8J 119
Branscombe. NW1 —4G 59
(off Plender St.)
Branscombe Ct. Brom —9D 110
Branscombe Gdns. N21 —9L 15
Branscombe St. SE13 —2M 93
Bransdale Clo. NW6 —4L 57
Bransell Clo. Swan —1A 130
Bransgrove Rd. Edgw —8K 23
Branston Cres. Orp —3B 128
Branstone Ct. Purf —6M 83
Branstone Rd. Rich —9K 71
Brants Wlk. W7 —7C 54
Brantwood Av. Eri —8A 82
Brantwood Av. Iswth —3E 86
Brantwood Clo. E17 —1M 45
Brantwood Gdns. Enf —6J 15
Brantwood Gdns. Ilf —2J 47
Brantwood Ho. SE5 —8A 76
(off Wyndam Est.)
Brantwood Rd. N17 —6E 28
Brantwood Rd. SE24 —4A 92
Brantwood Rd. Bexh —1M 97
Brantwood Rd. S Croy —1A 138
Brantwood Way. Orp —7G 113
Branxholme Ct. Brom —5D 110
(off Highland Rd.)
Brasenose Dri. SW13 —7G 73
Brasher Clo. Gnfd —1B 54
Brassett Point. E15 —4C 62
(off Abbey Rd.)
Brassey Clo. Felt —7E 84
Brassey Ho. E14 —5M 77
(off Cahir St.)
Brassey Rd. NW6 —2K 57
Brassey Sq. SW11 —2E 90
Brassie Av. W3 —9C 56
Brass Talley All. SE16 —3H 77
Brasted Clo. SE26 —1G 109
Brasted Clo. Bexh —4H 97
Brasted Clo. Orp —4D 128
Brasted Clo. Sutt —2L 135
Brasted Lodge. SE20 —4L 109
Brasted Rd. Eri —8C 82
Brathay. NW1 —5G 59
(off Ampthill Est.)
Brathway Rd. SW18 —6L 89
Bratley St. E1 —7E 60
Bratten Ct. Croy —1B 124
Braund Av. Gnfd —7M 53
Braundton Av. Sidc —7D 96
Braunston Dri. Hay —7J 53
Bravington Pl. W9 —7K 57
Bravington Rd. W9 —5K 57
Brawne Ho. SE17 —7M 75
(off Brandon Est.)
Braxfield Rd. SE4 —3J 93
Braxted Pk. SW16 —3K 107
Bray. NW3 —3C 58
Brayards Rd. SE15 —1F 92
Brayards Rd. Est. SE15 —1G 93
(off Brayards Rd.)
Braybourne Clo. Uxb —2A 142
Braybourne Dri. Iswth —8D 70
Braybrooke Gdns. SE19 —4C 108
Braybrook St. W12 —8D 56
Brayburne Av. SW4 —1G 91
Bray Clo. Borwd —3A 12
Bray Ct. SW16 —2J 107
Braycourt Av. W on T —2F 116
Bray Cres. SE16 —3H 77
Braydon Rd. N16 —6E 44
Bray Dri. E16 —1D 78
Brayfield Ter. N1 —3L 59
Brayford Sq. E1 —9G 61
Bray Lodge. Chesh —1E 6
(off High St.)
Bray Pas. E16 —1E 78
Bray Pl. SW3 —5D 74
Bray Rd. NW7 —6H 25
Brays Springs. Wal A —7L 7
Brayton Gdns. Enf —6H 15
Braywood Rd. SE9 —3B 96
Brazil Clo. Bedd —2J 123
Breach La. Dag —6L 65
Bread St. EC4 —9A 60
(in two parts)
Breakfield. Coul —8J 137
Breakspear Ct. Ab L —3D 4
Breakspear Crematorium. Ruis —3A 36
Breakspeare Clo. Wat —2F 8
Breakspeare Rd. Ab L —4C 4
Breakspear Ho. Ruis —3B 36
Breakspear Rd. Ruis —5A 36
Breakspears Dri. Orp —5E 112
Breakspears M. SE4 —1K 93
Breakspears Rd. SE4 —3K 93
Bream Clo. N17 —2F 44
Bream Gdns. E6 —6L 63
Breamore Clo. SW15 —7E 88
Breamore Ho. SE15 —8E 76
(off Friary Est.)
Breamore Rd. Ilf —7D 48
Bream's Bldgs. EC4 —9L 59
Bream St. E3 —3L 61
Breamwater Gdns. Rich —9F 86
Brearley Clo. Edgw —7A 24
Brearley Clo. Uxb —2C 142
Breasley Clo. SW15 —3F 88
Breasy Pl. NW4 —2F 40
(off Burroughs Gdns.)
Brechin Pl. SW7 —5A 74
Brecknock Rd. N19 & N7 —9G 43
Brecknock Rd. Est. N19 —9G 43
Breckonmead. Brom —6G 111
Brecon Clo. Mitc —7J 107
Brecon Clo. Wor Pk —4G 121
Brecon Grn. NW9 —4C 40
Brecon Ho. W2 —9A 58
(off Hallfield Est.)
Brecon M. NW5 —1H 59
Brecon Rd. W6 —7J 73
Brecon Rd. Enf —6G 17
Brecons, The. Wey —6B 116
Brede Clo. E6 —6L 63
Bredel Ho. E14 —8L 61
(off St Paul's Way)
Bredgar Rd. N19 —7G 43
Bredhurst Clo. SE20 —3G 109
Bredo Ho. Bark —6F 64
Bredon Rd. Croy —2D 124
Bredune. Kenl —7B 138
Breer St. SW6 —2M 89
Breezers Ct. E1 —1E 76
(off Highway, The)
Breezer's Hill. E1 —1E 76
Breeze Ter. Chesh —1D 6
Brember Rd. Harr —7A 38
Bremer M. E17 —2M 45
Bremner Clo. Swan —8E 114
Bremner Rd. SW7 —4A 74
Brenchley Clo. Brom —1D 126
Brenchley Clo. Chst —5L 111
Brenchley Gdns. SE23 —5G 93
Brenchley Rd. Orp —6D 112
Brendans Clo. Horn —6J 51
Brenda Rd. SW17 —8D 90
Brende Gdns. W Mol —8M 101
Brendon Av. NW10 —9C 40
Brendon Clo. Eri —9C 82
Brendon Clo. Esh —8A 118
Brendon Clo. Hay —8A 68
Brendon Ct. S'hall —5M 69
Brendon Dri. Esh —8A 118
Brendon Gdns. Harr —9M 37
Brendon Gdns. Ilf —3C 48
Brendon Gro. N2 —9A 26
Brendon Rd. SE9 —8B 96
Brendon Rd. Dag —6K 49
Brendon St. W1 —9C 58
Brendon Vs. N21 —1A 28
Brendon Way. Enf —9C 16
Brenley Clo. Mitc —7E 106
Brenley Gdns. SE9 —3H 95
Brenley Ho. SE1 —3B 76
(off Tennis St.)
Brennand Ct. N19 —8G 43
Brent Clo. Bex —7J 97
Brent Clo. Dart —5M 99
Brentcot Clo. W13 —7F 54
Brent Ct. NW11 —5H 41
Brent Ct. W7 —1B 70
Brent Cres. NW10 —5K 55
Brent Cross. —5G 41
Brent Cross Fly-Over. NW2 —5H 41
Brent Cross Gdns. NW4 —4H 41
Brent Cross Interchange. (Junct.) —5H 41
Brent Cross Shop. Cen. NW4 —5G 41
Brentfield. NW10 —3M 55
Brentfield Clo. NW10 —2B 56
Brentfield Gdns. NW2 —5H 41
Brentfield Ho. NW10 —3B 56
Brentfield Rd. NW10 —2B 56
Brentfield Rd. Dart —5L 99
Brentford. —7H 71
Brentford Bus. Cen. Bren —8G 71
Brentford Clo. Hay —7H 53
Brentford End. —8F 70
Brentford F.C. —7H 71
Brentford Ho. Twic —6F 86
Brentford Musical Mus. —7J 71
Brent Grn. NW4 —3G 41
Brent Grn. Wlk. Wemb —8A 40
Brentham Way. W5 —7H 55
Brenthouse Rd. E9 —3G 61
Brenthurst Rd. NW10 —2D 56
Brentlands Dri. Dart —7L 99
Brent La. Dart —6K 99
Brent Lea. Bren —8G 71
Brentmead Clo. W7 —1C 70
Brentmead Gdns. NW10 —5K 55
Brentmead Pl. NW11 —4H 41
Brent New Enterprise Cen. NW10 —2D 56
Brenton St. E14 —9J 61
Brent Pk. Ind. Est. W7 —4F 68
Brent Pk. Rd. NW9 & NW4 —5F 40
(in two parts)
Brent Pl. Barn —7K 13
Brent Rd. E16 —9E 62
Brent Rd. SE18 —8M 79
Brent Rd. Bren —7G 71
Brent Rd. S'hall —4G 69
Brent Rd. S Croy —1F 138
Brent Side. Bren —7G 71
Brentside Clo. W13 —7E 54
Brentside Executive Cen. Bren —7F 70
Brent St. NW4 —2G 41
Brent Ter. NW2 —6G 41
(in two parts)
Brent, The. Dart —6L 99
Brent Trad. Cen. NW10 —1C 56
Brentvale Av. S'hall —2B 70
Brentvale Av. Wemb —4K 55
Brent Vw. Rd. NW9 —4E 40
Brentwaters Bus. Pk. Bren —8G 71
Brent Way. N3 —6L 25
Brent Way. Bren —8H 71
Brent Way. Dart —5M 99
Brent Way. Wemb —2M 55
Brentwick Gdns. Bren —5J 71
Brentwood Clo. SE9 —7A 96
Brentwood Ho. SE18 —8H 79
(off Portway Gdns.)
Brentwood Lodge. NW4 —3H 41
(off Holmdale Gdns.)
Brentwood Rd. Romf —4D 50
Brereton Rd. N17 —7D 28
Bressenden Pl. SW1 —4F 74
Bressey Av. Enf —3E 16
Bressey Gro. E18 —9D 30
Breton Highwalk. EC2 —8A 60
(off Golden La.)
Breton Ho. EC1 —8A 60
(off Beech St.)
Breton Ho. SE1 —4D 76
(off Abbey St.)
Brett Clo. N16 —7C 44
Brett Clo. N'holt —6H 53
Brett Ct. N9 —2G 29
Brett Cres. NW10 —4B 56
Brettell St. SE17 —6B 76
Brettenham Av. E17 —8L 29
Brettenham Rd. E17 —9L 29
Brettenham Rd. N18 —4E 28
Brett Gdns. Dag —3J 65
Brettgrave. Eps —2A 134
Brett Ho. Chesh —1D 6
Brett Ho. Clo. SW15 —6H 89
Brettinghurst. SE1 —6E 76
(off Avondale Sq.)
Brett Pas. E8 —1F 60
Brett Pl. Wat —1E 8
Brett Rd. E8 —1F 60
Brett Rd. Barn —7G 13
Brewer's Fld. Dart —1G 115
Brewer's Grn. SW1 —4H 75
(off Buckingham Ga.)
Brewer's Hall Garden. EC2 —8A 60
(off London Wall)
Brewers La. Rich —4H 87
Brewer St. W1 —1G 75
Brewery Clo. Wemb —1E 54
Brewery Ind. Est., The. N1 —5A 60
(off Wenlock Rd.)
Brewery La. Twic —6D 86
Brewery M. Cen. Iswth —2E 86
Brewery Rd. N7 —3J 59
Brewery Rd. SE18 —6B 80
Brewery Rd. Brom —3J 127
Brewery Sq. SE1 —3D 76
(off Horselydown La.)
Brewhouse La. E1 —2F 76
Brewhouse Rd. SE18 —5K 79
Brewhouse St. SW15 —2J 89
Brewhouse Wlk. SE16 —2J 77
Brewhouse Yd. EC1 —7M 59
Brewood Rd. Dag —2F 64
Brewster Gdns. W10 —8G 57
Brewster Ho. E14 —1K 77
(off Three Colt St.)
Brewster Ho. SE1 —5D 76
(off Dunton Rd.)
Brewster Rd. E10 —6M 45
Brian Av. S Croy —4C 138
Brian Clo. Horn —9F 50
Briane Rd. Eps —2A 134
Brian Rd. Romf —3G 49
Briant Ho. SE1 —4K 75
(off Hercules Rd.)
Briants Clo. Pinn —9K 21
Briant St. SE14 —9H 77
Briar Av. SW16 —4K 107
Briarbank Rd. W13 —9E 54
Briar Banks. Cars —1E 136
Briar Clo. N2 —1M 41
Briar Clo. N13 —3A 28

Briar Clo. Buck H —2H 31
Briar Clo. Chesh —2C 6
Briar Clo. Hamp —2K 101
Briar Clo. Iswth —4D 86
Briar Ct. SW15 —3F 88
Briar Ct. Sutt —6G 121
Briar Cres. N'holt —2M 53
Briardale Gdns. NW3 —8L 41
Briarfield Av. N2 —1M 41
Briarfield Av. N3 —9M 25
Briar Gdns. Brom —3D 126
Briar Gro. S Croy —5E 138
Briar Hill. Purl —3J 137
Briaris Clo. N17 —7F 28
Briar La. Cars —1E 136
Briar La. Croy —6M 125
Briar Rd. NW2 —9G 41
Briar Rd. SW16 —7J 107
Briar Rd. Bex —9B 98
Briar Rd. Harr —3G 39
Briar Rd. Romf —7G 35
Briar Rd. Twic —7C 86
Briar Rd. Wat —7E 4
Briars Ct. Oxs —6B 132
Briars, The. Bush —9C 10
Briars, The. Chesh —4E 6
Briars Wlk. Romf —9J 35
Briarswood Way. Orp —7D 128
Briar Wlk. SW15 —3F 88
Briar Wlk. W10 —7J 57
Briar Wlk. Edgw —7A 24
Briar Way. W Dray —3L 143
Briarwood Clo. NW9 —4A 40
Briarwood Clo. Felt —1C 100
Briarwood Ct. Wor Pk —3E 120
(off Avenue, The)
Briarwood Dri. N'wd —9E 20
Briarwood Rd. SW4 —4H 91
Briarwood Rd. Eps —8E 120
Briary Clo. NW3 —3C 58
Briary Ct. Sidc —2F 112
Briary Gdns. Brom —2F 110
Briary Gro. Edgw —9M 23
Briary La. N9 —3D 28
Briary Lodge. Beck —5A 110
Briavels Ct. Eps —7C 134
Brickbarn Clo. SW10 —8A 74
(off King's Barn)
Brick Clo. Eri —7C 82
Brick Ct. EC4 —9L 59
Brickenden Ct. Wal A —6M 7
Brickett Clo. Ruis —3A 36
Bricket Wood. —3K 5
Brick Farm Clo. Rich —9M 71
Brickfield Clo. Bren —8G 71
Brickfield Cotts. SE18 —8D 80
Brickfield Farm Gdns. Orp —6A 128
Brickfield La. Ark —8D 12
Brickfield La. Hay —7B 68
Brickfield Rd. SW19 —1M 105
Brickfield Rd. T Hth —5M 107
Brickfields. Harr —7B 38
(in two parts)
Brickfields Cotts. Borwd —5K 11
Brickfields Way. W Dray —4K 143
Brick Kiln Clo. Wat —8J 9
Brick La. E2 & E1 —6D 60
Brick La. Enf —4F 16
Brick La. Stan —7H 23
Brick Lane Music Hall. —6C 60
(off Curtain Rd.)
Bricklayers Arms. (Junct.) —4B 76
Bricklayers Arms Bus. Cen. SE1 —5C 76
Brick St. W1 —2F 74
Brickwall La. Ruis —6C 36
Brickwood Clo. SE26 —9F 92
Brickwood Rd. Croy —4C 124
Brideale Clo. SE15 —7D 76
Bride Ct. EC4 —9M 59
(off Bride La.)
Bride La. EC4 —9M 59
Bridel M. N1 —4M 59
(off Colebrook Row)
Bride St. N7 —2K 59
Bridewain St. SE1 —4D 76
(in two parts)
Bridewell Pl. E1 —2F 76
Bridewell Pl. EC4 —9M 59
Bridewell, The. —9M 59
(off Bridewell Pl.)
Bridford M. W1 —8F 58
Bridge App. NW1 —3E 58
Bridge Av. W6 —5G 73
Bridge Av. W7 —8B 54
Bridge Av. Upm —8L 51
Bridge Clo. W10 —9H 57
Bridge Clo. Enf —4F 16
Bridge Clo. Romf —4C 50
Bridge Clo. Tedd —1D 102
Bridge Clo. W on T —2D 116
Bridge Ct. E10 —6K 45
Bridge Dri. N13 —4K 27
Bridge End. E17 —8A 30
Bridgefield Clo. Bans —7G 135
Bridgefield Rd. Sutt —8L 121
Bridgefoot. SE1 —6J 75
Bridgefoot. Sun —5D 100
Bridgeford Ho. Wat —5F 8
Bridge Gdns. Ashf —4A 100
Bridge Gdns. E Mol —8B 102

Bridge Ga. N21 —9A 16
Bridge Ho. E9 —2H 61
(off Shepherds La.)
Bridge Ho. NW3 —3E 58
(off Adelaide Rd.)
Bridge Ho. SE4 —3K 93
Bridge Ho. SW1 —6F 74
Bridge Ho. Dart —6J 99
Bridge Ho. Sutt —8M 121
(off Bridge Rd.)
Bridgehouse Ct. SE1 —3M 75
Bridge Ho. Quay. E14 —2A 78
Bridgeland Rd. E16 —1E 78
Bridge La. NW11 —2J 41
Bridge La. SW11 —9C 74
Bridgeman Rd. N1 —3K 59
Bridgeman Rd. Tedd —3E 102
Bridgeman St. NW8 —5C 58
Bridge Meadows. SE14 —7H 77
Bridgen. —6J 97
Bridgend Rd. SW18 —3A 90
Bridgend Rd. Enf —8C 6
Bridgenhall Rd. Enf —3D 16
Bridgen Ho. E1 —9F 60
(off Nelson St.)
Bridgen Rd. Bex —6J 97
Bridge Pde. N21 —9A 16
(off Ridge Av.)
Bridgepark. SW18 —4L 89
Bridge Pl. SW1 —5F 74
Bridge Pl. Croy —3B 124
Bridge Pl. Wat —7H 9
Bridgeport Pl. E1 —2E 76
Bridger Clo. Wat —6H 5
Bridge Rd. E6 —3K 63
Bridge Rd. E15 —3B 62
Bridge Rd. E17 —5K 45
Bridge Rd. N9 —3E 28
Bridge Rd. N22 —8J 27
Bridge Rd. NW10 —2C 56
Bridge Rd. Beck —4K 109
Bridge Rd. Bexh —1J 97
Bridge Rd. Chess —7J 119
Bridge Rd. E Mol —8C 102
Bridge Rd. Eps —4D 134
Bridge Rd. Eri —1D 98
Bridge Rd. Houn & Iswth —2B 86
Bridge Rd. K Lan —6A 4
Bridge Rd. Orp —1F 128
Bridge Rd. Rain —7E 66
Bridge Rd. S'hall —3K 69
Bridge Rd. Sutt —8M 121
Bridge Rd. Twic —5F 86
Bridge Rd. Uxb —5A 142
Bridge Rd. Wall —7F 122
Bridge Rd. Wemb —8L 39
Bridge Row. Croy —3B 124
Bridges Ct. SW11 —2B 90
(in two parts)
Bridges Dri. Dart —4M 99
Bridges Ho. SE5 —8B 76
(off Elmington Est.)
Bridgeside Ho. N1 —5A 60
(off Wharf Rd.)
Bridges La. Croy —6J 123
Bridges Pl. SW6 —9K 73
Bridges Rd. SW19 —3M 105
Bridges Rd. Stan —5D 22
Bridges Rd. M. SW19 —3M 105
Bridge St. SW1 —3J 75
Bridge St. W4 —5B 72
Bridge St. Pinn —1J 37
Bridge St. Rich —4H 87
Bridge St. W on T —3C 116
Bridge Ter. E15 —3B 62
(in two parts)
Bridge, The. Harr —2D 38
Bridgetown Clo. SE19 —2C 108
Bridge Vw. W6 —6G 73
Bridgeview Ct. Ilf —6B 32
Bridgewalk Heights. SE1 —3B 76
(off Weston St.)
Bridgewater Clo. Chst —7C 112
Bridgewater Gdns. Edgw —9K 23
Bridgewater Highwalk. EC2 —8A 60
(off Beech St.)
Bridgewater Rd. E15 —4A 62
Bridgewater Rd. Ruis —9E 36
Bridgewater Rd. Wemb —2G 55
Bridgewater Rd. Wey —8B 116
Bridgewater Sq. EC2 —8A 60
Bridgewater St. EC2 —8A 60
Bridgewater Way. Bush —8M 9
Bridge Way. N11 —3G 27
Bridge Way. NW11 —3K 41
Bridgeway. Bark —3D 64
Bridge Way. Twic —6A 86
Bridge Way. Uxb —1F 142
Bridge Way. Wemb —3J 55
Bridgeway St. NW1 —5G 59
Bridge Wharf. E2 —5H 61
Bridge Wharf Rd. Iswth —2F 86
Bridgewood Clo. SE20 —4F 108
Bridgewood Rd. SW16 —4H 107
Bridgewood Rd. Wor Pk —6E 120
Bridge Works. Uxb —7A 142
Bridge Yd. SE1 —2B 76
Bridgford St. SW18 —9A 90
Bridgman Rd. W4 —4A 72
Bridgnorth Ho. SE15 —7E 76
(off Friary Est.)
Bridgwater Clo. Romf —5H 35

Bridgwater Ho. W2 —9A 58
(off Hallfield Est.)
Bridgwater Rd. Romf —5G 35
Bridgwater Wlk. Romf —5H 35
Bridle Clo. Enf —1K 17
Bridle Clo. Eps —7B 120
Bridle Clo. King T —8H 103
Bridle Clo. Sun —7E 100
Bridle End. Eps —5D 134
Bridle La. W1 —1G 75
Bridle La. Stoke D & Oxs —7A 132
Bridle La. Twic —5F 86
Bridle Path. Croy —5J 123
(in two parts)
Bridle Path. Wat —4F 8
Bridle Path, The. E4 —7C 30
Bridle Path, The. Eps —2G 135
Bridlepath Way. Felt —7C 84
Bridle Rd. Clay —8F 118
Bridle Rd. Croy —5L 125
(in two parts)
Bridle Rd. Eps —5D 134
Bridle Rd. Pinn —4F 36
Bridle Rd. S Croy —1E 138
Bridle Rd., The. Purl —2J 137
Bridle Way. Croy —6L 125
Bridle Way. Orp —6A 128
Bridleway Clo. Eps —2G 135
Bridle Way, The. Croy —2J 139
Bridleway, The. Wall —7G 123
Bridlington Rd. N9 —9F 16
Bridlington Rd. Wat —3H 21
Bridport. SE17 —6B 76
(off Date St.)
Bridport Av. Romf —4M 49
Bridport Ho. N1 —4B 60
(off Bridport Pl.)
Bridport Pl. N1 —4B 60
(in two parts)
Bridport Rd. N18 —5C 28
Bridport Rd. Gnfd —4M 53
Bridport Rd. T Hth —7L 107
Bridstow Pl. W2 —9L 57
Brief St. SE5 —9M 75
Brierfield. NW1 —4G 59
(off Arlington Rd.)
Brierley. New Ad —8M 125
(in two parts)
Brierley Av. N9 —1G 29
Brierley Clo. SE25 —8E 108
Brierley Clo. Horn —4G 51
Brierley Ct. W7 —1C 70
Brierley Rd. E11 —9B 46
Brierley Rd. SW12 —8G 91
Brierly Gdns. E2 —5G 61
Brigade Clo. Harr —7B 38
Brigade St. SE3 —1D 94
Brigadier Av. Enf —2A 16
Brigadier Hill. Enf —2A 16
Briggeford Clo. E5 —7E 44
Briggs Clo. Mitc —5F 106
Briggs Ho. E2 —6D 60
(off Chambord St.)
Brighstone Ct. Purf —6M 83
Bright Clo. Belv —5H 81
Brightfield Rd. SE12 —4C 94
Brightling Rd. SE4 —5K 93
Brightlingsea Pl. E14 —1K 77
Brightman Rd. SW18 —7B 90
Brighton Av. E17 —3K 45
Brighton Bldgs. SE1 —4C 76
(off Tower Bri. Rd.)
Brighton Clo. Uxb —3F 142
Brighton Dri. N'holt —2L 53
Brighton Gro. SE14 —9J 77
Brighton Rd. E6 —6L 63
(in two parts)
Brighton Rd. N2 —9A 26
Brighton Rd. N16 —9C 44
Brighton Rd. Coul & Purl —9G 137
Brighton Rd. Purl & S Croy —3L 137
Brighton Rd. S Croy —7A 124
Brighton Rd. Surb —1G 119
Brighton Rd. Sutt —3L 135
Brighton Rd. Wat —2E 8
Brighton Ter. SW9 —3K 91
Brights Av. Rain —7F 66
Brightside Rd. SE13 —5B 94
Brightside, The. Enf —3H 17
Bright St. E14 —9M 61
Brightview Clo. Brick W —2J 5
Brightwell Clo. Croy —3L 123
Brightwell Cres. SW17 —2D 106
Brightwell Rd. Wat —7E 8
Brig M. SE8 —7L 77
Brigstock Ho. SE5 —1A 92
Brigstock Rd. Belv —5M 81
Brigstock Rd. Coul —7F 136
Brigstock Rd. T Hth —9L 107
Brill Pl. NW1 —5H 59
Brim Hill. N2 —2A 42
Brimpsfield Clo. SE2 —4F 80
Brimsdown. —4J 17
Brimsdown Av. Enf —4J 17
Brimsdown Ho. E3 —7M 61
Brimsdown Ind. Est. Brim —4K 17
Brimsdown Ind. Est. Enf —3K 17
Brimstone Clo. Orp —9G 129
Brimstone Ho. E15 —3C 62
(off Victoria St.)
Brindle Ga. Sidc —7C 96
Brindles. Horn —2J 51

Brindles, The. Bans —9K 135
Brindley Clo. Bexh —2L 97
Brindley Clo. Gnfd —4H 55
Brindley St. SE14 —9K 77
Brindley Way. Brom —2E 110
Brindley Way. S'hall —1M 69
Brindwood Rd. E4 —3K 29
Brinkburn Clo. SE2 —5E 80
Brinkburn Clo. Edgw —1M 39
Brinkburn Gdns. Edgw —1L 39
Brinkley Rd. Wor Pk —4F 120
Brinklow Cres. SE18 —8M 79
Brinklow Ho. W2 —8M 57
(off Torquay St.)
Brinkworth Rd. Ilf —1J 47
Brinkworth Way. E9 —2K 61
Brinley Clo. Chesh —4D 6
Brinsdale Rd. NW4 —1H 41
Brinsley Ho. E1 —9G 61
(off Tarling St.)
Brinsley Rd. Harr —9B 22
Brinsley St. E1 —9F 60
Brinsmead Rd. Romf —9L 35
Brinsworth Clo. Twic —7B 86
Brinsworth Ho. Twic —8B 86
Brinton Wlk. SE1 —2M 75
(off Chancel St.)
Brion Pl. E14 —8A 62
Brisbane Av. SW19 —5M 105
Brisbane Ho. W12 —1F 72
(off White City Est.)
Brisbane Rd. E10 —7M 45
Brisbane Rd. W13 —3E 70
Brisbane Rd. Ilf —5M 47
Brisbane St. SE5 —8B 76
Briscoe Clo. E11 —7D 46
Briscoe Rd. SW19 —3B 106
Briscoe Rd. Rain —5G 67
Briset Rd. SE9 —2H 95
Briset St. EC1 —8M 59
Briset Way. N7 —7K 43
Brisson Clo. Esh —7K 117
Bristol Clo. Stanw —5C 144
Bristol Clo. Wall —9J 123
Bristol Ct. Stanw —5C 144
Bristol Gdns. SW15 —6G 89
Bristol Gdns. W9 —7M 57
Bristol Ho. SE11 —4L 75
(off Lambeth Wlk.)
Bristol Ho. Bark —3E 64
(off Margaret Bondfield Av.)
Bristol Ho. Borwd —4L 11
(off Eldon Av.)
Bristol M. W9 —7M 57
Bristol Pk. Rd. E17 —2J 45
Bristol Rd. E7 —2G 63
Bristol Rd. Gnfd —4M 53
Bristol Rd. Mord —9A 106
Briston Gro. N8 —4J 43
Briston M. NW7 —7E 24
Bristow Rd. SE19 —2C 108
Bristow Rd. Bexh —9J 81
Bristow Rd. Croy —6J 123
Bristow Rd. Houn —2A 86
Britain Vis. Cen. —2H 75
(off Regent St.)
Britania Bus. Cen. NW2 —9H 41
Britannia Bri. E14 —9K 61
Britannia Bus. Pk. Wal X —7F 6
Britannia Clo. SW4 —3H 91
Britannia Clo. N'holt —6H 53
Britannia Ct. W Dray —4H 143
Britannia Ga. E16 —2E 78
Britannia Junction. (Junct.) —4F 58
Britannia La. Twic —6A 86
Britannia Rd. E14 —5L 77
Britannia Rd. N12 —3A 26
Britannia Rd. SW6 —8M 73
(in two parts)
Britannia Rd. Ilf —8M 47
Britannia Rd. Surb —2K 119
Britannia Rd. Wal X —7F 6
Britannia Row. N1 —4M 59
Britannia St. WC1 —6K 59
Britannia Wlk. N1 —5B 60
(in two parts)
Britannia Way. NW10 —7M 55
Britannia Way. SW6 —8M 73
(off Britannia Rd.)
Britannia Way. Stanw —6B 144
Britannic Highwalk. EC2 —8B 60
(off Moor La.)
Britannic Tower. EC2 —8B 60
(off Ropemaker St.)
British Gro. W4 —6D 72
British Gro. Pas. W4 —6D 72
British Gro. S. W4 —6D 72
British Legion Rd. E4 —2D 30
British Library. —6H 59
British Mus. —8J 59
British St. E3 —6K 61
British Telecom Cen. EC1 —9A 60
(off Newgate St.)
British Wharf Ind. Est. SE14 —6H 77
Britley Ho. E14 —9K 61
(off Copenhagen Pl.)
Briton Clo. S Croy —3C 138
Briton Cres. S Croy —3C 138
Briton Hill Rd. S Croy —2C 138
Brittain Ho. SE9 —7J 95
Brittain Rd. Dag —8J 49
Brittain Rd. W on T —7H 117

Brittany Point. SE11 —5L 75
Britten Clo. NW11 —6M 41
Britten Clo. Els —8H 11
Britten Ct. E15 —5B 62
Brittenden Clo. Orp —9D 128
Brittenden Pde. Grn St —8D 128
Britten Dri. S'hall —9L 53
Britten St. SW3 —6C 74
Britton Clo. SE6 —6B 94
Britton St. EC1 —7M 59
Brixham Cres. Ruis —6E 36
Brixham Gdns. Ilf —1C 64
Brixham Rd. Well —9H 81
Brixham St. E16 —2L 79
Brixton. —3K 91
Brixton Est. Edgw —9M 23
Brixton Hill. SW2 —6J 91
Brixton Hill Ct. SW2 —4K 91
Brixton Hill Pl. SW2 —6J 91
Brixton Oval. SW9 —3L 91
Brixton Rd. SW9 & SE11 —3L 91
Brixton Rd. Wat —3F 8
Brixton Sta. Rd. SW9 —2L 91
Brixton Water La. SW2 —4K 91
Broad Acre. Brick W —3J 5
Broadbent Clo. N6 —6F 42
Broadbent St. W1 —1F 74
Broadbridge Clo. SE3 —8E 78
Broadbury Ct. N18 —6F 28
Broad Clo. W on T —5H 117
Broad Comn. Est. N16 —6E 44
(off Osbaldeston Rd.)
Broadcoombe. S Croy —9G 125
Broad Ct. WC2 —9J 59
Broadcroft Av. Stan —9H 23
Broadcroft Rd. Orp —2B 128
Broadeaves Clo. S Croy —7C 124
Broadfield. NW6 —2M 57
Broadfield Clo. NW2 —8G 41
Broadfield Clo. Croy —4K 123
Broadfield Clo. Romf —3D 50
Broadfield Ct. Bus H —2C 22
Broadfield Ct. N Har —8M 21
(off Broadfields)
Broadfield Heights. NW7 —4M 23
Broadfield La. NW1 —3J 59
Broadfield Rd. SE6 —6C 94
Broadfields. E Mol —1C 118
Broadfields. Harr —9M 21
Broadfields Av. N21 —8L 15
Broadfields Av. Edgw —4M 23
Broadfields Cen. Edgw —1M 23
Broadfields La. Wat —1F 20
Broadfield Sq. Enf —4F 16
Broadfields Way. NW10 —1D 56
Broadfield Way. Buck H —3G 31
Broadford Ho. E1 —7J 61
(off Commodore St.)
Broadgate. EC2 —8C 60
(off Broadgate Cir.)
Broadgate. Wal A —6M 7
Broadgate Circ. EC2 —8C 60
(off Broadgate)
Broadgate Rd. E16 —9H 63
Broadgates Av. Barn —3M 13
Broadgates Ct. SE11 —6L 75
(off Cleaver St.)
Broadgates Rd. SW18 —7B 90
Broad Green. —2M 123
Broad Grn. Av. Croy —2M 123
Broadhead Strand. NW9 —9D 24
Broadheath Dri. Chst —2K 111
Broadhinton Rd. SW4 —2F 90
Broadhurst. Asht —8J 133
Broadhurst Av. Edgw —4M 23
Broadhurst Av. Ilf —9D 48
Broadhurst Clo. NW6 —2A 58
Broadhurst Clo. Rich —4K 87
Broadhurst Gdns. NW6 —2M 57
Broadhurst Gdns. Chig —4A 32
(in two parts)
Broadhurst Gdns. Ruis —7G 37
Broadhurst Wlk. Rain —2E 66
Broadlands. E17 —1J 45
Broadlands. Hanw —9L 85
Broadlands Av. SW16 —8J 91
Broadlands Av. Enf —5F 16
Broadlands Av. Shep —1A 116
Broadlands Clo. N6 —5E 42
Broadlands Clo. SW16 —8J 91
Broadlands Clo. Enf —5G 17
Broadlands Clo. Wal X —7C 6
Broadlands Ct. Rich —8L 71
(off Kew Gdns. Rd.)
Broadlands Lodge. N6 —5D 42
Broadlands Rd. N6 —5D 42
Broadlands Rd. Brom —1F 110
Broadlands Way. N Mald —1D 120
Broad La. EC2 —8C 60
(in two parts)
Broad La. N8 —3K 43
Broad La. N15 —2D 44
Broad La. Dart —1E 114
Broad La. Hamp —4K 101
Broad Lawn. SE9 —8L 95
Broadlawns Ct. Harr —8D 22
Broadley St. NW8 —8B 58
Broadley Ter. NW1 —7C 58
Broadmayne. SE17 —6B 76
(off Portland St.)
Broadmead. SE6 —9L 93
Broadmead. W14 —5J 73
Broad Mead. Asht —9K 133

Broome Rd.—Bulstrode St.

Broome Rd. Hamp —4K 101
Broomer Pl. Chesh —2C 6
Broome Way. SE5 —8B 76
Broomfield. E17 —5K 45
Broomfield. NW1 —3E 58
(off Ferdinand St.)
Broomfield. Sun —5E 100
Broomfield Av. N13 —5K 27
Broomfield Av. Lou —8K 19
Broomfield Clo. Romf —7B 34
Broomfield Ct. SE16 —4E 76
(off Ben Smith Way)
Broomfield Ho. SE17 —5C 76
(off Massinger St.)
Broomfield Ho. Stan —3E 22
(off Stanmore Hill)
Broomfield House Mus. —4J 27
Broomfield La. N13 —4J 27
Broomfield Pl. W13 —2F 70
Broomfield Ride. Oxs —4B 132
Broomfield Ri. Ab L —5B 4
Broomfield Rd. N13 —5J 27
Broomfield Rd. W13 —2F 70
Broomfield Rd. Beck —7J 109
Broomfield Rd. Bexh —4L 97
Broomfield Rd. Rich —9K 71
Broomfield Rd. Romf —5H 49
Broomfield Rd. Surb —3K 119
Broomfield Rd. Tedd —3G 103
Broomfields. Esh —7A 118
Broomfield St. E14 —8L 61
Broom Gdns. Croy —5L 125
Broom Gro. Wat —2E 8
Broomgrove Gdns. Edgw —8L 23
Broomgrove Rd. SW9 —1K 91
Broom Hall. Oxs —6B 132
Broomhall Rd. S Croy —1B 138
Broom Hill. —2D 128
Broomhill Ct. Wfd G —6E 30
Broom Hill Ri. Bexh —4L 97
Broomhill Rd. SW18 —4L 89
Broomhill Rd. Dart —5F 98
Broomhill Rd. Ilf —7E 48
Broomhill Rd. Orp —2E 128
Broomhill Rd. Wfd G —6E 30
(in two parts)
Broomhill Wlk. Wfd G —6D 30
Broomhouse La. SW6 —1L 89
Broomhouse Rd. SW6 —1L 89
Broomleigh. Brom —5E 110
(off Tweedy Rd.)
Broomloan La. Sutt —4L 121
Broom Lock. Tedd —3G 103
Broom Mead. Bexh —5L 97
Broom Pk. Tedd —4H 103
Broom Rd. Croy —5L 125
Broom Rd. Tedd —2F 102
Broomsleigh Bus. Pk. SE26 —2K 109
Broomsleigh St. NW6 —1K 57
Broomstick Hall Rd. Wal A —6L 7
Broom Water. Tedd —3G 103
Broom Water W. Tedd —2G 103
Broom Way. Wey —6C 116
Broomwood Clo. Bex —8B 98
Broomwood Clo. Croy —9H 109
Broomwood Rd. SW11 —5D 90
Broomwood Rd. Orp —6F 112
Broseley Gdns. Romf —4J 35
Broseley Gro. SE26 —2J 109
Broseley Rd. Romf —4J 35
Broster Gdns. SE25 —7D 108
Brougham Ct. Dart —5M 99
(off Hardwick Cres.)
Brougham Rd. E8 —4E 60
Brougham Rd. W3 —9A 56
Brougham St. SW11 —1D 90
Brough Clo. SW8 —8J 75
Brough Clo. King T —2H 103
Broughinge Rd. Borwd —4M 11
Broughton Av. N3 —1J 41
Broughton Av. Rich —9F 86
Broughton Ct. W13 —1F 70
Broughton Dri. SW9 —3L 91
Broughton Gdns. N6 —4G 43
Broughton Rd. SW6 —1M 89
Broughton Rd. W13 —1F 70
Broughton Rd. Orp —4B 128
Broughton Rd. T Hth —1L 123
Broughton St. SW8 —1E 90
Broughton St. Ind. Est. SW11 —1E 90
Brouncker Rd. W3 —3A 72
Brow Clo. Orp —2H 129
Brow Cres. Orp —3G 129
Browells La. Felt —8F 84
Brown Bear Ct. Felt —1H 101
Brown Clo. Wall —9J 123
Browne Clo. Romf —5M 33
Browne Ho. SE8 —8L 77
(off Deptford Chu. St.)
Brownfield Area. E14 —9A 62
(off Brownfield St.)
Brownfield St. E14 —9M 61
Browngraves Rd. Hay —8A 68
Brown Hart Gdns. W1 —1E 74
Brownhill Rd. SE6 —6M 93
Browning Av. W7 —9D 54
Browning Av. Sutt —6C 122
Browning Av. Wor Pk —3F 120
Browning Clo. E17 —2A 46
Browning Clo. W9 —7A 58
Browning Clo. Col R —7K 33
Browning Clo. Hamp —1K 101
Browning Clo. Well —9C 80
Browning M. W1 —8F 58
Browning Rd. E11 —5D 46
Browning Rd. E12 —1K 63
Browning Rd. Dart —3K 99
Browning Rd. Enf —1B 16
Browning St. SE17 —6A 76
Browning Way. Houn —9H 69
Brownlea Gdns. Ilf —7E 48
Brownlow Ct. N2 —3A 42
Brownlow Ct. N11 —6J 27
(off Brownlow Rd.)
Brownlow Ho. SE16 —3E 76
(off George Row)
Brownlow M. WC1 —7K 59
Brownlow Rd. E7 —9E 46
Brownlow Rd. E8 —4D 60
Brownlow Rd. N3 —7M 25
Brownlow Rd. N11 —6J 27
Brownlow Rd. NW10 —3C 56
Brownlow Rd. W13 —2E 70
Brownlow Rd. Borwd —6L 11
Brownlow Rd. Croy —6C 124
Brownlow St. WC1 —8K 59
Browns Arc. W1 —1G 75
(off Regent St.)
Brown's Bldgs. EC3 —9C 60
Browns La. NW5 —1F 58
Brownspring Dri. SE9 —1M 111
Browns Rd. E17 —1L 45
Brown's Rd. Surb —2K 119
Brown St. W1 —9D 58
Brownswell Rd. N2 —9B 26
Brownswood Park. —7M 43
Brownswood Rd. N4 —8M 43
Brow, The. Wat —6F 4
Broxash Rd. SW11 —5E 90
Broxbourne Av. E18 —2F 46
Broxbourne Rd. E7 —8E 46
Broxbourne Rd. Orp —3D 128
Broxhill Cen. Romf —4F 34
Broxhill Rd. Hav —3C 34
Broxholme Ho. SW6 —9M 73
(off Harwood Rd.)
Broxholm Rd. SW16 —9L 91
Broxted Rd. SE23 —8K 93
Broxwood Way. NW8 —4C 58
Bruce Av. Horn —7G 51
Bruce Av. Shep —1A 116
Bruce Castle Ct. N17 —8D 28
(off Lordship La.)
Bruce Castle Mus. —8C 28
Bruce Castle Rd. N17 —8D 28
Bruce Clo. W10 —8H 57
Bruce Clo. Well —9F 80
Bruce Ct. Sidc —1D 112
Bruce Dri. S Croy —1H 139
Bruce Gdns. N20 —3D 26
Bruce Gro. N17 —8C 28
Bruce Gro. Orp —3E 128
Bruce Gro. Wat —2G 9
Bruce Hall M. SW17 —1E 106
Bruce Ho. W10 —8H 57
Bruce Rd. E3 —6M 61
Bruce Rd. NW10 —3B 56
Bruce Rd. SE25 —8B 108
Bruce Rd. Barn —5J 13
Bruce Rd. Harr —9C 22
Bruce Rd. Mitc —4E 106
Bruce Way. Wal X —6D 6
Bruckner St. W10 —6J 57
Brudenell Rd. SW17 —9D 90
Bruffs Mdw. N'holt —2J 53
Bruges Pl. NW1 —3G 59
(off Randolph St.)
Brumfield Rd. Eps —7A 120
Brummel Clo. Bexh —2A 98
Brune Ho. E1 —8D 60
(off Bell La.)
Brunei Gallery. —8H 59
Brunel Clo. SE19 —3D 108
Brunel Clo. Houn —8F 68
Brunel Clo. N'holt —6K 53
Brunel Clo. Romf —2C 50
Brunel Est. W2 —8L 57
Brunel Ho. E14 —6M 77
(off Ship Yd.)
Brunel Pl. S'hall —9M 53
Brunel Rd. E17 —4J 45
Brunel Rd. SE16 —3G 77
Brunel Rd. W3 —8C 56
Brunel Rd. Wfd G —5K 31
Brunel Science Pk. Uxb —6C 142
Brunel St. E16 —9D 62
Brunel Wlk. N15 —2C 44
Brunel Wlk. Twic —6L 85
Brune St. E1 —8D 60
Brunlees Ho. SE1 —4A 76
(off Bath Ter.)
Brunner Clo. NW11 —3M 41
Brunner Ho. SE6 —1A 110
Brunner Rd. E17 —3J 45
Brunner Rd. W5 —7H 55
Bruno Pl. NW9 —7A 40
Brunswick Av. N11 —3E 26
(in two parts)
Brunswick Cen. WC1 —7J 59
Brunswick Clo. Bexh —3H 97
Brunswick Clo. Pinn —4J 37
Brunswick Clo. Th Dit —3D 118
Brunswick Clo. Twic —9B 86
Brunswick Clo. W on T —4G 117
Brunswick Clo. Est. EC1 —6M 59
Brunswick Ct. EC1 —6M 59
(off Tompion St.)
Brunswick Ct. SE1 —3C 76
Brunswick Ct. SW1 —5H 75
(off Regency St.)
Brunswick Ct. Barn —7B 14
Brunswick Ct. Sutt —6M 121
Brunswick Cres. N11 —3E 26
Brunswick Gdns. W5 —7J 55
Brunswick Gdns. W8 —2L 73
Brunswick Gdns. Ilf —7A 32
Brunswick Gro. N11 —3E 26
Brunswick Ho. E2 —5D 60
(off Thurtle Rd.)
Brunswick Ho. N3 —8K 25
Brunswick Ind. Pk. N11 —4F 26
Brunswick Mans. WC1 —7J 59
(off Handel St.)
Brunswick M. SW16 —3H 107
Brunswick M. W1 —9D 58
Brunswick Park. —3E 26
Brunswick Pk. SE5 —9C 76
Brunswick Pk. Gdns. N11 —2E 26
Brunswick Pk. Rd. N11 —2E 26
Brunswick Pl. N1 —6B 60
Brunswick Pl. NW1 —7E 58
Brunswick Pl. SE19 —4E 108
Brunswick Quay. SE16 —4H 77
Brunswick Rd. E10 —6A 46
Brunswick Rd. E14 —9A 62
Brunswick Rd. N15 —2C 44
(in two parts)
Brunswick Rd. W5 —7H 55
Brunswick Rd. Bexh —3H 97
Brunswick Rd. Enf —2L 17
Brunswick Rd. King T —5L 103
Brunswick Rd. Sutt —6M 121
Brunswick Sq. N17 —6D 28
Brunswick Sq. WC1 —7J 59
Brunswick St. E17 —3A 46
Brunswick Vs. SE5 —9C 76
Brunswick Way. N11 —4F 26
Brunton Pl. E14 —9J 61
Brushfield St. EC2 —8C 60
(in two parts)
Brushrise. Wat —9F 4
Brussels Rd. SW11 —3B 90
Bruton Clo. Chst —4K 111
Bruton La. W1 —1F 74
Bruton Pl. W1 —1F 74
Bruton Rd. Mord —8A 106
Bruton St. W1 —1F 74
Bruton Way. W13 —8E 54
Brutus Ct. SE11 —5M 75
(off Kennington La.)
Bryan Av. NW10 —3F 56
Bryan Clo. Sun —4E 100
Bryan Ho. SE16 —3K 77
Bryan Rd. SE16 —3K 77
Bryan's All. SW6 —1M 89
Bryanston Av. Twic —7M 85
Bryanston Clo. S'hall —5K 69
Bryanston Ct. W1 —9D 58
(off Seymour Pl., in two parts)
Bryanstone Ct. Sutt —5A 122
Bryanstone Rd. N8 —4H 43
Bryanstone Rd. Wal X —7F 6
Bryanston Mans. W1 —8D 58
(off York St.)
Bryanston M. E. W1 —8D 58
Bryanston M. W. W1 —8D 58
Bryanston Pl. W1 —8D 58
Bryanston Sq. W1 —9D 58
Bryanston St. W1 —9D 58
Bryant Av. Romf —8H 35
Bryant Clo. Barn —7K 13
Bryant Ct. E2 —5D 60
(off Whiston Rd., in two parts)
Bryant Rd. N'holt —6G 53
Bryant Row. Noak H —2G 35
Bryant St. E15 —3B 62
Bryantwood Rd. N7 —1L 59
Brycedale Cres. N14 —4G 27
Bryce Ho. SE14 —7H 77
(off John Williams Clo.)
Bryce Rd. Dag —9G 49
Brydale Ho. SE16 —5H 77
(off Rotherhithe New Rd.)
Bryden Clo. SE26 —2J 109
Brydges Pl. WC2 —1J 75
Brydges Rd. E15 —1B 62
Brydon Wlk. N1 —4J 59
Bryer Ct. EC2 —8A 60
(off Beech St.)
Bryet Rd. N7 —8J 43
Bryher Ct. SE11 —6L 75
(off Sancroft St.)
Brymay Clo. E3 —5L 61
Brynmaer Rd. SW11 —9D 74
Brynmawr Rd. Enf —6D 16
Bryony Clo. Lou —6M 19
Bryony Clo. Uxb —8D 142
Bryony Rd. W12 —1E 72
Bryony Way. Sun —3E 100
Buccleugh Ho. E5 —5E 44
Buchanan Clo. N21 —7K 15
Buchanan Clo. Ave —2M 83
Buchanan Clo. Borwd —4A 12
Buchanan Ct. SE16 —5H 77
(off Worgan St.)
Buchanan Gdns. NW10 —5F 56
Buchan Clo. Uxb —7A 142
Buchan Rd. SE15 —2G 93
Bucharest Rd. SW18 —6A 90
Buckbean Path. Romf —7G 35
Buckden Clo. N2 —2D 42
Buckden Clo. SE12 —5E 94
Buckettsland La. Borwd —2B 12
Buckfast Ct. W13 —1E 70
Buckfast Rd. Mord —8M 105
Buckfast St. E2 —6E 60
Buck Hill Wlk. W2 —1B 74
Buckhold Rd. SW18 —5L 89
Buckhurst Av. Cars —3C 122
Buckhurst Ct. Buck H —2H 31
(off Albert Rd.)
Buckhurst Hill. —2H 31
Buckhurst Hill Ho. Buck H —2F 30
Buckhurst Ho. N7 —1H 59
Buckhurst St. E1 —7F 60
Buckhurst Ter. Buck H —1H 31
Buckhurst Way. Buck H —4H 31
Buckingham Arc. WC2 —1J 75
(off Strand)
Buckingham Av. N20 —9A 14
Buckingham Av. Felt —5F 84
Buckingham Av. Gnfd —4E 54
Buckingham Av. T Hth —5L 107
Buckingham Av. Well —3C 96
Buckingham Av. W Mol —6M 101
Buckingham Chambers. SW1 —5G 75
(off Greencoat Pl.)
Buckingham Clo. W5 —8G 55
Buckingham Clo. Enf —4C 16
Buckingham Clo. Hamp —2K 101
Buckingham Clo. Horn —4H 51
Buckingham Clo. Orp —2C 128
Buckingham Ct. NW4 —1E 40
Buckingham Ct. W7 —7D 54
(off Copley Clo.)
Buckingham Ct. N'holt —5J 53
Buckingham Ct. Sutt —1L 135
Buckingham Dri. Chst —1A 112
Buckingham Gdns. Edgw —7K 23
Buckingham Gdns. T Hth —6L 107
Buckingham Gdns. W Mol —6M 101
Buckingham Ga. SW1 —4G 75
Buckingham Gro. Borwd —6B 12
Buckingham Gro. Uxb —5E 142
Buckingham La. SE23 —6J 93
Buckingham Mans. NW6 —1M 57
(off W. End La.)
Buckingham M. N1 —2C 60
Buckingham M. NW10 —5D 56
Buckingham M. SW1 —4G 75
(off Stafford Pl.)
Buckingham Palace. —3F 74
Buckingham Pal. Rd. SW1 —5F 74
Buckingham Pde. Stan —5G 23
Buckingham Pl. SW1 —4G 75
Buckingham Rd. E10 —8M 45
Buckingham Rd. E11 —3G 47
Buckingham Rd. E15 —1D 62
Buckingham Rd. E18 —8D 30
Buckingham Rd. N1 —2C 60
Buckingham Rd. N22 —8J 27
Buckingham Rd. NW10 —5D 56
Buckingham Rd. Borwd —6B 12
Buckingham Rd. Edgw —7K 23
Buckingham Rd. Hamp —1K 101
Buckingham Rd. Harr —3B 38
Buckingham Rd. Ilf —7B 48
Buckingham Rd. King T —8K 103
Buckingham Rd. Mitc —8J 107
Buckingham Rd. Rich —8H 87
Buckingham Rd. Wat —1G 9
Buckingham St. WC2 —1J 75
Buckingham Way. Wall —1G 137
Buckland Ct. N1 —5C 60
(off St Johns Est.)
Buckland Ct. Ick —7A 36
Buckland Cres. NW3 —3B 58
Buckland Ri. Pinn —8G 21
Buckland Rd. E10 —7A 46
Buckland Rd. Chess —7K 119
Buckland Rd. Orp —6C 128
Buckland Rd. Sutt —2G 135
Bucklands Rd. Tedd —3G 103
Buckland St. N1 —5B 60
Buckland's Wharf. King T —6H 103
Buckland Wlk. W3 —3A 72
Buckland Wlk. Mord —8A 106
Buckland Way. Wor Pk —3G 121
Buck La. NW9 —3B 40
Bucklebury. NW1 —7G 59
(off Stanhope St.)
Buckleigh Av. SW20 —7J 105
Buckleigh Rd. SW16 —3H 107
Buckleigh Way. SE19 —4D 108
Buckler Gdns. SE9 —9K 95
Bucklers All. SW6 —7K 73
(in two parts)
Bucklersbury. EC2 —9B 60
(off Queen Victoria St.)
Bucklersbury Pas. EC2 —9B 60
Buckler's Way. Cars —5D 122
Buckles Ct. Belv —5H 81
Buckle St. E1 —9D 60
Buckles Way. Bans —8J 135
Buckley Clo. Dart —1D 98
Buckley Ct. NW6 —3K 57
Buckley Rd. NW6 —3K 57
Buckmaster Clo. SW9 —2L 91
(off Stockwell Pk. Rd.)
Buckmaster Ho. N7 —9K 43
Buckmaster Rd. SW11 —3C 90
Bucknalls Clo. Wat —5J 5
Bucknalls Dri. Brick W —4K 5
Bucknalls La. Wat —5H 5
Bucknall St. WC1 —9J 59
Bucknall Way. Beck —8M 109
Bucknell Clo. SW9 —3K 91
Buckner Rd. SW2 —3K 91
Bucknill Ho. SW1 —6F 74
(off Ebury Bri. Rd.)
Bucknills Clo. Eps —6A 134
Buckrell Rd. E4 —2B 30
Buckridge Ho. EC1 —8L 59
(off Portpool La.)
Buck's Av. Wat —9J 9
Bucks Cross Rd. Orp —7J 129
Buckstone Clo. SE23 —5G 93
Buckstone Rd. N18 —5E 28
Buck St. NW1 —3F 58
Buckters Rents. SE16 —2J 77
Buckthorne Rd. SE4 —4J 93
Buckthorn Ho. Sidc —9D 96
(off Longlands Rd.)
Buckton Rd. Borwd —2K 11
Buck Wlk. E17 —2B 46
Buckwheat Ct. Eri —4H 81
Budd Clo. N12 —4M 25
Buddings Circ. Wemb —8A 40
Budd's All. Twic —4G 87
Bude Clo. E17 —3K 45
Budge La. Mitc —2D 122
Budge Row. EC4 —1B 76
Budge's Wlk. W2 —2A 74
(off Broad Wlk., The)
Budleigh Cres. Well —9G 81
Budleigh Ho. SE15 —8E 76
(off Bird in Bush Rd.)
Budoch Ct. Ilf —7E 48
Budoch Dri. Ilf —7E 48
Buer Rd. SW6 —1J 89
Buff Av. Bans —6M 135
Bugsby's Way. SE10 & SE7 —5D 78
Bulbarrow. NW8 —4M 57
(off Abbey Rd.)
Bulganak Rd. T Hth —8A 108
Bullace La. Dart —5J 99
Bullace Row. SE5 —9B 76
Bull All. Well —2F 96
Bullard Rd. Tedd —3C 102
Bullard's Pl. E2 —6H 61
Bullbanks Rd. Belv —5A 82
Bulleid Way. SW1 —5F 74
Bullen Ho. E1 —7F 60
(off Collingwood St.)
Bullen St. SW11 —1C 90
Buller Clo. SE15 —8E 76
Buller Rd. N17 —9E 28
Buller Rd. N22 —9L 27
Buller Rd. NW10 —6H 57
Buller Rd. Bark —3C 64
Buller Rd. T Hth —6B 108
Bullers Clo. Sidc —2J 113
Bullers Wood Dri. Chst —4K 111
Bullescroft Rd. Edgw —3L 23
Bullfinch Rd. S Croy —2H 139
Bullhead Rd. Borwd —5A 12
Bull Hill. Hort K —8M 115
Bullingham Mans. W8 —3L 73
(off Pitt St. La.)
Bull Inn Ct. WC2 —1J 75
(off Strand)
Bullivant St. E14 —1A 78
Bull La. N18 —5C 28
Bull La. Chst —4B 112
Bull La. Dag —8M 49
Bull Rd. E15 —5D 62
Bullrush Clo. Croy —1C 124
Bullrush Gro. Uxb —7A 142
Bull's All. SW14 —1B 88
Bull's Bri. Cen. Hay —4F 68
Bull's Bri. Ind. Est. Hay —4E 68
Bullsbridge Rd. S'hall —5G 69
Bullsbrook Rd. Hay —2G 69
Bulls Cross. —8A 6
Bull's Cross. Enf —8A 6
Bulls Cross Ride. Wal X —6A 6
Bulls Gdns. SW3 —5C 74
(in two parts)
Bulls Head Pas. EC3 —9C 60
(off Gracechurch St.)
Bulls Head Yd. Dart —5J 99
(off High St.)
Bullsmoor. —9C 6
Bullsmoor Clo. Wal X —8C 6
Bullsmoor Gdns. Wal X —8B 6
Bullsmoor La. Enf —8A 6
Bullsmoor Ride. Wal X —8C 6
Bullsmoor Way. Wal X —8C 6
Bullwell Cres. Chesh —2E 6
Bull Wharf La. EC4 —1A 76
Bull Yd. SE15 —9E 76
Bulmer Gdns. Harr —5H 39
Bulmer M. W11 —1L 73
Bulmer Pl. W11 —2L 73
Bulmer Wlk. Rain —5G 67
Bulow Est. SW6 —9M 73
(off Pearscroft Rd.)
Bulstrode Av. Houn —1K 85
Bulstrode Gdns. Houn —2L 85
Bulstrode Pl. W1 —8E 58
Bulstrode Rd. Houn —2L 85
Bulstrode St. W1 —9E 58

Bulwer Ct.—Buttercup Clo.

Bulwer Ct. E11 —6B 46
Bulwer Ct. Rd. E11 —6B 46
Bulwer Gdns. Barn —6A 14
Bulwer Rd. E11 —5B 46
Bulwer Rd. N18 —4C 28
Bulwer Rd. Barn —6M 13
Bulwer St. W12 —2G 73
Bunbury Ho. SE15 —8E 76
(off Fenham Rd.)
Bunbury Way. Eps —8F 134
Bunce's La. Wfd G —7D 30
Bungalow Rd. SE25 —8C 108
Bungalows, The. E10 —4A 46
Bungalows, The. SW16 —4F 106
Bungalows, The. Ilf —8C 32
Bungalows, The. Wall —7F 122
Bunhill Row. EC1 —7B 60
Bunhouse Pl. SW1 —6E 74
Bunkers Hill. NW11 —5A 42
Bunkers Hill. Belv —5L 81
Bunkers Hill. Sidc —9K 97
Bunning Way. N7 —3J 59
Bunns La. NW7 —6C 24
(in two parts)
Bunsen Ho. E3 —5J 61
(off Grove Rd.)
Bunsen St. E3 —5J 61
Buntingbridge Rd. Ilf —3B 48
Bunting Clo. N9 —1H 29
Bunting Clo. Mitc —9D 106
Bunting Ct. NW9 —9C 24
Bunton St. SE18 —4L 79
Bunyan Ct. EC2 —8A 60
(off Beech St.)
Bunyan Rd. E17 —1J 45
Buonaparte M. SW1 —6H 75
Burbage Clo. SE1 —4B 76
Burbage Clo. Chesh —4F 6
Burbage Clo. Hay —9B 52
Burbage Ho. N1 —4B 60
(off Poole St.)
Burbage Ho. SE14 —7H 77
(off Samuel Clo.)
Burbage Rd. SE24 & SE21 —5A 92
Burberry Clo. N Mald —6C 104
Burbridge Way. N17 —9E 28
Burcham St. E14 —9M 61
Burcharbro Rd. SE2 —7H 81
Burchell Ct. Bush —9A 10
Burchell Ho. SE11 —6K 75
(off Jonathan St.)
Burchell Rd. E10 —6M 45
Burchell Rd. SE15 —9F 76
Burchetts Way. Shep —1A 116
Burchett Way. Romf —4K 49
Burchwall Clo. Romf —7A 34
Burcote. Wey —8B 116
Burcote Rd. SW18 —6B 90
Burcott Rd. Purl —6L 137
Burden Clo. Bren —6G 71
Burden Ho. SW8 —8J 75
(off Thorncroft St.)
Burdenshott Av. Rich —3M 87
Burden Way. E11 —7F 46
Burder Clo. N1 —2C 60
Burder Rd. N1 —2C 60
Burdett Av. SW20 —5E 104
Burdett Clo. W7 —2D 70
Burdett Clo. Sidc —2J 113
Burdett M. NW3 —2B 58
Burdett M. W2 —9M 57
Burdett Rd. E3 & E14 —7J 61
Burdett Rd. Croy —1B 124
Burdett Rd. Rich —1K 87
Burdetts Rd. Dag —4K 65
Burdock Clo. Croy —3H 125
Burdock Rd. N17 —1E 44
Burdon La. Sutt —9J 121
Burdon Pk. Sutt —1K 135
Bure Ct. New Bar —7M 13
Burfield Clo. SW17 —1B 106
Burford Clo. Dag —8G 49
Burford Clo. Ilf —2A 48
Burford Gdns. N13 —3K 27
Burford Ho. Bren —6H 71
Burford Ho. Eps —3G 135
Burford La. Eps —3G 135
Burford Rd. E6 —6J 63
Burford Rd. E15 —4B 62
Burford Rd. SE6 —8K 93
Burford Rd. Bren —6J 71
Burford Rd. Brom —8J 111
Burford Rd. Sutt —4L 121
Burford Rd. Wor Pk —2D 120
Burford Wlk. SW6 —8A 74
Burford Way. New Ad —8A 126
Burgate Clo. Dart —2D 98
Burge Rd. E7 —9H 47
Burges Clo. Horn —4K 51
Burges Gro. SW13 —8F 72
Burges Rd. E6 —3J 63
Burgess Av. NW9 —4B 40
Burgess Clo. Felt —1J 101
Burgess Ct. E6 —3L 63
Burgess Ct. Borwd —2K 11
Burgess Ct. S'hall —9M 53
(off Fleming Rd.)
Burgess Hill. NW2 —9L 41
Burgess Ind. Pk. SE5 —8B 76
Burgess M. SW19 —3M 105
Burgess Pk. —7C 76
Burgess Rd. E6 —3L 63
Burgess Rd. E15 —9C 46
Burgess Rd. Sutt —6M 121
Burgess St. E14 —8L 61
Burge St. SE1 —4B 76
Burgh Cft. Eps —7D 134
Burghfield. Eps —7D 134
Burgh Heath Rd. Eps —6D 134
Burghill Rd. SE26 —1J 109
Burghley Av. Borwd —7A 12
Burghley Av. N Mald —5B 104
Burghley Hall Clo. SW19 —7J 89
Burghley Pl. Mitc —9D 106
Burghley Rd. E11 —6C 46
Burghley Rd. N8 —1L 43
Burghley Rd. NW5 —9F 42
Burghley Rd. SW19 —1H 105
Burghley Tower. W3 —1D 72
Burgh Mt. Bans —7K 135
Burgh St. N1 —5M 59
Burgh Wood. Bans —7J 135
Burgoine Quay. King T —5H 103
Burgon St. EC4 —9M 59
Burgos Clo. Croy —8L 123
Burgos Gro. SE10 —9M 77
Burgoyne Rd. N4 —4M 43
Burgoyne Rd. SE25 —8D 108
Burgoyne Rd. SW9 —2K 91
Burgoyne Rd. Sun —3D 100
Burham Clo. SE20 —4G 109
Burhill Gro. Pinn —9J 21
Burhill Rd. W on T —9F 116
Burke Clo. SW15 —3C 88
Burke Lodge. E13 —6F 62
Burke St. E16 —8D 62
Burket Clo. S'hall —5J 69
Burland Rd. SW11 —4D 90
Burland Rd. Romf —6A 34
Burlea Clo. W on T —7F 116
Burleigh Av. Sidc —4D 96
Burleigh Av. Wall —5E 122
Burleigh Gdns. N14 —1G 27
Burleigh Gdns. Ashf —2A 100
Burleigh Ho. SW3 —7B 74
(off Beaufort St.)
Burleigh Ho. W10 —8J 57
(off St Charles Sq.)
Burleigh Pde. N14 —1H 27
Burleigh Pl. SW15 —4H 89
Burleigh Rd. Chesh —5E 6
Burleigh Rd. Enf —6C 16
Burleigh Rd. Sutt —3J 121
Burleigh Rd. Uxb —4F 142
Burleigh St. WC2 —1K 75
Burleigh Wlk. SE6 —7A 94
Burleigh Way. Enf —5B 16
Burley Clo. E4 —5L 29
Burley Clo. SW16 —6H 107
Burley Ho. E1 —9H 61
(off Chudleigh St.)
Burley Rd. E16 —9G 63
Burlington Arc. W1 —1G 75
Burlington Av. Rich —9L 71
Burlington Av. Romf —4M 49
Burlington Clo. E6 —9J 63
Burlington Clo. W9 —7L 57
Burlington Clo. Felt —6B 84
Burlington Clo. Orp —4M 127
Burlington Clo. Pinn —1F 36
Burlington Gdns. SW6 —1J 89
Burlington Gdns. W1 —1G 75
Burlington Gdns. W3 —2A 72
Burlington Gdns. W4 —6A 72
Burlington Gdns. Romf —5J 49
Burlington La. W4 —8A 72
Burlington M. SW15 —4K 89
Burlington M. W3 —2A 72
Burlington Pl. SW6 —1J 89
Burlington Pl. Wfd G —3F 30
Burlington Ri. E Barn —1C 26
Burlington Rd. N10 —1E 42
Burlington Rd. N17 —8E 28
Burlington Rd. SW6 —1J 89
Burlington Rd. W4 —6A 72
Burlington Rd. Enf —3B 16
Burlington Rd. Iswth —9B 70
Burlington Rd. N Mald —8D 104
Burlington Rd. T Hth —6A 108
Burma M. N16 —9B 44
Burman Clo. Dart —6M 99
Burma Rd. N16 —9B 44
Burmarsh Ct. SE20 —5G 109
Burma Ter. SE19 —2C 108
Burmester Rd. SW17 —9A 90
Burnaby Cres. W4 —7A 72
Burnaby Gdns. W4 —7M 71
Burnaby St. SW10 —8A 74
Burnand Ho. W14 —4H 73
(off Redan St.)
Burnard Pl. N7 —1K 59
Burnaston Ho. E5 —8E 44
Burnbrae Clo. N12 —6M 25
Burnbury Rd. SW12 —7G 91
Burn Clo. Bush —5B 10
Burn Clo. Oxs —7B 132
Burncroft Av. Enf —4G 17
Burndell Way. Hay —8H 53
Burne Jones Ho. W14 —5J 73
(off N. End Rd.)
Burnell Av. Rich —2G 103
Burnell Av. Well —1E 96
Burnell Gdns. Stan —9H 23
Burnell Rd. Sutt —6M 121
Burnell Wlk. SE1 —6D 76
(off Abingdon Clo.)
Burnels Av. E6 —6L 63
Burness Clo. N7 —2K 59
Burness Clo. Uxb —5B 142
Burne St. NW1 —8C 58
Burnet Gro. Eps —5A 134
Burnett Clo. E9 —1G 61
Burnett Ho. SE13 —1A 94
(off Lewisham Hill)
Burnett Rd. Eri —7H 83
Burney Av. Surb —9K 103
Burney Dri. Lou —4M 19
(in two parts)
Burney St. SE10 —8A 78
Burnfoot Av. SW6 —9J 73
Burnham. NW3 —3C 58
Burnham Av. Uxb —9A 36
Burnham Clo. NW7 —7E 24
Burnham Clo. SE1 —5D 76
Burnham Clo. Enf —2C 16
Burnham Clo. W'stone —2E 38
Burnham Ct. W2 —1M 73
(off Moscow Rd.)
Burnham Cres. E11 —2G 47
Burnham Cres. Dart —3G 99
Burnham Dri. Wor Pk —4H 121
Burnham Est. E2 —6G 61
(off Burnham St.)
Burnham Gdns. Croy —2D 124
Burnham Gdns. Hay —4B 68
Burnham Gdns. Houn —9F 68
Burnham Rd. E4 —5K 29
Burnham Rd. Dag —3F 64
Burnham Rd. Dart —3G 99
Burnham Rd. Mord —8M 105
Burnham Rd. Romf —1B 50
Burnham Rd. Sidc —8J 97
Burnham St. E2 —6G 61
Burnham St. King T —5L 103
Burnham Ter. Dart —4H 99
Burnham Trad. Est. Dart —3H 99
Burnham Way. SE26 —2K 109
Burnham Way. W13 —5F 70
Burnhill Rd. Beck —6L 109
Burnley Clo. Wat —5G 21
Burnley Rd. NW10 —1D 56
Burnley Rd. SW9 —1K 91
Burnsall St. SW3 —6C 74
Burns Av. Chad H —5G 49
Burns Av. Felt —5E 84
Burns Av. Sidc —5F 96
Burns Av. S'hall —1L 69
Burns Clo. E17 —2A 46
Burns Clo. SW19 —3B 106
Burns Clo. Cars —1E 136
Burns Clo. Eri —9D 82
Burns Clo. Hay —8D 52
Burns Clo. Well —9D 80
Burns Dri. Bans —6J 135
Burns Ho. E2 —6G 61
(off Cornwall Av.)
Burns Ho. SE17 —6M 75
(off Doddington Gro.)
Burn Side. N9 —3G 29
Burnside. Asht —9K 133
Burnside Av. E4 —6K 29
Burnside Clo. SE16 —2H 77
Burnside Clo. Barn —5L 13
Burnside Clo. Twic —5E 86
Burnside Cres. Wemb —4H 55
Burnside Ind. Est. Ilf —5F 32
Burnside Rd. Dag —7G 49
Burns Rd. NW10 —4D 56
Burns Rd. SW11 —1D 90
Burns Rd. W13 —3F 70
Burns Rd. Wemb —5J 55
Burns Way. Houn —1H 85
Burnt Ash Hill. SE12 —5D 94
(in two parts)
Burnt Ash La. Brom —4E 110
Burnt Ash Rd. SE12 —4D 94
Burnt Ho. La. Dart —1J 115
(in two parts)
Burnthwaite Rd. SW6 —8K 73
Burnt Oak. —8A 24
Burnt Oak B'way. Edgw —7M 23
Burnt Oak Fields. Edgw —8A 24
Burnt Oak La. Sidc —5E 96
Burntwood Av. Horn —4H 51
Burntwood Clo. SW18 —7C 90
Burntwood Grange Rd. SW18 —7B 90
Burntwood La. SW17 —9A 90
Burntwood Vw. SE19 —2D 108
Burnway. Horn —5J 51
Buross St. E1 —9F 60
Burpham Clo. Hay —8H 53
Burrage Ct. SE16 —5H 77
(off Worgan St.)
Burrage Gro. SE18 —5A 80
Burrage Pl. SE18 —6M 79
Burrage Rd. SE18 —7A 80
Burrard Rd. E16 —9F 62
Burrard Rd. NW6 —1L 57
Burr Bank Ter. Wilm —1G 115
Burr Clo. E1 —2E 76
Burr Clo. Bexh —2K 97
Burrell Clo. Croy —1J 125
Burrell Clo. Edgw —2M 23
Burrell Row. Beck —6L 109
Burrell St. SE1 —2M 75
Burrells Wharf Sq. E14 —6M 77
Burrell Towers. E10 —5L 45
Burrfield Dri. Orp —9H 113
Burrhill Ct. SE16 —4H 77
(off Worgan St.)
Burritt Rd. King T —6L 103
Burroughs Cotts. E14 —8J 61
(off Halley St.)
Burroughs Gdns. NW4 —2F 40
Burroughs Pde. NW4 —2F 40
Burroughs, The. NW4 —2F 40
Burrow Clo. Chig —5D 32
Burrow Grn. Chig —5D 32
Burrow Ho. SW9 —1L 91
(off Stockwell Pk. Rd.)
Burrow Rd. SE22 —3C 92
Burrow Rd. Chig —5D 32
Burrows Hill Clo. H'row —2A 144
Burrows Hill La. H'row A —3A 144
Burrows M. SE1 —3M 75
Burrows Rd. NW10 —6G 57
Burrow Wlk. SE21 —6A 92
Burr Rd. SW18 —7L 89
Bursar St. SE1 —2C 76
(off Tooley St.)
Bursdon Clo. Sidc —8D 96
Bursland Rd. Enf —6H 17
Burslem Av. Ilf —6E 32
Burslem St. E1 —9E 60
Burstock Rd. SW15 —3J 89
Burston Dri. Park —1M 5
Burston Rd. SW15 —4H 89
Burstow Rd. SW20 —5J 105
Burtenshaw Rd. Th Dit —2E 118
Burtley Clo. N4 —6A 44
Burton Av. Wat —6E 8
Burton Bank. N1 —3B 60
(off Yeate St.)
Burton Clo. Chess —9H 119
Burton Clo. T Hth —7B 108
Burton Ct. SE20 —6G 109
Burton Ct. SW3 —6D 74
(off Turks Row, in two parts)
Burton Dri. Enf —1L 17
Burton Gdns. Houn —9K 69
Burton Gro. SE17 —6B 76
Burtonhole Clo. NW7 —4H 25
Burtonhole La. NW7 —5G 25
(in two parts)
Burton Ho. SE16 —3F 76
(off Cherry Garden St.)
Burton La. SW9 —1L 91
(in two parts)
Burton M. SW1 —5E 74
Burton Pl. WC1 —7H 59
Burton Rd. E18 —1F 46
Burton Rd. NW6 —3K 57
Burton Rd. SW9 —1M 91
(Akerman Rd.)
Burton Rd. SW9 —1L 91
(Brixton Rd.)
Burton Rd. King T —4J 103
Burton's Rd. Hamp H —1M 101
Burton St. WC1 —6H 59
Burtonwood Ho. N4 —5B 44
Burt Rd. E16 —2G 79
Burtt Ho. N1 —6C 60
(off Aske St.)
Burtwell La. SE27 —1B 108
Burvale Ct. Wat —5F 8
Burwash Ct. St M —9G 113
Burwash Ho. SE1 —3B 76
(off Kipling Est.)
Burwash Rd. SE18 —6B 80
Burwell. King T —6L 103
(off Excelsior Rd.)
Burwell Av. Gnfd —2C 54
Burwell Clo. E1 —9F 60
Burwell Rd. E10 —6J 45
Burwell Rd. Ind. Est. E10 —6J 45
Burwell Wlk. E3 —7L 61
Burwood Av. Brom —4F 126
Burwood Av. Kenl —6M 137
Burwood Av. Pinn —3F 36
Burwood Clo. Surb —3L 119
Burwood Clo. W on T —8G 117
Burwood Gdns. Rain —6D 66
Burwood Ho. SW9 —3M 91
Burwood Park. —7D 116
Burwood Pk. Rd. W on T —6F 116
Burwood Pl. W2 —9C 58
Burwood Rd. W on T —9C 116
Bury Av. Hay —5C 52
Bury Av. Ruis —4A 36
Bury Clo. SE16 —2H 77
Bury Ct. EC3 —9C 60
Bury Green. —4A 6
Bury Grn. Rd. Chesh —4A 6
(in two parts)
Bury Gro. Mord —9M 105
Bury Hall Vs. N9 —9D 16
Bury Pl. WC1 —8J 59
Bury Rd. E4 —5B 18
Bury Rd. N22 —9L 27
Bury Rd. Dag —1M 65
Bury St. EC3 —9C 60
Bury St. N9 —9D 16
Bury St. SW1 —2G 75
Bury St. Ruis —3A 36
Bury St. W. N9 —9B 16
Bury Wlk. SW3 —5C 74
Busbridge Ho. E14 —8L 61
(off Brabazon St.)
Busby M. NW5 —2H 59
Busby Pl. NW5 —2H 59
Busch Clo. Iswth —9F 70
Bushbaby Clo. SE1 —4C 76
Bushbarns. Chesh —2A 6
Bushberry Rd. E9 —2J 61
Bush Clo. Ilf —3B 48
Bush Cotts. SW18 —4L 89
Bush Ct. N14 —1H 27
Bush Ct. W12 —3H 73
Bushell Clo. SW2 —8K 91
Bushell Grn. Bus H —2B 22
Bushell St. E1 —2E 76
Bushell Way. Chst —2L 111
Bush Elms Rd. Horn —5E 50
Bushey. —9M 9
Bushey Av. E18 —1D 46
Bushey Av. Orp —2B 128
Bushey Clo. E4 —3A 30
Bushey Clo. Kenl —8D 138
Bushey Ct. SW20 —7F 104
Bushey Down. SW12 —8F 90
Bushey Gro. Rd. Bush —6H 9
Bushey Hall Dri. Bush —6J 9
Bushey Hall Mobile Home Pk. Bush —5J 9
Bushey Hall Rd. Bush —6H 9
Bushey Heath. —1B 22
Bushey Hill Rd. SE5 —9C 76
Bushey La. Sutt —6L 121
Bushey Mead. —6H 105
Bushey Mill Cres. Wat —1G 9
Bushey Mill La. Wat —1G 9
Bushey Rd. E13 —5G 63
Bushey Rd. N15 —4C 44
Bushey Rd. SW20 —7F 104
Bushey Rd. Croy —4L 125
Bushey Rd. Hay —5C 68
Bushey Rd. Sutt —6L 121
Bushey Shaw. Asht —9F 132
Bushey Vw. Wlk. Wat —4H 9
Bushey Way. Beck —1B 126
Bush Fair Ct. N14 —8F 14
Bushfield Clo. Edgw —2M 23
Bushfield Cres. Edgw —2M 23
Bushfields. Lou —7L 19
Bush Gro. NW9 —5A 40
Bush Gro. Stan —8H 23
Bushgrove Rd. Dag —9H 49
Bush Hill. N21 —9A 16
Bush Hill Pde. N9 —9B 16
Bush Hill Park. —8D 16
Bush Hill Rd. N21 —8B 16
Bush Hill Rd. Harr —4K 39
Bush Ind. Est. N19 —8G 43
Bush Ind. Est. NW10 —7B 56
Bush La. EC4 —1B 76
Bushmead Clo. N15 —2D 44
Bushmoor Cres. SE18 —8M 79
Bushnell Rd. SW17 —8F 90
Bush Rd. E8 —4F 60
Bush Rd. E11 —5D 46
Bush Rd. SE8 —5H 77
Bush Rd. Buck H —4H 31
Bush Rd. Rich —7K 71
Bushway. Dag —9H 49
Bushwood. E11 —6D 46
Bushwood Dri. SE1 —5D 76
Bushwood Rd. Rich —7L 71
Bushy Ct. King T —5G 103
(off Up. Teddington Rd.)
Bushy Lees. Sidc —5D 96
Bushy Pk. Gdns. Tedd —2B 102
Bushy Pk. Rd. Tedd —4F 102
(in two parts)
Bushy Rd. Tedd —3D 102
Business Cen., The. Romf —7H 35
Business Innovation Cen. Enf —9F 6
Butcher Row. E14 & E1 —1H 77
Butchers Rd. E16 —9E 62
Bute Av. Rich —8J 87
Bute Ct. Wall —7G 123
Bute Gdns. W6 —5H 73
Bute Gdns. Rich —7J 87
Bute Gdns. Wall —7G 123
Bute Gdns. W. Wall —7G 123
Bute Rd. Croy —3L 123
Bute Rd. Ilf —3M 47
Bute Rd. Wall —6G 123
Bute St. SW7 —5B 74
Bute Wlk. N1 —2B 60
Butfield Ho. E9 —2G 61
(off Stevens Av.)
Butler Av. Harr —5B 38
Butler Ct. Wemb —9E 38
Butler Ho. E2 —6G 61
(off Bacton St.)
Butler Ho. E14 —9K 61
(off Burdett St.)
Butler Ho. SW9 —9M 75
(off Lothian Rd.)
Butler Pl. SW1 —4H 75
(off Palmer St.)
Butler Rd. NW10 —3D 56
Butler Rd. Dag —9F 48
Butler Rd. Harr —5A 38
Butlers & Colonial Wharf. SE1 —3D 76
(off Shad Thames)
Butlers Dri. E4 —2A 18
Butler St. E2 —6G 61
Butler St. Uxb —7F 142
Butlers Wharf. SE1 —2D 76
(off Gainsford St.)
Butley Ct. E3 —5J 61
(off Ford St.)
Buttercup Clo. Romf —8H 35

Cambridge Rd. Harr —3L 37
Cambridge Rd. Houn —3J 85
Cambridge Rd. Ilf —6C 48
Cambridge Rd. King T —6K 103
Cambridge Rd. Mitc —7G 107
Cambridge Rd. N Mald —8C 104
Cambridge Rd. Rich —8L 71
Cambridge Rd. Sidc —1C 112
Cambridge Rd. S'hall —2K 69
Cambridge Rd. Tedd —1D 102
Cambridge Rd. Twic —5H 87
Cambridge Rd. Uxb —2B 142
Cambridge Rd. W on T —1F 116
Cambridge Rd. Wat —6G 9
Cambridge Rd. W Mol —8K 101
Cambridge Rd. N. W4 —6M 71
Cambridge Rd. S. W4 —6M 71
Cambridge Row. SE18 —6M 79
Cambridge Sq. W2 —9C 58
Cambridge St. SW1 —5F 74
Cambridge Ter. N9 —9C 16
Cambridge Ter. NW1 —6F 58
Cambridge Ter. M. NW1 —6F 58
Cambridge Theatre. —9J 59
(off Earlham St.)
Cambridge Yd. W7 —3D 70
Cambstone Clo. N11 —2E 26
Cambus Clo. Hay —8J 53
Cambus Rd. E16 —8E 62
Cam Ct. SE15 —7D 76
Camdale Rd. SE18 —8D 80
Camden Arts Cen. —1A 58
Camden Av. Felt —7G 85
Camden Av. Hay —1H 69
Camden Clo. Chst —5A 112
Camden Ct. NW1 —3G 59
(off Rousden St.)
Camden Ct. Belv —6L 81
Camden Gdns. NW1 —3F 58
Camden Gdns. Sutt —7M 121
Camden Gdns. T Hth —7M 107
Camden Gro. Chst —3M 111
Camden High St. NW1 —3F 58
Camden Hill Rd. SE19 —3C 108
Camden Ho. SE8 —6K 77
Camdenhurst St. E14 —9J 61
Camden La. N7 —1H 59
Camden Lock Market. —3F 58
Camden Lock Pl. NW1 —3F 58
Camden M. NW1 —3G 59
Camden Pk. Rd. NW1 —2H 59
Camden Pk. Rd. Chst —4K 111
Camden Passage. —5M 59
Camden Pas. N1 —4M 59
(in two parts)
Camden Peoples Theatre. —7G 59
(off Hampstead Rd.)
Camden Rd. E11 —4F 46
Camden Rd. E17 —4K 45
Camden Rd. NW1 & N7 —3G 59
Camden Rd. Bex —7K 97
Camden Rd. Cars —6D 122
Camden Rd. Sutt —7M 121
Camden Row. SE3 —1C 94
Camden Row. Pinn —1G 37
Camden Sq. NW1 —3H 59
Camden Sq. SE15 —9D 76
Camden St. NW1 —3G 59
Camden Studios. NW1 —4G 59
(off Camden St.)
Camden Ter. NW1 —2H 59
Camden Town. —4F 58
Camden Wlk. N1 —4M 59
(in two parts)
Camden Way. Chst —4K 111
Camden Way. T Hth —7M 107
Cameford Ct. SW12 —6J 91
Camelford. NW1 —4G 59
(off Royal College St.)
Camelford Ct. W11 —9J 57
Camelford Ho. SE1 —6J 75
Camelford Ho. Romf —4J 35
(off Chudleigh Rd.)
Camelford Wlk. W11 —9J 57
Camel Gro. King T —2H 103
Camellia Clo. Romf —8J 35
Camellia Ho. SE8 —8K 77
(off Idonia St.)
Camellia Pl. Twic —6M 85
Camellia St. SW8 —8J 75
Camelot Clo. SE28 —3B 80
Camelot Clo. SW19 —1K 105
Camelot Clo. Big H —8G 141
Camelot Ho. NW1 —2H 59
Camel Rd. E16 —2H 79
Camera Pl. SW10 —7B 74
Cameret Ct. W14 —3H 73
(off Holland Rd.)
Cameron Clo. N18 —4F 28
Cameron Clo. N20 —2B 26
Cameron Clo. Bex —9C 98
Cameron Dri. Wal X —7D 6
Cameron Ho. NW8 —5C 58
(off St John's Wood Ter.)
Cameron Ho. SE5 —8A 76
Cameron Pl. E1 —9F 60
Cameron Rd. SE6 —8K 93
Cameron Rd. Brom —9E 110
Cameron Rd. Croy —1M 123
Cameron Rd. Ilf —6C 48
Cameron Sq. Mitc —5C 106
Cameron Ter. SE12 —9F 94
Camerton Clo. E8 —2D 60
Camilla Clo. Sun —3D 100
Camilla Rd. SE16 —5F 76
Camille Clo. SE25 —7E 108
Camlan Rd. Brom —1D 110
Camlet St. E2 —7D 60
Camlet Way. Barn —4L 13
Camley St. NW1 —3H 59
Camm Gdns. King T —6K 103
Camm Gdns. Th Dit —2D 118
Camomile Av. Mitc —5D 106
Camomile Rd. Rush G —7B 50
Camomile St. EC2 —9C 60
Camomile Way. W Dray —9C 142
Campana Rd. SW6 —9L 73
Campania Building. E1 —1H 77
(off Jardine Rd.)
Campbell Av. Ilf —2M 47
Campbell Clo. SE18 —9L 79
Campbell Clo. SW16 —1H 107
Campbell Clo. Romf —6C 34
Campbell Clo. Ruis —4E 36
Campbell Clo. Twic —8B 86
Campbell Ct. N17 —8D 28
Campbell Ct. SE21 —6E 92
Campbell Ct. SW7 —4A 74
(off Gloucester Rd.)
Campbell Cft. Edgw —5L 23
Campbell Gordon Way. NW2 —9F 40
Campbell Ho. SW1 —6G 75
(off Churchill Gdns.)
Campbell Ho. W12 —1F 72
(off White City Est.)
Campbell Rd. E3 —6L 61
Campbell Rd. E6 —4J 63
Campbell Rd. E15 —9D 46
Campbell Rd. E17 —2K 45
Campbell Rd. N17 —8D 28
Campbell Rd. W7 —1C 70
Campbell Rd. Croy —2M 123
Campbell Rd. E Mol —7C 102
Campbell Rd. Twic —8B 86
Campbell Wlk. N1 —4J 59
(off Outram Pl.)
Campdale Rd. N7 —8H 43
Campden Cres. Dag —9F 48
Campden Cres. Wemb —8F 38
Campden Gro. W8 —3L 73
Campden Hill. W8 —3L 73
Campden Hill Ct. W8 —3L 73
Campden Hill Gdns. W8 —2L 73
Campden Hill Ga. W8 —3L 73
Campden Hill Mans. W8 —2L 73
(off Kensington Church St.)
Campden Hill Pl. W11 —2K 73
Campden Hill Rd. W11 —2L 73
Campden Hill Sq. W11 —2K 73
Campden Ho. NW6 —3B 58
Campden Ho. W8 —2L 73
Campden Ho. Clo. W8 —3L 73
Campden Houses. W8 —2L 73
(off Peel St.)
Campden Rd. S Croy —7C 124
Campden St. W8 —2L 73
Campe Ho. N10 —7E 26
Campen Clo. SW19 —8J 89
Camperdown Ho. Wall —8F 122
(off Stanley Pk. Rd.)
Camperdown St. E1 —9D 60
Campfield Rd. SE9 —6H 95
Campine Clo. Chesh —1D 6
Campion Clo. E6 —1K 79
Campion Clo. Croy —6C 124
Campion Clo. Harr —4K 39
Campion Clo. Rush G —7B 50
Campion Clo. Uxb —8D 142
Campion Clo. Wat —6E 4
Campion Ct. Wemb —5J 55
Campion Gdns. Wfd G —5E 30
Campion Pl. SE28 —2E 80
Campion Rd. SW15 —3G 89
Campion Rd. Iswth —9D 70
Campions. Lou —2L 19
Campions Clo. Borwd —1L 11
Campions, The. Borwd —2K 11
Campion Ter. NW2 —8H 41
Campion Way. Edgw —4A 24
Camplin Rd. Harr —3J 39
Camplin St. SE14 —8H 77
Camp Rd. SW19 —2F 104
(in two parts)
Campsbourne Rd. N8 —1J 43
(in two parts)
Campsbourne, The. N8 —2J 43
Campsey Gdns. Dag —3F 64
Campsey Rd. Dag —3F 64
Campsfield Rd. N8 —1J 43
Campshill Pl. SE13 —4A 94
Campshill Rd. SE13 —4A 94
Campus Rd. E17 —4K 45
Campus Way. NW4 —1F 40
Camp Vw. SW19 —2F 104
Cam Rd. E15 —4B 62
Camrose Av. Edgw —9K 23
Camrose Av. Eri —7M 81
Camrose Av. Felt —1G 101
Camrose Clo. Croy —2J 125
Camrose Clo. Mord —8L 105
Camrose St. SE2 —6E 80
Canada Av. N18 —6A 28
Canada Cres. W3 —8A 56
Canada Est. SE16 —4G 77
Canada Gdns. SE13 —4A 94
Canada Rd. W3 —8A 56
Canada Rd. Eri —8F 82
Canada Sq. E14 —2M 77
Canada St. SE16 —3H 77
Canada Way. W12 —1F 72
Canada Wharf. SE16 —2K 77
Canadian Av. SE6 —7M 93
Canal App. SE8 —6J 77
Canal Bridge. (Junct.) —7E 76
Canal Building. N1 —5A 60
(off Shepherdess Wlk.)
Canal Clo. E1 —7J 61
Canal Clo. W10 —7H 57
Canal Gro. SE15 —7F 76
Canal Path. E2 —4D 60
Canal Rd. E3 —7J 61
Canalside. SE28 —1H 81
Canal St. SE5 —7B 76
Canal Wlk. N1 —4B 60
Canal Wlk. SE25 —1C 124
Canal Wlk. SE26 —2G 109
Canal Way. W10 —7H 57
Canary Wharf. —2M 77
Canberra Clo. NW4 —1E 40
Canberra Clo. Dag —3B 66
Canberra Clo. Horn —9G 51
Canberra Cres. Dag —3B 66
Canberra Dri. N'holt —6G 53
Canberra Rd. E6 —4K 63
Canberra Rd. SE7 —7G 79
Canberra Rd. Bexh —7H 81
Canberra Rd. H'row A —2E 144
Canbury Av. King T —5K 103
Canbury Bus. Cen. King T —5J 103
Canbury Bus. Pk. King T —5J 103
Canbury M. SE26 —9E 92
Canbury Pk. Rd. King T —5H 103
Canbury Pas. King T —5H 103
Canbury Path. Orp —8E 112
Cancell Rd. SW9 —9L 75
Candahar Rd. SW11 —1C 90
Candida Ct. NW1 —3F 58
Candler M. Twic —6E 86
Candler St. N15 —4B 44
Candover Clo. W Dray —8H 143
Candover Rd. Horn —6F 50
Candover St. W1 —8G 59
Candy St. E3 —4K 61
Cane Clo. Wall —9J 123
(in two parts)
Cane Hill. H Wood —9J 35
Caneland Ct. Wal A —7M 7
Caney M. NW2 —7H 41
Canfield Dri. Ruis —1F 52
Canfield Gdns. NW6 —3M 57
Canfield Ho. N15 —4C 44
(off Albert Rd.)
Canfield Pl. NW6 —2A 58
Canfield Rd. Rain —4D 66
Canfield Rd. Wfd G —7J 31
Canford Av. N'holt —4K 53
Canford Clo. Enf —4L 15
Canford Gdns. N Mald —1C 120
Canford Pl. Tedd —3G 103
Canford Rd. SW11 —4E 90
Canham Rd. SE25 —7C 108
Canham Rd. W3 —3C 72
Canmore Gdns. SW16 —4G 107
Cann Hall. —9C 46
Cann Hall Rd. E11 —9C 46
Cann Ho. W14 —4J 73
(off Russell Rd.)
Canning Cres. N22 —8K 27
Canning Cross. SE5 —1C 92
Canning Ho. W12 —1F 72
(off White City Est.)
Canning Pas. W8 —4A 74
(in two parts)
Canning Pl. W8 —4A 74
Canning Pl. M. W8 —4A 74
(off Canning Pl.)
Canning Rd. E15 —5B 62
Canning Rd. E17 —2J 45
Canning Rd. N5 —8M 43
Canning Rd. Croy —4D 124
Canning Rd. Harr —1C 38
Cannington Rd. Dag —2G 65
Canning Town. —9D 62
Canning Town. (Junct.) —8C 62
Cannizaro Rd. SW19 —3G 105
Cannock Ho. N4 —5A 44
Cannonbury Av. Pinn —4H 37
Cannon Clo. SW20 —7G 105
Cannon Clo. Hamp —3M 101
Cannon Dri. E14 —1L 77
Cannon Hill. N14 —3J 27
Cannon Hill. NW6 —1L 57
Cannon Hill La. SW20 —9H 105
Cannon Hill M. N14 —3J 27
Cannon Ho. SE11 —5K 75
(off Beaufoy Wlk.)
Cannon La. NW3 —8B 42
Cannon La. Pinn —3J 37
Cannon M. Wal A —6H 7
Cannon Pl. NW3 —8B 42
Cannon Pl. SE7 —6J 79
Cannon Retail Pk. SE28 —1E 80
Cannon Rd. N14 —3J 27
Cannon Rd. Bexh —9J 81
Cannon Rd. Wat —7G 9
Cannon St. EC4 —9A 60
Cannon St. Rd. E1 —9F 60
Cannon Trad. Est. Wemb —9M 39
Cannon Way. W Mol —8L 101
Cannon Wharf Bus. Cen. SE8 —5J 77
Cannon Workshops. E14 —1L 77
(off Cannon Dri.)
Canon Av. Romf —3G 49
Canon Beck Rd. SE16 —3G 77
Canonbie Rd. SE23 —6G 93
Canonbury. —2A 60
Canonbury Bus. Cen. N1 —4B 60
Canonbury Ct. N1 —3M 59
(off Hawes St.)
Canonbury Cres. N1 —3A 60
Canonbury Gro. N1 —3A 60
Canonbury La. N1 —3M 59
Canonbury Pk. N. N1 —2A 60
Canonbury Pk. S. N1 —2A 60
Canonbury Pl. N1 —2M 59
(in two parts)
Canonbury Rd. N1 —2M 59
Canonbury Rd. Enf —3C 16
Canonbury Sq. N1 —3M 59
Canonbury St. N1 —3A 60
Canonbury Vs. N1 —3M 59
Canon Mohan Clo. N14 —8E 14
Canon Rd. Brom —7G 111
Canon Row. SW1 —3J 75
(in two parts)
Canon's Clo. N2 —5B 42
Canons Clo. Edgw —6K 23
Canons Corner. Edgw —4J 23
Canons Ct. Edgw —6K 23
Canons Dri. Edgw —6J 23
Canons Hill. Coul —9L 137
(in two parts)
Canonsleigh Rd. Dag —3F 64
Canons Park. —6J 23
Canons Pk. Stan —6H 23
Canons Pk. Clo. Edgw —7J 23
Canon St. N1 —4A 60
Canon's Wlk. Croy —5H 125
Canopus Way. N'wd —4E 20
Canopus Way. Stai —6C 144
Canrobert St. E2 —5F 60
Cantelowes Rd. NW1 —2H 59
Canterbury Av. Ilf —5J 47
Canterbury Av. Sidc —8F 96
Canterbury Clo. E6 —9K 63
Canterbury Clo. SE5 —1A 92
(off Lilford Rd.)
Canterbury Clo. Beck —5M 109
Canterbury Clo. Chig —3D 32
Canterbury Clo. Dart —6L 99
Canterbury Clo. Gnfd —8M 53
Canterbury Clo. N'wd —6D 20
Canterbury Ct. NW6 —5L 57
Canterbury Ct. NW9 —9C 24
Canterbury Ct. SE12 —9F 94
Canterbury Cres. SW9 —2L 91
Canterbury Gro. SE27 —1L 107
Canterbury Ho. SE1 —4K 75
Canterbury Ho. SW9 —8L 75
Canterbury Ho. Bark —3E 64
(off Margaret Bondfield Av.)
Canterbury Ho. Borwd —4L 11
(off Stratfield Rd.)
Canterbury Ho. Eri —8D 82
Canterbury Ho. Wat —4G 9
(off Anglian Clo.)
Canterbury Ind. Pk. SE15 —7G 77
Canterbury M. Oxs —5A 132
Canterbury Pl. SE17 —6M 75
Canterbury Rd. E10 —5A 46
Canterbury Rd. NW6 —5K 57
(in two parts)
Canterbury Rd. Borwd —4L 11
Canterbury Rd. Croy —2K 123
Canterbury Rd. Felt —8J 85
Canterbury Rd. Harr —3M 37
Canterbury Rd. Mord —2M 121
Canterbury Rd. Wat —4F 8
Canterbury Ter. NW6 —5L 57
Canterbury Way. Crox G —5A 8
Cantium Retail Pk. SE1 —7E 76
Cantley Gdns. SE19 —5D 108
Cantley Gdns. Ilf —4A 48
Cantley Rd. W7 —4E 70
Canton St. E14 —9L 61
Cantrel Lodge. Enf —9D 6
Cantrell Rd. E3 —7K 61
Cantwell Rd. SE18 —8M 79
Canute Gdns. SE16 —5H 77
Canvey St. SE1 —2A 76
Cape Clo. Bark —3M 63
Cape Henry Ct. E14 —1B 78
(off Jamestown Way)
Cape Ho. E8 —2D 60
(off Dalston La.)
Capel Av. Wall —7K 123
Capel Clo. N20 —3A 26
Capel Clo. Brom —3J 127
Capel Ct. EC2 —9B 60
(off Bartholomew La.)
Capel Ct. SE20 —5G 109
Capel Gdns. Ilf —9D 48
Capel Gdns. Pinn —2K 37
Capella Rd. N'wd —4D 20
Capel Manor Gardens. —8A 6
Capel Pl. Dart —1G 115
Capel Rd. E7 & E12 —9F 46
Capel Rd. Barn —8C 14
Capel Rd. Enf —9B 6
Capel Rd. Wat —8J 9
Capelvere Wlk. Wat —3C 8
Capener's Clo. SW1 —3E 74
(off Kinnerton St.)
Capern Rd. SW18 —7A 90
Cape Rd. N17 —1E 44
Cape Yd. E1 —1E 76
(off Kennet St.)
Capital Bus. Cen. Wat —9H 5
Capital Bus. Cen. Wemb —5H 55
Capital Ind. Est. Belv —4M 81
Capital Ind. Est. Mitc —9D 106
Capital Interchange Way. Bren —6L 71
Capital Pl. Croy —7K 123
Capital Wharf. E1 —2E 76
Capitol Ind. Pk. NW9 —1A 40
Capitol Way. NW9 —1A 40
Capland Ho. NW8 —7B 58
(off Capland St.)
Capland St. NW8 —7B 58
Caple Ho. SW10 —8A 74
(off King's Rd.)
Caple Rd. NW10 —5D 56
Capper St. W1 —7G 59
Caprea Clo. Hay —8H 53
Capricorn Cen. Dag —5K 49
Capri Ho. E17 —9K 29
Capri Rd. Croy —3D 124
Capstan Clo. Romf —4F 48
Capstan Ct. Dart —3M 99
Capstan Ho. E14 —1B 78
(off Clove Cres.)
Capstan Ho. E14 —5A 78
(off Stebondale St.)
Capstan Ride. Enf —4L 15
Capstan Rd. SE8 —5K 77
Capstan Sq. E14 —3A 78
Capstan Way. SE16 —2J 77
Capstone Rd. Brom —1D 110
Capthorne Av. Harr —6J 37
Capuchin Clo. Stan —6F 22
Capulet M. E16 —2E 78
Capworth St. E10 —6L 45
Caractacus Cottage Vw. Wat —9E 8
Caractacus Grn. Wat —8D 8
Caradoc Clo. W2 —9L 57
Caradoc Evans Clo. N11 —5F 26
(off Springfield Rd.)
Caradoc St. SE10 —6C 78
Caradon Clo. E11 —6C 46
Caradon Way. N15 —2B 44
Caravel Clo. E14 —4L 77
Caravelle Gdns. N'holt —6H 53
Caravel M. SE8 —7L 77
Caraway Clo. E13 —8F 62
Caraway Heights. E14 —1A 78
(off Poplar High St.)
Caraway Pl. Wall —5F 122
Carberry Rd. SE19 —3C 108
Carbery Av. W3 —3K 71
Carbis Clo. E4 —1B 30
Carbis Rd. E14 —9K 61
Carbuncle Pas. Way. N17 —9E 28
Carburton St. W1 —8F 58
Carbury Clo. Horn —2G 67
Cardale St. E14 —4A 78
Carden Rd. SE15 —2F 92
Cardiff Ho. SE15 —7E 76
(off Friary Est.)
Cardiff Rd. W7 —4E 70
Cardiff Rd. Enf —6F 16
Cardiff Rd. Wat —8F 8
(in two parts)
Cardiff Rd. Ind. Est. Wat —8F 8
Cardiff St. SE18 —8C 80
Cardiff Way. Ab L —5E 4
Cardigan Ct. W7 —7D 54
(off Copley Clo.)
Cardigan Gdns. Ilf —7E 48
Cardigan Ho. Romf —5H 35
(off Bridgwater Wlk.)
Cardigan Pl. SE3 —1B 94
Cardigan Rd. E3 —5K 61
Cardigan Rd. SW13 —1E 88
Cardigan Rd. SW19 —3A 106
Cardigan Rd. Rich —5J 87
Cardigan St. SE11 —6L 75
Cardigan Wlk. N1 —3A 60
(off Ashby Gro.)
Cardinal Av. Borwd —5M 11
Cardinal Av. King T —2J 103
Cardinal Av. Mord —1J 121
Cardinal Bourne St. SE1 —4B 76
Cardinal Cap All. SE1 —2A 76
Cardinal Clo. Chst —5B 112
Cardinal Clo. Edgw —7B 24
Cardinal Clo. Mord —1J 121
Cardinal Clo. S Croy —5E 138
Cardinal Clo. Wor Pk —6E 120
Cardinal Ct. E1 —1E 76
(off Thomas More St.)
Cardinal Cres. N Mald —6A 104
Cardinal Dri. Ilf —6A 32
Cardinal Dri. W on T —3H 117
Cardinal Pl. SW15 —3H 89
Cardinal Rd. Felt —7F 84
Cardinal Rd. Ruis —6H 37
Cardinals Wlk. Hamp —4A 102
Cardinals Wlk. Sun —3C 100
Cardinals Way. N19 —6H 43
Cardinal Way. Harr —1C 38
Cardinal Way. Rain —5H 67
Cardine M. SE15 —8F 76

Century Pk. Ind. Est. Wat —7G 9
(off Local Board Rd.)
Century Pk. W. Wat —7G 9
Century Rd. E17 —1J 45
Cephas Av. E1 —7G 61
Cephas Ho. E1 —7G 61
(off Doveton St.)
Cephas St. E1 —7G 61
Ceres Rd. SE18 —5D 80
Cerise Rd. SE15 —9E 76
Cerne Clo. Hay —1G 69
Cerne Rd. Mord —1A 122
Cerney M. W2 —1B 74
Cervantes Ct. W2 —9M 57
Cervantes Ct. N'wd —7D 20
Cester St. E2 —4E 60
Ceylon Rd. W14 —4H 73
Chadacre Av. Ilf —1K 47
Chadacre Ct. E15 —4E 62
(off Vicars Clo.)
Chadacre Ho. SW9 —3M 91
(off Loughborough Pk.)
Chadacre Rd. Eps —8F 120
Chadbourn St. E14 —8M 61
Chadbury Ct. NW7 —7E 24
Chadd Dri. Brom —7J 111
Chadd Grn. E13 —4E 62
(in two parts)
Chadston Ho. N1 —3M 59
(off Halton Rd.)
Chadswell. WC1 —6J 59
(off Cromer St.)
Chadview Ct. Romf —5H 49
Chadville Gdns. Romf —3H 49
Chadway. Dag —6G 49
Chadwell Av. Chesh —1C 6
Chadwell Av. Romf —5F 48
Chadwell Heath. —5H 49
Chadwell Heath Ind. Pk. Dag —6J 49
Chadwell Heath La. Chad H & Romf —2F 48
Chadwell St. EC1 —6L 59
Chadwick Av. E4 —4B 30
Chadwick Av. N21 —7K 15
Chadwick Av. SW19 —3L 105
Chadwick Clo. SW15 —6D 88
Chadwick Clo. W7 —8D 54
Chadwick Clo. Tedd —3E 102
Chadwick Dri. H Wood —9H 35
Chadwick Pl. Surb —2G 119
Chadwick Rd. E11 —4C 46
Chadwick Rd. NW10 —4D 56
Chadwick Rd. SE15 —1D 92
Chadwick Rd. Ilf —8M 47
Chadwick St. SW1 —4H 75
Chadwick Way. SE28 —1H 81
Chadwin Rd. E13 —8F 62
Chadworth Ho. EC1 —6A 60
(off Lever St.)
Chadworth Ho. N4 —6A 44
Chadworth Way. Clay —7B 118
Chaffers Mead. Asht —8K 133
Chaffinch Av. Croy —1H 125
Chaffinch Bus. Pk. Beck —8H 109
Chaffinch Clo. N9 —1H 29
Chaffinch Clo. Croy —9H 109
Chaffinch Clo. Surb —5L 119
Chaffinch La. Wat —9D 8
Chaffinch Rd. Beck —5J 109
Chafford Wlk. Rain —5G 67
Chafford Way. Romf —2G 49
Chagford St. NW1 —7D 58
Chailey Av. Enf —4D 16
Chailey Clo. Houn —9H 69
Chailey Ind. Est. Hay —3E 68
Chailey Pl. W on T —6J 117
Chailey St. E5 —8G 45
Chalbury Wlk. N1 —5K 59
Chalcombe Rd. SE2 —4F 80
Chalcot Clo. Sutt —9L 121
Chalcot Cres. NW1 —4D 58
Chalcot Gdns. NW3 —2D 58
Chalcot M. SW16 —9J 91
Chalcot Rd. NW1 —3E 58
Chalcot Sq. NW1 —3E 58
(in two parts)
Chalcott Gdns. Surb —3G 119
Chalcroft Rd. SE13 —4C 94
Chaldon Ct. SE19 —5B 108
Chaldon Rd. SW6 —8J 73
Chaldon Way. Coul —9J 137
Chale Rd. SW2 —5J 91
Chalet Clo. Bex —1B 114
Chalet Est. NW7 —4E 24
Chale Wlk. Sutt —1M 135
Chalfont Av. Wemb —2M 55
Chalfont Ct. NW1 —7D 58
(off Baker St.)
Chalfont Ct. NW9 —1D 40
Chalfont Ct. Harr —4D 38
(off Northwick Pk. Rd.)
Chalfont Grn. N9 —3C 28
Chalfont Ho. SE16 —4F 76
(off Keetons Rd.)
Chalfont Ho. Wat —8C 8
Chalfont Rd. N9 —3C 28
Chalfont Rd. SE25 —7D 108
Chalfont Rd. Hay —3E 68
Chalfont Wlk. Pinn —9G 21
Chalfont Way. W13 —4F 70
Chalford. NW3 —2A 58
(off Finchley Rd.)
Chalford Clo. W Mol —8L 101
Chalforde Gdns. Romf —2F 50
Chalford Rd. SE21 —1B 108
Chalford Wlk. Wfd G —8H 31
Chalgrove Av. Mord —9L 105
Chalgrove Cres. Ilf —9J 31
Chalgrove Gdns. N3 —1J 41
Chalgrove Rd. N17 —8F 28
Chalgrove Rd. Sutt —9B 122
Chalice Clo. Wall —8H 123
Chalice Ct. N2 —2C 42
Chalkenden Clo. SE20 —4F 108
Chalker's Corner. (Junct.) —2M 87
Chalk Farm. —3E 58
Chalk Farm Rd. NW1 —3E 58
Chalk Hill. Wat —8H 9
Chalk Hill Rd. W6 —5H 73
Chalkhill Rd. Wemb —8L 39
(in two parts)
Chalklands. Wemb —8A 40
Chalk La. Barn & Cockf —5D 14
Chalk La. Eps —7B 134
(in two parts)
Chalkley Clo. Mitc —6D 106
Chalkmill Dri. Enf —5F 16
Chalk Paddock. Eps —7B 134
Chalk Pit Av. Orp —7G 113
Chalk Pit Rd. Bans —9L 135
Chalk Pit Way. Sutt —8A 122
Chalk Rd. E13 —8F 62
Chalkstone Clo. Well —9E 80
Chalkwell Ho. E1 —9H 61
(off Pitsea St.)
Chalkwell Pk. Av. Enf —6C 16
Chalky La. Chess —2H 133
Challenge Clo. NW10 —4C 56
Challenge Rd. Ashf —9B 84
Challice Way. SW2 —7K 91
Challin St. SE20 —5G 109
Challis Rd. Bren —6H 71
Challock Clo. Big H —8B 141
Challoner Clo. N2 —9B 26
Challoner Cres. W14 —6K 73
Challoners Clo. E Mol —8B 102
Challoner St. W14 —6K 73
Chalmers Ho. E17 —3M 45
Chalmers Rd. Ashf —2A 100
Chalmers Rd. Bans —7B 136
Chalmers Rd. E. Ashf —1A 100
Chalmers Wlk. SE17 —7M 75
(off Hillingdon St.)
Chalmers Way. Felt —4F 84
Chalsey Rd. SE4 —3K 93
Chalton Dri. N2 —4B 42
Chalton Ho. NW1 —6H 59
(off Chalton St.)
Chalton St. NW1 —5G 59
(in three parts)
Chamberlain Clo. SE28 —4B 80
Chamberlain Cotts. SE5 —9B 76
Chamberlain Cres. W W'ck —3M 125
Chamberlain Gdns. Houn —9A 70
Chamberlain Ho. E1 —1G 77
(off Cable St.)
Chamberlain Ho. NW1 —5H 59
(off Ossulston St.)
Chamberlain Ho. SE1 —3L 75
(off Westminster Bri. Rd.)
Chamberlain La. Pinn —2E 36
Chamberlain Pl. E17 —1J 45
Chamberlain Rd. N2 —9A 26
Chamberlain Rd. N9 —3E 28
Chamberlain Rd. W13 —3E 70
Chamberlain St. NW1 —3D 58
Chamberlain Wlk. Felt —1J 101
(off Swift Rd.)
Chamberlain Way. Pinn —1F 36
Chamberlain Way. Surb —2J 119
Chamberlayne Av. Wemb —8J 39
Chamberlayne Rd. NW10 —4G 57
Chambers Gdns. N2 —8B 26
Chambers Ind. Pk. W Dray —7L 143
Chambers La. NW10 —3F 56
Chambers Pl. S Croy —9B 124
Chambers Rd. N7 —9J 43
Chambers St. SE16 —3E 76
Chambers, The. SW10 —9A 74
(off Chelsea Harbour)
Chamber St. E1 —1D 76
Chambers Wharf. SE16 —3E 76
Chambon Pl. W6 —5E 72
Chambord St. E2 —6D 60
Chamomile Ct. E17 —4L 45
(off Yunus Khan Clo.)
Champion Cres. SE26 —1J 109
Champion Gro. SE5 —2B 92
Champion Hill. SE5 —2B 92
Champion Hill Est. SE5 —2C 92
Champion Pk. SE5 —1B 92
Champion Rd. SE26 —1J 109
Champion Rd. Upm —7M 51
Champlain Ho. W12 —1F 72
(off White City Est.)
Champness Clo. SE27 —1B 108
Champneys. Wat —2J 21
Champneys Clo. Sutt —9K 121
Chancel Ind. Est. NW10 —1D 56
Chancellor Gdns. S Croy —1M 137
Chancellor Gro. SE21 —8A 92
Chancellor Ho. E1 —2F 76
(off Green Bank)
Chancellor Pas. E14 —2L 77
Chancellor Pl. NW9 —9D 24
Chancellors Ct. WC1 —8K 59
(off Olde Hall St.)
Chancellor's Rd. W6 —6G 73
Chancellor's St. W6 —6G 73
Chancellors Wharf. W6 —6G 73
Chancelot Rd. SE2 —5F 80
Chancel St. SE1 —2M 75
Chancery Bldgs. E1 —1F 76
(off Lowood St.)
Chancery Ct. Dart —6L 99
Chancery La. WC2 —9L 59
Chancery La. Beck —6M 109
Chance St. E2 & E1 —7D 60
Chanctonbury Clo. SE9 —9M 95
Chanctonbury Gdns. Sutt —9M 121
Chanctonbury Way. N12 —4K 25
Chandler Av. E16 —8E 62
Chandler Clo. Hamp —5L 101
Chandler Ct. Felt —5E 84
Chandler Rd. Lou —3M 19
Chandlers Clo. Felt —6D 84
Chandlers Corner. (Junct.) —7G 67
Chandlers Corner. Rain —6G 67
Chandlers Ct. SE12 —7F 94
Chandlers Dri. Eri —5B 82
Chandlers M. E14 —3L 77
Chandler St. E1 —2F 76
Chandlers Way. SW2 —6L 91
Chandlers Way. Romf —3C 50
Chandler Way. SE15 —8D 76
(Diamond St.)
Chandler Way. SE15 —7C 76
(St George's Way)
Chandlery Ho. E1 —9E 60
(off Bk. Church La.)
Chandlery, The. SE1 —4L 75
(off Gerridge St.)
Chandon Lodge. Sutt —9A 122
Chandos Av. E17 —9L 29
Chandos Av. N14 —3G 27
Chandos Av. N20 —1A 26
Chandos Av. W5 —5G 71
Chandos Clo. Buck H —2F 30
Chandos Ct. N14 —2H 27
Chandos Ct. Edgw —7K 23
Chandos Cres. Edgw —7K 23
Chandos Pde. Edgw —7K 23
Chandos Pl. WC2 —1J 75
Chandos Rd. E15 —1B 62
Chandos Rd. N2 —9B 26
Chandos Rd. N17 —9C 28
Chandos Rd. NW2 —1G 57
Chandos Rd. NW10 —7C 56
Chandos Rd. Borwd —4K 11
Chandos Rd. Harr —3A 38
Chandos Rd. Pinn —5H 37
Chandos St. W1 —8F 58
Chandos Way. NW11 —6M 41
Change All. EC3 —9B 60
Channel Clo. Houn —9L 69
Channel Ga. Rd. NW10 —6C 56
Channel Ho. E14 —8J 61
(off Aston St.)
Channel Islands Est. N1 —2A 60
(off Guernsey Rd.)
Channelsea Path. E15 —4B 62
Channelsea Rd. E15 —4B 62
Channing Clo. Horn —5K 51
Channon Ct. Surb —9J 103
(off Maple Rd)
Chanton Dri. Sutt —2G 135
Chantress Clo. Dag —4A 66
Chantrey Rd. SW9 —2K 91
Chantry Clo. NW7 —8D 12
Chantry Clo. W9 —7K 57
Chantry Clo. Enf —2A 16
Chantry Clo. Harr —3K 39
Chantry Clo. Sidc —2J 113
Chantry Clo. W Dray —1H 143
Chantry Hurst. Eps —7B 134
Chantry La. Brom —9H 111
Chantry Pl. Harr —8M 21
Chantry Rd. Chess —7K 119
Chantry Rd. Harr —8M 21
Chantry Sq. W8 —4M 73
Chantry St. N1 —4M 59
Chantry, The. E4 —1A 30
Chantry, The. Uxb —6D 142
Chantry Way. Mitc —7B 106
Chantry Way. Rain —5B 66
Chant Sq. E15 —3B 62
Chant St. E15 —3B 62
Chapel Clo. Dart —4C 98
Chapel Clo. Wat —7D 4
Chapel Ct. N2 —1C 42
Chapel Ct. SE1 —3B 76
Chapel Ct. Hay —1D 68
Chapel End. —8L 29
Chapel Farm Rd. SE9 —9K 95
Chapel Hill. N2 —9C 26
Chapel Hill. Dart —4C 98
Chapel Ho. St. E14 —6M 77
Chapel La. Chig —3D 32
Chapel La. Pinn —1H 37
Chapel La. Romf —5H 49
Chapel La. Uxb —9E 142
Chapel Lodge. Rain —6E 66
Chapel Mkt. N1 —5L 59
Chapel M. Wfd G —6L 31
Chapel of St John the Evangelist.
(off Tower of London) —1D 76
Chapel Path. E11 —4F 46
(off Woodbine Pl.)
Chapel Pl. EC2 —6C 60
Chapel Pl. N1 —5L 59
Chapel Pl. N17 —7D 28
Chapel Pl. W1 —9F 58
Chapel Rd. SE27 —1M 107
Chapel Rd. W13 —2F 70
Chapel Rd. Bexh —3L 97
Chapel Rd. Houn —2M 85
Chapel Rd. Ilf —8L 47
Chapel Rd. Twic —6F 86
Chapel Rd. Warl —9H 139
Chapel Side. W2 —1M 73
Chapel Stones. N17 —8D 28
Chapel St. SW1 —4E 74
Chapel St. W2 —8C 58
Chapel St. Enf —5A 16
Chapel St. Uxb —4A 142
Chapel Ter. Lou —6J 19
Chapel Vw. S Croy —8G 125
Chapel Wlk. NW4 —2F 40
(in two parts)
Chapel Wlk. Croy —4A 124
Chapel Way. N7 —8K 43
Chapel Yd. SW18 —4L 89
(off Wandsworth High St.)
Chaplaincy Gdns. Horn —6J 51
Chaplemount Rd. Wfd G —6K 31
Chaplin Clo. SE1 —3L 75
Chaplin Clo. Wemb —2H 55
Chaplin Cres. Sun —3C 100
Chaplin Rd. E15 —5D 62
Chaplin Rd. N17 —1D 44
Chaplin Rd. NW2 —2E 56
Chaplin Rd. Dag —3J 65
Chaplin Rd. Wemb —2G 55
Chaplin Sq. N12 —7B 26
Chapman Clo. W Dray —4K 143
Chapman Cres. Harr —4J 39
Chapman Ho. E1 —9F 60
(off Bigland St.)
Chapman Rd. E9 —2K 61
Chapman Rd. Belv —6M 81
Chapman Rd. Croy —3L 123
Chapmans Grn. N22 —8L 27
Chapman's La. SE2 & Belv —5G 81
Chapman's La. Orp —6H 113
(in two parts)
Chapmans Pk. Ind. Est. NW10 —2D 56
Chapman Sq. SW19 —8H 89
Chapman St. E1 —1F 76
Chapmans Yd. Wat —6H 9
Chapman Ter. N22 —8M 27
(off Perth Rd.)
Chapone Pl. W1 —9H 59
(off Dean St.)
Chapter Chambers. SW1 —5H 75
(off Chapter St.)
Chapter Clo. W4 —4A 72
Chapter Clo. Uxb —3D 142
Chapter Ho. Ct. EC4 —9A 60
(off St Paul's Chyd.)
Chapter Rd. NW2 —1E 56
Chapter Rd. SE17 —6M 75
Chapter St. SW1 —5H 75
Chapter Way. Hamp —1L 101
Chara Pl. W4 —7B 72
Charcot Ho. SW15 —5D 88
Charcroft Ct. W14 —3H 73
(off Minford Gdns.)
Charcroft Gdns. Enf —6H 17
Chardin Ho. SW9 —9L 75
(off Gosling Way)
Chardin Rd. W4 —5C 72
Chardmore Rd. N16 —6E 44
Chard Rd. H'row A —1F 144
Chardwell Clo. E6 —9K 63
Charecroft Way. W12 —3H 73
Charfield Ct. W9 —7M 57
(off Shirland Rd.)
Charford Rd. E16 —8E 62
Chargate Clo. W on T —8D 116
Chargeable La. E13 —7D 62
Chargeable St. E16 —7D 62
Chargrove Clo. SE16 —3H 77
Charing Clo. Orp —6D 128
Charing Ct. Short —6C 110
Charing Cross. SW1 —2J 75
(off Whitehall)
Charing Cross Rd. WC2 —9H 59
Charing Ho. SE1 —3L 75
(off Windmill Wlk.)
Charlbert Ct. NW8 —5C 58
(off Charlbert St.)
Charlbert St. NW8 —5C 58
Charlbury Av. Stan —5H 23
Charlbury Clo. Romf —6G 35
Charlbury Cres. Romf —6G 35
Charlbury Gdns. Ilf —7D 48
Charlbury Gro. W5 —9G 55
Charldane Rd. SE9 —9M 95
Charlecote Gro. SE26 —9F 92
Charlecote Rd. Dag —8J 49
Charlemont Rd. E6 —7K 63
Charles Auffray Ho. E1 —8G 61
(off Smithy St.)
Charles Barry Clo. SW4 —2G 91
Charles Bradlaugh Ho. N17 —7F 28
(off Haynes Clo.)
Charles Clo. Sidc —1F 112
Charles Cobb Gdns. Croy —7L 123
Charles Ct. Eri —7C 82
Charles Coveney Rd. SE5 —9D 76
Charles Cres. Harr —5B 38
(in two parts)
Charles Curran Ho. Uxb —8A 36
Charles Dickens Ho. E2 —6E 60
(off Mansford St.)
Charle Sevright Dri. NW7 —5H 25
Charlesfield. SE9 —9G 95
Charles Flemwell M. E16 —2E 78
Charles Gardner Ct. N1 —6B 60
(off Haberdasher Est.)
Charles Grinling Wlk. SE18 —5L 79
Charles Harrod Ct. SW13 —7G 73
(off Somerville Av.)
Charles Hocking Ho. W3 —3A 72
(off Bollo Bri. Rd.)
Charles Ho. N17 —7D 28
(off Love La.)
Charles La. NW8 —5C 58
Charles MacKenzie Ho. SE16 —5E 76
(off Linsey St.)
Charles Pl. NW1 —6G 59
Charles Rd. E7 —3G 63
Charles Rd. SW19 —5L 105
Charles Rd. W13 —9E 54
Charles Rd. Dag —2B 66
Charles Rd. Romf —4H 49
Charles Rowan Ho. WC1 —6L 59
(off Margery St.)
Charles II Pl. SW3 —6D 74
Charles II St. SW1 —2H 75
Charles Simmons Ho. WC1 —6K 59
(off Margery St.)
Charles Sq. N1 —6B 60
Charles Sq. Est. N1 —6B 60
(off Charles Sq.)
Charles St. E16 —2G 79
Charles St. SW13 —1C 88
Charles St. W1 —2F 74
Charles St. Croy —5A 124
Charles St. Enf —7D 16
Charles St. Houn —1K 85
Charles St. Uxb —7F 142
Charles St. Trad. Est. E16 —2G 79
Charleston Clo. Felt —9E 84
Charleston St. SE17 —5A 76
Charles Townsend Ho. EC1 —6M 59
(off Finsbury Est.)
Charles Uton Ct. E8 —9E 44
Charles Whincup Rd. E16 —2F 78
Charlesworth Ho. E14 —9L 61
(off Dod St.)
Charleville Cir. SE26 —2E 108
Charleville Mans. W14 —6J 73
(off Charleville Rd.)
Charleville Rd. W14 —6J 73
Charlie Brown's Roundabout. (Junct.) —9G 31
Charlie Chaplin Wlk. SE1 —2K 75
Charlieville Rd. Eri —8A 82
Charlmont Rd. SW17 —3C 106
Charlock Way. Wat —8D 8
Charlotte Clo. Bexh —4J 97
Charlotte Clo. Ilf —8A 32
Charlotte Ct. N8 —4H 43
Charlotte Ct. SE17 —5C 76
(off Old Kent Rd.)
Charlotte Ct. Ilf —4K 47
Charlotte Despard Av. SW11 —9E 74
Charlotte Gdns. Romf —6M 33
Charlotte Ho. W6 —6G 73
(off Queen Caroline St.)
Charlotte M. W1 —8G 59
Charlotte M. W10 —9H 57
Charlotte M. W14 —5J 73
Charlotte M. Esh —6M 117
(off Heather Pl.)
Charlotte Pk. Av. Brom —7J 111
Charlotte Pl. NW9 —3A 40
Charlotte Pl. SW1 —5G 75
Charlotte Pl. W1 —8G 59
Charlotte Rd. EC1 —6C 60
Charlotte Rd. SW13 —9D 72
Charlotte Rd. Dag —2M 65
Charlotte Rd. Wall —8G 123
Charlotte Row. SW4 —2G 91
Charlotte Sq. Rich —5K 87
Charlotte St. W1 —8G 59
Charlotte Ter. N1 —4K 59
Charlow Clo. SW6 —1A 90
Charlton. —6A 100
(Shepperton)
Charlton. —7H 79
(Woolwich)
Charlton Athletic F.C. —6G 79
Charlton Av. W on T —6F 116
Charlton Chu. La. SE7 —6G 79
Charlton Ct. E2 —4D 60
Charlton Cres. Bark —5D 64
Charlton Dene. SE7 —8G 79
Charlton Dri. Big H —9H 141
Charlton Ho. Bren —7J 71
Charlton Kings. Wey —5C 116
Charlton King's Rd. NW5 —1H 59
Charlton La. SE7 —5H 79
Charlton La. Shep —7A 100
Charlton Pk. La. SE7 —8H 79
Charlton Pk. Rd. SE7 —7H 79
Charlton Pl. N1 —5M 59
Charlton Rd. N9 —1H 29
Charlton Rd. NW10 —4C 56

Charlton Rd.—Cherry Tree Grn.

Charlton Rd. SE3 & SE7 —8E 78
Charlton Rd. Harr —2H 39
Charlton Rd. Shep —7A 100
Charlton Rd. Wemb —6K 39
Charlton Way. SE3 —9C 78
Charlwood. Croy —1K 139
Charlwood Clo. Harr —6C 22
Charlwood Dri. Oxs —7B 132
Charlwood Ho. SW1 —5H 75
(off Vauxhall Bri. Rd.)
Charlwood Houses. WC1 —6J 59
(off Midhope St.)
Charlwood Pl. SW1 —5G 75
Charlwood Rd. SW15 —3H 89
Charlwood Sq. Mitc —7B 106
Charlwood St. SW1 —6G 75
(in two parts)
Charlwood Ter. SW15 —3H 89
Charmans Ho. SW8 —8J 75
(off Wamdsworth Rd.)
Charmian Av. Stan —1H 39
Charminster Av. SW19 —6L 105
Charminster Ct. Surb —2H 119
Charminster Rd. SE9 —1H 111
Charminster Rd. Wor Pk —3H 121
Charmouth Ct. Rich —4K 87
Charmouth Ho. SW8 —8K 75
Charmouth Rd. Well —9G 81
Charnock. Swan —8C 114
(in two parts)
Charnock Ho. W12 —1F 72
(off White City Est.)
Charnock Rd. E5 —8F 44
Charnwood Av. SW19 —6L 105
Charnwood Clo. N Mald —8C 104
Charnwood Dri. E18 —1F 46
Charnwood Gdns. E14 —5L 77
Charnwood Pl. N20 —3A 26
Charnwood Rd. SE25 —9B 108
Charnwood Rd. Enf —9B 6
Charnwood Rd. Uxb —5E 142
Charnwood St. E5 —7F 44
Charrington Rd. Croy —4A 124
Charrington St. NW1 —5H 59
Charsley Rd. SE6 —8M 93
Chart Clo. Brom —5C 110
Chart Clo. Croy —1G 125
Chart Clo. Mitc —8D 106
Charter Av. Ilf —6B 48
Charter Ct. N4 —6L 43
Charter Ct. N22 —8H 27
Charter Ct. N Mald —7C 104
Charter Ct. S'hall —2L 69
Charter Cres. Houn —3J 85
Charter Dri. Bex —6J 97
Charter Ho. WC2 —9J 59
(off Crown Ct.)
Charter Ho. Sutt —8M 121
(off Mulgrave Rd.)
Charterhouse Av. Wemb —9G 39
Charterhouse Bldgs. EC1 —7A 60
Charterhouse M. EC1 —8M 59
Charterhouse Rd. Orp —5E 128
Charterhouse Sq. EC1 —8M 59
Charterhouse St. EC1 —8L 59
Charteris Rd. N4 —6L 43
Charteris Rd. NW6 —4K 57
Charteris Rd. Wfd G —7F 30
Charter Pl. Uxb —3B 142
Charter Pl. Wat —5G 9
Charter Rd. King T —7M 103
Charter Rd., The. Wfd G —6C 30
Charters Clo. SE19 —2C 108
Charter Sq. King T —6M 103
Charter Way. N3 —2K 41
Charter Way. N14 —8G 15
Chartes Ho. SE1 —4C 76
(off Stevens St.)
Chartfield Av. SW15 —4F 88
Chartfield Sq. SW15 —4H 89
Chartham Ct. SW9 —2L 91
(off Canterbury Cres.)
Chartham Gro. SE27 —9M 91
Chartham Ho. SE1 —4B 76
(off Weston St.)
Chartham Rd. SE25 —7F 108
Chart Hills Clo. SE28 —9J 65
Chart Ho. E14 —6M 77
(off Burrells Wharf Sq.)
Chartley Av. NW2 —8C 40
Chartley Av. Stan —6D 22
Charton Clo. Belv —7K 81
Chartres Ct. Gnfd —9J 54
Chartridge. SE17 —7B 76
(off Westmoreland Rd.)
Chartridge. Wat —2H 21
Chartridge Clo. Barn —7E 12
Chartridge Clo. Bush —8A 10
Chart St. N1 —6B 60
Chartwell Clo. SE9 —8B 96
Chartwell Clo. Croy —3B 124
Chartwell Clo. Gnfd —4M 53
Chartwell Clo. Wal A —6L 7
Chartwell Ct. Barn —6J 13
Chartwell Ct. Hay —1D 68
Chartwell Ct. Wfd G —7D 30
Chartwell Dri. Orp —7B 128
Chartwell Gdns. Sutt —5J 121
Chartwell Lodge. Beck —4L 109
Chartwell Pl. Eps —6C 134
Chartwell Pl. Harr —7B 38
Chartwell Pl. Sutt —5K 121
Chartwell Rd. N'wd —6D 20
Chartwell Way. SE20 —5F 108
Charville Ct. Harr —4D 38
Charville La. Hay —6A 52
Charville La. W. Uxb —7D 142
Char Wood. SW16 —1L 107
Chase Bank Ct. N14 —8G 15
(off Avenue Rd.)
Chase Cen., The. NW10 —6B 56
Chase Ct. Iswth —1E 86
Chase Ct. Gdns. Enf —5A 16
Chase Cross. —6C 34
Chase Cross Rd. Romf —7A 34
Chase End. Eps —4B 134
Chasefield Rd. SW17 —1D 106
Chase Gdns. E4 —4L 29
Chase Gdns. Twic —6B 86
Chase Grn. Enf —5A 16
Chase Grn. Av. Enf —4M 15
Chase Hill. Enf —5A 16
Chase Ho. Gdns. Horn —3K 51
Chase La. Chig —3D 32
Chase La. Ilf —3B 48
(in two parts)
Chaseley Dri. W4 —6M 71
Chaseley Dri. S Croy —2B 138
Chaseley St. E14 —9J 61
Chasemore Clo. Mitc —2D 122
Chasemore Gdns. Croy —7L 123
Chasemore Ho. SW6 —8J 73
Chase Ridings. Enf —4L 15
Chase Rd. N14 —7G 15
Chase Rd. NW10 —7B 56
Chase Rd. Eps —4B 134
Chase Rd. Trad. Est. NW10 —7B 56
Chase Side. —4A 16
Chase Side. N14 —8E 14
Chase Side. Enf —5A 16
Chaseside Av. SW20 —5J 105
Chase Side Av. Enf —4A 16
Chaseside Clo. Romf —6C 34
Chase Side Cres. Enf —3A 16
Chase Side Pl. Enf —4A 16
Chase Side Works Ind. Est. N14 —9H 15
Chase, The. E12 —9H 47
Chase, The. SW4 —2F 90
Chase, The. SW16 —4K 107
Chase, The. SW20 —5J 105
Chase, The. Asht —9G 133
Chase, The. Bexh —2M 97
Chase, The. Brom —7F 110
Chase, The. Chad H —4J 49
Chase, The. Chig —4A 32
Chase, The. Coul —6G 137
Chase, The. Eastc —4G 37
Chase, The. Edgw —8M 23
Chase, The. Lou —9H 19
Chase, The. Oxs —7A 132
Chase, The. Pinn —2K 37
Chase, The. Rain —4F 66
Chase, The. Romf —1C 50
Chase, The. Rush G —8C 50
Chase, The. Stan —6E 22
Chase, The. Sun —5F 100
Chase, The. Uxb —1E 142
Chase, The. Wall —7J 123
Chase, The. Wat —6C 8
Chaseville Pde. N21 —7K 15
Chaseville Pk. Rd. N21 —7J 15
Chase Way. N14 —2F 26
Chaseways Vs. Romf —8K 33
Chasewood Av. Enf —4M 15
Chasewood Ct. NW7 —5B 24
Chasewood Pk. Harr —8D 38
Chastilian Rd. Dart —6D 98
Chaston St. NW5 —1E 58
(off Grafton Ter.)
Chater Ho. E2 —6H 61
(off Roman Rd.)
Chatfield Rd. SW11 —2A 90
Chatfield Rd. Croy —3M 123
Chatham Av. Brom —2D 126
Chatham Clo. NW11 —3L 41
Chatham Clo. Sutt —2K 121
Chatham Pl. E9 —2G 61
Chatham Rd. E17 —1J 45
Chatham Rd. E18 —9D 30
Chatham Rd. SW11 —5D 90
Chatham Rd. King T —6L 103
Chatham St. SE17 —5B 76
Chatsfield. Eps —2E 134
Chatsfield Pl. W5 —9J 55
Chatsworth Av. NW4 —9G 25
Chatsworth Av. SW20 —5J 105
Chatsworth Av. Brom —1F 110
Chatsworth Av. Sidc —7E 96
Chatsworth Av. Wemb —1K 55
Chatsworth Clo. NW4 —9G 25
Chatsworth Clo. W4 —7A 72
Chatsworth Clo. Borwd —5L 11
Chatsworth Clo. W W'ck —4D 126
Chatsworth Ct. W8 —5L 73
(off Pembroke Rd.)
Chatsworth Ct. Stan —5G 23
Chatsworth Cres. Houn —3B 86
Chatsworth Dri. Enf —9E 16
Chatsworth Est. E5 —9H 45
Chatsworth Gdns. W3 —2M 71
Chatsworth Gdns. Harr —6M 37
Chatsworth Gdns. N Mald —9D 104
Chatsworth Ho. Brom —8E 110
(off Westmoreland Rd.)
Chatsworth Lodge. W4 —6B 72
(off Bourne Pl.)
Chatsworth Pde. Orp —9A 112
Chatsworth Pl. Mitc —7D 106
Chatsworth Pl. Oxs —5B 132
Chatsworth Pl. Tedd —1E 102
Chatsworth Ri. W5 —7K 55
Chatsworth Rd. E5 —8G 45
Chatsworth Rd. E15 —1D 62
Chatsworth Rd. NW2 —2G 57
(in two parts)
Chatsworth Rd. W4 —7A 72
Chatsworth Rd. W5 —7K 55
Chatsworth Rd. Croy —6B 124
Chatsworth Rd. Dart —4G 99
Chatsworth Rd. Hay —7F 52
Chatsworth Rd. Sutt —7H 121
Chatsworth Way. SE27 —9M 91
Chatteris Av. Romf —6G 35
Chattern Hill. Ashf —1A 100
Chattern Rd. Ashf —1A 100
Chatterton Ct. Rich —1K 87
Chatterton M. N4 —8M 43
(off Chatterton Rd.)
Chatterton Rd. N4 —8M 43
Chatterton Rd. Brom —8H 111
Chatto Rd. SW11 —4D 90
Chaucer Av. Hay —8E 52
Chaucer Av. Houn —1F 84
Chaucer Av. Rich —2L 87
Chaucer Clo. N11 —5G 27
Chaucer Clo. Bans —6J 135
Chaucer Ct. New Bar —7M 13
Chaucer Dri. SE1 —5D 76
Chaucer Gdns. Sutt —5L 121
(in two parts)
Chaucer Grn. Croy —2F 124
Chaucer Ho. SW1 —6G 75
(off Churchill Gdns.)
Chaucer Ho. Barn —6H 13
Chaucer Ho. Sutt —5L 121
(off Chaucer Gdns.)
Chaucer Mans. W14 —7J 73
(off Queen's Club Gdns.)
Chaucer Pk. Dart —6K 99
Chaucer Rd. E7 —2E 62
Chaucer Rd. E11 —4E 46
Chaucer Rd. E17 —9A 30
Chaucer Rd. SE24 —4L 91
Chaucer Rd. W3 —2A 72
Chaucer Rd. Romf —7F 34
Chaucer Rd. Sidc —7G 97
Chaucer Rd. Sutt —6L 121
Chaucer Rd. Well —9C 80
Chaucer Theatre. —9D 60
(off Braham St.)
Chaucer Way. SW19 —3A 106
Chaucer Way. Dart —3L 99
(in two parts)
Chaulden Ho. EC1 —6B 60
(off Cranwood St.)
Chauncey Clo. N9 —3E 28
Chauncey Ho. Wat —8C 8
Chaundrye Clo. SE9 —5K 95
Chauntler Clo. E16 —9F 62
Chave Rd. Dart —9J 99
Chaville Ho. N11 —4E 26
Cheadle Ct. NW8 —7B 58
Cheadle Ho. E14 —9K 61
(off Copenhagen Pl.)
Cheam. —8J 121
Cheam Comn. Rd. Wor Pk —4F 120
Cheam Mans. Sutt —9J 121
Cheam Pk. Way. Sutt —8J 121
Cheam Rd. Eps & Ewe —2E 134
Cheam Rd. Sutt —8K 121
Cheam St. SE15 —2G 93
Cheam Village. (Junct.) —8J 121
Cheapside. EC2 —9A 60
Cheapside. N13 —4B 28
Cheapside. N22 —1L 43
Chearsley. SE17 —5A 76
(off Deacon Way)
Cheddar Clo. N11 —6D 26
Cheddar Waye. Hay —9F 52
Cheddington Ho. E2 —4E 60
(off Whiston Rd.)
Cheddington Rd. N18 —3C 28
Chedworth Clo. E16 —9D 62
Cheeseman Clo. Hamp —3J 101
Cheesemans Ter. W14 —6K 73
(in two parts)
Chelford Rd. Brom —2B 110
Chelmer Cres. Bark —5F 64
Chelmer Rd. E9 —1H 61
Chelmsford Av. Romf —7B 34
Chelmsford Clo. E6 —9K 63
Chelmsford Clo. W6 —7H 73
Chelmsford Clo. Sutt —1L 135
Chelmsford Ct. N14 —9H 15
(off Chelmsford Rd.)
Chelmsford Dri. Upm —8K 51
Chelmsford Gdns. Ilf —5J 47
Chelmsford Ho. N7 —9K 43
(off Holloway Rd.)
Chelmsford Rd. E11 —6B 46
Chelmsford Rd. E17 —4L 45
Chelmsford Rd. E18 —8D 30
Chelmsford Rd. N14 —9G 15
Chelmsford Sq. NW10 —4G 57
Chelmsine Ct. Ruis —3A 36
Chelsea. —6C 74
Chelsea Bri. SW1 & SW8 —7F 74
Chelsea Bri. Bus. Cen. SW8 —8F 74
Chelsea Bri. Rd. SW1 —6E 74
Chelsea Bri. Wharf. SW8 —7F 74
Chelsea Cloisters. SW3 —5C 74
Chelsea Clo. NW10 —4B 56
Chelsea Clo. Edgw —9K 23
Chelsea Clo. Hamp H —2A 102
Chelsea Clo. Wor Pk —2E 120
Chelsea Ct. Brom —7J 111
Chelsea Cres. NW2 —2K 57
Chelsea Cres. SW10 —9A 74
Chelsea Embkmt. SW3 —7C 74
Chelsea Farm Ho. Studios. SW10
(off Milman's St.) —7B 74
Chelsea F.C. —8M 73
Chelsea Gdns. SW1 —6E 74
Chelsea Gdns. Sutt —6J 121
Chelsea Ga. SW1 —6E 74
(off Ebury Bri. Rd.)
Chelsea Harbour Design Cen. SW10 —9A 74
Chelsea Harbour Dri. SW10 —9A 74
Chelsea Lodge. SW3 —7D 74
(off Tite St.)
Chelsea Mnr. Ct. SW3 —7C 74
Chelsea Mnr. Gdns. SW3 —6C 74
Chelsea Mnr. St. SW3 —6C 74
Chelsea M. Horn —6F 50
Chelsea Pk. Gdns. SW3 —7B 74
Chelsea Physic Garden. —7D 74
Chelsea Reach Tower. SW10
(off Worlds End Est.) —8B 74
Chelsea Sq. SW3 —6B 74
Chelsea Studios. SW6 —8M 73
(off Fulham Rd.)
Chelsea Towers. SW3 —7C 74
(off Chelsea Mnr. Gdns.)
Chelsea Village. SW6 —8M 73
(off Fulham Rd.)
Chelsea Wharf. SW10 —8B 74
(off Lots Rd.)
Chelsfield. —7F 128
Chelsfield Av. N9 —9H 17
Chelsfield Gdns. SE26 —9G 93
Chelsfield Grn. N9 —9H 17
Chelsfield Hill. Orp —9G 129
Chelsfield Ho. SE17 —5C 76
(off Massinger St.)
Chelsfield La. Orp —2H 129
(BR5)
Chelsfield La. Orp —9L 129
(BR6)
Chelsfield Rd. Orp —1G 129
Chelsfield Village. —7J 129
Chelsham. —9L 139
Chelsham Common. —8L 139
Chelsham Comn. Rd. Warl —9L 139
Chelsham Ct. Rd. Warl —9B 140
Chelsham Rd. SW4 —2H 91
Chelsham Rd. S Croy —9B 124
Chelsham Rd. Warl —9K 139
Chelsiter Ct. Sidc —1D 112
Chelston App. Ruis —7E 36
Chelston Rd. Ruis —6E 36
Chelsworth Clo. Romf —7K 35
Chelsworth Dri. SE18 —7B 80
Chelsworth Dri. Romf —8J 35
Cheltenham Av. Twic —6E 86
Cheltenham Clo. N Mald —7A 104
Cheltenham Clo. N'holt —2M 53
Cheltenham Ct. Stan —5G 23
(off Marsh La.)
Cheltenham Gdns. E6 —5J 63
Cheltenham Gdns. Lou —8J 19
Cheltenham Ho. Wat —4G 9
(off Exeter Clo.)
Cheltenham Pl. W3 —2M 71
Cheltenham Pl. Harr —2J 39
Cheltenham Rd. E10 —4A 46
Cheltenham Rd. SE15 —3G 93
Cheltenham Rd. Orp —5E 128
Cheltenham Ter. SW3 —6D 74
Chelverton Rd. SW15 —3H 89
Chelwood. N20 —2B 26
Chelwood Clo. E4 —8M 17
Chelwood Clo. Eps —4D 134
Chelwood Clo. N'wd —7A 20
Chelwood Gdns. Rich —1L 87
Chelwood Gdns. Pas. Rich —1L 87
Chelwood Ho. W2 —9B 58
(off Gloucester Sq.)
Chelwood Wlk. SE4 —3J 93
Chenappa Clo. E13 —6E 62
Chenduit Way. Stan —5D 22
Cheney Ct. SE23 —7H 93
Cheney Rd. NW1 —5J 59
Cheney Row. E17 —8K 29
Cheneys Rd. E11 —8C 46
Cheney St. Pinn —2G 37
Chenies Ho. W4 —8D 72
(off Corney Reach Way)
Chenies M. WC1 —7H 59
Chenies Pl. NW1 —5H 59
Chenies St. WC1 —8H 59
Chenies, The. NW1 —5H 59
(off Pancras Rd.)
Chenies, The. Orp —1C 128
Chenies, The. Wilm —1C 114
Chenies Way. Wat —9C 8
Cheniston Gdns. W8 —4M 73
Chepstow Av. Horn —8J 51
Chepstow Clo. SW15 —5J 89
Chepstow Corner. W2 —9L 57
(off Pembridge Vs.)
Chepstow Ct. W2 —1L 73
(off Chepstow Vs.)
Chepstow Cres. W11 —1L 73
Chepstow Cres. Ilf —4C 48
Chepstow Gdns. S'hall —9K 53
Chepstow Ho. Romf —5L 35
(off Leamington Av.)
Chepstow Pl. W2 —9L 57
Chepstow Ri. Croy —5C 124
Chepstow Rd. W2 —9L 57
Chepstow Rd. W7 —4E 70
Chepstow Rd. Croy —5C 124
Chepstow Vs. W11 —1K 73
Chepstow Way. SE15 —8D 76
Chequers. Buck H —1F 30
Chequers Clo. NW9 —1C 40
Chequers Clo. Orp —8D 112
Chequers Ct. EC1 —7B 60
(off Chequer St.)
Chequers Ho. NW8 —7C 58
(off Jerome Cres.)
Chequers La. Dag —8K 65
Chequers La. Wat —3F 4
Chequers Pde. N13 —5A 28
Chequers Pde. SE9 —5K 95
(off Eltham High St.)
Chequers Pde. Dag —4K 65
Chequers Rd. Lou —7L 19
Chequers Rd. Romf & S Wea —2J 35
Chequers Sq. Uxb —3A 142
Chequers, The. Pinn —1H 37
Chequer St. EC1 —7A 60
(in two parts)
Chequers Wlk. Wal A —6M 7
Chequers Way. N13 —5M 27
Cherbury Clo. SE28 —9H 65
Cherbury Ct. N1 —5B 60
(off St John's Est.)
Cherbury St. N1 —5B 60
Cherchefelle M. Stan —5F 22
Cherimoya Gdns. W Mol —7M 101
Cherington Rd. W7 —2C 70
Cheriton Av. Brom —9D 110
Cheriton Av. Ilf —9K 31
Cheriton Clo. W5 —8G 55
Cheriton Clo. Barn —5D 14
Cheriton Ct. SE12 —6E 94
Cheriton Ct. W on T —3G 117
Cheriton Dri. SE18 —8B 80
Cheriton Sq. SW17 —8E 90
Cherry Av. S'hall —2H 69
Cherry Av. Swan —8B 114
Cherry Blossom Clo. N13 —5M 27
Cherry Clo. E17 —3M 45
Cherry Clo. SW2 —6L 91
Cherry Clo. W5 —4H 71
Cherry Clo. Bans —6H 135
Cherry Clo. Cars —4D 122
Cherry Clo. Mord —8J 105
Cherry Clo. Ruis —8D 36
Cherrycot Hill. Orp —6A 128
Cherrycot Ri. Orp —6A 128
Cherry Ct. W3 —2C 72
Cherry Ct. Pinn —9H 21
Cherry Cres. Bren —8F 70
Cherrycroft Gdns. Pinn —7K 21
Cherrydale. Wat —6D 8
Cherrydown Av. E4 —3K 29
Cherrydown Clo. E4 —3L 29
Cherrydown Rd. Sidc —8H 97
Cherrydown Wlk. Romf —9M 33
Cherry Garden Ho. SE16 —3F 76
(off Cherry Garden St.)
Cherry Gdns. Dag —1K 65
Cherry Gdns. N'holt —3M 53
Cherry Garden St. SE16 —3F 76
Cherry Gth. Bren —6H 71
Cherry Gro. Hay —2F 68
Cherry Gro. Uxb —8A 52
Cherry Hill. Harr —6D 22
Cherry Hill. New Bar —8M 13
Cherry Hill Gdns. Croy —6K 123
Cherry Hills. Wat —5J 21
Cherry Hollow. Ab L —4D 4
Cherrylands Clo. NW9 —7A 40
Cherry La. W Dray —5K 143
Cherry Laurel Wlk. SW2 —5K 91
Cherry Orchard. SE7 —7G 79
Cherry Orchard. W Dray —3J 143
Cherry Orchard Clo. Orp —9G 113
Cherry Orchard Gdns. Croy —3B 124
Cherry Orchard Gdns. W Mol —7K 101
Cherry Orchard Rd. Brom —4J 127
Cherry Orchard Rd. Croy —4B 124
Cherry Orchard Rd. W Mol —7L 101
Cherry Rd. Enf —2G 17
Cherry St. Romf —3B 50
Cherry Tree Av. W Dray —9D 142
Cherry Tree Clo. E9 —4G 61
Cherry Tree Clo. Rain —5E 66
Cherry Tree Clo. Wemb —9E 38
Cherry Tree Ct. NW1 —3G 59
(off Camden Rd.)
Cherry Tree Ct. NW9 —2A 40
Cherry Tree Ct. SE7 —7G 79
Cherry Tree Ct. Coul —9K 137
Cherrytree Dri. SW16 —9J 91
Cherry Tree Grn. S Croy —6F 138

Cherry Tree Hill—Chingford Rd.

Cherry Tree Hill. N2 —3C 42
Cherry Tree Ho. N22 —7J 27
Cherry Tree La. Dart —9D 98
Cherry Tree La. Rain —6C 66
Cherry Tree Ri. Buck H —4G 31
Cherry Tree Rd. E15 —1C 62
Cherry Tree Rd. N2 —2D 42
Cherry Tree Rd. Wat —9F 4
Cherry Tree Wlk. EC1 —7A 60
Cherry Tree Wlk. Beck —8K 109
Cherry Tree Wlk. Big H —9G 141
Cherry Tree Wlk. W W'ck —6D 126
Cherrytree Way. Stan —6F 22
Cherry Wlk. Brom —3E 126
Cherry Wlk. Rain —5D 66
Cherry Way. Eps —8B 120
Cherry Way. Shep —8B 100
Cherrywood Clo. E3 —6J 61
Cherry Wood Clo. King T —4L 103
Cherrywood Ct. Tedd —2E 102
Cherrywood Dri. SW15 —4H 89
Cherrywood La. Mord —8J 105
Cherry Wood Way. W5 —8L 55
Cherston Gdns. Lou —6L 19
Cherston Rd. Lou —6L 19
Chertsey Clo. Kenl —7M 137
Chertsey Ct. SW14 —2M 87
Chertsey Cres. New Ad —2A 140
Chertsey Dri. Sutt —4J 121
Chertsey La. Eps —4L 133
Chertsey Rd. E11 —7B 46
Chertsey Rd. Ashf & Sun —4B 100
Chertsey Rd. Felt —2C 100
Chertsey Rd. Ilf —9B 48
Chertsey Rd. Twic —8M 85
Chertsey St. SW17 —2E 106
Chervil Clo. Felt —9E 84
Chervil M. SE28 —2F 80
Cherwell Ct. Eps —6A 120
Cherwell Ho. NW8 —7B 58
(off Church St. Est.)
Cherwell Way. Ruis —4A 36
Cheryls Clo. SW6 —9M 73
Cheseman St. SE26 —9F 92
Chesfield Rd. King T —4J 103
Chesham Av. Orp —1M 127
Chesham Clo. SW1 —4E 74
(off Lyall St.)
Chesham Clo. Romf —2B 50
Chesham Clo. Sutt —2J 135
Chesham Ct. N'wd —6D 20
Chesham Cres. SE20 —5G 109
Chesham Flats. W1 —1E 74
(off Brown Hart Gdns.)
Chesham Ho. Romf —6J 35
(off Leyburn Cres.)
Chesham M. SW1 —4E 74
(off Belgrave M. W.)
Chesham Pl. SW1 —4E 74
(in two parts)
Chesham Rd. SE20 —6G 109
Chesham Rd. SW19 —2B 106
Chesham Rd. King T —6L 103
Chesham St. NW10 —8B 40
Chesham St. SW1 —4E 74
Chesham Ter. W13 —3F 70
Chesham Way. Wat —8C 8
Cheshire Clo. E17 —8M 29
Cheshire Clo. SE4 —1K 93
Cheshire Clo. Horn —3L 51
Cheshire Clo. Mitc —7J 107
Cheshire Ct. EC4 —9L 59
(off Fleet St.)
Cheshire Dri. Leav —7D 4
Cheshire Gdns. Chess —8H 119
Cheshire Ho. Mord —2M 121
Cheshire Rd. N22 —7K 27
Cheshire St. E2 —7D 60
Cheshir Ho. NW4 —2G 41
Chesholm Rd. N16 —8C 44
Cheshunt. —1D 6
Cheshunt Ho. NW6 —4M 57
(off Mortimer Cres.)
Cheshunt Rd. E7 —2F 62
Cheshunt Rd. Belv —6L 81
Cheshunt Wash. Chesh —1E 6
Chesil Ct. E2 —5G 61
Chesil Ct. SW3 —7C 74
(off St Loo Av.)
Chesilton Rd. SW6 —9K 73
Chesil Way. Hay —6D 52
Chesley Gdns. E6 —5H 63
Chesney Ct. W9 —7L 57
(off Shirland Rd.)
Chesney Cres. New Ad —9A 126
Chesney Ho. SE13 —3B 94
(off Mercator Rd.)
Chesney St. SW11 —9E 74
Chesnut Gro. N17 —1D 44
Chesnut Rd. N17 —1D 44
Chesnut Row. N3 —7L 25
Chessholme Rd. Ashf —3A 100
Chessing Ct. N2 —1D 42
(off Fortis Grn.)
Chessington. —7K 119
Chessington Av. N3 —1J 41
Chessington Av. Bexh —8J 81
Chessington Clo. Eps —8A 120
Chessington Ct. N3 —1K 41
(off Charter Way)
Chessington Ct. Pinn —2K 37
Chessington Hall Gdns. Chess —9H 119
Chessington Hill Pk. Chess —7L 119
Chessington Ho. SW8 —1H 91
Chessington Ho. Eps —1D 134
(off Spring St.)
Chessington Lodge. N3 —1K 41
Chessington Mans. E10 —5L 45
Chessington Mans. E11 —5C 46
Chessington Pde. Chess —8H 119
Chessington Rd. Eps & Ewe —8L 119
Chessington Way. W W'ck —4M 125
Chessington World of Adventures. —2G 133
Chessington Zoo. —2G 133
Chesson Rd. W14 —7K 73
Chesswood Way. Pinn —9H 21
Chestbrook Ct. Enf —7C 16
(off Forsyth Pl.)
Chester Av. Rich —5K 87
Chester Av. Twic —7K 85
Chester Clo. SW1 —3F 74
Chester Clo. SW13 —2F 88
Chester Clo. Ashf —2B 100
Chester Clo. Rich —5K 87
Chester Clo. Sutt —4L 121
Chester Clo. Uxb —9F 142
Chester Clo. N. NW1 —6F 58
Chester Clo. S. NW1 —6F 58
Chester Cotts. SW1 —5E 74
(off Bourne St.)
Chester Ct. NW1 —6F 58
Chester Ct. SE5 —8B 76
(off Lomond Gro.)
Chester Ct. SE8 —6H 77
Chester Ct. Brom —8E 110
(off Durham Rd.)
Chester Cres. E8 —1D 60
Chester Dri. Harr —4K 37
Chesterfield Clo. SE13 —1B 94
Chesterfield Clo. Orp —8J 113
Chesterfield Ct. Surb —9J 103
(off Cranes Pk.)
Chesterfield Dri. Dart —4F 98
Chesterfield Dri. Esh —4E 118
Chesterfield Flats. Barn —7H 13
(off Bells Hill)
Chesterfield Gdns. N4 —3M 43
Chesterfield Gdns. SE10 —9B 78
Chesterfield Gdns. W1 —2F 74
Chesterfield Gro. SE22 —4D 92
Chesterfield Hill. W1 —2F 74
Chesterfield Ho. W1 —2E 74
(off Chesterfield Gdns.)
Chesterfield Lodge. N21 —9K 15
(off Church Hill)
Chesterfield Rd. E10 —4A 46
Chesterfield Rd. N3 —6L 25
Chesterfield Rd. W4 —7A 72
Chesterfield Rd. Barn —7H 13
Chesterfield Rd. Enf —1J 17
Chesterfield Rd. Eps —9B 120
Chesterfield St. W1 —2F 74
Chesterfield Wlk. SE10 —9B 78
Chesterfield Way. SE15 —8G 77
Chesterfield Way. Hay —3E 68
Chesterford Gdns. NW3 —9M 41
Chesterford Ho. SE18 —9H 79
(off Tellson Av.)
Chesterford Rd. E12 —1K 63
Chester Gdns. W13 —9F 54
Chester Gdns. Enf —8F 16
Chester Gdns. Mord —1A 122
Chester Ga. NW1 —6F 58
Chester Ho. SE8 —7K 77
Chester Ho. SW1 —5F 74
(off Eccleston Pl.)
Chester Ho. SW9 —8L 75
(off Brixton Rd.)
Chester Ho. Uxb —7A 142
Chesterman Ct. W4 —8C 72
(off Corney Reach Way)
Chester M. SW1 —4F 74
Chester Pl. NW1 —6F 58
Chester Pl. N'wd —7C 20
(off Green La.)
Chester Rd. E7 —3H 63
Chester Rd. E11 —4F 46
Chester Rd. E16 —7C 62
Chester Rd. E17 —3H 45
Chester Rd. N9 —1F 28
Chester Rd. N17 —1B 44
Chester Rd. N19 —7F 42
Chester Rd. NW1 —6E 58
Chester Rd. SW19 —3G 105
Chester Rd. Borwd —5A 12
Chester Rd. Chig —3L 31
Chester Rd. Houn —2F 84
Chester Rd. Ilf —6D 48
Chester Rd. H'row A —2E 144
Chester Rd. Lou —4M 19
Chester Rd. N'wd —7C 20
Chester Rd. Sidc —4C 96
Chester Rd. Wat —7E 8
Chester Row. SW1 —5E 74
Chester Sq. SW1 —5E 74
Chester Sq. M. SW1 —4F 74
(off Chester Sq.)
Chesters, The. N Mald —5C 104
Chester St. E2 —7E 60
Chester St. SW1 —4E 74
Chester Ter. NW1 —6F 58
(in three parts)
Chester Ter. Bark —2B 64
Chesterton Clo. SW18 —4L 89
Chesterton Clo. Gnfd —5M 53
Chesterton Ct. W3 —4M 71
(off Hanbury Rd.)
Chesterton Ct. W5 —8H 55
Chesterton Dri. Stai —7D 144
Chesterton Ho. Croy —6B 124
(off Heathfield Rd.)
Chesterton Rd. E13 —6E 62
Chesterton Rd. W10 —8H 57
Chesterton Sq. W8 —5L 73
Chesterton Ter. E13 —6E 62
Chesterton Ter. King T —6L 103
Chester Way. SE11 —5L 75
Chesthunte Rd. N17 —8A 28
Chestnut All. SW6 —7K 73
Chestnut Av. E7 —9F 46
Chestnut Av. N8 —3J 43
Chestnut Av. SW14 —2B 88
Chestnut Av. Bren —5H 71
Chestnut Av. Buck H —3H 31
Chestnut Av. E Mol & Tedd —7D 102
Chestnut Av. Edgw —6J 23
Chestnut Av. Eps —6C 120
Chestnut Av. Esh —2B 118
Chestnut Av. Hamp —4L 101
Chestnut Av. Horn —7D 50
Chestnut Av. N'wd —9D 20
Chestnut Av. Wemb —1F 54
Chestnut Av. W Dray —1K 143
Chestnut Av. W W'ck —7C 126
Chestnut Av. Wey —9A 116
Chestnut Av. W Vill —9C 116
Chestnut Av. N. E17 —2B 46
Chestnut Av. S. E17 —3A 46
Chestnut Clo. N14 —7G 15
Chestnut Clo. N16 —7B 44
Chestnut Clo. SE6 —2A 110
Chestnut Clo. SE14 —9K 77
Chestnut Clo. SW16 —1L 107
Chestnut Clo. Buck H —3H 31
Chestnut Clo. Cars —3D 122
Chestnut Clo. Hay —1C 68
Chestnut Clo. Horn —9G 51
Chestnut Clo. Orp —7E 128
Chestnut Clo. Sidc —7E 96
Chestnut Clo. Sun —3D 100
Chestnut Clo. W Dray —8M 143
Chestnut Ct. N8 —3J 43
Chestnut Ct. SW6 —7K 73
Chestnut Ct. W8 —4M 73
Chestnut Ct. Felt —2H 101
Chestnut Ct. S Croy —6A 124
(off Bramley Hill)
Chestnut Dri. E11 —4E 46
Chestnut Dri. Bexh —2H 97
Chestnut Dri. Harr —7D 22
Chestnut Dri. Pinn —4H 37
Chestnut Glen. Horn —7D 50
Chestnut Gro. SE20 —4F 108
Chestnut Gro. SW12 —6E 90
Chestnut Gro. W5 —4H 71
Chestnut Gro. Barn —7D 14
Chestnut Gro. Dart —1B 114
Chestnut Gro. Ilf —6C 32
Chestnut Gro. Iswth —3E 86
Chestnut Gro. Mitc —9H 107
Chestnut Gro. N Mald —7B 104
Chestnut Gro. S Croy —9F 124
Chestnut Gro. Wemb —1E 54
Chestnut Ho. W4 —5C 72
(off Orchard, The)
Chestnut La. N20 —1J 25
Chestnut La. Wey —7A 116
Chestnut Pl. Eps —3E 134
Chestnut Ri. SE18 —7B 80
Chestnut Ri. Bush —9M 9
Chestnut Rd. SE27 —9M 91
Chestnut Rd. SW20 —6H 105
Chestnut Rd. Dart —7H 99
Chestnut Rd. Enf —9E 6
Chestnut Rd. King T —4J 103
Chestnut Rd. Twic —8C 86
Chestnuts, The. N5 —9A 44
(off Highbury Grange)
Chestnuts, The. Lou —7H 19
Chestnuts, The. Pinn —7K 21
Chestnuts, The. Uxb —3C 142
Chestnuts, The. W on T —4E 116
Chestnut Ter. Sutt —6M 121
Chestnut Wlk. Shep —8C 100
Chestnut Wlk. Wat —1E 8
Chestnut Wlk. Wfd G —5E 30
Chestnut Way. Felt —9F 84
Cheston Av. Croy —4J 125
Chestwood Gro. Uxb —3D 142
Cheswick Clo. Dart —3D 98
Chesworth Clo. Eri —1C 98
Chettle Clo. SE1 —4B 76
(off Spurgeon St.)
Chettle Ct. N8 —4L 43
Chetwode Ho. NW8 —7C 58
(off Grendon St.)
Chetwode Rd. SW17 —9D 90
Chetwood Wlk. E6 —8J 63
(off Greenwich Cres.)
Chetwynd Av. E Barn —1D 26
Chetwynd Dri. Uxb —5D 142
Chetwynd Rd. NW5 —9F 42
Chevalier Clo. Stan —4J 23
Cheval Pl. SW7 —4C 74
Cheval St. E14 —4L 77
Cheveney Wlk. Brom —7E 110
Chevening Rd. NW6 —5H 57
Chevening Rd. SE10 —6D 78
Chevening Rd. SE19 —3B 108
Chevenings, The. Sidc —9G 97
Cheverell Ho. E2 —5E 60
(off Pritchard's Rd.)
Cheverells. —7M 139
Cheverton Rd. N19 —6H 43
Chevet St. E9 —1J 61
Chevington. NW2 —2K 57
Chevington Way. Horn —9H 51
Cheviot. N17 —7F 28
(off Northumberland Gro.)
Cheviot Clo. Bans —7M 135
Cheviot Clo. Bexh —1C 98
Cheviot Clo. Bush —8A 10
Cheviot Clo. Enf —4B 16
Cheviot Clo. Hay —8B 68
Cheviot Clo. Sutt —1B 136
Cheviot Ct. SE14 —7G 77
(off Avonley Rd.)
Cheviot Ct. S'hall —5M 69
Cheviot Gdns. NW2 —7H 41
Cheviot Gdns. SE27 —1M 107
Cheviot Ga. NW2 —7J 41
Cheviot Rd. SE27 —2L 107
Cheviot Rd. Horn —5E 50
Cheviot Way. Ilf —2C 48
Chevron Clo. E16 —9E 62
Chevy Rd. S'hall —3A 70
Chewton Rd. E17 —2J 45
Cheyham Gdns. Sutt —2H 135
Cheyham Way. Sutt —2J 135
Cheylesmore Ho. SW1 —6F 74
(off Ebury Bri. Rd.)
Cheyne Av. E18 —1D 46
Cheyne Av. Twic —7K 85
Cheyne Clo. NW4 —3G 41
Cheyne Clo. Brom —5J 127
Cheyne Ct. SW3 —7D 74
Cheyne Ct. Bans —7M 135
Cheyne Ct. Bush —6J 9
Cheyne Gdns. SW3 —7C 74
Cheyne Gdns. W13 —8D 54
Cheyne Hill. Surb —8K 103
Cheyne M. SW3 —7C 74
Cheyne Path. W7 —8D 54
Cheyne Pl. SW3 —7D 74
Cheyne Rd. Ashf —4B 100
Cheyne Row. SW3 —7C 74
Cheyne Wlk. N21 —7M 15
Cheyne Wlk. NW4 —4G 41
Cheyne Wlk. SW10 & SW3 —8B 74
(in three parts)
Cheyne Wlk. Croy —4E 124
Cheyneys Av. Edgw —6H 23
Chichele Gdns. Croy —6C 124
Chichele Rd. NW2 —1H 57
Chicheley Gdns. Harr —7A 22
(in two parts)
Chicheley Rd. Harr —7A 22
Chicheley St. SE1 —3K 75
Chichester Av. Ruis —7B 36
Chichester Clo. E6 —9J 63
Chichester Clo. SE3 —8G 79
Chichester Clo. Hamp —3K 101
Chichester Ct. Edgw —6L 23
(off Whitchurch La.)
Chichester Ct. Eps —1D 134
Chichester Ct. N'holt —4J 53
Chichester Ct. Stan —1J 39
Chichester Dri. Purl —4K 137
Chichester Gdns. Ilf —5J 47
Chichester Ho. NW6 —5L 57
Chichester Ho. SW9 —8L 75
(off Brixton Rd.)
Chichester M. SE27 —1L 107
Chichester Rents. WC2 —9L 59
(off Chancery La.)
Chichester Rd. E11 —8C 46
Chichester Rd. N9 —1F 28
Chichester Rd. NW6 —5L 57
Chichester Rd. W2 —8M 57
Chichester Rd. Croy —5C 124
Chichester St. SW1 —6G 75
Chichester Way. E14 —5B 78
Chichester Way. Felt —6G 85
Chichester Way. Wat —6J 5
Chicksand Ho. E1 —8E 60
(off Chicksand St.)
Chicksand St. E1 —8D 60
(in two parts)
Chidbrook Ho. Wat —8C 8
Chiddingfold. N12 —3L 25
Chiddingstone. SE13 —4A 94
Chiddingstone Av. Bexh —8K 81
Chiddingstone Clo. Sutt —2L 135
Chiddingstone St. SW6 —1L 89
Chieftan Dri. Purf —5L 83
Chieveley Pde. Bexh —3M 97
(off Chieveley Rd.)
Chieveley Pde. Bexh —2M 97
(Mayplace Rd. E.)
Chieveley Rd. Bexh —3M 97
Chignell Pl. W13 —2E 70
Chigwell. —3M 31
Chigwell Hill. E1 —1F 76
Chigwell Hurst Ct. Pinn —1H 37
Chigwell Pk. Chig —4M 31
Chigwell Pk. Dri. Chig —3L 31
Chigwell Ri. Chig —2L 31
Chigwell Rd. E18 & Wfd G —1F 46
Chigwell Row. —3F 32
Chigwell Vw. Romf —6L 33
Chilcot Clo. E14 —9M 61
Chilcott Rd. Wat —9C 4
Childebert Rd. SW17 —8F 90
Childeric Rd. SE14 —8J 77
Childerley St. SW6 —9J 73
Childers St. SE8 —7J 77
Childers, The. Wfd G —5K 31
Childs Clo. Horn —4G 51
Childs Ct. Hay —1E 68
Child's Hill. —8L 41
Childs Hill Wlk. NW2 —8K 41
(off Cricklewood La.)
Child's La. SE19 —3C 108
Child's Pl. SW5 —5L 73
Child's St. SW5 —5L 73
Child's Wlk. SW5 —5L 73
Childs Way. NW11 —3K 41
Chilham Clo. Bex —6K 97
Chilham Clo. Gnfd —5E 54
Chilham Ho. SE1 —4B 76
Chilham Ho. SE15 —7G 77
Chilham Rd. SE9 —1J 111
Chilham Way. Brom —2E 126
Chilianwalla Memorial. —7E 74
Chillerton Rd. SW17 —2E 106
Chillingworth Gdns. Twic —9D 86
Chillingworth Rd. N7 —1L 59
Chilmark Gdns. N Mald —1E 120
Chilmark Rd. SW16 —6H 107
Chiltern Av. Bush —8A 10
Chiltern Av. Twic —7L 85
Chiltern Clo. Bexh —9C 82
Chiltern Clo. Borwd —4K 11
Chiltern Clo. Bush —8M 9
Chiltern Clo. Croy —5C 124
Chiltern Clo. Wor Pk —3G 121
Chiltern Ct. N10 —9E 26
Chiltern Ct. NW1 —7D 58
(off Baker St.)
Chiltern Ct. SE14 —8G 77
(off Avonley Rd.)
Chiltern Ct. Harr —3B 38
Chiltern Ct. New Bar —7A 14
Chiltern Ct. Uxb —7F 142
Chiltern Dene. Enf —6K 15
Chiltern Dri. Surb —1L 119
Chiltern Gdns. NW2 —8H 41
Chiltern Gdns. Brom —8D 110
Chiltern Gdns. Horn —8G 51
Chiltern Ho. SE17 —7B 76
(off Portland St.)
Chiltern Ho. W5 —8J 55
Chiltern Rd. E3 —7L 61
Chiltern Rd. Ilf —3C 48
Chiltern Rd. Pinn —3G 37
Chiltern Rd. Sutt —1M 135
Chilterns, The. Brom —6F 110
(off Murray Av.)
Chilterns, The. Sutt —1M 135
Chiltern St. W1 —8E 58
Chiltern Vw. Rd. Uxb —5A 142
Chiltern Way. Wfd G —3E 30
Chilthorne Clo. SE6 —6K 93
Chilton Av. W5 —5H 71
Chilton Ct. N22 —7J 27
(off Truro Rd.)
Chilton Ct. W on T —6E 116
Chilton Gro. SE8 —5H 77
Chiltonian Ind. Est. SE12 —5D 94
Chilton Rd. Edgw —6L 23
Chilton Rd. Rich —2L 87
Chiltons Clo. Bans —7M 135
Chiltons, The. E18 —9E 30
Chilton St. E2 —7D 60
Chilvers Clo. Twic —8C 86
Chilver St. SE10 —6D 78
Chilwell Gdns. Wat —4G 21
Chilworth Ct. SW19 —7H 89
Chilworth Gdns. Sutt —5A 122
Chilworth M. W2 —9B 58
Chilworth St. W2 —9A 58
Chimes Av. N13 —5L 27
Chimes Shop. Cen., The. Uxb —3B 142
Chimney Ct. E1 —2F 76
(off Brewhouse La.)
China Ct. E1 —2F 76
(off Asher Way)
China M. SW2 —6K 91
China Wharf. SE16 —3E 76
Chinbrook Cres. SE12 —9F 94
Chinbrook Rd. SE12 —9F 94
Chinchilla Dri. Houn —1G 85
Chine, The. N10 —2G 43
Chine, The. N21 —8M 15
Chine, The. Wemb —1F 54
Ching Ct. WC2 —9J 59
(off Monmouth St.)
Chingdale Rd. E4 —3C 30
Chingford. —1A 30
Chingford Av. E4 —3L 29
Chingford Green. —1B 30
Chingford Hall Est. E4 —6K 29
Chingford Hatch. —4B 30
Chingford Ind. Est. E4 —4J 29
Chingford La. Wfd G —4C 30
Chingford Mount. —4L 29
Chingford Mt. Rd. E4 —4L 29
Chingford Rd. E4 —6L 29
Chingford Rd. E17 —8M 29

Chingley Clo.—Church Wlk.

Chingley Clo. Brom —3C 110
Ching Way. E4 —6K 29
(in two parts)
Chinnery Clo. Enf —3D 16
Chinnock's Wharf. E14 —1J 77
Chinnor Cres. Gnfd —5M 53
Chipka St. E14 —3A 78
(in two parts)
Chipley St. SE14 —7J 77
Chipmunk Gro. N'holt —6J 53
Chippendale All. Uxb —3B 142
Chippendale Ho. SW1 —6F 74
(off Churchill Gdns.)
Chippendale St. E5 —8H 45
Chippendale Waye. Uxb —3B 142
Chippenham. King T —6K 103
(off Excelsior Clo.)
Chippenham Av. Wemb —1M 55
Chippenham Clo. Pinn —2D 36
Chippenham Clo. Romf —5H 35
Chippenham Gdns. NW6 —6L 57
Chippenham Gdns. Romf —5H 35
Chippenham M. W9 —7L 57
Chippenham Rd. W9 —7L 57
Chippenham Rd. H Hill & Romf —6H 35
Chippenham Wlk. Romf —6H 35
Chipperfield Ho. SW3 —6C 74
(off Ixworth Pl.)
Chipperfield Rd. Orp & St P —5E 112
Chipping Barnet. —6J 13
Chipping Clo. Barn —5J 13
Chipstead. —9D 136
Chipstead Av. T Hth —8M 107
Chipstead Clo. SE19 —4D 108
Chipstead Clo. Coul —8E 136
Chipstead Clo. Sutt —1M 135
Chipstead Gdns. NW2 —7F 40
Chipstead Rd. Bans —9K 135
Chipstead Rd. Eri —8C 82
Chipstead Rd. H'row A —2E 144
Chipstead St. SW6 —9L 73
Chipstead Valley Rd. Coul —8E 136
Chipstead Way. Bans —8D 136
Chip St. SW4 —2H 91
Chirdland Ho. Wat —8C 8
Chirk Clo. Hay —7J 53
Chisenhale Rd. E3 —5J 61
Chisholm Ct. W6 —6E 72
Chisholm Rd. Croy —4C 124
Chisholm Rd. Rich —5K 87
Chisledon Wlk. E9 —2K 61
(off Osborne Rd.)
Chislehurst. —3M 111
Chislehurst Av. N12 —7A 26
Chislehurst Caves. —5L 111
Chislehurst Rd. Brom & Chst —6H 111
Chislehurst Rd. Orp —8C 112
Chislehurst Rd. Rich —4J 87
Chislehurst Rd. Sidc —2E 112
Chislehurst West. —2L 111
Chislet Clo. Beck —4L 109
Chisley Rd. N15 —4C 44
Chiswell Ct. Wat —2G 9
Chiswell Sq. SE3 —1F 94
Chiswell St. EC1 —8A 60
Chiswick. —7B 72
Chiswick Bri. SW14 & W4 —1A 88
Chiswick Clo. Croy —5K 123
Chiswick Comn. Rd. W4 —5B 72
Chiswick Ct. W4 —5M 71
Chiswick Ct. Pinn —1K 37
Chiswick High Rd. Bren & W4 —6L 71
(in two parts)
Chiswick House. —7C 72
Chiswick La. W4 —6C 72
Chiswick La. S. W4 —7D 72
Chiswick Mall. W4 & W6 —7D 72
Chiswick Pk. W4 —5M 71
Chiswick Plaza. W4 —7A 72
Chiswick Quay. W4 —9A 72
Chiswick Rd. N9 —2E 28
Chiswick Rd. W4 —5A 72
Chiswick Roundabout. (Junct.) —6L 71
Chiswick Sq. W4 —7C 72
Chiswick Staithe. W4 —9A 72
Chiswick Ter. W4 —5A 72
Chiswick Village. W4 —7L 71
Chiswick Wharf. W4 —7D 72
Chitterfield Ga. W Dray —8L 143
Chitty's La. Dag —7H 49
Chitty St. W1 —8G 59
Chivalry Rd. SW11 —4C 90
Chive Clo. Croy —3H 125
Chivenor Gro. King T —2H 103
Chivers Rd. E4 —3M 29
Choats Rd. Bark & Dag —5G 65
Chobham Gdns. SW19 —8H 89
Chobham Rd. E15 —1B 62
Cholmeley Cres. N6 —5F 42
Cholmeley Lodge. N6 —6F 42
Cholmeley Pk. N6 —6F 42
Cholmley Gdns. NW6 —1L 57
Cholmley Rd. Th Dit —1F 118
Cholmondeley Av. NW10 —5E 56
Cholmondeley Wlk. Rich —4G 87
(in two parts)
Choppin's Ct. E1 —2F 76
Chopwell Clo. E15 —3B 62
Chorleywood Cres. Orp —6D 112
Choumert Gro. SE15 —1E 92
Choumert Rd. SE15 —2D 92
Choumert Sq. SE15 —1E 92
Chow Sq. E8 —1D 60
Chrislaine Clo. Stanw —5B 144
Chrisp Ho. SE10 —7C 78
(off Maze Hill)
Chrisp St. E14 —8M 61
(in two parts)
Christabel Clo. Iswth —2C 86
Christchurch Av. N12 —6A 26
Christchurch Av. NW6 —4H 57
Christchurch Av. Eri —7B 82
Christchurch Av. Harr —2D 38
Christchurch Av. Rain —5D 66
Christchurch Av. Tedd —2E 102
Christchurch Av. Wemb —2J 55
Christchurch Clo. N12 —7B 26
Christchurch Clo. SW19 —4B 106
Christchurch Ct. NW10 —4C 56
Christchurch Ct. Hay —7G 53
(off Dunedin Way)
Christchurch Cres. Rad —1E 10
Christchurch Flats. Rich —2J 87
Christchurch Gdns. Eps —3M 133
Christchurch Gdns. Harr —2E 38
Christchurch Grn. Wemb —2J 55
Christchurch Hill. NW3 —8B 42
Christchurch Ho. SW2 —7K 91
(off Christchurch Rd.)
Christchurch La. Barn —4J 13
Christchurch Lodge. Barn —6D 14
Christ Chu. Mt. Eps —4M 133
(in two parts)
Christchurch Pk. Sutt —9A 122
Christchurch Pas. NW3 —8A 42
Christchurch Pas. High Bar —4J 13
Christchurch Path. Hay —4A 68
Christchurch Pl. SW8 —1H 91
Christchurch Pl. Eps —3M 133
Christchurch Rd. N8 —4J 43
Christchurch Rd. SW2 —7K 91
Christ Chu. Rd. SW14 —4M 87
Christchurch Rd. SW19 —4B 106
Christ Chu. Rd. Beck —6L 109
Christchurch Rd. Dart —6G 99
Christ Chu. Rd. Eps —4J 133
Christchurch Rd. Ilf —6M 47
Christchurch Rd. H'row A —2E 144
Christchurch Rd. Purl —3M 137
Christchurch Rd. Sidc —1D 112
Christchurch Rd. Surb —1K 119
Christchurch Sq. E9 —4G 61
Christchurch St. SW3 —7D 74
Christchurch Ter. SW3 —7D 74
(off Christchurch St.)
Christchurch Way. SE10 —6C 78
Christian Ct. SE16 —2K 77
Christian Fields. SW16 —4L 107
Christian Pl. E1 —9E 60
(off Burslem St.)
Christian St. E1 —9E 60
Christie Ct. N19 —7J 43
Christie Dri. Croy —9E 108
Christie Gdns. Romf —4F 48
Christie Ho. SE10 —6D 78
(off Blackwall La.)
Christie Rd. E9 —2J 61
Christie Rd. Wal A —8H 7
Christina Sq. N4 —6M 43
Christina St. EC2 —7C 60
Christine Ct. Rain —8E 66
Christine Worsley Clo. N21 —1M 27
Christopher Av. W7 —4E 70
Christopher Clo. SE16 —3H 77
Christopher Clo. Horn —9H 51
Christopher Clo. Sidc —4D 96
Christopher Gdns. Dag —1H 65
Christopher Ho. Sidc —8E 96
(off Station Rd.)
Christopher Pl. NW1 —6H 59
Christopher Rd. S'hall —5F 68
Christophers M. W11 —2J 73
Christopher St. EC2 —7B 60
Chryssell Rd. SW9 —8L 75
Chubworthy St. SE14 —7J 77
Chudleigh. Sidc —1F 112
Chudleigh Cres. Ilf —9C 48
Chudleigh Gdns. Sutt —5A 122
Chudleigh Rd. NW6 —3H 57
Chudleigh Rd. SE4 —4K 93
Chudleigh Rd. Romf —4J 35
Chudleigh Rd. Twic —5C 86
(in two parts)
Chudleigh St. E1 —9H 61
Chudleigh Way. Ruis —6E 36
Chulsa Rd. SE26 —2F 108
Chumleigh St. SE5 —7C 76
Chumleigh Wlk. Surb —8K 103
Church All. A'ham —2A 10
Church All. Croy —3L 123
Church App. SE21 —9B 92
Church App. Stanw —5B 144
Church Av. E4 —6B 30
Church Av. N2 —9B 26
Church Av. NW1 —2F 58
Church Av. SW14 —2B 88
Church Av. Beck —5L 109
Church Av. N'holt —3K 53
Church Av. Pinn —4J 37
Church Av. Ruis —6B 36
Church Av. Sidc —2E 112
Church Av. S'hall —4J 69
Churchbank. E17 —2L 45
(off Teresa M.)
Churchbury Clo. Enf —4C 16
Churchbury La. Enf —5B 16
Churchbury Rd. SE9 —6G 95
Churchbury Rd. Enf —4C 16
Church Cloisters. EC3 —1C 76
(off Lovat La.)
Church Clo. N20 —3C 26
Church Clo. W8 —3M 73
Church Clo. Edgw —5A 24
Church Clo. Eps —5C 134
Church Clo. Hay —8B 52
Church Clo. Houn —1J 85
Church Clo. Lou —4K 19
Church Clo. N'wd —7D 20
Church Clo. Rad —1E 10
Church Clo. Uxb —5A 142
Church Clo. W Dray —4J 143
Church Ct. SE16 —3K 77
(off Rotherhithe St.)
Church Ct. Rich —4H 87
Church Ct. Wfd G —6G 31
Church Cres. E9 —3H 61
Church Cres. N3 —8K 25
Church Cres. N10 —2F 42
Church Cres. N20 —3C 26
Churchcroft Clo. SW12 —6E 90
Churchdown. Brom —1C 110
Church Dri. NW9 —6B 40
Church Dri. Harr —4L 37
Church Dri. W W'ck —5C 126
Church Elm La. Dag —2L 65
Church End. —8K 25
(Finchley)
Church End. —2C 56
(Willesden)
Church End. E17 —2M 45
Church End. NW4 —1F 40
Church Entry. EC4 —9M 59
(off Carter La.)
Church Est. Almshouses. Rich —3K 87
(off Sheen Rd.)
Church Farm Clo. Swan —1A 130
Church Farm House Mus. —1F 40
Church Farm La. Sutt —8J 121
Church Farm Way. A'ham —2M 9
Church Fld. Dart —8H 99
Churchfield Av. N12 —6B 26
Churchfield Clo. Harr —2A 38
Churchfield Clo. Hay —1D 68
Churchfield Mans. SW6 —1K 89
(off New King's Rd.)
Church Fld. Path. Chesh —2C 6
(in two parts)
Churchfield Rd. W3 —2A 72
Churchfield Rd. W7 —3C 70
Churchfield Rd. W13 —2F 70
Churchfield Rd. W on T —3E 116
Churchfield Rd. Well —2E 96
Churchfields. E18 —8E 30
Churchfields. SE10 —7A 78
Churchfields. Lou —6J 19
Churchfields. W Mol —7L 101
Churchfields Av. Felt —9K 85
Churchfields Av. Wey —7A 116
Churchfields Rd. Beck —6H 109
Churchfields Rd. Wat —9D 4
Churchfield Way. N12 —6A 26
Church Gdns. W5 —3H 71
Church Gdns. Wemb —9E 38
Church Gth. N19 —7H 43
(off St John's Gro.)
Churchgate. —3A 6
Church Ga. SW6 —2J 89
Churchgate. Chesh —2B 6
Churchgate Rd. Chesh —2B 6
Church Grn. SW9 —9L 75
Church Grn. Hay —9D 52
Church Grn. W on T —8G 117
Church Gro. SE13 —4M 93
Church Gro. King T —5G 103
Church Hill. E17 —2L 45
Church Hill. N21 —9K 15
Church Hill. SE18 —4K 79
Church Hill. SW19 —2K 105
Church Hill. Cars —7D 122
Church Hill. Cray —3C 98
Church Hill. Cud —7M 141
Church Hill. Dart —8H 99
Church Hill. Harr —6C 38
Church Hill. Lou —5J 19
Church Hill. Orp —2E 128
Church Hill. Purl —2J 137
Church Hill Rd. E17 —2M 45
Church Hill Rd. Barn & E Barn —8C 14
Church Hill Rd. Surb —9J 103
Church Hill Rd. Sutt —5H 121
Church Hill Wood. Orp —9D 112
Church Hollow. Purf —6L 83
Church Ho. SW1 —4H 75
(off Gt. Smith St.)
Church Hyde. SE18 —7C 80
Churchill Av. Harr —4F 38
Churchill Av. Uxb —6F 142
Churchill Clo. Dart —7M 99
Churchill Clo. Felt —7D 84
Churchill Clo. Uxb —6F 142
Churchill Clo. Warl —9G 139
Churchill Ct. N4 —5L 43
Churchill Ct. W5 —7K 55
Churchill Ct. Farnb —7A 128
Churchill Ct. N'holt —1L 53
Churchill Ct. N'wd —6B 20
Churchill Ct. Pinn —8J 21
Churchill Ct. S Harr —3M 37
Churchill Dri. Wey —6A 116
Churchill Gdns. SW1 —6G 75
(off Churchill Gdns., in three parts)
Churchill Gdns. W3 —9L 55
Churchill Gdns. Rd. SW1 —6F 74
Churchill Pk. Dart —4L 99
Churchill Pl. E14 —2M 77
Churchill Pl. Harr —2C 38
Churchill Rd. E16 —9G 63
Churchill Rd. NW2 —2F 56
Churchill Rd. NW5 —9F 42
Churchill Rd. Edgw —6K 23
Churchill Rd. Eps —3L 133
Churchill Rd. S Croy —1A 138
Churchills M. Wfd G —6D 30
Churchill Ter. E4 —4L 29
Churchill Theatre. —6E 110
Churchill Wlk. E9 —1G 61
Churchill Way. Big H —5H 141
Churchill Way. Brom —6E 110
Churchill Way. Sun —2E 100
Church La. E11 —6C 46
Church La. E17 —2M 45
Church La. N2 —1B 42
Church La. N8 —2K 43
Church La. N9 —2E 28
Church La. N17 —8C 28
Church La. NW9 —4A 40
Church La. SW17 —2D 106
Church La. SW19 —5K 105
Church La. W5 —3G 71
Church La. A'ham —2M 9
Church La. Brom —3J 127
Church La. Chel —8M 139
Church La. Chesh —2B 6
Church La. Chess —8K 119
Church La. Chst —5A 112
Church La. Dag —3A 66
Church La. Enf —5B 16
Church La. Eps —9H 135
Church La. Harr —8D 22
Church La. Lou —5K 19
Church La. Pinn —1J 37
Church La. Purf —6L 83
Church La. Rich —7J 87
Church La. Romf —2C 50
Church La. Tedd —2D 102
Church La. Th Dit —1D 118
Church La. Twic —7E 86
Church La. Uxb —5A 142
Church La. Wall —5H 123
Church La. Warl —9H 139
Church La. Wen —9H 67
Churchley Rd. SE26 —1F 108
Church Manorway. SE2 —6E 80
Church Manorway. Eri —4B 82
Church Mead. SE5 —8A 76
(off Camberwell Rd.)
Churchmead Clo. E Barn —8C 14
Church Mdw. Surb —4G 119
Churchmead Rd. NW10 —2E 56
Churchmore Rd. SW16 —5G 107
Church Mt. N2 —3B 42
Chu. Paddock Ct. Wall —5H 123
Church Pas. EC2 —9A 60
(off Guildhall Yd.)
Church Pas. Barn —5J 13
Church Pas. Surb —9J 103
Church Pas. Twic —7F 86
Church Path. E11 —3E 46
Church Path. E17 —2M 45
Church Path. N5 —1M 59
Church Path. N12 —4A 26
Church Path. N17 —8C 28
Church Path. NW10 —3C 56
Church Path. SW14 —3B 88
(in two parts)
Church Path. SW19 —6K 105
Church Path. W3 & W4 —3A 72
(in two parts)
Church Path. W7 —2C 70
Church Path. Bark —4A 64
Church Path. Barn —6J 13
Church Path. Croy —4A 124
(in two parts)
Church Path. Mitc —7C 106
(in two parts)
Church Path. Romf —3C 50
Church Path. S'hall —2L 69
(UB1)
Church Path. S'hall —4K 69
(UB2)
Church Path. Swan —5F 114
Church Pl. W1 —1G 75
Church Pl. W5 —3H 71
Church Pl. Ick —8A 36
Church Pl. Mitc —7C 106
Church Ri. SE23 —8H 93
Church Ri. Chess —8K 119
Church Rd. E10 —6L 45
Church Rd. E12 —1J 63
Church Rd. E17 —9J 29
Church Rd. N6 —4E 42
Church Rd. N17 —8C 28
(in two parts)
Church Rd. NW4 —2F 40
Church Rd. NW10 —3C 56
Church Rd. SE19 —5C 108
Church Rd. SW13 —1D 88
Church Rd. SW19 —2J 105
Church Rd. SW19 & Mitc —5B 106
Church Rd. W3 —2A 72
Church Rd. W7 —1B 70
Church Rd. Ashf —9D 144
Church Rd. Asht —9H 133
Church Rd. Bark —2A 64
Church Rd. Bexh —1K 97
Church Rd. Big H —9H 141
Church Rd. Brom —6E 110
Church Rd. Buck H —1F 30
Church Rd. Cat —9D 138
Church Rd. Clay —8D 118
Church Rd. Cran —6F 68
Church Rd. Croy —5A 124
(in two parts)
Church Rd. E Mol —8B 102
Church Rd. Enf —8G 17
Church Rd. Eps —4C 134
Church Rd. Eri —6B 82
Church Rd. Farnb —7A 128
Church Rd. Felt —2H 101
Church Rd. Ham & Rich —1H 103
Church Rd. H Wood —8K 35
Church Rd. Hay —2D 68
Church Rd. H Bee —5E 18
Church Rd. Houn —8L 69
Church Rd. Ilf —4C 48
Church Rd. Iswth —9B 70
Church Rd. Kenl —7B 138
Church Rd. Kes —9H 127
Church Rd. King T —6K 103
Church Rd. Noak H —1G 35
Church Rd. N'holt —5H 53
Church Rd. N'wd —7D 20
Church Rd. Orp —9G 129
Church Rd. Purl —2J 137
Church Rd. Rich —3J 87
Church Rd. Shep —2A 116
Church Rd. Short —7C 110
Church Rd. Sidc —1E 112
Church Rd. S'hall —4K 69
Church Rd. Stan —5F 22
Church Rd. Surb —3G 119
Church Rd. Sutt —8J 121
Church Rd. S at H —3K 115
Church Rd. Swan —2B 130
(Crockenhill)
Church Rd. Swan —5H 115
(Swanley Village)
Church Rd. Tedd —1C 102
Church Rd. Uxb —7B 142
Church Rd. Wall —5G 123
Church Rd. Warl —9H 139
Church Rd. Wat —3E 8
Church Rd. Well —1F 96
Church Rd. W Dray —4H 143
Church Rd. W Ewe —9B 120
Church Rd. Whyt —9D 138
Church Rd. Wor Pk —3C 120
Church Rd. Almshouses. E10 —7M 45
(off Church Rd.)
Church Rd. Ind. Est. E10 —6L 45
Church Rd. N. N2 —9B 26
Church Rd. S. N2 —9B 26
Church Row. NW3 —9A 42
Church Row. Chst —5A 112
Church Row M. Chst —4A 112
Church Side. Eps —5M 133
Churchside Clo. Big H —9G 141
Church St. E15 —4C 62
Church St. E16 —2M 79
Church St. N9 —9B 16
Church St. W2 & NW8 —8B 58
Church St. W4 —7D 72
Church St. Croy —5M 123
Church St. Dag —2M 65
Church St. Enf —5A 16
Church St. Eps —1E 134
Church St. Esh —6M 117
Church St. Ewe —5C 134
Church St. Hamp —5A 102
Church St. Iswth —2F 86
Church St. King T —6H 103
Church St. Sun —7F 100
Church St. Sutt —7M 121
Church St. Twic —7E 86
Church St. Wal A —6J 7
Church St. W on T —3E 116
Church St. Wat —6G 9
Church St. Est. NW8 —7B 58
(in two parts)
Church St. N. E15 —4C 62
Church St. Pas. E15 —4C 62
Church Stretton Rd. Houn —4A 86
Church Ter. NW4 —1F 40
Church Ter. SE13 —2C 94
Church Ter. Rich —4H 87
Church Va. N2 —1D 42
Church Va. SE23 —8H 93
Church Vw. Rich —4J 87
Church Vw. Swan —7B 114
Church Vw. Upm —7M 51
Churchview Rd. Twic —7B 86
Church Wlk. N6 —8E 42
Church Wlk. N16 —8B 44
(in three parts)
Church Wlk. NW2 —8K 41
Church Wlk. NW4 —1G 41
Church Wlk. NW9 —7B 40
Church Wlk. SW13 —9E 72

Church Wlk.—Clementina Rd.

Church Wlk. SW15 —4F 88
Church Wlk. SW16 —6G 107
Church Wlk. SW20 —7G 105
Church Wlk. Bren —7G 71
(in two parts)
Church Wlk. Bush —8L 9
Church Wlk. Dart —9H 99
Church Wlk. Enf —5B 16
Church Wlk. Eyns —5J 131
Church Wlk. Hay —9C 52
(in three parts)
Church Wlk. Rich —4H 87
Church Wlk. Th Dit —1D 118
Church Wlk. W on T —3E 116
Churchward Ho. W14 —6K 73
(off Ivatt Pl.)
Church Way. N20 —3C 26
Churchway. NW1 —6H 59
(in two parts)
Church Way. Barn —6D 14
Church Way. Edgw —6L 23
Church Way. S Croy —2D 138
Churchwell Path. E9 —1G 61
Churchwood Gdns. Wfd G —4E 30
Churchyard Pas. SE5 —1B 92
Churchyard Row. SE11 —5M 75
Churnfield. N4 —7L 43
Churston Av. E13 —4F 62
Churston Clo. SW2 —7L 91
Churston Dri. Mord —9H 105
Churston Gdns. N11 —6G 27
Churton Pl. SW1 —5G 75
Churton St. SW1 —5G 75
Chusan Pl. E14 —9K 61
Chute Ho. SW9 —1L 91
(off Stockwell Pk. Rd.)
Chuters Gro. Eps —4D 134
Chyngton Clo. Sidc —9D 96
Cibber Rd. SE23 —8H 93
Cicada Rd. SW18 —5A 90
Cicely Ho. NW8 —5B 58
(off Cochrane St.)
Cicely Rd. SE15 —9E 76
Cinderford Way. Brom —1C 110
Cinnamon Clo. Croy —2J 123
Cinnamon Row. SW11 —2A 90
Cinnamon St. E1 —2F 76
Cinnamon Wharf. SE1 —3D 76
(off Shad Thames)
Cintra Pk. SE19 —4D 108
Circle Gdns. SW19 —6L 105
Circle, The. NW2 —8C 40
Circle, The. NW7 —6B 24
Circle, The. SE1 —3D 76
(off Queen Elizabeth St.)
Circuits, The. Pinn —2G 37
Circular Rd. N2 —9B 26
Circular Rd. N17 —1D 44
Circular Way. SE18 —7K 79
Circus Lodge. NW8 —6B 58
(off Circus Rd.)
Circus M. W1 —8D 58
(off Enford St.)
Circus Pl. EC2 —8B 60
Circus Rd. NW8 —6B 58
Circus St. SE10 —8A 78
Cirencester St. W2 —8M 57
Cissbury Ho. SE26 —9E 92
Cissbury Ring N. N12 —5K 25
Cissbury Ring S. N12 —5K 25
Cissbury Rd. N15 —3B 44
Citadel Pl. SE11 —6K 75
Citizen Rd. N7 —9L 43
Citrus Ho. SE8 —6K 77
(off Alverton St.)
City Bus. Cen. SE16 —4G 77
City Central Est. EC1 —6A 60
(off Seward St.)
City Garden Row. N1 —5M 59
City Harbour. E14 —4M 77
(off Selsdon Way)
City Heights. SE1 —2C 76
(off Weavers La.)
City Ho. Wall —3E 122
(off Corbet Clo.)
City of London. —9B 60
City of London Almshouses. SW9 —3K 91
City of London Crematorium. E12 —8J 47
City Pavilion. EC1 —8M 59
(off Britton St.)
City Rd. EC1 —5M 59
City Tower. EC2 —8B 60
(off Basinghall St.)
City Vw. Ct. SE22 —6E 92
Civic Way. B'side & Ilf —2A 48
Civic Way. Ruis —1H 53
Clabon M. SW1 —4D 74
Clack La. Ruis —6A 36
Clack St. SE16 —3G 77
Clacton Rd. E13 —6H 63
Clacton Rd. E17 —4J 45
Clacton Rd. N17 —9D 28
Claigmar Gdns. N3 —8M 25
Claire Ct. N12 —4A 26
Claire Ct. NW2 —2J 57
Claire Ct. Bush —1B 22
Claire Ct. Chesh —5E 6
Claire Ct. Pinn —7K 21
Claire Gdns. Stan —5G 23
Claire Ho. Edgw —9A 24
(off Burnt Oak B'way.)
Claire Pl. E14 —4L 77
Clairvale. Horn —5J 51
Clairvale Rd. Houn —9H 69
Clairview Rd. SW16 —2F 106
Clairville Gdns. W7 —2C 70
Clairville Point. SE23 —9H 93
(off Dacres Rd.)
Clammas Way. Uxb —8A 142
Clamp Hill. Stan —4B 22
Clancarty Rd. SW6 —1L 89
Clandeboye Ho. E15 —4D 62
(off John St.)
Clandon Clo. W3 —3M 71
Clandon Clo. Eps —8D 120
Clandon Gdns. N3 —1L 41
Clandon Ho. SE1 —3M 75
(off Webber St.)
Clandon Rd. Ilf —7C 48
Clandon St. SE8 —1L 93
Clandon Ter. SW20 —6H 105
Clanfield Way. SE15 —8C 76
Clanricarde Gdns. W2 —1L 73
Clapgate Rd. Bush —8M 9
Clapham. —3G 91
Clapham Common. (Junct.) —3H 91
Clapham Comn. N. Side. SW4 —3D 90
Clapham Comn. S. Side. SW4 —5F 90
Clapham Comn. W. Side. SW4 —3D 90
(in two parts)
Clapham Cres. SW4 —3H 91
Clapham High St. SW4 —3H 91
Clapham Junction. —2C 90
Clapham Junct. App. SW11 —2C 90
Clapham Mnr. Ct. SW4 —2G 91
Clapham Mnr. St. SW4 —2G 91
Clapham Park. —5H 91
Clapham Pk. Est. SW4 —5H 91
Clapham Pk. Rd. SW4 —3G 91
Clapham Pk. Ter. SW4 —4J 91
(off Kings Av.)
Clapham Rd. SW4 & SW9 —2J 91
Clapham Rd. Est. SW4 —2J 91
Clap La. Dag —7M 49
Claps Ga. La. E6 —7L 63
Clapton Comn. E5 —5D 44
Clapton Park. —9H 45
Clapton Pk. Est. E5 —9H 45
Clapton Pas. E5 —1G 61
Clapton Sq. E5 —1G 61
Clapton Ter. N16 —6E 44
Clapton Way. E5 —9E 44
Clara Grant Ho. E14 —4L 77
(off Mellish St.)
Clara Nehab Ho. NW11 —3K 41
(off Leeside Cres.)
Clara Pl. SE18 —5L 79
Clare Clo. N2 —1A 42
Clare Clo. Els —8K 11
Clare Corner. SE9 —6M 95
Clare Ct. WC1 —6J 59
(off Judd St.)
Clare Ct. Enf —8E 6
Claredale Ho. E2 —5F 60
(off Claredale St.)
Claredale St. E2 —5E 60
Clare Gdns. E7 —9E 46
Clare Gdns. W11 —9J 57
Clare Gdns. Bark —2D 64
Clare Hill. Esh —8M 117
Clare Ho. E16 —1L 79
(off University Way)
Clare La. N1 —3A 60
Clare Lawn Av. SW14 —4A 88
Clare Mkt. WC2 —9K 59
Clare M. SW6 —8M 73
Claremont. Brick W —4L 5
Claremont. Chesh —2A 6
Claremont. Shep —1A 116
Claremont Av. Esh —8K 117
Claremont Av. Harr —3J 39
Claremont Av. N Mald —9E 104
Claremont Av. Sun —5F 100
Claremont Av. W on T —6H 117
Claremont Clo. E16 —2L 79
Claremont Clo. N1 —5L 59
Claremont Clo. SW2 —7J 91
Claremont Clo. Orp —6L 127
Claremont Clo. S Croy —7F 138
Claremont Clo. W on T —7G 117
Claremont Cres. Crox G —7A 8
Claremont Cres. Dart —3C 98
Claremont Dri. Esh —8M 117
Claremont End. Esh —8M 117
Claremont Gdns. Ilf —7C 48
Claremont Gdns. Surb —9J 103
Claremont Gro. W4 —8C 72
Claremont Gro. Wfd G —6G 31
Claremont Ho. Wat —8B 8
Claremont Landscape Garden. —9L 117
Claremont La. Esh —7M 117
Claremont Park. —9L 117
Claremont Pk. N3 —8J 25
Claremont Pk. Rd. Esh —8M 117
Claremont Rd. E7 —1F 62
Claremont Rd. E11 —8B 46
Claremont Rd. E17 —9J 29
Claremont Rd. N6 —5G 43
Claremont Rd. NW2 —5H 41
Claremont Rd. W9 —5J 57
Claremont Rd. W13 —8E 54
Claremont Rd. Barn —2A 14
Claremont Rd. Brom —8J 111
Claremont Rd. Clay —9C 118
Claremont Rd. Croy —3E 124
Claremont Rd. Harr —9C 22
Claremont Rd. Horn —4E 50
Claremont Rd. Surb —9J 103
Claremont Rd. Swan —4C 114
Claremont Rd. Tedd —2D 102
Claremont Rd. Twic —6F 86
Claremont Sq. N1 —5L 59
Claremont St. E16 —3L 79
Claremont St. N18 —6E 28
Claremont St. SE10 —7M 77
Claremont Ter. Surb —2F 118
Claremont Way. NW2 —6G 41
(in two parts)
Claremont Way Ind. Est. NW2 —6G 41
Claremount Clo. Eps —9G 135
Claremount Gdns. Eps —9G 135
Clarence Av. SW4 —6H 91
Clarence Av. Brom —8J 111
Clarence Av. Ilf —4L 47
Clarence Av. N Mald —6A 104
Clarence Av. Upm —7L 51
Clarence Clo. Barn —7B 14
Clarence Clo. Bus H —9D 10
Clarence Clo. W on T —6F 116
Clarence Ct. NW7 —5C 24
Clarence Ct. W6 —5F 72
(off Cambridge Gro.)
Clarence Cres. SW4 —5H 91
Clarence Cres. Sidc —9F 96
Clarence Gdns. NW1 —6F 58
Clarence Ga. Wfd G —6K 31
(in four parts)
Clarence Ga. Gdns. NW1 —7D 58
(off Glentworth St.)
Clarence House. —3G 75
(off St James's Pal.)
Clarence La. SW15 —5C 88
Clarence M. E5 —1F 60
Clarence M. SE16 —2H 77
Clarence M. SW12 —6F 90
Clarence Pas. NW1 —5J 59
Clarence Pl. E5 —1F 60
Clarence Rd. E5 —9F 44
Clarence Rd. E12 —9H 47
Clarence Rd. E16 —7C 62
Clarence Rd. E17 —9H 29
Clarence Rd. N15 —3A 44
Clarence Rd. N22 —7J 27
Clarence Rd. NW6 —3K 57
Clarence Rd. SE9 —8J 95
Clarence Rd. SW19 —3M 105
Clarence Rd. W4 —6L 71
Clarence Rd. Bexh —3J 97
Clarence Rd. Brom —7H 111
Clarence Rd. Croy —2B 124
Clarence Rd. Enf —7G 17
Clarence Rd. Rich —9K 71
Clarence Rd. Sidc —9F 96
Clarence Rd. Sutt —7M 121
Clarence Rd. Tedd —3D 102
Clarence Rd. Wall —7F 122
Clarence Rd. W on T —6F 116
Clarence St. King T —6H 103
(in three parts)
Clarence St. Rich —3J 87
Clarence St. S'hall —4H 69
Clarence Ter. NW1 —7D 58
Clarence Ter. Houn —3M 85
Clarence Wlk. SW4 —1J 91
Clarence Way. NW1 —3F 58
Clarenden Pl. Dart —2C 114
Clarendon Clo. E9 —3G 61
Clarendon Clo. W2 —1C 74
Clarendon Clo. Orp —7E 112
Clarendon Ct. NW2 —3G 57
Clarendon Ct. NW11 —2K 41
Clarendon Ct. Beck —5M 109
(off Albemarle Rd.)
Clarendon Ct. Houn —9E 68
Clarendon Ct. Rich —9K 71
Clarendon Cres. Twic —9B 86
Clarendon Cross. W11 —1J 73
Clarendon Dri. SW15 —3G 89
Clarendon Flats. W1 —9E 58
(off Balderton St.)
Clarendon Gdns. NW4 —1E 40
Clarendon Gdns. W9 —7A 58
Clarendon Gdns. Ilf —5K 47
Clarendon Gdns. Wemb —8H 39
Clarendon Grn. Orp —8E 112
Clarendon Gro. NW1 —6H 59
Clarendon Gro. Mitc —7D 106
Clarendon Gro. Orp —8E 112
Clarendon Ho. NW1 —5G 59
(off Werrington St.)
Clarendon M. W2 —1C 74
Clarendon M. Bex —7M 97
Clarendon M. Borwd —5L 11
Clarendon Pde. Chesh —2D 6
Clarendon Path. Orp —8E 112
(in two parts)
Clarendon Pl. W2 —1C 74
Clarendon Ri. SE13 —3A 94
Clarendon Rd. E11 —6B 46
Clarendon Rd. E17 —4M 45
Clarendon Rd. E18 —1E 46
Clarendon Rd. N8 —1K 43
Clarendon Rd. N15 —2A 44
Clarendon Rd. N18 —6E 28
Clarendon Rd. N22 —9K 27
Clarendon Rd. SW19 —4C 106
Clarendon Rd. W5 —7J 55
Clarendon Rd. W11 —1J 73
Clarendon Rd. Ashf —9D 144
Clarendon Rd. Borwd —5L 11
Clarendon Rd. Chesh —2D 6
Clarendon Rd. Croy —4M 123
Clarendon Rd. Harr —4C 38
Clarendon Rd. Hay —3D 68
Clarendon Rd. Wall —8G 123
Clarendon Rd. Wat —4F 8
Clarendon St. SW1 —6F 74
Clarendon Ter. W9 —7A 58
Clarendon Wlk. W11 —9J 57
Clarendon Way. N21 —8A 16
Clarendon Way. Chst & St M —7D 112
Clarens St. SE6 —8K 93
Clare Pl. SW15 —6D 88
Clare Rd. E11 —4B 46
Clare Rd. NW10 —3E 56
Clare Rd. SE14 —9K 77
Clare Rd. Gnfd —2B 54
Clare Rd. Houn —2K 85
Clare Rd. Stai & Stanw —7B 144
Clare St. E2 —5F 60
Claret Gdns. SE25 —7C 108
Clareville Gro. SW7 —5A 74
Clareville Gro. M. SW7 —5A 74
(off Clareville St.)
Clareville Rd. Orp —4A 128
Clareville St. SW7 —5A 74
Clare Way. Bexh —9J 81
Clarewood Ct. W1 —8D 58
(off Seymour Pl.)
Clarewood Wlk. SW9 —3L 91
Clarges M. W1 —2F 74
Clarges St. W1 —2F 74
Claribel Rd. SW9 —1M 91
Clarice Way. Wall —1J 137
Claridge Ct. SW6 —1K 89
Claridge Rd. Dag —6H 49
Clarion Ho. SW1 —6G 75
(off Moreton Pl.)
Clarion Ho. W1 —9H 59
(off St Anne's Ct.)
Clarissa Ho. E14 —9M 61
(off Cordela St.)
Clarissa Rd. Romf —5H 49
Clarissa St. E8 —4D 60
Clark Clo. Eri —9E 82
Clark Ct. NW10 —3A 56
Clarke Grn. Wat —8E 4
Clarke Mans. Bark —3D 64
(off Upney La.)
Clarke Path. N16 —6E 44
Clarkes Av. Wor Pk —3H 121
Clarkes Dri. Uxb —8C 142
Clarke's M. W1 —8E 58
Clarke Way. Wat —8E 4
Clarks Mead. Bush —9A 10
Clarkson Rd. E16 —9D 62
Clarkson Row. NW1 —5G 59
(off Mornington Ter.)
Clarksons, The. Bark —5A 64
Clarkson St. E2 —6F 60
Clark's Pl. EC2 —9C 60
Clarks Rd. Ilf —7B 48
Clark St. E1 —8F 60
Clark Way. Houn —8H 69
Classon Clo. W Dray —3J 143
Claston Clo. Dart —3C 98
Claude Rd. E10 —7A 46
Claude Rd. E13 —4F 62
Claude Rd. SE15 —1F 92
Claude St. E14 —5L 77
Claudia Jones Ho. N17 —8A 28
Claudia Jones Way. SW2 —5J 91
Claudia Pl. SW19 —7J 89
Claughton Rd. E13 —5G 63
Clauson Av. N'holt —1M 53
Clavell St. SE10 —7A 78
Claverdale Rd. SW2 —6K 91
Claverhambury Rd. Wal A —1M 7
Clavering Av. SW13 —7F 72
Clavering Clo. Twic —1E 102
Clavering Ho. SE13 —3B 94
(off Blessington Rd.)
Clavering Ind. Est. N9 —2G 29
(off Montagu Rd.)
Clavering Rd. E12 —6H 47
Claverley Gro. N3 —8M 25
Claverley Vs. N3 —7M 25
Claverton. Asht —9J 133
Claverton St. SW1 —6G 75
Clave St. E1 —2G 77
Claxton Gro. W6 —6H 73
Claxton Path. SE4 —3H 93
(off Coston Wlk.)
Clay Av. Mitc —6F 106
Claybank Gro. SE13 —2M 93
Claybourne M. SE19 —4C 108
Claybridge Rd. SE12 —1G 111
Claybrook Clo. N2 —1B 42
Claybrook Rd. W6 —7H 73
Claybury. Bush —9M 9
Claybury B'way. Ilf —1J 47
Claybury Rd. Wfd G —7J 31
Clay Ct. E17 —1B 46
Claydon. SE17 —5A 76
(off Deacon Way)
Claydon Dri. Croy —6J 123
Claydon Ho. NW4 —9H 25
(off Holders Hill Rd.)
Claydon Ho. SE28 —9H 65
(off St Georges Clo.)
Claydown M. SE18 —6L 79
Clay Farm Rd. SE9 —8A 96
Claygate. —8D 118
Claygate Clo. Horn —9E 50
Claygate Cres. New Ad —8A 126
Claygate La. Esh —4E 118
(in two parts)
Claygate La. Th Dit —3E 118
Claygate La. Wal A —3L 7
(in two parts)
Claygate Lodge Clo. Clay —9C 118
Claygate Rd. W13 —4F 70
Clayhall. —9K 31
Clayhall Av. Ilf —1J 47
Clay Hill. —1A 16
Clay Hill. Enf —1A 16
Clayhill. Surb —9L 103
Clayhill Cres. SE9 —1H 111
Claylands Pl. SW8 —8L 75
Claylands Rd. SW8 —7K 75
Clay La. Bus H —9C 10
Clay La. Edgw —2L 23
Clay La. Stanw —6D 144
Claymore Clo. Mord —2L 121
Claypit Hill. Wal A —1J 19
Claypole Ct. E17 —3L 45
(off Yunus Khan Clo.)
Claypole Dri. Houn —9J 69
Claypole Rd. E15 —5A 62
Clayponds Av. W5 & Bren —5H 71
Clayponds Gdns. W5 —5H 71
(in two parts)
Clayponds La. Bren —6J 71
Clay Ride. Lou —3H 19
Clayside. Chig —5A 32
Clays La. E15 —1M 61
Clay's La. Lou —3L 19
Clays La. Clo. E15 —1M 61
Clay St. W1 —8D 58
Clayton Av. Upm —1M 67
Clayton Av. Wemb —3J 55
Clayton Clo. E6 —9K 63
Clayton Ct. E17 —9J 29
Clayton Cres. Bren —6H 71
Clayton Cft. Rd. Dart —8E 98
Clayton Fld. NW9 —7C 24
Clayton M. SE10 —9B 78
Clayton Pde. Chesh —3D 6
Clayton Rd. SE15 —9E 76
Clayton Rd. Chess —6G 119
Clayton Rd. Eps —4C 134
Clayton Rd. Hay —3C 68
Clayton Rd. Iswth —2C 86
Clayton Rd. Romf —6A 50
Clayton St. SE11 —7L 75
Clayton Ter. Hay —8J 53
Clayton Way. Uxb —7B 142
Claywood Clo. Orp —2C 128
Clayworth Clo. Sidc —5F 96
Cleall Av. Wal A —7J 7
Cleanthus Clo. SE18 —9M 79
Cleanthus Rd. SE18 —1M 95
(in two parts)
Clearbrook Way. E1 —9G 61
Clearwater Pl. Surb —1G 119
Clearwater Ter. W11 —3J 73
(off Lorne Gdns.)
Clearwell Dri. W9 —7M 57
Cleave Av. Hay —5C 68
Cleave Av. Orp —8C 128
Cleaveland Rd. Surb —9H 103
Cleaverholme Clo. SE25 —1F 124
Cleaver Ho. NW3 —3D 58
(off Adelaide Rd.)
Cleaver Sq. SE11 —6L 75
Cleaver St. SE11 —6L 75
Cleaves Almshouses. King T —6J 103
(off London Rd.)
Cleeve Ct. Felt —7C 84
Cleeve Hill. SE23 —7F 92
Cleeve Pk. Gdns. Sidc —8F 96
Cleeves Vw. Dart —5H 99
(off Priory Pl.)
Cleeve Way. SW15 —6D 88
Cleeve Workshops. E1 —6C 60
(off Boundary Rd.)
Clegg Ho. SE3 —3F 94
Clegg St. E1 —2F 76
Clegg St. E13 —5E 62
Cleland Path. Lou —3M 19
Clematis Clo. Romf —7G 35
Clematis Gdns. Wfd G —5E 30
Clematis St. W12 —1E 72
Clem Attlee Ct. SW6 —7K 73
Clem Attlee Pde. SW6 —7K 73
(off N. End Rd.)
Clemence Rd. Dag —4A 66
Clemence St. E14 —8K 61
Clement Av. SW4 —3H 91
Clement Clo. NW6 —3G 57
Clement Clo. W4 —5B 72
Clement Clo. Purl —8M 137
Clement Gdns. Hay —5C 68
Clementhorpe Rd. Dag —2G 65
Clement Ho. SE8 —5J 77
Clement Ho. W10 —8G 57
(off Dalgarno Gdns.)
Clementina Rd. E10 —6K 45

Clementine Clo.—Cobham Ct.

Clementine Clo. W13 —3F 70
Clement Rd. SW19 —2J 105
Clement Rd. Beck —6H 109
Clement Rd. Chesh —1E 6
Clement's Av. E16 —1E 78
Clements Ct. Houn —3H 85
Clements Ct. Ilf —8M 47
Clement's Inn. WC2 —9K 59
Clement's Inn Pas. WC2 —9K 59
(off Grange Ct.)
Clements La. EC4 —1B 76
Clements La. Ilf —8M 47
Clements Pl. Bren —6H 71
Clements Rd. E6 —3J 63
Clement's Rd. SE16 —4E 76
Clements Rd. Ilf —8M 47
Clements Rd. W on T —4F 116
Clement Street. —3H 115
Clement St. Swan & S at H —3H 115
Clement Way. Upm —8K 51
Clemson Ho. E8 —4D 60
Clendon Way. SE18 —5A 80
Clennam St. SE1 —3A 76
Clensham Ct. Sutt —4L 121
Clensham La. Sutt —4L 121
Clenston M. W1 —9D 58
Cleopatra's Needle. —1K 75
Clephane Rd. N1 —2A 60
Clephane Rd. N. N1 —2A 60
Clere Pl. EC2 —7B 60
Clere St. EC2 —7B 60
Clerics Wlk. Shep —2B 116
Clerkenwell. —7L 59
Clerkenwell Clo. EC1 —7L 59
(in two parts)
Clerkenwell Grn. EC1 —7L 59
Clerkenwell Rd. EC1 —7L 59
Clerk's Piece. Lou —5K 19
Clermont Rd. E9 —4G 61
Cleveden Ct. S Croy —7C 124
Clevedon. Wey —7B 116
Clevedon Clo. N16 —8D 44
Clevedon Gdns. Hay —4B 68
Clevedon Gdns. Houn —9F 68
Clevedon Mans. NW5 —9E 42
Clevedon Pas. N16 —7D 44
Clevedon Rd. SE20 —5H 109
Clevedon Rd. King T —6L 103
Clevedon Rd. Twic —5H 87
(in two parts)
Cleve Ho. NW6 —3M 57
Cleveland Av. SW20 —6K 105
Cleveland Av. W4 —5D 72
Cleveland Av. Hamp —4K 101
Cleveland Clo. W on T —5F 116
Cleveland Ct. W13 —8F 54
Cleveland Cres. Borwd —7A 12
Cleveland Gdns. N4 —3A 44
Cleveland Gdns. NW2 —7H 41
Cleveland Gdns. SW13 —1D 88
Cleveland Gdns. W2 —9A 58
Cleveland Gdns. Wor Pk —4C 120
Cleveland Gro. E1 —7G 61
Cleveland Ho. N2 —9B 26
(off Grange, The)
Cleveland La. N9 —9F 16
Cleveland Mans. SW9 —8L 75
(off Mowll St.)
Cleveland Mans. W9 —7L 57
Cleveland M. W1 —8G 59
Cleveland Pk. Stai —5C 144
Cleveland Pk. Av. E17 —2L 45
Cleveland Pk. Cres. E17 —2L 45
Cleveland Pl. SW1 —2G 75
Cleveland Ri. Mord —2H 121
Cleveland Rd. E18 —1E 46
Cleveland Rd. N1 —3B 60
Cleveland Rd. SW13 —1D 88
Cleveland Rd. W4 —4A 72
Cleveland Rd. W13 —8E 54
Cleveland Rd. Ilf —8M 47
Cleveland Rd. Iswth —3E 86
Cleveland Rd. N Mald —8C 104
Cleveland Rd. Uxb —7B 142
Cleveland Rd. Well —1D 96
Cleveland Rd. Wor Pk —4C 120
Cleveland Row. SW1 —2G 75
Cleveland Sq. W2 —9A 58
Clevelands, The. Bark —2A 64
Cleveland St. W1 —7F 58
Cleveland Ter. W2 —9A 58
Cleveland Way. E1 —7G 61
Cleveley Clo. SE7 —5H 79
Cleveley Cres. W5 —5J 55
Cleveleys Rd. E5 —8F 44
Cleverly Est. W12 —2E 72
Cleve Rd. NW6 —3M 57
Cleve Rd. Sidc —9H 97
Cleves Av. Eps —1F 134
Cleves Clo. Lou —8J 19
Cleves Ct. Dart —6J 99
Cleves Ct. Eps —4D 134
Cleves Cres. New Ad —3A 140
Cleves Rd. E6 —4H 63
Cleves Rd. Rich —9G 87
Cleves Wlk. Ilf —7A 32
Cleves Way. Hamp —4K 101
Cleves Way. Ruis —6H 37
Cleves Way. Sun —3D 100
Cleves Wood. Wey —6C 116
Clewer Ct. E10 —6L 45
(off Leyton Grange Est.)
Clewer Cres. Harr —8B 22
Clewer Ho. SE2 —3H 81
(off Wolvercote Rd.)
Cley Ho. SE4 —3H 93
Clichy Est. E1 —8G 61
Clichy Ho. E1 —8G 61
(off Stepney Way)
Clifden Rd. E5 —1G 61
Clifden Rd. Bren —7H 71
Clifden Rd. Twic —7D 86
Cliffe Ho. SE10 —6D 78
(off Blackwall La.)
Cliff End. Purl —4M 137
Cliffe Rd. S Croy —7B 124
Cliffe Wlk. Sutt —7A 122
(off Greyhound Rd.)
Clifford Av. SW14 —2M 87
(in two parts)
Clifford Av. Chst —3K 111
Clifford Av. Ilf —8M 31
Clifford Av. Wall —6G 123
Clifford Clo. N'holt —4J 53
Clifford Ct. W2 —8M 57
(off Westbourne Pk. Vs.)
Clifford Dri. SW9 —3M 91
Clifford Gdns. NW10 —5G 57
Clifford Gdns. Hay —5C 68
Clifford Gro. Ashf —9E 144
Clifford Haigh Ho. SW6 —8H 73
Clifford Ho. W14 —5K 73
(off Edith Vs.)
Clifford Rd. E16 —7D 62
Clifford Rd. E17 —9A 30
Clifford Rd. N1 —4C 60
Clifford Rd. N9 —8G 17
Clifford Rd. SE25 —8E 108
Clifford Rd. Barn —5M 13
Clifford Rd. Houn —2H 85
Clifford Rd. Rich —8H 87
Clifford Rd. Wemb —3H 55
Clifford's Inn Pas. WC2 —9L 59
Clifford St. W1 —1G 75
Clifford Way. NW10 —9D 40
Cliff Rd. NW1 —2H 59
Cliffsend Ho. SW9 —9L 75
(off Cowley Rd.)
Cliff Ter. SE8 —1L 93
Cliffview Rd. SE13 —2L 93
Cliff Vs. NW1 —2H 59
Cliff Wlk. E16 —8D 62
(in two parts)
Clifton Av. E17 —1H 45
Clifton Av. N3 —8K 25
Clifton Av. W12 —2D 72
Clifton Av. Felt —9G 85
Clifton Av. Stan —9F 22
Clifton Av. Sutt —3M 135
Clifton Av. Wemb —2K 55
Clifton Clo. Chesh —2E 6
Clifton Clo. Orp —7A 128
Clifton Ct. N4 —7L 43
Clifton Ct. NW8 —7B 58
(off Maida Va.)
Clifton Ct. SE15 —8F 76
Clifton Ct. Beck —5M 109
Clifton Ct. Stanw —5C 144
Clifton Ct. Wfd G —6E 30
Clifton Cres. SE15 —8F 76
Clifton Est. SE15 —9F 76
Clifton Gdns. N15 —4D 44
Clifton Gdns. NW11 —4K 41
Clifton Gdns. W4 —5B 72
(in two parts)
Clifton Gdns. W9 —7A 58
Clifton Gdns. Enf —6J 15
Clifton Gdns. Uxb —5F 142
Clifton Gro. E8 —2E 60
Clifton Hill. NW6 —5M 57
Clifton Ho. E2 —7D 60
(off Club Row)
Clifton Ho. E11 —7C 46
Clifton Pde. Felt —1G 101
Clifton Pk. Av. SW20 —6G 105
Clifton Pl. SE16 —3G 77
Clifton Pl. W2 —9B 58
Clifton Pl. Bans —7L 135
Clifton Ri. SE14 —8J 77
(in two parts)
Clifton Rd. E7 —2H 63
Clifton Rd. E16 —8C 62
Clifton Rd. N3 —8A 26
Clifton Rd. N8 —4H 43
Clifton Rd. N22 —8G 27
Clifton Rd. NW10 —5E 56
Clifton Rd. SE25 —8C 108
Clifton Rd. SW19 —3H 105
Clifton Rd. W9 —7A 58
Clifton Rd. Coul —7F 136
Clifton Rd. Gnfd —7A 54
Clifton Rd. Harr —2K 39
Clifton Rd. Horn —4E 50
Clifton Rd. Ilf —4B 48
Clifton Rd. Iswth —1C 86
Clifton Rd. King T —4K 103
Clifton Rd. Lou —6J 19
Clifton Rd. Sidc —1C 112
Clifton Rd. S'hall —5J 69
Clifton Rd. Tedd —1C 102
Clifton Rd. Wall —7F 122
Clifton Rd. Wat —7F 8
Clifton Rd. Well —2G 97
Clifton St. EC2 —8C 60
Clifton Ter. N4 —7L 43
Clifton Vs. W9 —8A 58
Cliftonville Ct. SE12 —7E 94
Clifton Wlk. W6 —5F 72
(off King St.)
Clifton Wlk. Dart —5M 99
Clifton Way. SE15 —8F 76
Clifton Way. Borwd —3L 11
Clifton Way. H'row A —2F 144
Clifton Way. Wemb —4J 55
Climsland Ho. SE1 —2L 75
Clinch Ct. E16 —8E 62
(off Plymouth Rd., in two parts)
Cline Rd. N11 —6G 27
Clinger Ct. N1 —4C 60
Clink Exhibition, The. —2B 76
(off Clink St.)
Clink St. SE1 —2B 76
Clink Wharf. SE1 —2B 76
(off Clink St.)
Clinton Av. E Mol —8A 102
Clinton Av. Well —3E 96
Clinton Cres. Ilf —6C 32
Clinton Rd. E3 —6J 61
Clinton Rd. E7 —9E 46
Clinton Rd. N15 —2B 44
Clipper Clo. SE16 —3H 77
Clipper Ho. E14 —6A 78
(off Manchester Rd.)
Clipper Way. SE13 —3A 94
Clippesby Clo. Chess —8K 119
Clipstone M. W1 —8G 59
Clipstone Rd. Houn —2L 85
Clipstone St. W1 —8F 58
Clissold Clo. N2 —1D 42
Clissold Ct. N4 —7A 44
Clissold Cres. N16 —8B 44
Clissold Rd. N16 —8B 44
Clitheroe Av. Harr —6L 37
Clitheroe Gdns. Wat —3H 21
Clitheroe Rd. SW9 —1J 91
Clitheroe Rd. Romf —5A 34
Clitherow Av. W7 —4E 70
Clitherow Ct. Bren —6G 71
Clitherow Pas. Bren —6G 71
Clitherow Rd. Bren —6F 70
Clitterhouse Cres. NW2 —6G 41
Clitterhouse Rd. NW2 —6G 41
Clive Av. N18 —6E 28
Clive Av. Dart —5D 98
Clive Ct. W9 —7A 58
(off Maida Va.)
Cliveden Clo. N12 —4A 26
Cliveden Pl. SW1 —5E 74
Cliveden Pl. Shep —1A 116
Cliveden Rd. SW19 —5K 105
Clivedon Ct. W13 —8F 54
Clivedon Rd. E4 —5C 30
Clive Ho. SE10 —7A 78
(off Haddo St.)
Clive Lloyd Ho. N15 —3A 44
(off Woodlands Pk. Rd.)
Clive Lodge. NW4 —4H 41
Clive Pde. N'wd —7C 20
Clive Pas. SE21 —9B 92
Clive Rd. SE21 —9B 92
Clive Rd. SW19 —3C 106
Clive Rd. Belv —5L 81
Clive Rd. Enf —6E 16
Clive Rd. Esh —6M 117
Clive Rd. Felt —5E 84
Clive Rd. Romf —3F 50
Clive Rd. Twic —1D 102
Clivesdale Dri. Hay —2F 68
Clive Way. Enf —6E 16
Clive Way. Wat —3G 9
Cloak La. EC4 —1A 76
Clochar Ct. NW10 —4D 56
Clock House. —6F 136
Clock Ho. E3 —6A 62
Clock Ho. E17 —2B 46
(off Wood St.)
Clockhouse Av. Bark —4A 64
Clockhouse Clo. SW19 —8G 89
Clockhouse Ct. Beck —6J 109
Clockhouse La. Ashf & Felt —9E 144
Clockhouse La. Romf —7M 33
Clock Ho. Mead. Oxs —6A 132
Clock House Pde. E11 —3F 46
Clockhouse Pde. N13 —5L 27
Clockhouse Pl. SW15 —5J 89
Clock Ho. Rd. Beck —7J 109
Clockhouse Roundabout. (Junct.) —7F 144
Clock Mus., The. —9A 60
(off Aldermanbury)
Clock Pde. Enf —7B 16
Clock Pl. SE11 —5M 75
(off Newington Butts)
Clock Tower Ind. Est. Iswth —2D 86
Clock Tower M. N1 —4A 60
Clock Tower M. SE28 —1F 80
Clock Tower Pl. N7 —2J 59
Clock Tower Rd. Iswth —2D 86
Cloister Clo. Rain —7F 66
Cloister Clo. Tedd —2F 102
Cloister Gdns. SE25 —1F 124
Cloister Gdns. Edgw —5A 24
Cloister Rd. NW2 —8K 41
Cloister Rd. W3 —8A 56
Cloisters Av. Brom —9K 111
Cloisters Bus. Cen. SW8 —8F 74
(off Battersea Pk. Rd.)
Cloisters Ct. Bexh —2M 97
Cloisters Mall. King T —6J 103
Cloisters, The. E1 —8D 60
(off Commercial St.)
Cloisters, The. SW9 —9L 75
Cloisters, The. Bush —8M 9
Cloisters, The. Dart —5J 99
(off Orchard St.)
Cloisters, The. Wat —6G 9
Clonard Way. Pinn —6L 21
Clonbrock Rd. N16 —9C 44
Cloncurry St. SW6 —1H 89
Clonmel Clo. Harr —7B 38
Clonmell Rd. N17 —1B 44
Clonmel Rd. SW6 —8K 73
Clonmel Rd. Tedd —1B 102
Clonmore St. SW18 —7K 89
Cloonmore Av. Orp —6D 128
Clorane Gdns. NW3 —8L 41
Closemead Clo. N'wd —6A 20
Close, The. E4 —7A 30
Close, The. N10 —9F 26
Close, The. N14 —2H 27
Close, The. N20 —2K 25
Close, The. SE3 —1B 94
Close, The. SE25 —1E 124
Close, The. Beck —8J 109
Close, The. Berr G —8M 141
Close, The. Bex —5L 97
Close, The. Bush —8M 9
Close, The. Cars —1C 136
Close, The. E Barn —8D 14
Close, The. Eastc —5G 37
Close, The. Harr —9A 22
Close, The. Ilf —4C 48
Close, The. Iswth —1B 86
Close, The. Mitc —8D 106
Close, The. N Mald —6A 104
Close, The. Orp —1C 128
Close, The. Pinn —5K 37
Close, The. Purl —2M 137
(Pampisford Rd.)
Close, The. Purl —2K 137
(Russell Hill)
Close, The. Rich —2M 87
Close, The. Romf —4J 49
Close, The. Sidc —1F 112
Close, The. Surb —1J 119
Close, The. Sutt —2K 121
Close, The. Uxb —4E 142
Close, The. Wemb —2J 55
(HA0)
Close, The. Wemb —8A 40
(HA9)
Close, The. Wilm —9G 99
Cloth Ct. EC1 —8M 59
(off Cloth Fair)
Cloth Fair. EC1 —8M 59
Clothier St. E1 —9C 60
Cloth St. EC1 —8A 60
Clothworkers Rd. SE18 —8B 80
Cloudberry Rd. Romf —6H 35
Cloudesdale Rd. SW17 —8F 90
Cloudesley Pl. N1 —4L 59
Cloudesley Rd. N1 —4L 59
(in two parts)
Cloudesley Rd. Bexh —9K 81
Cloudesley Rd. Eri —9D 82
Cloudesley Sq. N1 —4L 59
Cloudesley St. N1 —4L 59
Clouston Clo. Wall —7J 123
Clova Rd. E7 —2D 62
Clove Cres. E14 —1B 78
Clove Hitch Quay. SW11 —2A 90
Clovelly Av. NW9 —2D 40
Clovelly Av. Uxb —9A 36
Clovelly Clo. Pinn —1F 36
Clovelly Clo. Uxb —9A 36
Clovelly Ct. Horn —7L 51
Clovelly Gdns. SE19 —5D 108
Clovelly Gdns. Enf —9C 16
Clovelly Gdns. Romf —8M 33
Clovelly Ho. W2 —9A 58
(off Hallfield Est.)
Clovelly Rd. N8 —2H 43
Clovelly Rd. W4 —3B 72
Clovelly Rd. W5 —3G 71
Clovelly Rd. Bexh —7J 81
Clovelly Rd. Houn —1L 85
Clovelly Way. E1 —9G 61
Clovelly Way. Orp —1D 128
Clovelly Way. S Harr —7K 37
Clover Clo. E11 —7B 46
Cloverdale Gdns. Sidc —5D 96
Clover Fld., The. Bush —8K 9
Cloverleys. Lou —7H 19
Clover M. SW3 —7D 74
Clover Way. Wall —3E 122
Clove St. E13 —7E 62
Clowders Rd. SE6 —9K 93
Clowser Clo. Sutt —7A 122
Cloysters Grn. E1 —2E 76
Cloyster Wood. Edgw —7H 23
Club Gdns. Rd. Hayes —2E 126
Club Row. E2 & E1 —7D 60
Clumps, The. Ashf —1B 100
Clunas Gdns. Romf —1H 51
Clunbury Av. S'hall —6K 69
Clunbury St. N1 —5B 60
Cluny Est. SE1 —4C 76
Cluny M. SW5 —5L 73
Cluny Pl. SE1 —4C 76
Cluse Ct. N1 —5A 60
(off St Peters St., in two parts)
Clutton St. E14 —8M 61
Clydach Rd. Enf —6D 16
Clyde Av. S Croy —7F 138
Clyde Cir. N15 —2C 44
Clyde Ct. NW1 —5H 59
(off Hampden Clo.)
Clyde Flats. SW6 —8K 73
(off Rhylston Rd.)
Clyde Ho. King T —5H 103
Clyde Pl. E10 —5M 45
Clyde Rd. N15 —2C 44
Clyde Rd. N22 —8H 27
Clyde Rd. Croy —4D 124
Clyde Rd. Stai & Stanw —7B 144
Clyde Rd. Sutt —7L 121
Clyde Rd. Wall —8G 123
Clydesdale. Enf —6H 17
Clydesdale Av. Stan —1H 39
Clydesdale Clo. Borwd —7B 12
Clydesdale Clo. Iswth —2D 86
Clydesdale Ct. N20 —1B 26
Clydesdale Gdns. Rich —3M 87
Clydesdale Ho. W11 —9K 57
(off Clydesdale Rd.)
Clydesdale Ho. Eri —3J 81
(off Kale Rd.)
Clydesdale Path. Borwd —7B 12
(off Clydesdale Clo.)
Clydesdale Rd. W11 —9K 57
Clydesdale Rd. Horn —5D 50
Clyde St. SE8 —7K 77
Clyde Ter. SE23 —8G 93
Clyde Va. SE23 —8G 93
Clyde Way. Romf —7C 34
Clyde Wharf. E16 —2E 78
Clydon Clo. Eri —7C 82
Clyfford Rd. Ruis —9D 36
Clymping Dene. Felt —6F 84
Clynes Ho. E2 —6H 61
(off Knottisford St.)
Clynes Ho. Dag —8L 49
(off Uvedale Rd.)
Clyston Rd. Wat —8D 8
Clyston St. SW8 —1G 91
Coach & Horses Yd. W1 —1G 75
Coach Ho. La. N5 —9M 43
Coach Ho. La. SW19 —1H 105
Coach Ho. M. SE1 —3C 76
Coach Ho. M. SE20 —4F 108
Coach Ho. M. SE23 —5H 93
Coach Ho. Yd. NW3 —9A 42
(off Hampstead High St.)
Coach Ho. Yd. SW18 —3M 89
Coach Yd. M. N19 —6J 43
Coaldale Wlk. SE21 —6A 92
Coalecroft Rd. SW15 —3G 89
Coalport Ho. SE11 —5L 75
(off Walnut Tree Wlk.)
Coates Av. SW18 —5C 90
Coates Dell. Wat —6J 5
Coates Hill Rd. Brom —6L 111
Coates Rd. Els —9H 11
Coate St. E2 —5E 60
Coates Wlk. Bren —7J 71
Coates Way. Wat —6H 5
Cobalt Sq. SW8 —7K 75
(off S. Lambeth Rd.)
Cobbett Clo. Enf —9C 6
Cobbett Rd. SE9 —2J 95
Cobbett Rd. Twic —7L 85
Cobbetts Av. Ilf —3H 47
Cobbetts Hill. Wey —9A 116
Cobbett St. SW8 —8K 75
Cobb Grn. Wat —5F 4
Cobbinsbank. Wal A —6K 7
Cobbins, The. Wal A —6L 7
Cobble La. N1 —3M 59
Cobble M. N4 —8A 44
Cobblers Wlk. Hamp & Tedd —5A 102
(in two parts)
Cobblestone Pl. Croy —3A 124
Cobbold Ct. SW1 —5H 75
(off Elverton St.)
Cobbold Ind. Est. NW10 —2D 56
Cobbold M. W12 —3D 72
Cobbold Rd. E11 —8D 46
Cobbold Rd. NW10 —2D 56
Cobbold Rd. W12 —3C 72
Cobb's Ct. EC4 —9M 59
(off Carter La.)
Cobb's Rd. Houn —3K 85
Cobb St. E1 —8D 60
Cob Clo. Borwd —7B 12
Cobden Clo. Uxb —4A 142
Cobden Ct. Brom —8G 111
Cobden Hill. Rad —1F 10
Cobden Ho. E2 —6E 60
(off Nelson Gdns.)
Cobden Ho. NW1 —5G 59
(off Arlington Rd.)
Cobden M. SE26 —2F 108
Cobden Rd. E11 —8C 46
Cobden Rd. SE25 —9E 108
Cobden Rd. Orp —6B 128
Cobham Av. N Mald —9E 104
Cobham Clo. SW11 —5C 90
Cobham Clo. Brom —2J 127
Cobham Clo. Edgw —9M 23
Cobham Clo. Enf —5E 16
Cobham Clo. Sidc —5F 96
Cobham Clo. Wall —8J 123
Cobham Ct. Mitc —6B 106

Colva Wlk.—Coombe Ri.

Colva Wlk. N19 —7F 42
Colverson Ho. E1 —8G 61
(off Lindley St.)
Colvestone Cres. E8 —1D 60
Colview Ct. SE9 —7H 95
Colville Est. N1 —4C 60
Colville Est. W. E2 —6D 60
(off Turin St.)
Colville Gdns. W11 —9K 57
(in two parts)
Colville Houses. W11 —9K 57
Colville M. W11 —9K 57
Colville Pl. W1 —8G 59
Colville Rd. E11 —8A 46
Colville Rd. E17 —9J 29
Colville Rd. N9 —1F 28
Colville Rd. W3 —4M 71
Colville Rd. W11 —9K 57
Colville Sq. W11 —9K 57
Colville Sq. M. W11 —9K 57
Colville Ter. W11 —9K 57
Colvin Clo. SE26 —2G 109
Colvin Gdns. E4 —3A 30
Colvin Gdns. E18 —2F 46
Colvin Gdns. Ilf —8A 32
Colvin Gdns. Wal X —8D 6
Colvin Rd. E6 —3J 63
Colvin Rd. T Hth —9L 107
Colwall Gdns. Wfd G —5E 30
Colwell Rd. SE22 —4D 92
Colwick Clo. N6 —5H 43
Colwith Rd. W6 —7G 73
Colwood Gdns. SW19 —4B 106
Colworth Gro. SE17 —5A 76
Colworth Rd. E11 —4C 46
Colworth Rd. Croy —3E 124
Colwyn Av. Gnfd —5D 54
Colwyn Clo. SW16 —2G 107
Colwyn Cres. Houn —9A 70
Colwyn Grn. NW9 —4C 40
(off Snowden Dri.)
Colwyn Ho. SE1 —4L 75
Colwyn Rd. NW2 —8F 40
Colwyn Way. N18 —5E 28
Colyer Clo. N1 —5K 59
Colyer Clo. SE9 —8M 95
Colyers Clo. Eri —9B 82
Colyers La. Eri —9A 82
Colyers Wlk. Eri —9C 82
Colyton Clo. Well —9H 81
Colyton Clo. Wemb —2G 55
Colyton Rd. SE22 —4F 92
Combe Av. SE3 —8D 78
Combedale Rd. SE10 —6E 78
Combe Dene. Brom —8D 110
(off Cumberland Rd.)
Combe Ho. Wat —8C 8
Combemartin Rd. SW18 —6J 89
Combe M. SE3 —8D 78
Comber Clo. NW2 —8F 40
Comber Gro. SE5 —8A 76
Comber Ho. SE5 —8A 76
Combermere Rd. SW9 —2K 91
Combermere Rd. Mord —1M 121
Combe Rd. Wat —8D 8
Comberton. King T —6L 103
(off Eureka Rd.)
Comberton Rd. E5 —7F 44
Combeside. SE18 —8D 80
Combe, The. NW1 —6F 58
(in two parts)
Combwell Cres. SE2 —4E 80
Comedy Store. —1H 75
(off Oxendon St.)
Comedy Theatre. —1H 75
(off Panton St.)
Comely Bank Rd. E17 —3A 46
Comeragh M. W14 —6J 73
Comeragh Rd. W14 —6J 73
Comer Cres. S'hall —3A 70
(off Windmill Av.)
Comerell Pl. SE10 —6D 78
Comerford Rd. SE4 —3J 93
Comet Clo. E12 —9H 47
Comet Clo. Purf —5L 83
Comet Clo. Wat —7D 4
Comet Pl. SE8 —8L 77
(in two parts)
Comet Rd. Stanw —6B 144
Comet St. SE8 —8L 77
Commerce Rd. N22 —8K 27
Commerce Rd. Bren —7G 71
Commerce Way. Croy —4K 123
Commercial Rd. E1 —9E 60
Commercial Rd. N18 —5C 28
Commercial Rd. Ind. Est. N18 —6D 28
Commercial St. E1 —7D 60
Commercial Way. NW10 —5M 55
Commercial Way. SE15 —8D 76
Commercial Wharf. E1 —6J 61
Commerell St. SE10 —6C 78
Commodity Quay. E1 —1D 76
Commodore Ct. SE8 —9L 77
(off Albyn Rd.)
Commodore Ho. E14 —1A 78
(off Poplar High St.)
Commodore Sq. SW10 —9A 74
Commodore St. E1 —7J 61
Commondale. SW15 —2G 89
Commonfield La. SW17 —2C 106
Commonfield Rd. Bans —6L 135
Common La. Clay —9E 118
Common La. Dart —8E 98
Common La. Let H & Rad —3C 10
Commonmeadow La. Wat —7M 5
Common Rd. SW13 —2F 88
Common Rd. Clay —8E 118
Common Rd. Stan —4B 22
Common Side. Eps —7L 133
Commonside. Kes —6G 127
Commonside Clo. Sutt —3M 135
Commonside E. Mitc —7E 106
(in two parts)
Commonside W. Mitc —7D 106
Common, The. W5 —1J 71
(in two parts)
Common, The. Asht —8H 133
Common, The. S'hall —5G 69
Common, The. Stan —2C 22
Common, The. W Dray —5G 143
Commonwealth Av. W12 —1F 72
(in three parts)
Commonwealth Av. Hay —9B 52
Commonwealth Rd. N17 —7E 28
Commonwealth Way. SE2 —6F 80
Community Clo. Houn —9F 68
Community Clo. Uxb —8A 36
Community La. N7 —1H 59
Community Rd. E15 —1B 62
Community Rd. Gnfd —4A 54
Community Way. Esh —6A 118
Como Rd. SE23 —8J 93
Como St. Romf —3B 50
Compass Ct. SE1 —2D 76
(off Shad Thames)
Compass Hill. Rich —5H 87
Compass Ho. SW18 —3M 89
Compass Point. E14 —1K 77
(off Grenade St.)
Compayne Gdns. NW6 —3M 57
Comport Grn. New Ad —4C 140
Compton Av. E6 —5H 63
Compton Av. N1 —2M 59
Compton Av. N6 —5C 42
Compton Av. Romf —1G 51
Compton Clo. E3 —8L 61
Compton Clo. NW1 —6F 58
(off Robert St.)
Compton Clo. NW11 —8H 41
Compton Clo. W13 —9E 54
Compton Clo. Edgw —7A 24
Compton Clo. Esh —8B 118
Compton Ct. SE19 —3C 108
Compton Ct. Sutt —6A 122
Compton Cres. N17 —7A 28
Compton Cres. W4 —7A 72
Compton Cres. Chess —7J 119
Compton Cres. N'holt —4H 53
Compton Pas. EC1 —7M 59
Compton Pl. WC1 —7J 59
Compton Pl. Eri —7D 82
Compton Pl. Wat —3J 21
Compton Ri. Pinn —3J 37
Compton Rd. N1 —2M 59
Compton Rd. N21 —1L 27
Compton Rd. NW10 —6H 57
Compton Rd. SW19 —3K 105
Compton Rd. Croy —3F 124
Compton Rd. Hay —1C 68
Compton St. EC1 —7M 59
Compton Ter. N1 —2M 59
Compton Ter. N21 —1L 27
Comreddy Clo. Enf —3M 15
Comus Ho. SE17 —5C 76
(off Comus Pl.)
Comus Pl. SE17 —5C 76
Comyne Rd. Wat —9D 4
Comyn Rd. SW11 —3C 90
Comyns Clo. E16 —8D 62
Comyns Rd. Dag —3L 65
Comyns, The. Bush —1A 22
Conant Ho. SE11 —7M 75
(off St Agnes Pl.)
Conant M. E1 —1E 76
Conaways Clo. Eps —2E 134
Concanon Rd. SW2 —3K 91
Concert Hall App. SE1 —2K 75
Concord Bus. Cen. W3 —7M 55
Concord Cen., The. W12 —3H 73
Concord Clo. N'holt —6H 53
Concord Ct. King T —7K 103
(off Winery La.)
Concorde Bus. Pk. Big H —7H 141
Concorde Clo. Houn —1M 85
Concorde Clo. Uxb —5C 142
Concorde Dri. E6 —8K 63
Concorde Ho. Horn —2F 66
(off Astra Clo.)
Concord Ho. N17 —7D 28
(off Park La.)
Concordia Wharf. E14 —2A 78
(off Coldharbour)
Concord Rd. W3 —7M 55
Concord Rd. Enf —7G 17
Concourse, The. N9 —2F 28
(off Plevna Rd.)
Concourse, The. NW9 —8C 24
Condell Rd. SW8 —9G 75
Conder St. E14 —9J 61
Condor Path. N'holt —5L 53
(off Union Rd.)
Condor Wlk. Horn —3F 66
Condover Cres. SE18 —8M 79
Condray Pl. SW11 —8C 74
Conduit Av. SE10 —9B 78
Conduit Ct. WC2 —1J 75
(off Floral St.)
Conduit La. N18 —5G 29
Conduit La. Enf —8J 17
Conduit La. S Croy & Croy
(in two parts) —7E 124
Conduit M. W2 —9B 58
Conduit Pas. W2 —9B 58
(off Conduit Pl.)
Conduit Pl. W2 —9B 58
Conduit Rd. SE18 —6M 79
Conduit St. W1 —1F 74
Conduit Way. NW10 —3A 56
Conewood St. N5 —8M 43
Coney Acre. SE21 —7A 92
Coney Burrows. E4 —2C 30
Coney Gro. Uxb —6E 142
Coneygrove Path. N'holt —2J 53
(off Arnold Rd.)
Coney Hall. —5C 126
Coney Hall Pde. W W'ck —5C 126
Coney Hill Rd. W W'ck —4C 126
Coney Way. SW8 —7K 75
Conference Clo. E4 —2A 30
Conference Rd. SE2 —5G 81
Congers Ho. SE8 —8L 77
Congleton Gro. SE18 —6A 80
Congo Rd. SE18 —6B 80
Congress Rd. SE2 —5G 81
Congreve Ho. N16 —1C 60
Congreve Rd. SE9 —2K 95
Congreve Rd. Wal A —6L 7
Congreve St. SE17 —5C 76
Congreve Wlk. E16 —8H 63
(off Stansfield Rd.)
Conical Corner. Enf —4A 16
Conifer Av. Romf —5M 33
Conifer Clo. Orp —6B 128
Conifer Clo. Wal X —2A 6
Conifer Gdns. SW16 —9J 91
Conifer Gdns. Enf —8C 16
Conifer Gdns. Sutt —4M 121
Conifer Ho. SE4 —3K 93
(off Brockley Rd.)
Conifer Pk. Eps —3C 134
Conifers. Wey —6C 116
Conifers Clo. Tedd —4F 102
Conifers, The. Wat —8G 5
Conifer Way. Hay —1E 68
Conifer Way. Swan —5A 114
Conifer Way. Wemb —8G 39
Coniffe Ct. SE9 —4M 95
Coniger Rd. SW6 —1L 89
Coningesby Dri. Wat —3C 8
Coningham Ct. SW10 —8A 74
(off King's Rd.)
Coningham M. W12 —2E 72
Coningham Rd. W12 —3F 72
Coningsby Cotts. W5 —3H 71
Coningsby Gdns. E4 —6M 29
Coningsby Rd. N4 —5M 43
Coningsby Rd. W5 —3H 71
Coningsby Rd. S Croy —1A 138
Conington Rd. SE13 —1M 93
Conisbee Ct. N14 —7G 15
Conisborough Ct. Dart —5M 99
(off Osbourne Rd.)
Conisborough Cres. SE6 —9A 94
Conisbrough. NW1 —4G 59
(off Bayham St.)
Coniscliffe Clo. Chst —5L 111
Coniscliffe Rd. N13 —3A 28
Coniston. NW1 —6G 59
(off Harrington St.)
Coniston Av. Bark —3C 64
Coniston Av. Gnfd —6F 54
Coniston Av. Upm —9M 51
Coniston Av. Well —2C 96
Coniston Clo. N20 —3A 26
Coniston Clo. SW13 —8D 72
Coniston Clo. SW20 —1H 121
Coniston Clo. W4 —8A 72
Coniston Clo. Bark —3C 64
Coniston Clo. Bexh —9A 82
Coniston Clo. Dart —7F 98
Coniston Clo. Eri —8C 82
Coniston Ct. SE16 —3H 77
(off Eleanor Clo.)
Coniston Ct. W2 —9C 58
(off Kendal St.)
Conistone Way. N7 —3J 59
Coniston Gdns. N9 —1G 29
Coniston Gdns. NW9 —3B 40
Coniston Gdns. Ilf —2J 47
Coniston Gdns. Pinn —2E 36
Coniston Gdns. Sutt —8B 122
Coniston Gdns. Wemb —6G 39
Coniston Ho. E3 —7K 61
(off Southern Gro.)
Coniston Ho. SE5 —8A 76
(off Wyndham Rd.)
Coniston Rd. N10 —9F 26
Coniston Rd. N17 —6E 28
Coniston Rd. Bexh —9A 82
Coniston Rd. Brom —3C 110
Coniston Rd. Coul —8G 137
Coniston Rd. Croy —2E 124
Coniston Rd. Twic —5M 85
Coniston Wlk. E9 —1G 61
Coniston Way. Chess —5J 119
Coniston Way. Horn —1E 66
Conlan St. W10 —7J 57
Conley Rd. NW10 —2C 56
Conley St. SE10 —6C 78
Connaught Av. E4 —9B 18
Connaught Av. SW14 —2A 88
Connaught Av. Ashf —9C 144
Connaught Av. E Barn —1D 26
Connaught Av. Enf —4C 16
Connaught Av. Houn —3J 85
Connaught Av. Lou —6H 19
Connaught Bri. E16 —2H 79
Connaught Bus. Cen. NW9 —3D 40
Connaught Bus. Cen. Mitc —9D 106
Connaught Clo. E10 —7H 45
Connaught Clo. W2 —9C 58
(off Connaught St.)
Connaught Clo. Enf —4C 16
Connaught Clo. Sutt —4B 122
Connaught Clo. Uxb —7A 52
Connaught Ct. E17 —2M 45
(off Orford Rd.)
Connaught Dri. NW11 —2L 41
Connaught Gdns. N10 —3F 42
Connaught Gdns. N13 —4M 27
Connaught Gdns. Mord —8A 106
Connaught Hill. Lou —6H 19
Connaught Ho. W1 —1F 74
(off Davies St.)
Connaught La. Ilf —7A 48
Connaught Lodge. N4 —5L 43
(off Connaught Rd.)
Connaught M. SE18 —6L 79
Connaught M. SW6 —9J 73
Connaught Pl. W2 —1D 74
Connaught Rd. E4 —9C 18
Connaught Rd. E11 —6B 46
Connaught Rd. E16 —1G 79
(in two parts)
Connaught Rd. E17 —3L 45
Connaught Rd. N4 —5L 43
Connaught Rd. NW10 —4C 56
Connaught Rd. SE18 —6L 79
Connaught Rd. W13 —1F 70
Connaught Rd. Barn —8H 13
Connaught Rd. Harr —8D 22
Connaught Rd. Horn —8H 51
Connaught Rd. Ilf —7B 48
Connaught Rd. N Mald —8C 104
Connaught Rd. Rich —4K 87
Connaught Rd. Sutt —4B 122
Connaught Rd. Tedd —2B 102
Connaught Sq. W2 —9D 58
Connaught St. W2 —9C 58
Connaught Way. N13 —4M 27
Connell Ct. SE14 —7H 77
(off Myers La.)
Connell Cres. W5 —7K 55
Connemara Clo. Borwd —8B 12
Connett Ho. E2 —5E 60
(off Mansford St.)
Connington Cres. E4 —3B 30
Connolly Pl. SW19 —3A 106
Connop Rd. Enf —2H 17
Connor Clo. E11 —5C 46
Connor Clo. Ilf —8A 32
Connor Ct. SW11 —9F 74
Connor Rd. Dag —9K 49
Connor St. E9 —4H 61
Conolly Rd. W7 —2C 70
Conqueror Ct. H Hill —7H 35
Conrad Dri. Wor Pk —3G 121
Conrad Ho. N16 —1C 60
(off Matthias Rd.)
Conrad Ho. SW8 —8J 75
(off Wyvil Rd.)
Conrad Tower. W3 —4M 71
(off Bollo La.)
Consec Farriers M. SE15 —2G 93
Consfield Av. N Mald —8E 104
Consort Ho. E14 —6M 77
(off St Davids Sq.)
Consort Ho. W2 —1M 73
(off Queensway)
Consort Lodge. NW8 —4D 58
(off Prince Albert Rd.)
Consort M. Iswth —4B 86
Consort Rd. SE15 —9F 76
Cons St. SE1 —3L 75
Constable Av. E16 —2F 78
Constable Clo. NW11 —4M 41
Constable Clo. Hay —5A 52
Constable Ct. SE16 —6F 76
(off Stubbs Dri.)
Constable Ct. W4 —6M 71
(off Chaseley Dri.)
Constable Cres. N15 —3E 44
Constable Gdns. Edgw —8L 23
Constable Gdns. Iswth —4B 86
Constable Ho. NW3 —3D 58
Constable Ho. N'holt —5H 53
(off Gallery Gdns.)
Constable M. Dag —9F 48
Constable Wlk. SE21 —9C 92
Constance Cres. Brom —2D 126
Constance Rd. Croy —2M 123
Constance Rd. Enf —8C 16
Constance Rd. Sutt —6A 122
Constance Rd. Twic —6M 85
Constance St. E16 —2J 79
Constant Ho. E14 —1M 77
(off Harrow La.)
Constantine Pl. Hil —4D 142
Constantine Rd. NW3 —9C 42
Constitution Hill. SW1 —3F 74
Constitution Ri. SE18 —9L 79
Consul Gdns. Swan —4E 114
Content St. SE17 —5B 76
Contessa Clo. Orp —7C 128
Control Tower Rd. H'row A —2E 144
Convair Wlk. N'holt —6H 53
Convent Clo. Beck —4A 110
Convent Gdns. W5 —5G 71
Convent Gdns. W11 —9J 57
Convent Hill. SE19 —3A 108
Convent Way. S'hall —5G 69
Conway Clo. Rain —3E 66
Conway Clo. Stan —6E 22
Conway Cres. Gnfd —5C 54
Conway Cres. Romf —4G 49
Conway Dri. Ashf —3A 100
Conway Dri. Hay —4A 68
Conway Dri. Sutt —8M 121
Conway Gdns. Enf —2C 16
Conway Gdns. Mitc —8J 107
Conway Gdns. Wemb —5G 39
Conway Gro. W3 —8B 56
Conway Ho. E14 —5L 77
(off Cahir St.)
Conway Ho. E17 —3J 45
(off Mission Gro.)
Conway Ho. Borwd —6A 12
Conway M. W1 —7G 59
(off Conway St.)
Conway Rd. N14 —3J 27
Conway Rd. N15 —3M 43
Conway Rd. NW2 —7G 41
Conway Rd. SE18 —5B 80
Conway Rd. SW20 —5G 105
Conway Rd. Felt —2H 101
Conway Rd. Houn —6K 85
Conway Rd. H'row A —2F 144
Conway St. W1 —7G 59
(in two parts)
Conway Wlk. Hamp —3K 101
Conybeare. NW3 —3C 58
Conyers Clo. W on T —7H 117
Conyers Clo. Wfd G —6C 30
Conyer's Rd. SW16 —2H 107
Conyer St. E3 —5J 61
Conyers Way. Lou —5M 19
Cooden Clo. Brom —4F 110
Cook Ct. SE16 —2G 77
(off Rotherhithe St.)
Cook Ct. Eri —8D 82
Cookes Clo. E11 —7D 46
Cookes La. Sutt —8J 121
Cookham Clo. S'hall —4M 69
Cookham Cres. SE16 —3H 77
Cookham Dene Clo. Chst —5B 112
Cookham Hill. Orp —5L 129
Cookham Ho. E2 —7D 60
(off Montclare St.)
Cookham Rd. Swan —5K 113
Cookhill Rd. SE2 —3F 80
Cook Rd. Dag —4J 65
Cook's Clo. Romf —8A 34
Cooks Hole Rd. Enf —2M 15
Cooks Mead. Bush —8M 9
Cookson Gro. Eri —8M 81
Cook Sq. Eri —8D 82
Cook's Rd. E15 —5M 61
Cook's Rd. SE17 —7M 75
Coolfin Rd. E16 —9E 62
Coolgardie Av. E4 —5B 30
Coolgardie Av. Chig —3L 31
Coolgardie Rd. Ashf —2A 100
Coolhurst Rd. N8 —4H 43
Cool Oak La. NW9 —6C 40
Coomassie Rd. W9 —7K 57
Coombe. —4B 104
Coombe Av. Croy —6C 124
Coombe Bank. King T —5C 104
Coombe Clo. Edgw —9K 23
Coombe Clo. Houn —3L 85
Coombe Corner. N21 —1M 27
Coombe Ct. Croy —6B 124
(off St Peter's Rd.)
Coombe Cres. Hamp —4J 101
Coombe Dri. Ruis —6F 36
Coombe End. King T —4B 104
Coombefield Clo. N Mald —9C 104
Coombe Gdns. SW20 —6E 104
Coombe Gdns. N Mald —8D 104
Coombe Hill Glade. King T —4C 104
Coombe Hill Rd. King T —4C 104
Coombe Ho. E4 —6K 29
Coombe Ho. N7 —1H 59
Coombe Ho. Chase. N Mald —5B 104
Coombehurst Clo. Barn —4D 14
Coombe Lane. (Junct.) —5D 104
Coombe La. SW20 —5D 104
Coombe La. Croy —7F 124
Coombe La. W Vill —9D 116
Coombe La. Flyover. King T —5D 104
Coombe La. W. King T —5M 103
Coombe Lea. Brom —7J 111
Coombe Lodge. SE7 —7G 79
Coombe Neville. King T —4B 104
Coombe Pk. King T —2A 104
Coomber Ho. SW6 —2M 89
(off Wandsworth Bri. Rd.)
Coombe Ridings. King T —2A 104
Coombe Ri. King T —5A 104

Cranleigh Rd.—Cromwell Clo.

Cranleigh Rd. SW19 —7L 105
Cranleigh Rd. Esh —3A 118
Cranleigh Rd. Felt —1D 100
Cranleigh St. NW1 —5G 59
Cranley Dene Ct. N10 —2F 42
Cranley Dri. Ilf —5A 48
Cranley Dri. Ruis —7D 36
Cranley Gardens. —2F 42
Cranley Gdns. N10 —2F 42
Cranley Gdns. N13 —3K 27
Cranley Gdns. SW7 —6A 74
Cranley Gdns. Wall —9G 123
Cranley M. SW7 —6A 74
Cranley Pde. SE9 —1J 111
(off Beaconsfield Rd.)
Cranley Pl. SW7 —5B 74
Cranley Rd. E13 —8F 62
Cranley Rd. Ilf —4A 48
Cranley Rd. W on T —7D 116
Cranmer Av. W13 —4F 70
Cranmer Clo. Mord —1H 121
Cranmer Clo. Ruis —6H 37
Cranmer Clo. Stan —7G 23
Cranmer Clo. Warl —9J 139
Cranmer Ct. N3 —9J 25
Cranmer Ct. SW3 —5C 74
Cranmer Ct. SW4 —2H 91
Cranmere Ct. SE5 —9A 76
Cranmere Ct. Enf —4L 15
Cranmer Farm Clo. Mitc —8D 106
Cranmer Gdns. Dag —9A 50
Cranmer Gdns. Warl —9J 139
Cranmer Ho. SW9 —8L 75
(off Brixton Rd.)
Cranmer Rd. E7 —9F 46
Cranmer Rd. SW9 —8L 75
Cranmer Rd. Croy —5M 123
Cranmer Rd. Edgw —3M 23
Cranmer Rd. Hamp H —2M 101
Cranmer Rd. Hay —9B 52
Cranmer Rd. King T —2J 103
Cranmer Rd. Mitc —8D 106
Cranmer Ter. SW17 —2B 106
Cranmore Av. Iswth —8A 70
Cranmore Rd. Brom —9D 94
Cranmore Rd. Chst —2K 111
Cranmore Way. N10 —2G 43
Cranston Clo. Houn —1J 85
Cranston Clo. Uxb —7B 36
Cranston Est. N1 —5B 60
Cranston Gdns. E4 —6M 29
Cranston Pk. Av. Upm —9M 51
Cranston Rd. SE23 —7J 93
Cranswick Rd. SE16 —6F 76
Crantley Pl. Esh —7A 118
Crantock Rd. SE6 —8M 93
Cranwell Clo. E3 —7M 61
Cranwell Rd. H'row A —1F 144
Cranwich Av. N21 —9B 16
Cranwich Rd. N16 —5B 44
Cranwood Ct. EC1 —6B 60
(off Vince St.)
Cranwood St. EC1 —6B 60
Cranworth Cres. E4 —1B 30
Cranworth Gdns. SW9 —9L 75
Craster Rd. SW2 —6K 91
Crathie Rd. SE12 —5F 94
Cravan Av. Felt —8E 84
Craven Av. W5 —1G 71
Craven Av. S'hall —8K 53
Craven Clo. N16 —5E 44
Craven Clo. Hay —9E 52
Craven Ct. NW10 —4C 56
Craven Ct. Romf —4J 49
Craven Gdns. SW19 —2L 105
Craven Gdns. Bark —5C 64
Craven Gdns. Col R —5L 33
Craven Gdns. H Wood —6M 35
Craven Gdns. Ilf —9B 32
Craven Hill. W2 —1A 74
Craven Hill Gdns. W2 —1A 74
(in two parts)
Craven Hill M. W2 —1A 74
Craven Lodge. W2 —1A 74
(off Craven Hill)
Craven M. SW11 —2E 90
Craven Pk. NW10 —4B 56
Craven Pk. M. NW10 —4C 56
Craven Pk. Rd. N15 —4D 44
Craven Pk. Rd. NW10 —4C 56
Craven Pas. WC2 —2J 75
(off Craven St.)
Craven Rd. NW10 —4B 56
Craven Rd. W2 —1A 74
Craven Rd. W5 —1G 71
Craven Rd. Croy —3F 124
Craven Rd. King T —5K 103
Craven Rd. Orp —5H 129
Craven St. WC2 —2J 75
Craven Ter. W2 —1A 74
Craven Wlk. N16 —5E 44
Crawford Av. Wemb —1H 55
Crawford Bldgs. W1 —8C 58
(off Homer St.)
Crawford Clo. Iswth —1C 86
Crawford Compton Clo. Horn —2G 67
Crawford Est. SE5 —1A 92
Crawford Gdns. N13 —3M 27
Crawford Gdns. N'holt —6K 53
Crawford Mans. W1 —8C 58
(off Crawford St.)
Crawford M. W1 —8D 58
Crawford Pas. EC1 —7L 59
Crawford Pl. W2 —9C 58
Crawford Point. E16 —9D 62
(off Wouldham Rd.)
Crawford Rd. SE5 —9A 76
Crawfords. Swan —4C 114
Crawford St. W1 —8C 58
Crawley Rd. E10 —6M 45
Crawley Rd. N22 —9A 28
Crawley Rd. Enf —9C 16
Crawshay Ct. SW9 —9L 75
Crawthew Gro. SE22 —3D 92
Cray Av. Asht —8J 133
Cray Av. Orp & St M —1F 128
Craybrooke Rd. Sidc —1F 112
Craybury End. SE9 —8A 96
Cray Clo. Dart —3E 98
Craydene Rd. Eri —9D 82
Crayfield Ind. Pk. Orp —6G 113
Crayford. —4C 98
Crayford Clo. E6 —9H 63
Crayford Greyhound Stadium. —5C 98
Crayford High St. Dart —3C 98
Crayford Ho. SE1 —3B 76
(off Long La.)
Crayford Ind. Est. Cray —4D 98
Crayford Rd. N7 —9H 43
Crayford Rd. Cray & Dart —4D 98
Crayford Way. Dart —4D 98
Crayke Hill. Chess —9J 119
Craylands. Orp —7G 113
Crayle Ho. EC1 —7M 59
(off Malta St.)
Craymill Sq. Dart —1D 98
Crayonne Clo. Sun —5C 100
Cray Rd. Belv —7L 81
Cray Rd. Dart —3E 98
Cray Rd. Sidc —3G 113
Cray Rd. Swan —1M 129
Crayside Ind. Est. Dart —3F 98
Crays Pde., The. St P —6G 113
Cray Valley Rd. Orp —9E 112
Crealock Gro. Wfd G —5D 30
Crealock St. SW18 —5M 89
Creasey Clo. Horn —7F 50
Creasy Clo. Ab L —4D 4
Creasy Est. SE1 —4C 76
Crebor St. SE22 —5E 92
Credenhall Dri. Brom —3K 127
Credenhill Ho. SE15 —8F 76
Credenhill St. SW16 —3G 107
Crediton Hill. NW6 —1M 57
Crediton Rd. E16 —9E 62
Crediton Rd. NW10 —4H 57
Crediton Way. Clay —7E 118
Credon Rd. E13 —5G 63
Credon Rd. SE16 —6F 76
Creechurch La. EC3 —9C 60
(in two parts)
Creechurch Pl. EC3 —9C 60
(off Creechurch La.)
Creed Ct. EC4 —9M 59
(off Ludgate Hill)
Creed La. EC4 —9M 59
Creek Ho. W14 —4J 73
(off Russell Rd.)
Creekmouth. —7D 64
Creek Rd. SE8 & SE10 —7L 77
Creek Rd. Bark —6D 64
Creek Rd. E Mol —8C 102
Creekside. SE8 —8M 77
Creekside. Rain —7C 66
Creek, The. Sun —9E 100
Creek Way. Rain —8C 66
Creeland Gro. SE6 —7K 93
Cree Way. Romf —7C 34
Crefeld Clo. SW6 —7J 73
Creffield Rd. W5 & W3 —1K 71
Creighton Av. E6 —5H 63
Creighton Av. N2 & N10 —1C 42
Creighton Clo. W12 —1E 72
Creighton Rd. N17 —7C 28
Creighton Rd. NW6 —5H 57
Creighton Rd. W5 —4H 71
Cremer Bus. Cen. E2 —5D 60
(off Cremer St.)
Cremer Ho. SE8 —8L 77
(off Deptford Chu. St.)
Cremer St. E2 —5D 60
Cremorne Est. SW10 —7B 74
Cremorne Gdns. Eps —2B 134
Cremorne Rd. SW10 —8A 74
Creon Ct. SW9 —8L 75
(off Caldwell St.)
Crescent. EC3 —1D 76
Crescent Av. Horn —7D 50
Crescent Ct. Surb —9H 103
Crescent Ct. Bus. Cen. E16 —7B 62
Crescent Dri. Orp —1M 127
Crescent E. Barn —2A 14
Crescent Gdns. SW19 —9L 89
Crescent Gdns. Ruis —5F 36
Crescent Gdns. Swan —6A 114
Crescent Gro. SW4 —3G 91
Crescent Gro. Mitc —8C 106
Crescent Ho. EC1 —7A 60
(off Golden La. Est.)
Crescent Ho. SE8 —1M 93
Crescent La. SW4 —3G 91
Crescent M. N22 —8J 27
Crescent Pde. Uxb —6E 142
Crescent Pl. SW3 —5C 74
Crescent Ri. N3 —8K 25
Crescent Ri. N22 —4L 27
Crescent Ri. Barn —7C 14
Crescent Rd. E4 —9C 18
Crescent Rd. E6 —4G 63
Crescent Rd. E10 —7M 45
Crescent Rd. E13 —4E 62
Crescent Rd. E18 —8G 31
Crescent Rd. N3 —8K 25
Crescent Rd. N8 —4H 43
Crescent Rd. N9 —1E 28
Crescent Rd. N11 —4D 26
Crescent Rd. N15 —1M 43
Crescent Rd. N22 —8H 27
Crescent Rd. SE18 —6M 79
Crescent Rd. SW20 —5H 105
Crescent Rd. Ave —3M 83
Crescent Rd. Barn —6B 14
Crescent Rd. Beck —6M 109
Crescent Rd. Brom —4E 110
Crescent Rd. Dag —8M 49
Crescent Rd. Enf —6M 15
Crescent Rd. Eri —7D 82
Crescent Rd. King T —4L 103
Crescent Rd. Shep —9A 100
Crescent Rd. Sidc —9D 96
Crescent Row. EC1 —7A 60
Crescent Stables. SW15 —4J 89
Crescent St. N1 —3K 59
Crescent, The. E17 —4J 45
Crescent, The. N9 —2F 28
Crescent, The. N11 —4E 26
Crescent, The. NW2 —8F 40
Crescent, The. SE7 —8G 79
Crescent, The. SW13 —1D 88
Crescent, The. SW19 —9L 89
Crescent, The. W3 —9C 56
Crescent, The. Ab L —3D 4
Crescent, The. A'ham —2M 9
Crescent, The. Barn —4M 13
Crescent, The. Beck —5L 109
Crescent, The. Belm —3L 135
Crescent, The. Bex —6G 97
Crescent, The. Brick W —3L 5
Crescent, The. Croy —1B 124
Crescent, The. Eps —6L 133
(in two parts)
Crescent, The. Harr —6A 38
Crescent, The. Hay —8B 68
Crescent, The. Ilf —4L 47
Crescent, The. Lou —7H 19
Crescent, The. N Mald —7A 104
Crescent, The. Shep —2D 116
Crescent, The. Sidc —1D 112
Crescent, The. S'hall —3K 69
Crescent, The. Surb —9J 103
Crescent, The. Sutt —7B 122
Crescent, The. Wat —6G 9
Crescent, The. Wemb —7F 38
Crescent, The. W Mol —8L 101
Crescent, The. W W'ck —1C 126
Crescent Vw. Lou —8H 19
Crescent Way. N12 —6C 26
Crescent Way. SE4 —2L 93
Crescent Way. SW16 —3K 107
Crescent Way. Orp —7C 128
Crescent W. Barn —3A 14
Crescent Wharf. E16 —2F 78
(off N. Woolwich Rd., in two parts)
Crescent Wood Rd. SE26 —9E 92
Cresford Rd. SW6 —9M 73
Crespigny Rd. NW4 —4F 40
Cressage Clo. S'hall —7L 53
Cressage Ho. Bren —7J 71
(off Ealing Rd.)
Cressal Ho. E14 —4L 77
(off Tiller Rd.)
Cresset Rd. E9 —2G 61
Cresset St. SW4 —2H 91
Cressfield Clo. NW5 —1E 58
Cressida Rd. N19 —6G 43
Cressingham Gdns. Est. SW2 —6L 91
Cressingham Gro. Sutt —6A 122
Cressingham Rd. SE13 —2A 94
Cressingham Rd. Edgw —6B 24
Cressington Clo. N16 —1C 60
Cresswell. NW9 —9D 24
Cresswell Gdns. SW5 —6A 74
Cresswell Pk. SE3 —2D 94
Cresswell Pl. SW10 —6A 74
Cresswell Rd. SE25 —8E 108
Cresswell Rd. Felt —9J 85
Cresswell Rd. Twic —5H 87
Cresswell Way. N21 —9L 15
Cressy Ct. E1 —8G 61
Cressy Ct. W6 —4F 72
Cressy Houses. E1 —8G 61
(off Hannibal Rd.)
Cressy Pl. E1 —8G 61
Cressy Rd. NW3 —1D 58
Cresta Ct. W5 —7K 55
Cresta Ho. NW3 —3B 58
Crestbrook Av. N13 —3M 27
Crestbrook Pl. N13 —3M 27
(off Green Lanes)
Crest Ct. NW4 —3G 41
Crest Dri. Enf —2G 17
Crestfield St. NW1 —6J 59
Crest Gdns. Ruis —8G 37
Creston Way. Wor Pk —3H 121
Crest Rd. NW2 —7E 40
Crest Rd. Brom —2D 126
Crest Rd. S Croy —9F 124
Crest, The. N13 —4L 27
Crest, The. NW4 —3G 41
Crest, The. Surb —9L 103
Crest Vw. Pinn —2H 37
Crest Vw. Dri. Orp —9M 111
Crestway. SW15 —5E 88
Crestwood Way. Houn —4J 85
Creswick Ct. W3 —1M 71
Creswick Rd. W3 —1M 71
Creswick Wlk. E3 —6L 61
Creswick Wlk. NW11 —2K 41
Creton St. SE18 —4L 79
Crewdson Rd. SW9 —8L 75
Crewe Pl. NW10 —6D 56
Crewe's Av. Warl —8G 139
Crewe's Clo. Warl —9G 139
Crewe's Farm La. Warl —8H 139
Crewe's La. Warl —8G 139
(in two parts)
Crewkerne Ct. SW11 —9B 74
(off Bolingbroke Wlk.)
Crews St. E14 —5L 77
Crewys Rd. NW2 —7K 41
Crewys Rd. SE15 —1F 92
Crichton Av. Wall —7H 123
Crichton Ho. Sidc —3H 113
Crichton Rd. Cars —8D 122
Crichton St. SW8 —1G 91
Cricketers Arms Rd. Enf —4A 16
Cricketers Clo. N14 —9G 15
Cricketers Clo. Chess —6H 119
Cricketers Clo. Eri —6C 82
Cricketers Ct. SE11 —5M 75
(off Kennington La.)
Cricketers M. SW18 —4M 89
Cricketers Ter. Cars —5C 122
Cricketers Wlk. SE26 —2G 109
Cricketfield Rd. E5 —9F 44
Cricket Fld. Rd. Uxb —4B 142
Cricketfield Rd. W Dray —5G 143
Cricket Grn. Mitc —7D 106
Cricket Ground Rd. Chst —5M 111
(in two parts)
Cricket La. Beck —3J 109
Cricket Way. Wey —4C 116
Cricklade Av. SW2 —8J 91
Cricklade Av. Romf —6H 35
Cricklewood. —8J 41
Cricklewood B'way. NW2 —8G 41
Cricklewood La. NW2 —9H 41
Cricklewood Trad. Est. NW2 —8J 41
Cridland St. E15 —4D 62
Crieff Ct. Tedd —4G 103
Crieff Rd. SW18 —5A 90
Criffel Av. SW2 —8H 91
Crimscott St. SE1 —4C 76
Crimsworth Rd. SW8 —9H 75
Crinan St. N1 —5J 59
Cringle St. SW8 —8G 75
Cripplegate St. EC2 —8A 60
Cripps Grn. Hay —7F 52
Crispe Ho. N1 —4K 59
(off Barnsbury Est.)
Crispe Ho. Bark —5B 64
Crispen Rd. Felt —1J 101
Crispian Clo. NW10 —9C 40
Crispin Clo. Asht —9K 133
Crispin Clo. Croy —4J 123
Crispin Cres. Croy —5H 123
Crispin Lodge. N11 —5D 26
Crispin Rd. Edgw —6A 24
Crispin St. E1 —8D 60
Crisp Rd. W6 —6G 73
Cristowe Rd. SW6 —1K 89
Criterion M. N19 —7H 43
Criterion Theatre. —1G 75
(off Piccadilly)
Crittalls Corner. (Junct.) —4G 113
Crockenhill. —1B 130
Crockenhill La. Eyns —2E 130
Crockenhill Rd. Orp & Swan —9H 113
Crockerton Rd. SW17 —8D 90
Crockham Way. SE9 —1L 111
Crocus Clo. Croy —3H 125
Crocus Fld. Barn —8K 13
Croft Av. W W'ck —3A 126
Croft Clo. NW7 —3C 24
Croft Clo. Belv —6K 81
Croft Clo. Chst —2K 111
Croft Clo. Hay —8A 68
Croft Clo. Uxb —3E 142
Croft Ct. SE13 —5A 94
Croft Ct. Borwd —5B 12
Croft Ct. Ruis —6D 36
Croftdown Rd. NW5 —8E 42
Croft End Clo. Chess —5K 119
(off Ashcroft Rd.)
Crofters Clo. Iswth —4B 86
Crofters Clo. Stanw —5A 144
Crofters Ct. SE8 —5J 77
(off Croft St.)
Crofters Mead. Croy —1K 139
Crofters Rd. N'wd —4C 20
Crofters Way. NW1 —4H 59
Croft Gdns. W7 —3E 70
Croft Gdns. Ruis —6C 36
Croft Ho. E17 —2M 45
Croft Ho. W10 —6J 57
(off Third Av.)
Croftleigh Av. Purl —8L 137
Croft Lodge Clo. Wfd G —6F 30
Croft M. N12 —3A 26
Crofton. —4B 128
Crofton. Asht —9J 133
Crofton Av. W4 —8B 72
Crofton Av. Bex —6H 97
Crofton Av. Orp —4A 128
Crofton Av. W on T —5G 117
Croftongate Way. SE4 —4J 93
Crofton Gro. E4 —4B 30
Crofton La. Orp —4B 128
Crofton Park. —4K 93
Crofton Pk. Rd. SE4 —5K 93
Crofton Rd. E13 —7F 62
Crofton Rd. SE5 —9C 76
Crofton Rd. Orp —5L 127
Crofton Ter. E5 —1J 61
Crofton Ter. Rich —3K 87
Crofton Way. Barn —8M 13
Crofton Way. Enf —4L 15
Croft Rd. SW16 —5L 107
Croft Rd. SW19 —4A 106
Croft Rd. Brom —3E 110
Croft Rd. Enf —3J 17
Croft Rd. Sutt —7C 122
Crofts Ho. E2 —5E 60
(off Teale St.)
Croftside, The. SE25 —7E 108
Crofts La. N22 —7L 27
Crofts Rd. Harr —4E 38
Crofts St. E1 —1E 76
Crofts, The. Shep —8C 100
Croft St. SE8 —5J 77
Crofts Vs. Harr —4E 38
Croft, The. E4 —2C 30
Croft, The. NW10 —5D 56
Croft, The. W5 —8J 55
Croft, The. Barn —6J 13
Croft, The. Eps —6D 134
Croft, The. Houn —7J 69
Croft, The. Lou —4L 19
Croft, The. Pinn —5K 37
Croft, The. Ruis —9G 37
Croft, The. Swan —7A 114
Croft, The. Wemb —1G 55
Croftway. NW3 —9L 41
Croftway. Rich —9F 86
Croft Way. Sidc —9C 96
Crogsland Rd. NW1 —3E 58
Croham Clo. S Croy —9C 124
Croham Mnr. Rd. S Croy —9C 124
Croham Mt. S Croy —9C 124
Croham Pk. Av. S Croy —7C 124
Croham Rd. S Croy —7B 124
Croham Valley Rd. S Croy —8E 124
Croindene Rd. SW16 —5J 107
Crokesley Ho. Edgw —9A 24
(off Burnt Oak B'way.)
Cromartie Rd. N19 —5H 43
Cromarty Ct. SW2 —4K 91
Cromarty Ho. E1 —8J 61
(off Ben Jonson Rd.)
Cromarty Rd. Edgw —2M 23
Cromberdale Ct. N17 —8E 28
(off Spencer Rd.)
Crombie Clo. Ilf —3K 47
Crombie M. SW11 —1C 90
Crombie Rd. Sidc —7B 96
Crome Ho. N'holt —5J 53
(off Parkfield Dri.)
Cromer Clo. Uxb —9A 52
Cromerhyde. Mord —9M 105
Cromer Pl. Orp —3C 128
Cromer Rd. E10 —5B 46
Cromer Rd. N17 —9E 28
Cromer Rd. SE25 —7F 108
Cromer Rd. SW17 —3E 106
Cromer Rd. Chad H —4J 49
Cromer Rd. Horn —5H 51
Cromer Rd. H'row A —1E 144
Cromer Rd. New Bar —6A 14
Cromer Rd. Romf —4A 50
Cromer Rd. Wat —2G 9
Cromer Rd. Wfd G —4E 30
Cromer Rd. W. H'row A —2E 144
Cromer St. WC1 —6J 59
Cromer Ter. E8 —1E 60
Cromer Vs. Rd. SW18 —5K 89
Cromford Clo. Orp —5C 128
Cromford Path. E5 —9H 45
Cromford Rd. SW18 —4L 89
Cromford Way. N Mald —5B 104
Cromlix Clo. Chst —6M 111
Crompton Ho. SE1 —4A 76
(off County St.)
Crompton Ho. W2 —7B 58
(off Hall Pl.)
Crompton Pl. Enf —2L 17
Crompton St. W2 —7B 58
Cromwell Av. N6 —6F 42
Cromwell Av. W6 —6F 72
Cromwell Av. Brom —8F 110
Cromwell Av. Chesh & Wal X —3B 6
Cromwell Av. N Mald —9D 104
Cromwell Cen. NW10 —6B 56
Cromwell Cen. Ilf —5F 32
Cromwell Cen., The. Dag —5K 49
(off Selinas La.)
Cromwell Clo. E1 —2E 76
Cromwell Clo. N2 —2B 42
Cromwell Clo. W3 —2A 72
(in two parts)

Cromwell Clo.—Cumberland Rd.

Cromwell Clo. Brom —8F 110
Cromwell Clo. W on T —3F 116
Cromwell Ct. Enf —7H 17
Cromwell Cres. W8 —5L 73
Cromwell Gdns. SW7 —4B 74
Cromwell Gro. W6 —4G 73
Cromwell Highwalk. EC2 —8A 60
(off Beech St.)
Cromwell Ho. Croy —5M 123
Cromwell Ind. Est. E10 —6J 45
Cromwell Lodge. E1 —7G 61
(off Cleveland Gro.)
Cromwell Lodge. Bexh —4J 97
Cromwell M. SW7 —5B 74
Cromwell Pl. EC2 —8A 60
(off Beech St.)
Cromwell Pl. N6 —6F 42
Cromwell Pl. SW7 —5B 74
Cromwell Pl. SW14 —2A 88
Cromwell Rd. E7 —3G 63
Cromwell Rd. E17 —3A 46
Cromwell Rd. N3 —8A 26
Cromwell Rd. N10 —7E 26
(in two parts)
Cromwell Rd. SW5 & SW7 —5L 73
Cromwell Rd. SW9 —9M 75
Cromwell Rd. SW19 —2L 105
Cromwell Rd. Beck —6J 109
Cromwell Rd. Borwd —3J 11
Cromwell Rd. Chesh —1B 6
Cromwell Rd. Croy —2B 124
Cromwell Rd. Felt —7F 84
Cromwell Rd. Hay —9B 52
Cromwell Rd. Houn —3L 85
Cromwell Rd. King T —5J 103
Cromwell Rd. Tedd —3E 102
Cromwell Rd. W on T —3F 116
Cromwell Rd. Wemb —5J 55
Cromwell Rd. Wor Pk —5B 120
Cromwells Mere. Romf —6B 34
Cromwell St. Houn —3L 85
Cromwell Tower. EC2 —8A 60
(off Beech St.)
Crondace Rd. SW6 —9L 73
Crondall Ct. N1 —5C 60
(off St John's Est.)
Crondall St. N1 —5B 60
Crone Ct. NW6 —5K 57
(off Denmark Rd.)
Cronin St. SE15 —8D 76
Crooked Billet. (Junct.) —8L 29
Crooked Billet. SW19 —3G 105
Crooked Billet Yd. E2 —6C 60
Crooked Mile. Wal A —2J 7
Crooked Usage. N3 —1J 41
Crooke Rd. SE8 —6J 77
Crookham Rd. SW6 —9K 73
Crook Log. Bexh —2H 97
Crookston Rd. SE9 —2L 95
Croombs Rd. E16 —8G 63
Croom's Hill. SE10 —8A 78
Croom's Hill Gro. SE10 —8A 78
Cropley Ct. N1 —5B 60
(off Cropley St., in two parts)
Cropley St. N1 —5B 60
Croppath Rd. Dag —9L 49
Cropthorne Ct. W9 —6A 58
Crosbie. NW9 —9D 24
Crosbie Ho. E17 —1A 46
(off Prospect Hill)
Crosby Clo. Felt —9J 85
Crosby Ct. SE1 —3B 76
(off Crosby Row)
Crosby Ct. Chig —3E 32
Crosby Ho. E7 —2E 62
Crosby Ho. E14 —4A 78
(off Manchester Rd.)
Crosby Rd. E7 —2E 62
Crosby Rd. Dag —5M 65
Crosby Row. SE1 —3B 76
Crosby Sq. EC3 —9C 60
Crosby Wlk. E8 —2D 60
Crosby Wlk. SW2 —6L 91
Crosby Way. SW2 —6L 91
Crosfield Ct. Wat —7G 9
Crosier Clo. SE3 —9J 79
Crosier Rd. Ick —9A 36
Crosier Way. Ruis —8C 36
Crosland Pl. SW11 —2E 90
Cross Av. SE10 —7B 78
Crossbow Ho. W13 —2F 70
(off Sherwood Clo.)
Crossbow Rd. Chig —5D 32
Crossbrook Rd. SE3 —1J 95
Crossbrook St. Chesh —4D 6
Cross Clo. SE15 —1F 92
Cross Deep. Twic —8D 86
Cross Deep Gdns. Twic —8D 86
Crossfield Ho. W11 —1J 73
(off Mary Pl.)
Crossfield Rd. N17 —1A 44
Crossfield Rd. NW3 —2B 58
Crossfields. Lou —7M 19
Crossfield St. SE8 —8L 77
Crossford St. SW9 —1K 91
Cross Ga. Edgw —3L 23
Crossgate. Gnfd —2F 54
Cross Keys Clo. N9 —2E 28
(off Green, The)
Cross Keys Clo. N9 —2E 28
(off Lacey Clo.)
Cross Keys Clo. W1 —8E 58
Cross Keys Sq. EC1 —8A 60
(off Little Britain)
Cross Lances Rd. Houn —3M 85
Crossland Rd. T Hth —1M 123
Crosslands Av. W5 —2K 71
Crosslands Av. S'hall —6K 69
Crosslands Rd. Eps —8B 120
Cross La. EC3 —1C 76
Cross La. N8 —1K 43
(in two parts)
Cross La. Bex —6K 97
Crossleigh Ct. SE14 —8K 77
(off New Cross Rd.)
Crosslet St. SE17 —5B 76
Crosslet Va. SE10 —9M 77
Crossley Clo. Big H —7H 141
Crossley St. N7 —2L 59
Crossmead. SE9 —7K 95
Crossmead. Wat —8F 8
Crossmead Av. Gnfd —6L 53
Crossmount Ho. SE5 —8A 76
(off Bowyer St.)
Crossness Footpath. Eri —2K 81
Crossness La. SE28 —1H 81
Crossness Rd. Bark —6D 64
Cross Rd. E4 —1B 30
Cross Rd. N11 —5F 26
Cross Rd. N22 —7L 27
Cross Rd. SW19 —4L 105
Cross Rd. Belm —2L 135
Cross Rd. Brom —4J 127
Cross Rd. Chad H —5G 49
Cross Rd. Croy —3B 124
Cross Rd. Dart —5G 99
Cross Rd. Enf —6C 16
Cross Rd. Felt —1J 101
Cross Rd. Harr —2B 38
Cross Rd. Hawl —1K 115
Cross Rd. King T —4K 103
Cross Rd. Mawn & Romf —2L 49
Cross Rd. Orp —9F 112
Cross Rd. Purl —5M 137
Cross Rd. Sidc —1F 112
Cross Rd. S Harr —8M 37
Cross Rd. Sutt —7B 122
Cross Rd. Uxb —3A 142
Cross Rd. Wal X —6E 6
Cross Rd. Wat —8J 9
Cross Rd. W'stone —9E 22
Cross Rd. Wey —5B 116
Cross Rd. Wfd G —6K 31
Cross Roads. H Bee —4F 18
Cross St. N1 —4M 59
Cross St. N18 —5E 28
Cross St. SE5 —2B 92
Cross St. SW13 —1C 88
Cross St. Eri —7C 82
Cross St. Hamp H —2A 102
Cross St. Uxb —3A 142
Cross St. Wat —5G 9
Cross Ter. Wal A —7L 7
(off Stonyshotts)
Crossthwaite Av. SE5 —3B 92
Crosswall. EC3 —1D 76
Crossway. N12 —6B 26
Crossway. N16 —1C 60
Crossway. NW9 —2D 40
Crossway. SE28 —1F 80
Crossway. SW20 —8G 105
Crossway. W13 —7E 54
Crossway. Dag —8G 49
Crossway. Enf —9C 16
Crossway. Hay —2E 68
Crossway. Orp —8B 112
Cross Way. Pinn —9F 20
Crossway. Ruis —9G 37
Crossway. W on T —4F 116
Cross Way. Wfd G —4G 31
Crossway Ct. SE4 —1J 93
Crossways. N21 —8A 16
Crossways. Lou —7L 19
Crossways. Romf —1F 50
Crossways. S Croy —9J 125
Crossways. Sun —4D 100
Crossways. Sutt —1B 136
Crossways Boulevd. Dart —3M 99
Crossways Rd. Beck —8L 109
Crossways Rd. Mitc —7F 106
Crossways Ter. E5 —9G 45
Crossways, The. Houn —8K 69
Crossways, The. Surb —3M 119
Crossways, The. Wemb —7L 39
Crossway, The. N22 —7M 27
Crossway, The. SE9 —8H 95
Cross Way, The. Harr —9C 22
Crossway, The. Uxb —5D 142
Crosswell Clo. Shep —6A 100
Croston St. E8 —4E 60
Crothall Clo. N13 —3K 27
Crouch Av. Bark —5F 64
Crouch Clo. Beck —3L 109
Crouch Cft. SE9 —9L 95
Crouch End. —5H 43
Crouch End Hill. N8 —5H 43
Crouch Hall Ct. N19 —6J 43
Crouch Hall Rd. N8 —4H 43
Crouch Hill. N8 & N4 —4J 43
Crouchman's Clo. SE26 —9D 92
Crouch Rd. NW10 —3B 56
Crowborough Clo. Warl —9J 139
Crowborough Dri. Warl —9J 139
Crowborough Path. Wat —4H 21
Crowborough Rd. SW17 —3E 106
Crowden Way. SE28 —1G 81
Crowder St. E1 —1F 76
Crowfield Ho. N5 —9A 44
Crowfoot Clo. E9 —1K 61
Crowhill. Orp —2L 141
Crowhurst Clo. SW9 —1L 91
Crowhurst Ho. SW9 —1K 91
(off Aytoun Rd.)
Crowhurst Way. Orp —9G 113
Crowland Av. Hay —5C 68
Crowland Gdns. N14 —9J 15
Crowland Ho. NW8 —4A 58
(off Springfield Rd.)
Crowland Rd. N15 —3D 44
Crowland Rd. T Hth —8B 108
Crowlands Av. Romf —4M 49
Crowland Ter. N1 —3B 60
Crowland Wlk. Mord —1M 121
Crow La. Romf —5K 49
Crowley Cres. Croy —7L 123
Crowline Wlk. N1 —2A 60
Crowmarsh Gdns. SE23 —6G 93
Crown Arc. King T —6H 103
Crown Ash Hill. W'ham —6F 140
Crown Ash La. Warl & Big H —8E 140
Crownbourne Ct. Sutt —6M 121
(off St Nicholas Way)
Crown Bldgs. E4 —1B 30
Crown Clo. E3 —4L 61
Crown Clo. NW6 —2M 57
Crown Clo. NW7 —2D 24
Crown Clo. Hay —3D 68
Crown Clo. Orp —7E 128
Crown Clo. W on T —2G 117
Crown Clo. Bus. Cen. E3 —4L 61
(off Crown Clo.)
Crown Cotts. Romf —8L 33
Crown Ct. EC4 —9A 60
(off Cheapside)
Crown Ct. N10 —7E 26
Crown Ct. SE12 —5F 94
Crown Dale. SE19 —3M 107
Crowndale Ct. NW1 —5H 59
(off Crowndale Ct.)
Crowndale Rd. NW1 —5G 59
Crownfield Av. Ilf —4C 48
Crownfield Rd. E15 —9B 46
Crown Hill. Croy —4A 124
Crown Hill Rd. NW10 —4D 56
Crownhill Rd. Wfd G —7J 31
Crown Ho. Ruis —6E 36
Crown La. N14 —1G 27
Crown La. SW16 —2L 107
Crown La. Brom —9H 111
Crown La. Chst —5A 112
Crown La. Mord —8L 105
Crown La. Gdns. SW16 —2L 107
Crown La. Spur. Brom —1H 127
Crown Lodge. SW3 —5C 74
Crownmead Way. Romf —2M 49
Crown M. E13 —4G 63
Crown M. W6 —5E 72
Crown Office Row. EC4 —1L 75
Crown Pde. N14 —1G 27
Crown Pde. SE19 —3M 107
Crown Pde. Mord —7L 105
Crown Pas. SW1 —2G 75
Crown Pas. King T —6H 103
Crown Pas. Wat —6G 9
Crown Pl. EC2 —8C 60
Crown Pl. NW5 —2F 58
Crown Reach. SW1 —6H 75
Crown Ri. Wat —7G 5
Crown Rd. N10 —7E 26
Crown Rd. Borwd —3L 11
Crown Rd. Enf —6F 16
Crown Rd. Ilf —2B 48
Crown Rd. Mord —8M 105
Crown Rd. N Mald —5A 104
Crown Rd. Orp —7E 128
Crown Rd. Ruis —1H 53
Crown Rd. Sutt —6M 121
Crown Rd. Twic —5F 86
Crownstone Ct. SW2 —4L 91
Crownstone Rd. SW2 —4L 91
Crown St. SE5 —8A 76
Crown St. W3 —2M 71
Crown St. Dag —2A 66
(in two parts)
Crown St. Harr —6B 38
Crown Ter. N14 —1H 27
(off Crown La.)
Crown Ter. Rich —3K 87
Crown Trad. Cen. Hay —3C 68
Crowntree Clo. Iswth —7D 70
Crown Wlk. Uxb —3A 142
Crown Wlk. Wemb —8K 39
Crown Way. W Dray —2K 143
Crown Wharf. E14 —2A 78
(off Coldharbour)
Crown Wharf. SE8 —6K 77
(off Grove St.)
Crown Woods. SE18 —1M 95
Crown Woods Way. SE9 —4B 96
Crown Yd. Houn —2A 86
Crowshott Av. Stan —9G 23
Crows Rd. E15 —6B 62
Crows Rd. Bark —2M 63
Crowther Av. Bren —5J 71
Crowther Rd. SE25 —9E 108
Crowthorne Clo. SW18 —6K 89
Crowthorne Rd. W10 —9H 57
Croxall Ho. W on T —1G 117
Croxdale Rd. Borwd —4K 11
Croxden Clo. Edgw —1L 39
Croxden Wlk. Mord —1A 122
Croxford Gdns. N22 —7M 27
Croxford Way. Romf —6B 50
Croxley Centre. —8B 8
Croxley Clo. Orp —6F 112
Croxley Grn. Orp —5F 112
Croxley Rd. W9 —6K 57
Croxley Vw. Wat —8C 8
Croxted Clo. SE21 —6A 92
Croxted M. SE24 —5A 92
Croxted Rd. SE24 & SE21 —5A 92
Croxteth Ho. SW8 —1H 91
Croyde Av. Gnfd —6A 54
Croyde Av. Hay —5C 68
Croyde Clo. Sidc —6B 96
Croydon. —4A 124
Croydon. N17 —9B 28
(off Gloucester Rd.)
Croydon Crematorium. Croy —9K 107
Croydon Flyover, The. Croy —5A 124
Croydon Gro. Croy —3M 123
Croydon Ho. SE1 —2L 75
(off Wootton St.)
Croydon La. Bans —6M 135
Croydon La. S. Bans —6M 135
Croydon Rd. E13 —7D 62
Croydon Rd. SE20 —6F 108
Croydon Rd. Beck —9H 109
Croydon Rd. Brom & Kes —5G 127
Croydon Rd. H'row A —1F 144
Croydon Rd. Mitc & Bedd —8E 106
Croydon Rd. Wall & Croy —6F 122
Croydon Rd. W W'ck & Brom —5C 126
Croydon Rd. Ind. Est. Beck —8H 109
Croyland Rd. N9 —1E 28
Croylands Dri. Surb —2J 119
Croysdale Av. Sun —7E 100
Crozier Dri. S Croy —2F 138
Crozier Ho. SE3 —2F 94
Crozier Ho. SW8 —8K 75
(off Wilkinson St.)
Crozier Ter. E9 —1H 61
Crucible Clo. Romf —4F 48
Crucifix La. SE1 —3C 76
Cruden Ho. SE5 —7M 75
(off Brandon Est.)
Cruden St. N1 —4M 59
Cruikshank Ho. NW8 —5C 58
(off Townshend Rd.)
Cruikshank Rd. E15 —9C 46
Cruikshank St. WC1 —6L 59
Crummock Gdns. NW9 —3C 40
Crumpsall St. SE2 —5G 81
Crundale Av. NW9 —3L 39
Crunden Rd. S Croy —9B 124
Crusader Clo. Purf —5L 83
Crusader Ct. Dart —4K 99
Crusader Gdns. Croy —5C 124
Crusader Way. Wat —8D 8
Crusoe M. N16 —7B 44
Crusoe Rd. Eri —6B 82
Crusoe Rd. Mitc —4D 106
Crutched Friars. EC3 —1C 76
Crutchfield La. W on T —4F 116
Crutchley Rd. SE6 —8C 94
Crystal Av. Horn —9J 51
Crystal Palace. —3D 108
Crystal Palace F.C. —8C 108
Crystal Palace Mus. —3D 108
Crystal Palace National Sports Centre. —3E 108
Crystal Pal. Pde. SE19 —3D 108
Crystal Pal. Pk. Rd. SE26 —2E 108
Crystal Pal. Rd. SE22 —5D 92
Crystal Pal. Sta. Rd. SE19 —3E 108
Crystal Ter. SE19 —3B 108
Crystal Vw. Ct. Brom —1B 110
Crystal Way. Dag —6G 49
Crystal Way. Harr —3D 38
Cuba Dri. Enf —4G 17
Cuba St. E14 —3L 77
Cubitt Ho. SW4 —5G 91
Cubitt Sq. S'hall —2A 70
Cubitt Steps. E14 —2L 77
Cubitt St. WC1 —6K 59
Cubitt St. Croy —7K 123
Cubitt's Yd. WC2 —1J 75
(off James St.)
Cubitt Ter. SW4 —2G 91
Cubitt Town. —5A 78
Cuckoo Av. W7 —7C 54
Cuckoo Dene. W7 —8B 54
Cuckoo Hall La. N9 —9G 17
Cuckoo Hall Rd. N9 —9G 17
Cuckoo Hill. Pinn —1G 37
Cuckoo Hill Dri. Pinn —1G 37
Cuckoo Hill Rd. Pinn —2G 37
Cuckoo La. W7 —1C 70
Cuckoo Pound. Shep —9C 100
Cudas Clo. Eps —6D 120
Cuddington. SE17 —5A 76
(off Deacon Way)
Cuddington Av. Wor Pk —5D 120
Cuddington Ct. Sutt —1H 135
Cuddington Glade. Eps —4L 133
Cuddington Pk. Clo. Bans —5K 135
Cuddington Way. Sutt —4H 135
Cudham Clo. Belm —2L 135
Cudham Dri. New Ad —2A 140
Cudham La. N. Cud & Orp —9C 128
Cudham Rd. Orp —3L 141
Cudham St. SE6 —6A 94
Cudworth Ho. SW8 —9G 75
Cudworth St. E1 —7F 60
Cuff Cres. SE9 —5H 95
Cuffley Av. Wat —7H 5
Cuff Point. E2 —6D 60
(off Columbia Rd.)
Cugley Rd. Dart —6M 99
Culford Gdns. SW3 —5D 74
Culford Gro. N1 —2C 60
Culford Mans. SW3 —5D 74
Culford M. N1 —2C 60
Culford Rd. N1 —3C 60
(in two parts)
Culgaith Gdns. Enf —6J 15
Culham Ho. E2 —6D 60
(off Palissy St.)
Cullen Way. NW10 —7A 56
Cullera Clo. N'wd —6D 20
Cullerne Clo. Ewe —2D 134
Cullesden Rd. Kenl —7M 137
Cullinet Ho. Borwd —4B 12
Culling Rd. SE16 —4G 77
Cullings Ct. Wal A —6M 7
Cullington Clo. Harr —2E 38
Cullingworth Rd. NW10 —1E 56
Culloden Clo. SE1 —6E 76
Culloden Rd. Enf —4M 15
Culloden St. E14 —9A 62
Cullum St. EC3 —1C 76
Cullum Welch Ct. N1 —6B 60
(off Haberdasher St.)
Culmington Pde. W13 —2G 71
(off Culmington Rd.)
Culmington Rd. W13 —2G 71
Culmington Rd. S Croy —1A 138
Culmore Rd. SE15 —8F 76
Culmstock Rd. SW11 —4E 90
Culpeper Clo. Ilf —6M 31
Culpeper Ho. E14 —9J 61
Culpepper Ct. SE11 —5L 75
(off Kennington Rd.)
Culross Bldgs. N1 —5J 59
(off Battle Bri. Rd.)
Culross Clo. N15 —2A 44
Culross St. W1 —1E 74
Culsac Rd. Surb —4J 119
Culverden Rd. SW12 —8G 91
Culverden Rd. Wat —3F 20
Culver Gro. Stan —9G 23
Culverhay. Asht —8J 133
Culverhouse. WC1 —8K 59
(off Red Lion Sq.)
Culverhouse Gdns. SW16 —9K 91
Culverlands Clo. Stan —4F 22
Culverley Rd. SE6 —7M 93
Culvers Av. Cars —4D 122
Culvers Retreat. Cars —3D 122
Culverstone Clo. Hayes —1D 126
Culvers Way. Cars —4D 122
Culvert La. Uxb —5A 142
Culvert Pl. SW11 —1E 90
Culvert Rd. N15 —3C 44
Culvert Rd. SW11 —1D 90
Culworth Ho. NW8 —5C 58
(off Allitsen Rd.)
Culworth St. NW8 —5C 58
Culzean Clo. SE27 —9M 91
Cumberland Av. NW10 —6M 55
Cumberland Av. Horn —8J 51
Cumberland Av. Well —2C 96
Cumberland Bus. Pk. NW10 —6M 55
Cumberland Clo. E8 —2D 60
Cumberland Clo. SW20 —4H 105
Cumberland Clo. Eps —2C 134
Cumberland Clo. Horn —8J 51
Cumberland Clo. Ilf —8A 32
Cumberland Clo. Twic —5F 86
Cumberland Ct. SW1 —6F 74
(off Cumberland St.)
Cumberland Ct. Croy —3B 124
Cumberland Ct. Harr —1C 38
(off Princes Dri.)
Cumberland Ct. Well —1C 96
Cumberland Cres. W14 —5J 73
(in two parts)
Cumberland Dri. Bexh —8J 81
Cumberland Dri. Chess —5K 119
Cumberland Dri. Dart —6K 99
Cumberland Dri. Esh —4E 118
Cumberland Gdns. NW4 —9J 25
Cumberland Gdns. WC1 —6L 59
Cumberland Ga. W1 —1D 74
Cumberland Ho. N9 —1G 29
(off Cumberland Rd.)
Cumberland Ho. King T —4M 103
Cumberland Mans. W1 —9D 58
(off George St.)
Cumberland Mkt. NW1 —6F 58
Cumberland Mills Sq. E14 —6B 78
Cumberland Pk. W3 —1A 72
Cumberland Pk. Ind. Est. NW10 —6E 56
Cumberland Pl. NW1 —6F 58
Cumberland Pl. SE6 —7D 94
Cumberland Pl. Sun —8E 100
Cumberland Rd. E12 —9H 47

Cumberland Rd.—Danson Interchange. (Junct.)

Cumberland Rd. E13 —8F 62
Cumberland Rd. E17 —9J 29
Cumberland Rd. N9 —1G 29
Cumberland Rd. N22 —9K 27
Cumberland Rd. SE25 —1F 124
Cumberland Rd. SW13 —9D 72
Cumberland Rd. W3 —1A 72
Cumberland Rd. W7 —3D 70
Cumberland Rd. Ashf —9B 144
Cumberland Rd. Brom —8C 110
Cumberland Rd. Harr —3M 37
Cumberland Rd. Rich —8L 71
Cumberland Rd. Stan —1K 39
Cumberlands. Kenl —7B 138
Cumberland St. SW1 —6F 74
Cumberland Ter. NW1 —5F 58
Cumberland Ter. M. NW1 —5F 58
(off Cumberland Ter.)
Cumberland Vs. W3 —1A 72
(off Cumberland Rd.)
Cumberlow Av. SE25 —7D 108
Cumbernauld Gdns. Sun —2D 100
Cumberton Rd. N17 —8B 28
Cumbrae Gdns. Surb —4H 119
Cumbrian Av. Bexh —1C 98
Cumbrian Gdns. NW2 —7H 41
Cumbrian Way. Uxb —3B 142
Cuming Mus. —5A 76
(off Walworth Rd.)
Cummings Hall La. Noak H —3G 35
Cumming St. N1 —5K 59
Cumnor Clo. SW9 —1K 91
(off Robsart St.)
Cumnor Gdns. Eps —8E 120
Cumnor Ri. Kenl —9A 138
Cumnor Rd. Sutt —8A 122
Cunard Cres. N21 —8B 16
Cunard Pl. EC3 —9C 60
Cunard Rd. NW10 —6B 56
Cunard Wlk. SE16 —5H 77
Cundy Rd. E16 —9G 63
Cundy St. SW1 —5E 74
Cunliffe Pde. Eps —6D 120
Cunliffe Rd. Eps —6D 120
Cunliffe St. SW16 —3G 107
Cunningham Av. Enf —9E 6
Cunningham Clo. Romf —3G 49
Cunningham Clo. W W'ck —4M 125
Cunningham Ct. Chesh —1E 6
Cunningham Ho. SE5 —8B 76
(off Elmington Est.)
Cunningham Pk. Harr —3A 38
Cunningham Pl. NW8 —7B 58
Cunningham Rd. N15 —2E 44
Cunningham Rd. Bans —7B 136
Cunningham Rd. Chesh —1E 6
Cunnington St. W4 —4A 72
Cupar Rd. SW11 —9E 74
Cupola Clo. Brom —2F 110
Curates Wlk. Dart —9H 99
Cureton St. SW1 —5H 75
Curfew Ho. Bark —4A 64
Curie Ct. Harr —5F 38
Curie Gdns. NW9 —9C 24
Curlew Clo. SE28 —1H 81
Curlew Clo. Ilf —1L 47
Curlew Clo. S Croy —3H 139
Curlew Ct. W13 —7D 54
Curlew Ct. Surb —5L 119
Curlew Ho. SE4 —3J 93
(off St Norbert Rd.)
Curlew Ho. SE15 —9D 76
Curlew St. SE1 —3D 76
Curlew Way. Hay —8H 53
Curnick's La. SE27 —1A 108
Curran Av. Sidc —4D 96
Curran Av. Wall —5E 122
Curran Clo. Uxb —7A 142
Curran Ho. SW3 —5C 74
(off Lucan Pl.)
Currey Rd. Gnfd —2B 54
Curricle St. W3 —2C 72
Currie Hill Clo. SW19 —1K 105
Currie Ho. E14 —9B 62
(off Abbott Rd.)
Curry Ri. NW7 —6H 25
Cursitor St. WC2 —9L 59
Curtain Pl. EC2 —6C 60
(off Curtain Rd.)
Curtain Rd. EC2 —7C 60
(in two parts)
Curthwaite Gdns. Enf —6H 15
Curtis Dri. W3 —9B 56
Curtis Fld. Rd. SW16 —1K 107
Curtis Ho. SE17 —6B 76
(off Morecambe St.)
Curtis La. Wemb —1J 55
Curtismill Clo. Orp —7F 112
Curtismill Way. Orp —7F 112
Curtis Rd. Eps —6A 120
Curtis Rd. Horn —6K 51
Curtis Rd. Houn —6K 85
Curtiss Dri. Leav —7D 4
Curtis St. SE1 —5D 76
Curtis Way. SE1 —5D 76
Curtis Way. SE28 —1F 80
Curtlington Ho. Edgw —9A 24
(off Burnt Oak B'way.)
Curvan Clo. Eps —2D 134
Curve, The. W12 —1E 72
Curwen Av. E7 —9F 46
Curwen Rd. W12 —3E 72
Curzon Av. Enf —7H 17
Curzon Av. Stan —8E 22
Curzon Clo. Orp —6B 128
Curzon Ct. SW6 —9M 73
(off Maltings Pl.)
Curzon Cres. NW10 —3C 56
Curzon Cres. Bark —5D 64
Curzon Ga. W1 —2E 74
Curzon Ga. Ct. Wat —3E 8
Curzon Pl. W1 —2E 74
Curzon Pl. Pinn —3G 37
Curzon Rd. N10 —9F 26
Curzon Rd. W5 —7F 54
Curzon Rd. T Hth —1L 123
Curzon St. W1 —2E 74
Cusack Clo. Twic —1D 102
Cussans Ho. Wat —8C 8
Cussons Clo. Chesh —2A 6
Custance Ho. N1 —5B 60
(off Provost Est.)
Custance St. N1 —6B 60
Custom House. —9G 63
Custom House. —1C 76
Custom Ho. Reach. SE16 —3K 77
Custom Ho. Wlk. EC3 —1C 76
Cutbush Ho. N7 —1H 59
Cutcombe Rd. SE5 —1A 92
Cuthberga St. Bark —3A 64
(off George St.)
Cuthbert Gdns. SE25 —7C 108
Cuthbert Harrowing Ho. EC1 —7A 60
(off Golden La. Est.)
Cuthbert Ho. W2 —8B 58
(off Hall Pl.)
Cuthbert Rd. E17 —1A 46
Cuthbert Rd. N18 —5E 28
Cuthbert Rd. Croy —4M 123
Cuthbert St. W2 —8B 58
Cuthill Wlk. SE5 —9B 76
Cutlers Gdns. E1 —9C 60
(off Cutlers St.)
Cutlers Sq. E14 —5L 77
Cutler St. E1 —9C 60
Cut, The. SE1 —3L 75
Cutthroat All. Rich —8G 87
Cutty Sark Clipper Ship. —7A 78
Cuxton. Pet W —9A 112
Cuxton Clo. Bexh —4J 97
Cyclamen Clo. Hamp —3L 101
Cyclamen Rd. Swan —8B 114
Cyclamen Way. Eps —7A 120
Cyclops M. E14 —5L 77
Cygnet Av. Felt —6G 85
Cygnet Clo. NW10 —1B 56
Cygnet Clo. Borwd —3A 12
Cygnet Clo. N'wd —6A 20
Cygnets, The. Felt —1J 101
Cygnet St. E1 —7D 60
Cygnet Way. Hay —8H 53
Cygnus Bus. Cen. NW10 —1D 56
Cymbeline Ct. Harr —4D 38
(off Gayton Rd.)
Cynthia St. N1 —5K 59
Cyntra Pl. E8 —3F 60
Cypress Av. Twic —6A 86
Cypress Clo. Wal A —7K 7
Cypress Gdns. SE4 —4J 93
Cypress Gro. Ilf —6C 32
Cypress Ho. SE14 —9H 77
Cypress Path. Romf —7H 35
Cypress Pl. W1 —7G 59
Cypress Rd. SE25 —6C 108
Cypress Rd. Harr —9B 22
Cypress Tree Clo. Sidc —7D 96
Cypress Wlk. Wat —8F 4
Cypress Way. Bans —6H 135
Cyprus. —1L 79
Cyprus Av. N3 —9J 25
Cyprus Clo. N4 —4M 43
Cyprus Gdns. N3 —9J 25
Cyprus Pl. E2 —5G 61
Cyprus Pl. E6 —1L 79
Cyprus Rd. N3 —9K 25
Cyprus Rd. N9 —2D 28
Cyprus St. E2 —5G 61
(in two parts)
Cyrena Rd. SE22 —5D 92
Cyril Lodge. Sidc —1E 112
Cyril Mans. SW11 —9D 74
Cyril Rd. Bexh —1J 97
Cyril Rd. Orp —2E 128
Cyrus Ho. EC1 —7M 59
(off Cyrus St.)
Cyrus St. EC1 —7M 59
(off Cyrus St.)
Czar St. SE8 —7L 77

Dabbling Clo. Eri —7F 82
Dabbs Hill La. N'holt —2K 53
(in two parts)
Dabbs La. EC1 —7L 59
(off Farringdon Rd.)
D'Abernon Chase. Lea —6E 132
D'Abernon Clo. Esh —6L 117
Dabin Cres. SE10 —9A 78
Dacca St. SE8 —7K 77
Dace Rd. E3 —4L 61
Dacre Av. Ilf —9L 31
Dacre Clo. Chig —4A 32
Dacre Clo. Gnfd —5M 53
Dacre Gdns. SE13 —3C 94
Dacre Gdns. Borwd —7B 12
Dacre Gdns. Chig —4A 32
Dacre Ho. SW3 —7B 74
(off Beaufort St.)
Dacre Ind. Est. Chesh —2F 6
Dacre Pk. SE13 —2C 94
Dacre Pl. SE13 —2C 94
Dacre Rd. E11 —6D 46
Dacre Rd. E13 —4F 62
Dacre Rd. Croy —2J 123
Dacres Ho. SW4 —2F 90
Dacres Rd. SE23 —8H 93
Dacre St. SW1 —4H 75
Dade Way. S'hall —6K 69
Daerwood Clo. Brom —3K 127
Daffodil Clo. Croy —3H 125
Daffodil Gdns. Ilf —1M 63
Daffodil Pl. Hamp —3L 101
Daffodil St. W12 —1D 72
Dafforne Rd. SW17 —9E 90
Dagenham. —2L 65
Dagenham & Redbridge F.C. —1M 65
Dagenham Av. Dag —4J 65
(in two parts)
Dagenham Leisure Pk. Dag —4J 65
Dagenham Rd. E10 —6K 45
Dagenham Rd. Dag & Romf —9M 49
Dagenham Rd. Rain —3B 66
Dagenham Rd. Romf & Rush G —5B 50
Dagger La. Els —8E 10
Dagmar Av. Wemb —9K 39
Dagmar Ct. E14 —4A 78
Dagmar Gdns. NW10 —5H 57
Dagmar M. S'hall —4J 69
(off Dagmar Rd.)
Dagmar Pas. N1 —4M 59
(off Cross St.)
Dagmar Rd. N4 —5L 43
Dagmar Rd. N15 —2B 44
Dagmar Rd. N22 —8H 27
Dagmar Rd. SE5 —9C 76
Dagmar Rd. SE25 —9C 108
Dagmar Rd. Dag —3A 66
Dagmar Rd. King T —5K 103
Dagmar Rd. S'hall —4J 69
Dagmar Ter. N1 —4M 59
Dagnall Cres. Uxb —8A 142
Dagnall Pk. SE25 —1C 124
Dagnall Rd. SE25 —9C 108
Dagnall St. SW11 —1D 90
Dagnam Pk. Clo. Romf —5L 35
Dagnam Pk. Dri. Romf —5J 35
Dagnam Pk. Gdns. Romf —6L 35
(in two parts)
Dagnam Pk. Sq. Romf —6M 35
Dagnan Rd. SW12 —6F 90
Dagobert Ho. E1 —8G 61
(off Smithy St.)
Dagonet Gdns. Brom —9E 94
Dagonet Rd. Brom —9E 94
Dahlia Dri. Swan —6D 114
Dahlia Gdns. Ilf —2M 63
Dahlia Gdns. Mitc —8H 107
Dahlia Rd. SE2 —5F 80
Dahomey Rd. SW16 —3G 107
Daimler Way. Wall —9J 123
Dain Ct. W8 —5L 73
(off Lexham Gdns.)
Daines Clo. E12 —8K 47
Dainford Clo. Brom —2B 110
Dainton Clo. Brom —5F 110
Daintry Clo. Harr —2E 38
Daintry Lodge. N'wd —7D 20
Daintry Way. E9 —2K 61
Dairsie Ct. Brom —6G 111
Dairsie Rd. SE9 —2L 95
Dairy Clo. NW10 —4E 56
Dairy Clo. Brom —4F 110
Dairy Clo. S at H —4M 115
Dairy Clo. T Hth —6A 108
Dairyglen Av. Chesh —4E 6
Dairy La. SE18 —5K 79
Dairyman Clo. NW2 —8H 41
Dairy M. SW9 —2J 91
Dairy M. Wat —7E 8
Dairy Wlk. SW19 —1J 105
Dairy Way. Ab L —2D 4
Daisy Clo. Croy —3H 125
Daisy Dobbings Wlk. N19 —5J 43
(off Jessie Blythe La.)
Daisy La. SW6 —2L 89
Daisy Rd. E16 —7C 62
Daisy Rd. E18 —9F 30
Dakota Clo. Wall —9K 123
Dakota Gdns. E6 —7J 63
Dakota Gdns. N'holt —6J 53
Dalberg Rd. SW2 —3L 91
(in two parts)
Dalberg Way. SE2 —4H 81
Dalby Rd. SW18 —3A 90
Dalbys Cres. N17 —6C 28
Dalby St. NW5 —2F 58
Dalcross Rd. Houn —1J 85
Dale Av. Edgw —8K 23
Dale Av. Houn —2J 85
Dalebury Rd. SW17 —8D 90
Dale Clo. SE3 —2E 94
Dale Clo. Dart —5D 98
Dale Clo. New Bar —8M 13
Dale Clo. Pinn —8F 20
Dale Ct. King T —4K 103
(off York Rd.)
Dale Ct. Wat —7E 4
Dale Dri. Hay —7D 52
Dale End. Dart —5D 98
Dale Gdns. Wfd G —4F 30
Dalegarth Gdns. Purl —5B 138
Dale Grn. Rd. N11 —3F 26
Dale Gro. N12 —5A 26
Daleham Dri. Uxb —9F 142
Daleham Gdns. NW3 —1B 58
Daleham M. NW3 —2B 58
Dalehead. NW1 —5G 59
(off Harrington Sq.)
Dale Ho. NW8 —4A 58
(off Boundary Rd.)
Dale Ho. SE4 —3J 93
Dale Lodge. N6 —4G 43
Dalemain M. E16 —2E 78
Dale Pk. Av. Cars —4D 122
Dale Pk. Rd. SE19 —5A 108
Dale Rd. NW5 —1E 58
Dale Rd. SE17 —7M 75
Dale Rd. Dart —5D 98
Dale Rd. Gnfd —8M 53
Dale Rd. Purl —4L 137
Dale Rd. Sun —4D 100
Dale Rd. Sutt —6K 121
Dale Rd. Swan —6A 114
Dale Rd. W on T —2D 116
Dale Row. W11 —9J 57
Daleside. Orp —7E 128
Daleside Clo. Orp —8E 128
Daleside Gdns. Chig —3A 32
Daleside Rd. SW16 —2F 106
Daleside Rd. Eps —8B 120
Dales Path. Borwd —7B 12
Dales Rd. Borwd —7B 12
Dalestone M. Romf —6F 34
Dale St. W4 —6C 72
Dale, The. Kes —6H 127
Dale, The. Wal A —7L 7
Dale Vw. Eri —1D 98
Dale Vw. Av. E4 —2A 30
Dale Vw. Cres. E4 —2A 30
Dale Vw. Gdns. E4 —3B 30
Daleview Rd. N15 —4C 44
Dale Wlk. Dart —7M 99
Dalewood Clo. Horn —5K 51
Dalewood Gdns. Wor Pk —4F 120
Dale Wood Rd. Orp —2C 128
Daley Ho. W12 —9F 56
Daley St. E9 —2H 61
Daley Thompson Way. SW8 —1F 90
Dalgarno Gdns. W10 —8F 56
Dalgarno Way. W10 —7G 57
Dalgleish St. E14 —9J 61
Daling Way. E3 —4J 61
Dali Universe. —3K 75
Dalkeith Ct. SW1 —5H 75
(off Vincent St.)
Dalkeith Gro. Stan —5H 23
Dalkeith Ho. SW9 —9M 75
(off Lothian Rd.)
Dalkeith Rd. SE21 —7A 92
Dalkeith Rd. Ilf —8A 48
Dallas Rd. NW4 —5E 40
Dallas Rd. SE26 —9F 92
Dallas Rd. W5 —8K 55
Dallas Rd. Sutt —8J 121
Dallas Ter. Hay —4D 68
Dallega Clo. Hay —1B 68
Dallinger Rd. SE12 —5D 94
Dalling Rd. W6 —5F 72
Dallington Clo. W on T —8G 117
Dallington St. EC1 —7M 59
Dallin Rd. SE18 —8M 79
Dallin Rd. Bexh —3H 97
Dalmain Rd. SE23 —7H 93
Dalmally Rd. Croy —2D 124
Dalmeny Av. N7 —9H 43
Dalmeny Av. SW16 —6L 107
Dalmeny Clo. Wemb —2G 55
Dalmeny Cres. Houn —3B 86
Dalmeny Rd. N7 —8H 43
(in three parts)
Dalmeny Rd. Cars —9E 122
Dalmeny Rd. Eri —9M 81
Dalmeny Rd. New Bar —8A 14
Dalmeny Rd. Wor Pk —5F 120
Dalmeyer Rd. NW10 —2D 56
Dalmore Av. Clay —8D 118
Dalmore Rd. SE21 —8A 92
Dalo Lodge. E3 —8L 61
(off Gale St.)
Dalrymple Clo. N14 —9H 15
Dalrymple Rd. SE4 —3J 93
Dalston. —2D 60
Dalston Gdns. Stan —8J 23
Dalston La. E8 —2D 60
Dalton Av. Mitc —6C 106
Dalton Clo. Hay —7B 52
Dalton Clo. Orp —5C 128
Dalton Clo. Purl —4A 138
Dalton Ho. SE14 —7H 77
(off John Williams Clo.)
Dalton Ho. SW1 —6F 74
(off Ebury Bri. Rd.)
Dalton Rd. W'stone —9B 22
Daltons Rd. Orp & Swan —6M 129
Dalton St. SE27 —8M 91
Dalwood St. SE5 —9C 76
Daly Ct. E15 —1M 61
Dalyell Rd. SW9 —2K 91
Damascene Wlk. SE21 —7A 92
Damask Cres. E16 —7C 62
Damer Ter. SW10 —8A 74
Dames Rd. E7 —8E 46
Dame St. N1 —5A 60
Damien Ct. E1 —9F 60
(off Damien St.)
Damien St. E1 —9F 60
Damon Clo. Sidc —9F 96
Damory Ho. SE16 —5F 76
(off Abbeyfield Est.)
Damson Ct. Swan —8B 114
Damson Dri. Hay —1E 68
Damsonwood Rd. S'hall —4L 69
Danbrook Rd. SW16 —5J 107
Danbury Clo. Romf —1H 49
Danbury Mans. Bark —3M 63
(off Whiting Av.)
Danbury M. Wall —6F 122
Danbury Rd. Lou —9J 19
Danbury Rd. Rain —4D 66
Danbury St. N1 —5M 59
Danbury Way. Wfd G —6G 31
Danby Ct. Enf —5A 16
(off Horseshoe La.)
Danby St. SE15 —2D 92
Dancer Rd. SW6 —9K 73
Dancer Rd. Rich —2L 87
Dancers Hill Rd. Barn —1G 13
Dandelion Clo. Rush G —7C 50
Dando Cres. SE3 —2F 94
Dandridge Clo. SE10 —6D 78
Dandridge Ho. E1 —8D 60
(off Lamb St.)
Danebury. New Ad —8A 126
Danebury Av. SW15 —5C 88
(in two parts)
Daneby Rd. SE6 —9M 93
Dane Clo. Bex —6L 97
Dane Clo. Orp —7B 128
Danecourt Gdns. Croy —5D 124
Danecroft Rd. SE24 —4A 92
Danehill Wlk. Sidc —9E 96
Dane Ho. N14 —9H 15
Danehurst Ct. Eps —5D 134
Danehurst Gdns. Ilf —3J 47
Danehurst St. SW6 —9J 73
Daneland. Barn —8D 14
Danemead Gro. N'holt —1M 53
Danemere St. SW15 —2G 89
Dane Pl. E3 —5K 61
Dane Rd. N18 —3G 29
Dane Rd. SW19 —5A 106
Dane Rd. W13 —2G 71
Dane Rd. Ashf —3A 100
Dane Rd. Ilf —1A 64
Dane Rd. S'hall —1J 69
Dane Rd. Warl —9H 139
Danesbury Rd. Felt —7F 84
Danes Clo. Oxs —6A 132
Danescombe. SE12 —7E 94
Danes Ct. NW8 —4D 58
(off St Edmund's Ter.)
Danes Ct. Wemb —8M 39
Danescourt Cres. Sutt —4A 122
Danescroft. NW4 —3H 41
Danescroft Av. NW4 —3H 41
Danescroft Gdns. NW4 —3H 41
Danesdale Rd. E9 —2J 61
Danesfield. SE17 —7C 76
(off Albany Rd.)
Danesfield Clo. W on T —5F 116
Danes Ga. Harr —1C 38
Daneshill Dri. Oxs —6B 132
Danes Ho. W10 —8G 57
(off Sutton Way)
Danes Rd. Romf —5A 50
Danes, The. Park —1M 5
Dane St. WC1 —8K 59
Danes Way. Oxs —6B 132
Daneswood Av. SE6 —9A 94
Daneswood Clo. Wey —7A 116
Danethorpe Rd. Wemb —2H 55
Danetree Clo. Eps —9A 120
Danetree Rd. Eps —9A 120
Danette Gdns. Dag —7L 49
Daneville Rd. SE5 —9B 76
Dangan Rd. E11 —4E 46
Daniel Bolt Clo. E14 —8M 61
Daniel Clo. N18 —4G 29
Daniel Clo. SW17 —3C 106
Daniel Clo. Houn —6K 85
Daniel Ct. NW9 —8C 24
Daniel Gdns. SE15 —8D 76
Daniel Ho. N1 —5B 60
(off Cranston Est.)
Daniell Way. Croy —3J 123
Daniel Pl. NW4 —5F 40
Daniel Rd. W5 —1K 71
Daniels La. Warl —8K 139
Daniels Rd. SE15 —2G 93
Daniel Way. Bans —6M 135
Danleigh Ct. N14 —9H 15
Dan Leno Wlk. SW6 —8M 73
Dansey Pl. W1 —1H 75
(off Wardour St.)
Dansington Rd. Well —3E 96
Danson Cres. Well —2E 96
Danson Interchange. (Junct.) —5G 97

De Havilland Rd.—Devon Rd.

De Havilland Rd. Houn —8G 69
De Havilland Rd. Wall —9J 123
De Havilland Way. Ab L —5D 4
De Havilland Way. Stanw —5B 144
Dekker Ho. SE5 —8B 76
(off Elmington Est.)
Dekker Rd. SE21 —5C 92
Delacourt Rd. SE3 —8F 78
Delafield Ho. E1 —9E 60
(off Christian St.)
Delafield Rd. SE7 —6F 78
Delaford Rd. SE16 —6F 76
Delaford St. SW6 —8J 73
Delamare Cres. Croy —1G 125
Delamare Rd. Chesh —3E 6
Delamere Gdns. NW7 —6B 24
Delamere Rd. SW20 —5H 105
Delamere Rd. W5 —3J 71
Delamere Rd. Borwd —3M 11
Delamere Rd. Hay —1H 69
Delamere St. W2 —8M 57
Delamere Ter. W2 —8M 57
Delancey Pas. NW1 —4F 58
(off Delancey St.)
Delancey St. NW1 —4F 58
Delancey Studios. NW1 —4F 58
Delany Ho. SE10 —7A 78
(off Thames St.)
Delaporte Clo. Eps —4C 134
De Lapre Clo. Orp —2H 129
Delarch Ho. SE1 —3M 75
(off Webber Row)
De Laune St. SE17 —6M 75
Delaware Mans. W9 —7M 57
(off Delaware Rd.)
Delaware Rd. W9 —7M 57
Delawyk Cres. SE24 —5A 92
Delcombe Av. Wor Pk —3G 121
Delderfield Ho. Romf —9B 34
(off Portnoi Clo.)
Delft Ho. King T —4K 103
(off Acre Rd.)
Delft Way. SE22 —4C 92
Delhi Rd. Enf —9D 16
Delhi St. N1 —4J 59
(in two parts)
Delia St. SW18 —6M 89
Delisle Rd. SE28 —3C 80
(in two parts)
Delius Clo. Els —8G 11
Delius Gro. E15 —5B 62
Della Path. E5 —8E 44
Dellbow Rd. Felt —4F 84
Dell Clo. E15 —4B 62
Dell Clo. Wall —6G 123
Dell Clo. Wfd G —3F 30
Dell Ct. Horn —7J 51
Dell Ct. N'wd —7B 20
Dell Farm Rd. Ruis —3B 36
Dellfield Clo. Beck —5A 110
Dellfield Clo. Wat —4E 8
Dellfield Cres. Uxb —7B 142
Dellfield Pde. Cow —7A 142
Dell La. Eps —7E 120
Dellmeadow. Ab L —3C 4
Dellors Clo. Barn —7H 13
Dellow Clo. Ilf —5B 48
Dellow Ho. E1 —1F 76
(off Dellow St.)
Dellow St. E1 —1F 76
Dell Rd. Enf —2G 17
Dell Rd. Eps —8E 120
Dell Rd. Wat —1E 8
Dell Rd. W Dray —5K 143
Dells Clo. E4 —9M 17
Dells Clo. Tedd —3D 102
Dellside. Wat —1E 8
Dell's M. SW1 —5G 75
(off Churton Pl.)
Dell, The. SE2 —6E 80
Dell, The. SE19 —5D 108
Dell, The. Bex —7C 98
Dell, The. Bren —7G 71
Dell, The. Felt —6F 84
Dell, The. N'wd —2C 20
Dell, The. Pinn —9H 21
Dell, The. Wemb —1F 54
Dell, The. Wfd G —3F 30
Dell Wlk. N Mald —6C 104
Dell Way. W13 —9G 55
Dellwood Gdns. Ilf —1L 47
Delmaine Ho. E14 —9J 61
Delmare Clo. SW9 —3K 91
Delme Cres. SE3 —1F 94
Delmer Ct. Borwd —2K 11
(off Aycliffe Rd.)
Delmerend Ho. SW3 —6C 74
(off Ixworth Pl.)
Delmey Clo. Croy —5D 124
Deloraine Ho. SE8 —9L 77
Delorme St. W6 —7H 73
Delroy Ct. N20 —9A 14
Delta Building. E14 —9A 62
(off Ashton St.)
Delta Cen. Wemb —4K 55
Delta Clo. Wor Pk —5D 120
Delta Ct. NW2 —7E 40
Delta Est. E2 —6E 60
Delta Gain. Wat —2H 21
Delta Gro. N'holt —6H 53
Delta Pk. SW18 —3M 89
Delta Point. Croy —3A 124
(off Wellesley Rd.)
Delta Rd. Wor Pk —5C 120
Delta St. E2 —6E 60
De Luci Rd. Eri —6A 82
De Lucy St. SE2 —5F 80
Delvan Clo. SE18 —8L 79
Delvers Mead. Dag —9A 50
Delverton Ho. SE17 —6M 75
(off Delverton Rd.)
Delverton Rd. SE17 —6M 75
Delvino Rd. SW6 —9L 73
De Mel Clo. Eps —4M 133
Demesne Rd. Wall —6H 123
Demeta Clo. Wemb —8A 40
De Montfort Pde. SW16 —9J 91
De Montfort Rd. SW16 —9J 91
De Morgan Rd. SW6 —2M 89
Dempster Clo. Surb —3G 119
Dempster Rd. SW18 —4A 90
Denbar Pde. Romf —2M 49
Denberry Dri. Sidc —9F 96
Denbigh Clo. NW10 —3C 56
Denbigh Clo. W11 —1K 73
Denbigh Clo. Chst —3K 111
Denbigh Clo. Horn —2L 51
Denbigh Clo. Ruis —7D 36
Denbigh Clo. S'hall —9K 53
Denbigh Clo. Sutt —7K 121
Denbigh Ct. E6 —6H 63
Denbigh Ct. W7 —8D 54
(off Copley Clo.)
Denbigh Dri. Hay —3A 68
Denbigh Gdns. Rich —4K 87
Denbigh Ho. SW1 —4D 74
Denbigh Ho. W11 —1K 73
(off Westbourne Gro.)
Denbigh Ho. Romf —6J 35
(off Kingsbridge Cir.)
Denbigh M. SW1 —5G 75
(off Denbigh St.)
Denbigh Pl. SW1 —6G 75
Denbigh Rd. E6 —6H 63
Denbigh Rd. W11 —1K 73
Denbigh Rd. W13 —1F 70
Denbigh Rd. Houn —1M 85
Denbigh Rd. S'hall —9K 53
Denbigh St. SW1 —5G 75
(in two parts)
Denbigh Ter. W11 —1K 73
Denbridge Rd. Brom —6K 111
Denby Ct. SE11 —5K 75
(off Lambeth Wlk.)
Dence Ho. E2 —6E 60
(off Turin St.)
Denchworth Ho. SW9 —1L 91
Den Clo. Beck —7B 110
Dendridge Clo. Enf —1F 16
Dene Av. Houn —2K 85
Dene Av. Sidc —6F 96
Dene Clo. SE4 —2J 93
Dene Clo. Brom —3D 126
Dene Clo. Dart —1C 114
Dene Clo. Wor Pk —4D 120
Dene Ct. W5 —8G 55
Dene Ct. S Croy —7A 124
(off Warham Rd.)
Denecroft Cres. Uxb —4F 142
Dene Dri. Orp —5F 128
Denefield Dri. Kenl —7B 138
Dene Gdns. Stan —5G 23
Dene Gdns. Th Dit —4E 118
Denehurst Gdns. NW4 —4G 41
Denehurst Gdns. W3 —2M 71
Denehurst Gdns. Rich —3L 87
Denehurst Gdns. Twic —6B 86
Denehurst Gdns. Wfd G —4F 30
Dene Rd. N11 —1D 26
Dene Rd. Buck H —1H 31
Dene Rd. Dart —6K 99
Dene Rd. N'wd —6A 20
Denesmead. SE24 —4A 92
Dene, The. W13 —8F 54
Dene, The. Croy —6H 125
Dene, The. Sutt —3K 135
Dene, The. Wemb —9J 39
Dene, The. W Mol —9K 101
Denewood. New Bar —7A 14
Denewood Clo. Wat —1D 8
Denewood Rd. N6 —4D 42
Denford St. SE10 —6D 78
Dengie Wlk. N1 —4A 60
(off Basire St.)
Denham Clo. Well —2G 97
Denham Ct. SE26 —9F 92
(off Kirkdale)
Denham Ct. S'hall —1A 70
(off Baird Av.)
Denham Cres. Mitc —8D 106
Denham Dri. Ilf —4A 48
Denham Ho. W12 —1F 72
(off White City Est.)
Denham Lodge. Den —2A 142
Denham Rd. N20 —3D 26
Denham Rd. Eps —4D 134
Denham Rd. Felt —6G 85
Denham St. SE10 —6E 78
Denham Way. Bark —4D 64
Denham Way. Borwd —3A 12
Denholme Rd. W9 —6K 57
Denholme Wlk. Rain —2D 66
Denison Clo. N2 —1A 42
Denison Ho. E14 —9L 61
(off Farrance St.)
Denison Rd. SW19 —3B 106
Denison Rd. W5 —7G 55
Denison Rd. Felt —1D 100
Deniston Av. Bex —7J 97
Denis Way. SW4 —2H 91
Denland Ho. SW8 —8K 75
(off Dorset Rd.)
Denleigh Gdns. N21 —9L 15
Denleigh Gdns. Th Dit —1C 118
Denley Sq. Uxb —3B 142
Denman Dri. NW11 —3L 41
Denman Dri. Ashf —3A 100
Denman Dri. Clay —7E 118
Denman Dri. N. NW11 —3L 41
Denman Dri. S. NW11 —3L 41
Denman Pl. W1 —1H 75
(off Denman St.)
Denman Rd. SE15 —9D 76
Denman St. W1 —1H 75
Denmark Av. SW19 —4J 105
Denmark Ct. Mord —1L 121
Denmark Gdns. Cars —5D 122
Denmark Gro. N1 —5L 59
Denmark Hill. SE5 —9B 76
Denmark Hill Dri. NW9 —1E 40
Denmark Hill Est. SE5 —3B 92
Denmark Mans. SE5 —1A 92
(off Coldharbour La.)
Denmark Path. SE25 —9F 108
Denmark Pl. WC2 —9H 59
Denmark Rd. N8 —2L 43
Denmark Rd. NW6 —5K 57
(in two parts)
Denmark Rd. SE5 —9A 76
Denmark Rd. SE25 —9E 108
Denmark Rd. SW19 —3H 105
Denmark Rd. W13 —1F 70
Denmark Rd. Brom —5F 110
Denmark Rd. Cars —5D 122
Denmark Rd. King T —7J 103
Denmark Rd. Twic —9B 86
Denmark St. E11 —8C 46
Denmark St. E13 —8F 62
Denmark St. N17 —8F 28
Denmark St. WC2 —9H 59
Denmark St. Wat —4F 8
Denmark Ter. N2 —1D 42
Denmark Wlk. SE27 —1A 108
Denmead Ho. SW15 —5D 88
(off Highcliffe Dri.)
Denmead Rd. Croy —3M 123
Denmead Way. SE15 —8D 76
(off Pentridge St.)
Denmore Ct. Wall —7F 122
Dennan Rd. Surb —3K 119
Dennard Way. Farnb —6L 127
Denner Rd. E4 —2L 29
Denne Ter. E8 —4D 60
Dennett Rd. Croy —3L 123
Dennetts Gro. SE14 —9G 77
Denning Av. Croy —6L 123
Denning Clo. NW8 —6A 58
Denning Clo. Hamp —2K 101
Denning Point. E1 —9D 60
(off Commercial St.)
Denning Rd. NW3 —9B 42
Dennington Clo. E5 —7G 45
Dennington Pk. Rd. NW6 —2L 57
Denningtons, The. Wor Pk —4C 120
Dennis Av. Wemb —1K 55
Dennis Clo. Ashf —4B 100
Dennis Gdns. Stan —5G 23
Dennis Ho. Sutt —6L 121
Dennis La. Stan —3F 22
Dennison Gro. SW14 —2B 88
Dennison Point. E15 —3A 62
Dennis Pde. N14 —1H 27
Dennis Pk. Cres. SW20 —5J 105
Dennis Reeve Clo. Mitc —5D 106
Dennis Rd. E Mol —8A 102
Denny Av. Wal A —7K 7
Denny Clo. E6 —8J 63
Denny Ct. Dart —5M 99
(off Bow Arrow La.)
Denny Cres. SE11 —6L 75
Denny Gdns. Dag —3F 64
Denny Rd. N9 —1F 28
Denny St. SE11 —6L 75
Den Rd. Brom —7B 110
Densham Dri. Purl —6L 137
Densham Ho. NW8 —5B 58
(off Cochrane St.)
Densham Rd. E15 —4C 62
Densole Clo. Beck —5J 109
Denstone Ho. SE15 —7E 76
(off Haymerle Rd.)
Densworth Gro. N9 —2G 29
Dent Ho. SE17 —5C 76
(off Tatum St.)
Denton. NW1 —2E 58
Denton Clo. Barn —7G 13
Denton Gro. W on T —4J 117
Denton Ho. N1 —3M 59
(off Halton Rd.)
Denton Rd. N8 —3K 43
Denton Rd. N18 —4C 28
Denton Rd. Bex —8C 98
Denton Rd. Dart —6C 98
Denton Rd. Twic —5H 87
Denton Rd. Well —8G 81
Denton St. SW18 —5M 89
Denton Ter. Bex —8C 98
Denton Way. E5 —8H 45
Dents Rd. SW11 —5D 90
Denver Clo. Orp —1C 128
Denver Ind. Est. Rain —8D 66
Denver Rd. N16 —5C 44
Denver Rd. Dart —6E 98
Denwood. SE23 —9H 93
Denyer St. SW3 —5C 74
Denys Ho. EC1 —8L 59
Denziloe Av. Uxb —6F 142
Denzil Rd. NW10 —1D 56
Deodar Rd. SW15 —3J 89
Deodora Clo. N20 —3C 26
Depot App. NW2 —9H 41
Depot Rd. W12 —1G 73
Depot Rd. Eps —5C 134
Depot Rd. Houn —2B 86
Depot St. SE5 —7B 76
Deptford. —8L 77
Deptford Bri. SE8 —9L 77
Deptford B'way. SE8 —9L 77
Deptford Bus. Pk. SE15 —7G 77
(off Rollins St.)
Deptford Chu. St. SE8 —7L 77
Deptford Creek Bri. SE8 —7M 77
(off Creek Rd.)
Deptford Ferry Rd. E14 —5L 77
Deptford Grn. SE8 —7L 77
Deptford High St. SE8 —7L 77
Deptford Strand. SE8 —5K 77
Deptford Trad. Est. SE8 —6J 77
Deptford Wharf. SE8 —5K 77
(in two parts)
De Quincey Ho. SW1 —6G 75
(off Lupus St.)
De Quincey M. E16 —2E 78
De Quincey Rd. N17 —8B 28
Derby Arms Rd. Eps —9D 134
Derby Av. N12 —5A 26
Derby Av. Harr —8B 22
Derby Av. Romf —4A 50
Derby Av. Upm —8K 51
Derby Day Experience, The. —9D 134
Derby Est. Houn —3M 85
Derby Ga. SW1 —3J 75
(in two parts)
Derby Hill. SE23 —8G 93
Derby Hill Cres. SE23 —8G 93
Derby Ho. SE11 —5L 75
(off Walnut Tree Wlk.)
Derby Ho. Pinn —9H 21
Derby Lodge. N3 —9K 25
Derby Lodge. WC1 —6K 59
(off Britannia St.)
Derby Rd. E7 —3H 63
Derby Rd. E9 —4H 61
Derby Rd. E18 —8D 30
Derby Rd. N18 —5G 29
Derby Rd. SW14 —3M 87
Derby Rd. SW19 —4L 105
Derby Rd. Croy —3M 123
Derby Rd. Enf —7F 16
Derby Rd. Gnfd —4M 53
Derby Rd. Houn —3M 85
Derby Rd. Surb —3L 119
Derby Rd. Sutt —8K 121
Derby Rd. Uxb —5A 142
Derby Rd. Wat —5G 9
(in two parts)
Derbyshire St. E2 —6E 60
(in two parts)
Derby Stables Rd. Eps —9D 134
Derby St. W1 —2E 74
Dereham Clo. Romf —6M 33
Dereham Ho. SE4 —3H 93
(off Frendsbury Rd.)
Dereham Pl. EC2 —6C 60
(in two parts)
Dereham Rd. Bark —1D 64
Derek Av. Eps —8L 119
Derek Av. Wall —6F 122
Derek Av. Wemb —3M 55
Derek Clo. Ewe —7M 119
Derek Walcott Clo. SE24 —4M 91
Deri Av. Rain —7F 66
Dericote St. E8 —4F 60
Deridene Clo. Stanw —5C 144
Derifall Clo. E6 —8K 63
Dering Pl. Croy —6A 124
Dering Rd. Croy —6A 124
Dering St. W1 —9F 58
Dering Yd. W1 —9F 58
Derinton Rd. SW17 —1D 106
Derley Rd. S'hall —4G 69
Dermody Gdns. SE13 —4B 94
Dermody Rd. SE13 —4B 94
Deronda Est. SW2 —7M 91
Deronda Rd. SE24 —7M 91
Deroy Clo. Cars —8D 122
Derrick Av. S Croy —2A 138
Derrick Gdns. SE7 —4G 79
Derrick Rd. Beck —7K 109
Derry Downs. —1G 129
Derry Downs. Orp —1G 129
Derry Rd. Croy —5J 123
Derry St. W8 —3M 73
Dersingham Av. E12 —9K 47
Dersingham Rd. NW2 —8J 41
Derwent. NW1 —6G 59
(off Robert St.)
Derwent Av. N18 —5B 28
Derwent Av. NW7 —6B 24
Derwent Av. NW9 —3C 40
Derwent Av. SW15 —1C 104
Derwent Av. Barn —1D 26
Derwent Av. Pinn —6J 21
Derwent Clo. Clay —8C 118
Derwent Clo. Dart —7F 98
Derwent Clo. Felt —7D 84
Derwent Ct. SE16 —3H 77
(off Eleanor Clo.)
Derwent Cres. N12 —3A 26
Derwent Cres. Bexh —1L 97
Derwent Cres. Stan —9G 23
Derwent Dri. Hay —8C 52
Derwent Dri. Orp —2B 128
Derwent Dri. Purl —5B 138
Derwent Gdns. Ilf —2J 47
Derwent Gdns. Wemb —5G 39
Derwent Gro. SE22 —3D 92
Derwent Ho. E3 —7K 61
(off Southern Gro.)
Derwent Ho. SE20 —6F 108
(off Derwent Rd.)
Derwent Ho. SW7 —5A 74
(off Cromwell Rd.)
Derwent Lodge. Iswth —1B 86
Derwent Lodge. Wor Pk —4F 120
Derwent Ri. NW9 —4C 40
Derwent Rd. N13 —4K 27
Derwent Rd. SE20 —6E 108
Derwent Rd. SW20 —9H 105
Derwent Rd. W5 —4G 71
Derwent Rd. S'hall —9K 53
Derwent Rd. Twic —5M 85
Derwent St. SE10 —6C 78
Derwent Wlk. Wall —9F 122
Derwentwater Rd. W3 —2A 72
Derwent Way. Horn —1F 66
Derwent Yd. W13 —4G 71
(off Derwent Rd.)
De Salis Rd. Uxb —7A 52
Desborough Clo. W2 —8M 57
(off Bourne Ter.)
Desborough Ho. W14 —7K 73
(off N. End Rd.)
Desenfans Rd. SE21 —5C 92
Desford Ct. Ashf —8E 144
Desford Rd. E16 —7C 62
Desford Way. Ashf —8D 144
Design Mus. —3D 76
Desmond Ho. Barn —8C 14
Desmond Rd. Wat —9D 4
Desmond St. SE14 —8J 77
Despard Rd. N19 —6G 43
Dethick Ct. E3 —4J 61
Detling Clo. Horn —1G 67
Detling Ho. SE17 —5C 76
(off Congreve St.)
Detling Rd. Brom —2E 110
Detling Rd. Eri —8B 82
Detmold Rd. E5 —7G 45
Devalls Clo. E6 —1M 79
Devana End. Cars —5D 122
Devas Rd. SW20 —5G 105
Devas St. E3 —7M 61
Devenay Rd. E15 —3D 62
Devenish Rd. SE2 —3E 80
Deventer Cres. SE22 —4C 92
De Vere Gdns. W8 —3A 74
De Vere Gdns. Ilf —7K 47
Deverell St. SE1 —4B 76
De Vere M. W8 —4A 74
(off De Vere Gdns.)
Devereux Ct. WC2 —9L 59
(off Essex St.)
Devereux Dri. Wat —2C 8
Devereux La. SW13 —8F 72
Devereux Rd. SW11 —5D 90
De Vere Wlk. Wat —4C 8
Deveron Way. Romf —8C 34
Devey Clo. King T —4D 104
Devitt Clo. Asht —8L 133
Devitt Ho. E14 —1M 77
(off Wade's Pl.)
Devizes Ho. H Hill —5H 35
(off Montgomery Cres.)
Devizes St. N1 —4B 60
(off Avebury St.)
Devoke Way. W on T —4H 117
Devon Av. Twic —7A 86
Devon Clo. N17 —1D 44
Devon Clo. Buck H —2F 30
Devon Clo. Gnfd —4G 55
Devon Clo. Kenl —8D 138
Devon Clo. Romf —7G 35
Devon Ct. W7 —8D 54
(off Copley Clo.)
Devon Ct. Hamp —4L 101
Devon Ct. S at H —5M 115
Devoncroft Gdns. Twic —6E 86
Devon Gdns. N4 —4M 43
Devon Ho. E17 —9K 29
Devonhurst Pl. W4 —6B 72
Devonia Gdns. N18 —6A 28
Devonia Rd. N1 —5M 59
Devon Mans. SE1 —3D 76
(off Tooley St.)
Devon Pde. Harr —3G 39
Devonport. W2 —9C 58
Devonport Gdns. Ilf —4K 47
Devonport M. W12 —3F 72
Devonport Rd. W12 —2F 72
Devonport St. E1 —9H 61
Devon Ri. N2 —2B 42
Devon Rd. Bark —4C 64

Devon Rd. S Dar —5M 115
Devon Rd. Sutt —1J 135
Devon Rd. W on T —6G 117
Devon Rd. Wat —3H 9
Devons Est. E3 —6M 61
Devonshire Av. Dart —5F 98
Devonshire Av. Sutt —9A 122
Devonshire Clo. E15 —9C 46
Devonshire Clo. N13 —3L 27
Devonshire Clo. W1 —8F 58
Devonshire Ct. E1 —6G 61
(off Bancroft Rd.)
Devonshire Ct. WC1 —8J 59
(off Boswell St.)
Devonshire Ct. Pinn —8K 21
(off Devonshire Rd.)
Devonshire Cres. NW7 —7H 25
Devonshire Dri. SE10 —8M 77
Devonshire Dri. Surb —3H 119
Devonshire Gdns. N17 —6A 28
Devonshire Gdns. N21 —9A 16
Devonshire Gdns. W4 —8A 72
Devonshire Gro. SE15 —7F 76
Devonshire Hill La. N17 —6M 27
(in two parts)
Devonshire Ho. NW6 —2K 57
(off Kilburn High Rd.)
Devonshire Ho. SE1 —4A 76
(off Bath Ter.)
Devonshire Ho. SW1 —6H 75
(off Lindsay Sq.)
Devonshire Ho. Sutt —9A 122
Devonshire Ho. Bus. Cen. Brom
(off Devonshire Sq.) —8F 110
Devonshire M. N13 —4L 27
Devonshire M. W4 —6C 72
Devonshire M. N. W1 —8F 58
Devonshire M. S. W1 —8F 58
Devonshire M. W. W1 —7E 58
Devonshire Pas. W4 —6C 72
Devonshire Pl. NW1 —7E 58
Devonshire Pl. NW2 —8L 41
Devonshire Pl. W8 —4M 73
Devonshire Pl. M. W1 —8E 58
Devonshire Rd. E16 —9F 62
Devonshire Rd. E17 —4L 45
Devonshire Rd. N9 —1G 29
Devonshire Rd. N13 —4K 27
Devonshire Rd. N17 —6A 28
Devonshire Rd. NW7 —7H 25
Devonshire Rd. SE9 —8J 95
Devonshire Rd. SE23 —7G 93
Devonshire Rd. SW19 —4C 106
Devonshire Rd. W4 —6C 72
Devonshire Rd. W5 —4G 71
Devonshire Rd. Bexh —3J 97
Devonshire Rd. Cars —6E 122
Devonshire Rd. Croy —2B 124
Devonshire Rd. Eastc —4G 37
Devonshire Rd. Felt —9J 85
Devonshire Rd. Harr —4B 38
Devonshire Rd. Horn —7G 51
Devonshire Rd. Ilf —5C 48
Devonshire Rd. Orp —2E 128
Devonshire Rd. Pinn —8K 21
Devonshire Rd. S'hall —8L 53
Devonshire Rd. Sutt —9A 122
Devonshire Row. EC2 —8C 60
Devonshire Row M. W1 —7F 58
(off Devonshire St.)
Devonshire Sq. EC2 —9C 60
Devonshire Sq. Brom —8F 110
Devonshire St. W1 —8E 58
Devonshire St. W4 —6C 72
Devonshire Ter. W2 —9A 58
Devonshire Way. Croy —4J 125
Devonshire Way. Hay —9F 52
Devons Rd. E3 —8L 61
(in two parts)
Devon St. SE15 —7F 76
Devon Way. Chess —7G 119
Devon Way. Eps —7M 119
Devon Way. Uxb —5D 142
Devon Waye. Houn —8K 69
Devon Wharf. E14 —8A 62
(off Leven Rd.)
De Walden Ho. NW8 —5C 58
(off Allitsen Rd.)
De Walden St. W1 —8E 58
Dewar St. SE15 —2E 92
Dewberry Gdns. E6 —8J 63
Dewberry St. E14 —8A 62
Dewey Path. Horn —2G 67
Dewey Rd. N1 —5L 59
Dewey Rd. Dag —2M 65
Dewey St. SW17 —2D 106
Dewgrass Gro. Wal X —8D 6
Dewhurst Rd. W6 —4H 73
Dewhurst Rd. Chesh —2B 6
Dewlands Av. Dart —6M 99
Dewsbury Clo. Pinn —4J 37
Dewsbury Clo. Romf —6J 35
Dewsbury Ct. W4 —5A 72
Dewsbury Gdns. Romf —6H 35
Dewsbury Gdns. Wor Pk —5E 120
Dewsbury Rd. NW10 —1E 56
Dewsbury Rd. Romf —6H 35
Dewsbury Ter. NW1 —4F 58
Dexter Ho. Eri —4J 81
(off Kale Rd.)
Dexter Rd. Barn —8H 13
Deyncourt Gdns. Upm —7M 51
Deyncourt Rd. N17 —8A 28
Deynecourt Gdns. E11 —2G 47
D'Eynsford Rd. SE5 —9B 76
Dhonau Ho. SE1 —5D 76
(off Longfield Est.)
Diadem Ct. W1 —9H 59
(off Dean St.)
Dial Wlk., The. W8 —3M 73
(off Broad Wlk., The)
Diamedes Av. Stanw —6B 144
Diameter Rd. Orp —2M 127
Diamond Clo. Dag —6G 49
Diamond Ct. Horn —6E 50
Diamond Est. SW17 —9C 90
Diamond Ho. E3 —5J 61
(off Roman Rd.)
Diamond Rd. Ruis —9H 37
Diamond Rd. Wat —2E 8
Diamond St. NW10 —3B 56
Diamond St. SE5 —8C 76
Diamond Ter. SE10 —9A 78
Diamond Way. SE8 —7L 77
Diana Clo. E18 —8F 30
Diana Clo. SE8 —7K 77
Diana Ct. Eri —7C 82
Diana Gdns. Surb —4K 119
Diana Ho. SW13 —9D 72
Diana Rd. E17 —1K 45
Dianne Way. Barn —6C 14
Dianthus Clo. SE2 —6F 80
Diban Av. Horn —9F 50
Diban Ct. Horn —9F 50
(off Diban Av.)
Dibden Ho. SE5 —8C 76
Dibden St. N1 —4A 60
Dibdin Clo. Sutt —5L 121
Dibdin Ho. NW6 —5M 57
Dibdin Rd. Sutt —5L 121
Diceland Rd. Bans —8K 135
Dicey Av. NW2 —9G 41
Dickens Av. N3 —8A 26
Dickens Av. Dart —3L 99
Dickens Av. Uxb —9F 142
Dickens Clo. Eri —8M 81
Dickens Clo. Hay —5C 68
Dickens Clo. Rich —8J 87
Dickens Ct. E11 —2E 46
(off Makepeace Rd.)
Dickens Dri. Chst —3A 112
Dickens Est. SE1 —3E 76
Dickens Est. SE16 —4E 76
Dickens' House. —7K 59
(off Doughty St.)
Dickens Ho. NW6 —6L 57
(off Malvern Rd.)
Dickens Ho. NW8 —7B 58
(off Fisherton St.)
Dickens Ho. SE17 —6M 75
(off Doddington Gro.)
Dickens Ho. W9 —7L 57
(off Malvern Rd.)
Dickens Ho. WC1 —7J 59
(off Herbrand St.)
Dickens La. N18 —5C 28
Dickens M. EC1 —8M 59
(off Turnmill St.)
Dickenson Clo. N9 —1E 28
Dickenson Ho. N8 —4K 43
Dickenson Rd. N8 —5J 43
Dickenson Rd. Felt —2G 101
Dickensons La. SE25 —9E 108
(in two parts)
Dickensons Pl. SE25 —1E 124
Dickens Ri. Chig —3M 31
Dickens Rd. E6 —5H 63
Dickens Sq. SE1 —4A 76
Dickens St. SW8 —1F 90
Dickens Way. Romf —2C 50
Dickenswood Clo. SE19 —4M 107
Dickerage La. N Mald —7A 104
Dickerage Rd. King T & N Mald —5A 104
Dicksee Ho. NW8 —7B 58
(off Lyons Pl.)
Dickson. Chesh —1A 6
Dickson Fold. Pinn —2H 37
Dickson Ho. E1 —9F 60
(off Philpot St.)
Dickson Rd. SE9 —2J 95
Dick Turpin Way. Felt —3D 84
Didsbury Clo. E6 —4K 63
Digby Bus. Cen. E9 —2H 61
(off Digby Rd.)
Digby Cres. N4 —7A 44
Digby Gdns. Dag —4L 65
Digby Mans. W6 —6F 72
(off Hammersmith Bri. Rd.)
Digby Pl. Croy —5D 124
Digby Rd. E9 —2H 61
Digby Rd. Bark —3D 64
Digby St. E2 —6G 61
Digby Wlk. Horn —2G 67
Digdens Ri. Eps —7A 134
Diggens Ct. Lou —5J 19
Diggon St. E1 —8H 61
Dighton Ct. SE17 —7A 76
(off John Ruskin St.)
Dighton Rd. SW18 —4A 90
Dignum St. N1 —5L 59
Digswell Clo. Borwd —2L 11
Digswell St. N7 —2L 59
Dilhorne Clo. SE12 —9F 94
Dilke St. SW3 —7D 74
Dilloway La. S'hall —3J 69
Dillwyn Clo. SE26 —1J 109
Dilston Clo. N'holt —6G 53
Dilston Gro. SE16 —5G 77
Dilton Gdns. SW15 —7E 88
Dilwyn Ct. E17 —9J 29
Dimes Pl. W6 —5F 72
Dimmock Dri. Gnfd —1B 54
Dimond Clo. E7 —9E 46
Dimsdale Dri. NW9 —6A 40
Dimsdale Dri. Enf —9E 16
Dimsdale Wlk. E13 —5E 62
Dimson Cres. E3 —6L 61
Dingle Clo. Barn —8D 12
Dingle Gdns. E14 —1L 77
Dingle Rd. Ashf —2A 100
Dingles Ct. Pinn —8H 21
Dingle, The. Uxb —6F 142
Dingley La. SW16 —8H 91
Dingley Pl. EC1 —6A 60
Dingley Rd. EC1 —6A 60
Dingwall Av. Croy & New Ad —4A 124
Dingwall Gdns. NW11 —4L 41
Dingwall Rd. SW18 —6A 90
Dingwall Rd. Cars —1D 136
Dingwall Rd. Croy —3B 124
Dinmont Est. E2 —5E 60
Dinmont Ho. E2 —5E 60
(off Pritchard's Rd.)
Dinmont St. E2 —5F 60
Dinnington Ho. E1 —7F 60
(off Coventry Rd.)
Dinsdale Gdns. SE25 —9C 108
Dinsdale Gdns. New Bar —7M 13
Dinsdale Rd. SE3 —7D 78
Dinsmore Rd. SW12 —6F 90
Dinton Ho. NW8 —7C 58
(off Lilestone St.)
Dinton Rd. SW19 —3B 106
Dinton Rd. King T —4K 103
Diploma Av. N2 —2C 42
Diploma Ct. N2 —2C 42
Dirdene Clo. Eps —4D 134
Dirdene Gdns. Eps —4D 134
Dirdene Gro. Eps —4C 134
Dirleton Rd. E15 —4D 62
Disbrowe Rd. W6 —7J 73
Discovery Bus. Pk. SE16 —4E 76
(off St James's Rd.)
Discovery Ho. E14 —1A 78
(off Newby Pl.)
Discovery Wlk. E1 —2F 76
Dishforth La. NW9 —7C 24
Disley Ct. S'hall —9M 53
(off Howard Rd.)
Disney Pl. SE1 —3A 76
Disney St. SE1 —3A 76
Dison Clo. Enf —3H 17
Disraeli Clo. SE28 —2G 81
Disraeli Clo. W4 —4B 72
Disraeli Gdns. SW15 —3K 89
Disraeli Rd. E7 —2E 62
Disraeli Rd. NW10 —5B 56
Disraeli Rd. SW15 —3J 89
Disraeli Rd. W5 —2H 71
Diss St. E2 —6D 60
Distaff La. EC4 —1A 76
Distillery La. W6 —6G 73
Distillery Rd. W6 —6G 73
Distillery Wlk. Bren —7J 71
Distin St. SE11 —5L 75
District Rd. Wemb —1F 54
Ditch All. SE10 —9M 77
Ditchburn St. E14 —1A 78
Ditches Ride, The. Lou & Epp —1L 19
Ditchfield Rd. Hay —7J 53
Ditchley Ct. W7 —8D 54
(off Templeman Rd.)
Dittisham Rd. SE9 —1J 111
Ditton Clo. Th Dit —2E 118
Dittoncroft Clo. Croy —6C 124
Ditton Grange Clo. Surb —3H 119
Ditton Grange Dri. Surb —3H 119
Ditton Hill. Surb —3G 119
Ditton Hill Rd. Surb —3G 119
Ditton Lawn. Th Dit —3E 118
Ditton Pl. SE20 —5F 108
Ditton Reach. Th Dit —1F 118
Ditton Rd. Bexh —4H 97
Ditton Rd. S'hall —6K 69
Ditton Rd. Surb —4H 119
Divis Way. SW15 —5F 88
(off Dover Pk. Dri.)
Dixon Clark Ct. N1 —2M 59
Dixon Clo. E6 —9K 63
Dixon Ho. W10 —9H 57
(off Darfield Way)
Dixon Pl. W W'ck —3M 125
Dixon Rd. SE14 —9J 77
Dixon Rd. SE25 —7C 108
Dixon's All. SE16 —3F 76
Dobbin Clo. Harr —9E 22
Dobell Rd. SE9 —4K 95
Doble Ct. S Croy —4E 138
Dobree Av. NW10 —3F 56
Dobson Clo. NW6 —3B 58
Dobson Ho. SE5 —8B 76
(off Edmund St.)
Dobson Ho. SE14 —7H 77
(off John Williams Clo.)
Doby Ct. EC4 —1A 76
(off Skinners La.)
Dockers Tanner Rd. E14 —5L 77
Dockhead. SE1 —3D 76
Dockhead Wharf. SE1 —3D 76
(off Shad Thames)
Dock Hill Av. SE16 —2H 77
Dockland St. E16 —2L 79
(in two parts)
Dockley Rd. SE16 —4E 76
Dockley Rd. Ind. Est. SE16 —4E 76
(off Dockley Rd.)
Dock Offices. SE16 —4G 77
(off Surrey Quays Rd.)
Dock Rd. E16 —1D 78
Dock Rd. Bren —8H 71
Dockside Rd. E16 —1H 79
Dock St. E1 —1E 76
Dockwell Clo. Felt —3E 84
Doctor Johnson Av. SW17 —9F 90
Doctors Clo. SE26 —2G 109
Docwra's Bldgs. N1 —2C 60
Dodbrooke Rd. SE27 —9L 91
Dodd Ho. SE16 —5F 76
(off Rennie Est.)
Doddington Gro. SE17 —7M 75
Doddington Pl. SE17 —7M 75
Dodsley Pl. N9 —3G 29
Dodson St. SE1 —3L 75
Dod St. E14 —9K 61
Doebury Wlk. SE18 —7E 80
(off Prestwood Clo.)
Doel Clo. SW19 —4A 106
Dog and Duck Yd. WC1 —8K 59
(off Princeton St.)
Doggett Rd. SE6 —6L 93
Doggett's Corner. Horn —7K 51
Doggetts Courts. Barn —7C 14
Doghurst Av. Hay —8M 143
Doghurst Dri. W Dray —8M 143
Dog Kennel Hill. SE5 —2C 92
Dog Kennel Hill Est. SE22 —2C 92
(off Albrighton Rd.)
Dog La. NW10 —9C 40
Doherty Rd. E13 —7E 62
Dokal Ind. Est. S'hall —4J 69
Dolben Ct. SE8 —5K 77
Dolben St. SE1 —2M 75
(in two parts)
Dolby Rd. SW6 —1K 89
Dolland Ho. SE11 —6K 75
(off Newburn St.)
Dolland St. SE11 —6K 75
Dollar Bay. E14 —3A 78
(off Lawn Ho. Clo.)
Dollary Pde. King T —7M 103
(off Kingston Rd.)
Dollis Av. N3 —8K 25
Dollis Brook Wlk. Barn —8J 13
Dollis Cres. Ruis —6G 37
Dolliscroft. NW7 —7J 25
Dollis Hill. —7F 40
Dollis Hill Av. NW2 —8F 40
Dollis Hill Est. NW2 —8E 40
Dollis Hill La. NW2 —9D 40
Dollis M. N3 —8L 25
Dollis Pk. N3 —8K 25
Dollis Rd. NW7 & N3 —7J 25
Dollis Valley Way. Barn —8K 13
Dolman Clo. N3 —8A 26
Dolman Rd. W4 —5B 72
Dolman St. SW4 —3K 91
Dolphin App. Romf —2D 50
Dolphin Clo. SE16 —3H 77
Dolphin Clo. SE28 —9H 65
Dolphin Clo. Surb —9H 103
Dolphin Ct. NW11 —4J 41
Dolphin Ct. Chig —3M 31
Dolphin Est. Sun —5C 100
Dolphin Ho. SW18 —3M 89
Dolphin La. E14 —1M 77
Dolphin Rd. N'holt —5K 53
Dolphin Rd. Sun —5C 100
Dolphin Rd. N. Sun —5C 100
Dolphin Rd. S. Sun —5C 100
Dolphin Rd. W. Sun —5C 100
Dolphin Sq. SW1 —6G 75
Dolphin Sq. W4 —8C 72
Dolphin St. King T —6J 103
Dolphin Tower. SE8 —7K 77
(off Abinger Gro.)
Dombey Ho. SE1 —3E 76
(off Wolseley St.)
Dombey Ho. W11 —2H 73
(off St Ann's Rd.)
Dombey St. WC1 —8K 59
(in two parts)
Dome Hill Pk. SE26 —1D 108
Dome, The. (Junct.) —9G 5
Domett Clo. SE5 —3B 92
Domfe Pl. E5 —9G 45
Domingo St. EC1 —7A 60
Dominica Clo. E13 —6G 63
Dominic Ct. Wal A —6H 7
Dominion Bus. Pk. N9 —2H 29
Dominion Cen., The. S'hall —3J 69
Dominion Dri. Romf —6M 33
Dominion Ho. E14 —6M 77
(off St Davids Sq.)
Dominion Pde. Harr —3D 38
Dominion Rd. Croy —2D 124
Dominion Rd. S'hall —3J 69
Dominion St. EC2 —8B 60
Dominion Theatre. —9H 59
(off Tottenham Ct. Rd.)
Dominion Way. Rain —6E 66
Domitian Pl. Enf —7D 16
Domonic Dri. SE9 —1M 111
Domville Clo. N20 —2B 26
Donald Dri. Romf —3G 49
Donald Hunter Ho. E7 —1F 62
(off Post Office App., in two parts)
Donald Rd. E13 —4F 62
Donald Rd. Croy —2K 123
Donaldson Rd. NW6 —4K 57
Donaldson Rd. SE18 —9L 79
Donald Woods Gdns. Surb —4M 119
Doncaster Dri. N'holt —1K 53
Doncaster Gdns. N4 —4A 44
Doncaster Gdns. N'holt —1K 53
Doncaster Grn. Wat —5G 21
Doncaster Rd. N9 —9F 16
Doncaster Way. Upm —8K 51
Doncel Ct. E4 —9B 18
Donegal Ho. E1 —7F 60
(off Cambridge Heath Rd.)
Donegal St. N1 —5K 59
Doneraile Ho. SW1 —6F 74
(off Ebury Bri. Rd.)
Doneraile St. SW6 —1H 89
Dongola Rd. E1 —8J 61
Dongola Rd. E13 —6F 62
Dongola Rd. N17 —1C 44
Dongola Rd. W. E13 —6F 62
Donington Av. Ilf —3A 48
Donkey All. SE22 —6E 92
Donkey La. Enf —4E 16
Donkey La. F'ham —4M 131
Donkey La. W Dray —5G 143
Donkin Ho. SE16 —5F 76
(off Rennie Est.)
Donmar Warehouse Theatre.
(off Earlham St.) —9J 59
Donnatt's Rd. SE14 —9K 77
Donne Ct. SE24 —5A 92
Donnefield Av. Edgw —7J 23
Donne Ho. E14 —9L 61
(off Dod St.)
Donne Ho. SE14 —7H 77
(off Samuel Clo.)
Donnelly Ct. SW6 —8J 73
(off Dawes Rd.)
Donne Pl. SW3 —5C 74
Donne Pl. Mitc —8F 106
Donne Rd. Dag —7G 49
Donnington Ct. NW1 —3F 58
(off Castlehaven Rd.)
Donnington Ct. NW10 —3F 56
Donnington Ct. Dart —5M 99
(off Bow Arrow La.)
Donnington Rd. NW10 —3F 56
Donnington Rd. Harr —3H 39
Donnington Rd. Wor Pk —4E 120
Donnybrook Rd. SW16 —4G 107
Donoghue Cotts. E14 —8J 61
(off Maroon St.)
Donovan Av. N10 —9F 26
Donovan Clo. Eps —2B 134
Donovan Ct. NW10 —3A 56
Donovan Ct. SW10 —6B 74
(off Drayton Gdns.)
Donovan Ho. E1 —1G 77
(off Cable St.)
Don Phelan Clo. SE5 —9B 76
Don Way. Romf —7C 34
Doone Clo. Tedd —3E 102
Doon St. SE1 —2L 75
Dorado Gdns. Orp —5H 129
Dora Ho. E14 —9K 61
(off Rhodeswell Rd.)
Dora Ho. W11 —1H 73
(off St Ann's Rd.)
Doral Way. Cars —7D 122
Doran Ct. E6 —5K 63
Dorando Clo. W12 —1F 72
Doran Gro. SE18 —8C 80
Doran Mnr. N2 —3D 42
(off Gt. North Rd.)
Doran Wlk. E15 —3A 62
Dora Rd. SW19 —2L 105
Dora St. E14 —9K 61
Dorchester Av. N13 —4A 28
Dorchester Av. Bex —7H 97
Dorchester Av. Harr —4A 38
Dorchester Clo. Dart —6K 99
Dorchester Clo. N'holt —1M 53
Dorchester Clo. Orp —4F 112
Dorchester Ct. E18 —8D 30
(off Buckingham Rd.)
Dorchester Ct. N1 —3C 60
(off Englefield Rd.)
Dorchester Ct. N10 —1F 42
Dorchester Ct. N14 —9F 14
Dorchester Ct. NW2 —8H 41
Dorchester Ct. SE24 —4A 92
Dorchester Ct. Wat —8J 9
(off Chalk Hill)
Dorchester Dri. SE24 —4A 92
Dorchester Dri. Felt —5C 84
Dorchester Gdns. E4 —4L 29
Dorchester Gdns. NW11 —2L 41
Dorchester Gro. W4 —6C 72
Dorchester M. N Mald —8B 104
Dorchester M. Twic —5G 87
Dorchester Rd. Mord —2M 121
Dorchester Rd. N'holt —1M 53
Dorchester Rd. Wor Pk —3G 121

Dorchester Ter.—Drive, The

Dorchester Ter. NW2 —8H 41
(off Gratton Ter.)
Dorchester Way. *Harr* —4K 39
Dorchester Waye. *Hay* —9F 52
(in two parts)
Dorcis Av. *Bexh* —1J 97
Dordrecht Rd. *W3* —2C 72
Dore Av. *E12* —1L 63
Doreen Av. *NW9* —6B 40
Doreen Capstan Ho. E11 —8C 46
(off Apollo Pl.)
Dore Gdns. *Mord* —2M 121
Dorell Clo. *S'hall* —8K 53
Dorian Rd. *Horn* —6E 50
Doria Rd. *SW6* —1K 89
Doric Ho. E2 —5H 61
(off Mace St.)
Doric Way. *NW1* —6H 59
Dorien Rd. *SW20* —6H 105
Dorinda St. *N7* —2L 59
Doris Av. *Eri* —9A 82
Doris Emmerton Ct. *SW11* —3A 90
Doris Rd. *E7* —3E 62
Doris Rd. *Ashf* —3B 100
Doritt M. *N18* —5C 28
Dorking Clo. *SE8* —7K 77
Dorking Clo. *Wor Pk* —4H 121
Dorking Ct. N17 —8E 28
(off Hampden La.)
Dorking Gdns. *H Hill* —5H 35
Dorking Glen. *H Hill* —4H 35
Dorking Ho. *SE1* —4B 76
Dorking Ri. *Romf* —4H 35
Dorking Rd. *Eps* —8L 133
Dorking Rd. *Romf* —5H 35
Dorking Wlk. *Romf* —4H 35
Dorlcote Rd. *SW18* —6C 90
Dorling Dri. *Eps* —4D 134
Dorly Clo. *Shep* —9C 100
Dorman Pl. *N9* —2E 28
Dormans Clo. *N'wd* —7B 20
Dorman Wlk. *NW10* —1B 56
Dorman Way. *NW8* —4B 58
Dorma Trad. Pk. *E10* —6H 45
Dormay St. *SW18* —4M 89
Dormer Clo. *E15* —2D 62
Dormer Clo. *Barn* —7H 13
Dormer's Av. *S'hall* —9L 53
Dormers Ri. *S'hall* —9M 53
Dormer's Wells. —1M 69
Dormer's Wells La. *S'hall* —9L 53
Dormstone Ho. SE17 —5C 76
(off Beckway St.)
Dormywood. *Ruis* —3D 36
Dornberg Clo. *SE3* —8E 78
Dornberg Rd. *SE3* —8F 78
Dorncliffe Rd. *SW6* —1J 89
Dorney. *NW3* —3C 58
Dorney Ri. *Orp* —8D 112
Dorney Way. *Houn* —4J 85
Dornfell St. *NW6* —1K 57
Dornton Rd. *SW12* —8F 90
Dornton Rd. *S Croy* —8B 124
Dorothy Av. *Wemb* —3J 55
Dorothy Evans Clo. *Bexh* —3M 97
Dorothy Gdns. *Dag* —9F 48
Dorothy Pettingell Ho. Sutt
(off Angel Hill) —5M 121
Dorothy Rd. *SW11* —2D 90
Dorrell Pl. *SW9* —2L 91
Dorrien Wlk. *SW16* —8H 91
Dorrington Ct. *SE25* —5C 108
Dorrington Gdns. *Horn* —6H 51
Dorrington St. *EC1* —8L 59
Dorrit Ho. W11 —2H 73
(off St Ann's Rd.)
Dorrit St. SE1 —3A 76
(off Quilp St.)
Dorrit Way. *Chst* —3A 112
Dorrofield Clo. *Crox G* —7A 8
Dorryn Ct. *SE26* —2H 109
Dors Clo. *NW9* —6B 40
Dorset Av. *Hay* —6C 52
Dorset Av. *Romf* —2B 50
Dorset Av. *S'hall* —5L 69
Dorset Av. *Well* —3D 96
Dorset Bldgs. *EC4* —9M 59
Dorset Clo. *NW1* —8D 58
Dorset Clo. *Hay* —6C 52
Dorset Ct. N1 —3C 60
(off Hertford Rd.)
Dorset Ct. W7 —8D 54
(off Copley Clo.)
Dorset Ct. *Eps* —4D 134
Dorset Ct. *N'wd* —8D 20
Dorset Dri. *Edgw* —6K 23
Dorset Gdns. *Mitc* —8K 107
Dorset Ho. NW1 —7D 58
(off Gloucester Pl.)
Dorset M. *N3* —8L 25
Dorset Pl. *E15* —2B 62
Dorset Ri. *EC4* —9M 59
Dorset Rd. *E7* —3G 63
Dorset Rd. *N15* —2B 44
Dorset Rd. *N22* —8J 27
Dorset Rd. *SE9* —8J 95
Dorset Rd. *SW8* —8J 75
Dorset Rd. *SW19* —5L 105
Dorset Rd. *W5* —4G 71
Dorset Rd. *Ashf* —9B 144
Dorset Rd. *Beck* —7H 109
Dorset Rd. *Harr* —4A 38
Dorset Rd. *Mitc* —6C 106
Dorset Rd. *Sutt* —2L 135
Dorset Sq. *NW1* —7D 58
Dorset Sq. *Eps* —2B 134
Dorset St. *W1* —8D 58
Dorset Way. *Twic* —7B 86
Dorset Way. *Uxb* —5D 142
Dorset Waye. *Houn* —8K 69
Dorton Clo. *SE15* —8C 76
Dorton Vs. *W Dray* —8L 143
Dorville Cres. *W6* —4F 72
Dorville Rd. *SE12* —4D 94
Dothill Rd. *SE18* —8A 80
Douai Gro. *Hamp* —5A 102
Doughty Ct. E1 —2F 76
(off Prusom St.)
Doughty Ho. SW10 —7A 74
(off Netherton Gro.)
Doughty M. *WC1* —7K 59
Doughty St. *WC1* —7K 59
Douglas Av. *E17* —8K 29
Douglas Av. *N Mald* —8F 104
Douglas Av. *Romf* —9J 35
Douglas Av. *Wat* —1H 9
Douglas Av. *Wemb* —3J 55
Douglas Clo. *Stan* —5E 22
Douglas Clo. *Wall* —8J 123
Douglas Ct. NW6 —3L 57
(off Quex Rd.)
Douglas Ct. *Big H* —9J 141
Douglas Ct. King T —8J 103
(off Geneva Rd.)
Douglas Cres. *Hay* —7G 53
Douglas Dri. *Croy* —5L 125
Douglas Est. N1 —2A 60
(off Marquess Rd.)
Douglas Ho. *Surb* —3K 119
Douglas Johnstone Ho. SW6
(off Clem Attlee Ct.) —7K 73
Douglas Mans. *Houn* —2M 85
Douglas M. *NW2* —8J 41
Douglas Pl. *E14* —5A 78
Douglas Pl. SW1 —5H 75
(off Douglas St.)
Douglas Rd. *E4* —9C 18
Douglas Rd. *E16* —8E 62
Douglas Rd. *N1* —3A 60
Douglas Rd. *N22* —8L 27
Douglas Rd. *NW6* —4K 57
Douglas Rd. *Esh* —4M 117
Douglas Rd. *Horn* —4D 50
Douglas Rd. *Houn* —2M 85
Douglas Rd. *Ilf* —5E 48
Douglas Rd. *King T* —6M 103
Douglas Rd. *Stanw* —5B 144
Douglas Rd. *Surb* —4K 119
Douglas Rd. *Well* —9F 80
Douglas Rd. N. *N1* —2A 60
Douglas Rd. S. *N1* —2A 60
Douglas Robinson Ct. SW16
(off Streatham High Rd.) —4J 107
Douglas Sq. *Mord* —1L 121
Douglas St. *SW1* —5H 75
Douglas Ter. *E17* —8K 29
Douglas Waite Ho. *NW6* —3L 57
Douglas Way. *SE8* —8L 77
Douglas Way. *SE14* —8K 77
(in two parts)
Doulton Ho. SE11 —4K 75
(off Lambeth Wlk.)
Doulton M. *NW6* —2M 57
Dounesforth Gdns. *SW18* —7M 89
Douro Pl. *W8* —4M 73
Douro St. *E3* —5L 61
Douthwaite Sq. *E1* —2E 76
Dove App. *E6* —8J 63
Dove Clo. *NW7* —7D 24
Dove Clo. *N'holt* —7H 53
Dove Clo. *S Croy* —3H 139
Dove Clo. *Wall* —9K 123
Dove Commercial Cen. *NW5* —1G 59
Dovecot Clo. *Pinn* —3G 37
Dovecote Av. *N22* —1L 43
Dove Cote Clo. *Wey* —5A 116
Dovecote Gdns. *SW14* —2B 88
Dove Ct. EC2 —9B 60
(off Old Jewry)
Dovedale Av. *Harr* —4G 39
Dovedale Av. *Ilf* —9L 31
Dovedale Clo. *Well* —1E 96
Dovedale Ri. *Mitc* —4D 106
Dovedale Rd. *SE22* —4F 92
Dovedon Clo. *N14* —2J 27
Dovehouse Ct. N'holt —6H 53
(off Kittiwake Rd.)
Dove Ho. Gdns. *E4* —2L 29
Dovehouse Grn. *Wey* —5B 116
Dovehouse Mead. *Bark* —5B 64
Dovehouse St. *SW3* —6B 74
Dove M. *SW5* —5A 74
Doveney Clo. *Orp* —7G 113
Dove Pk. *Pinn* —7L 21
Dover Clo. *NW2* —7H 41
Dover Clo. *Romf* —9A 34
Dovercourt Av. *T Hth* —9L 107
Dovercourt Est. *N1* —2B 60
Dovercourt Gdns. *Stan* —5J 23
Dovercourt La. *Sutt* —5A 122
Dovercourt Rd. *SE22* —5C 92
Doverfield Rd. *SW2* —6J 91
Dover Flats. *SE1* —5C 76
Dover Gdns. *Cars* —5D 122
Dover Ho. *SE15* —7G 77
Dover Ho. Rd. *SW15* —3E 88
Doveridge Gdns. *N13* —4M 27
Dove Rd. *N1* —2B 60
Dove Row. *E2* —4E 60
Dover Pk. Dri. *SW15* —5F 88
Dover Patrol. *SE3* —1F 94
Dover Rd. *E12* —7G 47
Dover Rd. *N9* —2G 29
Dover Rd. *SE19* —3B 108
Dover Rd. *Romf* —4J 49
Dovers Corner. (Junct.) —6E 66
Dovers Corner. *Rain* —6E 66
Dovers Corner Ind. Est. *Rain* —6D 66
Dover St. *W1* —1F 74
Dover Ter. Rich —1K 87
(off Sandycombe Rd.)
Dover Way. *Crox G* —6A 8
Dover Yd. W1 —2G 75
(off Berkeley St.)
Doves Clo. *Brom* —4J 127
Doves Cotts. *Chig* —3E 32
Doves Yd. *N1* —4L 59
Doveton Ho. E1 —7G 61
(off Doveton St.)
Doveton Rd. *S Croy* —7B 124
Doveton St. *E1* —7G 61
Dovetree Ct. Romf —4H 35
(off N. Hill Dri.)
Dove Wlk. *SW1* —6E 74
Dove Wlk. *Horn* —2F 66
Dovey Lodge. N1 —3L 59
(off Bewdley St.)
Dowanhill Rd. *SE6* —7B 94
Dowdeswell Clo. *SW15* —3C 88
Dowding Ho. N6 —5E 42
(off Hillcrest)
Dowding Pl. *Stan* —6E 22
Dowding Rd. *Big H* —7H 141
Dowding Rd. *Uxb* —3D 142
Dowding Way. *Horn* —3F 66
Dowding Way. *Leav* —7D 4
Dowdney Clo. *NW5* —1G 59
Dowe Ho. *SE3* —2C 94
Dower Av. *Wall* —1F 136
Dowes Ho. *SW16* —9J 91
Dowgate Hill. *EC4* —1B 76
Dowland St. *W10* —6J 57
Dowlas St. *SE5* —8C 76
Dowler Ct. King T —5J 103
(off Burton Rd.)
Dowler Ho. E1 —9E 60
(off Burslem St.)
Dowlerville Rd. *Orp* —8D 128
Dowling Ho. *Belv* —4K 81
Dowman Clo. *SW19* —5M 105
Downage. *NW4* —1G 41
Downalong. *Bus H* —1B 22
Downbank Av. *Bexh* —9B 82
Down Barns Rd. *Ruis* —8H 37
Downbury M. *SW18* —4L 89
Down Clo. *N'holt* —5F 52
Downderry Rd. *Brom* —9B 94
Downe. —3L 141
Downe Clo. *Well* —8G 81
Down End. *SE18* —8M 79
Downend Ct. SE15 —7C 76
(off Longhope Clo.)
Downe Rd. *Cud* —5M 141
Downe Rd. *Kes* —1J 141
Downe Rd. *Mitc* —6D 106
Downer's Cottage. *SW4* —3G 91
Downes Clo. *Twic* —5F 86
Downes Ct. *N21* —1L 27
Downes Ho. Croy —6M 123
(off Violet La.)
Downe Ter. *Rich* —5J 87
Downey Ho. E1 —7H 61
(off Globe Rd.)
Downfield. *Wor Pk* —3D 120
Downfield Clo. *W9* —7M 57
Downfield Rd. *Chesh* —4E 6
Down Hall Rd. *King T* —5H 103
Downham. —2B 110
Downham Clo. *Romf* —7L 33
Downham Enterprise Cen. *SE6* —8D 94
Downham La. *Brom* —2B 110
Downham Rd. *N1* —3B 60
Downham Way. *Brom* —2B 110
Downhills Av. *N17* —1B 44
Downhills Pk. Rd. *N17* —1A 44
Downhills Way. *N17* —1A 44
Down House Mus. —4L 141
Downhurst Av. *NW7* —5B 24
Downhurst Ct. *NW4* —1G 41
Downing Clo. *Harr* —1A 38
Downing Dri. *Gnfd* —4B 54
Downing Rd. *Dag* —4K 65
Downings. *E6* —9L 63
Downing St. *SW1* —3J 75
Downland Clo. *N20* —1A 26
Downland Gdns. *Eps* —9F 134
Downlands. *Wal A* —7L 7
Downlands Clo. *Coul* —6F 136
Downlands Rd. *Purl* —6J 137
Downleys Clo. *SE9* —8J 95
Downman Rd. *SE9* —2J 95
Down Pl. *W6* —5F 72
Down Rd. *Tedd* —3F 102
Downs Av. *Chst* —2K 111
Downs Av. *Dart* —6L 99
Downs Av. *Eps* —6C 134
Downs Av. *Pinn* —4J 37
Downsbridge Rd. *Beck* —5B 110
Downscourt Rd. *Purl* —4M 137
Downsell Rd. *E15* —9A 46
Downsfield Rd. *E17* —4J 45
Downshall Av. *Ilf* —4C 48
Downs Hill. *Beck* —4B 110
Downs Hill Rd. *Eps* —6C 134
Downshire Hill. *NW3* —9B 42
Downside. *Eps* —6C 134
Downside. *Sun* —5E 100
Downside. *Twic* —9D 86
Downside Clo. *SW19* —3A 106
Downside Cres. *NW3* —1C 58
Downside Cres. *W13* —7E 54
Downside Rd. *Sutt* —8B 122
Downside Wlk. Bren —7H 71
(off Windmill Rd.)
Downside Wlk. *N'holt* —6K 53
Downs La. *E5* —9F 44
Downs Lodge Ct. *Eps* —6C 134
Downs Pk. Rd. *E8 & E5* —1D 60
Downs Rd. *E5* —9E 44
Downs Rd. *Beck* —6M 109
(in two parts)
Downs Rd. *Coul* —9H 137
Downs Rd. *Enf* —6C 16
Downs Rd. *Eps* —6C 134
Downs Rd. *Purl* —3M 137
Downs Rd. *Sutt* —2M 135
Downs Rd. *T Hth* —5A 108
Downs Side. *Sutt* —3K 135
Downs, The. *SW20* —4H 105
Down St. *W1* —2F 74
Down St. *W Mol* —9L 101
Down St. M. *W1* —2F 74
Downs Vw. *Iswth* —9D 70
Downsview Clo. *Swan* —7D 114
Downsview Gdns. *SE19* —4M 107
Downsview Rd. *SE19* —4A 108
Downs Way. *Eps* —8D 134
Downsway. *Orp* —7C 128
Downsway. *S Croy* —3C 138
Downsway. *Whyt* —8D 138
Downsway, The. *Sutt* —1A 136
Downs Wood. *Eps* —9F 134
Downton Av. *SW2* —8J 91
Downtown Rd. *SE16* —3J 77
Downway. *N12* —7C 26
Down Way. *N'holt* —6F 52
Dowrey St. *N1* —4L 59
Dowry Wlk. *Wat* —2D 8
Dowsett Rd. *N17* —9D 28
Dowson Clo. *SE5* —3B 92
Doyce St. *SE1* —3A 76
Doyle Clo. *Eri* —9C 82
Doyle Gdns. *NW10* —4E 56
Doyle Rd. *SE25* —8E 108
D'Oyley St. *SW1* —5E 74
Doynton St. *N19* —7F 42
Draco Ga. *SW15* —2G 89
Draco St. *SE17* —7A 76
Dragmire La. *Mitc* —7B 106
Dragonfly Clo. *E13* —6F 62
Dragon Rd. *SE15* —7C 76
Dragon Yd. WC2 —9J 59
(off High Holborn)
Dragoon Rd. *SE8* —6K 77
Dragor Rd. *NW10* —7A 56
Drake Clo. *SE16* —3H 77
Drake Ct. W12 —3G 73
(off Scott's Rd.)
Drake Ct. E1 —8D 82
(off Frobisher Rd.)
Drake Ct. Surb —8J 103
(off Cranes Pk. Av.)
Drake Cres. *SE28* —9G 65
Drakefell Rd. *SE14 & SE4* —1H 93
Drakefield Rd. *SW17* —9E 90
Drake Hall. E16 —2F 78
(off Wesley Av., in two parts)
Drake Ho. E1 —8G 61
(off Stepney Way)
Drake Ho. SW1 —7H 75
(off Dolphin Sq.)
Drakeland Ho. W9 —7K 57
(off Fernhead Rd.)
Drakeley Ct. *N5* —9M 43
Drake M. *Horn* —2E 66
(Fulmar Rd.)
Drake M. *Horn* —9F 50
(South End Rd.)
Drake Rd. *SE4* —2L 93
Drake Rd. *Chess* —7L 119
Drake Rd. *Croy* —2K 123
Drake Rd. *Harr* —7K 37
Drake Rd. *Mitc* —1E 122
Drakes Clo. *Chesh* —1D 6
Drake's Clo. *Esh* —6L 117
Drakes Ct. *SE23* —7G 93
Drakes Courtyard. *NW6* —3K 57
Drake St. *WC1* —8K 59
Drake St. *Enf* —3B 16
Drakes Wlk. *E6* —4K 63
(in two parts)
Drakewood Rd. *SW16* —4H 107
Draper Clo. *Belv* —5K 81
Draper Clo. *Iswth* —1B 86
Draper Ct. *Brom* —8J 111
Draper Ho. SE1 —5M 75
(off Elephant & Castle)
Draper Pl. N1 —4M 59
(off Dagmar Ter.)
Drapers' Cottage Homes. *NW7*
(in two parts) —4E 24
Drapers Gdns. *EC2* —9B 60
Drapers Rd. *E15* —9B 46
Drapers Rd. *N17* —1D 44
Drapers Rd. *Enf* —4M 15
Drappers Way. *SE16* —5E 76
Draven Clo. *Brom* —2D 126
Drawdock Rd. *SE10* —3B 78
Drawell Clo. *SE18* —6C 80
Drax Av. *SW20* —4E 104
Draycot Rd. *E11* —4F 46
Draycot Rd. *Surb* —3L 119
Draycott Av. *SW3* —5C 74
Draycott Av. *Harr* —4F 38
Draycott Clo. *Harr* —4F 38
Draycott Pl. *SW3* —5D 74
Draycott Ter. *SW3* —5D 74
Dray Ct. *Wor Pk* —3D 120
Drayford Clo. *W9* —7K 57
Dray Gdns. *SW2* —4K 91
Draymans Way. *Iswth* —2D 86
Drayside M. *S'hall* —3K 69
Drayson Clo. *Wal A* —5L 7
Drayson M. *W8* —3L 73
Drayton Av. *W13* —1E 70
Drayton Av. *Lou* —9K 19
Drayton Av. *Orp* —3M 127
Drayton Bri. Rd. *W7 & W13* —1D 70
Drayton Clo. *Houn* —4K 85
Drayton Clo. *Ilf* —6B 48
Drayton Ct. *W Dray* —5K 143
Drayton Gdns. *N21* —9M 15
Drayton Gdns. *SW10* —6A 74
Drayton Gdns. *W13* —1E 70
Drayton Gdns. *W Dray* —3J 143
Drayton Grn. *W13* —1E 70
Drayton Grn. Rd. *W13* —1F 70
Drayton Gro. *W13* —1E 70
Drayton Ho. *E11* —6B 46
Drayton Ho. SE5 —8B 76
(off Elmington Rd.)
Drayton Pk. *N5* —9L 43
Drayton Pk. M. *N5* —1L 59
Drayton Rd. *E11* —6B 46
Drayton Rd. *N17* —9C 28
Drayton Rd. *NW10* —4D 56
Drayton Rd. *W13* —1E 70
Drayton Rd. *Borwd* —6L 11
Drayton Rd. *Croy* —4M 123
Drayton Waye. *Harr* —4F 38
Dreadnought St. *SE10* —4C 78
Dreadnought Wharf. SE10
(off Thames St.) —7M 77
Drenon Sq. *Hay* —1D 68
Dresden Clo. *NW6* —2M 57
Dresden Ho. SE11 —5K 75
(off Lambeth Wlk.)
Dresden Rd. *N19* —6G 43
Dresden Way. *Wey* —7A 116
Dressington Av. *SE4* —5L 93
Drew Av. *NW7* —6J 25
Drewery Ct. *SE3* —2C 94
Drewett Ho. E1 —9E 60
(off Christian St.)
Drew Gdns. *Gnfd* —2D 54
Drew Ho. *SW16* —9J 91
Drewitts Ct. *W on T* —3D 116
Drew Rd. *E16* —2H 79
(in three parts)
Drewstead Rd. *SW16* —8H 91
Driffield Ct. NW9 —8C 24
(off Pageant Av.)
Driffield Rd. *E3* —5J 61
Drift Bridge. (Junct.) —6G 135
Drift, The. *Brom* —5H 127
Driftway, The. *Bans* —7G 135
Driftway, The. *Mitc* —5E 106
Driftwood Dri. *Kenl* —9M 137
Drill Hall Arts Cen. —8H 59
(off Chenies St.)
Drinkwater Ho. SE5 —8B 76
(off Picton St.)
Drinkwater Rd. *Harr* —7M 37
Drive Ct. *Edgw* —5L 23
Drive Mans. SW6 —1J 89
(off Fulham Rd.)
Drive Mead. *Coul* —6J 137
Drive, The. *E4* —9B 18
Drive, The. *E17* —1M 45
Drive, The. *E18* —2E 46
Drive, The. *N2* —3D 42
Drive, The. *N3* —7L 25
Drive, The. *N7* —2K 59
Drive, The. *N11* —6H 27
Drive, The. *NW10* —4D 56
Drive, The. *NW11* —5J 41
Drive, The. *SW6* —1J 89
Drive, The. *SW16* —7K 107
Drive, The. *SW20* —4G 105
Drive, The. *W3* —9A 56
Drive, The. *Ashf* —4B 100
Drive, The. *Bans* —9J 135
Drive, The. *Bark* —3D 64
Drive, The. *Beck* —6L 109
Drive, The. *Bex* —5G 97
Drive, The. *Buck H* —9G 19
Drive, The. *Chesh* —1B 6
Drive, The. *Chst* —7D 112
Drive, The. *Col R* —7B 34
Drive, The. *Coul* —6J 137
Drive, The. *Edgw* —5L 23
Drive, The. *Enf* —3B 16

Elgood Clo.—Elsham Rd.

Elgood Clo. W11 —1J 73
Elgood Ho. NW8 —5B 58
(off Wellington Rd.)
Elham Clo. Brom —4H 111
Elham Ho. E5 —1F 60
Elia M. N1 —5M 59
Elias Pl. SW8 —7L 75
Elia St. N1 —5M 59
Elibank Rd. SE9 —3K 95
Elim Est. SE1 —4C 76
Elim St. SE1 —4B 76
(in two parts)
Elim Way. E13 —6D 62
Eliot Bank. SE23 —8F 92
Eliot Cotts. SE3 —1C 94
Eliot Dri. Harr —7M 37
Eliot Gdns. SW15 —3E 88
Eliot Hill. SE13 —1A 94
Eliot M. NW8 —5A 58
Eliot Pk. SE13 —1A 94
Eliot Pl. SE3 —1C 94
Eliot Rd. Dag —9H 49
Eliot Rd. Dart —4M 99
Eliot Va. SE3 —1B 94
Elis David Almshouses. Croy —5M 123
Elizabethan Clo. Stanw —6B 144
Elizabethan Way. Stanw —6B 144
Elizabeth Av. N1 —4A 60
Elizabeth Av. Enf —5M 15
Elizabeth Av. Ilf —7B 48
Elizabeth Barnes Ct. SW6 —1M 89
Elizabeth Blackwell Ho. N22 —8L 27
(off Progress Way)
Elizabeth Bri. SW1 —5F 74
Elizabeth Clo. E14 —9M 61
Elizabeth Clo. W9 —7A 58
Elizabeth Clo. Barn —5H 13
Elizabeth Clo. Romf —8M 33
Elizabeth Clo. Sutt —6K 121
Elizabeth Clyde Clo. N15 —2C 44
Elizabeth Cotts. Kew —9K 71
Elizabeth Ct. E4 —5K 29
Elizabeth Ct. SW1 —4H 75
(off Milmans Ct.)
Elizabeth Ct. SW10 —7B 74
Elizabeth Ct. Brom —5D 110
(off Highland Rd.)
Elizabeth Ct. Tedd —2C 102
Elizabeth Ct. Wat —2D 8
Elizabeth Ct. Whyt —9D 138
Elizabeth Ct. Wfd G —7G 31
Elizabeth Fry Ho. Hay —5D 68
Elizabeth Fry Rd. E8 —3F 60
Elizabeth Gdns. W3 —2D 72
Elizabeth Gdns. Stan —6G 23
Elizabeth Gdns. Sun —7G 101
Elizabeth Garrett Anderson Ho. Belv —4L 81
(off Ambrook Rd.)
Elizabeth Ho. SE11 —5L 75
(off Reedworth St.)
Elizabeth Ho. W6 —6G 73
(off Queen Caroline St.)
Elizabeth Ho. Wat —4G 9
Elizabeth Ind. Est. SE14 —7H 77
Elizabeth M. NW3 —2C 58
Elizabeth M. Harr —4C 38
Elizabeth Newcomen Ho. SE1 —3B 76
(off Newcomen St.)
Elizabeth Pl. N15 —2B 44
Elizabeth Pl. F'ham —1K 131
Elizabeth Ride. N9 —9F 16
Elizabeth Rd. E6 —4H 63
Elizabeth Rd. N15 —3C 44
Elizabeth Rd. Rain —8F 66
Elizabeth Sq. SE16 —1J 77
(off Sovereign Cres.)
Elizabeth St. SW1 —5E 74
Elizabeth Ter. SE9 —5K 95
Elizabeth Way. SE19 —4B 108
Elizabeth Way. Felt —1G 101
Elizabeth Way. Orp —9G 113
Elkanet M. N20 —2A 26
Elkington Point. SE11 —5L 75
(off Lollard St.)
Elkington Rd. E13 —7F 62
Elkins, The. Romf —9C 34
Elkstone Ct. SE15 —7C 76
(off Birdlip Clo.)
Elkstone Rd. W10 —8K 57
Ellaline Rd. W6 —7H 73
Ella M. NW3 —9D 42
Ellanby Cres. N18 —4F 28
Elland Ho. E14 —9K 61
(off Copenhagen Pl.)
Elland Rd. SE15 —3G 93
Elland Rd. W on T —4H 117
Ella Rd. N8 —5J 43
Ellement Clo. Pinn —3H 37
Ellena Ct. N14 —3J 27
(off Conway Rd.)
Ellenborough Ho. W12 —1F 72
(off White City Est.)
Ellenborough Pl. SW15 —3E 88
Ellenborough Rd. N22 —8A 28
Ellenborough Rd. Sidc —2H 113
Ellenbridge Way. S Croy —1C 138
Ellenbrook Clo. Wat —3G 9
Ellen Clo. Brom —7H 111
Ellen Ct. E4 —1A 30
(off Ridgeway, The)
Ellen Ct. N9 —2G 29
Ellen St. E1 —9E 60
Ellen Webb Dri. W'stone —1C 38
Ellen Wilkinson Ho. E2 —6H 61
(off Usk St.)
Ellen Wilkinson Ho. Dag —8L 49
Elleray Rd. Tedd —3D 102
Ellerby St. SW6 —9H 73
Ellerdale Clo. NW3 —9A 42
Ellerdale Rd. NW3 —1A 58
Ellerdale St. SE13 —3M 93
Ellerdine Rd. Houn —3A 86
Ellerker Gdns. Rich —5J 87
Ellerman Av. Twic —7K 85
Ellerslie Gdns. NW10 —4E 56
Ellerslie Rd. W12 —2F 72
Ellerslie Sq. Ind. Est. SW2 —4J 91
Ellerton Gdns. Dag —3G 65
Ellerton Lodge. N3 —9L 25
Ellerton Rd. SW13 —9E 72
Ellerton Rd. SW18 —7B 90
Ellerton Rd. SW20 —4E 104
Ellerton Rd. Dag —3G 65
Ellerton Rd. Surb —4K 119
Ellery Ho. SE17 —5B 76
Ellery Rd. SE19 —4B 108
Ellery St. SE15 —1F 92
Ellesborough Clo. Wat —5G 21
Ellesmere Av. NW7 —3B 24
Ellesmere Av. Beck —6M 109
Ellesmere Clo. E11 —3D 46
Ellesmere Clo. Ruis —5A 36
Ellesmere Ct. W4 —6B 72
Ellesmere Dri. S Croy —6F 138
Ellesmere Gdns. Ilf —3J 47
Ellesmere Gro. Barn —7K 13
Ellesmere Pl. W on T —7C 116
Ellesmere Rd. E3 —5J 61
Ellesmere Rd. NW10 —1E 56
Ellesmere Rd. W4 —7A 72
Ellesmere Rd. Gnfd —7A 54
Ellesmere Rd. Twic —5G 87
Ellesmere Rd. Wey —9C 116
Ellesmere St. E14 —9M 61
Elleswood Ct. Surb —2H 119
Ellie M. Ashf —8C 144
Ellingfort Rd. E8 —3F 60
Ellingham Rd. E15 —9B 46
Ellingham Rd. W12 —3E 72
Ellingham Rd. Chess —8H 119
Ellington Ct. N14 —2H 27
Ellington Ho. SE1 —4A 76
Ellington Rd. N10 —2F 42
Ellington Rd. Felt —1D 100
Ellington Rd. Houn —1M 85
Ellington St. N7 —2L 59
Ellington Way. Eps —9F 134
Elliot Clo. E15 —3C 62
Elliot Ho. W1 —8C 58
(off Cato St.)
Elliot Rd. NW4 —4F 40
Elliots Clo. Cow —8A 142
Elliott Av. Ruis —7F 36
Elliott Clo. Wemb —8L 39
Elliott Gdns. Romf —8F 34
Elliott Rd. SW9 —9M 75
Elliott Rd. W4 —5C 72
Elliott Rd. Brom —8H 111
Elliott Rd. Stan —6E 22
Elliott Rd. T Hth —8M 107
Elliott's Pl. N1 —4M 59
Elliott Sq. NW3 —3C 58
Elliotts Row. SE11 —5M 75
Ellis Av. Rain —8E 66
Ellis Clo. NW10 —2F 56
Ellis Clo. SE9 —8A 96
Ellis Clo. Edgw —6C 24
Ellis Clo. Swan —8B 114
Elliscombe Mt. SE7 —7G 79
Elliscombe Rd. SE7 —6G 79
Ellis Ct. W7 —8D 54
Ellisfield Dri. SW15 —6E 88
Ellis Franklin Ct. NW8 —5A 58
(off Abbey Rd.)
Ellis Ho. SE17 —6B 76
(off Brandon St.)
Ellison Gdns. S'hall —5K 69
Ellison Ho. SE13 —1M 93
(off Lewisham Rd.)
Ellison Rd. SW13 —1D 88
Ellison Rd. SW16 —4H 107
Ellison Rd. Sidc —7B 96
Ellis Rd. Mitc —1D 122
Ellis Rd. S'hall —2A 70
Ellis St. SW1 —5E 74
Ellis Way. Dart —8K 99
Ellmore Clo. Romf —8F 34
Ellora Rd. SW16 —2H 107
Ellsworth St. E2 —6F 60
Ellwood Ct. W9 —7M 57
(off Clearwell Dri.)
Ellwood Ct. Wat —7F 4
Ellwood Gdns. Wat —7G 5
Elmar Rd. N15 —2B 44
Elm Av. W5 —2J 71
Elm Av. Ashf —8C 144
Elm Av. Ruis —6E 36
Elm Av. Upm —8M 51
Elm Av. Wat —9J 9
Elm Bank. N14 —9J 15
Elmbank Av. Barn —6G 13
Elm Bank Dri. Brom —6H 111
Elm Bank Gdns. SW13 —1C 88
Elmbank Way. W7 —8B 54
Elmbourne Dri. Belv —5M 81
Elmbourne Rd. SW17 —9E 90
Elmbridge Av. Surb —9M 103
Elmbridge Clo. Ruis —4E 36
Elmbridge Dri. Ruis —3D 36
Elmbridge Rd. Ilf —6E 32
Elmbridge Wlk. E8 —3E 60
Elmbrook Clo. Sun —5F 100
Elmbrook Gdns. SE9 —3J 95
Elmbrook Rd. Sutt —6K 121
Elm Clo. E11 —4F 46
Elm Clo. N19 —7G 43
Elm Clo. NW4 —3H 41
Elm Clo. SW20 —8G 105
Elm Clo. Buck H —2H 31
Elm Clo. Cars —3D 122
Elm Clo. Dart —7G 99
Elm Clo. Harr —4M 37
Elm Clo. Hay —9E 52
Elm Clo. Romf —8M 33
Elm Clo. S Croy —8C 124
Elm Clo. Stanw —7B 144
Elm Clo. Surb —2A 120
Elm Clo. Twic —8M 85
Elm Clo. Wal A —7K 7
Elm Clo. Warl —9H 139
Elmcote. Pinn —9H 21
Elm Cotts. Mitc —6D 106
Elm Ct. EC4 —9L 59
(off Terrace, The)
Elm Ct. SE13 —2B 94
Elm Ct. Wat —5F 8
Elm Ct. W Mol —8M 101
Elmcourt Rd. SE27 —8M 91
Elm Cres. W5 —3J 71
Elm Cres. King T —5J 103
Elmcroft. N6 —5G 43
Elmcroft Av. E11 —3F 46
Elmcroft Av. N9 —8F 16
Elmcroft Av. NW11 —5K 41
Elmcroft Av. Sidc —6D 96
Elmcroft Clo. E11 —2F 46
Elmcroft Clo. N8 —3K 43
Elmcroft Clo. W5 —9H 55
Elmcroft Clo. Chess —5J 119
Elmcroft Clo. Felt —5D 84
Elmcroft Cres. NW11 —5J 41
Elmcroft Cres. Harr —1L 37
Elmcroft Dri. Chess —5J 119
Elmcroft Gdns. NW9 —2L 39
Elmcroft Rd. Orp —2E 128
Elmcroft St. E5 —9G 45
Elmcroft Ter. Uxb —9E 142
Elmdale Rd. N13 —5K 27
Elmdene. Surb —3A 120
Elmdene Av. Horn —3K 51
Elmdene Clo. Beck —1K 125
Elmdene Rd. SE18 —6M 79
Elmdon Rd. Houn —1H 85
Elmdon Rd. H'row A —2D 84
Elm Dri. Chesh —1E 6
Elm Dri. Harr —4M 37
Elm Dri. Sun —6G 101
Elm Dri. Swan —6B 114
Elmer Av. Hav —3C 34
Elmer Clo. Enf —5K 15
Elmer Clo. Rain —3E 66
Elmer Gdns. Edgw —7M 23
Elmer Gdns. Iswth —2B 86
Elmer Gdns. Rain —3E 66
Elmer Ho. NW1 —8C 58
(off Broadley St.)
Elmer Rd. SE6 —6A 94
Elmers Dri. Tedd —3F 102
Elmers End. —8J 109
Elmers End Rd. SE20 & Beck —6G 109
Elmerside Rd. Beck —8J 109
Elmers Rd. SE25 —2E 124
Elmfield Av. N8 —3J 43
Elmfield Av. Mitc —5E 106
Elmfield Av. Tedd —2D 102
Elmfield Clo. Harr —7C 38
Elmfield Ct. Well —9F 80
Elmfield Ho. N2 —9B 26
(off Grange, The)
Elmfield Pk. Brom —7E 110
Elmfield Rd. E4 —2A 30
Elmfield Rd. E17 —4H 45
Elmfield Rd. N2 —1B 42
Elmfield Rd. SW17 —8E 90
Elmfield Rd. Brom —6E 110
Elmfield Rd. S'hall —4J 69
Elmfield Way. W9 —8L 57
Elmfield Way. S Croy —1D 138
Elm Friars Wlk. NW1 —3H 59
Elm Gdns. N2 —1A 42
Elm Gdns. Clay —8D 118
Elm Gdns. Enf —2B 16
Elm Gdns. Mitc —8H 107
Elmgate Av. Felt —1H 101
Elmgate Gdns. Edgw —5A 24
Elm Grn. W3 —9C 56
Elm Gro. N8 —4J 43
Elm Gro. NW2 —9H 41
Elm Gro. SE15 —1D 92
Elm Gro. SW19 —4J 105
Elm Gro. Eps —6A 134
Elm Gro. Eri —8B 82
Elm Gro. Harr —5L 37
Elm Gro. Horn —4J 51
Elm Gro. King T —5J 103
Elm Gro. Orp —3D 128
Elm Gro. Sutt —6M 121
Elm Gro. Wat —1E 8
Elm Gro. W Dray —1K 143
Elm Gro. Wfd G —5D 30
Elmgrove Cres. Harr —3D 38
Elmgrove Gdns. Harr —3E 38
Elm Gro. Pde. Wall —5E 122
Elm Gro. Rd. SW13 —9E 72
Elm Gro. Rd. W5 —3J 71
Elmgrove Rd. Croy —2F 124
Elmgrove Rd. Harr —3D 38
Elmgrove Rd. Kent —3E 38
Elm Hall Gdns. E11 —3F 46
(in two parts)
Elm Hatch. Pinn —7K 21
(off Westfield Pk.)
Elm Ho. E14 —3A 78
(off E. Ferry Rd.)
Elm Ho. W10 —7J 57
(off Briar Wlk.)
Elm Ho. King T —4K 103
(off Elm Rd.)
Elmhurst. Belv —7J 81
Elmhurst Av. N2 —1B 42
Elmhurst Av. Mitc —4F 106
Elmhurst Clo. Bush —6J 9
Elmhurst Ct. Croy —6B 124
Elmhurst Dri. E18 —9E 30
Elmhurst Dri. Horn —6G 51
Elmhurst Lodge. Sutt —9A 122
Elmhurst Mans. SW4 —2H 91
Elmhurst Rd. E7 —3F 62
Elmhurst Rd. N17 —9D 28
Elmhurst Rd. SE9 —8J 95
Elmhurst Rd. Enf —1G 17
Elmhurst St. SW4 —2H 91
Elmhurst Way. Lou —9K 19
Elmington Clo. Bex —5M 97
Elmington Est. SE5 —8B 76
Elmington Rd. SE5 —8B 76
Elmira St. SE13 —2M 93
Elm La. SE6 —8K 93
Elm Lawn Clo. Uxb —3C 142
Elmlea Dri. Hay —8C 52
Elm Lea Trad. Est. N17 —6F 28
Elmlee Clo. Chst —3K 111
Elmley Clo. E6 —8J 63
Elmley St. SE18 —6B 80
(in two parts)
Elm Lodge. SW6 —9G 73
Elmore Clo. Wemb —5J 55
Elmore Ho. SW9 —1M 91
Elmore Rd. E11 —8A 46
Elmore Rd. Enf —2H 17
Elmores. Lou —6L 19
Elmore St. N1 —3A 60
Elm Pde. Horn —9F 50
Elm Pde. Sidc —1E 112
Elm Park. —9F 50
Elm Pk. SW2 —5K 91
Elm Pk. Stan —5F 22
Elm Pk. Av. N15 —3D 44
Elm Pk. Av. Horn —9E 50
Elm Pk. Chambers. SW10 —6B 74
Elm Pk. Ct. Pinn —1G 37
Elm Pk. Gdns. NW4 —3H 41
Elm Pk. Gdns. SW10 —6B 74
Elm Pk. Gdns. S Croy —2G 139
Elm Pk. Ho. SW10 —6B 74
Elm Pk. La. SW3 —6B 74
Elm Pk. Mans. SW10 —7A 74
(off Park Wlk.)
Elm Pk. Rd. E10 —6J 45
Elm Pk. Rd. N3 —7K 25
Elm Pk. Rd. N21 —9A 16
Elm Pk. Rd. SE25 —7D 108
Elm Pk. Rd. SW3 —7B 74
Elm Pk. Rd. Pinn —9G 21
Elm Pas. Barn —6K 13
Elm Pl. SW7 —6B 74
Elm Quay Ct. SW8 —7H 75
Elm Rd. E7 —2D 62
Elm Rd. E11 —7B 46
Elm Rd. E17 —3A 46
Elm Rd. N22 —8M 27
Elm Rd. SW14 —2A 88
Elm Rd. Barn —6K 13
Elm Rd. Beck —6K 109
Elm Rd. Chess —6J 119
Elm Rd. Clay —8D 118
Elm Rd. Dart —7H 99
Elm Rd. Eps —8D 120
Elm Rd. Eri —9E 82
Elm Rd. Felt —7B 84
Elm Rd. King T —5K 103
Elm Rd. N Mald —6B 104
Elm Rd. Orp —9E 128
Elm Rd. Purl —5M 137
Elm Rd. Romf —9M 33
Elm Rd. Sidc —1E 112
Elm Rd. T Hth —9B 108
Elm Rd. Wall —3E 122
Elm Rd. Warl —9H 139
Elm Rd. Wemb —1J 55
Elm Rd. W. Sutt —2K 121
Elm Row. NW3 —8A 42
Elms Av. N10 —1F 42
Elms Av. NW4 —3H 41
Elmscott Gdns. N21 —8A 16
Elmscott Rd. Brom —2C 110
Elms Ct. Wemb —9E 38
Elms Cres. SW4 —5G 91
Elmsdale Rd. E17 —2K 45
Elms Farm Rd. Horn —1G 67
Elms Gdns. Dag —9K 49
Elms Gdns. Wemb —9E 38
Elmshaw Rd. SW15 —4E 88
Elmshorn. Eps —8G 135
Elmshurst Cres. N2 —2B 42
Elmside. New Ad —8M 125
Elmside Rd. Wemb —8L 39
Elms Ind. Est. H Wood —7M 35
Elms La. Wemb —8E 38
Elmsleigh Av. Harr —2F 38
Elmsleigh Ct. Sutt —5M 121
Elmsleigh Ho. Twic —8B 86
(off Staines Rd.)
Elmsleigh Rd. Twic —8B 86
Elmslie Clo. Eps —6A 134
Elmslie Clo. Wfd G —6K 31
Elmslie Point. E3 —8K 61
(off Leopold St.)
Elms M. W2 —1B 74
Elms Pk. Av. Wemb —9E 38
Elms Rd. SW4 —4G 91
Elms Rd. Harr —7C 22
Elmstead. —3K 111
Elmstead Av. Chst —2K 111
Elmstead Av. Wemb —6J 39
Elmstead Clo. N20 —2L 25
Elmstead Clo. Eps —7C 120
Elmstead Gdns. Wor Pk —5E 120
Elmstead Glade. Chst —3K 111
Elmstead La. Chst —4J 111
Elmstead Rd. Eri —9C 82
Elmstead Rd. Ilf —7C 48
Elmsted Cres. Well —7G 81
Elms, The. E12 —2H 63
Elms, The. SW13 —2D 88
Elms, The. Clay —9D 118
Elms, The. Croy —3A 124
(off Tavistock Rd.)
Elms, The. Lou —4D 18
Elmstone Rd. SW6 —9L 73
Elmstone Ter. St M —8G 113
Elm St. WC1 —7K 59
Elmswood. Chig —6B 32
Elmsworth Av. Houn —1M 85
Elm Ter. NW2 —8L 41
Elm Ter. NW3 —9C 42
Elm Ter. SE9 —5L 95
Elm Ter. Harr —8B 22
Elm Ter. Stan —5G 23
Elmton Ct. NW8 —7B 58
(off Cunningham Pl.)
Elmton Way. E5 —8E 44
Elm Tree Av. Esh —2B 118
Elm Tree Clo. NW8 —6B 58
Elm Tree Clo. N'holt —5K 53
Elm Tree Ct. NW8 —6B 58
(off Elm Tree Rd.)
Elm Tree Ct. SE7 —7G 79
Elm Tree Rd. NW8 —6B 58
Elmtree Rd. Tedd —1C 102
Elm Vw. Ct. S'hall —5L 69
Elm Vw. Ho. Hay —5C 68
Elm Wlk. NW3 —7L 41
Elm Wlk. SW20 —8G 105
Elm Wlk. Orp —5K 127
Elm Wlk. Rad —1D 10
Elm Wlk. Romf —1E 50
Elm Way. N11 —6E 26
Elm Way. NW10 —9C 40
Elm Way. Eps —7B 120
Elm Way. Wor Pk —5G 121
Elmwood Av. N13 —5J 27
Elmwood Av. Borwd —6M 11
Elmwood Av. Felt —8E 84
Elmwood Av. Harr —3E 38
Elmwood Clo. Asht —9H 133
Elmwood Clo. Eps —9E 120
Elmwood Clo. Wall —4F 122
Elmwood Ct. E10 —6L 45
(off Goldsmith Rd.)
Elmwood Ct. SW11 —9F 74
Elmwood Ct. Asht —9H 133
Elmwood Ct. Wemb —8E 38
Elmwood Cres. NW9 —2A 40
Elmwood Dri. Bex —6J 97
Elmwood Dri. Eps —8E 120
Elmwood Gdns. W7 —9C 54
Elmwood Rd. SE24 —4B 92
Elmwood Rd. W4 —7A 72
Elmwood Rd. Croy —2M 123
Elmwood Rd. Mitc —7D 106
Elmworth Gro. SE21 —8B 92
Elnathan M. W9 —7M 57
Elphinstone Ct. SW16 —3J 107
Elphinstone Rd. E17 —9K 29
Elphinstone St. N5 —9M 43
Elrick Clo. Eri —7C 82
Elrington Rd. E8 —2E 60
Elrington Rd. Wfd G —5E 30
Elruge Clo. W Dray —4H 143
Elsa Cotts. E14 —8J 61
(off Halley St.)
Elsa Ct. Beck —5K 109
Elsa Rd. Well —1F 96
Elsa St. E1 —8J 61
Elsdale St. E9 —2G 61
Elsden M. E2 —5G 61
Elsden Rd. N17 —8D 28
Elsenham Rd. E12 —1L 63
Elsenham St. SW18 —7K 89
Elsham Rd. E11 —8C 46
Elsham Rd. W14 —3J 73

Elsham Ter.—Essex Clo.

Elsham Ter. W14 —4J 73
(off Elsham Rd.)
Elsiedene Rd. N21 —9A 16
Elsie La. Ct. W2 —8L 57
(off Westbourne Pk. Vs.)
Elsiemaud Rd. SE4 —4K 93
Elsie Rd. SE22 —3D 92
Elsinge Rd. Enf —9B 6
Elsinore Av. Stai —6C 144
Elsinore Gdns. NW2 —8J 41
Elsinore Ho. N1 —4L 59
(off Denmark Gro.)
Elsinore Ho. W6 —6G 73
(off Fulham Pal. Rd.)
Elsinore Rd. SE23 —7J 93
Elsinore Way. Rich —2M 87
Elsley Rd. SW11 —2D 90
Elsmore Ho. SE5 —1A 92
(off Denmark Rd.)
Elspeth Rd. SW11 —3D 90
Elspeth Rd. Wemb —1J 55
Elsrick Av. Mord —9L 105
Elstan Way. Croy —2J 125
Elstead Ct. Sutt —3J 121
Elstead Ho. SW2 —6K 91
(off Redlands Way)
Elsted St. SE17 —5B 76
Elstow Clo. SE9 —4K 95
(in two parts)
Elstow Clo. Ruis —5H 37
Elstow Gdns. Dag —4J 65
Elstow Rd. Dag —3J 65
Elstree. —8H 11
Elstree Aerodrome. —6E 10
Elstree Distribution Pk. Borwd —5B 12
Elstree Gdns. N9 —1F 28
Elstree Gdns. Belv —5J 81
Elstree Gdns. Ilf —1A 64
Elstree Hill. Brom —4C 110
Elstree Hill N. Els —7H 11
Elstree Hill S. Els —9H 11
Elstree Ho. Borwd —4B 12
(off Elstree Way)
Elstree Pk. Mobile Homes. Barn —8B 12
Elstree Rd. Bus H & Bush —9B 10
Elstree Studios. Borwd —5M 11
Elstree Tower. Borwd —4B 12
(off Elstree Way)
Elstree Way. Borwd —5M 11
Elswick Rd. SE13 —1M 93
Elswick St. SW6 —1A 90
Elsworth Clo. Felt —7C 84
Elsworthy. Th Dit —1C 118
Elsworthy Ri. NW3 —3C 58
Elsworthy Rd. NW3 —4C 58
Elsworthy Ter. NW3 —3C 58
Elsynge Rd. SW18 —4B 90
Eltham. —5K 95
Eltham Crematorium. SE9 —3B 96
Eltham Grn. SE9 —4H 95
Eltham Grn. Rd. SE9 —3G 95
Eltham High St. SE9 —5K 95
Eltham Hill. SE9 —4H 95
Eltham Palace. —6J 95
Eltham Pal. Rd. SE9 —5G 95
Eltham Park. —3L 95
Eltham Pk. Gdns. SE9 —3L 95
Eltham Rd. SE12 & SE9 —4D 94
Elthiron Rd. SW6 —9L 73
Elthorne Av. W7 —3D 70
Elthorne Ct. Felt —7G 85
Elthorne Heights. —8B 54
Elthorne Pk. Rd. W7 —3D 70
Elthorne Rd. N19 —7H 43
Elthorne Rd. NW9 —5B 40
Elthorne Rd. Uxb —5B 142
Elthorne Way. NW9 —4B 40
Elthruda Rd. SE13 —5B 94
Eltisley Rd. Ilf —9M 47
Elton Av. Barn —7K 13
Elton Av. Gnfd —2C 54
Elton Av. Wemb —1F 54
Elton Clo. King T —4G 103
Elton Ho. E3 —4K 61
(off Candy St.)
Elton Pk. Wat —4E 8
Elton Pl. N16 —1C 60
Elton Rd. King T —5K 103
Elton Rd. Purl —4G 137
Elton Way. Wat —3L 9
Eltringham St. SW18 —3A 90
Elvaston M. SW7 —4A 74
Elvaston Pl. SW7 —4A 74
Elveden Ho. SE24 —4M 91
Elveden Pl. NW10 —5L 55
Elveden Rd. NW10 —5L 55
Elvendon Rd. N13 —6J 27
Elver Gdns. E2 —6E 60
(off St Peter's Clo.)
Elverson Rd. SE8 —1M 93
Elverton St. SW1 —5H 75
Elvet Av. Romf —2G 51
Elvington Grn. Brom —9D 110
Elvington La. NW9 —8C 24
Elvino Rd. SE26 —2J 109
Elvis Rd. NW2 —2G 57
Elwick Ct. Dart —3E 98
Elwill Way. Beck —8A 110
Elwin St. E2 —6E 60
Elwood St. N5 —8M 43
Elworth Ho. SW8 —8K 75
(off Oval Pl.)
Elwyn Gdns. SE12 —6E 94
Ely Clo. Eri —1D 98
Ely Clo. N Mald —6D 104
Ely Cotts. SW8 —8K 75
Ely Ct. EC1 —8L 59
(off Ely Pl.)
Ely Ct. NW6 —5L 57
(off Chichester Rd., in two parts)
Ely Gdns. Borwd —7B 12
Ely Gdns. Dag —8A 50
Ely Gdns. Ilf —5J 47
Ely Ho. SE15 —8E 76
(off Friary Est.)
Elyne Rd. N4 —4L 43
Ely Pl. EC1 —8L 59
Ely Pl. Wfd G —6L 31
Ely Rd. E10 —4A 46
Ely Rd. Croy —9B 108
Ely Rd. Houn —2G 85
Ely Rd. H'row A —1D 84
Elysian Av. Orp —1D 128
Elysium Pl. SW6 —1K 89
(off Elysium St.)
Elysium St. SW6 —1K 89
Elystan Bus. Cen. Hay —1G 69
Elystan Clo. Wall —9G 123
Elystan Pl. SW3 —6C 74
Elystan St. SW3 —5C 74
Elystan Wlk. N1 —4L 59
Emanuel Av. W3 —9A 56
Emanuel Dri. Hamp —2K 101
Embankment. SW15 —1H 89
Embankment Gdns. SW3 —7D 74
Embankment Pl. WC2 —2J 75
Embankment, The. Twic —7E 86
Embassy Ct. N11 —6H 27
(off Bounds Grn. Rd.)
Embassy Ct. NW8 —5B 58
(off Wellington Rd.)
Embassy Ct. W5 —1K 71
Embassy Ct. Sidc —9F 96
Embassy Ct. Wall —8F 122
Embassy Ct. Well —2F 96
Embassy Gdns. Beck —5K 109
Embassy Ho. NW6 —3M 57
Emba St. SE16 —3E 76
Ember Cen. W on T —4J 117
Ember Clo. Orp —2A 128
Ember Ct. NW9 —9C 24
Embercourt Rd. Th Dit —1C 118
Ember Farm Av. E Mol —1B 118
Ember Farm Way. E Mol —1B 118
Ember Gdns. Th Dit —2C 118
Ember La. Esh & E Mol —2B 118
Emberton. SE17 —7C 76
(off Albany Rd.)
Emberton Ct. EC1 —6M 59
(off Tompion St.)
Embleton Rd. SE13 —3M 93
Embleton Rd. Wat —3E 20
Embleton Wlk. Hamp —2K 101
Embley Point. E5 —9F 44
(off Tiger Way)
Embroidery Bus. Cen. Wfd G
(off Southend Rd.) —9H 31
Embry Clo. Stan —4E 22
Embry Dri. Stan —6E 22
Embry Way. Stan —5E 22
Emden Clo. W Dray —3L 143
Emden St. SW6 —9M 73
Emerald Clo. E16 —9H 63
Emerald Ct. Borwd —3K 11
(off Aycliffe Rd.)
Emerald Ct. Coul —7H 137
Emerald Gdns. Dag —6L 49
Emerald Sq. S'hall —4H 69
Emerald St. WC1 —8K 59
Emerson Dri. Horn —5H 51
Emerson Gdns. Harr —4K 39
Emerson Park. —5H 51
Emerson Pk. Ct. Horn —5H 51
Emerson Rd. Ilf —5L 47
Emersons Av. Swan —4D 114
Emerson St. SE1 —2A 76
Emerton Clo. Bexh —3J 97
Emery Hill St. SW1 —4G 75
Emery St. SE1 —4L 75
Emes Rd. Eri —8A 82
Emilia Clo. Enf —7F 16
Emily Pl. N7 —9L 43
Emily St. E16 —9D 62
(off Jude St.)
Emlyn Gdns. W12 —3C 72
Emlyn Rd. W12 —3C 72
Emmanuel Ct. E10 —5M 45
Emmanuel Ho. SE11 —5L 75
Emmanuel Lodge. Chesh —3C 6
Emmanuel Rd. SW12 —7G 91
Emmanuel Rd. N'wd —7D 20
Emma Rd. E13 —5D 62
Emma St. E2 —5F 60
Emmaus Way. Chig —5L 31
Emminster. NW6 —4M 57
(off Abbey Rd.)
Emmott Av. Ilf —3A 48
Emmott Clo. E1 —7J 61
Emmott Clo. NW11 —4A 42
Emms Pas. King T —6H 103
Emperor's Ga. SW7 —4A 74
Empingham Ho. SE8 —5H 77
(off Chilton Ho.)
Empire Av. N18 —5A 28
Empire Cen. Wat —3G 9
Empire Ct. Wemb —8M 39
Empire Pde. N18 —6B 28
Empire Pde. Wemb —8L 39
Empire Rd. Gnfd —4F 54
Empire Sq. N7 —8J 43
Empire Sq. SE20 —4H 109
(off High St.)
Empire Way. Wemb —9K 39
Empire Wharf. E3 —4J 61
(off Old Ford Rd.)
Empire Wharf Rd. E14 —5B 78
Empress Av. E4 —7M 29
Empress Av. E12 —7G 47
Empress Av. Ilf —7K 47
Empress Av. Wfd G —7D 30
Empress Dri. Chst —3M 111
Empress Pde. E4 —7L 29
Empress Pl. SW6 —6L 73
Empress St. SE17 —7A 76
Empson St. E3 —7M 61
Emsworth Clo. N9 —1G 29
Emsworth Ct. SW16 —9J 91
Emsworth Rd. Ilf —9M 31
Emsworth St. SW2 —8K 91
Emu Rd. SW8 —1F 90
Ena Rd. SW16 —7J 107
Enbrook St. W10 —6J 57
Endale Clo. Cars —4D 122
Endeavour Rd. Chesh —1E 6
Endeavour Way. SW19 —1M 105
Endeavour Way. Bark —5E 64
Endeavour Way. Croy —2J 123
Endell St. WC2 —9J 59
Enderby St. SE10 —6B 78
Enderley Clo. Harr —9C 22
Enderley Rd. Harr —8C 22
Endersby Rd. Barn —7G 13
Endersleigh Gdns. NW4 —2E 40
Endlebury Rd. E4 —2A 30
Endlesham Rd. SW12 —6E 90
Endsleigh Clo. S Croy —2G 139
Endsleigh Gdns. WC1 —7H 59
Endsleigh Gdns. Ilf —7K 47
Endsleigh Gdns. Surb —1G 119
Endsleigh Gdns. W on T —7G 117
Endsleigh Ind. Est. S'hall —5J 69
Endsleigh Pl. WC1 —7H 59
Endsleigh Rd. W13 —1E 70
Endsleigh Rd. S'hall —5J 69
Endsleigh St. WC1 —7H 59
End Way. Surb —2L 119
Endwell Rd. SE4 —1J 93
Endymion Rd. N4 —5L 43
Endymion Rd. SW2 —5K 91
Energen Clo. NW10 —2C 56
Enfield. —5B 16
Enfield Bus. Cen. Enf —4G 17
Enfield Cloisters. N1 —6C 60
(off Fanshaw St.)
Enfield Clo. Uxb —5B 142
Enfield Crematorium. Enf —1F 16
Enfield Highway. —4H 17
Enfield Ho. SW9 —1J 91
(off Stockwell Rd.)
Enfield Ho. Romf —7J 35
(off Leyburn Cres.)
Enfield Island Village. —2L 17
Enfield Lock. —1K 17
Enfield Retail Pk. Enf —5F 16
Enfield Rd. N1 —3C 60
Enfield Rd. W3 —3M 71
Enfield Rd. Bren —6H 71
Enfield Rd. Enf —6H 15
Enfield Rd. H'row A —1C 84
Enfield Town. —5B 16
Enfield Wlk. Bren —6H 71
Enfield Wash. —1H 17
Enford St. W1 —8D 58
Engadine Clo. Croy —5D 124
Engadine St. SW18 —7K 89
Engate St. SE13 —3A 94
Engayne Gdns. Upm —6M 51
Engel Pk. NW7 —6G 25
Engine Ct. SW1 —2G 75
(off St James' Pal.)
Engineer Clo. SE18 —7L 79
Engineers Way. Wemb —9L 39
England's La. NW3 —2D 58
Englands La. Lou —4L 19
England Way. N Mald —8M 103
Englefield. NW1 —6G 59
(off Clarence Gdns.)
Englefield Clo. Croy —1A 124
Englefield Clo. Enf —4L 15
Englefield Clo. Orp —9D 112
Englefield Cres. Orp —8D 112
Englefield Path. Orp —8E 112
Englefield Rd. N1 —3B 60
Engleheart Dri. Felt —5D 84
Engleheart Rd. SE6 —6M 93
Englemere Pk. Oxs —5A 132
Englewood Rd. SW12 —5F 90
English Grounds. SE1 —2C 76
English St. E3 —7K 61
Enid Clo. Brick W —4K 5
Enid St. SE16 —4D 76
Enmore Av. SE25 —9E 108
Enmore Gdns. SW14 —4B 88
Enmore Rd. SE25 —9E 108
Enmore Rd. SW15 —3G 89
Enmore Rd. S'hall —7L 53
Ennerdale. NW1 —6G 59
(off Ennerdale)
Ennerdale Av. Horn —1E 66
Ennerdale Av. Stan —1G 39
Ennerdale Clo. Felt —7D 84
Ennerdale Clo. Sutt —6K 121
Ennerdale Dri. NW9 —3C 40
Ennerdale Gdns. Wemb —6G 39
Ennerdale Ho. E3 —7K 61
Ennerdale Rd. Bexh —9L 81
Ennerdale Rd. Rich —1K 87
Ennersdale Rd. SE13 —4B 94
Ennis Ho. E14 —9M 61
(off Vesey Path)
Ennismore Av. W4 —5D 72
Ennismore Av. Gnfd —2C 54
Ennismore Gdns. SW7 —3C 74
Ennismore Gdns. Th Dit —1C 118
Ennismore Gdns. M. SW7 —4C 74
Ennismore M. SW7 —4C 74
Ennismore St. SW7 —4C 74
Ennis Rd. N4 —6L 43
Ennis Rd. SE18 —7A 80
Ennor Ct. Sutt —6G 121
Ensbury Ho. SW8 —8K 75
(off Carroun Rd.)
Ensign Clo. Purl —2L 137
Ensign Clo. Stanw —7B 144
Ensign Dri. N13 —3A 28
Ensign Ho. E14 —3L 77
(off Admirals Way)
Ensign Ind. Cen. E1 —1E 76
(off Ensign St.)
Ensign St. E1 —1E 76
Ensign Way. Stanw —7B 144
Enslin Rd. SE9 —6L 95
Ensor M. SW7 —6B 74
Enstone Rd. Enf —5J 17
Enterprise Bus. Pk. E14 —3M 77
Enterprise Cen., The. Beck
(off Cricket La.) —2J 109
Enterprise Clo. Croy —3L 123
Enterprise Ho. E14 —6M 77
(off St Davids Sq.)
Enterprise Ho. Bark —6D 64
Enterprise Ind. Est. SE16 —6G 77
Enterprise Way. NW10 —6D 56
Enterprise Way. SW18 —3L 89
Enterprise Way. Tedd —3D 102
Enterprize Way. SE8 —5K 77
Epcot M. NW10 —6H 57
Epirus M. SW6 —8L 73
Epirus Rd. SW6 —8K 73
Epping Clo. E14 —5L 77
Epping Clo. Romf —1M 49
Epping Forest. —1J 19
Epping Forest. —3H 19
Epping Forest District Mus. —6J 7
Epping Glade. E4 —8A 18
Epping New Rd. Buck H & Lou —2F 30
Epping Pl. N1 —2L 59
Epping Way. E4 —8M 17
Epple Rd. SW6 —9K 73
Epsom. —5B 134
Epsom Bus. Pk. Eps —3C 134
Epsom Clo. Bexh —2M 97
Epsom Clo. N'holt —1K 53
Epsom Gap. Lea —7F 132
Epsom Ho. Romf —5J 35
(off Dagnam Pk. Dri.)
Epsom Rd. E10 —4A 46
Epsom Rd. Asht —9K 133
Epsom Rd. Croy —6L 123
Epsom Rd. Eps —3D 134
Epsom Rd. Ilf —4D 48
Epsom Rd. Sutt & Mord —2K 121
Epsom Sq. H'row A —1D 84
Epsom Way. Horn —9K 51
Epstein Rd. SE28 —2E 80
Epworth Rd. Iswth —8F 70
Epworth St. EC1 —7B 60
Equity Sq. E2 —6D 60
(off Shacklewell St.)
Erasmus St. SW1 —5H 75
Erconwald St. W12 —9D 56
Eresby Dri. Beck —3L 125
Eresby Ho. SW7 —3C 74
(off Rutland Ga.)
Eresby Pl. NW6 —3L 57
Erica Ct. Swan —8C 114
Erica Gdns. Croy —5M 125
Erica Ho. N22 —8L 27
(off Acacia Rd.)
Erica Ho. SE4 —2K 93
Erica St. W12 —1E 72
Eric Clarke La. Bark —7M 63
Eric Clo. E7 —9E 46
Ericcson Clo. SW18 —4L 89
Eric Fletcher Ct. N1 —3A 60
(off Essex Rd.)
Eric Rd. E7 —9E 46
Eric Rd. NW10 —2D 56
Eric Rd. Romf —5H 49
Ericson Ho. SE13 —3B 94
(off Blessington Rd.)
Eric St. E3 —7K 61
(in two parts)
Eric Wilkins Ho. SE1 —6E 76
(off Old Kent Rd.)
Eridge Grn. Clo. Orp —3G 129
Eridge Rd. NW10 —3C 56
Eridge Rd. W4 —4B 72
Erin Clo. Brom —4C 110
Erin Clo. Ilf —4E 48
Erindale. SE18 —7B 80
Erindale Ter. SE18 —7B 80
Eriswell Cres. W on T —8C 116
Eriswell Rd. W on T —6D 116
Erith. —6C 82
Erith Ct. Purf —5L 83
Erith Cres. Romf —8A 34
Erith High St. Eri —6C 82
Erith Mus. —6C 82
Erith Rd. Belv & Eri —6L 81
Erith Rd. Bexh & N Hth —3M 97
Erith Small Bus. Cen. Eri —7D 82
Erlanger Rd. SE14 —9H 77
Erlesmere Gdns. W7 —4E 70
Erlich Cotts. E1 —8G 61
(off Sidney St.)
Ermine Clo. Chesh —4B 6
Ermine Clo. Houn —1G 85
Ermine Rd. N15 —4D 44
Ermine Rd. SE13 —3M 93
Ermine Side. Enf —7E 16
Ermington Rd. SE9 —8A 96
Ernald Av. E6 —5J 63
Erncroft Way. Twic —5D 86
Ernest Av. SE27 —1M 107
Ernest Clo. Beck —9L 109
Ernest Cotts. Eps —9D 120
Ernest Gdns. W4 —7M 71
Ernest Gro. Beck —9K 109
Ernest Harriss Ho. W9 —7L 57
(off Elgin Av.)
Ernest Rd. Horn —4J 51
Ernest Rd. King T —6M 103
Ernest Sq. King T —6M 103
Ernest St. E1 —7H 61
Ernle Rd. SW20 —4F 104
Ernshaw Pl. SW15 —4J 89
Eros. —1H 75
Eros Ho. Shops. SE23 —6J 93
(off Brockley Pk.)
Erpingham Rd. SW15 —2G 89
Erridge Rd. SW19 —6L 105
Errington Rd. W9 —7K 57
Errol Gdns. Hay —7F 52
Errol Gdns. N Mald —8E 104
Erroll Rd. Romf —2D 50
Errol St. EC1 —7A 60
Erskine Clo. Sutt —5C 122
Erskine Cres. N17 —2F 44
Erskine Hill. NW11 —2L 41
Erskine Ho. SW1 —6G 75
(off Churchill Gdns.)
Erskine M. NW3 —3D 58
(off Erskine Rd.)
Erskine Rd. E17 —2K 45
Erskine Rd. NW3 —3D 58
Erskine Rd. Sutt —6B 122
Erwood Rd. SE7 —6J 79
Esam Way. SW16 —2L 107
Escot Rd. Sun —4D 100
Escott Gdns. SE9 —1J 111
Escot Way. Barn —7G 13
Escreet Gro. SE18 —5L 79
Esher. —6M 117
Esher Av. Romf —4A 50
Esher Av. Sutt —5H 121
Esher Av. W on T —2E 116
Esher By-Pass. Clay —1F 132
Esher By-Pass. Cob & Esh —2A 132
Esher Clo. Bex —7J 97
Esher Clo. Esh —7M 117
Esher Common. (Junct.) —2A 132
Esher Cres. H'row A —1D 84
Esher Gdns. SW19 —8H 89
Esher Grn. Esh —6M 117
Esher Green Dri. Esh —5M 117
Esher M. Mitc —7E 106
Esher Pk. Av. Esh —6M 117
Esher Pl. Av. Esh —6L 117
Esher Rd. E Mol —1B 118
Esher Rd. Ilf —8C 48
Esher Rd. W on T —7H 117
Eskdale. NW1 —5G 59
(off Stanhope St.)
Eskdale Av. N'holt —4K 53
Eskdale Clo. Wemb —7H 39
Eskdale Gdns. Purl —6B 138
Eskdale Rd. Bexh —1L 97
Eskmont Ridge. SE19 —4B 108
Esk Rd. E13 —7E 62
Esk Way. Romf —7B 34
Esmar Cres. NW9 —5E 40
Esmeralda Rd. SE1 —5E 76
Esmond Clo. Rain —3F 66
Esmond Ct. W8 —4M 73
(off Ansdell St.)
Esmond Gdns. W4 —5B 72
Esmond Rd. NW6 —4K 57
Esmond Rd. W4 —5B 72
Esmond St. SW15 —3J 89
Esparto St. SW18 —6M 89
Essan Ho. W5 —8F 54
Essenden Rd. Belv —6L 81
Essenden Rd. S Croy —9C 124
Essendine Rd. W9 —6L 57
Essex Av. Iswth —2C 86
Essex Clo. E17 —2J 45
Essex Clo. Mord —2H 121
Essex Clo. Romf —2M 49

Fairfield Ct.—Farrant Clo.

Fairfield Ct. Ruis —6B 36
Fairfield Cres. Edgw —6M 23
Fairfield Dri. SW18 —4M 89
Fairfield Dri. Gnfd —4G 55
Fairfield Dri. Harr —1A 38
Fairfield E. King T —6J 103
Fairfield Gdns. N8 —3J 43
Fairfield Gro. SE7 —7H 79
Fairfield Halls & Ashcroft Theatre. —5B 124
Fairfield Ind. Est. King T —7K 103
Fairfield N. King T —6J 103
Fairfield Path. Croy —5B 124
Fairfield Pl. King T —7J 103
Fairfield Rd. E3 —5L 61
Fairfield Rd. E17 —9J 29
Fairfield Rd. N8 —3J 43
Fairfield Rd. N18 —4E 28
Fairfield Rd. Beck —6L 109
Fairfield Rd. Bexh —1K 97
Fairfield Rd. Brom —4E 110
Fairfield Rd. Croy —5B 124
Fairfield Rd. Ilf —2M 63
Fairfield Rd. King T —6J 103
Fairfield Rd. Orp —1B 128
Fairfield Rd. S'hall —9K 53
Fairfield Rd. Uxb —2B 142
Fairfield Rd. W Dray —1J 143
Fairfield Rd. Wfd G —6E 30
Fairfields Clo. NW9 —3A 40
Fairfields Cres. NW9 —2A 40
Fairfield S. King T —6J 103
Fairfields Rd. Houn —2A 86
Fairfield St. SW18 —4M 89
Fairfield Wlk. Chesh —1E 6
Fairfield Way. Barn —7L 13
Fairfield Way. Coul —6H 137
Fairfield Way. Eps —7C 120
Fairfield W. King T —6J 103
Fairfolds. Wat —9J 5
Fairfoot Rd. E3 —7L 61
Fairford. SE6 —7L 93
Fairford Av. Bexh —9B 82
Fairford Av. Croy —9H 109
Fairford Clo. Croy —9J 109
Fairford Clo. Romf —6M 35
Fairford Ct. Sutt —9M 121
Fairford Gdns. Wor Pk —4D 120
Fairford Ho. SE11 —5L 75
Fairford Way. Romf —6M 35
Fairgreen. Barn —5D 14
Fairgreen Ct. Barn —5D 14
Fairgreen E. Barn —5D 14
Fairgreen Rd. T Hth —9M 107
Fairhaven Av. Croy —1H 125
Fairhaven Ct. S Croy —7A 124
(off Warham Rd.)
Fairhaven Cres. Wat —3E 20
Fairhazel Gdns. NW6 —2M 57
Fairhazel Mans. NW6 —3A 58
(off Fairhazel Gdns.)
Fairholme. Felt —6B 84
Fairholme Av. Romf —3E 50
Fairholme Clo. N3 —2J 41
Fairholme Ct. H End —6K 21
Fairholme Cres. Asht —9G 133
Fairholme Cres. Hay —7D 52
Fairholme Gdns. N3 —1J 41
Fairholme Rd. W14 —6J 73
Fairholme Rd. Croy —2L 123
Fairholme Rd. Harr —3D 38
Fairholme Rd. Ilf —5K 47
Fairholme Rd. Sutt —8K 121
Fairholt Clo. N16 —6C 44
Fairholt Rd. N16 —6B 44
Fairholt St. SW7 —4C 74
Fairkytes Av. Horn —6H 51
Fairland Ho. Brom —8F 110
Fairland Rd. E15 —2D 62
Fairlands Av. Buck H —2E 30
Fairlands Av. Sutt —4L 121
Fairlands Av. T Hth —8K 107
Fairlands Ct. SE9 —5L 95
Fairlawn. SE7 —8G 79
Fairlawn. Wey —7C 116
Fairlawn Av. N2 —2C 42
Fairlawn Av. W4 —5A 72
Fairlawn Av. Bexh —1H 97
Fairlawn Clo. N14 —8G 15
Fair Lawn Clo. Clay —8D 118
Fairlawn Clo. Felt —1K 101
Fairlawn Clo. King T —3A 104
Fairlawn Ct. SE7 —8G 79
(in two parts)
Fairlawn Ct. W4 —5A 72
Fairlawn Dri. Wfd G —7E 30
Fairlawn Gdns. S'hall —1K 69
Fairlawn Gro. W4 —5A 72
Fairlawn Gro. Bans —5B 136
Fairlawn Mans. SE14 —9H 77
Fairlawn Pk. SE26 —2J 109
Fairlawn Rd. SW19 —4K 105
Fairlawn Rd. Bans —3A 136
(in three parts)
Fairlawns. Pinn —9H 21
Fairlawns. Sun —7D 100
Fairlawns. Twic —5G 87
Fairlawns. Wall —7F 122
Fairlawns. Wat —2D 8
Fairlawns Clo. Horn —5K 51
Fairlea Pl. W5 —7G 55
Fairley Way. Chesh —1B 6
Fairlie Gdns. SE23 —6G 93
Fairlight Av. E4 —2B 30
Fairlight Av. NW10 —5C 56
Fairlight Av. Wfd G —6E 30
Fairlight Clo. E4 —2B 30
Fairlight Clo. Wor Pk —6G 121
Fairlight Ct. NW10 —5C 56
Fairlight Ct. Gnfd —5A 54
Fairlight Dri. Uxb —2B 142
Fairlight Rd. SW17 —1B 106
Fairline Ct. Beck —6A 110
Fairlop. —8C 32
Fairlop Clo. Horn —2F 66
Fairlop Ct. E11 —6B 46
Fairlop Gdns. Ilf —7A 32
Fairlop Rd. E11 —5B 46
Fairlop Rd. Ilf —9A 32
Fairman Ter. Kent —2H 39
Fairmark Dri. Uxb —2E 142
Fairmead. Brom —8K 111
Fairmead. Surb —3M 119
Fairmead Clo. Brom —8K 111
Fairmead Clo. Houn —8H 69
Fairmead Clo. N Mald —7B 104
Fairmead Ct. Rich —1M 87
Fairmead Cres. Edgw —3A 24
Fairmead Gdns. Ilf —3J 47
Fairmead Ho. E9 —9J 45
Fairmead Rd. N19 —8H 43
Fairmead Rd. Croy —2K 123
Fairmead Rd. Lou —7F 18
Fairmeads. Lou —4M 19
Fairmeadside. Lou —7G 19
Fairmile Av. SW16 —2H 107
Fairmile Ho. Tedd —1E 102
Fairmont Clo. Belv —6K 81
Fairmount Rd. SW2 —5K 91
Fairoak Clo. Kenl —7M 137
Fairoak Clo. Orp —2M 127
Fairoak Clo. Oxs —4B 132
Fairoak Dri. SE9 —4B 96
Fairoak Gdns. Romf —9C 34
Fairoak La. Oxs & Chess —4A 132
Fairoaks Gro. Enf —1H 17
Fairseat Clo. Bus H —2C 22
Fairstead Wlk. N1 —4A 60
(off Popham St.)
Fair St. SE1 —3C 76
Fair St. Houn —2A 86
Fairthorn Rd. SE7 —6E 78
Fairview. Eps —3G 135
Fairview. Eri —8D 82
Fairview. Ruis —9G 37
Fairview Av. Rain —5H 67
Fairview Av. Wemb —2H 55
Fairview Clo. E17 —8J 29
Fairview Clo. SE26 —2J 109
Fairview Clo. Chig —4C 32
Fairview Ct. NW4 —9H 25
Fairview Cres. Harr —6L 37
Fairview Dri. Chig —4C 32
Fairview Dri. Orp —6B 128
Fairview Dri. Wat —9C 4
Fairview Gdns. Wfd G —8F 30
Fairview Ho. SW2 —6K 91
Fairview Ind. Pk. Rain —8B 66
Fairview Pl. SW2 —6K 91
Fairview Rd. N15 —3D 44
Fairview Rd. SW16 —5K 107
Fairview Rd. Chig —4C 32
Fairview Rd. Enf —3L 15
Fairview Rd. Eps —3D 134
Fairview Rd. Sutt —7B 122
Fairview Vs. E4 —7M 29
Fairview Way. Edgw —4L 23
Fairwall Ho. SE5 —9C 76
Fairwater Av. Well —3E 96
Fairwater Ho. Tedd —1E 102
Fairway. SW20 —7G 105
Fairway. Bexh —4J 97
Fairway. Cars —3A 136
Fairway. Orp —9B 112
Fair Way. Wfd G —5G 31
Fairway Av. NW9 —1M 39
Fairway Av. Borwd —4M 11
Fairway Av. W Dray —2G 143
Fairway Clo. NW11 —5A 42
Fairway Clo. Croy —9J 109
Fairway Clo. Eps —6A 120
Fairway Clo. Houn —4G 85
Fairway Clo. Park —1M 5
Fairway Clo. W Dray —2H 143
Fairway Ct. NW7 —3B 24
Fairway Ct. SE16 —3H 77
(off Christopher Clo.)
Fairway Ct. New Bar —8M 13
Fairway Dri. SE28 —9H 65
Fairway Dri. Dart —6M 99
Fairway Dri. Gnfd —3M 53
Fairway Gdns. Beck —1B 126
Fairway Gdns. Ilf —1A 64
Fairway Ho. Borwd —5M 11
(off Eldon Av.)
Fairways. E17 —2A 46
Fairways. Iswth —9C 70
Fairways. Kenl —9A 138
Fairways. Stan —9J 23
Fairways. Tedd —4H 103
Fairways. Wal A —7L 7
Fairways Bus. Pk. E10 —7J 45
Fairway, The. N13 —3A 28
Fairway, The. N14 —8F 14
Fairway, The. NW7 —3B 24
Fairway, The. W3 —9C 56
Fairway, The. Ab L —5B 4
Fairway, The. Brom —9K 111
Fairway, The. New Bar —8M 13
Fairway, The. N Mald —5B 104
Fairway, The. N'holt —2A 54
Fairway, The. N'wd —4C 20
Fairway, The. Ruis —9G 37
Fairway, The. Uxb —5D 142
Fairway, The. Wemb —8F 38
Fairway, The. W Mol —7M 101
Fairweather Clo. N15 —2C 44
Fairweather Ct. N13 —3K 27
Fairweather Rd. N16 —4E 44
Fairwyn Rd. SE26 —1J 109
Faithfield. Bush —7J 9
Fakenham Clo. NW7 —7E 24
Fakenham Clo. N'holt —2K 53
Fakruddin St. E1 —7E 60
Falcon. WC1 —8J 59
(off Old Gloucester St.)
Falcon Av. Brom —8J 111
Falconberg Ct. W1 —9H 59
Falconberg M. W1 —9H 59
Falcon Clo. SE1 —2M 75
Falcon Clo. W4 —7A 72
Falcon Clo. Dart —4K 99
Falcon Clo. N'wd —7C 20
Falcon Clo. Wal A —7M 7
Falcon Ct. E18 —1F 46
(off Albert Rd.)
Falcon Ct. EC4 —9L 59
Falcon Ct. N1 —5M 59
(off City Garden Row)
Falcon Ct. New Bar —6A 14
Falcon Ct. Ruis —7C 36
Falcon Cres. Enf —7H 17
Falcon Dri. Stanw —5B 144
Falconer Ct. N17 —7A 28
Falconer Rd. Bush —8K 9
Falconer Rd. Ilf —5F 32
Falconer Wlk. N7 —7K 43
Falconet, The. E1 —2F 76
(off Wapping High St.)
Falcon Gro. SW11 —2C 90
Falcon Ho. E14 —6M 77
(off St Davids Sq.)
Falconhurst. Oxs —7B 132
Falcon La. SW11 —2C 90
Falcon Lodge. W9 —8L 57
(off Admiral Wlk.)
Falcon Pk. Ind. Est. NW10 —9C 40
Falcon Point. SE1 —1M 75
Falcon Rd. SW11 —1C 90
Falcon Rd. Enf —7H 17
Falcon Rd. Hamp —4K 101
Falconry Ct. King T —7J 103
(off Fairfield S.)
Falcons Clo. Big H —9H 141
Falcon St. E13 —7D 62
Falcon Ter. SW11 —2C 90
Falcon Way. E11 —2E 46
Falcon Way. E14 —5M 77
Falcon Way. NW9 —9C 24
Falcon Way. Felt —4F 84
Falcon Way. Harr —3J 39
Falcon Way. Horn —3E 66
Falcon Way. Sun —6C 100
Falcon Way. Wat —7J 5
Falconwood. —3D 96
Falconwood. (Junct.) —3A 96
Falconwood. SE9 —3A 96
Falconwood Av. Well —1B 96
Falconwood Ct. SE3 —1D 94
Falconwood Pde. Well —3C 96
Falconwood Rd. Croy —1K 139
Falcourt Clo. Sutt —7M 121
Falkirk Clo. Horn —6L 51
Falkirk Ct. SE16 —2H 77
(off Rotherhithe St.)
Falkirk Gdns. Wat —5H 21
Falkirk Ho. W9 —5M 57
(off Maida Va.)
Falkirk St. N1 —5C 60
Falkland Av. N3 —7L 25
Falkland Av. N11 —4F 26
Falkland Ho. SE6 —1A 110
Falkland Ho. W8 —4M 73
Falkland Ho. W14 —6K 73
(off Edith Vs.)
Falkland Pk. Av. SE25 —7C 108
Falkland Pl. NW5 —1G 59
Falkland Rd. N8 —2L 43
Falkland Rd. NW5 —1G 59
Falkland Rd. Barn —4J 13
Fallaize Av. Ilf —9M 47
Falling La. W Dray & Uxb —1J 143
Falloden Way. NW11 —2L 41
Fallodon Ho. W11 —8K 57
(off St Luke's Rd.)
Fallow Clo. Chig —5D 32
Fallow Corner. —7A 26
Fallow Ct. SE16 —6E 76
(off Argyle Way)
Fallow Ct. Av. N12 —7A 26
Fallowfield. Stan —4E 22
Fallowfield Ct. Stan —3E 22
Fallow Fields. Lou —8G 19
Fallowfields Dri. N12 —6C 26
Fallowhurst Path. N12 —7A 26
Fallows Clo. N2 —9B 26
Fallsbrook Rd. SW16 —3F 106
Falman Clo. N9 —1E 28
Falmer Rd. E17 —1M 45
Falmer Rd. N15 —3A 44
Falmer Rd. Enf —6C 16
Falmouth Av. E4 —5B 30
Falmouth Clo. N22 —7K 27
Falmouth Clo. SE12 —4D 94
Falmouth Gdns. Ilf —2H 47
Falmouth Ho. SE11 —6L 75
(off Seaton Clo.)
Falmouth Ho. W2 —1C 74
(off Clarendon Pl.)
Falmouth Ho. Pinn —7K 21
Falmouth Rd. SE1 —4A 76
Falmouth Rd. W on T —6G 117
Falmouth St. E15 —1B 62
Falstaff Ct. SE11 —5M 75
(off Opal St.)
Falstaff Ho. N1 —5C 60
(off Arden Est.)
Falstaff M. Hamp H —2B 102
Fambridge Clo. SE26 —1K 109
Fambridge Ct. Romf —3B 50
(off Marks Rd.)
Fambridge Rd. Dag —6L 49
Famet Av. Purl —5A 138
Famet Clo. Purl —5A 138
Famet Gdns. Kenl —5A 138
Famet Wlk. Purl —5A 138
Fane Ho. E2 —4G 61
Fane St. W14 —7K 73
Fan Mus. —8A 78
Fanns Ri. Purf —5L 83
Fann St. EC1 & EC2 —7A 60
(in two parts)
Fanshawe Av. Bark —2A 64
Fanshawe Cres. Dag —1J 65
Fanshawe Cres. Horn —4H 51
Fanshawe Rd. Rich —1G 103
Fanshaw St. N1 —6C 60
Fantail, The. (Junct.) —5K 127
Fanthorpe St. SW15 —2G 89
Faraday Av. Sidc —8E 96
Faraday Clo. N7 —2K 59
Faraday Clo. Wat —8B 8
Faraday Ho. E14 —1K 77
(off Brightlingsea Pl.)
Faraday Ho. Wemb —8A 40
Faraday Mans. W14 —7J 73
(off Queen's Club Gdns.)
Faraday Mus. —1G 75
Faraday Rd. E15 —2D 62
Faraday Rd. SW19 —3L 105
Faraday Rd. W3 —1A 72
Faraday Rd. W10 —8J 57
Faraday Rd. S'hall —1M 69
Faraday Rd. Well —2E 96
Faraday Rd. W Mol —8L 101
Faraday Way. SE18 —4H 79
Faraday Way. Croy —3K 123
Faraday Way. Orp —8F 112
Fareham Rd. Felt —6G 85
Fareham St. W1 —9H 59
Farewell Pl. Mitc —5C 106
Faringdon Av. Brom —2L 127
Faringdon Av. H Hill & Romf —8G 35
Faringford Rd. E15 —3C 62
Farington Acres. Wey —5B 116
Farjeon Ho. NW3 —3B 58
(off Hilgrove Rd.)
Farjeon Rd. SE3 —9H 79
Farleigh. —6K 139
Farleigh Av. Brom —2D 126
Farleigh Common. —6J 139
Farleigh Ct. S Croy —7A 124
Farleigh Ct. Rd. Warl —6K 139
Farleigh Dean Cres. New Ad —3M 139
Farleigh Pl. N16 —9D 44
Farleigh Rd. N16 —9D 44
Farleigh Rd. Warl —9H 139
Farleton Clo. Wey —8B 116
Farley Ct. NW1 —7D 58
(off Allsop Pl.)
Farley Dri. Ilf —6C 48
Farley Ho. SE26 —9F 92
Farley Pl. SE25 —8E 108
Farley Rd. SE6 —6M 93
Farley Rd. S Croy —9E 124
Farlington Pl. SW15 —6F 88
Farlow Rd. SW15 —2H 89
Farlton Rd. SW18 —7M 89
Farman Gro. N'holt —6H 53
Farm Av. NW2 —8J 41
Farm Av. SW16 —1J 107
Farm Av. Harr —5K 37
Farm Av. Swan —7A 114
Farm Av. Wemb —2G 55
Farmborough Clo. Harr —5B 38
Farm Clo. N14 —8F 14
Farm Clo. NW4 —1E 40
Farm Clo. SW6 —8L 73
Farm Clo. Barn —7G 13
Farm Clo. Borwd —2H 11
Farm Clo. Buck H —3G 31
Farm Clo. Chesh —3C 6
Farm Clo. Dag —3A 66
Farm Clo. S'hall —1M 69
Farm Clo. Sutt —9B 122
Farm Clo. Wall —2G 137
Farm Clo. W W'ck —5D 126
Farmcote Rd. SE12 —7E 94
Farm Ct. NW4 —1E 40
Farmdale Rd. SE10 —6E 78
Farmdale Rd. Cars —9C 122
Farm Dri. Croy —4K 125
Farm Dri. Purl —4H 137
Farm End. E4 —7C 18
Farmer Rd. E10 —6M 45
Farmers Clo. Wat —6F 4
Farmers Ct. Wal A —6M 7
Farmer's Rd. SE5 —8M 75
Farmer St. W11 —2L 73
Farmfield. Wat —2C 8
Farmfield Rd. Brom —2C 110
Farm Fields. S Croy —3C 138
Farm Hill Rd. Wal A —6K 7
Farm Ho. Ct. NW7 —7E 24
Farmhouse Rd. SW16 —4G 107
Farmilo Rd. E17 —5K 45
Farmington Av. Sutt —5B 122
Farmlands. Enf —3L 15
Farmlands. Pinn —2E 36
Farmlands, The. N'holt —3L 53
Farmland Wlk. Chst —2M 111
Farm La. SW6 —7L 73
Farm La. Asht & Eps —8L 133
Farm La. Croy —4K 125
Farm La. Purl —2G 137
Farm La. Trad. Est. SW6 —7L 73
Farmleigh. N14 —9G 15
Farmleigh Gro. W on T —7D 116
Farmleigh Ho. SW9 —4M 91
Farm M. Mitc —6F 106
Farm Pl. W8 —2L 73
Farm Pl. Dart —3E 98
Farm Rd. N21 —1A 28
Farm Rd. NW10 —4B 56
Farm Rd. Edgw —6M 23
Farm Rd. Esh —3M 117
Farm Rd. Houn —7J 85
Farm Rd. Mord —9M 105
Farm Rd. N'wd —5A 20
Farm Rd. Rain —6G 67
Farm Rd. Sutt —9B 122
Farmstead. Eps —1L 133
Farmstead Rd. SE6 —1M 109
Farmstead Rd. Harr —8B 22
Farm St. W1 —1F 74
Farm Va. Bex —5M 97
Farm Wlk. NW11 —3K 41
Farm Way. Buck H —4G 31
Farm Way. Bush —6M 9
Farmway. Dag —8G 49
Farm Way. Horn —9G 51
Farm Way. N'wd —4C 20
Farm Way. Wor Pk —5G 121
Farnaby Ho. W10 —6K 57
(off Bruckner St.)
Farnaby Rd. SE9 —3G 95
Farnaby Rd. Brom —4B 110
Farnan Av. E17 —9L 29
Farnan Rd. SW16 —2J 107
Farnborough. —7A 128
Farnborough Av. E17 —1J 45
Farnborough Av. S Croy —1H 139
Farnborough Clo. Wemb —7M 39
Farnborough Comn. Orp —5K 127
Farnborough Cres. Brom —3D 126
Farnborough Cres. S Croy —1J 139
Farnborough Hill. Orp —7B 128
Farnborough Way. SE15 —8C 76
Farnborough Way. Orp —7A 128
Farncombe St. SE16 —3E 76
Farndale Av. N13 —3M 27
Farndale Cres. Gnfd —6A 54
Farndale Ho. NW6 —4M 57
(off Kilburn Va.)
Farnell M. SW5 —6M 73
Farnell Rd. Iswth —2B 86
Farnes Dri. Romf —9G 35
Farnham Clo. N20 —9A 14
Farnham Ct. S'hall —1A 70
(off Redcroft Rd.)
Farnham Ct. Sutt —8J 121
Farnham Gdns. SW20 —6F 104
Farnham Ho. NW1 —7C 58
(off Harewood Av.)
Farnham Pl. SE1 —2M 75
Farnham Rd. Ilf —5D 48
Farnham Rd. Romf —5H 35
Farnham Rd. Well —1G 97
Farnham Royal. SE11 —6K 75
Farningham. —2K 131
Farningham Ct. SW16 —4H 107
Farningham Hill Rd. F'ham —9G 115
Farningham Ho. N4 —5B 44
Farningham Rd. N17 —7E 28
Farnley Ho. SW8 —1H 91
Farnley Rd. E4 —9C 18
Farnley Rd. SE25 —8B 108
Farnol Rd. Dart —4L 99
Farnworth Ho. E14 —5B 78
(off Manchester Rd.)
Faro Clo. Brom —6L 111
Faroe Rd. W14 —4H 73
Farorna Wlk. Enf —3L 15
Farquhar Rd. SE19 —2D 108
Farquhar Rd. SW19 —9L 89
Farquharson Rd. Croy —3A 124
Farraline Rd. Wat —6F 8
Farrance Rd. Romf —4J 49
Farrance St. E14 —9K 61
Farrans Ct. Harr —5F 38
Farrant Av. N22 —9L 27
Farrant Clo. Orp —9E 128

Filton Ct.—Floriston Av.

Filton Ct. SE14 —8G 77
(off Farrow La.)
Finborough Ho. SW10 —7A 74
(off Fawcett St.)
Finborough Rd. SW10 —6M 73
Finborough Rd. SW17 —3D 106
Finborough Theatre, The. —7M 73
(off Finborough Rd.)
Finchale Rd. SE2 —4E 80
Fincham Clo. Uxb —8A 36
Finch Av. SE27 —1B 108
Finch Clo. NW10 —2B 56
Finch Clo. Barn —7L 13
Finch Ct. Sidc —9F 96
Finchdean Ho. SW15 —6D 88
Finch Dri. Felt —6H 85
Finch Gdns. E4 —5L 29
Finch Ho. SE8 —8M 77
(off Bronze St.)
Finchingfield Av. Wfd G —7G 31
Finch La. EC3 —9B 60
Finch La. Bush —5K 9
Finchley. —8L 25
Finchley Clo. Dart —5L 99
Finchley Ct. N3 —6M 25
Finchley Ind. Est. N12 —4A 26
Finchley La. NW4 —2G 41
Finchley Pk. N12 —4A 26
Finchley Pl. NW8 —5B 58
Finchley Rd. NW3 —1L 57
Finchley Rd. NW8 —4B 58
Finchley Rd. NW11 & NW2 —2K 41
Finchley Way. N3 —7L 25
Finch Lodge. W2 —8L 57
(off Admiral Wlk.)
Finch M. SE15 —9D 76
Finch's Ct. E14 —1M 77
Finden Rd. E7 —1G 63
Findhorn Av. Hay —8F 52
Findhorn St. E14 —9A 62
Findon Clo. SW18 —5L 89
Findon Clo. Harr —8M 37
Findon Gdns. Rain —8E 66
Findon Rd. N9 —1F 28
Findon Rd. W12 —3E 72
Fine Bush La. Hare —4A 36
Fingal St. SE10 —6D 78
Fingest Ho. NW8 —7C 58
(off Lilestone St.)
Finglesham Clo. Orp —3H 129
Finians Clo. Uxb —3D 142
Finland Rd. SE4 —2J 93
Finland St. SE16 —4J 77
Finlays Clo. Chess —7L 119
Finlay St. SW6 —9H 73
Finmere Ho. N4 —5A 44
Finnart Clo. Wey —6A 116
Finnart Ho. Dri. Wey —6A 116
Finnemore Ho. N1 —4A 60
(off Britannia Row)
Finney La. Iswth —9E 70
Finn Ho. N1 —6B 60
(off Bevenden St.)
Finnis St. E2 —6F 60
Finnymore Rd. Dag —3J 65
Finsbury. —6L 59
Finsbury Av. EC2 —8B 60
(in two parts)
Finsbury Av. Sq. EC2 —8C 60
(off Finsbury Av.)
Finsbury Cir. EC2 —8B 60
Finsbury Cotts. N22 —7J 27
Finsbury Ct. Wal X —7E 6
Finsbury Est. EC1 —6L 59
Finsbury Ho. N22 —8J 27
Finsbury Mkt. EC2 —7C 60
(in two parts)
Finsbury Park. —6L 43
Finsbury Pk. Av. N4 —4A 44
Finsbury Pk. Rd. N4 —7M 43
Finsbury Pavement. EC2 —8B 60
Finsbury Rd. N22 —7K 27
Finsbury Sq. EC2 —8B 60
Finsbury St. EC2 —8B 60
Finsbury Way. Bex —5K 97
Finsen Rd. SE5 —3A 92
Finstock Rd. W10 —9H 57
Finucane Dri. Orp —2G 129
Finucane Gdns. Rain —2E 66
Finucane Ri. Bus H —2A 22
Finway Ct. Wat —7D 8
Finwhale Ho. E14 —4M 77
(off Glengall Gro.)
Fiona Ct. NW6 —5L 57
Fiona Ct. Enf —5M 15
Firbank Clo. E16 —8H 63
Firbank Clo. Enf —6A 16
Firbank Dri. Wat —9J 9
Firbank Rd. SE15 —1F 92
Firbank Rd. Romf —5M 33
Fir Clo. W on T —2E 116
Fircroft Gdns. Harr —8C 38
Fircroft Rd. SW17 —8D 90
Fircroft Rd. Chess —6K 119
Fir Dene. Orp —5K 127
Firdene. Surb —3A 120
Fire Bell La. Surb —1J 119
Firecrest Dri. NW3 —8M 41
Firefly Clo. Wall —9J 123
Firefly Gdns. E6 —7J 63
Firemans Flats. N22 —7J 27
Fire Sta. All. High Bar —5J 13
Fire Sta. M. Beck —5L 109
Firethorn Clo. Edgw —4A 24
Firfields. Wey —8A 116
Fir Grange Av. Wey —7A 116
Fir Gro. N Mald —1D 120
Firham Pk. Av. Romf —7L 35
Firhill Rd. SE6 —1L 109
Fir Ho. W10 —7J 57
(off Droop St.)
Firlands. Wey —8C 116
Firle Ct. Eps —4D 134
Firle Ho. W10 —8G 57
(off Sutton Way)
Firmingers Rd. Orp —7M 129
Firmin Rd. Dart —4G 99
Fir Rd. Felt —2H 101
Fir Rd. Sutt —3K 121
Firs Av. N10 —1E 42
Firs Av. N11 —6D 26
Firs Av. SW14 —3A 88
Firsby Av. Croy —3H 125
Firsby Rd. N16 —6E 44
Firs Clo. N10 —2E 42
Firs Clo. SE23 —6J 93
Firs Clo. Clay —8C 118
Firs Clo. Mitc —5F 106
Firscroft. N13 —3A 28
Firs Dri. Houn —8F 68
Firs Dri. Lou —3L 19
Firs Ho. N22 —8L 27
(off Acacia Rd.)
Firside Gro. Sidc —7D 96
Firs La. N13 & N21 —3A 28
Firs La. N21 —9A 16
Firs Pk. Av. N21 —1A 28
Firs Pk. Gdns. N21 —1A 28
Firs Rd. Kenl —7M 137
First Av. E12 —9J 47
First Av. E13 —6E 62
First Av. E17 —3L 45
First Av. N18 —4G 29
First Av. NW4 —2G 41
First Av. SW14 —2C 88
First Av. W3 —2D 72
First Av. W10 —7K 57
First Av. Bexh —8G 81
First Av. Dag —5M 65
First Av. Enf —7D 16
First Av. Eps —1C 134
First Av. Hay —2D 68
First Av. Romf —3G 49
First Av. W on T —1F 116
First Av. Wat —8G 5
First Av. Wemb —7H 39
First Av. W Mol —8K 101
First Clo. W Mol —7A 102
First Cross Rd. Twic —8C 86
First Dri. NW10 —3A 56
Firs, The. E6 —3J 63
Firs, The. N20 —1B 26
Firs, The. SE26 —2F 108
(Lawrie Pk. Gdns.)
Firs, The. SE26 —2G 109
(Venner Rd.)
Firs, The. W5 —8H 55
Firs, The. Bex —7B 98
Firs, The. Sidc —9D 96
First Quarter Ind. Pk. Eps —3C 134
First Slip. Lea —9E 132
First St. SW3 —5C 74
Firstway. SW20 —6G 105
First Way. Wemb —9M 39
Firs Wlk. N'wd —6B 20
Firs Wlk. Wfd G —5E 30
Firswood Av. Eps —7C 120
Firth Gdns. SW6 —9J 73
Firth Ho. E2 —6E 60
(off Barnet Gro.)
Firtree Av. Mitc —6E 106
Fir Tree Av. W Dray —4L 143
Firtree Clo. SW16 —2G 107
Fir Tree Clo. W5 —9J 55
Fir Tree Clo. Eps —7G 135
Fir Tree Clo. Esh —7A 118
Firtree Clo. Ewe —6D 120
Fir Tree Clo. Orp —7D 128
Fir Tree Clo. Romf —1B 50
Firtree Ct. Borwd —6K 11
Firtree Gdns. Croy —6L 125
Fir Tree Gro. Cars —9D 122
Fir Tree Ho. SE14 —8G 77
(off Avonley Rd.)
Fir Tree Rd. Bans —6G 135
Fir Tree Rd. Eps —8F 134
Fir Tree Rd. Houn —3J 85
Fir Trees Clo. SE16 —2J 77
Fir Tree Wlk. Dag —8A 50
Fir Tree Wlk. Enf —5B 16
Fir Wlk. Sutt —8H 121
Fisher Athletic F.C. —2H 77
Fisher Clo. Croy —3D 124
Fisher Clo. Enf —1L 17
Fisher Clo. Gnfd —6L 53
Fisher Clo. W on T —6F 116
Fisher Ho. E1 —1G 77
(off Cable St.)
Fisher Ho. N1 —4L 59
(off Barnsbury Est.)
Fisherman Clo. Rich —1F 102
Fishermans Dri. SE16 —3H 77
Fisherman's Pl. W4 —7D 72
Fisherman's Wlk. E14 —2L 77
Fishermans Wlk. E14 —2L 77
Fishermans Wlk. SE28 —3C 80
Fisher Rd. Harr —9D 22
Fisher's Clo. SW16 —9H 91
Fishers Clo. Bush —5J 9
Fishers Clo. Wal X —7G 7
Fishers Ct. SE14 —9H 77
Fishers Dene. Clay —9E 118
Fishers Green. —2H 7
Fishers Grn. La. Wal A —2H 7
Fisher's Ind. Est. Wat —7G 9
Fisher's La. W4 —5B 72
Fisher St. E16 —8E 62
Fisher St. WC1 —8K 59
Fishers Way. Belv —2A 82
Fisherton St. NW8 —7B 58
Fishguard Way. E16 —2M 79
(in two parts)
Fishmongers Hall Wharf. EC4
(off Swan La.) —1B 76
Fishponds Rd. SW17 —1C 106
Fishponds Rd. Kes —7H 127
Fish St. Hill. EC3 —1B 76
Fish Wharf. EC3 —1B 76
(off Lwr. Thames St.)
Fiske Ct. N17 —8E 28
Fiske Ct. Bark —5B 64
Fisons Rd. E16 —2E 78
Fitzalan Ho. Ewe —2D 134
Fitzalan Rd. N3 —1J 41
Fitzalan Rd. Clay —9C 118
Fitzalan St. SE11 —5L 75
Fitzgeorge Av. W14 —5J 73
Fitzgeorge Av. N Mald —5B 104
Fitzgerald Av. SW14 —2C 88
Fitzgerald Ct. E10 —6M 45
(off Leyton Grange Est.)
Fitzgerald Ho. E14 —9M 61
(off E. India Dock Rd.)
Fitzgerald Ho. SW9 —1L 91
Fitzgerald Rd. E11 —3E 46
Fitzgerald Rd. SW14 —2B 88
Fitzgerald Rd. Th Dit —1E 118
Fitzhardinge Ho. W1 —9E 58
(off Portman Sq.)
Fitzhardinge St. W1 —9E 58
Fitzhugh Gro. SW18 —5B 90
Fitzilian Av. Romf —8K 35
Fitzjames Av. W14 —5J 73
Fitzjames Av. Croy —4E 124
Fitzjohn Av. Barn —7J 13
Fitzjohn's Av. NW3 —9A 42
Fitzmaurice Ho. SE16 —5F 76
(off Rennie Est.)
Fitzmaurice Pl. W1 —2F 74
Fitzneal St. W3 —9D 56
Fitzroy Clo. N6 —6D 42
Fitzroy Ct. N6 —4G 43
Fitzroy Ct. W1 —7G 59
(off Tottenham Ct. Rd.)
Fitzroy Ct. Croy —2B 124
Fitzroy Ct. Dart —7M 99
(off Churchill Clo.)
Fitzroy Cres. W4 —8B 72
Fitzroy Gdns. SE19 —4C 108
Fitzroy Ho. E14 —8K 61
(off Wallwood St.)
Fitzroy Ho. SE1 —6D 76
(off Coopers La.)
Fitzroy M. W1 —7G 59
(off Cleveland St.)
Fitzroy Pk. N6 —6D 42
Fitzroy Rd. NW1 —4E 58
Fitzroy Sq. W1 —7G 59
Fitzroy St. W1 —7G 59
(in two parts)
Fitzroy Yd. NW1 —4E 58
Fitzsimmons Ct. NW10 —4B 56
Fitzstephen Rd. Dag —1F 64
Fitzwarren Gdns. N19 —6G 43
Fitzwilliam Av. Rich —1K 87
Fitzwilliam Heights. SE23 —8G 93
Fitzwilliam Ho. Rich —3H 87
Fitzwilliam M. E16 —2E 78
Fitzwilliam Rd. SW4 —2G 91
Fitzwygram Clo. Hamp H —2A 102
Five Acre. NW9 —9D 24
Fiveacre Clo. T Hth —1L 123
Five Acres Av. Brick W —2K 5
Five Bell All. E14 —9K 61
(off Three Colt St.)
Five Elms Rd. Brom —4F 126
Five Elms Rd. Dag —8K 49
Five Fields Clo. Wat —2K 21
Five Oaks La. Chig —6J 33
Fives Ct. SE11 —4M 75
Fiveways. (Junct.) —8M 95
Fiveways. SE9 —8M 95
Five Ways Bus. Cen. Felt —9F 84
Fiveways Corner. (Junct.) —8F 24
(Hendon)
Fiveways Corner. (Junct.) —6L 123
(Waddon)
Fiveways Rd. SW9 —1L 91
Five Wents. Swan —6E 114
Flack Ct. E10 —5M 45
Fladbury Rd. N15 —4B 44
Fladgate Rd. E11 —4C 46
Flag Clo. Croy —3H 125
Flagstaff Clo. Wal A —6H 7
Flagstaff Rd. Wal A —6H 7
Flag Wlk. Pinn —4E 36
Flambard Rd. Harr —4E 38
Flamborough Ho. SE15 —9E 76
(off Clayton Rd.)
Flamborough Rd. Ruis —8E 36
Flamborough St. E14 —9J 61
Flamborough Wlk. E14 —9J 61
Flamingo Ct. SE8 —8L 77
(off Hamilton St.)
Flamingo Gdns. N'holt —6J 53
Flamingo Wlk. Horn —2E 66
Flamstead End. —1B 6
Flamstead End Rd. Chesh —1B 6
Flamstead Gdns. Dag —3G 65
Flamstead Ho. SW3 —6C 74
(off Cale St.)
Flamstead Rd. Dag —3G 65
Flamsted Av. Wemb —2L 55
Flamsteed Rd. SE7 —6J 79
Flanchford Rd. W12 —4D 72
Flanders Ct. E17 —5J 45
Flanders Cres. SW17 —4D 106
Flanders Mans. W4 —5D 72
Flanders Rd. E6 —5K 63
Flanders Rd. W4 —5C 72
Flanders Way. E9 —2H 61
Flank St. E1 —1E 76
Flansham Ho. E14 —9K 61
(off Clemence St.)
Flash La. Enf —1M 15
Flask Wlk. NW3 —9A 42
Flatford Ho. SE6 —1A 110
Flatiron Yd. SE1 —2A 76
(off Union St.)
Flaunden Ho. Wat —8C 8
Flavell M. SE10 —6C 78
Flaxen Clo. E4 —3M 29
Flaxen Rd. E4 —3M 29
Flaxley Rd. Mord —1M 121
Flaxman Ct. W1 —9H 59
(off Wardour St.)
Flaxman Ct. WC1 —6H 59
Flaxman Ct. Belv —6L 81
(off Hoddesdon Rd.)
Flaxman Ho. W4 —6C 72
(off Devonshire St.)
Flaxman Rd. SE5 —2M 91
Flaxman Ter. WC1 —6H 59
Flaxmore Pl. Beck —1B 126
Flaxton Rd. SE18 —9B 80
Flecker Clo. Stan —5D 22
Flecker Ho. SE5 —8B 76
(off Lomond Gro.)
Fleece Dri. N9 —4E 28
Fleece Rd. Surb —3G 119
Fleece Wlk. N7 —2J 59
Fleeming Clo. E17 —9K 29
Fleeming Rd. E17 —9K 29
Fleet Av. Dart —7M 99
Fleetbank Ho. EC4 —9L 59
(off Salisbury Sq.)
Fleet Building. EC4 —9M 59
(off Shoe La.)
Fleet Clo. Ruis —4A 36
Fleet Clo. W Mol —9K 101
Fleetdale Pde. Dart —7M 99
Fleet Downs. —7M 99
Fleetfield. WC1 —6J 59
(off Birkenhead St.)
Fleet La. W Mol —1K 117
Fleet Pl. EC4 —9M 59
(off Limeburner La., in two parts)
Fleet Rd. NW3 —1C 58
Fleet Rd. Dart —7M 99
Fleetside. W Mol —9K 101
Fleet Sq. WC1 —6K 59
Fleet St. EC4 —9L 59
Fleet St. Hill. E1 —7E 60
Fleetway. WC1 —6J 59
(off Birkenhead St.)
Fleetway Bus. Cen. NW2 —6D 40
Fleetway W. Bus. Pk. Gnfd —5F 54
Fleetwood Clo. E16 —8H 63
Fleetwood Clo. Chess —9H 119
Fleetwood Clo. Croy —5D 124
Fleetwood Ct. E6 —8K 63
(off Evelyn Dennington Rd.,
in three parts)
Fleetwood Ct. Stanw —5B 144
Fleetwood Rd. NW10 —1E 56
Fleetwood Rd. King T —7M 103
Fleetwood Sq. King T —7M 103
Fleetwood St. N16 —7C 44
Fleetwood Way. Wat —4G 21
Fleming. N8 —1J 43
(off Boyton Clo.)
Fleming Clo. W9 —7L 57
Fleming Ct. W2 —8B 58
(off St Marys Sq.)
Fleming Ct. Croy —7L 123
Fleming Dri. N21 —7K 15
Fleming Gdns. H Wood —9H 35
Fleming Ho. N4 —6A 44
Fleming Ho. SE16 —3E 76
(off George Row)
Fleming Ho. Wemb —8A 40
(off Barnhill Rd.)
Fleming Lodge. W2 —8L 57
(off Admiral Wlk.)
Fleming Mead. Mitc —4C 106
Fleming Rd. SE17 —7M 75
Fleming Rd. S'hall —9M 53
Fleming Wlk. NW9 —1C 40
Fleming Way. SE28 —1H 81
Fleming Way. Iswth —3D 86
Flemming Av. Ruis —6F 36
Flempton Rd. E10 —6J 45
Fletcher Bldgs. WC2 —9J 59
(off Martlett Ct.)
Fletcher Clo. E6 —9M 63
Fletcher La. E10 —5A 46
Fletcher Path. SE8 —8L 77
Fletcher Rd. W4 —4A 72
Fletcher Rd. Chig —5D 32
Fletchers Clo. Brom —8F 110
Fletcher St. E1 —1E 76
Fletching Rd. E5 —8G 45
Fletching Rd. SE7 —7G 79
Flete Ho. Wat —8C 8
Fletton Rd. N11 —7J 27
Fleur-de-Lis St. E1 —7D 60
(in two parts)
Fleur Gates. SW19 —6H 89
Flexmere Rd. N17 —8B 28
Flight App. NW9 —9D 24
Flimwell Clo. Brom —2C 110
Flinders Ho. E1 —2F 76
(off Green Bank)
Flint Clo. Bans —6M 135
Flint Clo. Grn St —8D 128
Flint Down Clo. Orp —5E 112
Flintmill Cres. SE3 —1J 95
(in three parts)
Flinton St. SE17 —6C 76
Flint St. SE17 —5B 76
Flitcroft St. WC2 —9H 59
Flitton Ho. N1 —3M 59
(off Sutton Est., The)
Flock Mill Pl. SW18 —7M 89
Flockton St. SE16 —3E 76
Flodden Rd. SE5 —9A 76
Flood La. Twic —7E 86
Flood Pas. SE18 —4J 79
Flood St. SW3 —6C 74
Flood Wlk. SW3 —7C 74
Flora Clo. E14 —9M 61
Flora Gdns. W6 —5F 72
(off Albion Gdns.)
Flora Gdns. Croy —3A 140
Flora Gdns. Romf —4G 49
Floral Ct. Asht —9G 133
Floral Pl. N1 —1B 60
Floral St. WC2 —1J 75
Flora St. Belv —6K 81
Florence Av. Enf —5A 16
Florence Av. Mord —9A 106
Florence Clo. Horn —7J 51
Florence Clo. W on T —2F 116
Florence Clo. Wat —8E 4
Florence Ct. E5 —8E 44
Florence Ct. E11 —2F 46
Florence Ct. N1 —3M 59
(off Florence St.)
Florence Ct. SW19 —3J 105
Florence Ct. W9 —6A 58
(off Maida Va.)
Florence Dri. Enf —5A 16
Florence Elson Clo. E12 —8L 47
(off Grantham Rd.)
Florence Gdns. W4 —7A 72
Florence Ho. SE16 —6F 76
(off Rotherhithe New Rd.)
Florence Ho. W11 —1H 73
Florence Ho. King T —4K 103
(off Floerence Rd)
Florence Mans. NW4 —3F 40
(off Vivian Av.)
Florence Nightingale Mus. —3K 75
Florence Rd. E6 —4G 63
Florence Rd. E13 —5D 62
Florence Rd. N4 —5K 43
(in two parts)
Florence Rd. SE2 —5G 81
Florence Rd. SE14 —9K 77
Florence Rd. SW19 —3M 105
Florence Rd. W4 —4B 72
Florence Rd. W5 —1J 71
Florence Rd. Beck —6J 109
Florence Rd. Brom —5E 110
Florence Rd. Felt —7F 84
Florence Rd. King T —4K 103
Florence Rd. S'hall —5H 69
Florence Rd. S Croy —1B 138
Florence Rd. W on T —2F 116
Florence St. E16 —7D 62
Florence St. N1 —3M 59
Florence St. NW4 —2G 41
Florence Ter. SE14 —9K 77
Florence Ter. SW15 —9C 88
Florence Way. SW12 —7D 90
Flores Ho. E1 —8H 61
(off Shandy St.)
Florey Lodge. W9 —8L 57
(off Admiral Wlk.)
Florfield Pas. E8 —2F 60
(off Florfield Rd.)
Florfield Rd. E8 —2F 60
Florian. SE5 —9C 76
Florian Av. Sutt —6B 122
Florian Rd. SW15 —3J 89
Florida Clo. Bus H —2B 22
Florida Ct. Brom —8D 110
(off Westmoreland Rd.)
Florida Rd. T Hth —5M 107
Florida St. E2 —6E 60
Florin Ct. N18 —4C 28
Florin Ct. SE1 —3D 76
(off Tanner St.)
Floris Pl. SW4 —2G 91
Floriston Av. Uxb —3A 52

Floriston Clo.—Frampton Ct.

Floriston Clo. Stan —8F 22
Floriston Ct. N'holt —1M 53
Floriston Gdns. Stan —8F 22
Floss St. SW15 —1G 89
Flower & Dean Wlk. E1 —8D 60
(in two parts)
Flower La. NW7 —5D 24
Flowerpot Clo. N15 —4D 44
Flowers Clo. NW2 —8E 40
Flowersmead. SW17 —8E 90
Flowers M. N19 —7G 43
Flower Wlk., The. SW7 —3A 74
Floyd Rd. SE7 —6G 79
Fludyer St. SE13 —3C 94
Fogerty Clo. Enf —1M 17
Foley Ct. Dart —7M 99
(off Churchill Clo.)
Foley Ho. E1 —9G 61
(off Tarling St.)
Foley M. Clay —8C 118
Foley Rd. Big H —9H 141
Foley Rd. Clay —9C 118
Foley St. W1 —8G 59
Folgate St. E1 —8C 60
(in two parts)
Foliot Ho. N1 —5K 59
(off Priory Grn. Est.)
Foliot St. W3 —9D 56
Folkestone Ct. N'holt —1M 53
(off Newmarket Av.)
Folkestone Rd. E6 —5L 63
Folkestone Rd. E17 —2M 45
Folkestone Rd. N18 —4E 28
Folkingham La. NW9 —8B 24
Folkington Corner. N12 —5K 25
Folland. NW9 —9D 24
(off Hundred Acre)
Follet Dri. Ab L —4D 4
Follett Ho. SW10 —8B 74
(off Worlds End Est.)
Follett St. E14 —9A 62
Follingham Ct. N1 —6C 60
(off Drysdale Pl.)
Follyfield Rd. Bans —6L 135
Folly La. E17 —8J 29
(in two parts)
Folly M. W11 —9K 57
Folly Wall. E14 —3A 78
Fontaine Rd. SW16 —4K 107
Fontarabia Rd. SW11 —3E 90
Fontayne Av. Chig —4A 32
Fontayne Av. Rain —3C 66
Fontayne Av. Romf —9C 34
Fontenelle Gdns. SE5 —9C 76
Fontenoy Ho. SE11 —5M 76
(off Kennington La.)
Fontenoy Rd. SW12 —8F 90
Fonteyne Gdns. Wfd G —9H 31
Fonthill Clo. SE20 —6E 108
Fonthill M. N4 —7K 43
Fonthill Rd. N4 —6K 43
Font Hills. N2 —9A 26
Fontley Way. SW15 —6E 88
Fontwell Clo. Harr —7C 22
Fontwell Clo. N'holt —2L 53
Fontwell Dri. Brom —9L 111
Fontwell Pk. Gdns. Horn —9J 51
Football La. Harr —6D 38
Footbury Hill Rd. Orp —1E 128
Footpath, The. SW15 —5E 88
Foots Cray. —3G 113
Foots Cray High St. Sidc —3G 113
Foots Cray La. Sidc —7G 97
Footscray Rd. SE9 —5L 95
Forber Ho. E2 —6G 61
(off Cornwall Av.)
Forbes Clo. NW2 —8E 40
Forbes Clo. Horn —6F 50
Forbes St. E1 —9E 60
Forbes Way. Ruis —7F 36
Forburg Rd. N16 —6E 44
Fordbridge Cvn. Pk. Sun —1D 116
Fordbridge Rd. Sun —1C 116
Ford Clo. E3 —5J 61
Ford Clo. Bush —6A 10
Ford Clo. Harr —5B 38
Ford Clo. Rain —3D 66
Ford Clo. T Hth —9M 107
Fordcroft Rd. Orp —9F 112
Forde Av. Brom —7G 111
Fordel Rd. SE6 —7B 94
Ford End. Wfd G —6F 30
Fordham. King T —6L 103
(off Excelsior Clo.)
Fordham Clo. Barn —5C 14
Fordham Clo. Horn —5L 51
Fordham Rd. Barn —5B 14
Fordham St. E1 —9E 60
Fordhook Av. W5 —2K 71
Ford Ho. Barn —7M 13
Ford Ind. Pk. Dag —7M 65
Fordingley Rd. W9 —6K 57
Fordington Ho. SE26 —9E 92
Fordington Rd. N6 —3D 42
Ford La. Rain —3D 66
Fordmill Rd. SE6 —8L 93
Ford Rd. E3 —5K 61
Ford Rd. Dag —3K 65
Fords Gro. N21 —1A 28
Fords Pk. Rd. E16 —8E 62
Ford Sq. E1 —8F 60
Ford St. E3 —4J 61
Ford St. E16 —9D 62
Fordwich Clo. Orp —2D 128
Fordwych Rd. NW2 —9J 41
Fordyce Clo. Horn —5K 51
Fordyce Rd. SE13 —5A 94
Fordyke Rd. Dag —7K 49
Foreign St. SE5 —1M 91
Foreland Ct. NW4 —8H 25
Foreland Ho. W11 —1J 73
(off Walmer Rd.)
Foreland St. SE18 —5B 80
Foreman Ct. Twic —7D 86
Foremark Clo. Ilf —5D 32
Foreshore. SE8 —5K 77
Forest App. E4 —9C 18
Forest App. Wfd G —7E 30
Forest Av. E4 —9C 18
Forest Av. Chig —5L 31
Forest Bus. Pk. E17 —5J 45
Forest Clo. E11 —3E 46
Forest Clo. Chst —5L 111
Forest Clo. Wal A —1F 18
Forest Clo. Wfd G —3F 30
Forest Ct. E4 —1D 30
Forest Ct. N12 —5M 25
Forest Cres. Asht —8L 133
Forest Cft. SE23 —8F 92
Forestdale. —1K 139
Forestdale. N14 —4H 27
Forestdale Cen., The. Croy —9K 125
Forest Dene Ct. Sutt —8A 122
Forest Dri. E12 —8H 47
Forest Dri. Kes —6J 127
Forest Dri. Sun —4D 100
Forest Dri. Wfd G —7B 30
Forest Dri. E. E11 —5B 46
Forest Dri. W. E11 —5A 46
Forest Edge. Buck H —4G 31
Forester Rd. SE15 —2F 92
Foresters Clo. Wall —9H 123
Foresters Cres. Bexh —3M 97
Foresters Dri. E17 —2B 46
Foresters Dri. Wall —9H 123
Forest Gdns. N17 —9D 28
Forest Gate. —1F 62
Forest Ga. NW9 —2C 40
Forest Glade. E4 —4C 30
Forest Glade. E11 —4C 46
Forest Gro. E8 —2D 60
Forest Hill. —8G 93
Forest Hill Bus. Cen. SE23 —8G 93
(off Clyde Va.)
Forest Hill Ind. Est. SE23 —8G 93
Forest Hill Rd. SE22 & SE23 —4F 92
Forestholme Clo. SE23 —8G 93
Forest Ind. Pk. Ilf —8C 32
Forest La. E15 & E7 —1C 62
Forest La. Chig —5L 31
Forest Lodge. SE26 —9G 93
(off Dartmouth Rd.)
Forest Mt. Rd. E4 —7B 30
Forest Point. E7 —1F 62
(off Windsor Rd.)
Fore St. EC2 —8A 60
Fore St. N18 & N9 —6D 28
Fore St. Pinn —1D 36
Fore St. Av. EC2 —8B 60
Forest Ridge. Beck —7L 109
Forest Ridge. Kes —6J 127
Forest Ri. E17 —1B 46
(in two parts)
Forest Rd. E7 —9E 46
Forest Rd. E8 —2D 60
Forest Rd. E11 —5B 46
Forest Rd. N9 —1F 28
Forest Rd. N17 & E17 —2G 45
Forest Rd. Chesh —2D 6
Forest Rd. Enf —9E 6
Forest Rd. Eri —9E 82
Forest Rd. Felt —8G 85
Forest Rd. Ilf —9B 32
Forest Rd. Lou —5H 19
Forest Rd. Rich —8L 71
Forest Rd. Romf —1M 49
Forest Rd. Sutt —3L 121
Forest Rd. Wat —6F 4
Forest Rd. Wfd G —3E 30
Forest Side. E4 —9D 18
Forest Side. E7 —9F 46
Forest Side. Buck H —1G 31
Forest Side. Wal A —1G 19
Forest Side. Wor Pk —3D 120
Forest St. E7 —1E 62
Forest Ter. Chig —5L 31
Forest, The. E11 —2C 46
Forest Trad. Est. E17 —1H 45
Forest Vw. E4 —9B 18
Forest Vw. E11 —5D 46
Forest Vw. Av. E10 —3B 46
Forest Vw. Rd. E12 —9J 47
Forest Vw. Rd. E17 —8A 30
Forest Vw. Rd. Lou —6H 19
Forest Wlk. Bush —3K 9
Forest Way. N19 —7G 43
Forest Way. Asht —9K 133
Forest Way. Lou —5J 19
Forest Way. Orp —9D 112
Forest Way. Sidc —6B 96
Forest Way. Wfd G —4F 30
Forest Works Ind. Est. E17 —1H 45
Forfar Rd. N22 —8M 27
Forfar Rd. SW11 —9E 74
Forge Clo. Brom —3E 126
Forge Clo. Hay —7B 68
Forge Cotts. W5 —2H 71
Forge Dri. Clay —9E 118
Forge Fld. Big H —8H 141
Forge La. Felt —2J 101
Forge La. N'wd —7C 20
Forge La. Sun —7E 100
Forge La. Sutt —9J 121
Forge Pl. NW1 —2E 58
Forge Steading. Bans —7M 135
Forman Pl. N16 —9D 44
Formby Av. Stan —1G 39
Formby Ct. N7 —1L 59
(off Morgan Rd.)
Former County Hall. —3K 75
Formosa Ho. E1 —7J 61
(off Ernest St.)
Formosa St. W9 —7M 57
Formunt Clo. E16 —8D 62
Forres Gdns. NW11 —4L 41
Forrester Path. SE26 —1G 109
Forrest Gdns. SW16 —7K 107
Forris Av. Hay —2D 68
Forset Ct. W2 —9C 58
(off Harrowby St.)
Forset St. W1 —9C 58
Forstal Clo. Brom —7E 110
Forster Clo. E4 —7B 30
Forster Ho. Brom —1B 110
Forster Rd. E17 —4J 45
Forster Rd. N17 —1D 44
Forster Rd. SW12 —6J 91
Forster Rd. Beck —7J 109
Forsters Clo. Romf —4K 49
Forsters Way. Hay —9F 52
Forston St. N1 —5A 60
Forsyte Cres. SE19 —5C 108
Forsythe Shades Ct. Beck —5A 110
Forsyth Gdns. SE17 —7M 75
Forsyth Ho. SW1 —6G 75
(off Tachbrook St.)
Forsythia Clo. Ilf —1M 63
Forsyth Pl. Enf —7C 16
Forterie Gdns. Ilf —8E 48
Fortescue Av. E8 —3F 60
Fortescue Av. Twic —9A 86
Fortescue Rd. SW19 —4B 106
Fortescue Rd. Edgw —8B 24
Fortess Gro. NW5 —1G 59
Fortess Rd. NW5 —1F 58
Fortess Wlk. NW5 —1F 58
Fortess Yd. NW5 —9F 42
Forthbridge Rd. SW11 —3E 90
Fortis Clo. E16 —9G 63
Fortis Ct. N10 —1E 42
Fortis Green. —2D 42
Fortis Grn. N2 & N10 —2C 42
Fortis Grn. Av. N2 —1D 42
Fortis Grn. Rd. N10 —1E 42
Fortismere Av. N10 —1E 42
Fortnam Rd. N19 —7H 43
Fortnum's Acre. Stan —6D 22
Fort Rd. SE1 —5D 76
Fort Rd. N'holt —3L 53
Fortrose Gdns. SW2 —7J 91
Fort St. E1 —8C 60
Fort St. E16 —2F 78
Fortuna Clo. N7 —2K 59
Fortune Ct. Bark —5G 65
Fortunegate Rd. NW10 —4C 56
Fortune Green. —9L 41
Fortune Grn. Rd. NW6 —9L 41
Fortune Ho. EC1 —7A 60
(off Fortune St.)
Fortune Ho. SE11 —5L 75
(off Marylee Way)
Fortune La. Els —8H 11
Fortunes Mead. N'holt —2J 53
Fortune St. EC1 —7A 60
Fortune Theatre. —9J 59
(off Russell St.)
Fortune Wlk. SE28 —4B 80
(off Broadwater Rd.)
Fortune Way. NW10 —6E 56
Forty Acre La. E16 —8E 62
Forty Av. Wemb —8K 39
Forty Clo. Wemb —8K 39
Forty Footpath. SW14 —2A 88
Forty Foot Way. SE9 —6A 96
Forty Hall. —1D 16
Forty Hall Mus. —1D 16
Forty Hill. —2C 16
Forty Hill. Enf —2C 16
Forty La. Wemb —7M 39
Forum Magnus Sq. SE1 —3K 75
(off York Rd.)
Forumside. Edgw —6L 23
Forum, The. W Mol —8M 101
Forum Way. Edgw —6L 23
Forval Clo. Mitc —9D 106
Forward Bus. Cen. E16 —7B 62
Forward Dri. Harr —2D 38
Fosbrooke Ho. SW8 —8J 75
(off Davidson Gdns.)
Fosbury M. W2 —1M 73
Foscote M. W9 —7L 57
Foscote Rd. NW4 —4F 40
Foskett Rd. SW6 —1K 89
Foss Av. Croy —7L 123
Fossdene Rd. SE7 —6F 78
Fossdyke Clo. Hay —8J 53
Fosset Lodge. Bexh —9A 82
Fosse Way. W13 —8E 54
Fossil Rd. SE13 —2L 93
Fossington Rd. Belv —5H 81
Foss Rd. SW17 —1B 106
Fossway. Dag —7G 49
Foster Ct. NW1 —3G 59
(off Royal College St.)
Foster Ct. NW4 —2G 41
Foster Ho. SE14 —9K 77
Foster La. EC2 —9A 60
Foster Rd. E13 —7E 62
Foster Rd. W3 —1C 72
Foster Rd. W4 —6B 72
Fosters Clo. E18 —8F 30
Fosters Clo. Chesh —3D 6
Fosters Clo. Chst —2K 111
Foster St. NW4 —2G 41
Foster's Way. SW18 —7M 89
Foster Wlk. NW4 —2G 41
Fothergill Clo. E13 —5E 62
Fothergill Dri. N21 —7J 15
Fotheringham Rd. Enf —6D 16
Foubert's Pl. W1 —9G 59
Foulden Rd. N16 —9D 44
Foulden Ter. N16 —9D 44
Foulis Ter. SW7 —6B 74
Foulser Rd. SW17 —9D 90
Foulsham Rd. T Hth —7A 108
Founder Clo. E6 —9M 63
Founders Ct. EC2 —9B 60
(off Lothbury)
Founders Gdns. SE19 —4A 108
Founders Ho. SW1 —6H 75
(off Aylesford St.)
Foundling Ct. WC1 —7J 59
(off Brunswick Cen.)
Foundry Clo. SE16 —2J 77
Foundry Ho. E14 —8M 61
(off Morris Rd.)
Foundry M. NW1 —7G 59
(off Drummond St.)
Foundry Pl. SW18 —6M 89
Fountain Clo. Uxb —8A 52
Fountain Ct. EC4 —1L 75
Fountain Ct. SE23 —8H 93
Fountain Ct. SW1 —5F 74
(off Buckingham Pal. Rd.)
Fountain Ct. Eyns —4J 131
Fountain Ct. Sidc —5F 96
Fountain Dri. SE19 —1D 108
Fountain Dri. Cars —9D 122
Fountain Grn. Sq. SE16 —3E 76
Fountain Ho. NW6 —3J 57
Fountain Ho. W1 —2E 74
(off Park St.)
Fountain M. N5 —9A 44
(off Highbury Grange)
Fountain M. NW3 —2D 58
Fountain Pl. SW9 —9L 75
Fountain Pl. Wal A —7J 7
Fountain Rd. SW17 —2B 106
Fountain Rd. T Hth —7A 108
Fountain Roundabout. N Mald —8C 104
Fountains Av. Felt —9K 85
Fountains Clo. Felt —8K 85
(in two parts)
Fountains Cres. N14 —9J 15
Fountain Sq. SW1 —5F 74
Fountains, The. N3 —7M 25
(off Ballards La.)
Fountains, The. Lou —9H 19
Fountayne Bus. Cen. N15 —2E 44
Fountayne Rd. N15 —2E 44
Fountayne Rd. N16 —7E 44
Fount St. SW8 —8H 75
Fouracres. Enf —3J 17
Fourland Wlk. Edgw —6A 24
Fournier St. E1 —8D 60
Four Seasons Clo. E3 —5L 61
Four Seasons Cres. Sutt —4K 121
Four Sq. Ct. Houn —5L 85
Fourth Av. E12 —9K 47
Fourth Av. W10 —7J 57
Fourth Av. Hay —2D 68
Fourth Av. Romf —6B 50
Fourth Av. Wat —8H 5
Fourth Cross Rd. Twic —8B 86
Fourth Dri. Coul —8G 137
Fourth Way. Wemb —9M 39
Four Tubs, The. Bush —9B 10
Four Wents, The. E4 —1B 30
Fovant Ct. SW8 —1G 91
Fowey Av. Ilf —3H 47
Fowey Clo. E1 —2F 76
Fowey Ho. SE11 —6L 75
(off Kennings Way)
Fowler Clo. SW11 —2B 90
Fowler Ho. N15 —3B 44
(off South Gro.)
Fowler Rd. E7 —9E 46
Fowler Rd. N1 —4M 59
Fowler Rd. Ilf —6F 32
Fowler Rd. Mitc —6E 106
Fowlers Clo. Sidc —2J 113
Fowler's Wlk. W5 —7H 55
Fowley Clo. Wal X —7F 6
Fowley Mead Pk. Wal X —7G 7
Fownes St. SW11 —2C 90
Fox All. Wat —7G 9
Fox & Knot St. EC1 —8M 59
(off Charterhouse Sq.)
Foxberry Rd. SE4 —2J 93
Foxborough Gdns. SE4 —4L 93
Foxbourne Rd. SW17 —8E 90
Fox Burrow Rd. Chig —4H 33
Foxbury Av. Chst —3B 112
Foxbury Clo. Brom —3F 110
Foxbury Clo. Orp —7E 128
Foxbury Dri. Orp —8E 128
Foxbury Rd. Brom —3E 110
Fox Clo. E1 —7G 61
Fox Clo. E16 —8E 62
Fox Clo. Bush —7M 9
Fox Clo. Els —8H 11
Fox Clo. Orp —7E 128
Fox Clo. Romf —5M 33
Fox Clo. Wey —7B 116
Foxcombe. New Ad —8M 125
(in two parts)
Foxcombe Clo. E6 —5H 63
Foxcombe Rd. SW15 —7E 88
Foxcote. SE5 —6C 76
Foxcroft. WC1 —5K 59
(off Penton Ri.)
Foxcroft Rd. SE18 —9M 79
Foxdell. N'wd —6B 20
Foxearth Rd. S Croy —2F 138
Foxearth Spur. S Croy —1G 139
Foxes Dale. SE3 —2E 94
Foxes Dale. Brom —7B 110
Foxes Dri. Wal X —2A 6
Foxfield. NW1 —4F 58
(off Arlington Rd.)
Foxfield Clo. N'wd —6D 20
Foxfield Rd. Orp —4B 128
Foxglove Clo. S'hall —1J 69
Foxglove Clo. Stanw —7B 144
Foxglove Ct. Wemb —5J 55
Foxglove Gdns. E11 —2G 47
Foxglove Gdns. Purl —3J 137
Foxglove La. Chess —6L 119
Foxglove Rd. Rush G —7C 50
Foxglove St. W12 —1D 72
Foxglove Way. Wall —3F 122
Foxgrove. N14 —3J 27
Fox Gro. W on T —2F 116
Foxgrove Av. Beck —4M 109
Foxgrove Path. Wat —5H 21
Foxgrove Rd. Beck —4M 109
Foxhall Rd. Upm —1M 67
Foxham Rd. N19 —8H 43
Fox Hill. SE19 —4D 108
Fox Hill. Kes —7G 127
Foxhill. Wat —9E 4
Fox Hill Gdns. SE19 —4D 108
Foxhole Rd. SE9 —4J 95
Foxholes. Wey —7B 116
Fox Hollow Clo. SE18 —6C 80
Fox Hollow Dri. Bexh —2H 97
Foxholt Gdns. NW10 —3A 56
Foxhome Clo. Chst —3L 111
Fox Ho. Rd. Belv —5M 81
(in two parts)
Foxlands Clo. Leav & Wat —7E 4
Foxlands Cres. Dag —1A 66
Foxlands La. Dag —1B 66
Foxlands Rd. Dag —1A 66
Fox La. N13 —2K 27
Fox La. W5 —7J 55
(in two parts)
Fox La. Kes —7F 126
Foxleas Ct. Brom —4C 110
Foxlees. Wemb —9E 38
Foxley Clo. E8 —1E 60
Foxley Clo. Lou —4M 19
Foxley Ct. Sutt —9A 122
Foxley Gdns. Purl —5M 137
Foxley Hall. Purl —5L 137
Foxley Hill Rd. Purl —4L 137
Foxley La. Purl —3G 137
Foxley Rd. SW9 —8L 75
Foxley Rd. Kenl —6M 137
Foxley Rd. T Hth —8M 107
Foxleys. Wat —3J 21
Foxley Sq. SW9 —9M 75
Foxmead Clo. Enf —5K 15
Foxmore St. SW11 —9D 74
Fox Rd. E16 —8D 62
Fox's Path. Mitc —6C 106
Foxton Gro. Mitc —6B 106
Foxton Ho. E16 —3L 79
(off Albert Rd.)
Foxtree Ho. Wat —9J 5
Foxwarren. Clay —1D 132
Foxwell M. SE4 —2J 93
Foxwell St. SE4 —2J 93
Foxwood Chase. Wal A —8J 7
Foxwood Clo. NW7 —4C 24
Foxwood Clo. Felt —9F 84
Foxwood Grn. Clo. Enf —8C 16
Foxwood Rd. SE3 —3D 94
Foyle Rd. N17 —8E 28
Foyle Rd. SE3 —7D 78
Framfield Clo. N12 —3L 25
Framfield Ct. Enf —8C 16
(off Queen Annes Gdns.)
Framfield Rd. N5 —1M 59
Framfield Rd. W7 —9C 54
Framfield Rd. Mitc —4E 106
Framlingham Clo. E5 —7G 45
Framlingham Cres. SE9 —1J 111
Frampton. NW1 —3H 59
(off Wrotham Rd.)
Frampton Clo. Sutt —9L 121
Frampton Ct. W3 —3A 72
(off Cheltenham Pl.)

Frampton Ho.—Fursby Av.

Frampton Ho. NW8 —7B 58
(off Frampton St.)
Frampton Pk. Est. E9 —3G 61
Frampton Pk. Rd. E9 —2G 61
Frampton Rd. Houn —4J 85
Frampton St. W2 —7B 58
Francemary Rd. SE4 —4L 93
Frances Ct. E17 —4L 45
Frances Gray Ho. E1 —8H 61
(off Tralagar Gdns.)
Frances Rd. E4 —6L 29
Frances St. SE18 —4K 79
Franche Ct. Rd. SW17 —9A 90
Francis Av. Bexh —1L 97
Francis Av. Felt —9E 84
Francis Av. Ilf —7B 48
Francis Barber Clo. SW16 —2K 107
Franciscan Rd. SW17 —2D 106
Francis Chichester Way. SW11 —9E 74
Francis Clo. E14 —5B 78
Francis Clo. Eps —6B 120
Francis Ct. EC1 —8M 59
(off Briset St.)
Francis Ct. NW7 —5D 24
(off Watford Way)
Francis Ct. SE14 —7H 77
(off Myers La.)
Francis Ct. Surb —8J 103
(off Cranes Pk. Av.)
Francis Greene Ho. Wal A —6H 7
(off Grove Ct.)
Francis Gro. SW19 —3K 105
(in two parts)
Francis Ho. E17 —4K 45
Francis Ho. N1 —4C 60
(off Colville Est.)
Francis M. SE12 —6E 94
Francis Rd. E10 —6A 46
Francis Rd. N2 —2D 42
Francis Rd. Croy —2M 123
Francis Rd. Dart —4H 99
Francis Rd. Gnfd —5F 54
Francis Rd. Harr —3E 38
Francis Rd. Houn —1H 85
Francis Rd. Ilf —7B 48
Francis Rd. Orp —7H 113
Francis Rd. Pinn —3G 37
Francis Rd. Wall —8G 123
Francis Rd. Wat —6F 8
Francis St. E15 —1C 62
Francis St. SW1 —5G 75
Francis St. Ilf —7B 48
Francis Ter. N19 —8G 43
Francis Wlk. N1 —4K 59
Francklyn Gdns. Edgw —3L 23
Francombe Gdns. Romf —3E 50
Franconia Rd. SW4 —4H 91
Frank Bailey Wlk. E12 —1L 63
Frank Beswick Ho. SW6 —7K 73
(off Clem Attlee Ct.)
Frank Burton Clo. SE7 —6F 78
Frank Dixon Clo. SE21 —6C 92
Frank Dixon Way. SE21 —7C 92
Frankfurt Rd. SE24 —4A 92
Frankham Ho. SE8 —8L 77
(off Frankham St.)
Frankham St. SE8 —8L 77
Frank Ho. SW8 —8J 75
(off Wyvil Rd.)
Frankland Clo. SE16 —4F 76
Frankland Clo. Wfd G —5G 31
Frankland Rd. E4 —5L 29
Frankland Rd. SW7 —4B 74
Frankland Rd. Crox G —8A 8
Franklin Av. Chesh —3B 6
Franklin Building. E14 —3L 77
Franklin Clo. N20 —9A 14
Franklin Clo. SE13 —9M 77
Franklin Clo. SE27 —9M 91
Franklin Clo. King T —7L 103
Franklin Cotts. Stan —4F 22
Franklin Cres. Mitc —8G 107
Franklin Ho. E1 —2F 76
(off Watts St.)
Franklin Pas. SE9 —2J 95
Franklin Rd. SE20 —4G 109
Franklin Rd. Bexh —9J 81
Franklin Rd. Horn —2G 67
Franklin Rd. Wat —4F 8
Franklins M. Harr —7A 38
Franklin Sq. W14 —6K 73
Franklin's Row. SW3 —6D 74
Franklin St. E3 —6M 61
Franklin St. N15 —4C 44
Franklin Way. Croy —2J 123
Franklyn Gdns. Ilf —6B 32
Franklyn Rd. NW10 —2D 56
Franklyn Rd. W on T —1E 116
Frank Martin Ct. Chesh —3B 6
Franks Av. N Mald —8A 104
Franks La. Hort K —9M 115
Frank Soskice Ho. SW6 —7K 73
(off Clem Attlee Ct.)
Frank St. E13 —7E 62
Franks Wood Av. Orp —9M 111
Frankswood Av. W Dray —9D 142
Frank Towell Ct. Felt —6E 84
Frank Welsh Ct. Pinn —2G 37
Frank Whymark Ho. SE16 —3G 77
(off Rupack St.)
Franlaw Cres. N13 —4A 28
Franmil Rd. Horn —6E 50
Fransfield Gro. SE26 —9F 92
Frans Hals Ct. E14 —4A 78
Frant Clo. SE20 —4G 109
Franthorne Way. SE6 —8M 93
Frant Rd. T Hth —9M 107
Fraser Clo. E6 —9J 63
Fraser Clo. Bex —7A 98
Fraser Ct. E14 —6A 78
(off Ferry St.)
Fraser Ho. Bren —6K 71
Fraser Rd. E17 —3M 45
Fraser Rd. N9 —3F 28
Fraser Rd. Chesh —1E 6
Fraser Rd. Eri —6A 82
Fraser Rd. Gnfd —4F 54
Fraser St. W4 —6C 72
Frating Cres. Wfd G —6F 30
Frays Av. W Dray —3H 143
Frays Clo. W Dray —4H 143
Frayslea. Uxb —5A 142
Frays Waye. Uxb —4A 142
Frazer Av. Ruis —1G 53
Frazer Clo. Romf —5D 50
Frazier St. SE1 —3L 75
Frean St. SE16 —4E 76
Frearson Ho. WC1 —6K 59
(off Penton Ri.)
Freda Corbett Clo. SE15 —8E 76
Frederica Rd. E4 —9B 18
Frederica St. N7 —3K 59
Frederick Charrington Ho. E1 —7G 61
(off Wickford St.)
Frederick Clo. W2 —1D 74
Frederick Clo. Sutt —6K 121
Frederick Cres. SW9 —8M 75
Frederick Cres. Enf —4G 17
Frederick Gdns. Croy —1M 123
Frederick Gdns. Sutt —6K 121
Frederick Pl. SE18 —6M 79
Frederick Rd. SE17 —7M 75
Frederick Rd. Rain —5B 66
Frederick Rd. Sutt —7K 121
Frederick's Pl. EC2 —9B 60
Fredericks Pl. N12 —4A 26
Frederick Sq. SE16 —1J 77
(off Sovereign Cres.)
Frederick's Row. EC1 —6M 59
Frederick St. WC1 —6K 59
Frederick Ter. E8 —3D 60
Frederic M. SW1 —3D 74
(off Kinnerton St.)
Frederic St. E17 —3J 45
Fredora Av. Hay —7D 52
Fred Styles Ho. SE7 —7G 79
Fred White Wlk. N7 —2J 59
Freeborne Gdns. Rain —2E 66
Freedom Clo. E17 —2H 45
Freedom Rd. N17 —9B 28
Freedom St. SW11 —1D 90
Freedown La. Sutt —5M 135
Freegrove Rd. N7 —1J 59
(in two parts)
Freehold Ind. Cen. Houn —4G 85
Freeland Ct. Sidc —9E 96
Freeland Pk. NW4 —9J 25
Freeland Rd. W5 —1K 71
Freelands Av. S Croy —1H 139
Freelands Gro. Brom —5F 110
Freelands Rd. Brom —5F 110
Freeland Way. Eri —9E 82
Freeling Ho. NW8 —4B 58
(off Dorman Way)
Freeling St. N1 —3J 59
(in two parts)
Freeman Clo. N'holt —3J 53
Freeman Clo. Shep —8C 100
Freeman Dri. W Mol —8K 101
Freeman Rd. Mord —9B 106
Freemans La. Hay —1C 68
Freemantle Av. Enf —7H 17
Freemantle Ho. E1 —7F 60
(off Somerford St.)
Freemantle St. SE17 —6C 76
Freeman Way. Horn —4K 51
Freemasons Rd. E16 —8F 62
Freemasons Rd. Croy —3C 124
Freesia Clo. Orp —7D 128
Freethorpe Clo. SE19 —4B 108
Free Trade Wharf. E1 —1H 77
Freezeland Way. Hil & Uxb —2F 142
Freezy Water. —9D 6
Freightmaster Est. Rain —9C 66
Freke Rd. SW11 —2E 90
Fremantle Rd. Belv —5L 81
Fremantle Rd. Ilf —9M 31
Fremont St. E9 —4F 60
French Apartments, The. Purl —4L 137
French Ordinary Ct. EC3 —1C 76
(off Crutched Friars)
French Pl. E1 —6C 60
French St. Sun —6G 101
Frendsbury Rd. SE4 —3J 93
Frensham. Chesh —1A 6
Frensham Clo. S'hall —7K 53
Frensham Dri. SW15 —9D 88
Frensham Dri. New Ad —9A 126
Frensham Rd. SE9 —8B 96
Frensham Rd. Kenl —6M 137
Frensham St. SE15 —7E 76
Frensham Way. Eps —8G 135
Frere St. SW11 —1C 90
Fresham Ho. Brom —7D 110
(off Durham Rd.)
Freshfield Av. E8 —3D 60
Freshfield Clo. SE13 —3B 94
Freshfield Dri. N14 —9F 14
Freshfields. Croy —3K 125
Freshfields Av. Upm —1M 67
Freshford St. SW17 —9A 90
Freshmount Gdns. Eps —3M 133
Freshwater Clo. SW17 —3E 106
Freshwater Ct. W1 —8C 58
(off Crawford St.)
Freshwater Ct. S'hall —6L 53
Freshwater Rd. SW17 —3E 106
Freshwater Rd. Dag —6H 49
Freshwell Av. Romf —2G 49
Fresh Wharf Rd. Bark —4M 63
Freshwood Clo. Beck —5M 109
Freshwood Way. Wall —1F 136
Freston Gdns. Barn —7E 14
Freston Pk. N3 —9K 25
Freston Rd. W10 & W11 —1H 73
Freswick Ho. SE8 —5H 77
(off Chilton Gro.)
Freta Rd. Bexh —4K 97
Freud Mus., The. —2A 58
(off Maresfield Gdns.)
Frewell Ho. EC1 —8L 59
(off Bourne Est.)
Frewing Clo. Chst —3K 111
Frewin Rd. SW18 —7B 90
Friar M. SE27 —9M 91
Friar Rd. Hay —7H 53
Friar Rd. Orp —9E 112
Friars Av. N20 —3C 26
Friars Av. SW15 —9D 88
Friars Clo. E4 —3A 30
Friars Clo. SE1 —2M 75
(off Bear La.)
Friars Clo. N'holt —6H 53
Friars Ct. E17 —8K 29
Friars Gdns. W3 —9B 56
Friars Ga. Clo. Wfd G —4E 30
Friars La. Rich —4H 87
Friars Mead. E14 —4A 78
Friars M. SE9 —4L 95
Friars Pl. La. W3 —1B 72
Friars Rd. E6 —4H 63
Friars Stile Pl. Rich —5J 87
Friars Stile Rd. Rich —5J 87
Friars, The. Chig —4C 32
Friar St. EC4 —9M 59
Friars Wlk. N14 —9F 14
Friars Wlk. SE2 —6H 81
Friars Way. W3 —9B 56
Friars Way. Bush —3K 9
Friarswood. Croy —1J 139
Friary Clo. N12 —5C 26
Friary Ct. SW1 —2G 75
(off St James' Pal.)
Friary Est. SE15 —7E 76
(in two parts)
Friary La. Wfd G —4E 30
Friary Pk. Ct. W3 —9A 56
Friary Rd. N12 —4B 26
Friary Rd. SE15 —8E 76
Friary Rd. W3 —9A 56
Friary, The. Wal X —6F 6
Friary Way. N12 —4C 26
Friday Hill. —2C 30
Friday Hill. E4 —2C 30
Friday Hill E. E4 —3C 30
Friday Hill W. E4 —2C 30
Friday Rd. Eri —6B 82
Friday Rd. Mitc —4D 106
Friday St. EC4 —1A 76
Frideswide Pl. NW5 —1G 59
Friendly Pl. SE13 —9M 77
Friendly St. SE8 —1L 93
Friendly St. M. SE8 —1L 93
Friends Av. Chesh —5D 6
Friendship Wlk. N'holt —6H 53
Friends Rd. Croy —5B 124
Friends Rd. Purl —4M 137
Friend St. EC1 —6M 59
Friends Wlk. Uxb —3B 142
Friern Barnet. —5D 26
Friern Barnet La. N20 & N11 —2B 26
Friern Barnet Rd. N11 —5D 26
Friern Bri. Retail Pk. N11 —6F 26
Friern Ct. N20 —3B 26
Friern Mt. Dri. N20 —9A 14
Friern Pk. N12 —5A 26
Friern Rd. SE22 —6E 92
Friern Watch Av. N12 —4A 26
Frigate Ho. E14 —5A 78
(off Stebondale St.)
Frigate M. SE8 —7L 77
Frimley Av. Horn —6L 51
Frimley Av. Wall —7J 123
Frimley Clo. SW19 —8J 89
Frimley Clo. New Ad —9A 126
Frimley Ct. Sidc —2G 113
Frimley Cres. New Ad —9A 126
Frimley Gdns. Mitc —7C 106
Frimley Rd. Chess —7H 119
Frimley Rd. Ilf —8C 48
Frimley St. E1 —7H 61
(off Frimley Way)
Frimley Way. E1 —7H 61
Fringewood Clo. N'wd —8A 20
Frinstead Ho. W10 —1H 73
(off Freston Rd.)
Frinsted Gro. Orp —8H 113
Frinsted Rd. Eri —8B 82
Frinton Clo. Wat —2F 20
Frinton Ct. W13 —8F 54
(off Hardwick Grn.)
Frinton Dri. Wfd G —7B 30
Frinton M. Ilf —4L 47
Frinton Rd. E6 —6H 63
Frinton Rd. N15 —4C 44
Frinton Rd. SW17 —3E 106
Frinton Rd. Romf —7K 33
Frinton Rd. Sidc —8J 97
Friston Path. Chig —5C 32
Friston St. SW6 —1M 89
Friswell Pl. Bexh —3L 97
Fritham Clo. N Mald —1C 120
Frith Ct. NW7 —7J 25
Frith Ho. NW8 —7B 58
(off Frampton St.)
Frith Knowle. W on T —8F 116
Frith La. NW7 —7J 25
Frith Rd. E11 —9A 46
Frith Rd. Croy —4A 124
Frith St. W1 —9H 59
Frithville Gdns. W12 —2G 73
Frithwood Av. N'wd —6C 20
Frizlands La. Dag —7M 49
Frobisher Clo. Bush —8L 9
Frobisher Clo. Kenl —9A 138
Frobisher Clo. Pinn —5H 37
Frobisher Ct. NW9 —9C 24
Frobisher Ct. SE10 —7B 78
(off Old Woolwich Rd.)
Frobisher Ct. SE23 —8F 92
Frobisher Ct. W12 —3G 73
(off Lime Gro.)
Frobisher Ct. Sutt —9J 121
Frobisher Cres. EC2 —8A 60
(off Beech St.)
Frobisher Cres. Stai —6C 144
Frobisher Gdns. E10 —5M 45
Frobisher Gdns. Stai —6C 144
Frobisher Ho. E1 —2F 76
(off Watts St.)
Frobisher Ho. SW1 —7H 75
(off Dolphin Sq.)
Frobisher Pas. E14 —2L 77
Frobisher Rd. E6 —9K 63
Frobisher Rd. N8 —2L 43
Frobisher Rd. Eri —8D 82
Frobisher St. SE10 —7C 78
Froghall La. Chig —4B 32
Frog La. Frog —8B 66
Frogley Rd. SE22 —3D 92
Frogmore. SW18 —4L 89
Frogmore Av. Hay —7C 52
Frogmore Clo. Sutt —5H 121
Frogmore Cotts. Wat —7H 9
Frogmore Ct. S'hall —5K 69
Frogmore Gdns. Hay —7C 52
Frogmore Gdns. Sutt —6J 121
Frogmore Ind. Est. N5 —1A 60
Frogmore Ind. Est. NW10 —6A 56
Frogmore Ind. Est. Hay —3C 68
Frognal. NW3 —9A 42
Frognal Av. Harr —2D 38
Frognal Av. Sidc —3E 112
Frognal Clo. NW3 —1A 58
Frognal Corner. (Junct.) —3D 112
Frognal Ct. NW3 —2A 58
Frognal Gdns. NW3 —9A 42
Frognal La. NW3 —1M 57
Frognal Pde. NW3 —2A 58
Frognal Pl. Sidc —3E 112
Frognal Ri. NW3 —8A 42
Frognal Way. NW3 —9A 42
Froissart Rd. SE9 —4H 95
Frome Ho. SE15 —3F 92
Frome Rd. N15 —1M 43
Frome St. N1 —5A 60
Fromondes Rd. Sutt —7J 121
Frontenac. NW10 —3F 56
Frostic Wlk. E1 —8E 60
(off Hopetown St.)
Froude St. SW8 —1F 90
Fruen Rd. Felt —6D 84
Fruiterers Pas. EC4 —1A 76
(off Queen St. Pl.)
Fryatt Rd. N17 —7B 28
(in two parts)
Fryatt St. E14 —9C 62
Fry Clo. Romf —5L 33
Fryent Clo. NW9 —4L 39
Fryent Country Pk. —5M 39
Fryent Cres. NW9 —4C 40
Fryent Fields. NW9 —4C 40
Fryent Gro. NW9 —4C 40
Fryent Way. NW9 —3L 39
Fry Ho. E7 —3G 63
Frying Pan All. E1 —8D 60
(off Bell La.)
Frylands Ct. New Ad —3A 140
Fry Rd. E6 —3H 63
Fry Rd. NW10 —4D 56
Fryston Av. Coul —6F 136
Fryston Av. Croy —4E 124
Fuchsia Clo. Rush G —7C 50
Fuchsia St. SE2 —6F 80
Fulbeck Dri. NW9 —8C 24
Fulbeck Ho. N7 —2K 59
(off Sutterton St.)
Fulbeck Rd. N19 —9G 43
Fulbeck Wlk. Edgw —2M 23
Fulbeck Way. Harr —9A 22
Fulbourn. King T —6L 103
(off Eureka Rd.)
Fulbourne Rd. E17 —8A 30
Fulbourne St. E1 —8F 60
Fulbrook M. N19 —9G 43
Fulcher Ho. N1 —4C 60
(off Colville Ho.)
Fulcher Ho. SE8 —6K 77
Fulford Gro. Wat —2F 20
Fulford Ho. Eps —9B 120
Fulford Rd. Eps —9B 120
Fulford St. SE16 —3F 76
Fulham. —1J 89
Fulham Broadway. (Junct.) —8L 73
Fulham B'way. SW6 —8L 73
Fulham Clo. Uxb —7A 52
Fulham Ct. SW6 —9L 73
Fulham F.C. —9H 73
Fulham High St. SW6 —1J 89
Fulham Pal. Rd. W6 & SW6 —6G 73
Fulham Pk. Gdns. SW6 —1K 89
Fulham Pk. Rd. SW6 —1K 89
Fulham Rd. SW6 —1J 89
Fulham Rd. SW10 & SW3 —7A 74
Fullbrooks Av. Wor Pk —3D 120
Fuller Clo. E2 —7E 60
(off Cheshire St.)
Fuller Clo. Orp —7D 128
Fuller Gdns. Wat —1F 8
Fuller Rd. Dag —8F 48
Fuller Rd. Wat —1F 8
Fullers Av. E18 —7D 30
Fullers Av. Surb —4K 119
Fullers Clo. Romf —7A 34
Fullers Clo. Wal A —6M 7
Fuller's Griffin Brewery & Vis. Cen. —7D 72
Fullers La. Romf —7A 34
Fullers Rd. E18 —7D 30
Fuller St. NW4 —2G 41
Fullers Way N. Surb —5K 119
Fullers Way S. Chess —6J 119
Fuller's Wood. Croy —7L 125
Fullerton Ct. Tedd —3E 102
Fullerton Rd. SW18 —4M 89
Fullerton Rd. Cars —1C 136
Fullerton Rd. Croy —2D 124
Fuller Way. Hay —6D 68
Fullwell Av. Ilf —8K 31
Fullwell Cross. Ilf —9B 32
Fullwell Pde. Ilf —8L 31
Fullwood's M. N1 —6B 60
Fulmar Ct. Surb —1K 119
Fulmar Ho. SE16 —5H 77
(off Tawny Way)
Fulmar Rd. Horn —3E 66
Fulmead St. SW6 —9M 73
Fulmer Clo. Hamp —2J 101
Fulmer Ho. NW1 —7C 58
(off Rossmore Rd.)
Fulmer Rd. E16 —8H 63
Fulmer Way. W13 —4F 70
Fulneck. E1 —8G 61
(off Mile End Rd.)
Fulready Rd. E10 —3B 46
Fulstone Clo. Houn —3K 85
Fulthorp Rd. SE3 —1D 94
Fulton Ct. Borwd —2K 11
(off Aycliffe Rd.)
Fulton M. W2 —1A 74
(off Porchester Ter.)
Fulton Rd. Wemb —8L 39
Fulwell. —1B 102
Fulwell Ct. S'hall —1A 70
(off Baird Av.)
Fulwell Cross. —9A 32
Fulwell Pk. Av. Twic —8M 85
Fulwell Rd. Tedd —1B 102
Fulwich Rd. Dart —5K 99
Fulwood Av. Wemb —5K 55
Fulwood Clo. Hay —9D 52
Fulwood Ct. Kent —4E 38
Fulwood Gdns. Twic —5D 86
Fulwood Pl. WC1 —8K 59
Fulwood Wlk. SW19 —7J 89
Furber St. W6 —4F 72
Furham Fld. Pinn —7L 21
Furley Ho. SE15 —8E 76
(off Peckham Pk. Rd.)
Furley Rd. SE15 —8E 76
Furlong Clo. Wall —3F 122
Furlong Path. N'holt —2J 53
(off Arnold Rd.)
Furlong Rd. N7 —2L 59
Furmage St. SW18 —6M 89
Furneaux Av. SE27 —2M 107
Furner Clo. Dart —2D 98
Furness Ho. SW1 —6F 74
(off Abbots Mnr.)
Furness Rd. NW10 —5E 56
Furness Rd. SW6 —1M 89
Furness Rd. Harr —5M 37
Furness Rd. Mord —1M 121
Furness Way. Horn —1E 66
Furnival Mans. W1 —8G 59
(off Wells St.)
Furnival St. EC4 —9L 59
Furrow La. E9 —1G 61
Furrows, The. W on T —4G 117
Fursby Av. N3 —6L 25

Fursecroft—Gateway

Fursecroft. W1 —9D 58
(off George St.)
Further Acre. NW9 —9D 24
Furtherfield. Ab L —5C 4
Furtherfield Clo. Croy —1L 123
Further Grn. Rd. SE6 —6C 94
Furze Clo. Wat —5G 21
Furzedown. —2F 106
Furzedown Dri. SW17 —2F 106
Furzedown Rd. SW17 —2F 106
Furzedown Rd. Sutt —3A 136
Furze Farm Clo. Romf —9J 33
Furzefield. Chesh —1B 6
Furze Fld. Oxs —5B 132
Furzefield Clo. Chst —3M 111
Furzefield Rd. SE3 —7F 78
Furzeground Way. Uxb —2A 68
Furzeham Rd. W Dray —3J 143
Furze Hill. Purl —3J 137
Furzehill Pde. Borwd —5L 11
Furzehill Rd. Borwd —6L 11
(in two parts)
Furzehill Sq. St M —8F 112
Furze La. Purl —3J 137
Furze Rd. T Hth —7A 108
Furze St. E3 —8L 61
Furzewood. Sun —5E 100
Fye Foot La. EC4 —1A 76
(off Queen Victoria St., in two parts)
Fyfe Way. Brom —6E 110
Fyfield. N4 —7L 43
(off Six Acres Est.)
Fyfield Clo. Brom —8B 110
Fyfield Ct. E7 —2E 62
Fyfield Ho. E6 —4J 63
(off Ron Leighton Way)
Fyfield Rd. E17 —1B 46
Fyfield Rd. SW9 —2L 91
Fyfield Rd. Enf —5C 16
Fyfield Rd. Rain —4D 66
Fyfield Rd. Wfd G —7G 31
Fynes St. SW1 —5H 75

Gable Clo. Ab L —5C 4
Gable Clo. Dart —4E 98
Gable Clo. Pinn —7L 21
Gable Ct. SE26 —1F 108
Gables Av. Borwd —5K 11
Gables Clo. SE5 —9C 76
Gables Clo. SE12 —7E 94
Gables Lodge. Barn —2A 14
Gables, The. N10 —1E 42
(off Fortis Grn.)
Gables, The. Bans —9K 135
Gables, The. Bark —2A 64
Gables, The. Brom —4F 110
Gables, The. Leav —6H 5
Gables, The. Oxs —4A 132
Gables, The. Wat —9G 9
Gables, The. Wemb —8L 39
Gabriel Clo. Felt —1J 101
Gabriel Clo. Romf —7A 34
Gabriel Ho. SE11 —5K 75
Gabrielle Clo. Wemb —8K 39
Gabrielle Ct. NW3 —2B 58
Gabriel St. SE23 —6H 93
Gabriels Wharf. SE1 —2L 75
Gad Clo. E13 —6F 62
Gaddesden Av. Wemb —2K 55
Gaddesden Cres. Wat —7H 5
Gaddesden Ho. EC1 —6B 60
(off Cranwood St.)
Gade Av. Wat —6C 8
Gade Bank. Wat —6B 8
Gadebridge Ho. SW3 —6C 74
(off Cale St.)
Gade Clo. Hay —2F 68
Gade Clo. Wat —6C 8
Gadesden Rd. Eps —8A 120
(in two parts)
Gade Side. Wat —8C 4
Gade Vw. Gdns. K Lan —5A 4
Gadsbury Clo. NW9 —4D 40
Gadsden Ho. W10 —7J 57
(off Hazlewood Cres.)
Gadswell Clo. Wat —9H 5
Gadwall Clo. E16 —9F 62
Gadwall Way. SE28 —3B 80
Gage Rd. E16 —8C 62
Gage St. WC1 —8J 59
Gainford Ho. E2 —6F 60
(off Ellsworth St.)
Gainford St. N1 —4L 59
Gainsboro Gdns. Gnfd —1C 54
Gainsborough Av. E12 —1L 63
Gainsborough Av. Dart —4G 99
Gainsborough Clo. Beck —4L 109
Gainsborough Clo. Esh —3C 118
Gainsborough Ct. N12 —5M 25
Gainsborough Ct. SE16 —6F 76
(off Stubbs Dri.)
Gainsborough Ct. SE21 —8C 92
Gainsborough Ct. W4 —6M 71
(off Chaseley Dri.)
Gainsborough Ct. W12 —3G 73
Gainsborough Ct. W on T —6E 116
Gainsborough Dri. S Croy —5E 138
Gainsborough Gdns. NW3 —8B 42
Gainsborough Gdns. NW11 —5K 41
Gainsborough Gdns. Edgw —9K 23
Gainsborough Gdns. Iswth —4B 86
Gainsborough Ho. SW1 —5H 75
(off Erasmus St.)
Gainsborough Ho. Dag —9F 48
(off Gainsborough Rd.)
Gainsborough Lodge. Harr —3D 38
(off Hindes Rd.)
Gainsborough Mans. W14 —7J 73
(off Queen's Club Gdns.)
Gainsborough M. SE26 —9F 92
Gainsborough Pl. Chig —3D 32
Gainsborough Rd. E11 —5C 46
Gainsborough Rd. E15 —6C 62
Gainsborough Rd. N12 —5M 25
Gainsborough Rd. W4 —5D 72
Gainsborough Rd. Dag —9F 48
Gainsborough Rd. Eps —2A 134
Gainsborough Rd. Hay —5A 52
Gainsborough Rd. N Mald —1B 120
Gainsborough Rd. Rain —4E 66
Gainsborough Rd. Rich —1K 87
Gainsborough Rd. Wfd G —6J 31
Gainsborough Sq. Bexh —2H 97
Gainsborough Ter. Sutt —9K 121
(off Belmont Ri.)
Gainsborough Tower. N'holt —5H 53
(off Academy Gdns.)
Gainsfield Ct. E11 —8C 46
Gainsford Rd. E17 —2K 45
Gainsford St. SE1 —3D 76
Gairloch Ho. NW1 —3H 59
(off Stratford Vs.)
Gairloch Rd. SE5 —1C 92
Gaisford St. NW5 —2G 59
Gaitskell Ct. SW11 —1C 90
Gaitskell Ho. E6 —4H 63
Gaitskell Ho. E17 —1M 45
Gaitskell Ho. SE17 —7C 76
(off Villa St.)
Gaitskell Rd. SE9 —7A 96
Galahad Rd. Brom —1E 110
Galata Rd. SW13 —8E 72
Galatea Sq. SE15 —2F 92
Galba Ct. Bren —8H 71
Galbraith St. E14 —4A 78
Galdana Av. Barn —5A 14
Galeborough Av. Wfd G —7B 30
Gale Clo. Hamp —3J 101
Gale Clo. Mitc —7B 106
Gale Cres. Bans —9L 135
Galena Ho. W6 —5F 72
(off Galena Rd.)
Galena Rd. W6 —5F 72
Galen Clo. Eps —3L 133
Galen Pl. WC1 —8J 59
Galesbury Rd. SW18 —5A 90
Gales Gdns. E2 —6F 60
Gale St. E3 —8L 61
Gale St. Dag —1G 65
Gales Way. Wfd G —7J 31
Galgate Clo. SW19 —7H 89
Gallants Farm Rd. E Barn —9C 14
Galleon Clo. SE16 —3H 77
Galleon Clo. Eri —5B 82
Galleon Ho. E14 —5A 78
(off Glengarnock Av.)
Gallery Ct. SE1 —3B 76
(off Pilgrimage St.)
Gallery Ct. SW10 —7A 74
Gallery Gdns. N'holt —5H 53
Gallery Rd. SE21 —7B 92
Galley Hill. Wal A —3M 7
Galleyhill Rd. Wal A —6L 7
Galley La. Barn —2E 12
Galleywall Rd. SE16 —5F 76
Galleywall Rd. Trad. Est. SE16 —5F 76
(off Galleywall Rd.)
Galleywood Cres. Romf —6B 34
Galliard Clo. N9 —8G 17
Galliard Ct. N9 —8E 16
Galliard Rd. N9 —9E 16
Gallia Rd. N5 —1M 59
Gallions Clo. Bark —6E 64
Gallions Entrance. E16 —2A 80
Gallions Rd. SE7 —5F 78
(in two parts)
Gallions Vw. Rd. SE28 —3C 80
Galliver Pl. E5 —9F 44
Gallon Clo. SE7 —5G 79
Gallop, The. S Croy —9F 124
Gallop, The. Sutt —1B 136
Gallosson Rd. SE18 —5C 80
Galloway Path. Croy —6B 124
Galloway Rd. W12 —2E 72
Gallows Corner. —9G 35
Gallows Corner. (Junct.) —8G 35
Gallows Hill. K Lan —5A 4
Gallows Hill La. Ab L —5A 4
Gallus Clo. N21 —8K 15
Gallus Sq. SE3 —2F 94
Galpins Rd. T Hth —9J 107
Galsworthy Av. E14 —8J 61
Galsworthy Av. Romf —5F 48
Galsworthy Clo. NW2 —9J 41
Galsworthy Clo. SE28 —2F 80
Galsworthy Ct. W3 —4M 71
(off Bollo Bri. Rd.)
Galsworthy Cres. SE3 —9G 79
Galsworthy Ho. W11 —9J 57
Galsworthy Rd. NW2 —9J 41
Galsworthy Rd. King T —4M 103
Galsworthy Ter. N16 —8C 44
Galton St. W10 —6J 57
Galva Clo. Barn —6E 14
Galvani Way. Croy —3K 123
Galveston Ho. E1 —7J 61
(off Harford St.)
Galveston Rd. SW15 —4K 89
Galway Clo. SE16 —6F 76
(off Masters Dri.)
Galway Ho. E1 —8H 61
(off White Horse La.)
Galway Ho. EC1 —6A 60
(off Radnor St.)
Galway St. EC1 —6A 60
Galy. NW9 —9D 24
Gambetta St. SW8 —1F 90
Gambia St. SE1 —2M 75
Gambier Ho. EC1 —6A 60
(off Mora St.)
Gambole Rd. SW17 —1C 106
Games Rd. Barn —5D 14
Gamlen Rd. SW15 —3H 89
Gammons Farm Clo. Wat —9D 4
Gammons La. Wat —9C 4
(in two parts)
Gamuel Clo. E17 —4L 45
Gander Grn. Cres. Hamp —5L 101
Gander Grn. La. Sutt —4J 121
Ganders Ash. Wat —6E 4
Gandhi Clo. E17 —4L 45
Gandhi Ct. Wat —4H 9
Gandolfi St. SE15 —7C 76
Gant Ct. Wal A —7M 7
Ganton St. W1 —1G 75
Ganton Wlk. Wat —4H 21
Gants Hill. —4L 47
Gants Hill. (Junct.) —4L 47
Gantshill Cres. Ilf —3L 47
Gants Hill Cross. Ilf —4L 47
Gap Rd. SW19 —2L 105
Garage Rd. W3 —9L 55
Garbett Ho. SE17 —7M 75
(off Doddington Gro.)
Garbrand Wlk. Eps —1D 134
Garbutt Pl. W1 —8E 58
Garden Av. Bexh —2L 97
Garden Av. Mitc —4F 106
Garden City. Edgw —6L 23
Garden Clo. E4 —5L 29
Garden Clo. SE12 —9F 94
Garden Clo. SW15 —6G 89
Garden Clo. Ark —6G 13
Garden Clo. Ashf —3A 100
Garden Clo. Bans —7L 135
Garden Clo. Hamp —2K 101
Garden Clo. N'holt —4J 53
Garden Clo. Ruis —7C 36
Garden Clo. Wall —7J 123
Garden Clo. Wat —4D 8
Garden Cotts. St P —6G 113
Garden Ct. W4 —4A 72
Garden Ct. WC2 —1L 75
(off Temple)
Garden Ct. Croy —4D 124
Garden Ct. Hamp —2K 101
Garden Ct. Rich —9K 71
Garden Ct. Stan —5G 23
Gardener Gro. Felt —8K 85
Gardeners Clo. N11 —2E 26
Gardeners Rd. Croy —3M 123
Garden Ho. N2 —9B 26
(off Grange, The)
Gardenia Rd. Enf —8C 16
Gardenia Way. Wfd G —6E 30
Garden La. SW2 —7K 91
Garden La. Brom —3F 110
Garden M. W2 —1L 73
Garden Pl. E8 —4D 60
Garden Pl. Dart —9H 99
Garden Rd. NW8 —6A 58
Garden Rd. SE20 —5G 109
Garden Rd. Ab L —4C 4
Garden Rd. Brom —4F 110
Garden Rd. Rich —2L 87
Garden Rd. W on T —1F 116
Garden Row. SE1 —4M 75
Gardens, The. N8 —2J 43
(in two parts)
Gardens, The. SE22 —3E 92
Gardens, The. Beck —5A 110
Gardens, The. Esh —6L 117
Gardens, The. Felt —4B 84
Gardens, The. Harr —4A 38
Gardens, The. Pinn —4K 37
Gardens, The. Wat —4D 8
Garden St. E1 —8H 61
Garden Ter. SW1 —6H 75
Garden Ter. SW7 —3C 74
(off Trevor Pl.)
Garden Vw. E7 —9G 47
Garden Wlk. EC2 —6C 60
Garden Wlk. Beck —5K 109
Garden Way. NW10 —2A 56
Garden Way. Lou —2L 19
Gardiner Av. NW2 —1G 57
Gardiner Clo. Enf —8H 17
Gardiner Clo. Orp —6G 113
Gardiner Ct. NW10 —4B 56
Gardiner Ct. S Croy —8A 124
Gardiners Clo. Dag —9H 49
Gardner Clo. E11 —4F 46
Gardner Ho. Felt —8K 85
Gardner Ho. S'hall —1H 69
(off Broadway, The)
Gardner Ind. Est. SE26 —2K 109
Gardner Rd. E13 —7F 62
Gardners La. EC4 —1A 76
Gardnor Rd. NW3 —9B 42
Gard St. EC1 —6M 59
Garendon Gdns. Mord —2M 121
Garendon Rd. Mord —2M 121
Garenne Ct. E4 —1A 30
Gareth Clo. Wor Pk —4H 121
Gareth Ct. SW16 —9H 91
Gareth Ct. Borwd —2K 11
(off Aycliffe Rd.)
Gareth Gro. Brom —1E 110
Garfield. Enf —7B 16
(off Private Rd.)
Garfield M. SW11 —2E 90
Garfield Rd. E4 —1B 30
Garfield Rd. E13 —7D 62
Garfield Rd. SW11 —2E 90
Garfield Rd. SW19 —2A 106
Garfield Rd. Enf —6G 17
Garfield Rd. Twic —7E 86
Garfield St. Wat —2F 8
Garford St. E14 —1L 77
Garganey Ct. NW10 —2B 56
(off Elgar Av.)
Garganey Wlk. SE28 —1G 81
Garibaldi St. SE18 —5C 80
Garland Clo. Chesh —2K 6
Garland Rd. SE18 —8B 80
Garland Rd. Stan —8J 23
Garlands Ct. Croy —6B 124
(off Chatsworth Rd.)
Garland Way. Horn —2J 51
Garlichill Rd. Eps —9F 134
Garlick Hill. EC4 —1A 76
Garlies Rd. SE23 —9J 93
Garlinge Rd. NW2 —2K 57
Garman Clo. N18 —5B 28
Garman Rd. N17 —7G 29
Garnault M. EC1 —6L 59
(off Rosebery Av.)
Garnault Pl. EC1 —6L 59
Garnault Rd. Enf —2D 16
Garner Clo. Dag —6H 49
Garner Rd. E17 —8A 30
Garner St. E2 —5E 60
Garnet Ho. E1 —2G 77
(off Garnet St.)
Garnet Rd. NW10 —2C 56
Garnet Rd. T Hth —8A 108
Garnet St. E1 —1G 77
Garnett Clo. SE9 —2K 95
Garnett Clo. Wat —1H 9
Garnett Dri. Brick W —2K 5
Garnett Rd. NW3 —1D 58
Garnett Way. E17 —8J 29
(off Swansland Gdns.)
Garnet Wlk. E6 —8J 63
Garnham Clo. N16 —7D 44
Garnham St. N16 —7D 44
Garnies Clo. SE15 —8D 76
Garrad's Rd. SW16 —9H 91
Garrard Clo. Bexh —2L 97
Garrard Clo. Chst —2M 111
Garrard Rd. Bans —8L 135
Garrard Wlk. NW10 —2C 56
Garratt Clo. Croy —6J 123
Garratt Ct. SW18 —6M 89
Garratt La. SW18 & SW17 —5M 89
Garratt Rd. Edgw —7L 23
Garratts La. Bans —8K 135
Garratts Rd. Bush —9A 10
Garratt Ter. SW17 —1C 106
Garrett Clo. W3 —8B 56
Garrett St. EC1 —7A 60
Garrick Av. NW11 —4J 41
Garrick Clo. SW18 —3A 90
Garrick Clo. W5 —7J 55
Garrick Clo. Rich —4H 87
Garrick Clo. W on T —6F 116
Garrick Cres. Croy —4C 124
Garrick Dri. NW4 —9G 25
Garrick Dri. SE28 —4B 80
Garrick Gdns. W Mol —7L 101
Garrick Ho. W1 —2F 74
Garrick Ho. W4 —7C 72
Garrick Ho. King T —8J 103
(off Surbiton Rd.)
Garrick Ind. Est. NW9 —3D 40
Garrick Pk. NW4 —9H 25
Garrick Rd. NW9 —4D 40
Garrick Rd. Gnfd —7M 53
Garrick Rd. Rich —1L 87
Garrick St. WC2 —1J 75
Garrick Theatre. —1H 75
(off Charing Cross Rd.)
Garrick Way. NW4 —2H 41
Garrick Yd. WC2 —1J 75
(off St Martin's La.)
Garrison Clo. SE18 —8L 79
Garrison Clo. Houn —4K 85
Garrison La. Chess —9H 119
Garrison Pde. Purf —5L 83
Garrolds Clo. Swan —6B 114
Garrowsfield. Barn —8K 13
Garry Clo. Romf —7C 34
Garry Way. Romf —7C 34
Garsdale Clo. N11 —6E 26
Garsdale Ter. W14 —6K 73
(off Aisgill Av.)
Garside Clo. SE28 —4B 80
Garside Clo. Hamp —3M 101
Garsington M. SE4 —2K 93
Garsmouth Way. Wat —9H 5
Garson Clo. Esh —8K 117
Garson Ho. W2 —1B 74
(off Gloucester Ter.)
Garston. —8G 5
Garston Cres. Wat —7G 5
Garston Dri. Wat —7G 5
Garston Gdns. Kenl —7B 138
Garston Ho. N1 —3M 59
(off Sutton Est., The)
Garston La. Kenl —6B 138
Garston La. Wat —7H 5
Garston Pk. Pde. Wat —7H 5
Garter Way. SE16 —3H 77
Garth Clo. W4 —6B 72
Garth Clo. King T —2K 103
Garth Clo. Mord —2H 121
Garth Clo. Ruis —6H 37
Garth Ct. W4 —6B 72
Garth Ct. Harr —4D 38
(off Northwick Pk. Rd.)
Garthland Dri. Barn —7F 12
Garth M. W5 —7J 55
Garthorne Rd. SE23 —6H 93
Garth Rd. NW2 —7K 41
Garth Rd. W4 —6B 72
Garth Rd. King T —2K 103
Garth Rd. Mord —1G 121
Garth Rd. Ind. Est. Mord —3H 121
Garthside. Ham —2J 103
Garth, The. Ab L —6B 4
Garth, The. Hamp —3M 101
Garth, The. Harr —4K 39
Garthway. N12 —6C 26
Gartlet Rd. Wat —5G 9
Gartmoor Gdns. SW19 —7K 89
Gartmore Rd. Ilf —7D 48
Garton Pl. SW18 —5A 90
Gartons Clo. Enf —6G 17
Gartons Way. SW11 —2A 90
Garvary Rd. E16 —9F 62
Garway Rd. W2 —9M 57
Garwood Clo. N17 —8F 28
Gascoigne Gdns. Wfd G —7C 30
Gascoigne Pl. E2 —6D 60
(in two parts)
Gascoigne Rd. Bark —4A 64
Gascoigne Rd. New Ad —2A 140
Gascony Av. NW6 —3L 57
Gascoyne Clo. Romf —7H 35
Gascoyne Dri. Dart —2D 98
Gascoyne Ho. E9 —3J 61
Gascoyne Rd. E9 —3H 61
Gaselee St. E14 —1A 78
Gaskarth Rd. SW12 —5F 90
Gaskarth Rd. Edgw —8A 24
Gaskell Rd. N6 —4D 42
Gaskell St. SW4 —1J 91
Gaskin St. N1 —4M 59
Gaspar Clo. SW5 —5M 73
(off Courtfield Gdns.)
Gaspar M. SW5 —5M 73
Gassiot Rd. SW17 —1D 106
Gassiot Way. Sutt —5B 122
Gasson Ho. SE14 —7H 77
(off John Williams Clo.)
Gastein Rd. W6 —7H 73
Gastigny Ho. EC1 —6A 60
(off Lever St.)
Gaston Bell Clo. Rich —2K 87
Gaston Bri. Rd. Shep —1B 116
Gaston Rd. Mitc —7E 106
Gaston Way. Shep —9B 100
Gataker Ho. SE16 —4F 76
(off Slippers Pl.)
Gataker St. SE16 —4F 76
Gatcombe Ct. Beck —4L 109
Gatcombe Ho. SE22 —2C 92
Gatcombe M. W5 —1K 71
Gatcombe Rd. E16 —2E 78
Gatcombe Rd. N19 —8H 43
Gatcombe Way. Barn —5D 14
Gateacre Ct. Sidc —1F 112
Gate Cen., The. Bren —8E 70
Gate Clo. Borwd —3A 12
Gate End. N'wd —7E 20
Gateforth St. NW8 —7C 58
Gate Hill Ct. W11 —2K 73
(off Ladbroke Ter.)
Gatehill Rd. N'wd —7D 20
Gatehouse Clo. King T —4A 104
Gatehouse Sq. SE1 —2A 76
(off Porter St.)
Gateley Ho. SE4 —3H 93
(off Coston Wlk.)
Gateley Rd. SW9 —2K 91
Gate Lodge. W9 —8L 57
Gate M. SW7 —3C 74
(off Rutland Ga.)
Gater Dri. Enf —3B 16
Gates. NW9 —9D 24
Gatesborough St. EC2 —7C 60
Gates Ct. SE17 —6A 76
Gatesden. WC1 —6J 59
Gates Grn. Rd. W W'ck —5D 126
Gateshead Rd. Borwd —3K 11
Gateside Rd. SW17 —9D 90
Gatestone Rd. SE19 —3C 108
Gate St. WC2 —9K 59
Gate Theatre, The. —2L 73
(off Pembridge Rd.)
Gateway. SE17 —7A 76
Gateway. Wey —5A 116

Gateway Arc.—Gladsmuir Rd.

Gateway Arc. N1 —5M 59
(off Upper St.)
Gateway Clo. N'wd —6A 20
Gateway Ho. Bark —4A 64
Gateway Ind. Est. NW10 —6D 56
Gateway M. E8 —1D 60
Gateway Retail Pk. E6 —7M 63
Gateway Rd. E10 —8M 45
Gateways. Surb —9J 103
(off Surbiton Hill Rd.)
Gateways Ct. Wall —7F 122
Gateways, The. SW3 —5C 74
(off Sprimont Pl.)
Gateways, The. Rich —3H 87
(off Park La.)
Gatfield Gro. Felt —8L 85
Gatfield Ho. Felt —8L 85
Gathorne Rd. N22 —9L 27
Gathorne St. E2 —5H 61
Gatley Av. Eps —7M 119
Gatliff Clo. SW1 —6F 74
(off Ebury Bri. Rd.)
Gatliff Rd. SW1 —6F 74
(in two parts)
Gatling Rd. SE2 —6E 80
Gatting Clo. Edgw —7A 24
Gatting Way. Uxb —2C 142
Gattis Wharf. N1 —5J 59
(off New Wharf Rd.)
Gatton Clo. Sutt —1M 135
Gatton Rd. SW17 —1C 106
Gattons Way. Sidc —1K 113
Gatward Clo. N21 —8M 15
Gatward Grn. N9 —2D 28
Gatwick Ho. E14 —9K 61
(off Clemence St.)
Gatwick Rd. SW18 —6K 89
Gatwick Way. Horn —8K 51
Gauden Clo. SW4 —2H 91
Gauden Rd. SW4 —1H 91
Gaugin Ct. SE16 —6F 76
(off Stubbs Dri.)
Gaumont App. Wat —5F 8
Gaumont Ter. W12 —3G 73
(off Lime Gro.)
Gauntlet. NW9 —9D 24
(off Five Acre)
Gauntlet Clo. N'holt —3J 53
Gauntlett Ct. Wemb —1F 54
Gauntlett Rd. Sutt —7B 122
Gaunt St. SE1 —4A 76
Gautrey Rd. SE15 —1G 93
Gautrey Sq. E6 —9K 63
Gavel St. SE17 —5B 76
Gavestone Cres. SE12 —6F 94
Gavestone Rd. SE12 —6F 94
Gaviller Pl. E5 —9F 44
Gavina Clo. Mord —9C 106
Gawber St. E2 —6G 61
Gawsworth Clo. E15 —1D 62
Gawthorne Av. NW7 —5J 25
Gay Clo. NW2 —1F 56
Gaydon Ho. W2 —8M 57
(off Bourne Ter.)
Gaydon La. NW9 —8C 24
Gayfere Rd. Eps —7E 120
Gayfere Rd. Ilf —1K 47
Gayfere St. SW1 —4J 75
Gayford Rd. W12 —3D 72
Gay Gdns. Dag —9A 50
Gay Ho. N1 —1C 60
Gayhurst. SE17 —7B 76
(off Hopwood Rd.)
Gayhurst Ct. N'holt —6G 53
Gayhurst Ho. NW8 —7C 58
(off Mallory St.)
Gayhurst Rd. E8 —3E 60
Gaylor Rd. N'holt —1K 53
Gaymead. NW8 —4M 57
(off Abbey Rd.)
Gaynes Ct. Upm —9M 51
Gaynesford Rd. SE23 —8H 93
Gaynesford Rd. Cars —9D 122
Gaynes Hill Rd. Wfd G —6J 31
Gaynes Pk. Rd. Upm —9L 51
Gaynes Rd. Upm —7M 51
Gay Rd. E15 —5B 62
Gaysham Av. Ilf —3L 47
Gaysham Hall. Ilf —1M 47
Gaysley Ho. SE11 —5L 75
(off Hotspur St.)
Gay St. SW15 —2H 89
Gaythorne St. E3 —8K 61
Gayton Ct. Harr —4D 38
Gayton Cres. NW3 —9B 42
Gayton Rd. NW3 —9B 42
Gayton Rd. SE2 —4G 81
Gayton Rd. Harr —4D 38
Gayville Rd. SW11 —5D 90
Gaywood Av. Chesh —3D 6
Gaywood Clo. SW2 —7K 91
Gaywood Rd. E17 —1L 45
Gaywood St. SE1 —4M 75
Gaza St. SE17 —6M 75
Gaze Ho. E14 —9B 62
(off Blair St.)
Geariesville Gdns. Ilf —2M 47
Geary Rd. NW10 —1E 56
Geary St. N7 —1K 59
Geddes Pl. Bexh —3L 97
Geddes Rd. Bush —6A 10
Geddy Ct. Romf —1F 50
Gedeney Rd. N17 —8A 28
Gedling Pl. SE1 —4D 76
Geere Rd. E15 —4D 62
Gees Ct. W1 —9E 58
Gee St. EC1 —7A 60
Geffery's Ct. SE9 —9J 95
Geffrye Ct. N1 —5C 60
Geffrye Est. N1 —5C 60
Geffrye Mus. —5D 60
Geffrye St. E2 —5D 60
Geldart Rd. SE15 —8F 76
Geldeston Rd. E5 —7E 44
Gellatly Rd. SE14 —1G 93
Gelsthorpe Rd. Romf —7M 33
Gemini Bus. Cen. E16 —7B 62
Gemini Bus. Est. SE14 —6H 77
Gemini Ct. E1 —1E 76
(off Vaughan Way)
Gemini Gro. N'holt —6J 53
General Gordon Pl. SE18 —5M 79
General's Wlk., The. Enf —1J 17
General Wolfe Rd. SE10 —9B 78
Genesis Clo. Stanw —7D 144
Genesta Rd. SE18 —7M 79
Geneva Clo. Shep —6C 100
Geneva Dri. SW9 —3L 91
Geneva Gdns. Romf —3J 49
Geneva Rd. King T —8J 103
Geneva Rd. T Hth —9A 108
Genever Clo. E4 —5L 29
Genista Rd. N18 —5F 28
Genoa Av. SW15 —4G 89
Genoa Ho. E1 —7H 61
(off Ernest St.)
Genoa Rd. SE20 —5G 109
Genotin Rd. Enf —5B 16
Genotin Ter. Enf —6B 16
Gentlemans Row. Enf —5A 16
Gentry Gdns. E13 —7E 62
Geoffrey Av. Romf —6L 35
Geoffrey Clo. SE5 —1A 92
Geoffrey Ct. SE4 —1K 93
Geoffrey Gdns. E6 —5J 63
Geoffrey Ho. SE1 —4B 76
(off Pardoner St.)
Geoffrey Jones Ct. NW10 —4E 56
Geoffrey Rd. SE4 —2K 93
Geographers A-Z Shop. —8L 59
George Beard Rd. SE8 —5K 77
George Belt Ho. E2 —6H 61
(off Smart St.)
George Comberton Wlk. E12 —1L 63
George Ct. WC2 —1J 75
(off John Adam St.)
George Cres. N10 —7E 26
George Downing Est. N16 —7D 44
George Eliot Ho. SW1 —5G 75
(off Vauxhall Bri. Rd.)
George Elliston Ho. SE1 —6E 76
(off Old Kent Rd.)
George Eyre Ho. NW8 —5B 58
(off Cochrane St.)
George V Av. Pinn —9K 21
George V Clo. Pinn —1L 37
George V Way. Gnfd —4F 54
George Gange Way. Harr —1D 38
George Gillett Ct. EC1 —7A 60
(off Banner St.)
George Gro. Rd. SE20 —5E 108
George Inn Yd. SE1 —2B 76
George La. E18 —9E 30
(in two parts)
George La. SE13 —5M 93
George La. Brom —3F 126
George Lansbury Ho. N22 —8L 27
(off Progress Way)
George Lansbury Ho. NW10 —3C 56
George Lindgren Ho. SW6 —8K 73
(off Clem Attlee Ct.)
George Loveless Ho. E2 —6D 60
(off Diss St.)
George Lovell Dri. Enf —1L 17
George Lowe Ct. W2 —8M 57
(off Bourne Ter.)
George Mathers Rd. SE11 —5M 75
George M. NW1 —6G 59
(off N. Gower St.)
George M. Enf —5B 16
(off Town, The)
George Peabody Ct. NW1 —8C 58
(off Bell St.)
George Pl. N17 —1C 44
George Rd. E4 —6L 29
George Rd. King T —4M 103
(in two parts)
George Rd. N Mald —8D 104
George Row. SE16 —3E 76
Georges Clo. Orp —7G 113
Georges Mead. Els —8J 11
Georges Sq. SW19 —7L 105
George's Rd. N7 —1K 59
George's Sq. SW6 —7K 73
(off N. End Rd.)
George St. E16 —9D 62
George St. W1 —9D 58
George St. W7 —2C 70
George St. Bark —3A 64
George St. Croy —4A 124
George St. Houn —1K 85
George St. Rich —4H 87
George St. Romf —4D 50
George St. S'hall —5J 69
George St. Uxb —3B 142
George St. Wat —6G 9
George Tingle Ho. SE1 —4D 76
(off Grange Wlk.)
Georgetown Clo. SE19 —2C 108
Georgette Pl. SE10 —8A 78
Georgeville Gdns. Ilf —2M 47
George Walter Ho. SE16 —5G 77
(off Millender Wlk.)
George Wyver Clo. SW19 —6J 89
George Yd. EC3 —9B 60
George Yd. W1 —1E 74
Georgiana St. NW1 —4G 59
Georgian Clo. Brom —3F 126
Georgian Clo. Stan —7E 22
Georgian Ct. E9 —4G 61
Georgian Ct. N3 —8K 25
Georgian Ct. NW4 —3F 40
Georgian Ct. SW16 —1J 107
Georgian Ct. Croy —3B 124
(off Cross Rd.)
Georgian Ct. New Bar —6A 14
Georgian Ct. Wemb —2L 55
Georgian Way. Harr —7B 38
Georgia Rd. N Mald —8A 104
Georgia Rd. T Hth —5M 107
Georgina Gdns. E2 —6D 60
Geraint Rd. Brom —1E 110
Geraldine Rd. SW18 —4A 90
Geraldine Rd. W4 —7L 71
Geraldine St. SE11 —4M 75
Gerald M. SW1 —5E 74
(off Gerald Rd.)
Gerald Rd. E16 —7D 62
Gerald Rd. SW1 —5E 74
Gerald Rd. Dag —7K 49
Gerald's Gro. Bans —6H 135
Gerard Av. Houn —6L 85
Gerard Gdns. Rain —5C 66
Gerard Rd. SW13 —9D 72
Gerard Rd. Harr —4E 38
Gerards Clo. SE16 —6G 77
Gerda Rd. SE9 —8A 96
Gerdview Dri. Dart —1G 115
Germander Way. E15 —6C 62
Gernon Clo. Rain —5H 67
Gernon Rd. E3 —5J 61
Geron Way. NW2 —7F 40
Gerpins La. Upm —5K 67
Gerrard Gdns. Pinn —3E 36
Gerrard Ho. SE14 —8G 77
(off Briant St.)
Gerrard Pl. W1 —1H 75
Gerrard Rd. N1 —5M 59
Gerrards Clo. N14 —7G 15
Gerrards Ct. W5 —4H 71
Gerrards Mead. Bans —8K 135
Gerrard St. W1 —1H 75
Gerridge Ct. SE1 —4L 75
(off Gerridge St.)
Gerridge St. SE1 —4L 75
Gerry Raffles Sq. E15 —3B 62
Gertrude Rd. Belv —5L 81
Gertrude St. SW10 —7A 74
Gervase Clo. Wemb —8A 40
Gervase Rd. Edgw —8A 24
Gervase St. SE15 —8F 76
Gervis Ct. Houn —8A 70
Gews Corner. Chesh —2D 6
Ghent St. SE6 —8L 93
Ghent Way. E8 —2D 60
Giant Arches Rd. SE24 —6A 92
Giant Tree Hill. Bus H —1B 22
Gibbfield Clo. Romf —1J 49
Gibbings Ho. SE1 —3M 75
(off King James St.)
Gibbins Rd. E15 —3A 62
(in three parts)
Gibbon Ho. NW8 —7B 58
(off Fisherton St.)
Gibbon Rd. SE15 —1G 93
Gibbon Rd. W3 —1C 72
Gibbon Rd. King T —5J 103
Gibbons Clo. Borwd —3J 11
Gibbon's Rents. SE1 —2C 76
(off Magdalen St.)
Gibbons Rd. NW10 —2C 56
Gibbon Wlk. SW15 —3E 88
Gibbs Av. SE19 —2B 108
Gibbs Clo. SE19 —3B 108
Gibbs Clo. Chesh —2D 6
Gibbs Couch. Wat —3H 21
Gibbs Grn. W14 —6K 73
(in three parts)
Gibbs Grn. Edgw —4A 24
Gibbs Ho. Brom —5D 110
(off Longfield)
Gibb's Rd. N18 —4G 29
Gibbs Sq. SE19 —2B 108
Gibney Ter. Brom —1D 110
Gibraltar Cres. Eps —2C 134
Gibraltar Wlk. E2 —6D 60
(off Tomlinson Clo.)
Gibson Clo. E1 —7G 61
Gibson Clo. N21 —8L 15
Gibson Clo. Chess —7G 119
Gibson Clo. Iswth —2C 86
Gibson Ct. Hin W —4D 118
Gibson Gdns. N16 —7D 44
Gibson Ho. Sutt —6L 121
Gibson Pl. Stanw —5A 144
Gibson Rd. SE11 —5K 75
Gibson Rd. Dag —6G 49
Gibson Rd. Sutt —7M 121
Gibsons Hill. SW16 —4L 107
Gibson Sq. N1 —4L 59
Gibson St. SE10 —6C 78
Gidd Hill. Coul —8E 136
Gidea Av. Romf —1E 50
Gidea Clo. Romf —1E 50
Gidea Park. —1F 50
Gideon Clo. Belv —5M 81
Gideon M. W5 —3H 71
Gideon Rd. SW11 —2E 90
Gielgud Theatre. —1H 75
(off Shaftesbury Av.)
Giesbach Rd. N19 —7H 43
Giffard Rd. N18 —6C 28
Giffen Sq. Mkt. SE8 —8L 77
(off Giffen St.)
Giffin St. SE8 —8L 77
Gifford Gdns. W7 —8B 54
Gifford Ho. SE10 —6B 78
(off Eastney St.)
Gifford Ho. SW1 —6G 75
(off Churchill Gdns.)
Gifford St. N1 —3J 59
Gift La. E15 —4D 62
Giggshill. —2E 118
Giggs Hill. Orp —6E 112
Giggshill Gdns. Th Dit —3E 118
Giggshill Rd. Th Dit —2E 118
Gilbert Bri. EC2 —8A 60
(off Barbican)
Gilbert Clo. SE18 —9K 79
Gilbert Clo. SW19 —4M 105
(off High Path)
Gilbert Collection. —1K 75
(off Lancaster Pl.)
Gilbert Ct. W5 —9K 55
(off Green Va.)
Gilbert Gro. Edgw —8B 24
Gilbert Ho. E17 —1M 45
Gilbert Ho. EC2 —8A 60
(off Beech St.)
Gilbert Ho. SE8 —7L 77
Gilbert Ho. SW1 —6F 74
(off Churchill Gdns.)
Gilbert Ho. SW8 —8J 75
(off Wyvil Rd.)
Gilbert Pl. WC1 —8J 59
Gilbert Rd. SE11 —5L 75
Gilbert Rd. SW19 —4A 106
Gilbert Rd. Belv —4L 81
Gilbert Rd. Brom —4E 110
Gilbert Rd. Pinn —2H 37
Gilbert Rd. Romf —2D 50
Gilbert Sheldon Ho. W2 —8B 58
(off Edgware Rd.)
Gilbertson Ho. E14 —4L 77
(off Mellish St.)
Gilbert St. E15 —9C 46
Gilbert St. W1 —9E 58
Gilbert St. Enf —1G 17
Gilbert St. Houn —2A 86
Gilbert Way. Croy —4K 123
Gilbey Clo. Uxb —9A 36 & 1F 142
Gilbey Rd. SW17 —1C 106
Gilbeys Yd. NW1 —3E 58
Gilbourne Rd. SE18 —7D 80
Gilda Av. Enf —7J 17
Gilda Ct. NW7 —8E 24
Gilda Cres. N16 —6E 44
Gildea Clo. Pinn —7L 21
Gildea St. W1 —8F 58
Gilden Cres. NW5 —1E 58
Gildenhill Rd. Swan —4G 115
Gildersome St. SE18 —7L 79
Gilders Rd. Chess —9K 119
Giles Clo. Rain —5H 67
Giles Coppice. SE19 —1D 108
Giles Ho. SE16 —4E 76
(off Old Jamaica Rd.)
Gilesmead. SE5 —9B 76
Gilfrid Clo. Uxb —9F 142
Gilhams Av. Bans —4H 135
Gilkes Cres. SE21 —5C 92
Gilkes Pl. SE21 —5C 92
Gillam Ho. SE16 —5G 77
(off Silwood St.)
Gillam Way. Rain —2E 66
Gillan Ct. SE12 —9F 94
Gillan Grn. Bus H —2A 22
Gillards M. E17 —2L 45
Gillards Way. E17 —2L 45
Gill Av. E16 —9E 62
Gill Clo. Wat —8A 8
Gillender St. E3 & E14 —7A 62
Gillender St. E14 —7A 62
Gillespie Rd. N5 —8L 43
Gillett Av. E6 —5J 63
Gillette Corner. (Junct.) —8E 70
Gillett Ho. N8 —1J 43
(off Campsfield Rd.)
Gillett Pl. N16 —1C 60
Gillett Rd. T Hth —8B 108
Gillett St. N16 —1C 60
Gillfoot. NW1 —5G 59
(off Hampstead Rd.)
Gillham Ter. N17 —6E 28
Gilliam Gro. Purl —2L 137
Gillian Cres. Romf —9G 35
Gillian Ho. Har W —6C 22
Gillian Pk. Rd. Sutt —3K 121
Gillian St. SE13 —4M 93
Gillies St. NW5 —1E 58
Gilling Ct. NW3 —2C 58
Gillingham Ho. Romf —5J 35
(off Lindfield Rd.)
Gillingham M. SW1 —5G 75
Gillingham Rd. NW2 —8J 41
Gillingham Row. SW1 —5G 75
Gillingham St. SW1 —5G 75
Gillings Ct. Barn —6J 13
(off Wood St.)
Gillison Wlk. SE16 —4F 76
Gillman Dri. E15 —4D 62
Gillman Ho. E2 —5E 60
(off Pritchard's Rd.)
Gillmans Rd. Orp —3F 128
Gills Hill La. Rad —1D 10
Gill St. E14 —9K 61
Gillum Clo. E Barn —1D 26
Gilmore Ct. N11 —5D 26
Gilmore Rd. SE13 —3B 94
Gilmour Clo. Enf —8A 6
Gilpin Av. SW14 —3B 88
Gilpin Clo. Mitc —6C 106
Gilpin Cres. N18 —5D 28
Gilpin Cres. Twic —6M 85
Gilpin Rd. E5 —9J 45
Gilpin Way. Hay —8B 68
Gilray Ho. W2 —1B 74
(off Gloucester Ter.)
Gilroy Clo. Rain —2D 66
Gilroy Way. Orp —2F 128
Gilsland. Wal A —8L 7
Gilsland Rd. T Hth —8B 108
Gilstead Ho. Bark —5F 64
Gilstead Rd. SW6 —1M 89
Gilston Rd. SW10 —6A 74
Gilton Rd. SE6 —9C 94
Giltspur St. EC1 —9M 59
Gilwell Clo. E4 —6M 17
Gilwell La. E4 —6M 17
Gilwell Park. —6B 18
Gilwell Pk. E4 —5B 18
Ginsburg Yd. NW3 —9A 42
Gippeswyck Clo. Pinn —8H 21
Gipsy Hill. SE19 —1C 108
Gipsy La. SW15 —2F 88
Gipsy La. Wey —4A 116
Gipsy Rd. SE27 —1A 108
Gipsy Rd. Well —8H 81
Gipsy Rd. Gdns. SE27 —1A 108
Giralda Clo. E16 —8H 63
Giraud St. E14 —9M 61
Girdler's Rd. W14 —5H 73
Girdlestone Wlk. N19 —7G 43
Girdwood Rd. SW18 —6J 89
Girling Ho. N1 —4C 60
(off Colville Est.)
Girling Way. Felt —2E 84
Gironde Rd. SW6 —8K 73
Girtin Ho. N'holt —5H 53
(off Academy Gdns.)
Girtin Rd. Bush —7M 9
Girton Av. NW9 —1L 39
Girton Clo. N'holt —2A 54
Girton Ct. Chesh —3E 6
Girton Gdns. Croy —5L 125
Girton Rd. SE26 —2H 109
Girton Rd. N'holt —2A 54
Girton Vs. W10 —9H 57
Girton Way. Crox G —7A 8
Gisborne Gdns. Rain —6D 66
Gisbourne Clo. Wall —5H 123
Gisburne Way. Wat —1E 8
Gisburn Ho. SE15 —7E 76
(off Friary Est.)
Gisburn Rd. N8 —2K 43
Gissing Wlk. N1 —3L 59
Gittens Clo. Brom —1D 110
Given Wilson Wlk. E13 —5D 62
Glacier Way. Wemb —5H 55
Gladbeck Way. Enf —6M 15
Gladding Rd. E12 —9H 47
Glade Clo. Surb —4H 119
Glade Ct. Ilf —8K 31
Glade Gdns. Croy —2J 125
Glade La. S'hall —3M 69
Glade Rd. E12 —8K 47
Gladeside. N21 —8K 15
Gladeside. Croy —1H 125
Gladeside Clo. Chess —9H 119
Gladesmore Rd. N15 —4D 44
Glades Pl. Brom —6E 110
Glades Shop. Cen., The. Brom —6E 110
Gladeswood Rd. Belv —5M 81
Glade, The. N20 —3B 26
Glade, The. N21 —9K 15
Glade, The. SE7 —8G 79
Glade, The. Brom —6H 111
Glade, The. Croy —9H 109
Glade, The. Enf —5L 15
Glade, The. Eps —8E 120
Glade, The. Ilf —8K 31
Glade, The. Sutt —1J 135
Glade, The. W W'ck —5M 125
Glade, The. Wfd G —3F 30
Gladeway, The. Wal A —6K 7
Gladiator St. SE23 —6J 93
Glading Ter. N16 —8D 44
Gladioli Clo. Hamp —3L 101
Gladsdale Dri. Pinn —2F 36
Gladsmuir Clo. W on T —4G 117
Gladsmuir Rd. N19 —6G 43

Gladsmuir Rd.—Godolphin Rd.

Gladsmuir Rd. Barn —4J 13
Gladstone Av. E12 —3J 63
Gladstone Av. N22 —9L 27
Gladstone Av. Felt —5E 84
Gladstone Av. Twic —7B 86
Gladstone Ct. SW1 —5H 75
(off Regency St.)
Gladstone Gdns. Houn —9A 70
Gladstone Ho. E14 —9L 61
(off E. India Dock Rd.)
Gladstone M. N22 —9L 27
Gladstone M. NW6 —3K 57
Gladstone M. SE20 —4G 109
Gladstone Pde. NW2 —7G 41
Gladstone Pk. Gdns. NW2 —8F 40
Gladstone Pl. E3 —5K 61
Gladstone Pl. Barn —6H 13
Gladstone Pl. E Mol —9C 102
Gladstone Rd. SW19 —4L 105
Gladstone Rd. W4 —4B 72
Gladstone Rd. Buck H —1G 31
Gladstone Rd. Croy —2B 124
Gladstone Rd. Dart —5K 99
Gladstone Rd. King T —7L 103
Gladstone Rd. Orp —7A 128
Gladstone Rd. S'hall —3J 69
Gladstone Rd. Surb —4H 119
Gladstone Rd. Wat —5G 9
Gladstone St. SE1 —4M 75
Gladstone Ter. SE27 —2A 108
(off Bentons La.)
Gladstone Ter. SW8 —9F 74
Gladstone Way. Harr —1C 38
Gladwell Rd. N8 —4K 43
Gladwell Rd. Brom —3E 110
Gladwin Ho. NW1 —5G 59
(off Cranleigh St.)
Gladwyn Rd. SW15 —2H 89
Gladys Dimson Ho. E7 —1D 62
Gladys Rd. NW6 —3L 57
Glaisher St. SE8 —7L 77
Glamis Clo. Chesh —2A 6
Glamis Ct. W3 —3M 71
Glamis Cres. Hay —4A 68
Glamis Dri. Horn —6J 51
Glamis Pl. E1 —1G 77
Glamis Rd. E1 —1G 77
Glamis Way. N'holt —2A 54
Glamorgan Clo. Mitc —7J 107
Glamorgan Ct. W7 —8D 54
(off Copley Clo.)
Glamorgan Rd. King T —4G 103
Glanfield Rd. Beck —8K 109
Glanleam Rd. Stan —4H 23
Glanville Dri. Horn —6K 51
Glanville Rd. SW2 —4J 91
Glanville Rd. Brom —7F 110
Glasbrook Av. Twic —7K 85
Glasbrook Rd. SE9 —6H 95
Glaserton Rd. N16 —5C 44
Glasford St. SW17 —3D 106
Glasfryn Ct. Harr —7B 38
(off Roxeth Hill)
Glasfryn Ho. Harr —7B 38
(off Roxeth Hill)
Glasgow Ho. W9 —5M 57
(off Maida Va.)
Glasgow Rd. E13 —5F 62
Glasgow Rd. N18 —5F 28
Glasgow Ter. SW1 —6G 75
Glasier Ct. E15 —3C 62
Glasse Clo. W13 —1E 70
Glasshill St. SE1 —3M 75
Glasshouse Fields. E1 —1H 77
Glasshouse St. W1 —1G 75
Glasshouse Wlk. SE1 —6J 75
Glasshouse Yd. EC1 —7A 60
Glasslyn Rd. N8 —3H 43
Glassmill La. Brom —6D 110
(in two parts)
Glass St. E2 —7F 60
Glass Yd. SE18 —4L 79
Glastonbury Av. Wfd G —7H 31
Glastonbury Clo. Orp —3G 129
Glastonbury Ct. SE14 —8G 77
(off Farrow La.)
Glastonbury Ct. W13 —2E 70
(off Talbot Rd.)
Glastonbury Ho. SE12 —4D 94
(off Wantage Rd.)
Glastonbury Ho. SW1 —6F 74
(off Abbots Mnr.)
Glastonbury Pl. E1 —9G 61
Glastonbury Rd. N9 —1E 28
Glastonbury Rd. Mord —2L 121
Glastonbury St. NW6 —1K 57
Glaston Ct. W5 —2H 71
(off Grange Rd.)
Glaucus St. E3 —8M 61
Glazbury Rd. W14 —5J 73
Glazebrook Clo. SE21 —8B 92
Glazebrook Rd. Tedd —4D 102
Glebe Av. Enf —5M 15
Glebe Av. Harr —2J 39
Glebe Av. Mitc —6C 106
Glebe Av. Ruis —2F 52
Glebe Av. Uxb —8A 36
Glebe Av. Wfd G —6E 30
Glebe Clo. W4 —6C 72
Glebe Clo. S Croy —3D 138
Glebe Clo. Uxb —9A 36
Glebe Cotts. Felt —9L 85
Glebe Ct. N13 —3L 27
Glebe Ct. SE3 —2C 94
(off Glebe, The)
Glebe Ct. W5 —2H 71
Glebe Ct. W7 —1B 70
Glebe Ct. Mitc —7D 106
Glebe Ct. Stan —5G 23
Glebe Cres. NW4 —2G 41
Glebe Cres. Harr —1J 39
Glebe Gdns. N Mald —2C 120
Glebe Ho. SE16 —4F 76
(off Slippers Pl.)
Glebe Ho. Dri. Brom —3F 126
Glebe Hyrst. SE19 —1C 108
Glebe Hyrst. S Croy —4D 138
Glebeland Gdns. Shep —1A 116
Glebelands. E10 —7M 45
Glebelands. Chig —3F 32
Glebelands. Clay —1D 132
Glebelands. Dart —3D 98
Glebelands. W Mol —9M 101
Glebelands Av. E18 —9E 30
Glebelands Av. Ilf —5B 48
Glebelands Clo. SE5 —2C 92
Glebelands Rd. Felt —7E 84
Glebe La. Barn —7E 12
Glebe La. Harr —2J 39
Glebe Path. Mitc —7D 106
Glebe Pl. SW3 —7C 74
Glebe Rd. E8 —3D 60
Glebe Rd. N3 —8A 26
Glebe Rd. N8 —2K 43
Glebe Rd. NW10 —2E 56
Glebe Rd. SW13 —1E 88
Glebe Rd. Asht —9H 133
Glebe Rd. Brom —5E 110
Glebe Rd. Cars —8D 122
Glebe Rd. Dag —2M 65
Glebe Rd. Hay —2D 68
Glebe Rd. Rain —6G 67
Glebe Rd. Stan —5G 23
Glebe Rd. Sutt —1J 135
Glebe Rd. Uxb —5A 142
Glebe Rd. Warl —9H 139
Glebe Side. Twic —5D 86
Glebe Sq. Mitc —7D 106
Glebe St. W4 —6C 72
Glebe Ter. E3 —6M 61
Glebe Ter. W4 —6C 72
Glebe, The. SE3 —2C 94
Glebe, The. SW16 —1H 107
Glebe, The. Chst —5A 112
Glebe, The. Wat —6H 5
Glebe, The. W Dray —5K 143
Glebe, The. Wor Pk —3D 120
Glebe Way. Eri —7C 82
Glebe Way. Hanw —9L 85
Glebe Way. Horn —5J 51
Glebe Way. S Croy —4D 138
Glebe Way. W W'ck —4A 126
Glebe Way. Wfd G —5G 31
Gledhow Gdns. SW5 —5A 74
Gledstanes Rd. W14 —6J 73
Gledwood Av. Hay —8D 52
Gledwood Cres. Hay —8D 52
Gledwood Dri. Hay —8D 52
Gledwood Gdns. Hay —8D 52
Gleed Av. Bus H —2B 22
Gleeson Dri. Orp —7D 128
Glegg Pl. SW15 —3H 89
Glenaffric Av. E14 —5B 78
Glen Albyn Rd. SW19 —8H 89
Glenallan Ho. W14 —5K 73
(off N. End Cres.)
Glenalla Rd. Ruis —5D 36
Glenalmond Rd. Harr —2J 39
Glenalvon Way. SE18 —5J 79
Glena Mt. Sutt —6A 122
Glenarm Rd. E5 —9G 45
Glen Av. Ashf —9E 144
Glenavon Clo. Clay —8E 118
Glenavon Ct. Wor Pk —4F 120
Glenavon Lodge. Beck —4L 109
Glenavon Rd. E15 —3C 62
Glenbarr Clo. SE9 —2M 95
Glenbow Rd. Brom —3C 110
Glenbrook N. Enf —6K 15
Glenbrook Rd. NW6 —1L 57
Glenbrook S. Enf —6K 15
Glenbuck Rd. Surb —1H 119
Glenburnie Rd. SW17 —9D 90
Glencairn Dri. W5 —7G 55
Glencairne Clo. E16 —8H 63
Glencairn Rd. SW16 —5J 107
Glencoe Av. Ilf —5B 48
Glencoe Dri. Dag —9L 49
Glencoe Mans. SW9 —8L 75
(off Mowll St.)
Glencoe Rd. Bush —8L 9
Glencoe Rd. Hay —8H 53
Glencourse Grn. Wat —4H 21
Glen Ct. Sidc —1E 112
Glen Cres. Wfd G —6F 30
Glendale. Swan —9D 114
Glendale Av. N22 —7L 27
Glendale Av. Edgw —4K 23
Glendale Av. Romf —5G 49
Glendale Clo. SE9 —2L 95
Glendale Dri. SW19 —2K 105
Glendale Gdns. Wemb —6H 39
Glendale M. Beck —5M 109
Glendale Ri. Kenl —7M 137
Glendale Rd. Eri —5A 82
Glendale Wlk. Chesh —3E 6
Glendale Way. SE28 —1G 81
Glendall St. SW9 —3K 91
Glendarvon St. SW15 —2H 89
Glendean Ct. Enf —9E 6
Glendevon Clo. Edgw —3M 23
Glendish Rd. N17 —8F 28
Glendor Gdns. NW7 —4B 24
Glendower Cres. Orp —1E 128
Glendower Gdns. SW14 —2B 88
Glendower Pl. SW7 —5B 74
Glendower Rd. E4 —1B 30
Glendower Rd. SW14 —2B 88
Glendown Ho. E8 —1E 60
Glendown Rd. SE2 —6E 80
Glendun Ct. W3 —1C 72
Glendun Rd. W3 —1C 72
Gleneagle M. SW16 —2H 107
Gleneagle Rd. SW16 —2H 107
Gleneagles. W13 —8F 54
(off Malvern Way)
Gleneagles. Stan —7F 22
Gleneagles Clo. SE16 —6F 76
(off Ryder Dri.)
Gleneagles Clo. Orp —3B 128
Gleneagles Clo. Romf —7K 35
Gleneagles Clo. Stanw —5A 144
Gleneagles Clo. Wat —4H 21
Gleneagles Grn. Orp —3B 128
Gleneagles Tower. S'hall —9A 54
(off Fleming Rd.)
Gleneldon M. SW16 —1J 107
Gleneldon Rd. SW16 —1J 107
Glenelg Rd. SW2 —4J 91
Glenesk Rd. SE9 —2L 95
Glenfarg Rd. SE6 —7A 94
Glenfield Cres. Ruis —5B 36
Glenfield Rd. SW12 —7G 91
Glenfield Rd. W13 —3F 70
Glenfield Rd. Ashf —3A 100
Glenfield Rd. Bans —7M 135
Glenfield Ter. W13 —3F 70
Glenfinlas Way. SE5 —8M 75
Glenforth St. SE10 —6D 78
Glengall Gro. E14 —4M 77
Glengall Pas. NW6 —4L 57
(off Priory Pk. Rd., in two parts)
Glengall Rd. NW6 —4K 57
Glengall Rd. SE15 —6D 76
Glengall Rd. Bexh —2J 97
Glengall Rd. Edgw —3M 23
Glengall Rd. Wfd G —6E 30
Glengall Ter. SE15 —7D 76
Glen Gdns. Croy —5L 123
Glengarnock Av. E14 —5A 78
Glengarry Rd. SE22 —4C 92
Glenham Dri. Ilf —3M 47
Glenhaven Av. Borwd —5L 11
Glenhead Clo. SE9 —2M 95
Glenhill Clo. N3 —9L 25
Glen Ho. E16 —2L 79
(off Storey St.)
Glenhouse Rd. SE9 —4L 95
Glenhurst. Beck —5A 110
Glenhurst Av. NW5 —9E 42
Glenhurst Av. Bex —7K 97
Glenhurst Av. Ruis —5A 36
Glenhurst Ri. SE19 —4A 108
Glenhurst Rd. N12 —5B 26
Glenhurst Rd. Bren —7G 71
Glenilla Rd. NW3 —2C 58
Glenister Pk. Rd. SW16 —4H 107
Glenister Rd. SE10 —6D 78
Glenister St. E16 —2L 79
Glenkerry Ho. E14 —9A 62
(off Burcham St.)
Glenlea Rd. SE9 —4K 95
Glenloch Rd. NW3 —2C 58
Glenloch Rd. Enf —4G 17
Glenluce Rd. SE3 —7E 78
Glenlyon Rd. SE9 —4L 95
Glenmead. Buck H —1G 31
Glenmere Av. NW7 —7E 24
Glenmill. Hamp —2K 101
Glenmore Gdns. Ab L —5E 4
Glenmore Lawns. W13 —9E 54
Glenmore Lodge. Beck —5M 109
Glenmore Pde. Wemb —4J 55
Glenmore Rd. NW3 —2C 58
Glenmore Rd. Well —8D 80
Glenmore Way. Bark —5E 64
Glenmount Path. SE18 —6A 80
Glenn Av. Purl —3M 137
Glennie Ho. SE10 —9A 78
(off Blackheath Hill)
Glennie Rd. SE27 —9L 91
Glenny Rd. Bark —2A 64
Glenorchy Clo. Hay —8J 53
Glenparke Rd. E7 —2F 62
Glenridding. NW1 —5G 59
(off Ampthill Est.)
Glen Ri. Wfd G —6F 30
Glen Rd. E13 —7G 63
Glen Rd. E17 —3K 45
Glen Rd. Chess —6K 119
Glen Rd. End. Wall —1F 136
Glenrosa St. SW6 —1A 90
Glenrose Ct. Sidc —2F 112
Glenroy St. W12 —9G 57
Glensdale Rd. SE4 —2K 93
Glenshaw Mans. SW9 —8L 75
(off Brixton Rd.)
Glenshee Clo. N'wd —6A 20
Glenshiel Rd. SE9 —4L 95
Glenside. Chig —6M 31
Glentanner Way. SW17 —9B 90
Glen Ter. E14 —3A 78
(off Manchester Rd.)
Glentham Gdns. SW13 —7F 72
Glentham Rd. SW13 —7E 72
Glen, The. Brom —6C 110
Glen, The. Croy —5H 125
Glen, The. Eastc —3F 36
Glen, The. Enf —6M 15
Glen, The. N'wd —7B 20
Glen, The. Orp —5K 127
Glen, The. Pinn —5J 37
Glen, The. Rain —7G 67
Glen, The. S'hall —6K 69
Glen, The. Wemb —9J 39
Glenthorne Av. Croy —3F 124
Glenthorne Clo. Sutt —3L 121
Glenthorne Clo. Uxb —6E 142
Glenthorne Gdns. Ilf —1L 47
Glenthorne Gdns. Sutt —3L 121
Glenthorne M. W6 —5F 72
Glenthorne Rd. E17 —3J 45
Glenthorne Rd. N11 —5D 26
Glenthorne Rd. W6 —5F 72
Glenthorne Rd. King T —8K 103
Glenthorpe Av. SW15 —3E 88
Glenthorpe Rd. Mord —9H 105
Glenton Clo. Romf —7C 34
Glenton Rd. SE13 —3C 94
Glenton Way. Romf —7C 34
Glentrammon Av. Orp —8D 128
Glentrammon Clo. Orp —7D 128
Glentrammon Gdns. Orp —8D 128
Glentrammon Rd. Orp —8D 128
Glentworth St. NW1 —7D 58
Glenure Rd. SE9 —4L 95
Glenview. SE2 —7H 81
Glenview Rd. Brom —6H 111
Glenville Av. Enf —2A 16
Glenville Gro. SE8 —8K 77
Glenville M. SW18 —6M 89
Glenville Rd. King T —5L 103
Glen Wlk. Iswth —4B 86
Glen Way. Wat —2C 8
Glenwood Av. NW9 —6C 40
Glenwood Av. Rain —7E 66
Glenwood Clo. Harr —3D 38
Glenwood Ct. E18 —1E 46
Glenwood Ct. Sidc —1E 112
Glenwood Dri. Romf —3E 50
Glenwood Gdns. Ilf —3L 47
Glenwood Gro. NW9 —6A 40
Glenwood Rd. N15 —3M 43
Glenwood Rd. NW7 —3C 24
Glenwood Rd. SE6 —7K 93
Glenwood Rd. Eps —8E 120
Glenwood Rd. Houn —2B 86
Glenwood Way. Croy —1H 125
Glenworth Av. E14 —5B 78
Gliddon Rd. W14 —5J 73
Glimpsing Grn. Eri —4J 81
Glisson Rd. Uxb —5E 142
Gload Cres. Orp —4H 129
Global App. E3 —5M 61
Globe Pond Rd. SE16 —2J 77
Globe Rd. E2 & E1 —6G 61
(in two parts)
Globe Rd. E15 —1D 62
Globe Rd. Horn —4E 50
Globe Rd. Wfd G —6G 31
Globe Rope Wlk. E14 —5M 77
(off E. Ferry Rd.)
Globe St. SE1 —4B 76
Globe Ter. E2 —6G 61
Globe Town. —6H 61
Globe Town Mkt. E2 —6H 61
Globe Wharf. SE16 —1H 77
Globe Yd. W1 —9F 58
(off S. Molton St.)
Glossop Ho. Romf —5J 35
(off Lindfield Rd.)
Glossop Rd. S Croy —1B 138
Gloster Rd. N Mald —8C 104
Gloucester Arc. SW7 —5A 74
Gloucester Av. NW1 —3E 58
Gloucester Av. Horn —2L 51
Gloucester Av. Sidc —8C 96
Gloucester Av. Wal X —6E 6
Gloucester Av. Well —3D 96
Gloucester Cir. SE10 —8A 78
Gloucester Clo. NW10 —3B 56
Gloucester Clo. Th Dit —3E 118
Gloucester Ct. EC3 —1C 76
Gloucester Ct. NW11 —5K 41
(off Golders Grn. Rd.)
Gloucester Ct. W7 —8D 54
(off Copley Clo.)
Gloucester Ct. Harr —1C 38
Gloucester Ct. Mitc —9J 107
Gloucester Ct. Rich —8L 71
Gloucester Cres. NW1 —4F 58
Gloucester Dri. N4 —7M 43
Gloucester Dri. NW11 —2L 41
Gloucester Gdns. NW11 —5K 41
Gloucester Gdns. W2 —9A 58
Gloucester Gdns. Cockf —6E 14
Gloucester Gdns. Ilf —5J 47
Gloucester Gdns. Sutt —4M 121
Gloucester Ga. NW1 —5F 58
(in two parts)
Gloucester Ga. M. NW1 —5F 58
Gloucester Gro. Edgw —8B 24
Gloucester Ho. NW6 —5L 57
(off Cambridge Rd.)
Gloucester Ho. SE5 —8L 75
Gloucester Ho. Borwd —4L 11
Gloucester Ho. Rich —4L 87
Gloucester M. E10 —5L 45
Gloucester M. W2 —9A 58
Gloucester M. W. W2 —9A 58
Gloucester Pde. Hay —4A 68
Gloucester Pde. Sidc —4E 96
Gloucester Pl. NW1 & W1 —7D 58
Gloucester Pl. M. W1 —8D 58
Gloucester Rd. E10 —5L 45
Gloucester Rd. E11 —3F 46
Gloucester Rd. E12 —8K 47
Gloucester Rd. E17 —9H 29
Gloucester Rd. N17 —9B 28
Gloucester Rd. N18 —5D 28
Gloucester Rd. SW7 —4A 74
Gloucester Rd. W3 —3A 72
Gloucester Rd. W5 —3G 71
Gloucester Rd. Barn —7M 13
Gloucester Rd. Belv —6K 81
Gloucester Rd. Croy —3B 124
Gloucester Rd. Dart —6F 98
Gloucester Rd. Enf —2A 16
Gloucester Rd. Felt —7G 85
Gloucester Rd. Hamp —4M 101
Gloucester Rd. Harr —3M 37
Gloucester Rd. Houn —3J 85
Gloucester Rd. King T —6L 103
Gloucester Rd. Rich —8L 71
Gloucester Rd. Romf —4C 50
Gloucester Rd. Tedd —2C 102
Gloucester Rd. Twic —7A 86
Gloucester Sq. E2 —4E 60
Gloucester Sq. W2 —9B 58
Gloucester St. SW1 —6G 75
Gloucester Ter. N14 —1H 27
(off Crown La.)
Gloucester Ter. W2 —9M 57
Gloucester Wlk. W8 —3L 73
Gloucester Way. EC1 —6L 59
Glover Clo. SE2 —5G 81
Glover Dri. N18 —6G 29
Glover Ho. NW6 —3A 58
Glover Ho. SE15 —3F 92
Glover Rd. Pinn —4H 37
Glovers Gro. Ruis —5A 36
Gloxinia Wlk. Hamp —3L 101
Glycena Rd. SW11 —2D 90
Glyn Av. Barn —6B 14
Glyn Clo. SE25 —6C 108
Glyn Clo. Eps —1F 134
Glyn Ct. SW16 —9L 91
Glyndale Grange. Sutt —8M 121
Glyndebourne Ct. N'holt —6G 53
(off Canberra Dri.)
Glyndebourne Pk. Orp —4M 127
Glynde M. SW3 —4C 74
(off Walton St.)
Glynde Reach. WC1 —6J 59
(off Harrison St.)
Glynde Rd. Bexh —2H 97
Glynde St. SE4 —5K 93
Glyndon Rd. SE18 —5A 80
Glyn Dri. Sidc —1F 112
Glynfield Rd. NW10 —3C 56
Glynne Rd. N22 —9L 27
Glyn Rd. E5 —8H 45
Glyn Rd. Enf —6G 17
Glyn Rd. Wor Pk —4H 121
Glyn St. SE11 —6K 75
Glynwood Ct. SE23 —8G 93
Goater's All. SW6 —8K 73
(off Dawes Rd.)
Goat Ho. Bri. SE25 —7E 108
Goat La. Enf —2D 16
Goat Rd. Mitc —2E 122
Goatswood La. Nave —1F 34
Goat Wharf. Bren —7J 71
Gobions Av. Romf —7B 34
Godalming Av. Wall —7J 123
Godalming Rd. E14 —8M 61
Godbold Rd. E15 —7C 62
Goddard Ct. W'stone —9E 22
Goddard Pl. N19 —8G 43
Goddard Rd. Beck —8H 109
Goddards Way. Ilf —6B 48
Goddarts Ho. E17 —1L 45
Goddington. —4H 129
Goddington Chase. Orp —6F 128
Goddington La. Orp —5E 128
Godfrey Av. N'holt —4J 53
Godfrey Av. Twic —6B 86
Godfrey Hill. SE18 —5J 79
Godfrey Ho. EC1 —6B 60
(off St Luke's Est.)
Godfrey Rd. SE18 —5K 79
Godfrey St. E15 —5A 62
Godfrey St. SW3 —6C 74
Godfrey Way. Houn —6J 85
Goding St. SE11 —6J 75
Godley Rd. SW18 —7B 90
Godliman St. EC4 —9M 59
Godman Rd. SE15 —1F 92
Godolphin Clo. N13 —6M 27
Godolphin Clo. Sutt —3K 135
Godolphin Ho. NW3 —3C 58
(off Fellows Rd.)
Godolphin Pl. W3 —1B 72
Godolphin Rd. W12 —2F 72
(in two parts)

Godolphin Rd.—Grand Arc.

Godolphin Rd. Wey —8B 116
Godric Cres. New Ad —2B 140
Godson Rd. Croy —5L 123
Godstone Ho. SE1 —4B 76
(off Pardoner St.)
Godstone Mt. Purl —4M 137
Godstone Rd. Kenl & Purl —4L 137
Godstone Rd. Sutt —6A 122
Godstone Rd. Twic —5F 86
Godstow Rd. SE2 —3F 80
Godwin Clo. E4 —3A 18
Godwin Clo. N1 —5A 60
Godwin Clo. Eps —8A 120
Godwin Ct. NW1 —5G 59
(off Chalton St.)
Godwin Ho. NW6 —5M 57
(off Tollgate Gdns., in three parts)
Godwin Rd. E7 —9F 46
Godwin Rd. Brom —7G 111
Goffers Rd. SE3 —9C 78
Goff's La. Chesh & G Oak —2A 6
Goffs Rd. Ashf —3B 100
Goidel Clo. Wall —6H 123
Golborne Gdns. W10 —7J 57
Golborne Ho. W10 —7J 57
(off Adair Rd.)
Golborne M. W10 —8J 57
Golborne Rd. W10 —8J 57
Golda Clo. Barn —8H 13
Goldbeaters Gro. Edgw —6C 24
Goldcliff Clo. Mord —2L 121
Goldcrest Clo. E16 —8H 63
Goldcrest Clo. SE28 —1G 81
Goldcrest M. W5 —8H 55
Goldcrest Way. Bush —1A 22
Goldcrest Way. New Ad —1B 140
Goldcrest Way. Purl —2H 137
Golden Ct. Barn —6C 14
Golden Ct. Rich —4H 87
Golden Cres. Hay —2D 68
Golden Cross M. W11 —9K 57
(off Portobello Rd.)
Golden Hinde Educational Mus. —2B 76
Golden Hind Pl. SE8 —5K 77
(off Grove St.)
Golden La. EC1 —7A 60
Golden La. Est. EC1 —7A 60
Golden Mnr. W7 —1C 70
Golden M. SE20 —5G 109
Golden Pde. E17 —1A 46
(off Wood St.)
Golden Plover Clo. E16 —9E 62
Golden Sq. W1 —1G 75
Golden Yd. NW3 —9A 42
(off Holly Mt.)
Golders Clo. Edgw —5M 23
Golders Ct. NW11 —5K 41
Golders Gdns. NW11 —5J 41
Golders Green. —4J 41
Golders Green Crematorium. NW11 —5L 41
Golders Grn. Cres. NW11 —5K 41
Golders Grn. Rd. NW11 —4J 41
Golders Mnr. Dri. NW11 —4H 41
Golders Pk. Clo. NW11 —6L 41
Golders Ri. NW4 —3H 41
Golders Way. NW11 —5K 41
Golderton. NW4 —2F 40
(off Prince of Wales Clo.)
Goldeslea. NW11 —6L 41
Goldfinch Clo. Orp —7E 128
Goldfinch Rd. SE28 —4B 80
Goldfinch Rd. S Croy —2J 139
Goldfinch Way. Borwd —6L 11
Goldhawk Ind. Est. W6 —4F 72
Goldhawk M. W12 —3F 72
Goldhawk Rd. W6 & W12 —5D 72
Goldhaze Clo. Wfd G —7H 31
Gold Hill. Edgw —6B 24
Goldhurst Gdns. NW6 —3A 58
Goldhurst Ter. NW6 —3M 57
Goldie Ho. N19 —5H 43
Golding Clo. Chess —8G 119
Golding Ct. Ilf —8L 47
Goldings Hill. Lou —1K 19
Goldings Ri. Lou —3L 19
Goldings Rd. Lou —3L 19
Golding St. E1 —9E 60
Golding Ter. E1 —9E 60
Golding Ter. SW11 —1E 90
Goldington Ct. NW1 —4H 59
(off Royal College St.)
Goldington Cres. NW1 —5H 59
Goldington St. NW1 —5H 59
Gold La. Edgw —6B 24
Goldman Clo. E2 —7E 60
Goldmark Ho. SE3 —2F 94
Goldney Rd. W9 —7L 57
Goldrill Dri. N11 —2E 26
Goldrings Rd. Oxs —5A 132
Goldsboro' Rd. SW8 —9H 75
Goldsborough Cres. E4 —2M 29
Goldsborough Ho. E14 —6M 77
(off St Davids Sq.)
Goldsdown Clo. Enf —4J 17
Goldsdown Rd. Enf —4H 17
Goldsel Rd. Swan —9B 114
Goldsmere Ct. Horn —6J 51
Goldsmid St. SE18 —6C 80
Goldsmith Av. E12 —2J 63
Goldsmith Av. NW9 —3C 40
Goldsmith Av. W3 —1B 72
Goldsmith Av. Romf —5L 49
Goldsmith Clo. Harr —6M 37
Goldsmith Ct. WC2 —9J 59
(off Stukeley St.)
Goldsmith La. NW9 —2M 39
Goldsmith Rd. E10 —6L 45
Goldsmith Rd. E17 —9H 29
Goldsmith Rd. N11 —5D 26
Goldsmith Rd. SE15 —9E 76
Goldsmith Rd. W3 —2B 72
Goldsmith's Bldgs. W3 —2B 72
Goldsmiths Clo. W3 —2B 72
Goldsmith's Pl. NW6 —4M 57
(off Springfield La.)
Goldsmith's Row. E2 —5E 60
Goldsmith's Sq. E2 —5E 60
Goldsmith St. EC2 —9A 60
Goldsworthy Gdns. SE16 —6G 77
Goldthorpe. NW1 —4G 59
(off Camden St.)
Goldwell Ho. SE22 —2C 92
Goldwell Rd. T Hth —8K 107
Goldwin Clo. SE14 —9G 77
Goldwing Clo. E16 —9E 62
Golf Clo. Bush —5H 9
Golf Clo. Stan —7G 23
Golf Clo. T Hth —5L 107
Golf Club Dri. King T —4B 104
Golfe Rd. Ilf —8B 48
Golf Rd. W5 —9K 55
Golf Rd. Brom —7L 111
Golf Rd. Kenl —9B 138
Golf Side. Sutt —3J 135
Golf Side. Twic —9B 86
Golfside Clo. N20 —3C 26
Golfside Clo. N Mald —6C 104
Goliath Clo. Wall —9J 123
Gollogly Ter. SE7 —6G 79
Gomer Gdns. Tedd —3E 102
Gomer Pl. Tedd —3E 102
Gomm Rd. SE16 —4G 77
Gomshall Av. Wall —7J 123
Gomshall Gdns. Kenl —7C 138
Gomshall Rd. Sutt —2G 135
Gondar Gdns. NW6 —1K 57
Gonson St. SE8 —7M 77
Gonston Clo. SW19 —8J 89
Gonville Cres. N'holt —2M 53
Gonville Rd. T Hth —9K 107
Gonville St. SW6 —2J 89
Gooch Ho. E5 —8F 44
Gooch Ho. WC1 —8L 59
(off Portpool La.)
Goodall Ho. SE4 —3H 93
Goodall Rd. E11 —8A 46
Gooden Ct. Harr —8C 38
Goodenough Rd. SW19 —4K 105
Goodey Rd. Bark —3C 64
Goodge Pl. W1 —8G 59
Goodge St. W1 —8G 59
Goodhall St. NW10 —6D 56
(in two parts)
Goodhart Pl. E14 —1J 77
Good Hart Pl. E14 —1J 77
Goodhart Way. W W'ck —2C 126
Goodhew Rd. Croy —1E 124
Gooding Clo. N Mald —8A 104
Goodinge Clo. N7 —2J 59
Gooding Ho. SE7 —6G 79
Goodman Cres. SW2 —8J 91
Goodman Rd. E10 —5A 46
Goodman's Ct. E1 —1D 76
(off Goodman's Yd.)
Goodmans Ct. Wemb —9H 39
Goodman's Stile. E1 —9E 60
Goodmans Yd. EC3 —1D 76
Goodmayes. —6E 48
Goodmayes Av. Ilf —6E 48
Goodmayes La. Ilf —9E 48
Goodmayes Rd. Ilf —6E 48
Goodmead Rd. Orp —2E 128
Goodrich Clo. Wat —8E 4
Goodrich Ct. W10 —9H 57
Goodrich Rd. SE22 —5D 92
Goodson Rd. NW10 —3C 56
Goodson St. N1 —5L 59
Goods Way. NW1 —5J 59
Goodway Gdns. E14 —9B 62
Goodwill Ho. E14 —1M 77
(off Simpson's Rd.)
Goodwin Clo. SE16 —4D 76
Goodwin Clo. Mitc —7B 106
Goodwin Ct. N8 —1J 43
(off Campsbourne Rd.)
Goodwin Ct. SW19 —4C 106
Goodwin Ct. Barn —8C 14
Goodwin Ct. Chesh —1E 6
Goodwin Dri. Sidc —9H 97
Goodwin Gdns. Croy —8M 123
Goodwin Ho. N9 —1G 29
Goodwin Ho. Wat —8C 8
Goodwin Rd. N9 —1H 29
Goodwin Rd. W12 —3E 72
Goodwin Rd. Croy —7M 123
Goodwins Ct. WC2 —1J 75
Goodwin St. N4 —7L 43
Goodwood Av. Enf —1G 17
Goodwood Av. Horn —9J 51
Goodwood Av. Wat —8C 4
Goodwood Clo. Mord —8L 105
Goodwood Clo. Stan —5G 23
Goodwood Ct. W1 —8F 58
(off Devonshire St.)
Goodwood Dri. N'holt —2L 53
Goodwood Ho. SE14 —9J 77
(off Goodwood St.)
Goodwood Pde. Beck —8J 109
Goodwood Pde. Wat —9C 4
Goodwood Path. Borwd —4L 11
Goodwood Rd. SE14 —8J 77
Goodwyn Av. NW7 —5C 24
Goodwyns Va. N10 —8E 26
Goodyear Ho. N2 —9B 26
(off Grange, The)
Goodyear Pl. SE5 —7A 76
Goodyer Ho. SW1 —6H 75
(off Tachbrook St.)
Goodyers Gdns. NW4 —3H 41
Goosander Way. SE28 —4B 80
Gooseacre La. Harr —3H 39
Goose Grn. Clo. Orp —6E 112
Goose Grn. Trad. Est. SE22 —3D 92
Gooseley La. E6 —6L 63
(in two parts)
Goosens Clo. Sutt —7A 122
Goose Sq. E6 —9K 63
Gooshays Dri. Romf —5J 35
Gooshays Gdns. Romf —6J 35
Gophir La. EC4 —1B 76
Gopsall St. N1 —4B 60
Gordon Av. E4 —6C 30
Gordon Av. SW14 —3C 88
Gordon Av. Horn —7D 50
Gordon Av. S Croy —2A 138
Gordon Av. Stan —7D 22
Gordon Av. Twic —4E 86
Gordonbrock Rd. SE4 —4L 93
Gordon Clo. E17 —4L 45
Gordon Clo. N19 —6G 43
Gordon Ct. W12 —9G 57
Gordon Ct. Edgw —5J 23
Gordon Cres. Croy —3C 124
Gordon Cres. Hay —4E 68
Gordondale Rd. SW19 —8L 89
Gordon Dri. Shep —2B 116
Gordon Gdns. Edgw —9M 23
Gordon Gro. SE5 —1M 91
Gordon Hill. Enf —3A 16
Gordon Ho. E1 —1G 77
(off Glamis Rd.)
Gordon Ho. SE10 —8M 77
(off Tarves Way)
Gordon Ho. W5 —6J 55
Gordon Ho. Rd. NW5 —9E 42
Gordon Mans. WC1 —7H 59
(off Torrington Pl.)
Gordon Pl. W8 —3L 73
Gordon Rd. E4 —9C 18
Gordon Rd. E11 —4E 46
Gordon Rd. E15 —9A 46
Gordon Rd. E18 —8F 30
Gordon Rd. N3 —7K 25
Gordon Rd. N9 —2F 28
Gordon Rd. N11 —7H 27
Gordon Rd. SE15 —1F 92
Gordon Rd. W4 —7M 71
Gordon Rd. W13 & W5 —1F 70
Gordon Rd. Ashf —9C 144
Gordon Rd. Bark —4C 64
Gordon Rd. Beck —7K 109
Gordon Rd. Belv —5A 82
Gordon Rd. Cars —8D 122
Gordon Rd. Chad H & Romf —4K 49
Gordon Rd. Clay —9C 118
Gordon Rd. Dart —6H 99
Gordon Rd. Enf —3A 16
Gordon Rd. Harr —1C 38
Gordon Rd. Houn —3A 86
Gordon Rd. Ilf —8B 48
Gordon Rd. King T —5K 103
Gordon Rd. Rich —1K 87
Gordon Rd. Shep —1B 116
Gordon Rd. Sidc —4C 96
Gordon Rd. S'hall —5J 69
Gordon Rd. Surb —2K 119
Gordon Rd. Wal A —7G 7
Gordon Rd. W Dray —1J 143
Gordon Sq. WC1 —7H 59
Gordon St. E13 —6E 62
Gordon St. WC1 —7H 59
Gordon Way. Barn —6K 13
Gordon Way. Brom —5E 110
Gore Ct. NW9 —3L 39
Gorefield Ho. NW6 —5L 57
(off Canterbury Rd.)
Gorefield Pl. NW6 —5L 57
Gore Rd. E9 —4G 61
Gore Rd. SW20 —6G 105
Goresbrook Interchange. (Junct.) —5K 65
Goresbrook Rd. Dag —4F 64
Gore St. SW7 —4A 74
Gorham Pl. W11 —1J 73
Goring Clo. Romf —8A 34
Goring Gdns. Dag —9G 49
Goring Rd. N11 —6J 27
Goring Rd. Dag —2B 66
Goring St. EC3 —9C 60
(off Houndsditch)
Goring Way. Gnfd —5A 54
Gorle Clo. Wat —8E 4
Gorleston Rd. N15 —3B 44
Gorleston St. W14 —5J 73
(in two parts)
Gorman Rd. SE18 —5K 79
Gorringe Pk. Av. Mitc —4D 106
Gorse Clo. E16 —9E 62
Gorsefield Ho. E14 —1L 77
(off E. India Dock Rd.)
Gorse Hill. F'ham —2L 131
Gorse Ri. SW17 —2E 106
Gorse Rd. Croy —6L 125
Gorse Rd. Orp —3K 129
Gorse Wlk. W Dray —9C 142
Gorseway. Romf —6C 50
Gorst Rd. NW10 —7A 56
Gorst Rd. SW11 —5D 90
Gorsuch Pl. E2 —6D 60
Gorsuch St. E2 —5D 60
Gosberton Rd. SW12 —7D 90
Gosbury Hill. Chess —6J 119
Gosfield Rd. Dag —7L 49
Gosfield Rd. Eps —4B 134
Gosfield St. W1 —8G 59
Gosford Gdns. Ilf —3K 47
Gosford Ho. Wat —8C 8
Gosforth La. Wat —3E 20
Gosforth Path. Wat —3E 20
Goshawk Gdns. Hay —6C 52
Goslett Yd. WC2 —9H 59
Gosling Clo. Gnfd —6L 53
Gosling Ho. E1 —1G 77
(off Sutton St.)
Gosling Way. SW9 —9L 75
Gospatrick Rd. N17 —7A 28
Gospel Oak. —9E 42
Gospel Oak Est. NW5 —1D 58
Gosport Dri. Horn —2G 67
Gosport Rd. E17 —3K 45
Gosport Wlk. N17 —2F 44
Gosport Way. SE15 —8D 76
Gossage Rd. SE18 —6B 80
Gossage Rd. Uxb —3D 142
Gossamers, The. Wat —7J 5
Gosset St. E2 —6D 60
Goss Hill. Swan —3G 115
Gosshill Rd. Chst —6L 111
Gossington Clo. Chst —1M 111
Gosterwood St. SE8 —7J 77
Gostling Rd. Twic —7L 85
Goston Gdns. T Hth —7L 107
Goswell Pl. EC1 —6M 59
(off Goswell Rd.)
Goswell Rd. EC1 —5M 59
Gothic Clo. Dart —9H 99
Gothic Cotts. Enf —4A 16
(off Chase Grn. Av.)
Gothic Ct. SE5 —8A 76
(off Wyndham Rd.)
Gothic Ct. Hay —7B 68
Gothic Rd. Twic —8B 86
Gottfried M. NW5 —9G 43
Goudhurst Rd. Brom —2C 110
Gough Ho. N1 —4M 59
(off Windsor St.)
Gough Ho. King T —6J 103
(off Eden St.)
Gough Rd. E15 —9D 46
Gough Rd. Enf —4F 16
Gough Sq. EC4 —9L 59
Gough St. WC1 —7K 59
Gough Wlk. E14 —9L 61
Goulden Ho. SW11 —1C 90
Goulding Gdns. T Hth —6A 108
Gouldman Ho. E1 —7G 61
(off Wyllen Clo.)
Gould Rd. Felt —6C 84
Gould Rd. Twic —7C 86
Goulds Green. —9F 142
Gould's Grn. Uxb —1M 143
Gould Ter. E8 —1F 60
Goulston St. E1 —9D 60
Goulton Rd. E5 —9F 44
Gourley Pl. N15 —3C 44
Gourley St. N15 —3C 44
Gourock Rd. SE9 —4L 95
Govan St. E2 —4E 60
Gover Ct. SW4 —1J 91
Government Row. Enf —2L 17
Govett Av. Shep —9A 100
Govier Clo. E15 —3C 62
Gowan Av. SW6 —9J 73
Gowan Ho. E2 —6D 60
(off Chambord St.)
Gowan Rd. NW10 —2F 56
Gower Clo. SW4 —5G 91
Gower Ct. WC1 —7H 59
Gower Ho. E17 —1M 45
Gower Ho. SE17 —6A 76
Gower M. WC1 —8H 59
Gower M. Mans. WC1 —8H 59
(off Gower M.)
Gower Pl. WC1 —7H 59
Gower Rd. E7 —2E 62
Gower Rd. Iswth —7D 70
Gower Rd. Wey —8B 116
Gower St. WC1 —7G 59
Gower's Wlk. E1 —9E 60
Gowland Pl. Beck —6K 109
Gowlett Rd. SE15 —2E 92
Gowrie Rd. SW11 —2E 90
Graburn Way. E Mol —7B 102
Grace Av. Bexh —1K 97
Gracechurch St. EC3 —1B 76
Grace Clo. SE9 —9H 95
Grace Clo. Borwd —3B 12
Grace Clo. Edgw —7A 24
Grace Clo. Ilf —6D 32
Grace Ct. Croy —5M 123
(off Waddon Rd.)
Gracedale Rd. SW16 —2F 106
Gracefield Gdns. SW16 —9J 91
Gracehill. E1 —8G 61
(off Hannibal Rd.)
Grace Ho. SE11 —7K 75
(off Vauxhall St.)
Grace Jones Clo. E8 —2E 60
Grace Path. SE26 —1G 109
Grace Pl. E3 —6M 61
Grace Rd. Croy —1A 124
Graces All. E1 —1E 76
Graces M. NW8 —5A 58
Grace's M. SE5 —1B 92
Grace's Rd. SE5 —1C 92
Grace St. E3 —6M 61
Gradient, The. SE26 —1E 108
Graeme Rd. Enf —4B 16
Graemesdyke Av. SW14 —2M 87
Grafely Way. SE15 —8D 76
Grafton Clo. W13 —9E 54
Grafton Clo. Houn —7J 85
Grafton Clo. Wor Pk —5C 120
Grafton Ct. Felt —7B 84
Grafton Cres. NW1 —2F 58
Grafton Gdns. N4 —4A 44
Grafton Gdns. Dag —7J 49
Grafton Ho. SE8 —6K 77
Grafton M. N1 —5A 60
(off Frome St.)
Grafton M. W1 —7G 59
Grafton Pk. Rd. Wor Pk —4C 120
Grafton Pl. NW1 —6H 59
Grafton Rd. NW5 —1E 58
Grafton Rd. W3 —1A 72
Grafton Rd. Croy —3L 123
Grafton Rd. Dag —6J 49
Grafton Rd. Enf —5K 15
Grafton Rd. Harr —3A 38
Grafton Rd. N Mald —7C 104
Grafton Rd. Wor Pk —5B 120
Grafton Sq. SW4 —2G 91
Graftons, The. NW2 —8L 41
Grafton St. W1 —1F 74
Grafton Ter. NW5 —1D 58
Grafton Way. W1 & WC1 —7G 59
Grafton Way. W Mol —8K 101
Grafton Yd. NW5 —2F 58
Graham Av. W13 —3F 70
Graham Av. Mitc —5E 106
Graham Clo. Croy —4L 125
Graham Ct. SE14 —7H 77
(off Myers La.)
Graham Ct. N'holt —1K 53
Grahame Park. —8D 24
Grahame Pk. Est. NW9 —8C 24
Grahame Pk. Way. NW7 & NW9 —7D 24
Grahame White Ho. Kent —1H 39
Graham Gdns. Surb —3J 119
Graham Ho. N9 —1G 29
(off Cumberland Rd.)
Graham Lodge. NW4 —4F 40
Graham Mans. Bark —3E 64
(off Lansbury Av.)
Graham Rd. E8 —2E 60
Graham Rd. E13 —6E 62
Graham Rd. N15 —1M 43
Graham Rd. NW4 —4F 40
Graham Rd. SW19 —4K 105
Graham Rd. W4 —4B 72
Graham Rd. Bexh —3L 97
Graham Rd. Hamp —1L 101
Graham Rd. Harr —1C 38
Graham Rd. Mitc —5E 106
Graham Rd. Purl —5L 137
Graham St. N1 —5M 59
Graham Ter. SW1 —5E 74
Graham Ter. Sidc —5F 96
(off Westerham Dri.)
Grainger Clo. N'holt —1M 53
Grainger Ct. SE5 —8A 76
Grainger Rd. N22 —8A 28
Grainger Rd. Iswth —1D 86
Grainges Yd. Uxb —3A 142
Gramer Clo. E11 —7B 46
Gramophone La. Hay —3C 68
Grampian Clo. Hay —8B 68
Grampian Clo. Orp —1D 128
Grampian Gdns. NW2 —6J 41
Grampians, The. W12 —3H 73
(off Shepherd's Bush Rd.)
Grampion Clo. Sutt —9A 122
Granada St. SW17 —2C 106
Granard Av. SW15 —4F 88
Granard Bus. Cen. NW7 —6C 24
Granard Ho. E9 —2H 61
Granard Rd. SW12 —6D 90
Granaries, The. Wal A —7L 7
Granary Clo. N9 —9G 17
Granary Rd. E1 —7F 60
Granary Sq. N1 —2L 59
Granary St. NW1 —4H 59
Granby Pk. Rd. Chesh —1A 6
Granby Pl. SE1 —3L 75
(off Station App. Rd.)
Granby Rd. SE9 —1K 95
Granby St. E2 —7E 60
(in two parts)
Granby Ter. NW1 —5G 59
Grand Arc. N12 —5A 26

Griffin Ct.—Gyllyngdune Gdns.

Griffin Ct. Bren —7J 71
Griffin Ho. E14 —9M 61
(off Ricardo St.)
Griffin Mnr. Way. SE28 —4B 80
Griffin Rd. N17 —9C 28
Griffin Rd. SE18 —6B 80
Griffin Way. Sun —6E 100
Griffith Clo. Dag —5G 49
Griffiths Clo. Wor Pk —4F 120
Griffiths Rd. SW19 —4L 105
Griffon Way. Leav —7D 4
Griggs App. Ilf —7A 48
Griggs Gdns. Horn —1G 67
Grigg's Pl. SE1 —4C 76
(off Grange Rd.)
Griggs Rd. E10 —4A 46
Grilse Clo. N9 —4F 28
Grimaldi Ho. N1 —5K 59
(off Priory Grn. Est.)
Grimsby Gro. E16 —3M 79
Grimsby St. E2 —7D 60
Grimsdyke Cres. Barn —5G 13
Grimsdyke Rd. Pinn —7J 21
Grimsel Path. SE5 —8M 75
Grimshaw Clo. N6 —5E 42
Grimshaw Way. Romf —3D 50
Grimstone Clo. Romf —6M 33
Grimston Rd. SW6 —1K 89
Grimthorpe Ho. EC1 —7M 59
(off Agdon St.)
Grimwade Av. Croy —5E 124
Grimwade Clo. SE15 —2G 93
Grimwood Rd. Twic —6D 86
Grindall Clo. Croy —6M 123
Grindall Ho. E1 —7F 60
(off Darling Row)
Grindal St. SE1 —3L 75
Grindleford Av. N11 —2E 26
Grindley Gdns. Croy —1D 124
Grindley Ho. E3 —8K 61
(off Leopold St.)
Grinling Pl. SE8 —7L 77
Grinstead Rd. SE8 —6J 77
Grisedale. NW1 —6G 59
(off Cumberland Mkt.)
Grisedale Clo. Purl —6C 138
Grisedale Gdns. Purl —6C 138
Grittleton Av. Wemb —2M 55
Grittleton Rd. W9 —7L 57
Grizedale Ter. SE23 —8F 92
Grocer's Hall Ct. EC2 —9B 60
Grocer's Hall Gdns. EC2 —9B 60
(off Prince's St.)
Grogan Clo. Hamp —3K 101
Groombridge Clo. W on T —7F 116
Groombridge Clo. Well —4E 96
Groombridge Rd. E9 —3H 61
Groom Clo. Brom —8F 110
Groom Cres. SW18 —6B 90
Groome Ho. SE11 —5K 75
Groomfield Clo. SW17 —1E 106
Groom Pl. SW1 —4E 74
Grooms Dri. Pinn —3E 36
Grosmont Rd. SE18 —7D 80
Grosse Way. SW15 —5F 88
Grosvenor Av. N5 —1A 60
Grosvenor Av. SW14 —2C 88
Grosvenor Av. Cars —8D 122
Grosvenor Av. Harr —4M 37
Grosvenor Av. Hay —5D 52
Grosvenor Av. K Lan —1A 4
Grosvenor Av. Rich —4J 87
Grosvenor Clo. Lou —3M 19
Grosvenor Cotts. SW1 —5E 74
Grosvenor Ct. E10 —6M 45
Grosvenor Ct. N14 —9G 15
Grosvenor Ct. NW6 —4H 57
Grosvenor Ct. NW7 —5B 24
(off Hale La.)
Grosvenor Ct. SE5 —7A 76
Grosvenor Ct. W3 —2L 71
Grosvenor Ct. W5 —1J 71
(off Grove, The)
Grosvenor Ct. Crox G —7B 8
Grosvenor Ct. Mans. W2 —9D 58
(off Edgware Rd.)
Grosvenor Cres. NW9 —2L 39
Grosvenor Cres. SW1 —3E 74
Grosvenor Cres. Dart —4H 99
Grosvenor Cres. Uxb —3F 142
Grosvenor Cres. M. SW1 —3E 74
Grosvenor Dri. Horn —6G 51
Grosvenor Dri. Lou —4M 19
Grosvenor Est. SW1 —5H 75
Grosvenor Gdns. E6 —6H 63
Grosvenor Gdns. N10 —1G 43
Grosvenor Gdns. N14 —7H 15
Grosvenor Gdns. NW2 —2G 57
Grosvenor Gdns. NW11 —4K 41
Grosvenor Gdns. SW1 —4F 74
Grosvenor Gdns. SW14 —2C 88
Grosvenor Gdns. King T —3H 103
Grosvenor Gdns. Wall —9G 123
Grosvenor Gdns. Wfd G —6E 30
Grosvenor Gdns. M. E. SW1
(off Beeston Pl.) —4F 74
Grosvenor Gdns. M. N. SW1
(off Ebury St.) —4F 74
Grosvenor Gdns. M. S. SW1
(off Ebury St.) —4F 74
Grosvenor Ga. W1 —1E 74
Grosvenor Hill. SW19 —3J 105
Grosvenor Hill. W1 —1F 74
Grosvenor Hill Ct. W1 —1F 74
(off Bourdon St.)
Grosvenor Pde. W5 —2L 71
(off Uxbridge Rd.)
Grosvenor Pk. SE5 —8A 76
Grosvenor Pk. Rd. E17 —3L 45
Grosvenor Path. Lou —3M 19
Grosvenor Pl. SW1 —3E 74
Grosvenor Pl. Wey —5B 116
Grosvenor Ri. E. E17 —3M 45
Grosvenor Rd. E6 —4H 63
Grosvenor Rd. E7 —2F 62
Grosvenor Rd. E10 —6A 46
Grosvenor Rd. E11 —3F 46
Grosvenor Rd. N3 —7K 25
Grosvenor Rd. N9 —1F 28
Grosvenor Rd. N10 —8F 26
Grosvenor Rd. SE25 —8D 108
Grosvenor Rd. SW1 —7F 74
Grosvenor Rd. W4 —6M 71
Grosvenor Rd. W7 —2E 70
Grosvenor Rd. Belv —7L 81
Grosvenor Rd. Bexh —4H 97
Grosvenor Rd. Borwd —5L 11
Grosvenor Rd. Bren —7H 71
Grosvenor Rd. Dag —6K 49
Grosvenor Rd. Houn —2K 85
Grosvenor Rd. Ilf —8A 48
Grosvenor Rd. N'wd —5D 20
Grosvenor Rd. Orp —1C 128
Grosvenor Rd. Rich —4J 87
Grosvenor Rd. Romf —5B 50
Grosvenor Rd. S'hall —4K 69
Grosvenor Rd. Twic —7E 86
Grosvenor Rd. Wall —8F 122
Grosvenor Rd. Wat —6G 9
Grosvenor Rd. W W'ck —3M 125
Grosvenor Sq. W1 —1E 74
Grosvenor St. W1 —1F 74
Grosvenor Ter. SE5 —8A 76
Grosvenor Va. Ruis —7D 36
Grosvenor Way. E5 —7G 45
Grosvenor Wharf Rd. E14 —5B 78
Grotes Bldgs. SE3 —1C 94
Grote's Pl. SE3 —1C 94
Groton Rd. SW18 —8M 89
Grotto Ct. SE1 —3M 75
Grotto Pas. W1 —8E 58
Grotto Rd. Twic —8D 86
Grotto Rd. Wey —5A 116
Grove Av. N3 —7L 25
Grove Av. N10 —9G 27
Grove Av. W7 —9C 54
Grove Av. Eps —5C 134
Grove Av. Pinn —2J 37
Grove Av. Sutt —8L 121
Grove Av. Twic —7D 86
Grove Bank. Wat —1H 21
Grovebury Clo. Eri —7B 82
Grovebury Ct. N14 —9H 15
Grovebury Ct. Bexh —4M 97
Grovebury Rd. SE2 —3F 80
Grove Clo. N14 —9G 15
Grove Clo. SE23 —7J 93
Grove Clo. Brom —4E 126
Grove Clo. Eps —2L 133
Grove Clo. Felt —1J 101
Grove Clo. King T —8K 103
Grove Clo. Uxb —1E 142
Grove Cotts. W4 —7C 72
Grove Ct. NW8 —6B 58
(off Grove End Rd.)
Grove Ct. SW10 —6A 74
(off Drayton Gdns.)
Grove Ct. W5 —2J 71
Grove Ct. E Mol —8B 102
Grove Ct. Houn —3L 85
Grove Ct. King T —7J 103
(off Grove Cres.)
Grove Ct. Upm —9L 51
Grove Ct. Wal A —6H 7
Grove Cres. E18 —9D 30
Grove Cres. NW9 —2A 40
Grove Cres. Felt —1J 101
Grove Cres. King T —7J 103
Grove Cres. W on T —2F 116
Grove Cres. Rd. E15 —2B 62
Grovedale Clo. Chesh —3A 6
Grovedale Rd. N19 —7H 43
Grove Dwellings. E1 —8G 61
Grove End. E18 —9D 30
Grove End. NW5 —9F 42
Grove End Gdns. NW8 —5B 58
Grove End Ho. NW8 —6B 58
(off Grove End Ho.)
Grove End La. Esh —3B 118
Grove End Rd. NW8 —5B 58
Grove Farm Pk. N'wd —5B 20
Grovefield. N11 —4F 26
(off Coppies Gro.)
Grove Footpath. Surb —8J 103
Grove Gdns. NW4 —3E 40
Grove Gdns. NW8 —6C 58
Grove Gdns. Dag —8A 50
Grove Gdns. Enf —2H 17
Grove Gdns. Rich —5K 87
Grove Gdns. Tedd —1E 102
Grove Grn. N'wd —5B 20
Grove Grn. Rd. E10 —8A 46
Grove Hall Ct. NW8 —6A 58
Grove Hall Rd. Bush —6J 9
Groveherst Rd. Dart —2K 99
Grove Hill. E18 —9D 30
Grove Hill. Harr —5C 38
Grovehill Ct. Brom —3D 110
Grove Hill Rd. SE5 —2C 92
Grove Hill Rd. Harr —5D 38
Grove Ho. SW3 —7C 74
Grove Ho. Bush —8K 9
Grove Ho. Chesh —3B 6
Grove Ho. Rd. N8 —2J 43
Groveland Av. SW16 —4K 107
Groveland Ct. EC4 —9A 60
(off Bow La.)
Groveland Rd. Beck —7K 109
Grovelands. King T —8H 103
(off Palace Rd.)
Grovelands. W Mol —8L 101
Grovelands Clo. SE5 —1C 92
Grovelands Clo. Harr —8M 37
Grovelands Ct. N14 —9H 15
Grovelands Rd. N13 —4K 27
Grovelands Rd. N15 —4E 44
Grovelands Rd. Orp —4E 112
Grovelands Rd. Purl —4J 137
Groveland Way. N Mald —9A 104
Grove La. SE5 —9B 76
Grove La. Chig —3D 32
Grove La. Coul —4D 136
(in two parts)
Grove La. King T —8J 103
Grove La. Uxb —7D 142
Grove La.Ter. SE5 —1B 92
Groveley Rd. Sun —2D 100
Grove Mans. W6 —3G 73
(off Hammersmith Gro.)
Grove Mkt. Pl. SE9 —5K 95
Grove M. W6 —4G 73
Grove Mill La. Wat —2A 8
Grove Mill Pl. Cars —5E 122
Grove Park. —9F 94
(Bromley)
Grove Park. —9A 72
(Chiswick)
Grove Pk. E11 —4F 46
Grove Pk. NW9 —2A 40
Grove Pk. SE5 —1C 92
Gro. Park Av. E4 —7M 29
Gro. Park Bri. W4 —8A 72
Gro. Park Gdns. W4 —8M 71
Gro. Park Ind. Est. NW9 —2B 40
Gro. Park M. W4 —8A 72
Gro. Park Rd. N15 —2C 44
Gro. Park Rd. SE9 —9G 95
Gro. Park Rd. W4 —8M 71
Gro. Park Rd. Rain —4E 66
Gro. Park Ter. W4 —8M 71
Grove Pas. E2 —5F 60
Grove Path. Chesh —4A 6
Grove Pl. NW3 —8B 42
Grove Pl. SW12 —6F 90
Grove Pl. W3 —2A 72
Grove Pl. Bark —3A 64
Grove Pl. Wey —7A 116
Grover Ct. SE13 —1M 93
Grover Ho. SE11 —6K 75
Grove Rd. E3 —4H 61
Grove Rd. E4 —4A 30
Grove Rd. E11 —5D 46
Grove Rd. E17 —4M 45
Grove Rd. E18 —9D 30
Grove Rd. N11 —5F 26
Grove Rd. N12 —5B 26
Grove Rd. N15 —3C 44
Grove Rd. NW2 —2G 57
Grove Rd. SW13 —1D 88
Grove Rd. SW19 —4A 106
Grove Rd. W3 —2A 72
Grove Rd. W5 —1H 71
Grove Rd. Belv —7K 81
Grove Rd. Bexh —3A 98
Grove Rd. Borwd —3L 11
Grove Rd. Bren —6G 71
Grove Rd. Chad H & Romf —5F 48
Grove Rd. Cockf —5C 14
Grove Rd. E Mol —8B 102
Grove Rd. Edgw —6L 23
Grove Rd. Eps —5C 134
Grove Rd. Houn —3L 85
Grove Rd. Iswth —9C 70
Grove Rd. Mitc —7E 106
(in two parts)
Grove Rd. N'wd —5B 20
Grove Rd. Pinn —3K 37
Grove Rd. Rich —5K 87
Grove Rd. Shep —1A 116
Grove Rd. Surb —9H 103
Grove Rd. Sutt —8L 121
Grove Rd. T Hth —8L 107
Grove Rd. Twic —9B 86
Grove Rd. Uxb —3B 142
Grove Rd. W. Enf —1G 17
Grover Rd. Wat —9H 9
Groveside Clo. W3 —8L 55
Groveside Clo. Cars —4C 122
Groveside Rd. E4 —2C 30
Grovestile Waye. Felt —6B 84
Grove St. N18 —5D 28
Grove St. SE8 —5K 77
Grove Ter. NW5 —8F 42
Grove Ter. S'hall —1L 69
Grove Ter. Tedd —1E 102
Grove Ter. M. NW5 —8F 42
Grove, The. (Junct.) —7E 92
Grove, The. E15 —2C 62
Grove, The. N3 —8L 25
Grove, The. N4 —5K 43
Grove, The. N6 —6E 42
Grove, The. N8 —3H 43
Grove, The. N13 —4L 27
(in two parts)
Grove, The. N14 —7G 15
Grove, The. NW9 —3B 40
Grove, The. NW11 —5J 41
Grove, The. W5 —2H 71
Grove, The. Bexh —3H 97
Grove, The. Big H —9H 141
Grove, The. Coul —7H 137
Grove, The. Edgw —4M 23
Grove, The. Enf —4L 15
Grove, The. Eps —5C 134
(Epsom)
Grove, The. Eps —2D 134
(Ewell)
Grove, The. Gnfd —9A 54
Grove, The. Iswth —9C 70
Grove, The. Sidc —1J 113
Grove, The. Stan —2E 22
Grove, The. Swan —7D 114
Grove, The. Tedd —1E 102
Grove, The. Twic —5F 86
Grove, The. Upm —9M 51
Grove, The. Uxb —7D 142
(UB8)
Grove, The. Uxb —1E 142
(UB10)
Grove, The. W on T —2F 116
Grove, The. W W'ck —5M 125
Grove Va. SE22 —3D 92
Grove Va. Chst —3L 111
Grove Vs. E14 —1M 77
Groveway. SW9 —9K 75
Groveway. Dag —9H 49
Grove Way. Esh —2A 118
Grove Way. Uxb —3B 142
Grove Way. Wemb —1M 55
Grovewood. Rich —9L 71
Grove Wood Hill. Coul —6G 137
Grovewood Pl. Wfd G —6K 31
Grummant Rd. SE15 —9D 76
Grundy St. E14 —9M 61
Gruneisen Rd. N3 —7M 25
Guardian Bus. Cen. H Hill —7H 35
Guardian Clo. Horn —6F 50
Guardian Ct. SE12 —4C 94
Guard's Mus. —3G 75
Gubbins La. H Wood & Romf —7K 35
Gubyon Av. SE24 —4M 91
Guerin Sq. E3 —6K 61
Guernsey Clo. Houn —8L 69
Guernsey Gro. SE24 —6A 92
Guernsey Ho. N1 —2A 60
(off Douglas Rd. N.)
Guernsey Ho. Enf —2H 17
(off Eastfield Rd.)
Guernsey Rd. E10 —6B 46
Guernsey Rd. N1 —2A 60
Guibal Rd. SE12 —6F 94
Guildersfield Rd. SW16 —4J 107
Guildford Av. Felt —8D 84
Guildford Gdns. Romf —6J 35
Guildford Gro. SE10 —9M 77
Guildford Rd. E6 —9K 63
Guildford Rd. E17 —8A 30
Guildford Rd. SW8 —9J 75
Guildford Rd. Croy —1B 124
Guildford Rd. Ilf —7C 48
Guildford Rd. Romf —6J 35
Guildford Way. Wall —7J 123
Guildhall. —9B 60
Guildhall Art Gallery. —9B 60
Guildhall Bldgs. EC2 —9B 60
(off Basinghall St.)
Guildhall Library. —9A 60
Guildhall Offices. EC2 —9A 60
(off Basinghall St.)
Guildhall School of Music & Drama. —8A 60
(off Silk St.)
Guildhall Yd. EC2 —9A 60
Guildhouse St. SW1 —5G 75
Guildown Av. N12 —4M 25
Guild Rd. SE7 —7H 79
Guild Rd. Eri —8D 82
Guildsway. E17 —8K 29
Guilford Av. Surb —9K 103
Guilford Pl. WC1 —7K 59
Guilford St. WC1 —7J 59
Guilfoyle. NW9 —9D 24
Guillemot Ct. SE8 —7K 77
(off Alexandra Clo.)
Guillemot Pl. N22 —9K 27
Guilsborough Clo. NW10 —3C 56
Guinevere Gdns. Wal X —4E 6
Guinness Clo. E9 —3J 61
Guinness Clo. Hay —4B 68
Guinness Ct. E1 —9D 60
(off Mansell St.)
Guinness Ct. EC1 —6A 60
(off Lever St.)
Guinness Ct. NW8 —4C 58
Guinness Ct. SE1 —3C 76
(off Snowsfields)
Guinness Ct. SW3 —5D 74
Guinness Ct. Croy —4D 124
Guinness Sq. SE1 —5C 76
Guinness Trust Bldgs. SE17 —6M 75
Guinness Trust Bldgs. W6 —6H 73
(off Fulham Pal. Rd.)
Guinness Trust Est. E15 —4D 62
Guinness Trust Est. N16 —6C 44
Guion Rd. SW6 —1K 89
Gulland Clo. Bush —7A 10
Gulland Wlk. N1 —2A 60
(off Oronsay Wlk.)
Gull Clo. Wall —9J 123
Gullet Wood Rd. Wat —8E 4
Gulliver Clo. N'holt —4K 53
Gulliver Rd. Sidc —8B 96
Gulliver's Ho. EC1 —7A 60
(off Goswell Rd.)
Gulliver St. SE16 —4J 77
Gull Wlk. Horn —3F 66
Gulston Wlk. SW3 —5D 74
(off Blackland Ter.)
Gumleigh Rd. W5 —5G 71
Gumley Gdns. Iswth —2E 86
Gumping Rd. Orp —4A 128
Gundulph Rd. Brom —7G 111
Gunmaker's La. E3 —4J 61
Gunnell Clo. SE26 —1E 108
Gunnell Clo. Croy —1D 124
Gunner Dri. Enf —1L 17
Gunner La. SE18 —6L 79
Gunnersbury. —6M 71
Gunnersbury Av. W5 & W3 —2K 71
Gunnersbury Clo. W4 —6M 71
Gunnersbury Ct. W3 —3M 71
Gunnersbury Cres. W3 —3L 71
Gunnersbury Dri. W5 —3K 71
Gunnersbury Gdns. W3 —3L 71
Gunnersbury La. W3 —4L 71
Gunnersbury Mnr. W5 —2K 71
Gunnersbury M. W4 —6M 71
Gunnersbury Park. (Junct.) —4L 71
Gunnersbury Pk. Mus. —4L 71
Gunners Gro. E4 —3A 30
Gunners Rd. SW18 —8B 90
Gunning St. SE18 —5C 80
Gunpowder Sq. EC4 —9L 59
(off Gough Sq., in two parts)
Gunstor Rd. N16 —9C 44
Gun St. E1 —8D 60
Gunter Gro. SW10 —7A 74
Gunter Gro. Edgw —8B 24
Gunters Mead. Oxs —3A 132
Gunterstone Rd. W14 —5J 73
Gunthorpe St. E1 —8D 60
Gunton Rd. E5 —8F 44
Gunton Rd. SW17 —3E 106
Gunwhale Clo. SE16 —2H 77
Gun Wharf Bus. Cen. E3 —4J 61
(off Old Ford Rd.)
Gurdon Ho. E14 —9L 61
(off Dod St.)
Gurdon Rd. SE7 —6E 78
Gurnard Clo. W Dray —1H 143
Gurnell Gro. W13 —7D 54
Gurney Clo. E15 —1C 62
Gurney Clo. E17 —8H 29
Gurney Clo. Bark —2M 63
Gurney Cres. Croy —3K 123
Gurney Dri. N2 —2A 42
Gurney Ho. E2 —5E 60
(off Goldsmith Row)
Gurney Ho. Hay —5C 68
Gurney Rd. E15 —1C 62
Gurney Rd. SW6 —2A 90
Gurney Rd. Cars —6E 122
Gurney Rd. N'holt —6F 52
Guthrie Ct. SE1 —4L 75
(off Morley St.)
Guthrie St. SW3 —6B 74
Gutter La. EC2 —9A 60
Guyatt Gdns. Mitc —6E 106
Guy Barnett Gro. SE3 —2E 94
Guy Rd. Wall —5H 123
Guyscliff Rd. SE13 —4A 94
Guysfield Clo. Rain —4E 66
Guysfield Dri. Rain —4E 66
Guys Retreat. Buck H —9G 19
Guy St. SE1 —3B 76
Gwalior Rd. SW15 —3H 89
Gwendolen Av. SW15 —3H 89
Gwendolen Clo. SW15 —4H 89
Gwendoline Av. E13 —4F 62
Gwendwr Rd. W14 —6J 73
Gweneth Cotts. Edgw —6L 23
Gwent Clo. Wat —7H 5
Gwent Ct. SE16 —2H 77
(off Rotherhithe St.)
Gwillim Clo. Sidc —4E 96
Gwilym Maries Ho. E2 —6F 60
(off Blythe St.)
Gwydor Rd. Beck —7H 109
Gwydyr Rd. Brom —7D 110
Gwyn Clo. SW6 —8A 74
Gwynne Av. Croy —2H 125
Gwynne Clo. W4 —7D 72
Gwynne Ho. E1 —8F 60
(off Turner St.)
Gwynne Ho. WC1 —6L 59
(off Lloyd Baker St.)
Gwynne Pk. Av. Wfd G —6K 31
Gwynne Pl. WC1 —6K 59
Gwynne Rd. SW11 —1B 90
Gyfford Wlk. Chesh —4B 6
Gylcote Clo. SE5 —3B 92
Gyles Pk. Stan —8G 23
Gyllyngdune Gdns. Ilf —7D 48

Gypsy Corner. (Junct.)—Hammersmith Flyover. (Junct.)

Gypsy Corner. (Junct.) —8B 56
Gypsy La. K Lan —8B 4

Haarlem Rd. W14 —4H 73
Haberdasher Est. N1 —6B 60
Haberdasher Pl. N1 —6B 60
Haberdashers Ct. SE14 —2H 93
Haberdasher St. N1 —6B 60
Habgood Rd. Lou —5J 19
Habington Ho. SE5 —8B 76
(off Notley St.)
Haccombe Rd. SW19 —3A 106
Hackbridge. —4E 122
Hackbridge Grn. Wall —4E 122
Hackbridge Pk. Gdns. Cars —4D 122
Hackbridge Rd. Wall —4E 122
Hackford Rd. SW9 —9K 75
Hackford Wlk. SW9 —9K 75
Hackforth Clo. Barn —7F 12
Hackington Cres. Beck —3L 109
Hacklington Ct. New Bar —6M 13
Hackney. —2F 60
Hackney Clo. Borwd —7B 12
Hackney Gro. E8 —2F 60
Hackney Rd. E2 —6C 60
Hackney Wick. —2L 61
Hackney Wick. (Junct.) —2K 61
Hacton. —1K 67
Hacton Dri. Horn —9H 51
Hacton La. Horn & Upm —7K 51
Hacton Pde. Horn —8K 51
Hadar Clo. N20 —1L 25
Haddenham Ct. Wat —3H 21
Hadden Rd. SE28 —4C 80
Hadden Way. Gnfd —2B 54
Haddington Ct. SE10 —8M 77
(off Tarves Way)
Haddington Rd. Brom —9B 94
Haddo Ho. SE10 —7M 77
(off Haddo St.)
Haddon Clo. Borwd —4L 11
Haddon Clo. Enf —8E 16
Haddon Clo. N Mald —9D 104
Haddon Clo. Wey —5C 116
Haddon Ct. NW4 —1G 41
Haddon Ct. W3 —1D 72
Haddonfield. SE8 —5H 77
Haddon Gro. Sidc —6D 96
Haddon Rd. Orp —9G 113
Haddon Rd. Sutt —6M 121
Haddo St. SE10 —7M 77
Haden Ct. N4 —7L 43
Hadfield Clo. S'hall —6K 53
Hadfield Ho. E1 —9E 60
(off Ellen St.)
Hadfield Rd. Stanw —5B 144
Hadleigh Clo. E1 —7G 61
Hadleigh Clo. SW20 —6K 105
Hadleigh Ct. E4 —9C 18
Hadleigh Dri. Sutt —1L 135
Hadleigh Ho. E1 —7G 61
(off Hadleigh Clo.)
Hadleigh Rd. N9 —9F 16
Hadleigh St. E2 —6G 61
Hadleigh Wlk. E6 —9J 63
Hadley. —5K 13
Hadley Clo. N21 —8L 15
Hadley Clo. Els —8K 11
Hadley Comn. Barn —4L 13
Hadley Ct. N16 —6E 44
Hadley Ct. New Bar —5M 13
Hadley Gdns. W4 —6B 72
Hadley Gdns. S'hall —6K 69
Hadley Grn. Rd. Barn —4K 13
Hadley Grn. W. Barn —4K 13
Hadley Gro. Barn —4J 13
Hadley Highstone. Barn —3K 13
Hadley Mnr. Trad. Est. Barn —5K 13
Hadley M. Barn —5K 13
Hadley Pde. Barn —5J 13
(off High St.)
Hadley Ridge. Barn —5K 13
Hadley Rd. Barn —4M 13
Hadley Rd. Barn & Enf —2E 14
Hadley Rd. Belv —5K 81
Hadley Rd. Mitc —8H 107
Hadley St. NW1 —2F 58
(in two parts)
Hadley Way. N21 —8L 15
Hadley Wood. —2A 14
Hadley Wood Ri. Kenl —7M 137
Hadley Wood Rd. Barn —4A 14
Hadlow Ho. SE17 —6C 76
(off Kinglake Est.)
Hadlow Pl. SE19 —4E 108
Hadlow Rd. Sidc —1E 112
Hadlow Rd. Well —8G 81
Hadrian Clo. Stai —6C 144
Hadrian Clo. Wall —9J 123
Hadrian Ct. Sutt —9M 121
Hadrian Est. E2 —5E 60
(off Hackney Rd.)
Hadrians Ride. Enf —7D 16
Hadrian St. SE10 —6C 78
Hadrian Way. Stai & Stanw —6B 144
(in two parts)
Hadstock Ho. NW1 —6H 59
(off Ossulston St.)
Hadyn Pk. Ct. W12 —3E 72
(off Curwen Rd.)
Hadyn Pk. Rd. W12 —3E 72
Hafer Rd. SW11 —3D 90
Hafton Rd. SE6 —7C 94
Hagden La. Wat —6D 8
Haggard Rd. Twic —6F 86
Hagger Ct. E17 —1B 46
Haggerston. —5D 60
Haggerston Rd. E8 & E2 —3D 60
Haggerston Rd. Borwd —2J 11
Hague St. E2 —6E 60
Ha Ha Rd. SE18 —7K 79
Haig Ho. E2 —5E 60
(off Shipton St.)
Haig Pl. Mord —1L 121
Haig Rd. Big H —9J 141
Haig Rd. Stan —5G 23
Haig Rd. Uxb —8F 142
Haig Rd. E. E13 —6G 63
Haig Rd. W. E13 —6G 63
Haigville Gdns. Ilf —2M 47
Hailes Clo. SW19 —3A 106
Haileybury Av. Enf —8D 16
Haileybury Rd. Orp —6E 128
Hailey Rd. Eri —3L 81
Hailsham Av. SW2 —8K 91
Hailsham Clo. Romf —5G 35
Hailsham Clo. Surb —2H 119
Hailsham Cres. Bark —2D 64
Hailsham Dri. Harr —1B 38
Hailsham Gdns. Romf —5G 35
Hailsham Rd. SW17 —3E 106
Hailsham Rd. Romf —5G 35
Hailsham Ter. N18 —5B 28
Haimo Rd. SE9 —4H 95
Hainault. —5E 32
Hainault Bus. Pk. Ilf —5G 33
Hainault Ct. E17 —2B 46
Hainault Forest Country Pk. —3H 33
Hainault Gore. Romf —3J 49
Hainault Gro. Chig —4A 32
Hainault Ind. Est. Ilf —5G 33
Hainault Rd. E11 —6A 46
Hainault Rd. Chad H —4K 49
Hainault Rd. Chig —3M 31
Hainault Rd. Col R & Romf —9A 34
Hainault Rd. Romf —7F 32
Hainault St. SE9 —7M 95
Hainault St. Ilf —7A 48
Haines Ct. Wey —7B 116
Haines St. SW8 —8G 75
Haines Wlk. Mord —2M 121
Haines Way. Wat —7E 4
Hainford Clo. SE4 —3H 93
Haining Clo. W4 —6L 71
Hainthorpe Rd. SE27 —9M 91
Hainton Clo. E1 —9F 60
Halberd M. E5 —7F 44
Halbutt Gdns. Dag —8K 49
Halbutt St. Dag —9K 49
Halcomb St. N1 —4C 60
Halcot Av. Bexh —4M 97
Halcrow St. E1 —8F 60
Halcyon. Enf —7C 16
(off Private Rd.)
Halcyon Way. Horn —6K 51
Halcyon Wharf. E1 —2E 76
(off Hermitage Wall)
Haldane Clo. N10 —7F 26
Haldane Clo. Enf —2M 17
Haldane Pl. SW18 —7M 89
Haldane Rd. E6 —6H 63
Haldane Rd. SE28 —1H 81
Haldane Rd. SW6 —8K 73
Haldane Rd. S'hall —1A 70
Haldan Rd. E4 —6A 30
Haldon Clo. Chig —5C 32
Haldon Rd. SW18 —5K 89
Hale Clo. E4 —3A 30
Hale Clo. Edgw —5A 24
Hale Clo. Orp —6A 128
Hale Ct. Edgw —5A 24
Hale Dri. NW7 —6A 24
Hale End. —6B 30
Hale End. Romf —6F 34
Hale End Clo. Ruis —4E 36
Hale End Rd. E4 —6B 30
Halefield Rd. N17 —8F 28
Hale Gdns. N17 —2E 44
Hale Gdns. W3 —2L 71
Hale Gro. Gdns. NW7 —5C 24
Hale Ho. SW1 —6H 75
(off Lindsay Sq.)
Hale Ho. Horn —4E 50
(off Benjamin Clo.)
Hale La. NW7 —5B 24
Hale La. Edgw —5M 23
Hale Path. SE27 —1M 107
Hale Rd. E6 —7J 63
Hale Rd. N17 —1E 44
Halesowen Rd. Mord —2M 121
Hales Prior. N1 —5K 59
(off Calshot St.)
Hales St. SE8 —8L 77
Hale St. E14 —1M 77
Halesworth Clo. E5 —7G 45
Halesworth Clo. Romf —7J 35
Halesworth Rd. SE13 —2M 93
Halesworth Rd. Romf —6J 35
Hale, The. —5B 24
Hale, The. E4 —7B 30
Hale, The. N17 —1E 44
Hale Wlk. W7 —8C 54
Haley Rd. NW4 —4G 41
Half Acre. Bren —7H 71
Half Acre. Stan —6G 23
Half Acre Rd. W7 —2C 70
Halfhides. Wal A —6K 7
Half Moon Ct. EC1 —8A 60
(off Bartholomew Clo.)
Half Moon Cres. N1 —5K 59
(in two parts)
Half Moon La. SE24 —5A 92
Half Moon Pas. E1 —9D 60
(in two parts)
Half Moon St. W1 —2F 74
Halford Clo. Edgw —9M 23
Halford Rd. E10 —3B 46
Halford Rd. SW6 —7L 73
Halford Rd. Rich —4J 87
Halford Rd. Uxb —1E 142
Halfway Ct. Purf —5L 83
Halfway Grn. W on T —5F 116
Halfway St. Sidc —6B 96
Haliburton Rd. Twic —4E 86
Haliday Ho. N1 —2B 60
(off Mildmay St.)
Haliday Wlk. N1 —2B 60
Halidon Clo. E9 —1G 61
Halidon Ri. Romf —6M 35
Halifax. NW9 —9D 24
Halifax Clo. Leav —7D 4
Halifax Clo. Tedd —3C 102
Halifax Ho. Romf —5J 35
(off Lindfield Rd.)
Halifax Rd. Enf —4A 16
Halifax Rd. Gnfd —4M 53
Halifax St. SE26 —9F 92
Halifield Dri. Belv —4J 81
Haling Down Pas. Purl —2M 137
(in two parts)
Haling Gro. S Croy —9A 124
Haling Pk. Gdns. S Croy —8M 123
Haling Pk. Rd. S Croy —7M 123
Haling Rd. S Croy —8B 124
Haliwell Ho. NW6 —4M 57
(off Mortimer Cres.)
Halkin Arc. SW1 —4D 74
(in two parts)
Halkin M. SW1 —4E 74
Halkin Pl. SW1 —4E 74
Halkin St. SW1 —3E 74
Hallam Clo. Chst —2K 111
Hallam Clo. Wat —4G 9
Hallam Ct. W1 —8F 58
(off Hallam St.)
Hallam Gdns. Pinn —7J 21
Hallam Ho. SW1 —6G 75
(off Churchill Gdns.)
Hallam M. W1 —8F 58
Hallam Rd. N15 —2M 43
Hallam Rd. SW13 —2F 88
Hallam St. W1 —7F 58
Halland Way. N'wd —6B 20
Hallane Ho. SE27 —2A 108
Hall Clo. W5 —8J 55
Hall Ct. Tedd —2D 102
Hall Cres. Ave —3M 83
Hall Dri. SE26 —2G 109
Hall Dri. W7 —9C 54
Halley Gdns. SE13 —3B 94
Halley Ho. E2 —5E 60
(off Pritchards Rd.)
Halley Ho. SE10 —6D 78
(off Armitage Rd.)
Halley Rd. E7 & E12 —2G 63
Halley Rd. Wal A —9H 7
Halley St. E14 —8J 61
Hall Farm Clo. Stan —4F 22
Hall Farm Dri. Twic —6B 86
Hallfield Est. W2 —9A 58
(in two parts)
Hallford Way. Dart —5G 99
Hall Gdns. E4 —4K 29
Hall Ga. NW8 —6B 58
Halliards, The. W on T —1E 116
Halliday Sq. S'hall —2B 70
Halliford Clo. Shep —8B 100
Halliford Rd. Shep & Sun —9C 100
Halliford St. N1 —3A 60
Hallingbury Ct. E17 —1M 45
Halliwell Ct. SE22 —4E 92
Halliwell Rd. SW2 —5K 91
Halliwick Ct. Pde. N12 —6D 26
(off Woodhouse Rd.)
Halliwick Rd. N10 —8E 26
Hall Lane. (Junct.) —5H 29
Hall La. E4 —5J 29
Hall La. NW4 —8E 24
Hall La. Hay —8B 68
Hall La. Upm —9M 35 & 6M 51
Hallmark Trad. Cen. Wemb —9A 40
Hallmead Rd. Sutt —5M 121
Hall Oak Wlk. NW6 —2K 57
Hallowell Av. Croy —6J 123
Hallowell Clo. Mitc —7E 106
Hallowell Rd. N'wd —7C 20
Hallowes Cres. Wat —3E 20
Hallowfield Way. Mitc —7C 106
Hall Pk. Rd. Upm —1M 67
Hall Place. —5A 98
Hall Pl. W2 —7B 58
(in two parts)
Hall Pl. Cres. Bex —4A 98
Hall Pl. Dri. Wey —7C 116
Hall Place Mus. —5A 98
Hall Rd. E6 —4K 63
Hall Rd. E15 —9B 46
Hall Rd. NW8 —6A 58
Hall Rd. Ave —3M 83
Hall Rd. Chad H —4G 49
Hall Rd. Dart —3K 99
Hall Rd. Gid P —1F 50
Hall Rd. Iswth —4B 86
Hall Rd. Wall —1F 136
Hallside Rd. Enf —2D 16
Hall St. EC1 —6M 59
Hall St. N12 —5A 26
Hallsville Rd. E16 —9D 62
Hallswelle Pde. NW11 —3K 41
Hallswelle Rd. NW11 —3K 41
Hall Ter. Romf —7L 35
Hall, The. SE3 —2E 94
Hall Tower. W2 —8B 58
(off Hall Pl.)
Hall Vw. SE9 —8H 95
Hall Way. Purl —5M 137
Hallywell Cres. E6 —8K 63
Halons Rd. SE9 —6L 95
Halpin Pl. SE17 —5B 76
Halsbrook Rd. SE3 —2G 95
Halsbury Clo. Stan —4F 22
Halsbury Ct. Stan —5F 22
Halsbury Rd. W12 —2F 72
Halsbury Rd. E. N'holt —9A 38
Halsbury Rd. W. N'holt —1M 53
Halsend. Hay —2F 68
Halsey M. SW3 —5D 74
Halsey Pl. Wat —2F 8
Halsey Rd. Wat —5F 8
Halsey St. SW3 —5D 74
Halsmere Rd. SE5 —9M 75
Halstead Clo. Croy —5A 124
Halstead Ct. E17 —5K 45
Halstead Ct. N1 —5B 60
(off Fairbank Est.)
Halstead Gdns. N21 —1B 28
Halstead Ho. Romf —6H 35
(off Dartfields)
Halstead Rd. E11 —3E 46
Halstead Rd. N21 —1B 28
Halstead Rd. Enf —6C 16
Halstead Rd. Eri —9C 82
Halston Clo. SW11 —5D 90
Halstow Rd. NW10 —6H 57
Halstow Rd. SE10 —6E 78
Halsway. Hay —2E 68
Halter Clo. Borwd —7B 12
Halton Clo. N11 —6D 26
Halton Clo. Park —1M 5
Halton Cross St. N1 —4M 59
Halton Mans. N1 —3M 59
Halton Pl. N1 —4A 60
Halton Rd. N1 —3M 59
Halt Robin La. Belv —5M 81
Halt Robin Rd. Belv —5L 81
(in two parts)
Halyard Ho. E14 —4A 78
Ham. —9G 87
Hamara Ghar. E13 —4G 63
Hambalt Rd. SW4 —4G 91
Hamble Clo. Ruis —7C 36
Hamble Ct. Wat —6E 8
Hambleden Pl. SE21 —7C 92
Hambledon. SE17 —7B 76
(off Villa St.)
Hambledon Clo. Uxb —7F 142
Hambledon Ct. SE22 —3C 92
Hambledon Ct. W5 —1J 71
Hambledon Gdns. SE25 —7D 108
Hambledon Hill. Eps —8A 134
Hambledon Rd. SW18 —6K 89
Hambledon Va. Eps —8A 134
Hambledown Rd. Sidc —6B 96
Hamblehyrst. Beck —6M 109
Hamble St. SW6 —2M 89
Hambleton Clo. Wor Pk —4G 121
Hamble Wlk. N'holt —5L 53
(off Brabazon Rd.)
Hambley Ho. SE16 —5F 76
(off Camilla Rd.)
Hamblin Ho. S'hall —1J 69
(off Broadway, The)
Hambridge Way. SW2 —6L 91
Hambro Av. Brom —3E 126
Hambrook Rd. SE25 —7F 108
Hambro Rd. SW16 —3H 107
Hambrough Ho. Hay —8G 53
Hambrough Rd. S'hall —2J 69
Hamburgh Ct. Chesh —1D 6
Ham Clo. Rich —9G 87
(in two parts)
Ham Comn. Rich —9H 87
Hamden Cres. Dag —8M 49
Hamel Clo. Harr —2H 39
Hame Way. E6 —7L 63
Ham Farm Rd. Rich —1H 103
Hamfrith Rd. E15 —2D 62
Ham Ga. Av. Rich —9H 87
Ham House. —7G 87
Hamilton Av. N9 —9E 16
Hamilton Av. Ilf —2M 47
Hamilton Av. Romf —9B 34
Hamilton Av. Surb —4L 119
Hamilton Av. Sutt —4J 121
Hamilton Bldgs. EC2 —7C 60
(off Gt. Eastern St.)
Hamilton Clo. N17 —1D 44
Hamilton Clo. NW8 —6B 58
Hamilton Clo. SE16 —3J 77
Hamilton Clo. Brick W —4L 5
Hamilton Clo. Cockf —6C 14
Hamilton Clo. Eps —4A 134
Hamilton Clo. Felt —2D 100
Hamilton Clo. Purl —4M 137
Hamilton Clo. Stan —2C 22
Hamilton Ct. SE6 —7D 94
Hamilton Ct. SW15 —2J 89
Hamilton Ct. W5 —1J 71
Hamilton Ct. W9 —6A 58
(off Maida Va.)
Hamilton Ct. Croy —3E 124
Hamilton Ct. Eri —8D 82
(off Frobisher Rd.)
Hamilton Cres. N13 —4L 27
Hamilton Cres. Harr —8K 37
Hamilton Cres. Houn —4M 85
Hamilton Dri. Romf —9J 35
Hamilton Gdns. NW8 —6A 58
Hamilton Ho. E14 —6M 77
(off St Davids Sq.)
Hamilton Ho. NW8 —6B 58
(off Hall Rd.)
Hamilton Ho. W4 —7C 72
Hamilton La. N5 —9M 43
Hamilton Lodge. E1 —7G 61
(off Cleveland Gro.)
Hamilton M. SW18 —7L 89
Hamilton M. SW19 —4L 105
Hamilton M. W1 —3F 74
Hamilton Pde. Felt —1D 100
Hamilton Pk. N5 —9M 43
Hamilton Pk. W. N5 —9M 43
Hamilton Pl. W1 —2E 74
Hamilton Pl. Sun —4F 100
Hamilton Rd. E15 —6C 62
Hamilton Rd. E17 —9J 29
Hamilton Rd. N2 —1A 42
Hamilton Rd. N9 —9E 16
Hamilton Rd. NW10 —1E 56
Hamilton Rd. NW11 —5H 41
Hamilton Rd. SE27 —1B 108
Hamilton Rd. SW19 —4M 105
Hamilton Rd. W4 —3C 72
Hamilton Rd. W5 —1J 71
Hamilton Rd. Bexh —1J 97
Hamilton Rd. Bren —7H 71
Hamilton Rd. Cockf —6C 14
Hamilton Rd. Felt —1D 100
Hamilton Rd. Harr —3C 38
Hamilton Rd. Hay —1F 68
Hamilton Rd. Ilf —9M 47
Hamilton Rd. K Lan —6A 4
Hamilton Rd. Romf —3F 50
Hamilton Rd. Sidc —1E 112
Hamilton Rd. S'hall —2K 69
Hamilton Rd. T Hth —7B 108
Hamilton Rd. Twic —7C 86
Hamilton Rd. Uxb —7B 142
Hamilton Rd. Wat —3F 20
Hamilton Rd. Ind. Est. SE27 —1B 108
(off Hamilton Rd.)
Hamilton Rd. M. SW19 —4M 105
Hamilton Sq. N12 —6B 26
Hamilton Sq. SE1 —3B 76
(off Kipling St.)
Hamilton St. SE8 —7L 77
Hamilton St. Wat —7G 9
Hamilton Ter. NW8 —5M 57
Hamilton Wlk. Eri —8D 82
Hamilton Way. N3 —6L 25
Hamilton Way. N13 —4M 27
Hamilton Way. Wall —1H 137
Hamlea Clo. SE12 —4E 94
Hamlet Clo. SE13 —3C 94
Hamlet Clo. Brick W —3K 5
Hamlet Clo. Romf —7L 33
Hamlet Ct. SE11 —6M 75
(off Opal St.)
Hamlet Ct. W6 —5E 72
Hamlet Ct. Enf —7C 16
Hamlet Gdns. W6 —5E 72
Hamlet Ho. Eri —8C 82
Hamlet Ind. Est. E9 —3L 61
Hamlet Rd. SE19 —4D 108
Hamlet Rd. Romf —7L 33
Hamlet Sq. NW2 —8J 41
Hamlets Way. E3 —7K 61
(in two parts)
Hamlet, The. SE5 —2B 92
Hamlet Way. SE1 —3B 76
Hamlin Cres. Pinn —3G 37
Hamlyn Clo. Edgw —3J 23
Hamlyn Gdns. SE19 —4C 108
Hammelton Ct. Brom —5D 110
(off London Rd.)
Hammelton Grn. SW9 —9M 75
Hammelton Rd. Brom —5D 110
Hammerfield Ho. SW3 —6C 74
(off Marlborough St.)
Hammers La. NW7 —5E 24
Hammersley Ho. SE14 —8G 77
(off Pomeroy St.)
Hammersmith. —5G 73
Hammersmith Bri. SW13 & W6 —7F 72
Hammersmith Bri. Rd. W6 —6G 73
(in two parts)
Hammersmith Broadway. (Junct.) —5G 73
Hammersmith B'way. W6 —5G 73
Hammersmith Flyover. (Junct.) —6G 73

Hammersmith Flyover—Harlow Gdns.

Hammersmith Flyover. *W6* —6G **73**
Hammersmith Gro. *W6* —3G **73**
Hammersmith Ind. Est. *W6* —7G **73**
Hammersmith Rd. *W6 & W14* —5H **73**
Hammersmith Ter. *W6* —6E **72**
Hammet Clo. *Hay* —8H **53**
Hammett St. *EC3* —1D **76**
Hammond Av. *Mitc* —6F **106**
Hammond Clo. *Barn* —7J **13**
Hammond Clo. *Gnfd* —1B **54**
Hammond Clo. *Hamp* —5L **101**
Hammond Ct. *E10* —7M **45**
Hammond Ct. E17 —3J 45
(off Maude Rd.)
Hammond Ho. E14 —4L 77
(off Tiller Rd.)
Hammond Ho. SE14 —8G 77
(off Lubbock St.)
Hammond Lodge. W9 —8L 57
(off Admiral Wlk.)
Hammond Rd. *Enf* —4F **16**
Hammond Rd. *S'hall* —4J **69**
Hammonds Clo. *Dag* —8G **49**
Hammond St. *NW5* —2G **59**
Hammond Way. *SE28* —1F **80**
Hamond Clo. *S Croy* —1M **137**
Hamonde Clo. *Edgw* —2M **23**
Hamond Sq. N1 —5C 60
(off Hoxton St.)
Ham Pk. Rd. *E15 & E7* —3D **62**
Hampden Av. *Beck* —6J **109**
Hampden Clo. *NW1* —5H **59**
Hampden Ct. *N10* —7E **26**
Hampden Cres. *Chesh* —4B **6**
Hampden Gurney St. *W1* —9D **58**
Hampden Ho. *SW9* —1L **91**
Hampden La. *N17* —8D **28**
Hampden Rd. *N8* —2L **43**
Hampden Rd. *N10* —7E **26**
Hampden Rd. *N17* —8E **28**
Hampden Rd. *N19* —7H **43**
Hampden Rd. *Beck* —6J **109**
Hampden Rd. *Harr* —8A **22**
Hampden Rd. *King T* —7L **103**
Hampden Rd. *Romf* —7M **33**
Hampden Sq. *N14* —1F **26**
Hampden Way. *N14* —1F **26**
Hampden Way. *Wat* —9C **4**
Hampermill La. *Wat* —2D **20**
Hampshire Clo. *N18* —5F **28**
Hampshire Hog La. *W6* —6F **72**
Hampshire Rd. *N22* —7K **27**
Hampshire Rd. *Horn* —2L **51**
Hampshire St. *NW5* —2H **59**
Hampson Way. *SW8* —9K **75**
Hampstead. —9B 42
Hampstead Clo. *SE28* —2F **80**
Hampstead Gdns. *NW11* —4L **41**
Hampstead Gdns. *Chad H* —3F **48**
Hampstead Garden Suburb. —3A 42
Hampstead Grn. *NW3* —1C **58**
Hampstead Gro. *NW3* —8A **42**
Hampstead Heath. —7C 42
Hampstead Heights. *N2* —1A **42**
Hampstead High St. *NW3* —9B **42**
Hampstead Hill Gdns. *NW3* —9B **42**
Hampstead La. *NW3 & N6* —6B **42**
Hampstead Mus. —9B 42
(off New End Sq.)
Hampstead Rd. *NW1* —5G **59**
Hampstead Sq. *NW3* —8A **42**
Hampstead Theatre Club. —3B 58
(off Avenue Rd.)
Hampstead Wlk. *E3* —4K **61**
Hampstead Way. *NW11* —3K **41**
Hampstead W. *NW6* —2L **57**
Hampton. —5M 101
Hampton & Richmond Borough F.C. —5M 101
Hampton Clo. *N11* —5F **26**
Hampton Clo. *NW6* —6L **57**
Hampton Clo. *SW20* —4G **105**
Hampton Court. —8C 102
Hampton Court. (Junct.) —7C **102**
Hampton Ct. *N1* —2M **59**
Hampton Ct. *N22* —8G **27**
Hampton Ct. SE16 —1H 77
(off King & Queen Wharf)
Hampton Ct. Av. *E Mol* —1B **118**
Hampton Ct. Cres. *E Mol* —7B **102**
Hampton Court Palace. —8E 102
Hampton Ct. Pde. *E Mol* —8C **102**
Hampton Ct. Rd. *Hamp* —6A **102**
Hampton Ct. Way. *Th Dit & E Mol* —4C **118**
Hampton Farm Ind. Est. *Felt* —9J **85**
Hampton Gro. *Eps* —3D **134**
Hampton Hill. —2A 102
Hampton Ho. Bexh —1M 97
(off Erith Rd.)
Hampton La. *Felt* —1J **101**
Hampton Mead. *Lou* —5M **19**
Hampton M. *NW10* —6B **56**
Hampton Ri. *Harr* —4J **39**
Hampton Rd. *E4* —5K **29**
Hampton Rd. *E7* —1F **62**
Hampton Rd. *E11* —6B **46**
Hampton Rd. *Croy* —1A **124**
Hampton Rd. *Ilf* —9A **48**
Hampton Rd. *Tedd* —2B **102**
Hampton Rd. *Twic* —9B **86**
Hampton Rd. *Wor Pk* —4E **120**
Hampton Rd. E. *Felt & Hanw* —1K **101**
Hampton Rd. W. *Felt* —9J **85**
Hampton St. *SE17 & SE1* —5M **75**
Hampton Wick. —5G 103
Ham Ridings. *Rich* —2K **103**
Hamsey Green. —8G 139
Hamsey Grn. Gdns. *Warl* —8F **138**
Hamsey Way. *S Croy* —7F **138**
Hamshades Clo. *Sidc* —9D **96**
Ham St. *Rich* —7F **86**
Ham, The. *Bren* —8G **71**
Ham Vw. *Croy* —1J **125**
Ham Yd. *W1* —1H **75**
Hanah Ct. *SW19* —4H **105**
Hanameel St. *E16* —2F **78**
Hanbury Clo. *NW4* —1G **41**
Hanbury Clo. *Chesh* —2E **6**
Hanbury Ct. *Harr* —4D **38**
Hanbury Dri. *N21* —7K **15**
Hanbury Dri. *Big H* —5F **140**
Hanbury Ho. E1 —8E 60
(off Hanbury St.)
Hanbury Ho. SW8 —8J 75
(off Regent's Bri. Gdns.)
Hanbury M. *N1* —4A **60**
Hanbury Rd. *N17* —9F **28**
Hanbury Rd. *W3* —3M **71**
Hanbury St. *E1* —8D **60**
Hanbury Wlk. *Bex* —9C **98**
Hancock Ct. *Borwd* —3A **12**
Hancock Nunn Ho. NW3 —2D 58
(off Fellows Rd.)
Hancock Rd. *E3* —6A **62**
Hancock Rd. *SE19* —3B **108**
Handa Wlk. *N1* —2B **60**
Hand Ct. *WC1* —8K **59**
Handcroft Rd. *Croy* —2M **123**
Handel Clo. *Edgw* —6K **23**
Handel Mans. *SW13* —8G **73**
Handel Mans. WC1 —7J 59
(off Handel St.)
Handel Pde. Edgw —7L 23
(off Whitchurch La.)
Handel Pl. *NW10* —2B **56**
Handel St. *WC1* —7J **59**
Handel Way. *Edgw* —7L **23**
Handen Rd. *SE12* —4C **94**
Handforth Rd. *SW9* —8L **75**
Handforth Rd. *Ilf* —8M **47**
Handley Ga. *Brick W* —2K **5**
Handley Page Rd. *Wall* —9K **123**
Handley Rd. *E9* —3G **61**
Handowe Clo. *NW4* —2E **40**
Handside Clo. *Wor Pk* —3H **121**
Hands Wlk. *E16* —9E **62**
Handsworth Av. *E4* —6B **30**
Handsworth Clo. *Wat* —3E **20**
Handsworth Rd. *N17* —1B **44**
Handtrough Way. *Bark* —5M **63**
Hanford Clo. *SW18* —7L **89**
Hanford Row. *SW19* —3G **105**
Hangar Ruding. *Wat* —3K **21**
Hangboy Slade. *Lou* —1L **19**
Hanger Ct. *W5* —7K **55**
Hanger Grn. *W5* —7L **55**
Hanger Hill. —7K 55
Hanger Hill. *Wey* —7A **116**
Hanger Lane. (Junct.) —6J **55**
Hanger La. *W5* —5J **55**
Hanger Va. La. *W5* —9K **55**
(in two parts)
Hanger Vw. Way. *W3* —9L **55**
Hanging Sword All. EC4 —9L 59
(off Whitefriars St.)
Hangrove Hill. *Orp* —5M **141**
Hankey Pl. *SE1* —3B **76**
Hankins La. *NW7* —2C **24**
Hanley Gdns. *N4* —6K **43**
Hanley Pl. *Beck* —4L **109**
Hanley Rd. *N4* —6J **43**
Hanmer Wlk. *N7* —7K **43**
Hannah Barlow Ho. *SW8* —9K **75**
Hannah Clo. *NW10* —9A **40**
Hannah Clo. *Beck* —7A **110**
Hannah Mary Way. *SE1* —5E **76**
Hannah M. *Wall* —9G **123**
Hannards Way. *Ilf* —5F **32**
Hannay La. *N8* —5H **43**
Hannay Wlk. *SW16* —8H **91**
Hannell Rd. *SW6* —8J **73**
Hannen Rd. *SE27* —9M **91**
Hannibal Rd. *E1* —8G **61**
Hannibal Rd. *Stai & Stanw* —6B **144**
Hannibal Way. *Croy* —7K **123**
Hannington Point. E9 —2K 61
(off Eastway)
Hannington Rd. *SW4* —2F **90**
Hanover Av. *E16* —2E **78**
Hanover Av. *Felt* —7E **84**
Hanover Circ. *Hay* —9A **52**
Hanover Clo. *Rich* —8L **71**
Hanover Clo. *Sutt* —6J **121**
Hanover Ct. *NW9* —1C **40**
Hanover Ct. *SW15* —3D **88**
Hanover Ct. W12 —2E 72
(off Uxbridge Rd.)
Hanover Ct. *Ruis* —8E **36**
Hanover Ct. Wal A —6J 7
(off Quakers La.)
Hanover Dri. *Chst* —1A **112**
Hanover Flats. W1 —1E 74
(off Binney St.)
Hanover Gdns. *SE11* —7L **75**
Hanover Gdns. *Ab L* —3D **4**
Hanover Gdns. *Ilf* —7A **32**
Hanover Ga. *NW8* —6C **58**
Hanover Ga. Mans. *NW1* —7C **58**
Hanover Ho. NW8 —5C 58
(off St John's Wood High St.)
Hanover Ho. *SW9* —2L **91**
Hanover Mans. *SW2* —4L **91**
Hanover Mead. *NW11* —3J **41**
Hanover Pk. *SE15* —9E **76**
Hanover Pl. *E3* —6K **61**
Hanover Pl. *WC2* —9J **59**
Hanover Rd. *N15* —2D **44**
Hanover Rd. *NW10* —3G **57**
Hanover Rd. *SW19* —4A **106**
Hanover Sq. *W1* —9F **58**
Hanover Steps. W2 —9C 58
(off St George's Fields)
Hanover St. *W1* —9F **58**
Hanover St. *Croy* —5M **123**
Hanover Ter. *NW1* —6C **58**
Hanover Ter. *Iswth* —9E **70**
Hanover Ter. M. *NW1* —6C **58**
Hanover Trad. Est. *N7* —1J **59**
Hanover Wlk. *Wey* —5B **116**
Hanover Way. *Bexh* —2H **97**
Hanover W. Ind. Est. *NW10* —6B **56**
Hanover Yd. N1 —5A 60
(off Noel Rd.)
Hansard M. *W14* —3H **73**
(in two parts)
Hansart Way. *Enf* —3L **15**
Hans Cres. *SW1* —4D **74**
Hanselin Clo. *Stan* —5D **22**
Hansen Dri. *N21* —7K **15**
Hanshaw Dri. *Edgw* —8B **24**
Hansler Gro. *E Mol* —8B **102**
Hansler Rd. *SE22* —4D **92**
Hansol Rd. *Bexh* —4J **97**
Hansom Ter. Brom —5F 110
(off Freelands Gro.)
Hanson Clo. *SW12* —6F **90**
Hanson Clo. *SW14* —2A **88**
Hanson Clo. *Beck* —3M **109**
Hanson Clo. *W Dray* —4K **143**
Hanson Ct. *E17* —4M **45**
Hanson Gdns. *S'hall* —3J **69**
Hanson St. *W1* —8G **59**
Hans Pl. *SW1* —4D **74**
Hans Rd. *SW3* —4D **74**
Hans St. *SW1* —4D **74**
Hanway Pl. *W1* —9H **59**
Hanway Rd. *W7* —9B **54**
Hanway St. *W1* —9H **59**
Hanwell. —2D 70
Hanworth. —1H 101
Hanworth Ho. *SE5* —8M **75**
(in two parts)
Hanworth Rd. *Felt* —7F **84**
Hanworth Rd. *Hamp* —1K **101**
Hanworth Rd. *Houn* —7J **85**
Hanworth Rd. *Sun* —4E **100**
(in two parts)
Hanworth Ter. *Houn* —3M **85**
Hanworth Trad. Est. *Felt* —9J **85**
Hapgood Clo. *Gnfd* —1B **54**
Harad's Pl. *E1* —1E **76**
Harben Pde. *NW3* —3A **58**
Harben Rd. *NW6* —3A **58**
Harberson Rd. *E15* —4D **62**
Harberson Rd. *SW12* —7F **90**
Harbert Gdns. *Park* —2M **5**
Harberton Rd. *N19* —6G **43**
Harbet Rd. *N18 & E4* —5J **29**
Harbet Rd. *W2* —8B **58**
Harbex Clo. *Bex* —6M **97**
Harbinger Rd. *E14* —5M **77**
Harbledown Ho. SE1 —3B 76
(off Manciple St.)
Harbledown Pl. *Orp* —8G **113**
Harbledown Rd. *SW6* —9L **73**
Harbledown Rd. *S Croy* —3E **138**
Harbord Clo. *SE5* —1B **92**
Harbord St. *SW6* —9H **73**
Harborne Clo. *Wat* —5G **21**
Harborough Av. *Sidc* —6C **96**
Harborough Rd. *SW16* —1K **107**
Harbour Av. *SW10* —9A **74**
Harbourer Clo. *Ilf* —5F **32**
Harbourer Rd. *Ilf* —5F **32**
Harbour Exchange Sq. *E14* —3M **77**
Harbourfield Rd. *Bans* —7M **135**
Harbour Quay. *E14* —2A **78**
Harbour Rd. *SE5* —2A **92**
Harbour Yd. *SW10* —9A **74**
Harbridge Av. *SW15* —6D **88**
Harbury Rd. *Cars* —1C **136**
Harbut Rd. *SW11* —3B **90**
Harcombe Rd. *N16* —8C **44**
Harcourt Av. *E12* —9K **47**
Harcourt Av. *Edgw* —3A **24**
Harcourt Av. *Sidc* —5G **97**
Harcourt Av. *Wall* —6F **122**
Harcourt Bldgs. EC4 —1L 75
(off Middle Temple La.)
Harcourt Clo. *Iswth* —2E **86**
Harcourt Fld. *Wall* —6F **122**
Harcourt Lodge. *Wall* —6F **122**
Harcourt M. *Romf* —3D **50**
Harcourt Rd. *E15* —5D **62**
Harcourt Rd. *N22* —8H **27**
Harcourt Rd. *SE4* —2K **93**
Harcourt Rd. *SW19* —4L **105**
Harcourt Rd. *Bexh* —3J **97**
Harcourt Rd. *Bush* —7A **10**
Harcourt Rd. *T Hth* —1K **123**
Harcourt Rd. *Wall* —6F **122**
Harcourt St. *NW1* —8C **58**
Harcourt Ter. *SW10* —6M **73**
Hardcastle Clo. *Croy* —1E **124**
Hardcourts Clo. *W W'ck* —6M **125**
Hardel Ri. *SW2* —7M **91**
Hardel Wlk. *SW2* —6L **91**
Harden Ct. *SE7* —5J **79**
Harden Ho. *SE5* —1C **92**
Harden's Manorway. *SE7* —4H **79**
(in three parts)
Harders Rd. *SE15* —1F **92**
Hardess St. *SE24* —2A **92**
Hardie Clo. *NW10* —1B **56**
Hardie Rd. *Dag* —8A **50**
Harding Clo. *SE17* —7A **76**
Harding Clo. *Croy* —5D **124**
Harding Clo. *Wat* —6G **5**
Hardinge Clo. *Uxb* —8F **142**
Hardinge La. *E1* —9G **61**
Hardinge Rd. *N18* —6C **28**
Hardinge Rd. *NW10* —4F **56**
Hardinge St. *E1* —9G **61**
Harding Ho. *Hay* —9F **52**
Harding Rd. *Bexh* —1K **97**
Harding's Clo. *King T* —5K **103**
Hardings La. *SE20* —3H **109**
Hardingstone Ct. *Wal X* —7F **6**
Hardington. NW1 —3E 58
(off Belmont St.)
Hardley Cres. *Horn* —2H **51**
Hardman Rd. *SE7* —6F **78**
Hardman Rd. *King T* —6J **103**
Hardwick Clo. *Oxs* —7A **132**
Hardwick Clo. *Stan* —5G **23**
Hardwick Ct. *Eri* —7B **82**
Hardwick Cres. *Dart* —5M **99**
Hardwicke Av. *Houn* —9L **69**
Hardwicke M. WC1 —6L 59
(off Lloyd Baker M.)
Hardwicke Rd. *N13* —6J **27**
Hardwicke Rd. *W4* —5B **72**
Hardwicke Rd. *Rich* —1G **103**
Hardwicke St. *Bark* —4A **64**
Hardwick Grn. *W13* —8F **54**
Hardwick Ho. NW8 —7C 58
(off Lilestone St.)
Hardwick St. *EC1* —6L **59**
Hardwicks Way. *SW18* —4L **89**
Hardwidge St. *SE1* —3C **76**
Hardy Av. *E16* —2E **78**
Hardy Av. *Ruis* —1F **52**
Hardy Clo. *SE16* —3H **77**
Hardy Clo. *Barn* —8J **13**
Hardy Clo. *Pinn* —5H **37**
Hardy Cotts. *SE10* —7B **78**
Hardy Ct. *Eri* —8D **82**
Hardy Gro. *Dart* —3L **99**
Hardy Ho. *SW4* —6G **91**
Hardying Ho. *E17* —2J **45**
Hardy Rd. *E4* —6K **29**
Hardy Rd. *SE3* —8D **78**
Hardy Rd. *SW19* —4M **105**
Hardys Clo. *E Mol* —8C **102**
Hardy Way. *Enf* —3L **15**
Hare & Billet Rd. *SE3* —9B **78**
Harebell Dri. *E6* —8L **63**
Harebell Way. *Romf* —7H **35**
Harebreaks, The. *Wat* —1E **8**
Harecastle Clo. *Hay* —7J **53**
Hare Ct. *EC4* —9L **59**
Harecourt Rd. *N1* —2A **60**
Hare Cres. *Wat* —5E **4**
Haredale Rd. *SE24* —3A **92**
Haredon Clo. *SE23* —6H **93**
Harefield. *Esh* —5C **118**
Harefield Av. *Sutt* —1J **135**
Harefield Clo. *Enf* —3L **15**
Harefield Grn. *NW7* —6G **25**
Harefield M. *SE4* —2K **93**
Harefield Rd. *N8* —3H **43**
Harefield Rd. *SE4* —2K **93**
Harefield Rd. *SW16* —4K **107**
Harefield Rd. *Sidc* —9H **97**
Harefield Rd. *Uxb* —3A **142**
Hare Hall La. *Romf* —2F **50**
Hare La. *Clay* —7B **118**
Hare Marsh. *E2* —7E **60**
Hare Pl. EC4 —9L 59
(off Pleydell St.)
Hare Row. *E2* —5F **60**
Hares Bank. *New Ad* —2B **140**
Haresfield Rd. *Dag* —2L **65**
Hare St. *SE18* —4L **79**
Hare Wlk. *N1* —5C **60**
Harewood Av. *NW1* —7C **58**
Harewood Av. *N'holt* —3K **53**
Harewood Clo. *N'holt* —3K **53**
Harewood Dri. *Ilf* —9K **31**
Harewood Gdns. *S Croy* —7F **138**
Harewood Pl. *W1* —9F **58**
Harewood Rd. *SW19* —3C **106**
Harewood Rd. *Iswth* —8D **70**
Harewood Rd. *S Croy* —8C **124**
Harewood Rd. *Wat* —3F **20**
Harewood Row. *NW1* —8C **58**
Harewood Ter. *S'hall* —5K **69**
Harfield Gdns. *SE5* —2C **92**
Harfield Rd. *Sun* —6H **101**
Harfleur Ct. SE11 —5M 75
(off Opal St.)
Harford Clo. *E4* —9M **17**
Harford Dri. *Wat* —2C **8**
Harford Ho. SE5 —7A 76
(off Bethwin Rd.)
Harford Ho. *W11* —8K **57**
Harford M. *N19* —8H **43**
Harford Rd. *E4* —9M **17**
Harford St. *E1* —7J **61**
Harford Wlk. *N2* —2B **42**
Harfst Way. *Swan* —5A **114**
Hargood Clo. *Harr* —4J **39**
Hargood Rd. *SE3* —9G **79**
Hargrave Mans. *N19* —7H **43**
Hargrave Pk. *N19* —7G **43**
Hargrave Pl. *NW5* —1H **59**
Hargrave Rd. *N19* —7G **43**
Hargraves Ho. W12 —1F 72
(off White City Est.)
Hargreaves Av. *Chesh* —4B **6**
Hargreaves Clo. *Chesh* —4B **6**
Hargwyne St. *SW9* —2K **91**
Haringey Pk. *N8* —4J **43**
Haringey Pas. *N8* —2L **43**
Haringey Rd. *N8* —2J **43**
Harington Ter. *N18* —3B **28**
Harkett Clo. *Harr* —9D **22**
Harkett Ct. *W'stone* —9D **22**
Harkness. *Chesh* —2B **6**
Harkness Clo. *Eps* —8G **135**
Harkness Clo. *Romf* —5K **35**
Harkness Ho. E1 —9E 60
(off Christian St.)
Harkness Ind. Est. *Borwd* —7L **11**
Harland Av. *Croy* —5D **124**
Harland Av. *Sidc* —9B **96**
Harland Clo. *SW19* —7M **105**
Harland Rd. *SE12* —7E **94**
Harlands Gro. *Orp* —6M **127**
Harlech Gdns. *Houn* —7G **69**
Harlech Gdns. *Pinn* —6H **37**
Harlech Rd. *N14* —3J **27**
Harlech Rd. *Ab L* —4E **4**
Harlech Tower. *W3* —3A **72**
Harlequin Av. *Bren* —7E **70**
Harlequin Cen. *S'hall* —5G **69**
Harlequin Clo. *Hay* —8H **53**
Harlequin Clo. *Iswth* —4C **86**
Harlequin Ct. NW10 —2B 56
(off Mitchellbrook Way)
Harlequin Ct. *W5* —1G **71**
Harlequin Ho. Eri —4J 81
(off Kale Rd.)
Harlequin Rd. *Tedd* —4F **102**
Harlequins R.U.F.C. —6C 86
Harlequin, The. *Wat* —6G **9**
Harlescott Rd. *SE15* —3H **93**
Harlesden. —5D 56
Harlesden Clo. *Romf* —6K **35**
Harlesden Gdns. *NW10* —4D **56**
Harlesden La. *NW10* —4E **56**
Harlesden Plaza. *NW10* —5D **56**
Harlesden Rd. *NW10* —4E **56**
Harlesden Rd. *Romf* —6K **35**
Harlesden Wlk. *Romf* —7K **35**
Harleston Clo. *E5* —7G **45**
Harley Clo. *Wemb* —2H **55**
Harley Ct. *E11* —5E **46**
Harley Ct. *N20* —3A **26**
Harley Ct. *Harr* —2B **38**
Harley Cres. *Harr* —2B **38**
Harleyford. *Brom* —5F **110**
Harleyford Ct. SE11 —7K 75
(off Harleyford Rd.)
Harleyford Mnr. W3 —2A 72
(off Edgecote Clo.)
Harleyford Rd. *SE11* —7K **75**
Harleyford St. *SE11* —7L **75**
Harley Gdns. *SW10* —6A **74**
Harley Gdns. *Orp* —6C **128**
Harley Gro. *E3* —6K **61**
Harley Ho. *E11* —5B **46**
Harley Ho. NW1 —7E 58
(off Marylebone Rd.)
Harley Ho. Borwd —4M 11
(off Brook Clo.)
Harley Pl. *W1* —8F **58**
Harley Rd. *NW3* —3B **58**
Harley Rd. *NW10* —5C **56**
Harley Rd. *Harr* —2B **38**
Harley St. *W1* —7F **58**
Harley Vs. *NW10* —5C **56**
Harling Ct. *SW11* —1D **90**
Harlinger St. *SE18* —4J **79**
Harlington. —7B 68
Harlington Clo. *Hay* —8A **68**
Harlington Rd. *Bexh* —2J **97**
Harlington Rd. *Uxb* —6E **142**
Harlington Rd. E. *Felt* —6F **84**
Harlington Rd. W. *Felt* —5F **84**
Harlowe Clo. *E8* —4E **60**
Harlowe Ho. E8 —4D 60
(off Clarissa St.)
Harlow Gdns. *Romf* —6A **34**

Harlow Mans.—Hatherley Ct.

Harlow Mans. Bark —3M 63
(off Whiting Av.)
Harlow Rd. N13 —3B 28
Harlow Rd. Rain —4D 66
Harlton Ct. Wal A —7M 7
Harlyn Dri. Pinn —1F 36
Harlynwood. SE5 —8A 76
(off Wyndham Rd.)
Harman Av. Wfd G —6D 30
Harman Clo. E4 —4B 30
Harman Clo. NW2 —8J 41
Harman Clo. SE1 —6E 76
Harman Dri. NW2 —8J 41
Harman Dri. Sidc —5D 96
Harman Pl. Purl —3M 137
Harman Rd. Enf —7D 16
Harmondsworth. —7H 143
Harmondsworth La. W Dray —7J 143
Harmondsworth Rd. W Dray —6J 143
Harmon Ho. SE8 —5K 77
Harmont Ho. W1 —8F 58
(off Harley St.)
Harmony Clo. NW11 —3J 41
Harmony Clo. Wall —1H 137
Harmony Way. NW4 —2G 41
Harmony Way. Brom —6E 110
Harmood Gro. NW1 —3F 58
Harmood Ho. NW1 —3F 58
(off Harmood St.)
Harmood Pl. NW1 —3F 58
Harmood St. NW1 —2F 58
Harmsworth M. SE1 —4L 75
Harmsworth St. SE17 —6M 75
Harmsworth Way. N20 —1K 25
Harness Rd. SE28 —3E 80
Harnetts Clo. Swan —2B 130
Harold Av. Belv —6K 81
Harold Av. Hay —4D 68
Harold Ct. SE16 —3H 77
(off Christopher Clo.)
Harold Ct. H Wood —7M 35
Harold Ct. Rd. Romf —6M 35
Harold Cres. Wal A —5J 7
Harold Est. SE1 —4C 76
Harold Gibbons Ct. SE7 —7G 79
Harold Hill. —6K 35
Harold Hill Ind. Est. H Hill —7H 35
Harold Ho. E2 —5H 61
(off Mace St.)
Harold Laski Ho. EC1 —6M 59
(off Percival St.)
Harold Maddison Ho. SE17
(off Penton Pl.) —6M 75
Harold Park. —6M 35
Harold Pl. SE11 —6L 75
Harold Rd. E4 —4A 30
Harold Rd. E11 —6C 46
Harold Rd. E13 —4F 62
Harold Rd. N8 —3K 43
Harold Rd. N15 —3D 44
Harold Rd. NW10 —6B 56
Harold Rd. SE19 —4B 108
Harold Rd. Dart —1K 115
Harold Rd. Sutt —6B 122
Harold Rd. Wfd G —8E 30
Harold's Bridge. —6J 7
Haroldstone Rd. E17 —3H 45
Harold Vw. Romf —9K 35
Harold Wilson Ho. SE28 —2F 80
Harold Wilson Ho. SW6 —7K 73
(off Clem Attlee Ct.)
Harold Wood. —8K 35
Harold Wood Hall. H Hill —8H 35
(off Widecombe Clo.)
Harp All. EC4 —9M 59
Harp Bus. Cen. NW2 —6E 40
(off Apsley Way)
Harpenden Rd. E12 —7G 47
Harpenden Rd. SE27 —9M 91
Harpenmead Point. NW2 —7K 41
Harper Clo. N14 —7G 15
Harper Ho. SW9 —2M 91
Harper Rd. E6 —9K 63
Harper Rd. SE1 —4A 76
Harper's Yd. N17 —8D 28
Harp Island Clo. NW10 —7B 40
Harp La. EC3 —1C 76
Harpley Sq. E1 —7G 61
Harpour Rd. Bark —2A 64
Harp Rd. W7 —7D 54
Harpsden St. SW11 —9E 74
Harpur M. WC1 —8K 59
Harpur St. WC1 —8K 59
Harraden Rd. SE3 —9G 79
Harrier Av. E11 —4F 46
Harrier Clo. Horn —2F 66
Harrier Ct. Houn —2J 85
Harrier M. SE28 —3B 80
Harrier Rd. NW9 —9C 24
Harriers Clo. W5 —1J 71
Harrier Way. E6 —8K 63
Harrier Way. Wal A —7M 7
Harriescourt. Wal A —5M 7
Harries Rd. Hay —7G 53
Harriet Clo. E8 —4E 60
Harriet Gdns. Croy —4E 124
Harriet Ho. SW6 —8M 73
(off Wandon Rd.)
Harriet St. SW1 —3D 74
Harriet Tubman Clo. SW2 —6K 91
Harriet Wlk. SW1 —3D 74
Harriet Way. Bush —9B 10
Harringay. —3M 43
Harringay Gdns. N8 —2M 43
Harringay Rd. N15 —3M 43
(in two parts)
Harrington Clo. NW10 —8B 40
Harrington Clo. Croy —4J 123
Harrington Ct. W10 —6K 57
Harrington Ct. Croy —4B 124
Harrington Gdns. SW7 —5M 73
Harrington Hill. E5 —6F 44
Harrington Ho. NW1 —6G 59
(off Harrington St.)
Harrington Rd. E11 —6C 46
Harrington Rd. SE25 —8E 108
Harrington Rd. SW7 —5B 74
Harrington Sq. NW1 —5G 59
Harrington St. NW1 —5G 59
(in two parts)
Harrington Way. SE18 —4H 79
Harriott Clo. SE10 —5D 78
Harriott Ho. E1 —8G 61
(off Jamaica St.)
Harris Bldgs. E1 —9E 60
(off Burslem St.)
Harris Clo. Enf —3M 15
Harris Clo. Houn —9L 69
Harris Ct. Wemb —8K 39
Harris Ho. SW9 —2L 91
(off St James's Cres.)
Harris Lodge. SE6 —7A 94
Harrison Clo. N20 —1C 26
Harrison Clo. N'wd —6A 20
Harrison Ho. SE17 —6B 76
(off Brandon St.)
Harrison Rd. Dag —2M 65
Harrisons Ct. SE14 —7H 77
(off Myers La.)
Harrison's Ri. Croy —5M 123
Harrison St. WC1 —6J 59
Harrisons Wharf. Purf —6L 83
Harrison Wlk. Chesh —3D 6
Harris Rd. Bexh —9J 81
Harris Rd. Dag —1K 65
Harris Rd. Wat —8E 4
Harris St. E17 —5K 45
Harris St. SE5 —8B 76
Harris Way. Sun —5C 100
Harrogate Ct. N11 —6E 26
Harrogate Ct. SE12 —6E 94
Harrogate Ct. SE26 —9E 92
(off Droitwich Clo.)
Harrogate Rd. Wat —3G 21
Harrold Ho. NW3 —3A 58
Harrold Ho. NW6 —3A 58
Harrold Rd. Dag —1F 64
Harrovian Bus. Village. Harr —5C 38
Harrow. —4C 38
Harrow Av. Enf —8D 16
Harroway Rd. SW11 —1B 90
Harrow Borough F.C. —9L 37
Harrowby St. W2 —9C 58
Harrow Clo. Chess —9H 119
Harrow Cres. Romf —7F 34
Harrowdene Clo. Wemb —9H 39
Harrowdene Gdns. Tedd —3E 102
Harrowdene Rd. Wemb —8H 39
Harrow Dri. N9 —1D 28
Harrow Dri. Horn —4F 50
Harrowes Meade. Edgw —3L 23
Harrow Fields Gdns. Harr —8C 38
Harrow Gdns. Orp —6F 128
Harrow Gdns. Warl —8K 139
Harrowgate Ho. E9 —2H 61
Harrowgate Rd. E9 —2J 61
Harrow Grn. E11 —8C 46
Harrow La. E14 —1A 78
Harrow Lodge. NW8 —7B 58
(off Northwick Ter.)
Harrow Mnr. Way. SE2 —2G 81
Harrow Mus. & Heritage Cen. —1A 38
Harrow On The Hill. —6C 38
Harrow Pk. Harr —7C 38
Harrow Pl. E1 —9C 60
Harrow Road. (Junct.) —3M 55
Harrow Rd. E6 —4J 63
Harrow Rd. E11 —8C 46
Harrow Rd. NW10 —6E 56
Harrow Rd. W2 & NW1 —8A 58
(in two parts)
Harrow Rd. W10 & W9 —7J 57
Harrow Rd. Bark —4C 64
Harrow Rd. Cars —8C 122
Harrow Rd. Felt —8E 144
Harrow Rd. Ilf —9A 48
Harrow Rd. Warl —7K 139
Harrow Rd. Wemb —9D 38
(HA0)
Harrow Rd. Wemb —1L 55
(HA9)
Harrow Rd. Bri. W2 —8A 58
Harrow School Old Speech Room Gallery. —6C 38
(off High St., Harrow School)
Harrow St. NW1 —8C 58
(off Daventry St.)
Harrow Vw. Harr —9A 22
Harrow Vw. Hay —9E 52
Harrow Vw. Uxb —6A 52
Harrow Vw. Rd. W5 —7F 54
Harrow Way. Shep —6A 100
Harrow Way. Wat —3J 21
Harrow Weald. —8C 22
Harrow Weald Pk. Harr —6B 22
Harry Hinkins Ho. SE17 —6A 76
(off Bronti Clo.)
Harry Lambourn Ho. SE15 —8F 76
(off Gervase St.)
Harston Dri. Enf —2L 17
Hartcliff Ct. W7 —3D 70
Hart Ct. E6 —3L 63
Hart Cres. Chig —5D 32
Hart Dyke Cres. Swan —7B 114
Hart Dyke Rd. Orp —4H 129
Hart Dyke Rd. Swan —6B 114
Harte Rd. Houn —1K 85
Hartfield Av. Els —6L 11
Hartfield Av. N'holt —5F 52
Hartfield Clo. Els —7L 11
Hartfield Cres. SW19 —4K 105
Hartfield Cres. W W'ck —5E 126
Hartfield Gro. SE20 —5G 109
Hartfield Ho. N'holt —5F 52
(off Hartfield Av.)
Hartfield Rd. SW19 —4K 105
Hartfield Rd. Chess —7H 119
Hartfield Rd. W W'ck —6E 126
Hartfield Ter. E3 —5L 61
Hartford Av. Harr —1E 38
Hartforde Rd. Borwd —4L 11
Hartford Rd. Bex —5L 97
Hartford Rd. Eps —8M 119
Hart Gro. W5 —2L 71
Hart Gro. S'hall —8L 53
Hart Gro. Ct. W5 —2L 71
Harthall La. K Lan —1A 4
Hartham Clo. N7 —1J 59
Hartham Clo. Iswth —9E 70
Hartham Rd. N7 —1J 59
Hartham Rd. N17 —9D 28
Hartham Rd. Iswth —9D 70
Harting Rd. SE9 —9J 95
Hartington Clo. Farnb —7A 128
Hartington Clo. Harr —9C 38
Hartington Corner. (Junct.) —9B 68
Hartington Ct. SW8 —9J 75
Hartington Ct. W4 —8M 71
Hartington Ho. SW1 —6H 75
(off Drummond Ga.)
Hartington Rd. E16 —9F 62
Hartington Rd. E17 —4J 45
Hartington Rd. SW8 —9J 75
Hartington Rd. W4 —8M 71
Hartington Rd. W13 —1F 70
Hartington Rd. S'hall —4J 69
Hartington Rd. Twic —6F 86
Hartismere Rd. SW6 —8K 73
Hartlake Rd. E9 —2H 61
Hartland. NW1 —4G 59
(off Royal College St.)
Hartland Clo. N21 —8A 16
Hartland Clo. Edgw —2L 23
Hartland Ct. N11 —5D 26
(off Hartland Rd.)
Hartland Dri. Edgw —2L 23
Hartland Dri. Ruis —8F 36
Hartland Rd. E15 —3D 62
Hartland Rd. N11 —5D 26
Hartland Rd. NW1 —3F 58
Hartland Rd. NW6 —5K 57
Hartland Rd. Chesh —3D 6
Hartland Rd. Hamp H —1M 101
Hartland Rd. Horn —7E 50
Hartland Rd. Iswth —2E 86
Hartland Rd. Mord —2L 121
Hartlands Clo. Bex —5K 97
Hartlands, The. Houn —7F 68
Hartland Way. Croy —5J 125
Hartland Way. Mord —2K 121
Hartlepool Ct. E16 —2M 79
Hartley Av. E6 —4J 63
Hartley Av. NW7 —5D 24
Hartley Clo. NW7 —5D 24
Hartley Clo. Brom —6K 111
Hartley Down. Purl —7K 137
Hartley Farm. Purl —7K 137
Hartley Hill. Purl —7K 137
Hartley Ho. SE1 —5D 76
(off Longfield Est.)
Hartley Old Rd. Purl —7K 137
Hartley Rd. E11 —6D 46
Hartley Rd. Croy —2A 124
Hartley Rd. Well —8G 81
Hartley St. E2 —6G 61
(in two parts)
Hartley Way. Purl —7K 137
Hart Lodge. High Bar —5J 13
Hartmann Rd. E16 —2H 79
Hartmoor M. Enf —1H 17
Hartnoll St. N7 —1K 59
Harton Clo. Brom —5H 111
Harton Rd. N9 —2F 28
Harton St. SE8 —9L 77
Hartop Point. SW6 —8J 73
(off Pellant Rd.)
Hartsbourne Av. Bus H —2A 22
Hartsbourne Clo. Bus H —2B 22
Hartsbourne Ct. S'hall —9A 54
(off Fleming Rd.)
Hartsbourne Pk. Bush —2C 22
Hartsbourne Rd. Bus H —2B 22
Harts Clo. Bush —4L 9
Harts Cft. Croy —1J 139
Harts Gro. Wfd G —5E 30
Hartshill Clo. Uxb —3F 142
Hartshorn All. EC3 —9C 60
(off Leadenhall St.)
Hartshorn Gdns. E6 —7L 63
Hart's La. SE14 —9J 77
Harts La. Bark —2M 63
Hartslock Dri. SE2 —3H 81
Hartsmead Rd. SE9 —8K 95
Hartspring Ind. Est. Wat —4L 9
Hartspring La. Bush —4L 9
Hart St. EC3 —1C 76
Hartsway. Enf —6G 17
Hartswood Gdns. W12 —4D 72
Hartswood Rd. W12 —3D 72
Hartsworth Clo. E13 —5D 62
Hartville Rd. SE18 —5C 80
Hartwell Dri. E4 —6A 30
Hartwell Ho. SE7 —6F 78
(off Troughton Rd.)
Hartwell St. E8 —2D 60
Hartwood Grn. Bush —2B 22
Harvard Ct. NW6 —1M 57
Harvard Hill. W4 —7M 71
Harvard Ho. SE17 —7M 75
(off Doddington Gro.)
Harvard La. W4 —6A 72
Harvard Rd. SE13 —4A 94
Harvard Rd. W4 —6M 71
Harvard Rd. Iswth —9C 70
Harvard Wlk. Horn —9E 50
Harvel Clo. Orp —7E 112
Harvel Cres. SE2 —6H 81
Harvest Bank Rd. W W'ck —5D 126
Harvest Ct. Esh —4L 117
Harvest End. Wat —9H 5
Harvester Rd. Eps —2B 134
Harvesters Clo. Iswth —4B 86
Harvest La. Lou —9H 19
Harvest La. Th Dit —1E 118
Harvest Rd. Bush —6M 9
Harvest Rd. Felt —1E 100
Harvest Way. Swan —2B 130
Harvey Ct. E17 —3L 45
Harvey Ct. Eps —1M 133
Harvey Dri. Hamp —5M 101
Harveyfields. Wal A —7J 7
Harvey Gdns. E11 —6D 46
Harvey Gdns. SE7 —6G 79
Harvey Gdns. Lou —5M 19
Harvey Ho. E1 —7F 60
(off Brady St.)
Harvey Ho. N1 —4B 60
(off Colville Est.)
Harvey Ho. SW1 —6H 75
(off Aylesford St.)
Harvey Ho. Bren —6J 71
Harvey Ho. Romf —2H 49
Harvey Lodge. W9 —8L 57
(off Admiral Wlk.)
Harvey Point. E16 —8E 62
(off Fife Rd.)
Harvey Rd. E11 —6C 46
Harvey Rd. N8 —3K 43
Harvey Rd. SE5 —9B 76
(in two parts)
Harvey Rd. Houn —6K 85
Harvey Rd. Ilf —1M 63
Harvey Rd. N'holt —3G 53
Harvey Rd. Uxb —5E 142
Harvey Rd. W on T —2D 116
Harvey's Bldgs. WC2 —1J 75
Harveys La. Romf —7B 50
Harvey St. N1 —4B 60
Harvill Rd. Sidc —2J 113
Harvington Wlk. E8 —3E 60
Harvist Est. N7 —9L 43
Harvist Rd. NW6 —5H 57
Harwater Dri. Lou —4K 19
Harwell Clo. Ruis —6B 36
Harwell Pas. N2 —2D 42
Harwood Av. Brom —6F 110
Harwood Av. Horn —1J 51
Harwood Av. Mitc —7C 106
Harwood Clo. N12 —6C 26
Harwood Clo. Wemb —9H 39
Harwood Ct. N1 —4B 60
(off Colville Est.)
Harwood Ct. SW15 —3G 89
Harwood Dri. Uxb —4D 142
Harwood Hall La. Upm —2M 67
Harwood Ho. E2 —6F 60
(off Pott St.)
Harwood Point. SE16 —3K 77
Harwood Rd. SW6 —8L 73
Harwoods Rd. Wat —6E 8
Harwoods Yd. N21 —9L 15
Harwood Ter. SW6 —9M 73
Haselbury Rd. N18 & N9 —4C 28
Haseley End. SE23 —6G 93
Haselrigge Rd. SW4 —3H 91
Haseltine Rd. SE26 —1K 109
Haselwood Dri. Enf —6M 15
Haskard Rd. Dag —9H 49
Hasker St. SW3 —5C 74
Haslam Av. Sutt —3J 121
Haslam Clo. N1 —3L 59
Haslam Clo. Uxb —7A 36
Haslam Ct. N11 —4F 26
Haslam St. SE15 —8D 76
Haslemere and Heathrow Est., The. Houn —1F 84
Haslemere Av. NW4 —4H 41
Haslemere Av. SW18 —8M 89
Haslemere Av. W7 & W13 —4E 70
Haslemere Av. Barn —1D 26
Haslemere Av. Houn —1G 85
Haslemere Av. Mitc —6B 106
Haslemere Bus. Cen. Enf —6F 16
Haslemere Clo. Hamp —2K 101
Haslemere Clo. Wall —7J 123
Haslemere Gdns. N3 —1K 41
Haslemere Ind. Est. SW18 —8M 89
Haslemere Rd. N8 —5H 43
Haslemere Rd. N21 —2M 27
Haslemere Rd. Bexh —1K 97
Haslemere Rd. Ilf —7D 48
Haslemere Rd. T Hth —9M 107
Hasler Clo. SE28 —1F 80
Haslers Wharf. E3 —4J 61
(off Old Ford Rd.)
Haslett Rd. Shep —6C 100
Haslingden Ho. Romf —5J 35
(off Dagnam Pk. Dri.)
Hasluck Gdns. New Bar —8M 13
Hassard St. E2 —5D 60
Hassendean Rd. SE3 —7F 78
Hassett Rd. E9 —2H 61
Hassocks Clo. SE26 —9F 92
Hassocks Rd. SW16 —5H 107
Hassock Wood. Kes —6H 127
Hassop Rd. NW2 —9H 41
Hassop Wlk. SE9 —1J 111
Hasted Rd. SE7 —6H 79
Hastings Av. Ilf —2A 48
Hastings Clo. SE15 —8E 76
Hastings Clo. Barn —6A 14
Hastings Ct. Tedd —2B 102
Hastings Dri. Surb —1G 119
Hastings Ho. SE18 —5K 79
(off Mulgrave Rd.)
Hastings Ho. W12 —1F 72
(off White City Est.)
Hastings Ho. W13 —1F 70
Hastings Ho. WC1 —6J 59
(off Hastings St.)
Hastings Rd. N11 —5G 27
Hastings Rd. N17 —1B 44
Hastings Rd. W13 —1F 70
Hastings Rd. Brom —3J 127
Hastings Rd. Croy —3D 124
Hastings Rd. Romf —3F 50
Hastings St. WC1 —6J 59
Hastings Way. Bush —6J 9
Hastings Way. Crox G —6A 8
Hastingwood Ct. E17 —3M 45
Hastingwood Trad. Est. N18 —6H 29
Hastoe Clo. Hay —7J 53
Hat & Mitre Ct. EC1 —7M 59
(off St John St.)
Hatcham M. Bus. Cen. SE14 —9H 77
Hatcham Pk. M. SE14 —9H 77
Hatcham Pk. Rd. SE14 —9H 77
Hatcham Rd. SE15 —7G 77
Hatchard Rd. N19 —7H 43
Hatchcroft. NW4 —1F 40
Hatch End. —7K 21
Hatchett Rd. Felt —7A 84
Hatchfield Ho. N15 —4C 44
(off Albert Rd.)
Hatch Gro. Romf —2J 49
Hatch La. E4 —4B 30
(in two parts)
Hatch La. Coul —7D 136
Hatch La. W Dray —8H 143
Hatch Pl. King T —2K 103
Hatch Rd. SW16 —6J 107
Hatch Side. Chig —5L 31
Hatch, The. Enf —3H 17
Hatchwood Clo. Wfd G —4D 30
Hatcliffe Almshouses. SE10 —6C 78
(off Tuskar St.)
Hatcliffe Clo. SE3 —2D 94
Hatcliffe St. SE10 —6D 78
Hatfield Clo. SE14 —8H 77
Hatfield Clo. Horn —1H 67
Hatfield Clo. Ilf —1M 47
Hatfield Clo. Mitc —8B 106
Hatfield Clo. Sutt —1M 135
Hatfield Ct. SE3 —8E 78
Hatfield Ct. N'holt —6G 53
(off Canberra Dri.)
Hatfield Ho. EC1 —7A 60
(off Golden La. Est.)
Hatfield Mead. Mord —9L 105
Hatfield Rd. E15 —1C 62
Hatfield Rd. W4 —3B 72
Hatfield Rd. W13 —2E 70
Hatfield Rd. Dag —2J 65
Hatfield Rd. Wat —3F 8
Hatfields. SE1 —2L 75
Hatfields. Lou —5M 19
Hathaway Clo. Brom —3K 127
Hathaway Clo. Ruis —9D 36
Hathaway Clo. Stan —5E 22
Hathaway Cres. E12 —2K 63
Hathaway Gdns. W13 —8E 54
Hathaway Gdns. Romf —3H 49
Hathaway Ho. N1 —5C 60
Hathaway Rd. Croy —2M 123
Hatherleigh Clo. Chess —7H 119
Hatherleigh Clo. Mord —8L 105
Hatherleigh Rd. Ruis —7E 36
Hatherleigh Way. Romf —8H 35
Hatherley Ct. W2 —9M 57
(off Hatherley Gro.)

Hatherley Cres. *Sidc* —8E **96**
Hatherley Gdns. *E6* —6H **63**
Hatherley Gdns. *N8* —4J **43**
Hatherley Gro. *W2* —9M **57**
Hatherley Ho. *E17* —2L **45**
Hatherley M. *E17* —2L **45**
Hatherley Rd. *E17* —2K **45**
Hatherley Rd. *Rich* —9K **71**
Hatherley Rd. *Sidc* —1E **112**
Hatherley St. *SW1* —5G **75**
Hathern Gdns. *SE9* —1L **111**
Hatherop Rd. *Hamp* —4K **101**
Hathersage Ct. *N1* —1B **60**
Hathorne Clo. *SE15* —1F **92**
Hathway St. *SE15* —1H **93**
Hathway Ter. SE15 —1H 93
(off Hathway St.)
Hatley Av. *Ilf* —2A **48**
Hatley Clo. *N11* —5D **26**
Hatley Rd. *N7* —7K **43**
Hatteraick St. *SE16* —3G **77**
Hattersfield Clo. *Belv* —5K **81**
Hatters La. *Wat* —8B **8**
Hatton. —3D 84
Hatton Clo. *SE18* —8B **80**
Hatton Cross. (Junct.) —3D **84**
Hatton Garden. *EC1* —8L **59**
Hatton Gdns. *Mitc* —9D **106**
Hatton Grn. *Felt* —3E **84**
Hatton Gro. *W Dray* —3H **143**
Hatton Ho. King T —6K 103
(off Victoria Rd.)
Hatton Pl. *EC1* —8L **59**
Hatton Rd. *Bedf & Felt* —6A **84**
Hatton Rd. *Chesh* —2D **6**
Hatton Rd. *Croy* —3L **123**
Hatton Rd. S. *Felt* —3D **84**
Hatton Row. NW8 —7B 58
(off Hatton St.)
Hatton St. *NW8* —7B **58**
Hatton Wall. *EC1* —8L **59**
Haughmond. *N12* —4M **25**
Haunch of Venison Yd. *W1* —9F **58**
Hauteville Ct. Gdns. W6 —4D 72
(off South Side)
Havana Clo. *Romf* —3C **50**
Havana Rd. *SW19* —8L **89**
Havannah St. *E14* —3L **77**
Havant Rd. *E17* —1A **46**
Havelock Clo. *W12* —1F **72**
Havelock Ct. S'hall —4K 69
(off Havelock Rd.)
Havelock Ho. *SE23* —7G **93**
Havelock Pl. *Harr* —4C **38**
Havelock Rd. *N17* —9E **28**
Havelock Rd. *SW19* —2A **106**
Havelock Rd. *Belv* —5K **81**
Havelock Rd. *Brom* —8G **111**
Havelock Rd. *Croy* —4D **124**
Havelock Rd. *Dart* —6F **98**
Havelock Rd. *Harr* —1C **38**
Havelock Rd. *S'hall* —4J **69**
Havelock St. *N1* —4J **59**
Havelock St. *Ilf* —7M **47**
Havelock Ter. *SW8* —9F **74**
Havelock Wlk. *SE23* —7G **93**
Haven Clo. *SE9* —9K **95**
Haven Clo. *SW19* —9H **89**
Haven Clo. *Hay* —7C **52**
Haven Clo. *Sidc* —3G **113**
Haven Clo. *Swan* —6D **114**
Haven Ct. *Beck* —6A **110**
Haven Ct. *Surb* —1K **119**
Haven Grn. *W5* —9H **55**
Haven Grn. Ct. *W5* —9H **55**
Havenhurst Ri. *Enf* —4L **15**
Haven La. *W5* —9J **55**
Haven Lodge. Enf —8C 16
(off Village Rd.)
Haven M. *E3* —8K **61**
Haven Pl. *W5* —1H **71**
Havenpool. NW8 —4M 57
(off Abbey Rd.)
Haven Rd. *Ashf* —9F **144**
Haven St. *NW1* —3F **58**
Haven, The. *N14* —8F **14**
Haven, The. *Rich* —2L **87**
Haven, The. *Sun* —4E **100**
Havent Ho. Romf —7J 35
(off Kingsbridge Cir.)
Haven Wood. *Wemb* —8M **39**
Haverfield Gdns. *Rich* —8L **71**
Haverfield Rd. *E3* —6J **61**
Haverford Way. *Edgw* —8K **23**
Haverhill Rd. *E4* —1A **30**
Haverhill Rd. *SW12* —7G **91**
Havering. NW1 —3F 58
(off Castlehaven Rd.)
Havering-Atte-Bower. —3C 34
Havering Country Pk. —4A 34
Havering Dri. *Romf* —2C **50**
Havering Gdns. *Romf* —3G **49**
Havering Park. —5M 33
Havering Rd. *Romf* —5B **34**
Havering St. *E1* —9H **61**
Havering Way. *Bark* —6F **64**
Havers Av. *W on T* —7H **117**
Haversham Clo. *Twic* —5H **87**
Haversham Ct. *Gnfd* —2D **54**
Haversham Pl. *N6* —7D **42**
Haverstock Ct. Orp —6F 112
(off Cotmandene Cres.)

Haverstock Hill. *NW3* —1C **58**
Haverstock Pl. EC1 —6M 59
(off Haverstock St.)
Haverstock Rd. *NW5* —1E **58**
Haverstock St. *N1* —5M **59**
Haverthwaite Rd. *Orp* —4B **128**
Havil St. *SE5* —8C **76**
Havisham Ho. *SE16* —3E **76**
Havisham Pl. *SE19* —4M **107**
Hawarden Gro. *SE24* —6A **92**
Hawarden Hill. *NW2* —8E **40**
Hawarden Rd. *E17* —2H **45**
Hawbridge Rd. *E11* —6B **46**
Hawes Clo. *N'wd* —7D **20**
Hawes Ho. *E17* —2H **45**
Hawes La. *E4* —2A **18**
Hawes La. *W W'ck* —3A **126**
Hawes Rd. *N18* —6F **28**
Hawes Rd. *Brom* —5F **110**
(in two parts)
Hawes St. *N1* —3M **59**
Haweswater Dri. *Wat* —6G **5**
Hawfield Bank. *Orp* —5H **129**
Hawgood St. *E3* —8L **61**
Hawk Clo. *Wal A* —7M **7**
Hawkdene. *E4* —8M **17**
Hawke Ct. Hay —7G 53
(off Perth Av.)
Hawke Ho. E1 —7H 61
(off Ernest St.)
Hawke Pk. Rd. *N22* —1M **43**
Hawke Pl. *SE16* —3H **77**
Hawker Clo. *Wall* —9J **123**
Hawker Ct. King T —6K 103
(off Church Rd.)
Hawke Rd. *SE19* —3B **108**
Hawkesbury Rd. *SW15* —4F **88**
Hawkesfield Rd. *SE23* —8J **93**
Hawkesley Clo. *Twic* —1E **102**
Hawkes Rd. *Felt* —6E **84**
Hawkes Rd. *Mitc* —5D **106**
Hawkesworth Clo. *N'wd* —7C **20**
Hawke Tower. *SE14* —7J **77**
Hawkewood Rd. *Sun* —7E **100**
Hawkfield Ct. *Iswth* —1C **86**
Hawkhirst Rd. *Kenl* —7B **138**
Hawkhurst Gdns. *Chess* —6J **119**
Hawkhurst Gdns. *Romf* —6B **34**
Hawkhurst Rd. *SW16* —5H **107**
Hawkhurst Rd. *Kenl* —9C **138**
Hawkhurst Way. *N Mald* —9B **104**
Hawkhurst Way. *W W'ck* —4M **125**
Hawkinge. N17 —9D 28
(off Gloucester Rd.)
Hawkinge Wlk. *Orp* —7F **112**
Hawkinge Way. *Horn* —2G **67**
Hawkins Clo. *NW7* —5B **24**
Hawkins Clo. *Borwd* —4A **12**
Hawkins Clo. *Harr* —5B **38**
Hawkins Ct. *SE18* —5J **79**
Hawkins Ho. SE8 —7L 77
(off New King St.)
Hawkins Ho. SW1 —7G 75
(off Dolphin Sq.)
Hawkins Rd. *Tedd* —3F **102**
Hawkins Way. *SE6* —2L **109**
Hawkley Gdns. *SE27* —8M **91**
Hawkridge Clo. *Romf* —4G **49**
Hawksbrook La. *Beck* —1M **125**
(in two parts)
Hawkshaw Clo. *SW2* —6J **91**
Hawkshead. NW1 —6G 59
(off Stanhope St.)
Hawkshead Clo. *Brom* —4C **110**
Hawkshead Rd. *NW10* —3D **56**
Hawkshead Rd. *W4* —3C **72**
Hawkshill Clo. *Esh* —8L **117**
Hawkshill Pl. *Esh* —8L **117**
Hawkshill Way. *Esh* —8K **117**
Hawkslade Rd. *SE15* —4H **93**
Hawksley Rd. *N16* —8C **44**
Hawksmead Clo. *Enf* —9D **6**
Hawks M. *SE10* —8A **78**
Hawksmoor Clo. *E6* —9J **63**
Hawksmoor Clo. *SE18* —6C **80**
Hawksmoor Ho. E14 —8J 61
(off Aston St.)
Hawksmoor M. *E1* —1F **76**
Hawksmoor Pl. E2 —7E 60
(off Cheshire St.)
Hawksmoor St. *W6* —7H **73**
Hawksmouth. *E4* —9A **18**
Hawks Pas. King T —6K 103
(off Fairfield Rd.)
Hawks Rd. *King T* —6K **103**
Hawkstone Rd. *SE16* —5G **77**
Hawkwell Ct. *E4* —3A **30**
Hawkwell Wlk. N1 —4A 60
(off Maldon Rd.)
Hawkwood Cres. *E4* —8M **17**
Hawkwood La. *Chst* —5A **112**
Hawkwood Mt. *E5* —6F **44**
Hawlands Dri. *Pinn* —5J **37**
Hawley. —1K 115
Hawley Clo. *Hamp* —3K **101**
Hawley Cres. *NW1* —3F **58**
Hawley M. *NW1* —3F **58**
Hawley Rd. *N18* —5H **29**
Hawley Rd. *NW1* —3F **58**
(in three parts)
Hawley Rd. *Dart & S at H* —8J **99**
Hawley St. *NW1* —3F **58**
Hawley Ter. *Dart* —1L **115**

Hawley Va. *Dart* —2L **115**
Hawstead La. *Orp* —7K **129**
Hawstead Rd. *SE6* —5M **93**
Hawsted. *Buck H* —9F **18**
Hawter. *NW9* —8D **24**
Hawthorn Av. *E3* —4K **61**
Hawthorn Av. *N13* —5J **27**
Hawthorn Av. *Big H* —7H **141**
Hawthorn Av. *Rain* —7F **66**
Hawthorn Cen. *Harr* —3D **38**
Hawthorn Clo. *Ab L* —5E **4**
Hawthorn Clo. *Bans* —6J **135**
Hawthorn Clo. *Hamp* —2L **101**
Hawthorn Clo. *Houn* —8F **68**
Hawthorn Clo. *Orp* —1B **128**
Hawthorn Clo. *Wat* —2D **8**
Hawthorn Cotts. Well —2E 96
(off Hook La.)
Hawthorn Ct. Pinn —9G 21
(off Rickmansworth Rd.)
Hawthorn Ct. *Rich* —9M **71**
Hawthorn Cres. *SW17* —2E **106**
Hawthorn Cres. *S Croy* —3G **139**
Hawthornden Clo. *N12* —6C **26**
Hawthorndene Clo. *Brom* —4D **126**
Hawthorndene Rd. *Brom* —4D **126**
Hawthorn Dri. *Den* —2A **142**
Hawthorn Dri. *Harr* —4L **37**
Hawthorn Dri. *W W'ck* —6C **126**
Hawthorne Av. *Cars* —9E **122**
Hawthorne Av. *Chesh* —4B **6**
Hawthorne Av. *Harr* —4E **38**
Hawthorne Av. *Mitc* —6B **106**
Hawthorne Av. *Ruis* —4F **36**
Hawthorne Av. *T Hth* —5M **107**
Hawthorne Clo. *N1* —2C **60**
Hawthorne Clo. *Brom* —7K **111**
Hawthorne Clo. *Chesh* —4B **6**
Hawthorne Clo. *Sutt* —4A **122**
Hawthorne Ct. *W5* —2J **71**
Hawthorne Ct. *N'wd* —9E **20**
Hawthorne Ct. Stanw —6B 144
(off Hawthorne Way)
Hawthorne Cres. *W Dray* —3K **143**
Hawthorne Farm Av. *N'holt* —4J **53**
Hawthorne Gro. *NW9* —5A **40**
Hawthorne Ho. SW1 —6G 75
(off Churchill Gdns.)
Hawthorne M. *Gnfd* —9A **54**
Hawthorne Pl. *Eps* —4C **134**
Hawthorne Pl. *Hay* —1D **68**
Hawthorne Rd. *E17* —1L **45**
Hawthorne Rd. *Brom* —7J **111**
Hawthorne Way. *Stanw* —6B **144**
Hawthorn Gdns. *W5* —4H **71**
Hawthorn Gro. *SE20* —4F **108**
Hawthorn Gro. *Barn* —8D **12**
Hawthorn Gro. *Enf* —2B **16**
Hawthorn Hatch. *Bren* —8F **70**
Hawthorn M. *NW7* —8J **25**
Hawthorn Pl. *Eri* —6A **82**
Hawthorn Rd. *N8* —1H **43**
Hawthorn Rd. *N18* —6D **28**
Hawthorn Rd. *NW10* —3E **56**
Hawthorn Rd. *Bexh* —3K **97**
Hawthorn Rd. *Bren* —8F **70**
Hawthorn Rd. *Buck H* —4H **31**
Hawthorn Rd. *Dart* —8H **99**
Hawthorn Rd. *Sutt* —8C **122**
Hawthorn Rd. *Wall* —9F **122**
Hawthorns. S Croy —6M 123
(off Bramley Hill)
Hawthorns. *Wfd G* —3E **30**
Hawthorns, The. *Eps* —9D **120**
Hawthorns, The. *Lou* —6L **19**
Hawthorn Wlk. *W10* —7J **57**
Hawthorn Way. *N9* —2C **28**
Hawthorn Way. *Shep* —8B **100**
Hawtrey Av. *N'holt* —5H **53**
Hawtrey Dri. *Ruis* —5E **36**
Hawtrey Rd. *NW3* —3C **58**
Haxted Rd. *Brom* —5F **110**
Hayburn Way. *Horn* —6D **50**
Hay Clo. *E15* —3C **62**
Hay Clo. *Borwd* —4A **12**
Haycroft Gdns. *NW10* —4E **56**
Haycroft Rd. *SW2* —4J **91**
Haycroft Rd. *Surb* —4H **119**
Hay Currie St. *E14* —9M **61**
Hayday Rd. *E16* —8E **62**
Hayden Rd. *Wal A* —8J **7**
Haydens Clo. *Orp* —1G **129**
Haydens M. *W3* —9A **56**
Hayden's Pl. *W11* —9K **57**
Hayden Way. *Romf* —9A **34**
Haydn Av. *Purl* —6L **137**
Haydock Av. *N'holt* —2L **53**
Haydock Clo. *Horn* —9K **51**
Haydock Grn. *N'holt* —2L **53**
Haydock Grn. Flats. N'holt —2L 53
(off Haydock Grn.)
Haydon Clo. *NW9* —2A **40**
Haydon Clo. *Enf* —8C **16**
Haydon Dri. *Pinn* —2E **36**
Haydon Pk. Rd. *SW19* —2L **105**
Haydon Rd. *Dag* —7G **49**
Haydon Rd. *Wat* —8J **9**
Haydons Rd. *SW19* —2M **105**
Haydon St. *EC3* —1D **76**
Haydon Wlk. *E1* —9D **60**
Haydon Way. *SW11* —3B **90**
Hayes. —3E 126
(Bromley)

Hayes. —9C 52
(Hillingdon)
Hayes Bri. Retail Cen. *Hay* —1G **69**
Hayes Chase. *W W'ck* —1B **126**
Hayes Clo. *Brom* —4E **126**
Hayes Ct. SE5 —8A 76
(off Camberwell New Rd.)
Hayes Ct. *SW2* —7J **91**
Hayes Cres. *NW11* —3K **41**
Hayes Cres. *Sutt* —6H **121**
Hayes Dri. *Rain* —3F **66**
Hayes End. —8B 52
Hayes End Clo. *Hay* —8B **52**
Hayes End Dri. *Hay* —7B **52**
Hayes End Rd. *Hay* —7B **52**
Hayes F.C. —1D 68
Hayesford Pk. Dri. *Brom* —9D **110**
Hayes Garden. *Brom* —4E **126**
Hayes Hill. *Brom* —3C **126**
Hayes Hill Farm. —1J 7
Hayes Hill Rd. *Brom* —3D **126**
Hayes La. *Beck* —7A **110**
Hayes La. *Brom* —9E **110**
Hayes La. *Kenl* —8M **137**
Hayes Mead Rd. *Brom* —3C **126**
Hayes Metro Cen. *Hay* —1G **69**
Hayes Pl. *NW1* —7C **58**
Hayes Rd. *Brom* —8E **110**
Hayes Rd. *S'hall* —5F **68**
Hayes St. *Brom* —3F **126**
Hayes Town. —3D 68
Hayes Way. *Beck* —8A **110**
Hayes Wood Av. *Brom & Hayes* —3F **126**
Hayfield Clo. *Bush* —6M **9**
Hayfield Pas. *E1* —7G **61**
Hayfield Rd. *Orp* —9E **112**
Hayfield Yd. *E1* —7G **61**
Haygarth Pl. *SW19* —2H **105**
Haygreen Clo. *King T* —3M **103**
Hay Hill. *W1* —1F **74**
Hayland Clo. *NW9* —2B **40**
Hay La. *NW9* —2A **40**
Hayles Bldgs. SE11 —5M 75
(off Elliotts Row)
Hayles St. *SE11* —5M **75**
Haylett Gdns. *King T* —8H **103**
Hayling Av. *Felt* —9E **84**
Hayling Clo. *N16* —1C **60**
Hayling Ct. *Sutt* —6G **121**
Hayling Rd. *Wat* —3E **20**
Haymaker Clo. *Uxb* —3D **142**
Hayman Cres. *Hay* —5B **52**
Haymans Point. *SE11* —5K **75**
Hayman St. *N1* —3M **59**
Haymarket. *SW1* —1H **75**
Haymarket Arc. SW1 —1H 75
(off Haymarket)
Haymarket Theatre Royal. —1H 75
(off Haymarket)
Haymeads Dri. *Esh* —8A **118**
Haymer Gdns. *Wor Pk* —5E **120**
Haymerle Ho. SE15 —7E 76
(off Haymerle Rd.)
Haymerle Rd. *SE15* —7E **76**
Haymill Clo. *Gnfd* —6D **54**
Hayne Ho. W11 —2J 73
(off Penzance Pl.)
Hayne Rd. *Beck* —6K **109**
Haynes Clo. *N11* —3E **26**
Haynes Clo. *N17* —7F **28**
Haynes Clo. *SE3* —2C **94**
Haynes La. *SE19* —3C **108**
Haynes Rd. *Horn* —2H **51**
Haynes Rd. *Wemb* —3J **55**
Hayne St. *EC1* —8M **59**
Haynt Wlk. *SW20* —7J **105**
Hay's Galleria. *SE1* —2C **76**
Hays La. *SE1* —2C **76**
Haysleigh Gdns. *SE20* —6E **108**
Hay's M. *W1* —2F **74**
Haysoms Clo. *Romf* —2C **50**
Haystall Clo. *Hay* —5C **52**
Hay St. *E2* —4E **60**
Hays Wlk. *Sutt* —2H **135**
Hayter Ct. *E11* —7F **46**
Hayter Rd. *SW2* —4J **91**
Hayton Clo. *E8* —2D **60**
Hayward Clo. *SW19* —4M **105**
Hayward Clo. *Dart* —4B **98**
Hayward Ct. SW9 —1J 91
(off Clapham Rd.)
Hayward Dri. *Dart* —8K **99**
Hayward Gallery. —2K 75
(off Belvedere Rd.)
Hayward Gdns. *SW15* —5G **89**
Hayward Rd. *N20* —2A **26**
Hayward Rd. *Th Dit* —3D **118**
Haywards Clo. *Chad H* —3F **48**
Hayward's Pl. *EC1* —7M **59**
Haywards Yd. SE4 —4K 93
(off Lindal Rd.)
Haywood Clo. *Pinn* —9H **21**
Haywood Ct. *Wal A* —7M **7**
Haywood Lodge. N11 —6J 27
(off Oak La.)
Haywood Ri. *Orp* —7C **128**
Haywood Rd. *Brom* —8H **111**
Hayworth Clo. *Enf* —4J **17**
Hazel Av. *W Dray* —4L **143**
Hazel Bank. *SE25* —6C **108**
Hazel Bank. *Surb* —3A **120**
Hazelbank Rd. *SE6* —8B **94**

Hazelbourne Rd. *SW12* —5F **90**
Hazelbrouck Gdns. *Ilf* —7B **32**
Hazelbury Av. *Ab L* —5A **4**
Hazelbury Clo. *SW19* —6L **105**
Hazelbury Grn. *N9* —3C **28**
Hazelbury La. *N9* —3C **28**
Hazel Clo. *N13* —3B **28**
Hazel Clo. *N19* —7G **43**
Hazel Clo. *SE15* —1E **92**
Hazel Clo. *Bren* —8F **70**
Hazel Clo. *Croy* —2H **125**
Hazel Clo. *Horn* —8F **50**
Hazel Clo. *Mitc* —8H **107**
Hazel Clo. *Twic* —6A **86**
Hazel Ct. *W5* —1J **71**
Hazel Ct. *Lou* —5K **19**
Hazel Cres. *Romf* —8M **33**
Hazel Cft. *Pinn* —6M **21**
Hazelcroft Clo. *Uxb* —3D **142**
Hazeldean Rd. *NW10* —3B **56**
Hazeldene. *Wal X* —5E **6**
Hazeldene Ct. *Kenl* —7B **138**
Hazeldene Dri. *Pinn* —1G **37**
Hazeldene Gdns. *Uxb* —4A **52**
Hazeldene Rd. *Ilf* —7F **48**
Hazeldene Rd. *Well* —1G **97**
Hazeldon Rd. *SE4* —4J **93**
Hazel Dri. *Eri* —9E **82**
Hazeleigh Gdns. *Wfd G* —5J **31**
Hazel End. *Swan* —9C **114**
Hazel Gdns. *Edgw* —4M **23**
Hazelgreen Clo. *N21* —1M **27**
Hazel Gro. *SE26* —1H **109**
Hazel Gro. *Orp* —4M **127**
Hazel Gro. *Romf* —1J **49**
Hazel Gro. *Wat* —8F **4**
Hazel Gro. *Wemb* —4J **55**
Hazelhurst. *Beck* —5B **110**
Hazelhurst Ct. SE6 —2A 110
(off Beckenham Hill Rd.)
Hazelhurst Rd. *SW17* —1A **106**
Hazel La. *Rich* —8J **87**
Hazellville Rd. *N19* —5H **43**
Hazel Mead. *Barn* —7F **12**
Hazel Mead. *Eps* —2E **134**
Hazelmere Clo. *Felt* —5C **84**
Hazelmere Clo. *N'holt* —5K **53**
Hazelmere Ct. *SW2* —7K **91**
Hazelmere Dri. *N'holt* —5K **53**
Hazelmere Gdns. *Horn* —3G **51**
Hazelmere Rd. *NW6* —4K **57**
Hazelmere Rd. *N'holt* —5K **53**
Hazelmere Rd. *Orp* —8A **112**
Hazelmere Wlk. *N'holt* —5K **53**
Hazelmere Way. *Brom* —1E **126**
Hazel Ri. *Horn* —4G **51**
Hazel Rd. *E15* —1C **62**
Hazel Rd. *NW10* —6F **56**
(in two parts)
Hazel Rd. *Dart* —8H **99**
Hazel Rd. *Eri* —9E **82**
Hazel Rd. *Park* —1M **5**
Hazeltree La. *N'holt* —6J **53**
Hazel Tree Rd. *Wat* —1F **8**
Hazel Wlk. *Brom* —1L **127**
Hazel Way. *E4* —6K **29**
Hazel Way. *SE1* —5D **76**
Hazelwood. *Lou* —7H **19**
Hazelwood Av. *Mord* —8M **105**
Hazelwood Clo. *W5* —3J **71**
Hazelwood Clo. *Harr* —2M **37**
Hazelwood Ct. N13 —4L 27
(off Hazelwood La.)
Hazelwood Ct. *NW10* —8C **40**
Hazelwood Ct. *Surb* —1J **119**
Hazelwood Cres. *N13* —4L **27**
Hazelwood Dri. *Pinn* —9F **20**
Hazelwood Gro. *S Croy* —5F **138**
Hazelwood Ho. *SE8* —5J **77**
Hazelwood Houses. *Short* —7C **110**
Hazelwood La. *N13* —4L **27**
Hazelwood La. *Ab L* —5A **4**
Hazelwood Pk. Clo. *Chig* —5C **32**
Hazelwood Rd. *E17* —3J **45**
Hazelwood Rd. *Crox G* —8A **8**
Hazelwood Rd. *Enf* —8D **16**
Hazlebury Rd. *SW6* —1M **89**
Hazledean Rd. *Croy* —4B **124**
Hazledene Rd. *W4* —7A **72**
Hazlemere Gdns. *Wor Pk* —3E **120**
Hazlewell Rd. *SW15* —4G **89**
Hazlewood Clo. *E5* —8J **45**
Hazlewood Cres. *W10* —7J **57**
Hazlewood Tower. W10 —7J 57
(off Golborne Gdns.)
Hazlitt Clo. *Felt* —1J **101**
Hazlitt M. *W14* —4J **73**
Hazlitt Rd. *W14* —4J **73**
Hazon Way. *Eps* —4A **134**
Heacham Av. *Uxb* —8A **36**
Headbourne Ho. SE1 —4B 76
(off Law St.)
Headcorn Pl. *T Hth* —8K **107**
Headcorn Rd. *N17* —7D **28**
Headcorn Rd. *Brom* —2D **110**
Headcorn Rd. *T Hth* —8K **107**
Headfort Pl. *SW1* —3E **74**
Headingley Clo. *Ilf* —6D **32**
Headington Ct. Croy —6A 124
(off Tanfield Rd.)
Headington Rd. *SW18* —8A **90**
Headlam Rd. *SW4* —5H **91**
(in two parts)

Highfield Av.—Hillrise Mans.

Highfield Av. NW9 —3A 40
Highfield Av. NW11 —5H 41
Highfield Av. Eri —7M 81
Highfield Av. Gnfd —1C 54
Highfield Av. Orp —8D 128
Highfield Av. Pinn —3K 37
Highfield Av. Wemb —8K 39
Highfield Clo. N22 —8L 27
Highfield Clo. NW9 —3A 40
Highfield Clo. SE13 —5B 94
Highfield Clo. N'wd —8C 20
Highfield Clo. Oxs —3B 132
Highfield Clo. Romf —6A 34
Highfield Clo. Surb —3G 119
Highfield Cotts. Dart —3F 114
Highfield Ct. N14 —8G 15
Highfield Ct. NW11 —4J 41
Highfield Cres. Horn —7K 51
Highfield Cres. N'wd —8C 20
Highfield Dri. Brom —8C 110
Highfield Dri. Eps —8D 120
Highfield Dri. W W'ck —4M 125
Highfield Gdns. NW11 —4J 41
Highfield Hill. SE19 —4B 108
Highfield Link. Romf —6A 34
Highfield Rd. N21 —2M 27
Highfield Rd. NW11 —4J 41
Highfield Rd. W3 —8M 55
Highfield Rd. Bexh —4K 97
Highfield Rd. Big H —9G 141
Highfield Rd. Brom —8K 111
Highfield Rd. Bush —7J 9
Highfield Rd. Chst —7D 112
Highfield Rd. Dart —6H 99
Highfield Rd. Felt —8E 84
Highfield Rd. Horn —7K 51
Highfield Rd. Iswth —9D 70
Highfield Rd. N'wd —8C 20
Highfield Rd. Purl —2K 137
Highfield Rd. Romf —7A 34
Highfield Rd. Sun —9D 100
Highfield Rd. Surb —2A 120
Highfield Rd. Sutt —7C 122
Highfield Rd. W on T —3E 116
Highfield Rd. Wfd G —7J 31
Highfield Rd. N. Dart —5H 99
Highfield Rd. S. Dart —6H 99
Highfields. Sutt —4L 121
Highfields Gro. N6 —6D 42
Highfield Towers. Romf —5B 34
Highfield Way. Horn —7K 51
High Firs. Swan —8C 114
High Foleys. Clay —9F 118
High Gables. Brom —6C 110
High Gables. Lou —7H 19
High Garth. Esh —8A 118
Highgate. —6F 42
Highgate Av. N6 —5F 42
Highgate Cemetery. —7F 42
Highgate Clo. N6 —5E 42
Highgate Edge. N2 —3C 42
Highgate Heights. N6 —4G 43
Highgate High St. N6 —6E 42
Highgate Hill. N6 & N19 —6F 42
Highgate Ho. SE26 —9E 92
Highgate Rd. N6 —8E 42
Highgate Spinney. N8 —4H 43
Highgate Wlk. SE23 —8G 93
Highgate W. Hill. N6 —7E 42
High Gro. SE18 —8B 80
High Gro. Brom —5H 111
Highgrove Clo. N11 —5E 26
Highgrove Clo. Chst —5J 111
Highgrove Ct. Beck —4L 109
Highgrove Ct. Sutt —8L 121
Highgrove Ct. Wal X —7C 6
Highgrove M. Cars —5D 122
Highgrove Rd. Dag —1G 65
Highgrove Way. Ruis —4E 36
High Hill Est. E5 —6F 44
High Hill Ferry. E5 —6F 44
High Hill Rd. Warl —7A 140
High Holborn. WC1 —9J 59
Highland Av. W7 —9C 54
Highland Av. Dag —8A 50
Highland Av. Lou —8J 19
Highland Cotts. Wall —6G 123
Highland Ct. E18 —8F 30
Highland Cft. Beck —2M 109
Highland Dri. Bush —9M 9
Highland Pk. Felt —1D 100
Highland Rd. SE19 —3C 108
Highland Rd. Bexh —4L 97
Highland Rd. Brom —5D 110
Highland Rd. N'wd —9D 20
Highland Rd. Purl —6L 137
Highlands. N20 —2C 26
Highlands. Wat —1G 21
Highlands Av. N21 —7K 15
Highlands Av. W3 —1A 72
Highlands Clo. N4 —5J 43
Highlands Clo. Houn —9M 69
Highlands Ct. SE19 —3C 108
Highlands Gdns. Ilf —6K 47
Highlands Heath. SW15 —6G 89
Highlands Hill. Swan —5E 114
Highlands Rd. Barn —7L 13
Highlands Rd. Orp —2F 128
Highlands, The. Barn —6L 13
Highlands, The. Edgw —9M 23
Highlands Village. —7K 15
Highland Ter. SE13 —2M 93
(off Claybank Gro.)
High La. W7 —8B 54
(in two parts)
Highlawn Hall. Harr —8C 38
Highlea Clo. NW9 —7C 24
High Level Dri. SE26 —1E 108
Highlever Rd. W10 —8G 57
Highmead. N18 —5E 28
(off Alpha Rd.)
Highmead. SE18 —8D 80
High Mead. Cars —3B 136
(off Pine Cres.)
High Mead. Chig —2A 32
High Mead. Harr —3C 38
High Mead. W W'ck —4B 126
Highmead Cres. Wemb —3K 55
High Mdw. Clo. Pinn —2G 37
High Mdw. Cres. NW9 —3B 40
High Meadows. Chig —5B 32
High Meads Rd. E16 —9H 63
Highmore Rd. SE3 —8C 78
High Mt. NW4 —4E 40
High Oaks. Enf —2K 15
High Oaks. N'wd —5D 20
High Pde., The. SW16 —9J 91
High Pk. Av. Rich —9L 71
High Pk. Rd. Rich —9L 71
High Path. SW19 —5M 105
High Pine Clo. Wey —7A 116
Highpoint. N6 —5E 42
High Point. SE9 —9M 95
High Ridge. N10 —8F 26
Highridge Clo. Eps —6C 134
High Ridge Pl. Enf —2K 15
(off Oak Av.)
High Rd. E18 —8E 30
High Rd. N11 —5F 26
High Rd. N15 & N17 —3D 44
High Rd. N22 —8K 27
High Rd. NW10 —2C 56
High Rd. Buck H & Lou —2F 30
High Rd. Bus H & Bush —1B 22
High Rd. Chig —5L 31
High Rd. Cow & Uxb —8A 142
High Rd. Dart —9G 99
High Rd. Eastc —4E 36
High Rd. Harr —7C 22
High Rd. Hay —8C 52
High Rd. Ick —8A 36
High Rd. Ilf & Romf —8M 47
(in five parts)
High Rd. Leav —8D 4
High Rd. Romf —5H 49
High Rd. Wemb —1H 55
High Rd. E. Finchley. N2 —8B 26
High Rd. Leyton. E10 & E15 —4M 45
High Rd. Leytonstone. E11 & E15 —9C 46
High Rd. N. Finchley. N12 —3A 26
High Rd. Whetstone. N20 —9A 14
High Rd. Woodford Grn. Wfd G —6D 30
High St. Bans —7L 135
High Sheldon. N6 —4D 42
Highshore Rd. SE15 —1D 92
(in two parts)
High Silver. Lou —6H 19
Highstead Cres. Eri —7G 82
Highstone Av. E11 —4E 46
Highstone Ct. E11 —4D 46
(off New Wanstead)
Highstone Mans. NW1 —3G 59
(off Camden Rd.)
High St. E11 —3E 46
High St. E13 —5E 62
High St. E15 —5A 62
High St. E17 —3J 45
High St. N8 —2J 43
High St. N14 —1H 27
High St. NW7 —5F 24
High St. SE20 —3G 109
High St. SE25 —8D 108
High St. SW19 —2H 105
High St. W3 —2M 71
High St. W5 —2H 71
High St. Ab L —4C 4
High St. B'side —1A 48
High St. Barn —5J 13
High St. Beck —6L 109
High St. Bedm —1D 4
High St. Bren —8G 71
High St. Brom —6E 110
High St. Bush —8L 9
High St. Cars —7E 122
High St. Cheam —8J 121
High St. Chesh —2D 6
High St. Chst —3M 111
High St. Clay —8D 118
High St. Cow —7A 142
High St. Cran —9E 68
High St. Croy —4A 124
(in two parts)
High St. Dart —5J 99
High St. Dow —3L 141
High St. Edgw —6L 23
High St. Els —8H 11
High St. Enf —7G 17
High St. Eps —5B 134
High St. Esh —6M 117
High St. Ewe —1D 134
High St. Eyns —4J 131
High St. Farnb —7M 127
High St. F'ham —1J 131
High St. Felt —9D 84
High St. Grn St —9D 128
High St. Hamp —5A 102
High St. Hamp H —3A 102
High St. Hamp W —5G 103
High St. Harm —7H 143
High St. Harr —6C 38
(HA1)
High St. Harr —9C 22
(HA3)
High St. Hay —7B 68
High St. Horn —6H 51
High St. Houn —2M 85
High St. King T —7H 103
High St. N Mald —8C 104
High St. N'wd —8D 20
High St. Orp —4E 128
High St. Oxs —5B 132
High St. Pinn —1J 37
High St. Purf —6L 83
High St. Purl —3L 137
High St. Romf —3C 50
High St. Ruis —5C 36
High St. St M —1G 129
High St. Shep —1A 116
High St. S'hall —2K 69
High St. Stanw —5B 144
High St. Sutt —6M 121
High St. Swan —7D 114
High St. Tedd —2D 102
High St. Th Dit —1E 118
High St. T Hth —8A 108
High St. Uxb —3A 142
(in two parts)
High St. Wal X —6E 6
(in two parts)
High St. W on T —3E 116
High St. Wat —5F 8
(in four parts)
High St. W'stone —9C 22
High St. Wemb —9K 39
High St. W Dray —1H 143
High St. W Mol —8L 101
High St. W W'ck —3M 125
High St. Whit —6A 86
High St. Colliers Wood. SW19 —4B 106
High St. Harlesden. NW10 —5D 56
High St. M. SW19 —2J 105
High St. N. E12 & E6 —1J 63
High St. S. E6 —5K 63
High Timber St. EC4 —1A 76
High Tor Clo. Brom —4F 110
High Trees. N20 —3A 26
High Trees. SW2 —7L 91
High Trees. Barn —7C 14
High Trees. Croy —3J 125
Hightrees Ct. W7 —1C 70
Highview. N6 —4G 43
Highview. NW7 —3B 24
Highview. N'holt —6J 53
High Vw. Pinn —2G 37
High Vw. Sutt —3K 135
High Vw. Wat —8D 8
Highview Av. Edgw —4A 24
Highview Av. Wall —7K 123
High Vw. Clo. SE19 —6D 108
High Vw. Clo. Lou —7G 19
High Vw. Ct. Har W —7C 22
Highview Ct. Lou —7H 19
Highview Gdns. N3 —1J 41
Highview Gdns. N11 —5G 27
Highview Gdns. Edgw —4A 24
Highview Gdns. Upm —7M 51
Highview Ho. Romf —2J 49
High Vw. Pde. Ilf —3K 47
Highview Path. Bans —7L 135
High Vw. Rd. E18 —9D 30
High Vw. Rd. N2 —8D 26
Highview Rd. SE19 —3B 108
Highview Rd. W13 —8E 54
High Vw. Rd. Dow —2L 141
High Vw. Rd. Sidc —1F 112
Highway, The. E1 & E14 —1E 76
Highway, The. Orp —7F 128
Highway, The. Stan —8D 22
Highway, The. Sutt —1A 136
Highway Trad. Cen., The. E1
(off Heckford St.) —1H 77
Highwold. Coul —9E 136
Highwood. Short —7C 110
Highwood Av. N12 —4A 26
Highwood Av. Bush —3K 9
Highwood Clo. Kenl —9A 138
Highwood Clo. Orp —4A 128
Highwood Ct. N12 —3A 26
Highwood Ct. Barn —7L 13
Highwood Dri. Orp —4A 128
Highwood Gdns. Ilf —3K 47
Highwood Gro. NW7 —5B 24
Highwood Hill. —3D 24
Highwood Hill. NW7 —2D 24
Highwood La. Lou —7L 19
Highwood Rd. N19 —8J 43
High Worple. Harr —5K 37
Highworth Rd. N11 —6H 27
Highworth St. NW1 —8C 58
(off Daventry St.)
Hilary Av. Mitc —7E 106
Hilary Clo. E11 —3E 46
Hilary Clo. SW6 —8M 73
Hilary Clo. Eri —9M 81
Hilary Clo. Horn —1H 67
Hilary Dennis Ct. E11 —2E 46
Hilary Rd. W12 —9D 56
(in two parts)
Hilbert Rd. Sutt —5H 121
Hilborough Ct. E8 —3D 60
Hilborough Way. Orp —7B 128
Hilda Ct. Surb —2H 119
Hilda May Av. Swan —7C 114
Hilda Rd. E6 —3H 63
Hilda Rd. E16 —7C 62
Hilda Ter. SW9 —1L 91
Hilda Va. Clo. Orp —6M 127
Hilda Va. Rd. Orp —6L 127
Hildenborough Gdns. Brom —3C 110
Hildenborough Ho. Beck —4K 109
(off Bethersden Clo.)
Hilden Dri. Eri —8F 82
Hildenlea Pl. Brom —6B 110
Hilderley Ho. King T —7K 103
(off Winery La.)
Hilders, The. Asht —9M 133
Hildreth St. SW12 —7F 90
Hildyard Rd. SW6 —7L 73
Hiley Rd. NW10 —6G 57
Hilfield La. A'ham —3M 9
Hilfield La. S. Bush —8D 10
Hilgrove Rd. NW6 —3A 58
Hiliary Gdns. Stan —9G 23
Hillars Heath Rd. Coul —7J 137
Hillary. N8 —1J 43
(off Boyton Clo.)
Hillary Ct. W12 —3G 73
(off Titmuss St.)
Hillary Cres. W on T —3G 117
Hillary Ho. Borwd —5M 11
(off Eldon Av.)
Hillary Ri. Barn —6L 13
Hillary Rd. S'hall —4L 69
Hill Barn. S Croy —3C 138
Hillbeck Clo. SE15 —8G 77
Hillbeck Way. Gnfd —4B 54
Hillborne Clo. Hay —6E 68
Hillboro Ct. E11 —5B 46
Hillborough Clo. SW19 —4A 106
Hillbrook Rd. SW17 —9D 90
Hill Brow. Brom —5H 111
Hill Brow. Dart —5D 98
Hillbrow. N Mald —7D 104
Hill Brow Clo. Bex —1B 114
Hillbrow Rd. Brom —4C 110
Hillbrow Rd. Esh —6A 118
Hillbury Av. Harr —3F 38
Hillbury Clo. Warl —9F 138
Hillbury Rd. SW17 —9F 90
Hillbury Rd. Warl —9E 138 & 9G 139
Hill Clo. NW2 —8F 40
Hill Clo. NW11 —4L 41
Hill Clo. Barn —7G 13
Hill Clo. Chst —2M 111
Hill Clo. Harr —8C 38
Hill Clo. Purl —5A 138
Hill Clo. Stan —4F 22
Hillcote Av. SW16 —4L 107
Hill Ct. W5 —7K 55
Hill Ct. Barn —6C 14
Hill Ct. N'holt —1L 53
Hill Ct. Romf —2D 50
Hillcourt Av. N12 —6M 25
Hillcourt Est. N16 —6B 44
Hillcourt Rd. SE22 —5F 92
Hill Cres. N20 —2M 25
Hill Cres. Bex —7A 98
Hill Cres. Harr —3E 38
Hill Cres. Horn —4G 51
Hill Cres. Surb —9K 103
Hill Cres. Wor Pk —4G 121
Hillcrest. N6 —5E 42
Hillcrest. N21 —9L 15
Hillcrest. SE5 —3B 92
Hillcrest. Sidc —6E 96
Hill Crest. Surb —2J 119
Hillcrest. Wey —6A 116
Hillcrest Av. NW11 —3K 41
Hillcrest Av. Edgw —4M 23
Hillcrest Av. Pinn —2H 37
Hillcrest Clo. SE26 —1E 108
Hillcrest Clo. Beck —1K 125
Hillcrest Clo. Eps —7D 134
Hillcrest Ct. Romf —8B 34
Hillcrest Ct. Sutt —8B 122
Hillcrest Gdns. N3 —2J 41
Hillcrest Gdns. NW2 —8E 40
Hillcrest Gdns. Esh —5D 118
Hillcrest Pde. Coul —6F 136
Hillcrest Rd. E17 —9B 30
Hillcrest Rd. E18 —9E 30
Hillcrest Rd. W3 —2L 71
Hillcrest Rd. W5 —8J 55
Hillcrest Rd. Big H —8H 141
Hillcrest Rd. Brom —2E 110
Hillcrest Rd. Dart —6C 98
Hillcrest Rd. Horn —5E 50
Hillcrest Rd. Lou —8H 19
Hillcrest Rd. Orp —4E 128
Hillcrest Rd. Purl —2K 137
Hillcrest Rd. Whyt —9D 138
Hillcrest Vw. Beck —1K 125
Hillcroft. Lou —4L 19
Hillcroft Av. Pinn —4K 37
Hillcroft Av. Purl —5G 137
Hillcroft Cres. W5 —9J 55
Hillcroft Cres. Ruis —8H 37
Hillcroft Cres. Wat —1F 20
Hillcroft Cres. Wemb —9K 39
Hillcroft Rd. E6 —8M 63
Hillcroome Rd. Sutt —8B 122
Hillcross Av. Mord —1H 121
Hilldale Rd. Sutt —6K 121
Hilldeane Rd. Purl —1L 137
Hilldene Av. Romf —6G 35
Hilldene Clo. H Hill —5H 35
Hilldown Ct. SW16 —4J 107
Hilldown Rd. SW16 —4J 107
Hilldown Rd. Brom —3C 126
Hill Dri. NW9 —6A 40
Hill Dri. SW16 —7K 107
Hilldrop Cres. N7 —1H 59
Hilldrop Est. N7 —9H 43
Hilldrop La. N7 —1H 59
Hilldrop Rd. N7 —1H 59
Hilldrop Rd. Brom —3F 110
Hille Bus. Cen. Wat —3F 8
Hillend. SE18 —9L 79
Hill End. Orp —4D 128
Hiller Ho. NW1 —3H 59
(off Camden Sq.)
Hillersden Ho. SW1 —6F 74
(off Ebury Bri. Rd.)
Hillersdon Av. SW13 —1E 88
Hillersdon Av. Edgw —5K 23
Hillery Clo. SE17 —5B 76
Hill Farm Av. Wat —5E 4
Hill Farm Clo. Wat —6E 4
Hill Farm Cotts. Ruis —5A 36
Hill Farm Rd. W10 —8G 57
Hill Farm Rd. Uxb —9B 36
Hillfield Av. N8 —3J 43
Hillfield Av. NW9 —3C 40
Hillfield Av. Mord —1C 122
Hillfield Av. Wemb —3J 55
Hillfield Clo. Harr —2A 38
Hillfield Ct. NW3 —1C 58
Hillfield Ct. Esh —7M 117
Hillfield Ho. N5 —1A 60
Hillfield Pk. N10 —2F 42
Hillfield Pk. N21 —2L 27
Hillfield Pk. M. N10 —2F 42
Hillfield Rd. NW6 —1K 57
Hill Fld. Rd. Hamp —4K 101
Hillfoot Av. Romf —8A 34
Hillfoot Rd. Romf —8A 34
Hillgate Pl. SW12 —6F 90
Hillgate Pl. W8 —2L 73
Hillgate St. W11 —2L 73
Hill Gro. Felt —8K 85
Hill Gro. Romf —1C 50
Hill Ho. E5 —6F 44
(off Harrington Hill)
Hill Ho. Brom —6D 110
Hillhouse. Wal A —6M 7
Hillhouse Av. Stan —7D 22
Hill Ho. Clo. N21 —9L 15
Hill Ho. Dri. Hamp —5L 101
Hill Ho. Rd. SW16 —2K 107
Hilliard Ho. E1 —2F 76
(off Prusom St.)
Hilliard Rd. N'wd —8D 20
Hilliards Ct. E1 —2G 77
Hilliards Rd. Uxb —9B 142
Hillier Clo. New Bar —8M 13
Hillier Gdns. Croy —7L 123
Hillier Lodge. Tedd —2B 102
Hillier Pl. Chess —8H 119
Hillier Rd. SW11 —5D 90
Hilliers Av. Uxb —6E 142
Hilliers La. Croy —5J 123
Hillingdale. Big H —9F 140
Hillingdon. —6E 142
Hillingdon Av. Stai —7C 144
Hillingdon Cir. Hil —2F 142
Hillingdon Ct. Harr —2H 39
Hillingdon Heath. —7F 142
Hillingdon Hill. Uxb —5C 142
Hillingdon Rd. Bexh —1A 98
Hillingdon Rd. Uxb —4B 142
Hillingdon Rd. Wat —7E 4
Hillingdon St. SE5 & SE17 —7M 75
(in two parts)
Hillington Gdns. Wfd G —9H 31
Hill La. Ruis —6A 36
Hillman Clo. Horn —1H 51
Hillman Clo. Uxb —1C 142
Hillman Dri. W10 —7G 57
Hillman St. E8 —2F 60
Hillmarton Rd. N7 —1J 59
Hillmead Dri. SW9 —3M 91
Hillmont Rd. Esh —5C 118
Hillmore Ct. SE13 —2B 94
(off Belmont Hill)
Hillmore Gro. SE26 —2J 109
Hill Path. SW16 —2K 107
Hillreach. SE18 —6K 79
Hill Ri. N9 —8F 16
Hill Ri. NW11 —2M 41
Hill Ri. SE23 —7F 92
Hill Ri. Esh —4F 118
Hill Ri. Gnfd —3A 54
Hill Ri. Rich —4H 87
Hill Ri. Ruis —6A 36
Hill Ri. Upm —7L 51
Hill Ri. W on T —2D 116
Hillrise Av. Wat —4K 9
Hillrise Mans. N19 —5J 43
(off Warltersville Rd.)

Hillrise Rd.—Holly Farm Rd.

Hillrise Rd. N19 —5J 43
Hillrise Rd. Romf —6A 34
Hill Rd. N10 —8D 26
Hill Rd. NW8 —6A 58
Hill Rd. Cars —8C 122
Hill Rd. Dart —8J 99
Hill Rd. Harr —3E 38
Hill Rd. Mitc —5F 106
Hill Rd. N'wd —6B 20
Hill Rd. Pinn —3J 37
Hill Rd. Purl —4K 137
Hill Rd. Sutt —7M 121
Hill Rd. Wemb —8F 38
Hillsboro' Rd. SE22 —4C 92
Hillsborough Ct. NW6 —4M 57
(off Mortimer Cres.)
Hillsborough Grn. Wat —3E 20
Hillsgrove Clo. Well —8G 81
Hillside. —5A 82
Hillside. N8 —4H 43
Hillside. NW5 —8E 42
Hillside. NW9 —2B 40
Hillside. NW10 —3A 56
Hillside. SW19 —3H 105
Hillside. Bans —7J 135
Hillside. Eri —5A 82
Hillside. Esh —7M 117
Hillside. F'ham —2K 131
Hillside. H Hill —4H 35
Hillside. New Bar —7A 14
Hillside Av. N11 —6D 26
Hillside Av. Borwd —6M 11
Hillside Av. Chesh —4D 6
Hillside Av. Purl —5M 137
Hillside Av. Wemb —9K 39
Hillside Av. Wfd G —6G 31
Hillside Clo. NW8 —5M 57
Hillside Clo. Ab L —5C 4
Hillside Clo. Bans —8J 135
Hillside Clo. Mord —8J 105
Hillside Clo. Wfd G —5G 31
Hillside Ct. Chesh —4D 6
Hillside Ct. Swan —8E 114
Hillside Cres. Chesh —4D 6
Hillside Cres. Enf —2B 16
Hillside Cres. Harr —6A 38
Hillside Cres. N'wd —8E 20
Hillside Cres. Wat —8J 9
Hillside Dri. Edgw —6L 23
Hillside Est. N15 —4D 44
Hillside Gdns. E17 —1B 46
Hillside Gdns. N6 —4F 42
Hillside Gdns. N11 —6G 27
Hillside Gdns. SW2 —8L 91
Hillside Gdns. Barn —6J 13
Hillside Gdns. Edgw —4K 23
Hillside Gdns. Harr —5J 39
Hillside Gdns. N'wd —7E 20
Hillside Gdns. Wall —9G 123
Hillside Gro. N14 —9H 15
Hillside Gro. NW7 —7E 24
Hillside Ho. Croy —6M 123
(off Violet La.)
Hillside La. Brom —4D 126
(in two parts)
Hillside Mans. Barn —6K 13
Hillside Pas. SW16 —8K 91
Hillside Ri. N'wd —7E 20
Hillside Rd. N16 —5C 44
Hillside Rd. SW2 —8K 91
Hillside Rd. W5 —8J 55
Hillside Rd. Asht —9K 133
Hillside Rd. Brom —7D 110
Hillside Rd. Bush —7J 9
Hillside Rd. Coul —9J 137
Hillside Rd. Croy —7M 123
Hillside Rd. Dart —5E 98
Hillside Rd. Eps —2G 135
Hillside Rd. N'wd —7E 20
Hillside Rd. Pinn —7F 20
Hillside Rd. S'hall —7L 53
Hillside Rd. Surb —8K 103
Hillside Rd. Sutt —9K 121
Hillside, The. Orp —9F 128
Hills La. N'wd —8C 20
Hillsleigh Rd. W8 —2K 73
Hillsmead Way. S Croy —5E 138
Hills M. W5 —1J 71
Hills Pl. W1 —9G 59
Hills Rd. Buck H —1F 30
Hillstowe St. E5 —8G 45
Hill St. W1 —2E 74
Hill St. Rich —4H 87
Hilltop. E17 —1M 45
Hilltop. NW11 —2M 41
Hill Top. Lou —4L 19
Hill Top. Mord —1L 121
Hill Top. Sutt —2K 121
Hill Top Clo. Lou —5L 19
Hilltop Ct. NW8 —3A 58
(off Alexandra Rd.)
Hill Top Ct. Wfd G —6K 31
Hilltop Gdns. NW4 —9F 24
Hilltop Gdns. Dart —4K 99
Hilltop Gdns. Orp —4C 128
Hill Top Pl. Lou —5L 19
Hilltop Rd. NW6 —3L 57
Hilltop Rd. K Lan —1B 4
Hilltop Rd. Whyt —9C 138
Hill Top Vw. Wfd G —6K 31
Hilltop Way. Stan —3E 22
Hillview. SW20 —4F 104
Hillview Av. Harr —3J 39
Hillview Av. Horn —4G 51
Hillview Clo. Pinn —6K 21
Hillview Clo. Purl —3M 137
Hillview Clo. Wemb —7K 39
Hill Vw. Cres. Ilf —4K 47
Hill Vw. Cres. Orp —3C 128
Hill Vw. Dri. Well —1C 96
Hillview Gdns. NW4 —2H 41
Hill Vw. Gdns. NW9 —3B 40
Hillview Gdns. Harr —1L 37
Hillview Rd. NW7 —4H 25
Hillview Rd. Chst —2L 111
Hill Vw. Rd. Clay —9E 118
Hill Vw. Rd. Orp —3D 128
Hillview Rd. Pinn —7K 21
Hillview Rd. Sutt —5A 122
Hill Vw. Rd. Twic —5E 86
Hillway. N6 —7E 42
Hillway. NW9 —6C 40
Hillwood Ho. NW1 —5G 59
(off Polygon Rd.)
Hillworth. Beck —6M 109
Hillworth Rd. SW2 —6L 91
Hillyard Ho. SW9 —9L 75
Hillyard Rd. W7 —8C 54
Hillyard St. SW9 —9L 75
Hillyfield. E17 —9J 29
Hillyfields. Lou —4L 19
Hilly Fields Cres. SE4 —2L 93
Hilsea St. E5 —9G 45
Hilton Av. N12 —5B 26
Hilton Clo. Uxb —5A 142
Hilton Ho. SE4 —3H 93
Hilton's Wharf. SE10 —7M 77
(off Norman Rd.)
Hilton Way. S Croy —7F 138
Hilversum Cres. SE22 —4C 92
Himalayan Way. Wat —8D 8
Himley Rd. SW17 —2C 106
Hinchinbrook Ho. NW6 —4M 57
(off Mortimer Cres.)
Hinchley Clo. Esh —6D 118
Hinchley Dri. Esh —5D 118
Hinchley Way. Esh —5E 118
Hinchley Wood. —5D 118
Hinckley Rd. SE15 —3E 92
Hind Clo. Chig —5D 32
Hind Ct. EC4 —9L 59
Hind Cres. Eri & N Hth —7B 82
Hinde Ho. W1 —9E 58
(off Hinde St.)
Hinde M. W1 —9E 58
(off Marlebone La.)
Hindes Rd. Harr —3B 38
Hinde St. W1 —9E 58
Hind Gro. E14 —9L 61
Hindhead Clo. N16 —6C 44
Hindhead Clo. Uxb —8F 142
Hindhead Gdns. N'holt —4J 53
Hindhead Grn. Wat —5G 21
Hindhead Way. Wall —7J 123
Hind Ho. SE14 —7H 77
(off Myers La.)
Hindlip Ho. SW8 —9H 75
Hindmans Rd. SE22 —4E 92
Hindmans Way. Dag —7K 65
Hindmarsh Clo. E1 —1E 76
Hindrey Rd. E5 —1F 60
Hindsley's Pl. SE23 —8G 93
Hinkler Clo. Wall —9J 123
(in two parts)
Hinkler Rd. Harr —1H 39
Hinksey Path. SE2 —3H 81
Hinstock. NW6 —4M 57
(off Belsize Rd.)
Hinstock Rd. SE18 —7A 80
Hinton Av. Houn —3H 85
Hinton Clo. SE9 —7J 95
Hinton Ct. E10 —7M 45
(off Leyton Grange Est.)
Hinton Ho. W5 —9G 55
Hinton Rd. N18 —4C 28
Hinton Rd. SW9 —2M 91
Hinton Rd. Uxb —4A 142
Hinton Rd. Wall —8G 123
Hippodrome M. W11 —1J 73
Hippodrome Pl. W11 —1J 73
Hiroshima Promenade. SE7 —4G 79
Hissocks Ho. NW10 —3A 56
(off Stilton Cres.)
Hitcham Rd. E17 —5K 45
Hitchin Clo. Romf —4G 35
Hitchin Sq. E3 —5J 61
Hitherbroom Rd. Hay —2E 68
Hither Farm Rd. SE3 —2G 95
Hitherfield Rd. SW16 —8K 91
Hitherfield Rd. Dag —7J 49
Hither Green. —5C 94
Hither Grn. La. SE13 —4A 94
Hitherwell Dri. Harr —8B 22
Hitherwood Clo. Horn —9H 51
Hitherwood Dri. SE19 —1D 108
Hive Clo. Bus H —2B 22
Hive Rd. Bus H —2B 22
(in two parts)
HMS Belfast. —2C 76
Hoadly Rd. SW16 —9H 91
Hobart Clo. N20 —2C 26
Hobart Clo. Hay —7H 53
Hobart Ct. S Croy —7B 124
(off South Pk. Hill Rd.)
Hobart Dri. Hay —7H 53
Hobart Gdns. T Hth —7B 108
Hobart La. Hay —7H 53
Hobart Pl. SW1 —4F 74
Hobart Pl. Rich —6K 87
Hobart Rd. Dag —9H 49
Hobart Rd. Hay —7H 53
Hobart Rd. Ilf —9A 32
Hobart Rd. Wor Pk —5F 120
Hobbayne Rd. W7 —9B 54
Hobbes Wlk. SW15 —4F 88
Hobbs Clo. Chesh —2D 6
Hobbs Ct. SE1 —3D 76
(off Mill St.)
Hobbs Grn. N2 —1A 42
Hobbs M. Ilf —7D 48
Hobbs Pl. N1 —4C 60
Hobbs Pl. Est. N1 —4C 60
(off Hobbs Pl.)
Hobbs Rd. SE27 —1A 108
Hobday St. E14 —9M 61
Hobill Wlk. Surb —1K 119
Hoblands End. Chst —3C 112
Hobson's Pl. E1 —8E 60
Hobury St. SW10 —7A 74
Hockenden. —7L 113
Hockenden La. Swan —7L 113
Hocker St. E2 —6D 60
Hockett Clo. SE8 —5J 77
Hockley Av. E6 —5J 63
Hockley Ct. E18 —8E 30
Hockley Dri. Romf —9F 34
Hockley M. Bark —6C 64
Hockliffe Ho. W10 —8G 57
(off Sutton Way)
Hockney Ct. SE16 —6F 76
(off Rossetti Rd.)
Hocroft Av. NW2 —8K 41
Hocroft Ct. NW2 —8K 41
Hocroft Rd. NW2 —8K 41
Hocroft Wlk. NW2 —8K 41
Hodder Dri. Gnfd —5D 54
Hoddesdon Rd. Belv —6L 81
Hodes Row. NW3 —9E 42
Hodford Rd. NW11 —6K 41
Hodges Way. Wat —8E 8
Hodgkin Clo. SE28 —1H 81
Hodister Clo. SE5 —8A 76
Hodnet Gro. SE16 —5H 77
Hodsoll Ct. Orp —9H 113
Hodson Clo. Harr —8K 37
Hodson Cres. Orp —9H 113
Hodson Pl. Enf —2L 17
Hoecroft Ct. Enf —2G 17
(off Hoe La.)
Hoe La. Abr —1H 33
Hoe La. Enf —2E 16
Hoe St. E17 —2L 45
Hoe, The. Wat —2H 21
Hoever Ho. SE6 —1A 110
Hofland Rd. W14 —4J 73
Hogan M. W2 —8A 58
Hogan Way. E5 —7E 44
Hogarth Av. Ashf —3A 100
Hogarth Bus. Cen. W4 —7C 72
Hogarth Clo. E16 —8H 63
Hogarth Clo. W5 —8J 55
Hogarth Ct. E1 —9E 60
(off Batty St.)
Hogarth Ct. EC3 —9C 60
Hogarth Ct. NW1 —3G 59
(off St Pancras Way)
Hogarth Ct. SE19 —1D 108
Hogarth Ct. Bush —9M 9
Hogarth Ct. Houn —8J 69
Hogarth Cres. SW19 —5B 106
Hogarth Cres. Croy —2A 124
Hogarth Gdns. Houn —8L 69
Hogarth Hill. NW11 —2K 41
Hogarth Ho. SW1 —5H 75
(off Erasmus St.)
Hogarth Ho. N'holt —5H 53
(off Gallery Gdns.)
Hogarth Ind. Est. NW10 —7E 56
Hogarth La. W4 —7C 72
Hogarth Pl. SW5 —5M 73
(off Hogarth Rd.)
Hogarth Reach. Lou —7K 19
Hogarth Rd. SW5 —5M 73
Hogarth Rd. Dag —1F 64
Hogarth Rd. Edgw —9L 23
Hogarth Roundabout. (Junct.) —7C 72
Hogarth's House. —7C 72
Hogarth Ter. W4 —7C 72
Hogarth Way. Hamp —5A 102
Hog Hill Rd. Romf —7K 33
Hog La. Els —6E 10
Hogshead Pas. E1 —1F 76
(off Pennington St.)
Hogsmill Ho. King T —7K 103
(off Vineyard Clo.)
Hogsmill Wlk. King T —7J 103
(off Penrhyn Rd.)
Hogsmill Way. Eps —7A 120
Hogs Orchard. Swan —5F 114
Holbeach Gdns. Sidc —5C 96
Holbeach M. SW12 —7F 90
Holbeach Rd. SE6 —6L 93
Holbeck Row. SE15 —8E 76
Holbein Ga. N'wd —5C 20
Holbein Ho. SW1 —6E 74
(off Holbein M.)
Holbein M. SW1 —6E 74
Holbein Pl. SW1 —5E 74
Holbein Ter. Dag —9G 49
(off Marlborough Rd.)
Holberton Gdns. NW10 —6F 56
Holborn. —8L 59
Holborn. WC1 —8L 59
Holborn Cir. EC1 —8L 59
Holborn Pl. WC2 —8K 59
(off High Holborn)
Holborn Rd. E13 —8F 62
Holborn Viaduct. EC4 —8L 59
Holborn Way. Mitc —6D 106
Holbrook Clo. N19 —6F 42
Holbrook Clo. Enf —3D 16
Holbrooke Ct. N7 —8J 43
Holbrooke Pl. Rich —4H 87
Holbrook Ho. Chst —5B 112
Holbrook La. Chst —4B 112
Holbrook Rd. E15 —5D 62
Holbrook Way. Brom —1K 127
Holburne Clo. SE3 —9G 79
Holburne Gdns. SE3 —9H 79
Holburne Rd. SE3 —9G 79
Holcombe Hill. NW7 —3E 24
Holcombe Ho. SW9 —2J 91
(off Landor Rd.)
Holcombe Pl. SE4 —2J 93
(off S. Asaph Rd.)
Holcombe Rd. N17 —1D 44
(in two parts)
Holcombe Rd. Ilf —5L 47
Holcombe St. W6 —5F 72
Holcote Clo. Belv —4J 81
Holcroft Ct. W1 —8G 59
(off Clipstone St.)
Holcroft Ho. SW11 —2B 90
Holcroft Rd. E9 —3G 61
Holdbrook. —7F 6
Holdbrook N. Wal X —6F 6
Holdbrook S. Wal X —7F 6
Holdbrook Way. Romf —9K 35
Holden Av. N12 —5M 25
Holden Av. NW9 —6A 40
Holdenby Rd. SE4 —4J 93
Holden Clo. Dag —8F 48
Holden Ho. N1 —4A 60
(off Prebend St.)
Holden Ho. SE8 —8L 77
Holdenhurst Av. N12 —7A 26
Holden Rd. N12 —5M 25
Holden St. SW11 —1E 90
Holder Clo. N3 —7M 25
Holdernesse Clo. Iswth —9E 70
Holdernesse Rd. SW17 —9D 90
Holderness Ho. SE5 —2C 92
Holderness Way. SE27 —2M 107
Holders Hill. —9H 25
Holder's Hill Av. NW4 —9H 25
Holders Hill Cir. NW7 —7J 25
Holders Hill Cres. NW4 —9H 25
Holders Hill Dri. NW4 —1H 41
Holder's Hill Gdns. NW4 —9J 25
Holders Hill Rd. NW4 & NW7 —9H 25
Holecroft. Wal A —7L 7
Holford Ho. SE16 —5F 76
(off Camilla Rd.)
Holford M. WC1 —6L 59
(off Cruikshank St.)
Holford Pl. WC1 —6K 59
Holford Rd. NW3 —8A 42
Holford St. WC1 —6K 59
Holford Yd. WC1 —5L 59
Holgate Av. SW11 —2B 90
Holgate Ct. Romf —3C 50
(off Western Rd.)
Holgate Gdns. Dag —2L 65
Holgate Rd. Dag —1L 65
Holgate St. SE7 —4H 79
Hollam Ho. N8 —2K 43
Holland Av. SW20 —5D 104
Holland Av. Sutt —1L 135
Holland Clo. Brom —4D 126
Holland Clo. New Bar —9B 14
Holland Clo. Romf —3A 50
Holland Clo. Stan —5F 22
Holland Ct. E17 —2A 46
(off Evelyn Rd.)
Holland Ct. NW7 —6E 24
Holland Ct. Surb —2H 119
Holland Dri. SE23 —9J 93
Holland Gdns. W14 —4J 73
Holland Gdns. Wat —8G 5
Holland Gro. SW9 —8L 75
Holland Ho. E4 —4B 30
Holland Park. —2K 73
Holland Park. (Junct.) —3H 73
Holland Pk. —3K 73
Holland Pk. W11 —2J 73
Holland Pk. Av. W11 —3J 73
Holland Pk. Av. Ilf —4C 48
Holland Pk. Gdns. W14 —3J 73
Holland Pk. M. W11 —2J 73
Holland Pk. Rd. W14 —4K 73
Holland Pk. Theatre. —3K 73
(off Holland Pk.)
Holland Pas. N1 —4A 60
(off Basire St.)
Holland Pl. W8 —3M 73
(off Kensington Chu. St.)
Holland Pl. Chambers. W8 —3M 73
(off Pitt St. La.)
Holland Ri. Ho. SW9 —8K 75
(off Clapham Rd.)
Holland Rd. E6 —4K 63
Holland Rd. E15 —6C 62
Holland Rd. NW10 —4E 56
Holland Rd. SE25 —9E 108
Holland Rd. W14 —3H 73
Holland Rd. Wemb —2H 55
Hollands, The. Felt —1H 101
Hollands, The. Wor Pk —3D 120
Holland St. SE1 —2M 75
Holland St. W8 —3L 73
Holland Vs. Rd. W14 —3J 73
Holland Wlk. N19 —6H 43
Holland Wlk. W8 —2K 73
(off Holland Pk. Av.)
Holland Wlk. Stan —5E 22
Holland Way. Brom —4D 126
Hollar Rd. N16 —8D 44
Hollen St. W1 —9H 59
Holles Clo. Hamp —3L 101
Holles Ho. SW9 —1L 91
Holles St. W1 —9F 58
Holley Rd. W3 —3C 72
Hollick Wood Av. N12 —6D 26
Holliday Sq. SW11 —2B 90
(off Fowler Clo.)
Hollidge Way. Dag —3M 65
Hollies Av. Sidc —8D 96
Hollies Clo. SW16 —3L 107
Hollies Clo. Twic —8D 86
Hollies End. NW7 —5F 24
Hollies Rd. W5 —5G 71
Hollies, The. E11 —3E 46
(off New Wanstead)
Hollies, The. N20 —1B 26
Hollies, The. Harr —2E 38
Hollies Way. SW12 —6E 90
Holligrave Rd. Brom —5E 110
Hollingbourne Av. Bexh —9K 81
Hollingbourne Gdns. W13 —8F 54
Hollingbourne Rd. SE24 —4A 92
Hollingsworth Ct. Surb —2H 119
Hollingsworth Rd. Croy —8F 124
Hollington Ct. Chst —3M 111
Hollington Cres. N Mald —1D 120
Hollington Rd. E6 —6K 63
Hollington Rd. N17 —9E 28
Hollingworth Clo. W Mol —8K 101
Hollingworth Rd. Orp —1M 127
Hollins Ho. N7 —9J 43
Hollisfield. WC1 —6J 59
(off Cromer St.)
Hollman Gdns. SW16 —3M 107
Holloway. —8J 43
Holloway Clo. W Dray —6J 143
Holloway Ho. NW2 —8G 41
Holloway La. W Dray —7H 143
Holloway Rd. E6 —6K 63
Holloway Rd. E11 —8B 46
Holloway Rd. N19 & N7 —7H 43
Holloway St. Houn —2M 85
Hollow Cotts. Purf —6L 83
Hollowfield Wlk. N'holt —3J 53
Hollows, The. Bren —7K 71
Hollows Wood. —9M 129
Hollow, The. Wfd G —4D 30
Holly Av. Stan —9J 23
Holly Av. W on T —3H 117
Hollybank Clo. Hamp —2L 101
Hollyberry La. NW3 —9A 42
Hollybrake Clo. Chst —4B 112
Hollybush Clo. E11 —3E 46
Hollybush Clo. Harr —8C 22
Hollybush Clo. Wat —9G 9
Hollybush Gdns. E2 —6F 60
Hollybush Hill. E11 —4D 46
Hollybush Hill. NW3 —9A 42
Hollybush Ho. E2 —6F 60
Holly Bush La. Hamp —4K 101
Holly Bush La. Orp —8L 129
Hollybush Pl. E2 —6F 60
Hollybush Rd. King T —2J 103
Hollybush Steps. NW3 —9A 42
(off Holly Mt.)
Hollybush St. E13 —6F 62
Holly Bush Va. NW3 —9A 42
Hollybush Wlk. SW9 —3M 91
Hollybush Way. Chesh —1A 6
Holly Clo. NW10 —3C 56
Holly Clo. Beck —8A 110
Holly Clo. Buck H —3H 31
Holly Clo. Felt —2J 101
Holly Clo. Wall —9F 122
Holly Cottage M. Uxb —8E 142
Holly Ct. N15 —2C 44
Holly Ct. Sidc —1F 112
(off Sidcup Hill)
Holly Ct. Sutt —9L 121
Holly Cres. Beck —9K 109
Holly Cres. Wfd G —7B 30
Hollycroft Av. NW3 —8L 41
Hollycroft Av. Wemb —7K 39
Hollycroft Clo. S Croy —7C 124
Hollycroft Clo. W Dray —7L 143
Hollycroft Gdns. W Dray —7L 143
Hollydale Clo. N'holt —9M 37
Hollydale Dri. Brom —5K 127
Hollydale Rd. SE15 —9G 77
Holly Dene. SE15 —9F 76
Hollydene. Brom —5D 110
(off Beckenham Rd.)
Hollydown Way. E11 —8B 46
Holly Dri. E4 —9M 17
Holly Farm Rd. S'hall —6J 69

Hollyfield Av.—Hornbuckle Clo.

Hollyfield Av. N11 —5D 26
Hollyfield Rd. Surb —2K 119
Holly Gdns. W Dray —3K 143
Holly Grn. Wey —6B 116
Holly Gro. NW9 —5A 40
Holly Gro. SE15 —1D 92
Hollygrove. Bush —9B 10
Holly Gro. Pinn —8J 21
Hollygrove Clo. Houn —3K 85
Holly Hedge Ter. SE13 —4B 94
Holly Hill. N21 —8K 15
Holly Hill. NW3 —9A 42
Holly Hill Dri. Bans —9L 135
Holly Hill Rd. Belv & Eri —6M 81
Holly Ho. W10 —7J 57
(off Hawthorn Wlk.)
Holly Ho. Iswth —7G 71
Holly Ind. Pk. Wat —3G 9
Holly La. Bans —8L 135
Holly La. E. Bans —8M 135
Holly La. W. Bans —9L 135
Holly Lodge. Harr —3B 38
Holly Lodge Gdns. N6 —7E 42
Holly Lodge Mans. N6 —7E 42
Hollymead. Cars —5D 122
Holly M. SW10 —6A 74
(off Drayton Gdns.)
Hollymoor La. Eps —2B 134
Holly Mt. NW3 —9A 42
Hollymount Clo. SE10 —9A 78
Holly Pk. N3 —1K 41
Holly Pk. N4 —5J 43
(in two parts)
Holly Pk. Est. N4 —5K 43
Holly Pk. Gdns. N3 —1L 41
Holly Pk. Rd. N11 —5E 26
Holly Pk. Rd. W7 —2D 70
Holly Pl. NW3 —9A 42
(off Holly Berry La.)
Holly Rd. E11 —5D 46
Holly Rd. W4 —5B 72
Holly Rd. Dart —7H 99
Holly Rd. Enf —9D 6
Holly Rd. Hamp & Hamp H —3A 102
Holly Rd. Houn —3M 85
Holly Rd. Orp —9E 128
Holly Rd. Twic —7D 86
Holly St. E8 —3D 60
Holly Ter. N6 —6E 42
Holly Ter. N20 —2A 26
Hollytree Av. Swan —6C 114
Holly Tree Clo. SW19 —7H 89
Holly Tree Ho. SE4 —2K 93
(off Brockley Rd.)
Hollytree Ho. Wat —9C 4
Hollytree Pde. Sidc —3G 113
(off Sidcup Hill)
Holly Vw. Clo. NW4 —4E 40
Holly Village. N6 —7F 42
Holly Wlk. NW3 —9A 42
Holly Wlk. Enf —5A 16
Holly Way. Mitc —8H 107
Hollywood Ct. W5 —1K 71
Hollywood Ct. Borwd —6L 11
Hollywood Gdns. Hay —9F 52
Hollywood M. SW10 —7A 74
Hollywood Rd. E4 —5J 29
Hollywood Rd. SW10 —7A 74
Hollywoods. Croy —1K 139
Hollywood Way. Eri —8F 82
Hollywood Way. Wfd G —7B 30
Holman Ct. Ewe —1E 134
Holman Ho. E2 —6H 61
(off Roman Rd.)
Holman Hunt Ho. W6 —6J 73
(off Field Rd.)
Holman Rd. SW11 —1B 90
Holman Rd. Eps —7A 120
Holmbank Dri. Shep —8C 100
Holmbridge Gdns. Enf —6H 17
Holmbrook. NW1 —5G 59
(off Eversholt St.)
Holmbrook Dri. NW4 —3H 41
Holmbury Ct. SW17 —9D 90
Holmbury Ct. S Croy —7C 124
Holmbury Gdns. Hay —2D 68
Holmbury Gro. Croy —9K 125
Holmbury Ho. SE24 —4M 91
Holmbury Mnr. Sidc —1E 112
Holmbury Pk. Brom —4J 111
Holmbury Vw. E5 —6F 44
Holmbush Rd. SW15 —5J 89
Holmcote Gdns. N5 —1A 60
Holm Ct. SE12 —9F 94
Holmcroft Ho. E17 —2M 45
Holmcroft Way. Brom —9K 111
Holmdale Clo. Borwd —4K 11
Holmdale Gdns. NW4 —3H 41
Holmdale Rd. NW6 —1L 57
Holmdale Rd. Chst —2A 112
Holmdale Ter. N15 —5C 44
Holmdene. N12 —5M 25
Holmdene Av. NW7 —6E 24
Holmdene Av. SE24 —4A 92
Holmdene Av. Harr —1M 37
Holmdene Clo. Beck —6A 110
Holmead Rd. SW6 —8M 73
Holmebury Clo. Bush —2C 22
Holme Chase. Wey —8A 116
Holme Clo. Chesh —4E 6
Holme Lacey Rd. SE12 —5D 94
Holme Lea. Wat —7G 5
Holme Pk. Borwd —4K 11
Holme Rd. E6 —4J 63
Holme Rd. Horn —6L 51
Holmes Av. E17 —1K 45
Holmes Av. NW7 —5J 25
Holmesdale. Wal X —8C 6
Holmesdale Av. SW14 —2M 87
Holmesdale Clo. SE25 —7D 108
Holmesdale Ho. NW6 —4L 57
(off Kilburn Va.)
Holmesdale Rd. N6 —5F 42
Holmesdale Rd. Bexh —1H 97
Holmesdale Rd. Croy & SE25 —9B 108
Holmesdale Rd. Rich —9K 71
Holmesdale Rd. Tedd —4G 103
Holmesdale Tunnel. Wal X —7D 6
Holmesley Rd. SE23 —5J 93
Holmes Pl. SW10 —7A 74
Holmes Rd. NW5 —1F 58
Holmes Rd. SW19 —4A 106
Holmes Rd. Twic —8D 86
Holmes Ter. SE1 —3L 75
(off Waterloo Rd.)
Holmeswood Ct. N22 —9L 27
Holme Way. Stan —6D 22
Holmewood Gdns. SW2 —6K 91
Holmewood Rd. SE25 —7C 108
Holmewood Rd. SW2 —6J 91
Holmfield Av. NW4 —3H 41
Holmfield Ct. NW3 —1C 58
Holm Gro. Uxb —3E 142
Holmhurst Rd. Belv —6M 81
Holmlea Ct. Croy —6B 124
(off Chatsworth Rd.)
Holmleigh Av. Dart —4G 99
Holmleigh Ct. Enf —6G 17
Holmleigh Rd. N16 —6C 44
Holmleigh Rd. Est. N16 —6C 44
Holmoak Clo. SW15 —5K 89
Holm Oak M. SW4 —4J 91
Holm Oak Pk. Wat —7D 8
Holmoaks Ho. Beck —6A 110
Holmsdale Gro. Bexh —1C 98
Holmsdale Ho. E14 —1M 77
(off Poplar High St.)
Holmsdale Ho. N11 —4F 26
(off Coppies Gro.)
Holmshaw Clo. SE26 —1J 109
Holmshill La. Borwd —1C 12
Holmside Ri. Wat —3F 20
Holmside Rd. SW12 —5E 90
Holmsley Clo. N Mald —1D 120
Holmsley Ho. SW15 —6D 88
(off Tangley Gro.)
Holmstall Av. Edgw —1A 40
Holmstall Pde. Edgw —9A 24
Holm Wlk. SE3 —1E 94
Holmwood Av. S Croy —5D 138
Holmwood Clo. Harr —1A 38
Holmwood Clo. N'holt —2M 53
Holmwood Clo. Sutt —1H 135
Holmwood Gdns. N3 —9L 25
Holmwood Gdns. Wall —8F 122
Holmwood Gro. NW7 —5B 24
Holmwood Rd. Chess —7H 119
Holmwood Rd. Enf —9D 6
Holmwood Rd. Ilf —7C 48
Holmwood Rd. Sutt —1G 135
Holmwood Vs. SE7 —6E 78
Holne Chase. N2 —4A 42
Holne Chase. Mord —1K 121
Holness Rd. E15 —2D 62
Holroyd Clo. Clay —1D 132
Holroyd Rd. SW15 —3G 89
Holroyd Rd. Clay —1D 132
Holst Ct. SE1 —4L 75
(off Westminster Bri. Rd.)
Holstein Way. Eri —4H 81
Holst Mans. SW13 —7G 73
Holstock Rd. Ilf —7A 48
Holsworth Clo. Harr —3A 38
Holsworthy Ho. H Hill —8H 35
Holsworthy Sq. WC1 —7K 59
(off Elm St.)
Holsworthy Way. Chess —7G 119
Holt Clo. N10 —2E 42
Holt Clo. SE28 —1F 80
Holt Clo. Chig —5D 32
Holt Clo. Els —6K 11
Holt Ct. E15 —1A 62
Holt Ho. SW2 —5L 91
Holton St. E1 —7H 61
Holt Rd. E16 —2J 79
Holt Rd. Wemb —8F 38
Holtsmere Clo. Wat —8G 5
Holt, The. Ilf —6A 32
Holt, The. Mord —8L 105
Holt, The. Wall —6G 123
Holt Way. Chig —5D 32
Holtwhites Av. Enf —4A 16
Holtwhite's Hill. Enf —3M 15
Holtwood Rd. Oxs —5A 132
Holwell Pl. Pinn —2J 37
Holwood Clo. W on T —4G 117
Holwood Pk. Av. Orp —6K 127
Holwood Pl. SW4 —3H 91
Holybourne Av. SW15 —6E 88
Holybush. Chesh —1B 6
Holyfield. —2K 7
Holyfield Rd. Wal A —2J 7
Holyhead Clo. E3 —6L 61
Holyhead Clo. E6 —8K 63
Holyhead Ct. King T —8H 103
(off Anglesea Rd.)
Holyoake Ct. SE16 —3K 77
Holyoake Ho. W5 —7G 55
Holyoake Wlk. N2 —1A 42
Holyoake Wlk. W5 —7G 55
Holyoak Rd. SE11 —5M 75
Holyport Rd. SW6 —8H 73
Holyrood Av. Harr —9J 37
Holy Rood. Ct. Wat —6F 8
Holyrood Gdns. Edgw —1M 39
Holyrood M. E16 —2E 78
(off Badminton M.)
Holyrood Rd. New Bar —8A 14
Holyrood St. SE1 —2C 76
Holywell. —8D 8
Holywell Clo. SE3 —7E 78
Holywell Clo. SE16 —6F 76
Holywell Clo. Orp —6E 128
Holywell Clo. Stai —7C 144
Holywell La. EC2 —7C 60
Holywell Rd. Wat —7E 8
Holywell Row. EC2 —7C 60
Holywell Way. Stai —7C 144
Homan Ct. N12 —4B 26
Homebush Ho. E4 —9M 17
Home Clo. Cars —4D 122
Home Clo. N'holt —6K 53
Home Ct. Felt —7E 84
Home Ct. Surb —9H 103
Homecroft Gdns. Lou —6M 19
Homecroft Rd. N22 —8A 28
Homecroft Rd. SE26 —2G 109
Home Farm Clo. Eps —9H 135
Home Farm Clo. Esh —8M 117
Home Farm Clo. Shep —8C 100
Home Farm Clo. Th Dit —2D 118
Home Farm Gdns. W on T —4G 117
Homefarm Rd. W7 —9C 54
Home Fld. Barn —7K 13
Homefield. Mord —8L 105
Homefield. Wal A —5M 7
Homefield Av. Ilf —3C 48
Homefield Av. W on T —6H 117
Homefield Clo. NW10 —2A 56
Homefield Clo. Hay —7H 53
Homefield Clo. St P —8F 112
Homefield Clo. Swan —7D 114
Homefield Ct. SW16 —9J 91
Homefield Gdns. N2 —1B 42
Homefield Gdns. Mitc —6A 106
Homefield Ho. SE23 —9H 93
Homefield M. Beck —5L 109
Homefield Pk. Sutt —8M 121
Homefield Ri. Orp —3E 128
Homefield Rd. SW19 —3H 105
Homefield Rd. W4 —5D 72
Homefield Rd. Brom —5G 111
Homefield Rd. Bush —6L 9
Homefield Rd. Edgw —6B 24
Homefield Rd. Rad —1D 10
Homefield Rd. S at H —5L 115
Homefield Rd. W on T —2J 117
Homefield Rd. Wemb —9E 38
Homefield St. N1 —5C 60
Homefirs Ho. Wemb —8K 39
Home Gdns. Dag —8A 50
Home Gdns. Dart —5J 99
Home Hill. Swan —4D 114
Homeland Dri. Sutt —1M 135
Homelands Dri. SE19 —4C 108
Home Lea. Orp —7D 128
Homeleigh Ct. Chesh —2B 6
Homeleigh Rd. SE15 —4H 93
Homeleigh St. Chesh —3B 6
Homemanor Ho. Wat —5F 8
(off Cassio Rd.)
Home Mead. Stan —8G 23
Home Mdw. Bans —8L 135
Homemead Rd. Brom —9K 111
Homemead Rd. Croy —1G 123
Home Orchard. Dart —5J 99
(in two parts)
Home Pk. Cotts. K Lan —3A 4
Home Pk. Ct. King T —8H 103
(off Palace Rd.)
Home Pk. Ind. Est. K Lan —4A 4
Home Pk. Mill Link Rd. K Lan —3A 4
Home Pk. Pde. King T —6H 103
(off High St.)
Home Pk. Rd. SW19 —1K 105
Home Pk. Ter. King T —6H 103
(off Hampton Ct. Rd.)
Home Pk. Wlk. King T —8H 103
Homer Clo. Bexh —9A 82
Homer Dri. E14 —5L 77
Home Rd. SW11 —1C 90
Homer Rd. E9 —2J 61
Homer Rd. Croy —1H 125
Homer Row. W1 —8C 58
Homersham Rd. King T —6L 103
Homer St. NW1 —8C 58
Homerton. —1H 61
Homerton Gro. E9 —1H 61
Homerton High St. E9 —1H 61
Homerton Rd. E9 —1J 61
Homerton Row. E9 —1G 61
Homerton Ter. E9 —2G 61
(in two parts)
Homesdale Clo. E11 —3E 46
Homesdale Rd. Brom —8G 111
Homesdale Rd. Orp —2C 128
Homesfield. NW11 —3L 41
Homestall Rd. SE22 —4G 93
Homestead Ct. Barn —7L 13
Homestead Gdns. Clay —7C 118
Homestead Paddock. N14 —7F 14
Homestead Pk. NW2 —8D 40
Homestead Rd. SW6 —8K 73
Homestead Rd. Dag —7K 49
Homestead Rd. Orp —9F 128
Homesteads, The. N11 —4F 26
Homestead, The. Dart —4C 98
(off Crayford High St.)
Homestead, The. Dart —5G 99
(West Hill Dri.)
Homestead Way. New Ad —3A 140
Homewater Ho. Eps —5C 134
Homewaters Av. Sun —5D 100
Homeway. Romf —6M 35
Homewillow Clo. N21 —8M 15
Homewood Clo. Hamp —3K 101
Homewood Cres. Chst —3C 112
Homewoods. SW12 —6G 91
Homildon Ho. SE26 —9E 92
Honduras St. EC1 —7A 60
Honeybourne Rd. NW6 —1M 57
Honeybourne Way. Orp —3B 128
Honey Brook. Wal A —6L 7
Honeybrook Rd. SW12 —6G 91
Honey Clo. Dag —2M 65
Honeycroft. Lou —6L 19
Honeycroft Hill. Uxb —3C 142
Honeyden Rd. Sidc —3J 113
Honey Hill. Uxb —3D 142
Honey La. EC2 —9A 60
(off Trump St.)
Honey La. Wal A —6L 7
Honey La. Ho. Wal A —7M 7
Honeyman Clo. NW6 —3H 57
(in two parts)
Honeymead. N8 —1J 43
(off Campsfield Rd.)
Honeypot Bus. Cen. Stan —8J 23
Honeypot Clo. NW9 —2K 39
Honeypot La. Stan & NW9 —7H 23
Honeysett Rd. N17 —9D 28
Honeysuckle Clo. Romf —6G 35
Honeysuckle Clo. S'hall —1J 69
Honeysuckle Ct. E12 —2M 63
Honeysuckle Gdns. Croy —2H 125
Honeysuckle La. N22 —9A 28
Honeytree Ct. Lou —4M 19
Honeywell Rd. SW11 —5D 90
Honeywood Heritage Cen. —6D 122
Honeywood Rd. NW10 —5D 56
Honeywood Rd. Iswth —3E 86
Honeywood Wlk. Cars —6D 122
Honister Clo. Stan —8F 22
Honister Gdns. Stan —7F 22
Honister Heights. Purl —6B 138
Honister Pl. Stan —8F 22
Honiton Gdns. SE15 —1G 93
(off Gibbon Rd.)
Honiton Rd. NW6 —5K 57
Honiton Rd. Romf —4B 50
Honiton Rd. Well —1D 96
Honley Rd. SE6 —6M 93
Honnor Gdns. Iswth —1B 86
Honor Oak. —5G 93
Honor Oak Crematorium. SE23 —4J 93
Honor Oak Park. —6J 93
Honor Oak Pk. SE23 —5G 93
Honor Oak Ri. SE23 —5G 93
Honor Oak Rd. SE23 —7G 93
Hood Av. N14 —8F 14
Hood Av. SW14 —4A 88
Hood Av. Orp —9F 112
Hood Clo. Croy —3M 123
Hoodcote Gdns. N21 —9M 15
Hood Ct. EC4 —9L 59
(off Fleet St.)
Hood Ho. SE5 —8B 76
(off Elmington Est.)
Hood Ho. SW1 —6H 75
(off Dolphin Sq.)
Hood Rd. SW20 —4D 104
Hood Rd. Rain —5D 66
Hood Wlk. Romf —8M 33
Hook. —6H 119
Hooke Ho. E3 —5J 61
(off Gernon Rd.)
Hookers Rd. E17 —1H 45
Hook Farm Rd. Brom —9H 111
Hookfield. Eps —5A 134
Hookfield M. Eps —5A 134
Hook Ga. Enf —9B 6
Hook Green. —1E 114
Hook Grn. La. Dart —9D 98
Hookham Ct. SW8 —9H 75
Hook Hill. S Croy —2C 138
(in two parts)
Hooking Grn. Harr —3M 37
Hook Junction. (Junct.) —5J 119
Hook La. Well —4D 96
Hook Ri. Bus. Cen. Chess —5L 119
Hook Ri. N. Surb —5J 119
Hook Ri. S. Surb —5J 119
Hook Ri. S. Ind. Pk. Chess —5K 119
Hook Rd. Chess & Surb —7H 119
Hook Rd. Eps —9A 120
Hooks Clo. SE15 —9F 76
Hookshall Dri. Dag —8A 50
Hookstone Way. Wfd G —7H 31
Hooks Way. SE22 —7E 92
Hook, The. New Bar —8B 14
Hook Wlk. Edgw —6A 24
Hooper Rd. E16 —9E 62
Hooper's Ct. SW3 —3D 74
Hooper's M. W3 —2A 72
Hooper Sq. E1 —9E 60
(off Hooper St.)
Hooper St. E1 —9E 60
Hoop La. NW11 —5K 41
(in two parts)
Hope Clo. N1 —2A 60
Hope Clo. SE12 —9F 94
Hope Clo. Bren —6J 71
Hope Clo. Chad H —2H 49
Hope Clo. Sutt —7A 122
Hope Clo. Wfd G —6G 31
Hopedale Rd. SE7 —7F 78
Hopefield Av. NW6 —5J 57
Hope Grn. Wat —6E 4
Hope Ho. Croy —6C 124
(off Steep Hill)
Hope Pk. Brom —4D 110
Hopes Clo. Houn —7L 69
Hope St. SW11 —2B 90
Hopetown St. E1 —8D 60
Hopewell St. SE5 —8B 76
Hope Wharf. SE16 —3G 77
Hop Gdns. WC2 —1J 75
Hop Garden Way. Wat —4G 5
Hopgood St. W12 —2G 73
Hopkins Clo. N10 —7E 26
Hopkins Clo. Romf —1G 51
Hopkins Ho. E14 —9L 61
(off Canton St.)
Hopkins M. E15 —4D 62
Hopkinsons Pl. NW1 —4E 58
Hopkins St. W1 —9G 59
Hoppers Rd. N13 & N21 —2L 27
Hoppett Rd. E4 —2C 30
Hopping La. N1 —2M 59
Hoppingwood Av. N Mald —7C 104
Hoppner Rd. Hay —5B 52
Hopton Clo. Hayes —3F 126
Hopton Gdns. N Mald —1E 120
Hopton Rd. SW16 —2J 107
Hopton's Gdns. SE1 —2M 75
(off Hopton St.)
Hopton St. SE1 —2M 75
Hopwood Clo. SW17 —9A 90
Hopwood Clo. Wat —9C 4
Hopwood Rd. SE17 —7B 76
Hopwood Wlk. E8 —3E 60
Horace Av. Romf —6A 50
Horace Rd. E7 —9F 46
Horace Rd. Ilf —1A 48
Horace Rd. King T —7K 103
Horatio Ct. SE16 —2G 77
(off Rotherhithe St.)
Horatio Ho. E2 —5D 60
(off Horatio St.)
Horatio Ho. W6 —6H 73
(off Fulham Pal. Rd.)
Horatio Pl. E14 —3A 78
(off Preston's Rd.)
Horatio Pl. SW19 —5L 105
Horatio St. E2 —5D 60
(in two parts)
Horatius Way. Croy —7K 123
Horbury Cres. W11 —1L 73
Horbury M. W11 —1K 73
Horder Rd. SW6 —9J 73
Hordle Promenade E. SE15 —8D 76
Hordle Promenade N. SE15 —8D 76
Hordle Promenade S. SE15 —8D 76
(off Quarley Way)
Hordle Promenade W. SE15
(off Clanfield Way) —8C 76
Horizon Building. E14 —1L 77
(off Hertsmere Rd.)
Horizon Ho. Eps —5C 134
Horizon Ho. Swan —8C 114
Horizon Way. SE7 —5F 78
Horle Wlk. SW9 —1M 91
Horley Clo. Bexh —4L 97
Horley Rd. SE9 —1J 111
Hormead Rd. W9 —7K 57
Hornbeam Av. Upm —9L 51
Hornbeam Clo. NW7 —3D 24
Hornbeam Clo. SE11 —5L 75
Hornbeam Clo. Borwd —3L 11
Hornbeam Clo. Buck H —3H 31
Hornbeam Clo. Ilf —1B 64
Hornbeam Clo. N'holt —1K 53
Hornbeam Cres. Bren —8F 70
Hornbeam Gro. E4 —3C 30
Hornbeam Ho. Buck H —3H 31
Hornbeam La. E4 —7C 18
Hornbeam La. Bexh —1A 98
Hornbeam Rd. Buck H —3H 31
Hornbeam Rd. Hay —8G 53
Hornbeams. Brick W —3K 5
Hornbeams Av. Enf —8C 6
Hornbeams Ri. N11 —6E 26
Hornbeam Ter. Cars —3C 122
Hornbeam Wlk. Rich —8K 87
Hornbeam Way. Brom —1L 127
Hornbeam Way. Wal X —2A 6
Hornbill Clo. Uxb —9B 142
Hornblower Clo. SE16 —4J 77
Hornbuckle Clo. Harr —7B 38

Hornby Clo.—Hurn Ct. Rd.

Hornby Clo. NW3 —3B 58
Hornby Ho. SE11 —7L 75
(off Clayton St.)
Horncastle Clo. SE12 —6E 94
Horncastle Rd. SE12 —6E 94
Hornchurch. —6J 51
Hornchurch. N17 —9B 28
(off Gloucester Rd.)
Hornchurch Clo. King T —1H 103
Hornchurch Country Pk. —3G 67
Hornchurch Hill. Whyt —9D 138
Hornchurch Rd. Horn —6E 50
Horndean Clo. SW15 —7E 88
Horndon Clo. Romf —8A 34
Horndon Grn. Romf —8A 34
Horndon Rd. Romf —8A 34
Horner Ho. N1 —4C 60
(off Whitmore Est.)
Horner La. Mitc —6B 106
Hornets, The. Wat —6F 8
Horne Way. SW15 —1G 89
Hornfair Rd. SE7 —7G 79
Hornford Way. Romf —5C 50
Horniman Dri. SE23 —7F 92
Horniman Mus. —7F 92
Horning Clo. SE9 —1J 111
Horn La. SE10 —6E 78
(in three parts)
Horn La. W3 —1A 72
(in two parts)
Horn La. Wfd G —6E 30
Hornminster Glen. Horn —7L 51
Horn Park. —4F 94
Horn Pk. Clo. SE12 —4F 94
Hornpark La. SE12 —4F 94
Horns End Pl. Pinn —2G 37
Hornsey. —2J 43
Hornsey La. N6 —6F 42
Hornsey La. Est. N19 —5H 43
Hornsey La. Gdns. N6 —5G 43
Hornsey Pk. Rd. N8 —1K 43
Hornsey Ri. N19 —5H 43
Hornsey Ri. Gdns. N19 —5H 43
Hornsey Rd. N19 & N7 —6J 43
Hornsey St. N7 —1K 59
Hornsey Vale. —3K 43
Hornshay St. SE15 —7G 77
Horns Rd. Ilf —2B 48
Hornton Ct. W8 —3L 73
(off Kensington High St.)
Hornton Pl. W8 —3M 73
Hornton St. W8 —3L 73
Horsa Clo. Wall —9J 123
Horsa Rd. SE12 —6G 95
Horsa Rd. Eri —8M 81
Horse & Dolphin Yd. W1 —1H 75
(off Macclesfield St.)
Horsebridge Clo. Dag —4J 65
Horsecroft. Bans —9K 135
Horsecroft Clo. Orp —3F 128
Horsecroft Rd. Edgw —7B 24
Horse Fair. King T —6H 103
Horseferry Pl. SE10 —7A 78
Horseferry Rd. E14 —1J 77
Horseferry Rd. SW1 —4H 75
Horseferry Rd. Est. SW1 —4H 75
(off Horseferry Rd.)
Horseguards Av. SW1 —2J 75
Horse Guards Rd. SW1 —2H 75
Horse Leaze. E6 —9L 63
Horsell Rd. N5 —1L 59
(in two parts)
Horsell Rd. Orp —5F 112
Horselydown La. SE1 —3D 76
Horselydown Mans. SE1 —3D 76
(off Lafone St.)
Horsemongers M. SE1 —3A 76
(off Cole St.)
Horsenden Av. Gnfd —1D 54
Horsenden Cres. Gnfd —1D 54
Horsenden La. Gnfd —2C 54
Horsenden La. N. Gnfd —2D 54
Horsenden La. S. Gnfd —4E 54
Horse Ride. SW1 —2G 75
(off Mall, The)
Horse Ride. Cars —2C 136
Horseshoe Clo. E14 —6A 78
Horseshoe Clo. NW2 —7F 40
Horse Shoe Cres. N'holt —5L 53
Horseshoe Dri. Uxb —9E 142
Horse Shoe Grn. Sutt —4M 121
Horseshoe La. N20 —1H 25
Horseshoe La. Enf —5A 16
Horseshoe La. Wat —5F 4
Horseshoe, The. Bans —7K 135
Horseshoe, The. Coul —5H 137
Horseshoe Wharf. SE1 —2B 76
(off Clink St.)
Horse Yd. N1 —4M 59
(off Essex Rd.)
Horsfeld Gdns. SE9 —4J 95
Horsfeld Rd. SE9 —4H 95
Horsfield Clo. Dart —6M 99
Horsfield Ho. N1 —3A 60
(off Northampton St.)
Horsford Rd. SW2 —4K 91
Horsham Av. N12 —5C 26
Horsham Ct. N17 —8E 28
(off Lansdowne Rd.)
Horsham Rd. Bexh —4L 97
Horsham Rd. Felt —5A 84
Horsley Clo. Eps —5B 134
Horsley Dri. King T —2H 103
Horsley Dri. New Ad —9A 126
Horsley Rd. E4 —2A 30
Horsley Rd. Brom —5F 110
Horsley St. SE17 —7B 76
Horsman Ho. SE5 —7A 76
(off Bethwin Rd.)
Horsman St. SE5 —7A 76
Horsmonden Clo. Orp —2D 128
Horsmonden Rd. SE4 —4K 93
Hortensia Ho. SW10 —8A 74
(off Hortensia Rd.)
Hortensia Rd. SW10 —8A 74
Horticultural Pl. W4 —6B 72
Horton. —2A 134
Horton Av. NW2 —9J 41
Horton Bri. Rd. W Dray —2K 143
Horton Clo. W Dray —2L 143
Horton Country Pk. —9M 119
Horton Footpath. Eps —3A 134
Horton Gdns. Eps —3A 134
Horton Hill. Eps —3A 134
Horton Ho. SE15 —7G 77
Horton Ho. SW8 —8K 75
Horton Ho. W6 —6J 73
(off Field Rd.)
Horton Ind. Pk. W Dray —2K 143
Horton Kirby. —8M 115
Horton Kirby Trad. Est. S Dar —5M 115
Horton La. Eps —3L 133
Horton Pde. W Dray —2J 143
Horton Pk. Children's Farm. —2L 133
Horton Rd. E8 —2F 60
Horton Rd. Hort K & S Dar —8M 115
Horton Rd. W Dray —2J 143
Horton Rd. Ind. Est. W Dray —2K 143
Horton St. SE13 —2M 93
Horton Way. Croy —9H 109
Horton Way. F'ham —2K 131
Hortus Rd. E4 —2A 30
Hortus Rd. S'hall —3K 69
Horvath Clo. Wey —6B 116
Horwood Ct. Wat —1H 9
Horwood Ho. NW8 —7C 58
(off Paveley St.)
Hosack Rd. SW17 —8E 90
Hoser Av. SE12 —8E 94
Hosier La. EC1 —8M 59
Hoskins Clo. E16 —9G 63
Hoskins Clo. Hay —6D 68
Hoskins St. SE10 —6B 78
Hospital Bri. Rd. Twic —6M 85
Hospital Bridge Roundabout. (Junct.) —8M 85
Hospital Cres. Romf —8K 35
Hospital Rd. E9 —1H 61
Hospital Rd. Houn —2L 85
Hospital Way. SE13 —6B 94
Hotham Clo. S at H —4M 115
Hotham Clo. Swan —5F 114
Hotham Clo. W Mol —7L 101
Hotham Rd. SW15 —2G 89
Hotham Rd. SW19 —4A 106
Hotham Rd. M. SW19 —4A 106
Hotham St. E15 —4C 62
Hothfield Pl. SE16 —4G 77
Hotspur Ind. Est. N17 —6F 28
Hotspur Rd. N'holt —5L 53
Hotspur St. SE11 —5L 75
Houblon Rd. Rich —4J 87
Houghton Clo. E8 —2D 60
Houghton Clo. Hamp —3J 101
Houghton Rd. N15 —2D 44
Houghton St. WC2 —9K 59
(in two parts)
Houlder Cres. Croy —8M 123
Houndsden Rd. N21 —8K 15
Houndsditch. EC3 —9C 60
Houndsfield Rd. N9 —9F 16
Hounslow. —2M 85
Hounslow Av. Houn —4M 85
Hounslow Bus. Pk. Houn —3M 85
Hounslow Cen. Houn —2M 85
Hounslow Gdns. Houn —4M 85
Hounslow Rd. Felt —7E 84
Hounslow Rd. Hanw —1H 101
Hounslow Rd. Twic —5M 85
Hounslow Urban Farm. —4E 84
(off Fagg's Rd.)
Hounslow West. —1J 85
Houseman Way. SE5 —8B 76
Houses of Parliament. —4J 75
Houston Bus. Pk. Hay —2G 69
Houston Pl. Esh —3B 118
Houston Rd. SE23 —8J 93
Houstoun Ct. Houn —8K 69
Hove Av. E17 —3K 45
Hoveden Rd. NW2 —1J 57
Hove Gdns. Sutt —3M 121
Hoveton Rd. SE28 —9G 65
Hoveton Way. Ilf —7M 31
Howard Av. Bex —7G 97
Howard Av. Eps —2E 134
Howard Bus. Pk. Wal A —7K 7
Howard Clo. N11 —2E 26
Howard Clo. NW2 —9J 41
Howard Clo. W3 —9M 55
Howard Clo. Bus H —9C 10
Howard Clo. Hamp —4A 102
Howard Clo. Lou —8J 19
Howard Clo. Sun —3D 100
Howard Clo. Wal A —7K 7
Howard Clo. Wat —1E 8
Howard Ct. Bark —4B 64
Howard Dri. Borwd —6B 12
Howard Ho. SE8 —7K 77
(off Evelyn St.)
Howard Ho. SW1 —6G 75
(off Dolphin Sq.)
Howard Ho. SW9 —2M 91
(off Barrington Rd.)
Howard Ho. W1 —7F 58
(off Cleveland St.)
Howard M. N5 —9M 43
Howard Rd. E6 —5K 63
Howard Rd. E11 —8C 46
Howard Rd. E17 —1L 45
Howard Rd. N15 —4C 44
Howard Rd. N16 —9B 44
Howard Rd. NW2 —9H 41
Howard Rd. SE20 —5G 109
Howard Rd. SE25 —9E 108
Howard Rd. Bark —4B 64
Howard Rd. Brom —4E 110
Howard Rd. Coul —7G 137
Howard Rd. Dart —5L 99
Howard Rd. Ilf —9M 47
Howard Rd. Iswth —2D 86
Howard Rd. N Mald —7C 104
Howard Rd. S'hall —9M 53
Howard Rd. Surb —1K 119
Howard Rd. Upm —7M 51
Howards Clo. Pinn —9F 20
Howards Crest Clo. Beck —6A 110
Howard's La. SW15 —3F 88
Howards Rd. E13 —6E 62
Howard St. Th Dit —2F 118
Howard Wlk. N2 —2A 42
Howard Way. SE22 —6E 92
Howard Way. Barn —7H 13
Howarth Ct. E15 —1M 61
Howarth Rd. SE2 —6E 80
Howberry Clo. Edgw —6H 23
Howberry Rd. Stan & Edgw —6H 23
Howberry Rd. T Hth —5B 108
Howbury La. Eri —1E 98
Howbury Rd. SE15 —2G 93
Howcroft Cres. N3 —7L 25
Howcroft La. Gnfd —6B 54
Howden Clo. SE28 —1H 81
Howden Ho. Houn —6J 85
Howden Rd. SE25 —6D 108
Howden St. SE15 —2E 92
Howe Clo. Romf —8L 33
Howell Clo. Romf —3H 49
Howell Ct. E10 —5M 45
Howell Hill Clo. Eps —3G 135
Howell Hill Gro. Eps —2G 135
Howell Wlk. SE17 —5M 75
Howerd Way. SE18 —9J 79
(in two parts)
Howes Clo. N3 —1L 41
Howeth Ct. N11 —6D 26
(off Ribblesdale Av.)
Howfield Pl. N17 —1D 44
Howgate Rd. SW14 —2B 88
Howick Pl. SW1 —4G 75
Howie St. SW11 —8C 74
Howitt Clo. N16 —9C 44
Howitt Clo. NW3 —2C 58
Howitt Rd. NW3 —2C 58
Howitts Clo. Esh —8L 117
Howland Est. SE16 —4G 77
Howland Ho. SW16 —9J 91
Howland M. E. W1 —8G 59
Howland St. W1 —8G 59
Howland Way. SE16 —3J 77
How La. Coul —9E 136
Howletts La. Ruis —3A 36
Howlett's Rd. SE24 —5A 92
Howley Pl. W2 —8A 58
Howley Rd. Croy —5M 123
Hows Clo. Uxb —4A 142
Howse Rd. Wal A —8H 7
Howsman Rd. SW13 —7E 72
Howson Rd. SE4 —3J 93
Howson Ter. Rich —5J 87
Hows Rd. Uxb —4A 142
How's St. E2 —5D 60
Howton Pl. Bus H —1B 22
How Wood. —1M 5
How Wood. Park —1M 5
Hoxton. —5C 60
Hoxton Hall Theatre. —5C 60
(off Hoxton Rd.)
Hoxton Mkt. N1 —6C 60
(off Coronet St.)
Hoxton Sq. N1 —6C 60
Hoxton St. N1 —4C 60
Hoylake Gdns. Mitc —7G 107
Hoylake Gdns. Romf —7L 35
Hoylake Gdns. Ruis —6F 36
Hoylake Gdns. Wat —4H 21
Hoylake Rd. W3 —9C 56
Hoyland Clo. SE15 —8F 76
Hoyle Rd. SW17 —2C 106
Hoy St. E16 —9D 62
Hubbard Dri. Chess —8H 119
Hubbard Rd. SE27 —1A 108
Hubbards Chase. Horn —3L 51
Hubbards Clo. Horn —3L 51
Hubbard St. E15 —4C 62
Huberd Ho. SE1 —4B 76
(off Manciple St.)
Hubert Clo. SW19 —5A 106
(off Nelson Gro. Rd.)
Hubert Gro. SW9 —2J 91
Hubert Ho. NW8 —7C 58
Hubert Rd. E6 —6H 63
Hubert Rd. Rain —6D 66
Hucknall Clo. Romf —6K 35
Hucknall Ct. NW8 —7B 58
(off Cunningham Pl.)
Huddart St. E3 —8K 61
(in two parts)
Huddleston Clo. E2 —5G 61
Huddlestone Rd. E7 —9D 46
Huddlestone Rd. NW2 —2F 56
Huddleston Rd. N7 —8G 43
Hudson. NW9 —8D 24
(off Near Acre)
Hudson Clo. W12 —1F 72
Hudson Clo. Wat —9D 4
Hudson Ct. E14 —6L 77
(off Maritime Quay)
Hudson Gdns. Grn St —8D 128
Hudson Pl. SE18 —6A 80
Hudson Rd. Bexh —1K 97
Hudson Rd. Hay —7B 68
Hudson's Pl. SW1 —5F 74
(off Bridge Pl.)
Huggin Ct. EC4 —1A 76
(off Huggin Hill)
Huggin Hill. EC4 —1A 76
Huggins Pl. SW2 —7K 91
Hughan Rd. E15 —1B 62
Hugh Astor Ct. SE1 —4M 75
(off Keyworth St.)
Hugh Clark Ho. W13 —2E 70
(off Singapore Rd.)
Hugh Dalton Av. SW6 —7K 73
Hughenden Av. Harr —3F 38
Hughenden Gdns. N'holt —6G 53
(in two parts)
Hughenden Ho. NW8 —7C 58
(off Jerome Cres.)
Hughenden Rd. Wor Pk —2E 120
Hughendon. New Bar —6M 13
Hughendon Ter. E15 —9A 46
Hughes Ct. N7 —1H 59
Hughes Ho. E2 —6G 61
(off Sceptre Ho.)
Hughes Ho. SE8 —7L 77
(off Benbow St.)
Hughes Ho. SE17 —5M 75
(off Peacock St.)
Hughes Mans. E1 —7E 60
Hughes M. SW11 —4D 90
Hughes Rd. Ashf —3A 100
Hughes Rd. Hay —1F 68
Hughes Ter. E16 —8D 62
(off Clarkson Rd.)
Hughes Wlk. Croy —2A 124
Hugh Gaitskell Clo. SW6 —7K 73
Hugh Gaitskell Ho. N16 —7D 44
Hugh Herland Ho. King T —7J 103
Hugh M. SW1 —5F 74
Hugh Platt Ho. E2 —5F 60
(off Patriot Sq.)
Hugh St. SW1 —5F 74
Hugo Gdns. Rain —2E 66
Hugon Rd. SW6 —2M 89
Hugo Rd. N19 —9G 43
Huguenot Pl. E1 —8D 60
Huguenot Pl. SW18 —4A 90
Huguenot Sq. SE15 —2F 92
Hulberry. —4E 130
Hullbridge M. N1 —4B 60
Hull Clo. SE16 —3H 77
Hull Pl. E16 —2A 80
Hull St. EC1 —6A 60
Hulme Pl. SE1 —3A 76
Hulse Av. Bark —2B 64
Hulse Av. Romf —8M 33
Hulsewood Clo. Dart —9F 98
Hulverston Clo. Sutt —2M 135
Humber Clo. W Dray —2H 143
Humber Ct. W7 —9B 54
(off Hobbayne Rd.)
Humber Dri. W10 —7H 57
Humber Rd. NW2 —7F 40
Humber Rd. SE3 —7D 78
Humber Rd. Dart —4H 99
Humberstone Rd. E13 —6G 63
Humberton Clo. E9 —1J 61
Humbolt Rd. W6 —7J 73
Hume Ct. N1 —3M 59
(off Hawes St.)
Hume Ho. W11 —2H 73
(off Queensdale Cres.)
Humes Av. W7 —4C 70
Hume Ter. E16 —8F 62
Hume Way. Ruis —4E 36
Humphrey Clo. Ilf —8K 31
Humphrey St. SE1 —6D 76
Humphries Clo. Dag —9K 49
Hundred Acre. NW9 —9D 24
Hundred Acres. Wal X —7G 7
Hungerdown. E4 —1A 30
Hungerford Ho. SW1 —7G 75
(off Churchill Gdns.)
Hungerford La. WC2 —2J 75
(off Craven St., in two parts)
Hungerford Rd. N7 —2H 59
Hungerford Sq. Wey —6B 116
Hungerford St. E1 —9F 60
Hunsdon Clo. Dag —2J 65
Hunsdon Rd. SE14 —8H 77
Hunslett St. E2 —6G 61
Hunstanton Ho. NW1 —8C 58
(off Cosway St.)
Hunston Rd. Mord —3M 121
Hunt Ct. N14 —9F 14
Hunt Ct. N'holt —5H 53
(off Gallery Gdns.)
Hunter Clo. SE1 —4B 76
Hunter Clo. Borwd —7A 12
Hunter Ct. Eps —2L 133
Huntercrombe Gdns. Wat —4G 21
Hunter Dri. Horn —9G 51
Hunter Ho. SE1 —3M 75
(off Lancaster St.)
Hunter Ho. SW5 —6L 73
(off Old Brompton Rd.)
Hunter Ho. SW8 —8H 75
Hunter Ho. WC1 —7J 59
(off Hunter St.)
Hunterian Mus., The. —9K 59
(off Portugal St.)
Hunter Lodge. W9 —8L 57
(off Admiral Wlk.)
Hunter Rd. SW20 —5G 105
Hunter Rd. Ilf —1M 63
Hunter Rd. T Hth —7B 108
Hunters Clo. SW12 —7E 90
Hunters Clo. Bex —9C 98
Hunters Clo. Eps —5A 134
Hunters Ct. Rich —4H 87
Hunters Gro. Harr —2G 39
Hunters Gro. Hay —2E 68
Hunters Gro. Orp —6M 127
Hunters Gro. Romf —5M 33
Hunters Hall Rd. Dag —9L 49
Hunters Hill. Ruis —1H 53
Hunter's La. Leav & Wat —6D 4
Hunters Mdw. SE19 —1C 108
Hunters Reach. Wal X —2A 6
Hunters Ride. Brick W —4L 5
Hunter's Rd. Chess —5J 119
Hunters Sq. Dag —9L 49
Hunter St. WC1 —7J 59
Hunter's Way. Croy —6C 124
Hunters Way. Enf —3L 15
Hunter Wlk. E13 —5E 62
Hunter Wlk. Borwd —7B 12
Hunting Clo. Esh —6L 117
Huntingdon Clo. Mitc —7J 107
Huntingdon Gdns. W4 —8A 72
Huntingdon Gdns. Wor Pk —5G 121
Huntingdon Rd. N2 —1C 42
Huntingdon Rd. N9 —1G 29
Huntingdon St. E16 —9D 62
Huntingdon St. N1 —3K 59
Huntingfield. Croy —9K 125
Huntingfield Rd. SW15 —3E 88
Hunting Ga. Clo. Enf —5L 15
Hunting Ga. Dri. Chess —9J 119
Hunting Ga. M. Sutt —5M 121
Hunting Ga. M. Twic —7C 86
Huntings Farm. Ilf —7C 48
Huntings Rd. Dag —2L 65
Huntland Clo. Rain —8F 66
Huntley Dri. N3 —6L 25
Huntley St. WC1 —7G 59
Huntley Way. SW20 —6E 104
Huntly Rd. SE25 —8C 108
Hunton Bridge. —6A 4
Hunton Bridge. (Junct.) —8B 4
Hunton Bri. Hill. K Lan —6A 4
Hunton Bri. Ind. Est. K Lan —6A 4
Hunton St. E1 —8E 60
Hunt Rd. S'hall —4L 69
Hunt's Clo. SE3 —1E 94
Hunt's Ct. WC2 —1H 75
Hunts La. E15 —5A 62
Huntsman Rd. Ilf —5F 32
Huntsmans Clo. Felt —1F 100
Huntsman St. SE17 —5C 76
Hunts Mead. Enf —5H 17
Huntsmead Clo. Chst —4K 111
Huntsmoor Rd. Eps —7B 120
Huntspill St. SW17 —9A 90
Hunts Slip Rd. SE21 —9C 92
Hunt St. W11 —2H 73
Huntsworth M. NW1 —7D 58
Hunt Way. SE22 —7E 92
Hurdwick Pl. NW1 —5G 59
(off Hampstead Rd.)
Hurleston Ho. SE8 —6K 77
Hurley Clo. W on T —4F 116
Hurley Ct. W5 —9G 55
Hurley Cres. SE16 —3H 77
Hurley Ho. SE11 —5M 75
Hurley Rd. Gnfd —9M 53
Hurlfield. Dart —9G 99
Hurlingham. —2M 89
Hurlingham Bus. Pk. SW6 —2L 89
Hurlingham Ct. SW6 —2K 89
Hurlingham Gdns. SW6 —2K 89
Hurlingham Retail Pk. SW6 —2M 89
Hurlingham Rd. SW6 —1K 89
Hurlingham Rd. Bexh —8K 81
Hurlingham Sq. SW6 —2L 89
Hurlock St. N5 —8M 43
Hurlstone Rd. SE25 —9C 108
Hurn Ct. Houn —1H 85
Hurn Ct. Rd. Houn —1H 85

Ironmonger La.—Jim Bradley Clo.

Ironmonger La. EC2 —9A 60
Ironmonger Pas. EC1 —6A 60
(off Ironmonger Row)
Ironmonger Row. EC1 —6A 60
Ironmongers Pl. E14 —5L 77
Ironside Clo. SE16 —3H 77
Ironside Ho. E9 —9J 45
Irons Way. Romf —7A 34
Irvine Av. Harr —1E 38
Irvine Clo. N20 —2C 26
Irvine Ho. E14 —8M 61
(off Uamvar St.)
Irvine Ho. N7 —2K 59
(off Caledonian Rd.)
Irvine Way. Orp —2D 128
Irving Av. N'holt —4H 53
Irving Gro. SW9 —1K 91
Irving Ho. SE17 —6M 75
(off Doddington Gro.)
Irving Mans. W14 —7J 73
(off Queen's Club Gdns.)
Irving M. N1 —2A 60
Irving Rd. W14 —4H 73
Irving St. WC2 —1H 75
Irving Way. NW9 —3E 40
Irving Way. Swan —6B 114
Irwell Ct. W7 —9B 54
(off Hobbayne Rd.)
Irwell Est. SE16 —4G 77
Irwin Av. SE18 —8C 80
Irwin Gdns. NW10 —4F 56
Isabel Hill Clo. Hamp —6M 101
Isabella Clo. N14 —9G 15
Isabella Ct. Rich —5K 87
(off Kings Mead)
Isabella Dri. Orp —6A 128
Isabella Ho. SE11 —6M 75
(off Othello Clo.)
Isabella Ho. W6 —6G 73
(off Queen Caroline St.)
Isabella Plantation. —1M 103
Isabella Rd. E9 —1G 61
Isabella St. SE1 —2M 75
Isabel St. SW9 —9K 75
Isambard Clo. Uxb —7B 142
Isambard M. E14 —4A 78
Isambard Pl. SE16 —2G 77
Isard Ho. Hayes —3F 126
Isbell Gdns. Romf —7C 34
Isel Way. SE22 —4C 92
Isham Rd. SW16 —6J 107
Isis Clo. SW15 —3G 89
Isis Clo. Ruis —4A 36
Isis Ct. W4 —8M 71
Isis Ho. N18 —6D 28
Isis Ho. NW8 —7B 58
(off Church St. Est.)
Isis St. SW18 —8A 90
Island Farm Av. W Mol —9K 101
Island Farm Rd. W Mol —9K 101
Island Rd. Mitc —4D 106
Island Row. E14 —9K 61
Island, The. Th Dit —1E 118
Island, The. W Dray —8G 143
Isla Rd. SE18 —7A 80
Islay Gdns. Houn —4H 85
Isleden Ho. N1 —4A 60
(off Prebend St.)
Isledon Rd. N7 —8L 43
Isledon Village. —8L 43
Islehurst Clo. Chst —5L 111
Isleworth. —2E 86
Isleworth Bus. Complex. Iswth —1D 86
Isleworth Promenade. Twic —3F 86
Isley Ct. SW8 —1G 91
Islington. —3M 59
Islington Crematorium. N2 —8D 26
Islington Grn. N1 —4M 59
Islington High St. N1 —5L 59
(in two parts)
Islington Pk. M. N1 —3M 59
Islington Pk. St. N1 —3L 59
Islip Gdns. Edgw —7B 24
Islip Gdns. N'holt —3J 53
Islip Mnr. Rd. N'holt —3J 53
Islip St. NW5 —1G 59
Ismailia Rd. E7 —3F 62
Isobel Ho. Harr —3D 38
Isom Clo. E13 —6F 62
Isopad Ho. Borwd —5M 11
(off Shenley Rd.)
Itaska Cotts. Bush —1C 22
Ivanhoe Clo. Uxb —8B 142
Ivanhoe Dri. Harr —1E 38
Ivanhoe Ho. E3 —5J 61
(off Grove Rd.)
Ivanhoe Rd. SE5 —2D 92
Ivanhoe Rd. Houn —2H 85
Ivatt Pl. W14 —6K 73
Ivatt Way. N17 —1M 43
Iveagh Av. NW10 —5L 55
Iveagh Clo. E9 —4H 61
Iveagh Clo. NW10 —5L 55
Iveagh Clo. N'wd —8A 20
Iveagh Ct. EC3 —9D 60
(off Haydon Wlk.)
Iveagh Ct. Beck —7A 110
Iveagh Ho. SW9 —1M 91
Iveagh Ho. SW10 —8A 74
(off King's Rd.)
Iveagh Ter. NW10 —5L 55
(off Iveagh Av.)
Ivedon Rd. Well —1G 97
Ive Farm Clo. E10 —7L 45
Ive Farm La. E10 —7L 45
Iveley Rd. SW4 —1G 91
Ivere Dri. New Bar —8M 13
Iverhurst Clo. Bexh —4H 97
Iver La. Iver & Uxb —7A 142
Iverna Ct. W8 —4L 73
Iverna Gdns. W8 —4L 73
Iverna Gdns. Felt —4B 84
Iverson Rd. NW6 —2K 57
Ivers Way. New Ad —9M 125
Ives Gdns. Romf —2D 50
Ives Rd. E16 —8C 62
Ives St. SW3 —5C 74
Ivestor Ter. SE23 —6G 93
Ivimey St. E2 —6E 60
Ivinghoe Clo. Enf —3C 16
Ivinghoe Clo. Wat —8H 5
Ivinghoe Ho. N7 —1H 59
Ivinghoe Rd. Bush —9B 10
Ivinghoe Rd. Dag —1F 64
Ivor Ct. N8 —4J 43
Ivor Ct. NW1 —7D 58
(off Gloucester Pl.)
Ivor Gro. SE9 —7M 95
Ivories, The. N1 —3A 60
(off Northampton St.)
Ivor Pl. NW1 —7D 58
Ivor St. NW1 —3G 59
Ivory Ct. Felt —8E 84
Ivorydown. Brom —1E 110
Ivory Ho. E1 —2D 76
Ivory Sq. SW11 —2A 90
Ivybridge Clo. Twic —6E 86
Ivybridge Clo. Uxb —6C 142
Ivybridge Ct. Chst —5L 111
(off Old Hill)
Ivybridge La. WC2 —1J 75
Ivychurch Clo. SE20 —4G 109
Ivychurch La. SE17 —6D 76
Ivy Clo. Dart —5L 99
Ivy Clo. Harr —9K 37
Ivy Clo. Pinn —5G 37
Ivy Clo. Sun —6G 101
Ivy Cotts. E14 —1M 77
Ivy Cotts. Uxb —6E 142
Ivy Ct. SE16 —6E 76
(off Argyle Way)
Ivy Cres. W4 —5A 72
Ivydale Rd. SE15 —2H 93
Ivydale Rd. Cars —4D 122
Ivyday Gro. SW16 —9K 91
Ivydene. W Mol —9K 101
Ivydene Clo. Sutt —6A 122
Ivy Gdns. N8 —4J 43
Ivy Gdns. Mitc —7H 107
Ivy Ho. Flats. Wat —8H 9
Ivyhouse Rd. Dag —2H 65
Ivy La. Houn —3K 85
Ivy Lodge La. H Wood —8M 35
Ivymount Rd. SE27 —9L 91
Ivy Rd. E16 —9E 62
Ivy Rd. E17 —4L 45
Ivy Rd. N14 —9G 15
Ivy Rd. NW2 —9G 41
Ivy Rd. SE4 —3K 93
Ivy Rd. SW17 —2C 106
Ivy Rd. Houn —3M 85
Ivy Rd. Surb —3L 119
Ivy St. N1 —5C 60
Ivy Wlk. Dag —2J 65
Ivy Wlk. N'wd —8C 20
Ixworth Pl. SW3 —6C 74
Izane Rd. Bexh —3K 97
Jacaranda Clo. N Mald —7C 104
Jacaranda Gro. E8 —3D 60
Jackass La. Kes —7F 126
Jack Barnett Way. N22 —9K 27
Jack Clow Rd. E15 —5C 62
Jack Cook Ho. Bark —3M 63
Jack Cornwell St. E12 —9L 47
Jack Dash Ho. E14 —3A 78
(off Lawn Ho. Clo.)
Jack Dash Way. E6 —7J 63
Jackets La. Hare & N'wd —8A 20
Jacketts Fld. Ab L —4D 4
Jacklin Grn. Wfd G —4E 30
Jackman Ho. E1 —2F 76
(off Watts St.)
Jackman M. NW10 —8C 40
Jackman St. E8 —4F 60
Jackson Clo. E9 —3G 61
Jackson Clo. Eps —6B 134
Jackson Clo. Horn —2K 51
Jackson Clo. Uxb —3C 142
Jackson Ct. E7 —2F 62
Jackson Rd. N7 —9K 43
Jackson Rd. Bark —4B 64
Jackson Rd. Barn —8C 14
Jackson Rd. Brom —4K 127
Jackson Rd. Uxb —3C 142
Jacksons Dri. Chesh —1A 6
Jacksons La. N6 —5E 42
Jacksons Pl. Croy —3B 124
Jackson St. SE18 —7L 79
Jackson's Way. Croy —5L 125
Jackson Way. Eps —1L 133
Jackson Way. S'hall —3M 69
Jack Walker Ct. N5 —9M 43
Jacob Ho. Eri —3H 81
Jacobin Lodge. N7 —1J 59
Jacobs Av. H Wood —9J 35
Jacobs Clo. Dag —9M 49
Jacobs Ho. E13 —6G 63
(off New City Rd.)
Jacob St. SE1 —3E 76
Jacob's Well M. W1 —8E 58
Jacqueline Clo. N'holt —4J 53
Jacqueline Creft Ter. N6 —4E 42
(off Grange Rd.)
Jacqueline Vs. E17 —3A 46
(off Shernhall St.)
Jade Clo. E16 —9H 63
Jade Clo. NW2 —5H 41
Jade Clo. Dag —6G 49
Jade Ho. Rain —7E 66
Jade Ter. NW6 —3A 58
Jaffe Rd. Ilf —6B 48
Jaffray Pl. SE27 —1M 107
Jaffray Rd. Brom —8H 111
Jaggard Way. SW12 —6D 90
Jagger Ho. SW11 —9D 74
(off Worfield St.)
Jago Clo. SE18 —7A 80
Jago Wlk. SE5 —8B 76
Jail La. Big H —8H 141
Jamaica Rd. SE1 & SE16 —3D 76
Jamaica Rd. T Hth —1M 123
Jamaica St. E1 —9G 61
James Anderson Ct. N1 —5C 60
(off Kingsland Rd.)
James Av. NW2 —1G 57
James Av. Dag —6K 49
James Bedford Clo. Pinn —9G 21
James Boswell Clo. SW16 —1K 107
James Brine Ho. E2 —6D 60
(off Ravenscroft St.)
James Campbell Ho. E2 —5G 61
(off Old Ford Rd.)
James Clo. E13 —5E 62
James Clo. NW11 —4J 41
James Clo. Bush —7J 9
James Clo. Romf —3E 50
James Collins Clo. W9 —7K 57
James Ct. N1 —4A 60
(off Raynor Pl.)
James Ct. NW9 —9C 24
James Ct. N'holt —5J 53
(off Church Rd.)
James Ct. N'wd —8D 20
James Docherty Ho. E2 —5F 60
(off Patriot Sq.)
James Dudson Ct. NW10 —3A 56
James Est. Mitc —6D 106
James Gdns. N22 —7M 27
James Hammett Ho. E2 —6D 60
(off Ravenscroft St.)
James Ho. E1 —7J 61
(off Solebay St.)
James Joyce Wlk. SE24 —3M 91
James La. E10 & E11 —5A 46
James Lee Sq. Enf —1L 17
James Lind Ho. SE8 —5K 77
(off Grove St.)
James Middleton Ho. E2 —6F 60
(off Middleton St.)
James Newham Ct. SE9 —9L 95
Jameson Clo. W3 —3A 72
Jameson Ct. E2 —5G 61
(off Russia La.)
Jameson Ho. SE11 —6K 75
(off Glasshouse Wlk.)
Jameson Lodge. N6 —4G 43
Jameson St. W8 —2L 73
James Pl. N17 —8D 28
James Rd. Dart —6E 98
James's Cotts. Rich —8L 71
James Stewart Ho. NW6 —3K 57
James St. W1 —9E 58
James St. WC2 —1J 75
James St. Bark —3A 64
James St. Enf —7D 16
James St. Houn —2B 86
James Stroud Ho. SE17 —6A 76
(off Bronti Clo.)
James Ter. SW14 —2B 88
(off Church Path)
Jamestown Rd. NW1 —4F 58
Jamestown Way. E14 —1B 78
James Watt Way. Eri —7C 82
James Yd. E4 —6B 30
Jamieson Ho. Houn —5K 85
Jamilah Ho. E16 —1M 79
(off University Way)
Jamuna Clo. E14 —8J 61
Jane Austen Hall. E16 —2F 78
(off Wesley Av., in two parts)
Jane Austen Ho. SW1 —6G 75
(off Churchill Gdns.)
Jane Seymour Ct. SE9 —6A 96
Jane St. E1 —9F 60
Janet St. E14 —4L 77
Janeway Pl. SE16 —3F 76
Janeway St. SE16 —3E 76
Janice M. Ilf —7M 47
Jansen Wlk. SW11 —2B 90
Janson Clo. E15 —1C 62
Janson Clo. NW10 —8C 40
Janson Rd. E15 —1C 62
Jansons Rd. N15 —1C 44
Japan Cres. N4 —6K 43
Japan Rd. Chad H & Romf —4H 49
Jardine Rd. E1 —1H 77
Jarman Ho. E1 —8G 61
(off Jubilee St.)
Jarman Ho. SE16 —5H 77
(off Hawkstone Rd.)
Jarrett Clo. SW2 —7M 91
Jarrow Clo. Mord —9M 105
Jarrow Rd. N17 —2F 44
Jarrow Rd. SE16 —5G 77
Jarrow Rd. Romf —4G 49
Jarrow Way. E9 —9K 45
Jarvis Clo. Bark —4B 64
Jarvis Clo. Barn —7H 13
Jarvis Rd. SE22 —3C 92
Jarvis Rd. S Croy —8B 124
Jarvis Way. H Wood —9J 35
Jashoda Ho. SE18 —6L 79
(off Connaught M.)
Jasmin Clo. N'wd —8D 20
Jasmin Ct. SE12 —5D 94
Jasmine Clo. Ilf —1M 63
Jasmine Clo. Orp —4M 127
Jasmine Clo. S'hall —1J 69
Jasmine Ct. SW19 —2L 105
Jasmine Gdns. Croy —5M 125
Jasmine Gdns. Harr —7L 37
Jasmine Gro. SE20 —5F 108
Jasmine Rd. Rush G —7C 50
Jasmine Ter. W Dray —3L 143
Jasmine Way. E Mol —8C 102
Jasmin Lodge. SE16 —6F 76
(off Sherwood Gdns.)
Jasmin Rd. Eps —7M 119
Jason Clo. Wey —7A 116
Jason Ct. SW9 —9L 75
(off Southey Rd.)
Jason Ct. W1 —9E 58
(off Wigmore St.)
Jason Wlk. SE9 —1L 111
Jasper Clo. Enf —2G 17
Jasper Pas. SE19 —3D 108
Jasper Rd. E16 —9H 63
Jasper Rd. SE19 —2D 108
Jasper Wlk. N1 —6B 60
Java Wharf. SE1 —3D 76
(off Shad Thames)
Javelin Way. N'holt —6H 53
Jaycroft. Enf —3L 15
Jay Gdns. Chst —1K 111
Jay M. SW7 —3A 74
Jeal Oakwood Ct. Eps —6C 134
Jean Batten Clo. Wall —9K 123
Jean Darling Ho. SW10 —7B 74
(off Milman's St.)
Jean Pardies Ho. E1 —8G 61
(off Jubilee St.)
Jebb Av. SW2 —5J 91
(in two parts)
Jebb St. E3 —5L 61
Jedburgh Rd. E13 —6G 63
Jedburgh St. SW11 —3E 90
Jeddo M. W3 —3D 72
Jeddo Rd. W12 —3D 72
Jefferson Building. E14 —3L 77
Jefferson Clo. W13 —4F 70
Jefferson Clo. Ilf —3M 47
Jefferson Wlk. SE18 —7L 79
Jeffrey Row. SE12 —4F 94
Jeffrey's Pl. NW1 —3G 59
Jeffreys Rd. SW4 —1J 91
Jeffreys Rd. Enf —6J 17
Jeffrey's St. NW1 —3G 59
Jeffries Ho. NW10 —3B 56
Jeffs Clo. Hamp —3M 101
Jeffs Rd. Sutt —6K 121
Jeger Av. E2 —4D 60
Jeken Rd. SE9 —3G 95
Jelf Rd. SW2 —4L 91
Jellicoe Gdns. Stan —6D 22
Jellicoe Ho. E2 —5E 60
(off Ropley St.)
Jellicoe Ho. NW1 —7F 58
Jellicoe Rd. E13 —7E 62
Jellicoe Rd. N17 —7B 28
Jellicoe Rd. Wat —8E 8
Jemmett Clo. King T —5M 103
Jemotts Ct. SE14 —7H 77
(off Myers La.)
Jem Paterson Ct. Harr —9C 38
Jengar Clo. Sutt —6M 121
Jenkins Av. Brick W —3J 5
Jenkins La. Bark —5A 64
Jenkinson Ho. E2 —6H 61
(off Usk St.)
Jenkins Rd. E13 —7F 62
Jenner Av. W3 —8B 56
Jenner Ho. SE3 —7C 78
(off Restell Clo.)
Jenner Ho. WC1 —7J 59
(off Hunter St.)
Jenner Pl. SW13 —7F 72
Jenner Rd. N16 —8D 44
Jenner Way. Eps —1L 133
Jennett Rd. Croy —5L 123
Jennifer Ho. SE11 —5L 75
(off Reedworth St.)
Jennifer Rd. Brom —9D 94
Jenningsbury Ho. SW3 —6C 74
(off Marlborough St.)
Jennings Clo. Surb —2G 119
Jennings Ho. SE10 —6B 78
(off Old Woolwich Rd.)
Jennings Rd. SE22 —5D 92
Jennings Way. Barn —5G 13
Jenningtree Rd. Eri —8F 82
Jenningtree Way. Belv —3A 82
Jenny Hammond Clo. E11 —8D 46
Jenny Path. Romf —7H 35
Jenson Way. SE19 —4D 108
Jenton Av. Bexh —9J 81
Jephson Ct. SW4 —1J 91
Jephson Ho. SE17 —7M 75
(off Doddington Gro.)
Jephson Rd. E7 —3G 63
Jephson St. SE5 —9B 76
Jephtha Rd. SW18 —5L 89
Jeppos La. Mitc —8D 106
Jepson Ho. SW6 —9M 73
(off Pearscroft Rd.)
Jerdan Pl. SW6 —8L 73
Jeremiah St. E14 —9M 61
Jeremy Bentham Ho. E2 —6E 60
(off Mansford St.)
Jeremy's Grn. N18 —4F 28
Jermyn St. SW1 —2G 75
(in two parts)
Jermyn Street Theatre. —1H 75
(off Jermyn St.)
Jerningham Av. Ilf —9M 31
Jerningham Ct. SE14 —9J 77
Jerningham Rd. SE14 —1J 93
Jerome Cres. NW8 —7C 58
Jerome Ho. E14 —9J 61
(off Blount St.)
Jerome Ho. NW1 —8C 58
(off Lisson Gro.)
Jerome Ho. SW7 —5B 74
(off Glendower Pl.)
Jerome Ho. Hamp W —6H 103
(off Old Bri. St.)
Jerome St. E1 —7D 60
(off Commercial St.)
Jerome Tower. W3 —3M 71
Jerrard St. SE13 —2M 93
Jerrold St. N1 —5C 60
Jersey Av. Stan —9F 22
Jersey Dri. Orp —1B 128
Jersey Ho. N1 —2A 60
Jersey Ho. Enf —2H 17
(off Eastfield Rd.)
Jersey Rd. E11 —6B 46
Jersey Rd. E16 —9G 63
Jersey Rd. N1 —2A 60
Jersey Rd. SW17 —3F 106
Jersey Rd. W7 —3E 70
Jersey Rd. Houn & Iswth —9M 69
Jersey Rd. Ilf —9M 47
Jersey Rd. Rain —3E 66
Jersey St. E2 —6F 60
Jerusalem Pas. EC1 —7M 59
Jervis Av. Enf —8E 6
Jervis Bay Ho. E14 —9B 62
(off Blair St.)
Jervis Ct. SE10 —9A 78
(off Blissett St.)
Jervis Ct. W1 —9F 58
(off Princes St.)
Jervis Ct. Dag —2M 65
Jerviston Gdns. SW16 —3L 107
Jerwood Space Art Gallery. —3M 75
(off Union St.)
Jesmond Av. Wemb —2K 55
Jesmond Clo. Mitc —7F 106
Jesmond Rd. Croy —2D 124
Jesmond Way. Stan —5J 23
Jessam Av. E5 —6F 44
Jessamine Rd. W7 —2D 70
Jesse Ho. SW1 —5H 75
(off Page St.)
Jessel Ho. WC1 —6J 59
(off Judd St.)
Jessel Mans. W14 —7J 73
(off Queen's Club Gdns.)
Jesse Rd. E10 —6A 46
Jessett Clo. Eri —5B 82
Jessica Rd. SW18 —5A 90
Jessie Blythe La. N19 —5J 43
Jessie Wood Ct. SW9 —8L 75
(off Caldwell St.)
Jesson Ho. SE17 —5B 76
(off Orb St.)
Jessop Av. S'hall —5K 69
Jessop Ct. N1 —5M 59
Jessop Ct. Wal A —7M 7
Jessop Rd. SE24 —3M 91
Jessop Sq. E14 —2L 77
Jessops Way. Croy —1G 123
Jessup Clo. SE18 —5A 80
Jetstar Way. N'holt —6J 53
Jevington Way. SE12 —7F 94
Jewel Rd. E17 —1L 45
Jewels Hill. Big H —4E 140
Jewel Tower. —4J 75
(off College M.)
Jewish Mus. —4F 58
Jewish Mus., The. —9M 25
(off East End Rd.)
Jewry St. EC3 —9D 60
Jew's Row. SW18 —3M 89
Jews Wlk. SE26 —1F 108
Jeymer Av. NW2 —1F 56
Jeymer Dri. Gnfd —4M 53
(in two parts)
Jeypore Pas. SW18 —5A 90
Jeypore Rd. SW18 —6A 90
Jillian Clo. Hamp —4L 101
Jim Bradley Clo. SE18 —5L 79

Kelsey Pk. Av.—Kestrel Clo.

Kelsey Pk. Av. Beck —6M 109
Kelsey Pk. Rd. Beck —6L 109
Kelsey Rd. Orp —6F 112
Kelsey Sq. Beck —6L 109
Kelsey St. E2 —7E 60
Kelsey Way. Beck —7L 109
Kelshall. Wat —9J 5
Kelsie Way. Ilf —6C 32
Kelson Ho. E14 —4A 78
Kelso Pl. W8 —4M 73
Kelso Rd. Cars —2A 122
Kelston Rd. Ilf —9M 31
Kelvedon Av. W on T —9C 116
Kelvedon Clo. King T —3L 103
Kelvedon Ho. SW8 —9J 75
Kelvedon Rd. SW6 —8K 73
Kelvedon Wlk. Rain —4D 66
Kelvedon Way. Wfd G —6K 31
Kelvin Av. N13 —6K 27
Kelvin Av. Tedd —3C 102
Kelvinbrook. W Mol —7M 101
Kelvin Clo. Eps —8L 119
Kelvin Ct. SE20 —5F 108
Kelvin Ct. W11 —1L 73
Kelvin Ct. Iswth —1C 86
Kelvin Cres. Harr —7C 22
Kelvin Dri. Twic —5F 86
Kelvin Gdns. Croy —2J 123
Kelvin Gdns. S'hall —9L 53
Kelvin Gro. SE26 —9F 92
Kelvin Gro. Chess —5H 119
Kelvington Clo. Croy —2J 125
Kelvington Rd. SE15 —4H 93
Kelvin Pde. Orp —3C 128
Kelvin Rd. N5 —9A 44
Kelvin Rd. Well —2E 96
Kember St. N1 —3K 59
Kemble Clo. Wey —6B 116
Kemble Ct. SE15 —8C 76
(off Lydney Clo.)
Kemble Dri. Brom —5J 127
Kemble Ho. SW9 —2M 91
(off Barrington Rd.)
Kemble Rd. N17 —8E 28
Kemble Rd. SE23 —7H 93
Kemble Rd. Croy —5M 123
Kembleside Rd. Big H —9G 141
Kemble St. WC2 —9K 59
Kemerton Rd. SE5 —2A 92
Kemerton Rd. Beck —6M 109
Kemerton Rd. Croy —2D 124
Kemeys St. E9 —1J 61
Kemnal Rd. Chst —4A 112
(in two parts)
Kemp. NW9 —8D 24
(off Concourse, The)
Kemp Ct. SW8 —8J 75
(off Hartington Rd.)
Kempe Ho. SE1 —4B 76
(off Burge St.)
Kempe Rd. NW6 —5H 57
Kempe Rd. Enf —9B 6
(in two parts)
Kemp Gdns. Croy —1A 124
Kemp Ho. E6 —2L 63
Kemp Ho. W1 —1H 75
(off Berwick St.)
Kempis Way. SE22 —4C 92
Kemplay Rd. NW3 —9B 42
Kemp Pl. Bush —8L 9
Kemp Rd. Dag —6H 49
Kemprow. —1B 10
Kemprow. A'ham —1B 10
Kemps Ct. W1 —9H 59
(off Hopkins St.)
Kemps Dri. E14 —1L 77
Kemp's Dri. E14 —1L 77
Kemps Dri. N'wd —7D 20
Kempsford Gdns. SW5 —6L 73
Kempsford Rd. SE11 —5L 75
(in two parts)
Kemps Gdns. SE13 —4A 94
Kempshott Rd. SW16 —4H 107
Kempson Rd. SW6 —9L 73
Kempthorne Rd. SE8 —5K 77
Kempton Av. Horn —9K 51
Kempton Av. N'holt —2L 53
Kempton Av. Sun —5F 100
Kempton Clo. Eri —7A 82
Kempton Clo. Uxb —9A 36
Kempton Ct. E1 —8F 60
Kempton Ct. Sun —5F 100
Kempton Pk. Racecourse. —4G 101
Kempton Rd. E6 —4K 63
Kempton Rd. Hamp —6K 101
(in three parts)
Kempton Wlk. Croy —1J 125
Kempt St. SE18 —7L 79
Kemsing Clo. Bex —6J 97
Kemsing Clo. Brom —4D 126
Kemsing Clo. T Hth —8A 108
Kemsing Ho. SE1 —3B 76
(off Long La.)
Kemsing Rd. SE10 —6E 78
Kemsley Ct. W13 —2G 71
Kenbrook Ho. W14 —4K 73
Kenbury Gdns. SE5 —1A 92
Kenbury Mans. SE5 —1A 92
(off Kenbury St.)
Kenbury St. SE5 —1A 92
Kenchester Clo. SW8 —8J 75
Kencot Way. Eri —3K 81
Kendal. NW1 —6F 58
(off Augustus St.)
Kendal Av. N18 —4B 28
Kendal Av. W3 —7L 55
(in two parts)
Kendal Av. Bark —4C 64
Kendal Clo. SW9 —8M 75
Kendal Clo. Felt —7D 84
Kendal Clo. Hay —5C 52
Kendal Clo. Wfd G —2D 30
Kendal Ct. W3 —8L 55
Kendal Ct. Borwd —4A 12
Kendal Cft. Horn —1E 66
Kendale Rd. Brom —2C 110
Kendal Gdns. N18 —4B 28
Kendal Gdns. Sutt —4A 122
Kendal Ho. E9 —4G 61
Kendal Ho. N1 —5K 59
(off Priory Grn. Est.)
Kendal Ho. SE20 —6E 108
(off Derwent Rd.)
Kendall Av. Beck —6J 109
Kendall Av. S Croy —1B 138
Kendall Av. S. S Croy —2A 138
Kendall Ct. SW19 —3B 106
Kendall Ct. Sidc —9E 96
Kendall Lodge. Brom —5F 110
(off Willow Tree Wlk.)
Kendall Pl. W1 —8E 58
Kendall Rd. SE18 —9J 79
Kendall Rd. Beck —6J 109
Kendall Rd. Iswth —1E 86
Kendalmere Clo. N10 —8F 26
Kendal Pde. N18 —4B 28
Kendal Pl. SW15 —4K 89
Kendal Rd. NW10 —9E 40
Kendal Rd. Wal A —8J 7
Kendals Clo. Rad —1C 10
Kendal Steps. W2 —9C 58
(off St George's Fields)
Kendal St. W2 —9C 58
Kender St. SE14 —8G 77
Kendoa Rd. SW4 —3H 91
Kendon Clo. E11 —3F 46
Kendor Av. Eps —3A 134
Kendra Hall Rd. S Croy —9M 123
Kendrey Gdns. Twic —6C 86
Kendrick Ct. SE15 —9F 76
(off Woods Rd.)
Kendrick M. SW7 —5B 74
Kendrick Pl. SW7 —5B 74
Kenelm Clo. Harr —8E 38
Kenerne Dri. Barn —7J 13
Kenford Clo. Wat —5F 4
Kenilford Rd. SW12 —6F 90
Kenilworth Av. E17 —9L 29
Kenilworth Av. SW19 —2L 105
Kenilworth Av. Harr —9K 37
Kenilworth Av. Romf —6M 35
Kenilworth Av. Stoke D —6A 132
Kenilworth Clo. Bans —8M 135
Kenilworth Clo. Borwd —5A 12
Kenilworth Ct. Dart —5M 99
(off Bow Arrow La.)
Kenilworth Ct. Wat —3E 8
Kenilworth Cres. Enf —3C 16
Kenilworth Dri. Borwd —5A 12
Kenilworth Dri. Crox G —6A 8
Kenilworth Dri. W on T —5H 117
Kenilworth Gdns. SE18 —1M 95
Kenilworth Gdns. Hay —8D 52
Kenilworth Gdns. Horn —8G 51
Kenilworth Gdns. Ilf —7D 48
Kenilworth Gdns. Lou —8K 19
Kenilworth Gdns. S'hall —6K 53
Kenilworth Gdns. Wat —5G 21
Kenilworth Rd. E3 —5J 61
Kenilworth Rd. NW6 —4K 57
Kenilworth Rd. SE20 —5H 109
Kenilworth Rd. W5 —2J 71
Kenilworth Rd. Ashf —9B 144
Kenilworth Rd. Edgw —3A 24
Kenilworth Rd. Eps —7E 120
Kenilworth Rd. Orp —1A 128
Kenley. —6A 138
Kenley Av. NW9 —8C 24
Kenley Clo. Barn —6C 14
Kenley Clo. Bex —6L 97
Kenley Clo. Chst —7C 112
Kenley Ct. Kenl —7M 137
Kenley Gdns. Horn —7K 51
Kenley Gdns. T Hth —8M 107
Kenley La. Kenl —6A 138
Kenley Rd. SW19 —6L 105
Kenley Rd. King T —6M 103
Kenley Rd. Twic —5F 86
Kenley Wlk. W11 —1J 73
Kenley Wlk. Sutt —6H 121
Kenlor Rd. SW17 —2B 106
Kenmare Dri. Mitc —4D 106
Kenmare Gdns. N13 —4A 28
Kenmare Rd. T Hth —1L 123
Kenmere Gdns. Wemb —4L 55
Kenmere Rd. Well —1G 97
Kenmont Gdns. NW10 —6F 56
Kenmore Av. Harr —2E 38
Kenmore Clo. Rich —8L 71
Kenmore Cres. Hay —6D 52
Kenmore Gdns. Edgw —9M 23
Kenmore Rd. Harr —1H 39
Kenmore Rd. Kenl —6M 137
Kenmure Rd. E8 —1F 60
Kenmure Yd. E8 —1F 60
Kennacraig Clo. E16 —2E 78
Kennard Ho. SW11 —1E 90
Kennard Rd. E15 —3B 62
Kennard Rd. N11 —5D 26
Kennard St. E16 —2K 79
Kennard St. SW11 —9E 74
Kennedy Av. Enf —8G 17
Kennedy Clo. E13 —5E 62
Kennedy Clo. Chesh —1E 6
Kennedy Clo. Mitc —5E 106
Kennedy Clo. Orp —3B 128
Kennedy Clo. Pinn —6K 21
Kennedy Ct. Bush —2B 22
Kennedy Ct. Croy —1K 125
Kennedy Cox Ho. E16 —8D 62
(off Burke St.)
Kennedy Ho. SE11 —6K 75
(off Vauxhall Wlk.)
Kennedy Path. W7 —7D 54
Kennedy Rd. W7 —8C 54
Kennedy Rd. Bark —4C 64
Kennedy Wlk. SE17 —5B 76
(off Elsted St.)
Kennel Wood Cres. New Ad —3B 140
Kennet Clo. SW11 —3B 90
Kenneth Av. Ilf —9M 47
Kenneth Campbell Ho. NW8 —7B 58
(off Orchardson St.)
Kenneth Ct. SE11 —5L 75
Kenneth Cres. NW2 —1F 56
Kenneth Gdns. Stan —6E 22
Kenneth More Rd. Ilf —8M 47
Kenneth More Theatre. —8M 47
Kennet Ho. NW8 —7B 58
(off Church St. Est.)
Kenneth Rd. Bans —7B 136
Kenneth Rd. Romf —5H 49
Kenneth Robbins Ho. N17 —7F 28
Kenneth Younger Ho. SW6 —7K 73
(off Clem Attlee Ct.)
Kennet Rd. W9 —7K 57
Kennet Rd. Dart —2E 98
Kennet Rd. Iswth —2D 86
Kennet Sq. SW19 —5B 106
Kennet St. E1 —2E 76
Kennett Ct. W4 —8M 71
Kennett Ct. Swan —7C 114
(off Oakleigh Clo.)
Kennett Ct. Wat —6F 8
(off Whippendell Rd.)
Kennett Dri. Hay —8J 53
Kennett Wharf La. EC4 —1A 76
Kenninghall. (Junct.) —5G 29
Kenninghall Rd. E5 —8E 44
Kenninghall Rd. N18 —5G 29
Kenning Ho. N1 —4C 60
(off Colville Est.)
Kenning St. SE16 —3G 77
Kennings Way. SE11 —6L 75
Kennington. —7L 75
Kennington Grn. SE11 —6L 75
Kennington Gro. SE11 —7K 75
Kennington La. SE11 —6K 75
Kennington Oval. (Junct.) —7L 75
Kennington Oval. SE11 —7K 75
Kennington Pal. Ct. SE11 —6L 75
(off Sancroft St.)
Kennington Pk. Gdns. SE11 —7M 75
Kennington Pk. Ho. SE11 —6L 75
(off Kennington Pk. Pl.)
Kennington Pk. Pl. SE11 —7L 75
Kennington Pk. Rd. SE11 —7L 75
Kennington Rd. SE1 & SE11 —4L 75
Kennistoun Ho. NW5 —1G 59
Kenny Dri. Cars —1E 136
Kennyland Ct. NW4 —4F 40
(off Hendon Way)
Kennylands Rd. Ilf —7E 32
Kenny Rd. NW7 —6J 25
Kenrick Pl. W1 —8E 58
Kensal Green. —6G 57
Kensal Ho. W10 —7H 57
(off Ladbroke Gro.)
Kensal Rise. —5H 57
Kensal Rd. W10 —7J 57
Kensal Town. —7J 57
Kensington. —3M 73
Kensington Arc. W8 —3M 73
(off Kensington High St.)
Kensington Av. E12 —2J 63
Kensington Av. T Hth —5L 107
Kensington Av. Wat —6D 8
Kensington Cen. W14 —5J 73
(in two parts)
Kensington Chu. Ct. W8 —3M 73
Kensington Chu. St. W8 —2L 73
Kensington Chu. Wlk. W8 —3M 73
(in two parts)
Kensington Clo. N11 —6E 26
Kensington Ct. SE16 —2H 77
(off King & Queen Wharf)
Kensington Ct. W8 —3M 73
Kensington Ct. Gdns. W8 —4M 73
(off Kensington Ct. Pl.)
Kensington Ct. M. W8 —4M 73
(off Kensington Ct. Pl.)
Kensington Ct. Pl. W8 —4M 73
Kensington Dri. Wfd G —9H 31
Kensington Gardens. —2A 74
Kensington Gdns. Ilf —6K 47
Kensington Gdns. King T —7H 103
(in two parts)
Kensington Gdns. Sq. W2 —9M 57
Kensington Ga. W8 —4A 74
Kensington Gore. SW7 —3A 74
Kensington Hall Gdns. W14 —6K 73
Kensington Heights. W8 —2L 73
Kensington High St. W14 & W8 —4K 73
Kensington Ho. W14 —3H 73
Kensington Mall. W8 —2L 73
Kensington Mans. SW5 —6L 73
(off Trebovir Rd., in two parts)
Kensington Palace. —2M 73
Kensington Pal. Gdns. W8 —2M 73
Kensington Pk. Gdns. W11 —1K 73
Kensington Pk. M. W11 —9K 57
Kensington Pk. Rd. W11 —9K 57
Kensington Pl. W8 —2L 73
Kensington Rd. W8 & SW7 —3A 74
Kensington Rd. N'holt —6L 53
Kensington Rd. Romf —4A 50
Kensington Sq. W8 —4M 73
Kensington Ter. S Croy —9B 124
Kensington Village. W14 —5K 73
Kensington Way. Borwd —5B 12
Kensington W. W14 —5J 73
Kenswick Ct. SE13 —4M 93
Kensworth Ho. EC1 —6B 60
(off Cranwood St.)
Kent Av. W13 —8F 54
Kent Av. Dag —7L 65
Kent Av. Well —4D 96
Kent Clo. Borwd —2B 12
Kent Clo. Mitc —8J 107
Kent Clo. Orp —8C 128
Kent Clo. Uxb —2A 142
Kent Ct. E2 —5D 60
Kent Ct. NW9 —9C 24
Kent Dri. Cockf —6E 14
Kent Dri. Horn —9H 51
Kent Dri. Tedd —2C 102
Kentford Way. N'holt —4J 53
Kent Gdns. W13 —8F 54
Kent Gdns. Ruis —4E 36
Kent Ga. Way. Croy —8K 125
Kent Ho. SE1 —6D 76
Kent Ho. SW1 —6H 75
(off Aylesford St.)
Kent Ho. W4 —6C 72
(off Devonshire St.)
Kent Ho. La. Beck —3J 109
Kent Ho. Rd. SE26 & Beck —2J 109
Kentish Bldgs. SE1 —3B 76
(off Borough High St.)
Kentish Rd. Belv —5L 81
Kentish Town. —1F 58
Kentish Town Ind. Est. NW5 —1F 58
Kentish Town Rd. NW1 & NW5 —3F 58
Kentish Way. Brom —6E 110
Kentlea Rd. SE28 —3C 80
Kentmere Ho. SE15 —7G 77
Kentmere Mans. W5 —7F 54
Kentmere Rd. SE18 —5C 80
Kenton. —3G 39
Kenton Av. Harr —5D 38
Kenton Av. S'hall —1L 69
Kenton Av. Sun —6H 101
Kenton Ct. SE26 —1J 109
(off Adamsrill Rd.)
Kenton Ct. W14 —4K 73
Kenton Ct. Kent —4F 38
Kenton Ct. Twic —5H 87
Kentone Ct. SE25 —8F 108
Kenton Gdns. Harr —3G 39
Kenton Ho. E1 —7G 61
(off Mantus Clo.)
Kenton La. Harr —6D 22
Kenton Pk. Av. Harr —2H 39
Kenton Pk. Clo. Harr —2G 39
Kenton Pk. Cres. Harr —2H 39
Kenton Pk. Mans. Kent —3G 39
(off Kenton Rd.)
Kenton Pk. Pde. Harr —3G 39
Kenton Pk. Rd. Harr —2G 39
Kenton Rd. E9 —2H 61
Kenton Rd. Harr —5D 38
Kenton St. WC1 —7J 59
Kenton Way. Hay —6C 52
Kent Pk. Ind. Est. SE15 —7F 76
Kent Pas. NW1 —7D 58
Kent Rd. N21 —1B 28
Kent Rd. W4 —4A 72
Kent Rd. Dag —1M 65
Kent Rd. Dart —5H 99
Kent Rd. E Mol —8A 102
Kent Rd. King T —7H 103
Kent Rd. Orp & St M —1F 128
Kent Rd. Rich —8L 71
Kent Rd. W W'ck —3M 125
Kent's Pas. Hamp —5K 101
Kent St. E2 —5D 60
Kent St. E13 —6F 62
Kent Ter. NW1 —6C 58
Kent Vw. Ave —3M 83
Kent Vw. Wen —1H 83
Kent Vw. Gdns. Ilf —7C 48
Kent Wlk. SW9 —3M 91
Kent Way. Surb —5J 119
Kentwell Clo. SE4 —3J 93
Kent Wharf. SE8 —8M 77
(off Creekside)
Kentwode Grn. SW13 —8E 72
Kent Yd. SW7 —3C 74
Kenver Av. N12 —6B 26
Kenward Rd. SE9 —4G 95
Kenway. Rain —6H 67
Kenway. Romf —9A 34
Ken Way. Wemb —8A 40
Kenway Clo. Rain —6G 67
Kenway Rd. SW5 —5M 73
Kenway Wlk. Rain —6H 67
Ken Wilson Ho. E2 —5E 60
(off Pritchards Rd.)
Kenwood Av. N14 —7H 15
Kenwood Clo. NW3 —6B 42
Kenwood Clo. W Dray —7L 143
Kenwood Dri. Beck —7A 110
Kenwood Dri. W on T —8F 116
Kenwood Gdns. E18 —1F 46
Kenwood Gdns. Ilf —2L 47
Kenwood House. —6C 42
Kenwood Ho. SW9 —3M 91
Kenwood Ho. Wat —9B 8
Kenwood Pk. Wey —8B 116
Kenwood Ridge. Kenl —9M 137
Kenwood Rd. N6 —4D 42
Kenwood Rd. N9 —1E 28
Kenworth Clo. Wal X —6D 6
Kenworthy Rd. E9 —1J 61
Kenwrick Ho. N1 —4K 59
(off Barnsbury Est.)
Kenwyn Dri. NW2 —7C 40
Kenwyn Lodge. N2 —2D 42
Kenwyn Rd. SW4 —3H 91
Kenwyn Rd. SW20 —5G 105
Kenwyn Rd. Dart —4H 99
Kenya Rd. SE7 —8H 79
Kenyngton Ct. Sun —2E 100
Kenyngton Dri. Sun —2E 100
Kenyngton Pl. Harr —3G 39
Kenyon Mans. W14 —7J 73
(off Queen's Club Gdns.)
Kenyon St. SW6 —9H 73
Keogh Rd. E15 —2C 62
Keple Pl. SW13 —7F 72
Kepler Ho. SE10 —6D 78
(off Armitage Rd.)
Kepler Rd. SW4 —3J 91
Keppel Ho. SE8 —6K 77
Keppel Rd. E6 —3K 63
Keppel Rd. Dag —9J 49
Keppel Row. SE1 —2A 76
Keppel St. WC1 —8H 59
Kerbela St. E2 —7E 60
Kerbey St. E14 —9M 61
Kerfield Cres. SE5 —9B 76
Kerfield Pl. SE5 —9B 76
Kernow Clo. Horn —7J 51
Kerri Clo. Barn —6G 13
Kerridge Ct. N1 —2C 60
(off Balls Pond Rd.)
Kerrington Ct. W12 —3G 73
(off Uxbridge Rd.)
Kerrison Pl. W5 —2H 71
Kerrison Rd. E15 —4B 62
Kerrison Rd. SW11 —2C 90
Kerrison Rd. W5 —2H 71
Kerrison Vs. W5 —2H 71
Kerry. N7 —2J 59
Kerry Av. Ave —4L 83
Kerry Av. Stan —4G 23
Kerry Clo. E16 —9F 62
Kerry Clo. N13 —2K 27
Kerry Ct. Stan —4H 23
Kerry Ho. E1 —9G 61
(off Sidney St.)
Kerry Path. SE14 —7K 77
Kerry Rd. SE14 —7K 77
Kersey Dri. S Croy —4G 139
Kersey Gdns. SE9 —1J 111
Kersey Gdns. Romf —7J 35
Kersfield Rd. SW15 —5H 89
Kershaw Clo. SW18 —5B 90
Kershaw Clo. Horn —5J 51
Kershaw Rd. Dag —8L 49
Kersley M. SW11 —9D 74
Kersley Rd. N16 —7C 44
Kersley St. SW11 —1D 90
Kerstin Clo. Hay —1D 68
Kerswell Clo. N15 —3C 44
Kerwick Clo. N7 —3J 59
Keslake Mans. NW10 —5H 57
(off Station Ter.)
Keslake Rd. NW6 —5H 57
Kessock Clo. N17 —3F 44
Kesteven Clo. Ilf —6D 32
Kestlake Rd. Bex —5G 97
Keston. —7G 127
Keston Av. Kes —7G 127
Keston Clo. N18 —3B 28
Keston Clo. Well —8G 81
Keston Ct. Bex —6K 97
Keston Ct. Surb —9K 103
(off Cranes Pk.)
Keston Gdns. Kes —6G 127
Keston Ho. SE17 —6C 76
(off Kinglake St.)
Keston Mark. —6J 127
Keston Mark. (Junct.) —5J 127
Keston M. Wat —4F 8
Keston Pk. Clo. Kes —5K 127
Keston Rd. N17 —1B 44
Keston Rd. SE15 —2E 92
Keston Rd. T Hth —1L 123
Kestral Clo. Wat —7J 5
Kestrel Av. E6 —8J 63
Kestrel Av. SE24 —4M 91
Kestrel Clo. NW9 —9C 24
Kestrel Clo. NW10 —1B 56
Kestrel Clo. Eps —3M 133

Kestrel Clo.—Kingsland Grn.

Kestrel Clo. Horn —3F 66
Kestrel Clo. Ilf —4F 32
Kestrel Clo. King T —1H 103
Kestrel Ct. E17 —9H 29
Kestrel Ct. Ruis —7B 36
Kestrel Ct. S Croy —8A 124
Kestrel Ho. EC1 —6A 60
(off Pickard St.)
Kestrel Pl. SE14 —7J 77
Kestrel Rd. Wal A —7M 7
Kestrels, The. Brick W —4K 5
Kestrel Way. Hay —3B 68
Kestrel Way. New Ad —1B 140
Keswick Av. SW15 —2C 104
Keswick Av. SW19 —6L 105
Keswick Av. Horn —6H 51
Keswick Av. Shep —7C 100
Keswick Clo. Sutt —6A 122
Keswick Ct. SE6 —7D 94
Keswick Ct. Short —8D 110
Keswick Dri. Enf —9C 6
Keswick Gdns. Ilf —2J 47
Keswick Gdns. Ruis —4B 36
Keswick Gdns. Wemb —9J 39
Keswick Ho. SE5 —1A 92
Keswick Ho. Romf —6H 35
(off Dartfields)
Keswick M. W5 —2J 71
Keswick Rd. SW15 —4J 89
Keswick Rd. Bexh —9L 81
Keswick Rd. Orp —3D 128
Keswick Rd. Twic —5A 86
Keswick Rd. W W'ck —4C 126
Kettering Rd. Enf —1H 17
Kettering Rd. Romf —7J 35
Kettering St. SW16 —3G 107
Kett Gdns. SW2 —4K 91
Kettlebaston Rd. E10 —6K 45
Kettleby Ho. SW9 —2M 91
(off Barrington Rd.)
Kettlewell Clo. N11 —6E 26
Kettlewell Ct. Swan —6D 114
Ketton Ho. W10 —7G 57
(off Sutton Way)
Kevan Ct. E17 —2L 45
Kevan Ho. SE5 —8A 76
Kevelioc Rd. N17 —8A 28
Kevere Ct. N'wd —5A 20
Kevin Clo. Houn —1H 85
Kevington. —1J 129
Kevington Clo. Orp —8D 112
Kevington Dri. Chst & Orp —8C 112
Kew. —8L 71
Kew Bridge. (Junct.) —6K 71
Kew Bri. Bren & Kew —7K 71
Kew Bri. Arches. Rich —7L 71
Kew Bri. Ct. W4 —6L 71
Kew Bri. Distribution Cen. Bren —6K 71
Kew Bri. Rd. Bren —7K 71
Kew Bridge Steam Mus. —6K 71
Kew Cres. Sutt —5J 121
Kewferry Dri. N'wd —5A 20
Kewferry Rd. N'wd —6A 20
Kew Foot Rd. Rich —3J 87
Kew Gardens Plants & People Exhibition. —8K 71
Kew Gdns. Rd. Rich —8K 71
Kew Green. (Junct.) —8L 71
Kew Grn. Rich —7K 71
Kew Mdw. Path. Rich —9M 71
(in two parts)
Kew Palace. —8J 71
Kew Retail Pk. Rich —9M 71
Kew Rd. Rich —7L 71
Keybridge Ho. SW8 —7J 75
(off Miles St.)
Key Clo. E1 —7G 61
Keyes Ho. SW1 —6H 75
(off Dolphin Sq.)
Keyes Rd. NW2 —1H 57
Keyes Rd. Dart —3K 99
Key Ho. SE11 —7L 75
Keymer Clo. Big H —8G 141
Keymer Rd. SW2 —8K 91
Keynes Clo. N2 —2D 42
Keynsham Av. Wfd G —4C 30
Keynsham Gdns. SE9 —4J 95
Keynsham Rd. SE9 —4H 95
Keynsham Rd. Mord —3M 121
Keynsham Wlk. Mord —3M 121
Keys Ct. Croy —5B 124
(off Beech Ho. Rd.)
Keyse Rd. SE1 —4D 76
Keysham Av. Houn —9E 68
Keystone Cres. N1 —5J 59
Keywood Dri. Sun —3E 100
Keyworth Clo. E5 —9J 45
Keyworth Pl. SE1 —4M 75
(off Keyworth St.)
Keyworth St. SE1 —4M 75
Kezia St. SE8 —6J 77
Khama Rd. SW17 —1C 106
Khartoum Rd. E13 —6F 62
Khartoum Rd. SW17 —1B 106
Khartoum Rd. Ilf —1M 63
Khyber Rd. SW11 —1C 90
Kibworth St. SW8 —8K 75
Kidbrooke. —1F 94
Kidbrooke Est. SE3 —2G 95
Kidbrooke Gdns. SE3 —1E 94
Kidbrooke Gro. SE3 —9E 78
Kidbrooke La. SE9 —3J 95
Kidbrooke Pk. Clo. SE3 —9F 78
Kidbrooke Pk. Rd. SE3 —9F 78
Kidbrooke Way. SE3 —1F 94
Kidderminster Pl. Croy —3M 123
Kidderminster Rd. Croy —3M 123
Kidderpore Av. NW3 —9L 41
Kidderpore Gdns. NW3 —9L 41
Kidd Pl. SE7 —6J 79
Kidlington Way. NW9 —9B 24
Kielder Clo. Ilf —6D 32
Kierbeck Bus. Complex. E16 —3F 78
Kier Hardie Ct. NW10 —3D 56
Kiffen St. EC2 —7B 60
Kilberry Clo. Iswth —9B 70
Kilbrennan Ho. E14 —9A 62
(off Findhorn St.)
Kilburn. —4L 57
Kilburn Bri. NW6 —4L 57
Kilburn Ga. NW6 —5M 57
Kilburn High Rd. NW6 —3K 57
Kilburn La. W10 & W9 —6H 57
Kilburn Pk. Rd. NW6 —6L 57
Kilburn Pl. NW6 —4L 57
Kilburn Priory. NW6 —4M 57
Kilburns Mill Clo. Wall —4F 122
Kilburn Sq. NW6 —4L 57
Kilburn Va. NW6 —4M 57
Kilburn Va. Est. NW6 —4M 57
(off Kilburn Va.)
Kilby Clo. Wat —8H 5
Kilcorral Clo. Eps —6E 134
Kildare Clo. Ruis —6G 37
Kildare Gdns. W2 —9L 57
Kildare Rd. E16 —8E 62
Kildare Ter. W2 —9L 57
Kildare Wlk. E14 —9L 61
Kildonan Clo. Wat —3D 8
Kildoran Rd. SW2 —4J 91
Kildowan Rd. Ilf —6E 48
Kilgour Rd. SE23 —5J 93
Kilkie St. SW6 —1A 90
Killarney Rd. SW18 —5A 90
Killearn Rd. SE6 —7B 94
Killester Gdns. Wor Pk —6F 120
Killewarren Way. Orp —1G 129
Killick Ho. Sutt —6M 121
Killick St. N1 —5K 59
Killieser Av. SW2 —8J 91
Killigarth Ct. Sidc —1E 112
Killip Clo. E16 —9D 62
Killowen Av. N'holt —1A 54
Killowen Rd. E9 —2H 61
Killyon Rd. SW8 —1G 91
Killyon Ter. SW8 —1G 91
Kilmaine Rd. SW6 —8J 73
Kilmarnock Gdns. Dag —8G 49
Kilmarnock Rd. Wat —4H 21
Kilmarsh Rd. W6 —5G 73
Kilmartin Av. SW16 —7L 107
Kilmartin Rd. Ilf —7E 48
Kilmartin Way. Horn —1F 66
Kilmington Rd. SW13 —7E 72
Kilmiston Av. Shep —1A 116
Kilmore Ho. E14 —9M 61
(off Vesey Path)
Kilmorey Gdns. Twic —4F 86
Kilmorey Rd. Twic —3F 86
Kilmorie Rd. SE23 —7J 93
Kilmuir Ho. SW1 —5E 74
(off Bury St.)
Kiln Clo. Hay —7B 68
Kiln Ct. E14 —1K 77
(off Newell St.)
Kilner Ho. SE11 —7L 75
(off Clayton St.)
Kilner St. E14 —8L 61
Kilnfields. Orp —8L 129
Kiln La. Eps —3C 134
Kiln M. SW17 —2B 106
Kiln Pl. NW5 —1E 58
Kilnside. Clay —9E 118
Kiln Way. N'wd —6C 20
Kiln Wood La. Romf —5B 34
Kilpatrick Way. Hay —8J 53
Kilravock St. W10 —6J 57
Kilronan. W3 —9B 56
Kilross Rd. Felt —7B 84
Kilrue La. W on T —6D 116
Kilsby Wlk. Dag —2F 64
Kilsha Rd. W on T —1G 117
Kilsmore La. Chesh —1D 6
Kilvinton Dri. Enf —2B 16
Kimbell Gdns. SW6 —9J 73
Kimbell Pl. SE3 —3G 95
Kimberley Av. E6 —5J 63
Kimberley Av. SE15 —1F 92
Kimberley Av. Ilf —5B 48
Kimberley Av. Romf —4A 50
Kimberley Dri. Sidc —8H 97
Kimberley Gdns. N4 —3M 43
Kimberley Gdns. Enf —5D 16
Kimberley Ga. Brom —4C 110
Kimberley Ho. E14 —4A 78
(off Galbraith St.)
Kimberley Ind. Est. E17 —8K 29
Kimberley Pl. Purl —3L 137
Kimberley Rd. E4 —1C 30
Kimberley Rd. E11 —7B 46
Kimberley Rd. E16 —7D 62
Kimberley Rd. E17 —8J 29
Kimberley Rd. N17 —9E 28
Kimberley Rd. N18 —6F 28
Kimberley Rd. NW6 —4J 57
Kimberley Rd. SW9 —1J 91
Kimberley Rd. Beck —6H 109
Kimberley Rd. Croy —1M 123
Kimberley Wlk. W on T —2F 116
Kimberley Way. E4 —1C 30
Kimber Rd. SW18 —6L 89
Kimble Clo. Wat —9C 8
Kimble Cres. Bush —9A 10
Kimble Ho. NW8 —7C 58
(off Lilestone St.)
Kimble Rd. SW19 —3B 106
Kimbolton Clo. SE12 —5D 94
Kimbolton Ct. SW3 —5C 74
(off Fulham Rd.)
Kimbolton Grn. Borwd —6A 12
Kimbolton Row. SW3 —5C 74
(off Fulham Rd.)
Kimmeridge Gdns. SE9 —1J 111
Kimmeridge Rd. SE9 —1J 111
Kimpton Ind. Est. Sutt —4K 121
Kimpton Pl. Wat —7H 5
Kimpton Rd. SE5 —9B 76
Kimpton Rd. Sutt —4K 121
Kinburn St. SE16 —3H 77
Kincaid Rd. SE15 —8F 76
Kincardine Gdns. W9 —7L 57
(off Harrow Rd.)
Kincha Lodge. King T —5K 103
(off Elm Rd.)
Kinch Gro. Wemb —5K 39
Kinder Clo. SE28 —1H 81
Kinder Ho. N1 —5B 60
(off Cranston Est.)
Kindersley Ho. E1 —9E 60
(off Pinchin St.)
Kindersley Way. Ab L —4A 4
Kinder St. E1 —9F 60
Kinefold Ho. N7 —2J 59
Kinetic Bus. Cen. Borwd —5L 11
Kinetic Cres. Enf —9F 6
Kinfauns Av. Horn —4G 51
Kinfauns Rd. SW2 —8L 91
Kinfauns Rd. Ilf —6E 48
Kingaby Gdns. Rain —3E 66
King Alfred Av. SE6 —1L 109
(in two parts)
King Alfred Rd. Romf —9K 35
King & Queen Clo. SE9 —1J 111
King & Queen St. SE17 —6A 76
King & Queen Wharf. SE16 —1H 77
King Arthur Clo. SE15 —8G 77
King Arthur Ct. Chesh —4E 6
King Charles Ct. SE17 —7M 75
(off Royal Rd.)
King Charles Cres. Surb —2K 119
King Charles Ho. SW6 —8M 73
(off Wandon Rd.)
King Charles Rd. Surb —9K 103
King Charles's Ct. SE10 —7A 78
(off Park Row)
King Charles St. SW1 —3H 75
King Charles Ter. E1 —1F 76
(off Sovereign Clo.)
King Charles Wlk. SW19 —7J 89
King Ct. E10 —5M 45
Kingcup Clo. Croy —2H 125
King David La. E1 —1G 77
Kingdom Way. Uxb —8B 142
Kingdon Ho. E14 —4A 78
(off Galbraith St.)
Kingdon Rd. NW6 —2L 57
King Edward Av. Dart —5H 99
King Edward Av. Rain —5H 67
King Edward Building. EC1 —9M 59
King Edward Dri. Chess —5J 119
King Edward Mans. E8 —4F 60
(off Mare St.)
King Edward M. SW13 —9E 72
King Edward Rd. E10 —6A 46
King Edward Rd. E17 —1J 45
King Edward Rd. Barn —6L 13
King Edward Rd. Romf —4D 50
King Edward Rd. Wal X —6E 6
King Edward Rd. Wat —8J 9
King Edward's Gdns. W3 —2L 71
King Edwards Gro. Tedd —3F 102
King Edwards Mans. SW6 —8L 73
(off Fulham Rd.)
King Edward's Pl. W3 —2L 71
King Edward's Rd. E8 —4F 60
King Edward's Rd. N9 —9F 16
King Edwards Rd. Bark —4B 64
King Edward's Rd. Enf —6H 17
King Edward's Rd. Ruis —6B 36
King Edward St. EC1 —9A 60
King Edward III M. SE16 —3F 76
King Edward Wlk. SE1 —4L 75
Kingfield Rd. W5 —7H 55
Kingfield St. E14 —5A 78
Kingfisher Av. E11 —4F 46
Kingfisher Clo. SE28 —1G 81
Kingfisher Clo. Har W —7D 22
Kingfisher Clo. Orp —8H 113
Kingfisher Clo. W on T —7J 117
Kingfisher Ct. E14 —3A 78
(off River Barge Clo.)
Kingfisher Ct. SW19 —8H 89
Kingfisher Ct. Enf —2K 15
Kingfisher Ct. Houn —4M 85
Kingfisher Dri. Rich —1F 102
Kingfisher Gdns. S Croy —3H 139
Kingfisher M. SE13 —3L 93
Kingfisher Pl. N22 —9K 27
Kingfisher Sq. SE8 —7K 77
(off Clyde St.)
Kingfisher St. E6 —8J 63
Kingfisher Wlk. NW9 —9C 24
Kingfisher Way. NW10 —2B 56
Kingfisher Way. Beck —9H 109
King Frederick IX Tower. SE16 —4K 77
King Gdns. Croy —7M 123
King George Av. E16 —9G 63
King George Av. Bush —8M 9
King George Av. Ilf —3B 48
King George Av. W on T —3H 117
King George Clo. Romf —1A 50
King George Clo. Sun —2C 100
King George Rd. Wal A —7J 7
King George's Av. Wat —7C 8
King George's Dri. S'hall —8K 53
King George VI Av. Big H —8H 141
King George VI Av. Mitc —8D 106
King George's Trad. Est. Chess —6L 119
King George St. SE10 —8A 78
Kingham Clo. SW18 —6A 90
Kingham Clo. W11 —3J 73
(off Holland Pk. Av.)
King Harold Ct. Wal A —6J 7
(off Sun St.)
King Harolds Way. Bexh & Belv —8H 81
King Henry M. Orp —7D 128
King Henry's Dri. New Ad —1M 139
King Henry's M. Enf —1L 17
(off Mollison Av.)
King Henry's Reach. W6 —7G 73
King Henry's Rd. NW3 —3C 58
King Henry's Rd. King T —7M 103
King Henry St. N16 —1C 60
King Henry's Wlk. N1 —2C 60
King Henry Ter. E1 —1F 76
(off Sovereign Clo.)
Kinghorn St. EC1 —8A 60
King Ho. W12 —9F 56
King James Ct. SE1 —3M 75
(off King James St.)
King James St. SE1 —3M 75
King John Ct. EC2 —7C 60
King John St. E1 —8H 61
King John's Wlk. SE9 —6J 95
(Middle Pk. Av.)
King John's Wlk. SE9 —7H 95
(Mottingham La.)
Kinglake Est. SE17 —6C 76
Kinglake St. SE17 —6C 76
(in two parts)
Kingly Ct. W1 —1G 75
(off Beak St.)
Kingly St. W1 —9G 59
Kingsand Rd. SE12 —8E 94
Kings Arbour. S'hall —6J 69
King's Arms All. Bren —7H 71
Kings Arms Ct. E1 —8E 60
(off Whitechapel Rd.)
Kings Arms Yd. EC2 —9B 60
Kings Arms Yd. Romf —3C 50
Kingsash Dri. Hay —7J 53
King's Av. N10 —1E 42
Kings Av. N21 —1M 27
Kings Av. SW12 & SW4 —7H 91
Kings Av. W5 —9H 55
Kings Av. Brom —3D 110
King's Av. Buck H —2H 31
King's Av. Cars —9C 122
King's Av. Gnfd —8M 53
Kings Av. Houn —9M 69
Kings Av. N Mald —8C 104
Kings Av. Romf —4K 49
King's Av. Sun —2D 100
King's Av. Wat —6D 8
King's Av. Wfd G —6F 30
King's Bench St. SE1 —3M 75
King's Bench Wlk. EC4 —9L 59
Kingsbridge Av. W5 —3K 71
Kingsbridge Cir. Romf —6J 35
Kingsbridge Clo. Romf —6J 35
Kingsbridge Ct. E14 —4L 77
(off Dockers Tanner Rd.)
Kingsbridge Cres. S'hall —8K 53
Kingsbridge Rd. W10 —9G 57
Kingsbridge Rd. Bark —5B 64
Kingsbridge Rd. Mord —1H 121
Kingsbridge Rd. Romf —6J 35
Kingsbridge Rd. S'hall —5K 69
Kingsbridge Rd. W on T —2F 116
Kingsbridge Way. Hay —6C 52
Kingsbrook. Lea —9E 132
Kingsbury. —5B 40
Kingsbury Circ. NW9 —3L 39
Kingsbury Green. —3A 40
Kingsbury Rd. N1 —2C 60
Kingsbury Rd. NW9 —3L 39
Kingsbury Ter. N1 —2C 60
Kingsbury Trad. Est. NW9 —4B 40
Kings Chase. E Mol —7A 102
Kings Chase Vw. Ridg —4L 15
Kingsclere Clo. SW15 —6E 88
Kingsclere Ct. N12 —5C 26
Kingsclere Pl. Enf —4A 16
Kingscliffe Gdns. SW19 —7K 89
Kings Clo. E10 —5M 45
King's Clo. NW4 —2H 41
King's Clo. Dart —3C 98
Kings Clo. N'wd —6D 20
Kings Clo. Th Dit —1E 118
Kings Clo. W on T —3F 116
King's Clo. Wat —6F 8
Kings College Ct. NW3 —3C 58
King's College Rd. NW3 —3C 58
Kings College Rd. Ruis —4D 36
Kingscote Rd. W4 —4B 72
Kingscote Rd. Croy —2F 124
Kingscote Rd. N Mald —7B 104
Kingscote St. EC4 —1M 75
King's Ct. E13 —4F 62
Kings Ct. N7 —3K 59
(off Caledonian Rd.)
Kings Ct. NW8 —4D 58
(off Prince Albert Rd.)
King's Ct. SE1 —3M 75
Kings Ct. W6 —5E 72
Kings Ct. Buck H —2H 31
Kings Ct. N. SW3 —6C 74
(off King's Rd.)
Kingscourt Rd. SW16 —9H 91
Kings Ct. S. SW3 —6C 74
(off King's Rd.)
King's Cres. N4 —8A 44
Kings Cres. Est. N4 —7A 44
Kingscroft. SW4 —5J 91
Kingscroft Rd. NW2 —2K 57
Kingscroft Rd. Bans —7B 136
King's Cross. —5J 59
Kings Cross. (Junct.) —6J 59
King's Cross Bri. WC1 —6J 59
(off Gray's Inn Rd.)
King's Cross Rd. WC1 —6K 59
Kingsdale Gdns. W11 —2H 73
Kingsdale Rd. SE18 —8D 80
Kingsdale Rd. SE20 —4H 109
Kingsdown Av. W3 —1C 72
Kingsdown Av. W13 —3F 70
Kingsdown Av. S Croy —2M 137
Kingsdown Clo. SE16 —6F 76
(off Masters Dri.)
Kingsdown Clo. W10 —9H 57
Kingsdowne Rd. Surb —2J 119
Kingsdown Ho. E8 —1E 60
Kingsdown Rd. E11 —8C 46
Kingsdown Rd. N19 —7J 43
Kingsdown Rd. Eps —5E 134
Kingsdown Rd. Sutt —7J 121
Kingsdown Way. Brom —2E 126
King's Dri. Edgw —4K 23
Kings Dri. Surb —2L 119
Kings Dri. Tedd —2B 102
Kings Dri. Th Dit —2F 118
Kings Dri. W on T —9D 116
Kings Dri. Wemb —7M 39
Kingsend. Ruis —6B 36
Kingsend Ct. Ruis —6C 36
Kings Farm. E17 —8M 29
Kings Farm Av. Rich —3L 87
Kingsfield Av. Harr —2M 37
Kingsfield Ct. Wat —9H 9
Kingsfield Dri. Enf —8D 6
Kingsfield Ho. SE9 —9H 95
Kingsfield Rd. Harr —5B 38
Kingsfield Rd. Wat —9H 9
Kingsfield Ter. Dart —4H 99
Kingsfield Ter. Harr —6B 38
Kingsfield Way. Enf —8D 6
Kingsford Av. Wall —9J 123
Kingsford St. NW5 —1D 58
Kingsford Way. E6 —8K 63
King's Gdns. NW6 —3L 57
Kings Gdns. Ilf —6B 48
Kings Gth. M. SE23 —8G 93
Kingsgate. Wemb —8A 40
Kingsgate Av. N3 —1L 41
Kingsgate Bus. Cen. King T —5J 103
Kingsgate Clo. Bexh —9J 81
Kingsgate Clo. Orp —6G 113
Kingsgate Est. N1 —2C 60
Kingsgate Ho. SW9 —9L 75
Kingsgate Mans. WC1 —8K 59
(off Red Lion Sq.)
Kingsgate Pde. SW1 —4G 75
(off Victoria St.)
Kingsgate Pl. NW6 —3L 57
Kingsgate Rd. NW6 —3L 57
Kingsgate Rd. King T —5J 103
Kings Grange. Ruis —6D 36
Kings Grn. Lou —5J 19
Kingsground. SE9 —6H 95
King's Gro. SE15 —8F 76
(in two parts)
Kings Gro. Romf —3E 50
Kingshall M. SE13 —2A 94
Kings Hall Rd. Beck —4J 109
Kings Head Hill. E4 —9M 17
Kings Head Pas. SW4 —3H 91
(off Clapham Pk. Rd.)
Kings Head Theatre. —4M 59
(off Upper St.)
King's Head Yd. SE1 —2B 76
King's Highway. SE18 —7C 80
Kingshill. SE17 —5A 76
King's Hill. Lou —4J 19
Kingshill Av. Harr —2F 38
Kingshill Av. Hay & N'holt —6C 52
Kingshill Av. Romf —6A 34
Kingshill Av. Wor Pk —2E 120
Kingshill Ct. Barn —6J 13
Kingshill Dri. Harr —9F 22
Kingshold Rd. E9 —3G 61
Kingsholm Gdns. SE9 —3H 95
Kings Ho. SW8 —8J 75
(off S. Lambeth Rd.)
Kingshurst Rd. SE12 —6E 94
Kings Keep. SW15 —4H 89
Kings Keep. Brom —7C 110
Kings Keep. King T —8J 103
Kingsland. —2C 60
Kingsland. NW8 —4C 58
Kingsland Grn. E8 —2C 60

Lancelot Gdns. E Barn —9E 14
Lancelot Pl. SW7 —3D 74
Lancelot Rd. Ilf —6C 32
Lancelot Rd. Well —3E 96
Lancelot Rd. Wemb —9H 39
Lance Rd. Harr —5A 38
Lancer Sq. W8 —3M 73
Lancey Clo. SE7 —5J 79
Lanchester Ct. W2 —9D 58
(off Seymour St.)
Lanchester Rd. N6 —3D 42
Lancing Gdns. N9 —1D 28
Lancing Ho. Croy —6B 124
(off Coombe Rd.)
Lancing Ho. Wat —4G 9
(off Hallam Clo.)
Lancing Rd. W13 —1F 70
Lancing Rd. Croy —2K 123
Lancing Rd. Felt —8D 84
Lancing Rd. Ilf —4B 48
Lancing Rd. Orp —4E 128
Lancing Rd. Romf —7J 35
Lancing St. NW1 —6H 59
Lancing Way. Crox G —7A 8
Lancresse Clo. Uxb —2B 142
Lancresse Ct. N1 —4C 60
(off De Beauvoir Est.)
Landale Gdns. Dart —6G 99
Landale Ho. SE16 —4G 77
(off Lower Rd.)
Landau Ct. S Croy —7A 124
(off Warham Rd.)
Landau Way. Eri —6H 83
Landcroft Rd. SE22 —4D 92
Landells Rd. SE22 —5D 92
Landford Rd. SW15 —2G 89
Landgrove Rd. SW19 —2L 105
Landin Ho. E14 —9L 61
(off Thomas Rd.)
Landleys Fld. NW5 —1H 59
(off Long Mdw.)
Landmann Ho. SE16 —5F 76
(off Rennie Est.)
Landmann Way. SE14 —6H 77
Landmark Commercial Cen. N18 —6C 28
Landmark Ho. W6 —6G 73
(off Hammersmith Bri. Rd.)
Landmead Rd. Chesh —2E 6
Landon Pl. SW1 —4D 74
Landon's Clo. E14 —2A 78
Landon Wlk. E14 —1M 77
Landon Way. Ashf —3A 100
Landor Ho. SE5 —8B 76
(off Elmington Est.)
Landor Rd. SW4 —2J 91
Landor Wlk. W12 —3E 72
Landra Gdns. N21 —8M 15
Landrake. NW1 —4G 59
(off Plender St.)
Landridge Dri. Enf —2F 16
Landridge Rd. SW6 —1K 89
Landrock Rd. N8 —4J 43
Landscape Rd. Wfd G —7F 30
Landseer Av. E12 —1L 63
Landseer Clo. SW19 —5A 106
Landseer Clo. Edgw —9L 23
Landseer Clo. Horn —6F 50
Landseer Ct. Hay —5B 52
Landseer Ho. NW8 —7B 58
(off Frampton St.)
Landseer Ho. SW1 —5H 75
(off Herrick St.)
Landseer Ho. SW11 —9E 74
Landseer Ho. N'holt —5H 53
(off Parkfield Dri.)
Landseer Rd. N19 —8J 43
(in two parts)
Landseer Rd. Enf —7E 16
Landseer Rd. N Mald —2B 120
Landseer Rd. Sutt —8L 121
Lands End. Els —8H 11
Landstead Rd. SE18 —8B 80
Landulph Ho. SE11 —6L 75
(off Kennings Way)
Landward Ct. W1 —9C 58
(off Harrowby St.)
Landway, The. Orp —7G 113
Lane App. NW7 —5J 25
Lane Clo. NW2 —8F 40
Lane End. SW15 —5H 89
Lane End. Bexh —2M 97
Lane End. Eps —6M 133
Lane Gdns. Bus H —9C 10
Lane M. E12 —8K 47
Lanercost Clo. SW2 —8L 91
Lanercost Gdns. N14 —9J 15
Lanercost Rd. SW2 —8L 91
Lanesborough Pl. SW1 —3E 74
(off Grosvenor Pl.)
Laneside. Chst —2M 111
Laneside. Edgw —5A 24
Laneside Av. Dag —5K 49
Lane, The. NW8 —5A 58
Lane, The. SE3 —2E 94
Laneway. SW15 —4F 88
Laney Ho. EC1 —8L 59
(off Leather La.)
Lanfranc Ct. Harr —8D 38
Lanfranc Rd. E3 —5J 61
Lanfrey Pl. W14 —6K 73
Langbourne Av. N6 —7E 42
Langbourne Ct. E17 —4J 45
Langbourne Mans. N6 —7E 42
Langbourne Pl. E14 —6M 77
Langbourne Way. Clay —8E 118
Langbrook Rd. SE3 —2H 95
Langcroft Clo. Cars —5D 122
Langdale. NW1 —6G 59
(off Stanhope St.)
Langdale Av. Mitc —7D 106
Langdale Clo. SE17 —7A 76
Langdale Clo. SW14 —3A 87
Langdale Clo. Dag —6G 49
Langdale Clo. Orp —5M 127
Langdale Cres. Bexh —8L 81
Langdale Dri. Hay —5C 52
Langdale Gdns. Gnfd —6F 54
Langdale Gdns. Horn —1E 66
Langdale Gdns. Wal X —8D 6
Langdale Ho. SW1 —6G 75
(off Churchill Gdns.)
Langdale Pde. Mitc —7D 106
Langdale Rd. SE10 —8A 78
Langdale Rd. T Hth —8L 107
Langdale St. E1 —9F 60
Langdon Ct. EC1 —5M 59
(off City Rd.)
Langdon Ct. NW10 —4C 56
Langdon Cres. E6 —5L 63
Langdon Dri. NW9 —6A 40
Langdon Ho. E14 —9A 62
Langdon Pk. Rd. N6 —5G 43
Langdon Pl. SW14 —2A 88
Langdon Rd. E6 —4L 63
Langdon Rd. Brom —7F 110
Langdon Rd. Mord —9A 106
Langdons Ct. S'hall —4L 69
Langdon Shaw. Sidc —2D 112
Langdon Wlk. Mord —9A 106
Langdon Way. SE1 —5E 76
Langford Clo. E8 —1E 60
Langford Clo. N15 —4C 44
Langford Clo. NW8 —5A 58
Langford Clo. W3 —3M 71
Langford Ct. NW8 —5A 58
(off Abbey Rd.)
Langford Cres. Cockf —6D 14
Langford Grn. SE5 —2C 92
Langford Ho. SE8 —7L 77
Langford Pl. NW8 —5A 58
Langford Pl. Sidc —9E 96
Langford Rd. SW6 —1M 89
Langford Rd. Cockf —6D 14
Langford Rd. Wfd G —6G 31
Langfords. Buck H —2H 31
Langham Clo. N15 —1M 43
(off Langham Rd.)
Langham Ct. NW4 —3H 41
Langham Ct. Horn —5H 51
Langham Ct. Ruis —1F 52
Langham Dene. Kenl —7M 137
Langham Dri. Romf —4F 48
Langham Gdns. N21 —7L 15
Langham Gdns. W13 —1F 70
Langham Gdns. Edgw —7A 24
Langham Gdns. Rich —1G 103
Langham Gdns. Wemb —7G 39
Langham Ho. Clo. Rich —1H 103
Langham Mans. SW5 —6M 73
(off Earl's Ct. Sq.)
Langham Pl. N15 —1M 43
Langham Pl. W1 —8F 58
Langham Pl. W4 —7C 72
Langham Rd. N15 —1M 43
Langham Rd. SW20 —5G 105
Langham Rd. Edgw —6A 24
Langham Rd. Tedd —2F 102
Langham St. W1 —8F 58
Langhedge Clo. N18 —6D 28
Langhedge La. N18 —6D 28
Langhedge La. Ind. Est. N18 —6D 28
Langholm Clo. SW12 —6H 91
Langholme. Bush —1A 22
Langhorn Dri. Twic —6C 86
Langhorne Ct. NW8 —3B 58
(off Dorman Way)
Langhorne Rd. Dag —3L 65
Lang Ho. SW8 —8J 75
(off Hartington Rd.)
Langland Ct. N'wd —7A 20
Langland Cres. Stan —9H 23
Langland Dri. Pinn —7J 21
Langland Gdns. NW3 —1M 57
Langland Gdns. Croy —4K 125
Langland Ho. SE5 —8B 76
(off Edmund St.)
Langlands Ri. Eps —5A 134
Langler Rd. NW10 —5G 57
Langley Av. Ruis —7F 36
Langley Av. Surb —3H 119
Langley Av. Wor Pk —3H 121
Langleybury La. Wat & K Lan —7A 4
(in two parts)
Langley Clo. Romf —7H 35
Langley Ct. WC2 —1J 75
Langley Cres. E11 —5G 47
Langley Cres. Dag —3G 65
Langley Cres. Edgw —3A 24
Langley Cres. Hay —8D 68
Langley Dri. E11 —5G 47
Langley Dri. W3 —3M 71
Langley Gdns. Brom —8G 111
Langley Gdns. Dag —3H 65
Langley Gdns. Orp —1M 127
Langley Gro. N Mald —6C 104
Langley La. SW8 —7J 75
Langley La. Ab L —4D 4
Langley Mans. SW8 —7K 75
(off Langley La.)
Langley Oaks Av. S Croy —2E 138
Langley Pk. NW7 —6C 24
Langley Pk. Rd. Sutt —7A 122
Langley Rd. SW19 —5K 105
Langley Rd. Ab L —4C 4
Langley Rd. Beck —8J 109
Langley Rd. Iswth —1D 86
Langley Rd. S Croy —1H 139
Langley Rd. Surb —2J 119
Langley Rd. Wat —3D 8
Langley Rd. Well —7G 81
Langley Row. Barn —3K 13
Langley St. WC2 —9J 59
Langley Va. Rd. Eps —9C 134
Langley Way. Wat —4C 8
Langley Way. W W'ck —3B 126
Langmead Dri. Bus H —1C 22
Langmead St. SE27 —1M 107
Langmore Ct. Bexh —2H 97
Langmore Ho. E1 —9E 60
(off Stutfield St.)
Langport Ct. W on T —3G 117
Langport Ho. SW9 —1M 91
Langport Ho. Romf —7J 35
(off Leyburn Rd.)
Langridge M. Hamp —3K 101
Langroyd Rd. SW17 —8D 90
Langside Av. SW15 —3E 88
Langside Cres. N14 —3H 27
Langston Hughes Clo. SE24 —3M 91
Lang St. E1 —7G 61
Langthorn Ct. EC2 —9B 60
Langthorne Ct. SE6 —1A 110
Langthorne Ho. Hay —5C 68
Langthorne Rd. E11 —8A 46
Langthorne St. SW6 —8H 73
Langton Av. E6 —6L 63
Langton Av. N20 —9A 14
Langton Av. Eps —3D 134
Langton Clo. WC1 —7K 59
Langton Gro. N'wd —5A 20
Langton Ho. SE11 —5K 75
(off Lambeth Wlk.)
Langton Pl. SW18 —7L 89
Langton Ri. SE23 —6F 92
Langton Rd. NW2 —8G 41
Langton Rd. SW9 —8M 75
Langton Rd. Harr —7A 22
Langton Rd. W Mol —8A 102
Langton St. SW10 —7A 74
Langton Way. SE3 —9D 78
Langton Way. Croy —5C 124
Langtry Pl. SW6 —7L 73
Langtry Rd. NW8 —4M 57
Langtry Rd. N'holt —5H 53
Langtry Wlk. NW8 —4M 57
Langwood Chase. Tedd —3G 103
Langwood Clo. Asht —9L 133
Langwood Gdns. Wat —3E 8
Langworth Clo. Dart —9H 99
Langworth Dri. Hay —9E 52
Langworthy. Pinn —6L 21
Lanhill Rd. W9 —7L 57
Lanier Rd. SE13 —5B 94
Lanigan Dri. Houn —4M 85
Lankaster Gdns. N2 —8B 26
Lankers Dri. Harr —4K 37
Lankton Clo. Beck —5A 110
Lannock Rd. Hay —2D 68
Lannoy Point. SW6 —8J 73
(off Pellant Rd.)
Lannoy Rd. SE9 —7A 96
Lanrick Ho. E14 —9B 62
(off Lanrick Rd.)
Lanrick Rd. E14 —9B 62
Lanridge Rd. SE2 —4H 81
Lansbury Av. N18 —5B 28
Lansbury Av. Bark —3E 64
Lansbury Av. Felt —5F 84
Lansbury Av. Romf —3J 49
Lansbury Clo. NW10 —1A 56
Lansbury Cres. Dart —4L 99
Lansbury Dri. Hay —5C 52
Lansbury Est. E14 —9M 61
Lansbury Gdns. E14 —9B 62
Lansbury Rd. Enf —3H 17
Lansbury Way. N18 —5C 28
Lanscombe Wlk. SW8 —9J 75
Lansdell Ho. SW2 —5L 91
(off Tulse Hill)
Lansdell Rd. Mitc —6E 106
Lansdown Clo. W on T —3G 117
Lansdowne Av. Bexh —8H 81
Lansdowne Av. Orp —3M 127
Lansdowne Clo. SW20 —4H 105
Lansdowne Clo. Surb —4M 119
Lansdowne Clo. Twic —7D 86
Lansdowne Clo. Wat —8H 5
Lansdowne Ct. W11 —1J 73
(off Lansdowne Ri.)
Lansdowne Ct. Ilf —1J 47
Lansdowne Ct. Purl —2M 137
Lansdowne Ct. Wor Pk —4E 120
Lansdowne Cres. W11 —1J 73
Lansdowne Dri. E8 —2E 60
Lansdowne Gdns. SW8 —9J 75
Lansdowne Grn. Est. SW8 —9J 75
Lansdowne Gro. NW10 —9C 40
Lansdowne Hill. SE27 —9M 91
Lansdowne La. SE7 —7H 79
Lansdowne M. SE7 —6H 79
Lansdowne M. W11 —2K 73
Lansdowne Pl. SE1 —4B 76
Lansdowne Pl. SE19 —4D 108
Lansdowne Ri. W11 —1J 73
Lansdowne Rd. E4 —2L 29
Lansdowne Rd. E11 —7D 46
Lansdowne Rd. E17 —4L 45
Lansdowne Rd. E18 —1E 46
Lansdowne Rd. N3 —7L 25
Lansdowne Rd. N10 —9G 27
Lansdowne Rd. N17 —8D 28
Lansdowne Rd. SW19 —4G 105
Lansdowne Rd. W11 —1J 73
Lansdowne Rd. Brom —4E 110
Lansdowne Rd. Croy —4A 124
Lansdowne Rd. Eps —9A 120
Lansdowne Rd. Harr —5C 38
Lansdowne Rd. Houn —2M 85
Lansdowne Rd. Ilf —6D 48
Lansdowne Rd. Purl —4L 137
Lansdowne Rd. Stan —6G 23
Lansdowne Rd. Uxb —9A 52
Lansdowne Row. W1 —2F 74
Lansdowne Ter. WC1 —7J 59
Lansdowne Wlk. W11 —2K 73
Lansdowne Way. SW8 —9H 75
Lansdowne Wood Clo. SE27 —9M 91
Lansdowne Workshops. SE7 —6G 79
Lansdown Rd. E7 —3G 63
Lansdown Rd. Sidc —9F 96
Lansfield Av. N18 —4E 28
Lantern Clo. SW15 —3E 88
Lantern Clo. Wemb —1H 55
Lanterns Ct. E14 —3M 77
Lantern Way. W Dray —3J 143
Lant Ho. SE1 —3A 76
(off Toulmin St.)
Lant St. SE1 —3A 76
Lanvanor Rd. SE15 —1G 93
Lanyard Ho. SE8 —5K 77
Lapford Clo. W9 —7K 57
Lapponum Wlk. Hay —7H 53
Lapse Wood Wlk. SE23 —7F 92
Lapstone Gdns. Harr —4G 39
Lapwing Clo. Eri —8F 82
Lapwing Clo. S Croy —2J 139
Lapwing Ct. Surb —5L 119
Lapwing Pl. Wat —5G 5
Lapwing Tower. SE8 —7K 77
(off Abinger Gro., in two parts)
Lapwing Way. Ab L —4E 4
Lapwing Way. Hay —9H 53
Lapworth. N11 —4F 26
(off Coppies Gro.)
Lapworth Clo. Orp —4G 129
Lapworth Ct. W2 —8M 57
(off Chichester Rd.)
Lara Clo. SE13 —5A 94
Lara Clo. Chess —9J 119
Larbert Rd. SW16 —4G 107
Larby Pl. Eps —2C 134
Larch Av. W3 —2C 72
Larch Av. Brick W —3J 5
Larch Clo. E13 —7F 62
Larch Clo. N11 —7E 26
Larch Clo. N19 —7G 43
Larch Clo. SE8 —7K 77
Larch Clo. SW12 —8F 90
Larch Cres. Eps —8M 119
Larch Cres. Hay —8G 53
Larch Dene. Orp —4L 127
Larch Dri. W4 —6L 71
Larches Av. SW14 —3B 88
Larches Av. Enf —8C 6
Larches, The. N13 —3A 28
Larches, The. Bush —7H 9
Larches, The. N'wd —6A 20
Larches, The. Uxb —6F 142
Larch Grn. NW9 —8C 24
Larch Gro. Sidc —7D 96
Larch Ho. SE16 —3G 77
(off Ainsty Est.)
Larch Ho. W10 —7J 57
(off Rowan Wlk.)
Larch Ho. Brom —5C 110
Larch Ho. Hay —8G 53
Larch Rd. E10 —7L 45
Larch Rd. NW2 —9G 41
Larch Rd. Dart —6H 99
Larch Tree Way. Croy —5L 125
Larchvale Ct. Sutt —9M 121
Larch Wlk. Swan —6B 114
Larch Way. Brom —2L 127
Larchwood Av. Romf —6M 33
Larchwood Clo. Bans —7J 135
Larchwood Clo. Romf —6A 34
Larchwood Rd. SE9 —8M 95
Larcombe Clo. Croy —6D 124
Larcombe Ct. Sutt —9M 121
(off Worcester Rd.)
Larcom St. SE17 —5A 76
Larden Rd. W3 —2C 72
Largewood Av. Surb —4L 119
Largo Wlk. Eri —9C 82
Larissa St. SE17 —6B 76
Larkbere Rd. SE26 —1J 109
Larken Clo. Bush —1A 22
Larken Dri. Bush —1A 22
Larkfield Av. Harr —1F 38
Larkfield Clo. Brom —4D 126
Larkfield Rd. Rich —3J 87
Larkfield Rd. Sidc —9D 96
Larkhall Clo. W on T —8G 117
Larkhall La. SW4 —1H 91
Larkhall Ri. SW4 —2G 91
Larkham Clo. Felt —9C 84
Larkin Clo. Coul —9K 137
Lark Row. E2 —4G 61
Larksfield Gro. Enf —3F 16
Larks Gro. Bark —3C 64
Larkshall Ct. Romf —9A 34
Larkshall Cres. E4 —4A 30
Larkshall Rd. E4 —5A 30
Larkspur Clo. E6 —8J 63
Larkspur Clo. N17 —7B 28
Larkspur Clo. NW9 —3M 39
Larkspur Clo. Orp —4G 129
Larkspur Clo. Ruis —5A 36
Larkspur Gro. Edgw —4A 24
Larkspur Lodge. Sidc —9F 96
Larkspur Way. Eps —7A 120
Larkswood Clo. Eri —9E 82
Larkswood Ct. E4 —5B 30
Larkswood Ri. Pinn —2G 37
Larkswood Rd. E4 —4L 29
Lark Way. Cars —2C 122
Larkway Clo. NW9 —2B 40
Larmans Rd. Enf —9C 6
Larnach Rd. W6 —7H 73
Larne Rd. Ruis —5D 36
Larner Rd. Eri —8C 82
Larpent Av. SW15 —4G 89
Larsen Dri. Wal A —7K 7
Larwood Clo. Gnfd —1B 54
Lascelles Av. Harr —5B 38
Lascelles Clo. E11 —7B 46
Lascelles Ho. NW1 —7C 58
(off Harewood Av.)
Lascotts Rd. N22 —6K 27
Laseron Ho. N15 —2D 44
(off Tottenham Grn. E.)
Lassa Rd. SE9 —4J 95
Lassell St. SE10 —6B 78
Lasseter Pl. SE3 —7C 78
Latchett Rd. E18 —8F 30
Latchford Pl. Chig —4F 32
Latching Clo. Romf —4H 35
Latchingdon Ct. E17 —2H 45
Latchingdon Gdns. Wfd G —6J 31
Latchmere Clo. Rich —2J 103
Latchmere La. King T —3K 103
Latchmere Pas. SW11 —1C 90
Latchmere Rd. SW11 —1D 90
Latchmere Rd. King T —4J 103
Latchmere St. SW11 —1D 90
Lateward Rd. Bren —7H 71
Latham Clo. E6 —8J 63
Latham Clo. Big H —8G 141
Latham Clo. Twic —6E 86
Latham Ct. W14 —5L 73
(off W. Cromwell Rd.)
Latham Ct. N'holt —6H 53
(off Seasprite Clo.)
Latham Ho. E1 —9H 61
(off Chudleigh St.)
Latham Rd. Bexh —4L 97
Latham Rd. Twic —6D 86
Latham's Way. Croy —3K 123
Lathkill Clo. Enf —9E 16
Lathkill Ct. Beck —5K 109
Lathom Rd. E6 —3J 63
Latimer Av. E6 —4K 63
Latimer Clo. Pinn —8G 21
Latimer Clo. Wat —9C 8
Latimer Clo. Wor Pk —6F 120
Latimer Ct. Brom —8D 110
(off Durham Rd.)
Latimer Ct. Wal X —7F 6
Latimer Dri. Horn —8H 51
Latimer Gdns. Pinn —8G 21
Latimer Ho. E9 —2H 61
Latimer Ho. W11 —1K 73
(off Kensington Pk. Rd.)
Latimer Pl. W10 —9G 57
Latimer Rd. E7 —9F 46
Latimer Rd. N15 —4C 44
Latimer Rd. SW19 —3M 105
Latimer Rd. W10 —8G 57
(in two parts)
Latimer Rd. Barn —5M 13
Latimer Rd. Croy —5M 123
Latimer Rd. Tedd —2D 102
Latona Ct. SW9 —8L 75
(off Caldwell St.)
Latona Rd. SE15 —7E 76
La Tourne Gdns. Orp —5A 128
Lattimer Pl. W4 —8C 72
Latton Clo. Esh —6M 117
Latton Clo. W on T —2J 117
Latymer Clo. Wey —6A 116
Latymer Ct. W6 —5H 73
Latymer Gdns. N3 —9J 25
Latymer Rd. N9 —1D 28
Latymer Way. N9 —2C 28
Lauder Clo. N'holt —5H 53
Lauder Ct. N14 —9J 15
Lauderdale Dri. Rich —9H 87
Lauderdale Ho. SW9 —9L 75
(off Gosling Way)

Lee St.—Lillechurch Rd.

Lee St. E8 —4D 60
Lee Ter. SE3 —2C 94
Lee, The. N'wd —5D 20
Lee Valley Ice Centre. —7H 45
Lee Valley Leisure Centre. —1J 29
Lee Valley Pk. —1G 7
Lee Valley Technopark. N17 —1E 44
Lee Vw. Enf —3M 15
Leeward Ct. E1 —1E 76
Leeward Gdns. SW19 —2J 105
Leeway. SE8 —6K 77
Leeway Clo. H End —7K 21
Leeways, The. Sutt —8J 121
Leewood Clo. SE12 —5E 94
Leewood Pl. Swan —8B 114
Lefa Bus. & Ind. Est. Sidc —3H 113
Lefevre Wlk. E3 —4K 61
Leff Ho. NW6 —4J 57
Lefroy Ho. SE1 —3A 76
(off Southwark Bri. Rd.)
Lefroy Rd. W12 —3D 72
Legard Rd. N5 —8M 43
Legatt Rd. SE9 —4H 95
Leggatt Rd. E15 —5A 62
Leggatts Clo. Wat —9D 4
Leggatts Ri. Wat —8E 4
Leggatts Way. Wat —9D 4
Leggatts Wood Av. Wat —9F 4
Legge St. SE13 —4A 94
Leghorn Rd. NW10 —5D 56
Leghorn Rd. SE18 —6B 80
Legion Clo. N1 —3L 59
Legion Ct. Mord —1L 121
Legion Rd. Gnfd —4A 54
Legion Ter. E3 —4K 61
Legion Way. N12 —7C 26
Legon Av. Romf —6A 50
Legrace Av. Houn —1H 85
Leicester Av. Mitc —8J 107
Leicester Clo. Wor Pk —6G 121
Leicester Ct. WC2 —1H 75
(off Lisle St.)
Leicester Ct. Twic —5H 87
(off Clevedon Rd.)
Leicester Fields. WC2 —1H 75
(off Leicester Sq.)
Leicester Gdns. Ilf —5C 48
Leicester Ho. SW9 —2M 91
(off Loughborough Rd.)
Leicester M. N2 —1C 42
Leicester Pl. WC2 —1H 75
Leicester Rd. E11 —3F 46
Leicester Rd. N2 —1C 42
Leicester Rd. NW10 —3B 56
Leicester Rd. Barn & New Bar —7M 13
Leicester Rd. Croy —2C 124
Leicester Sq. WC2 —1H 75
Leicester St. WC2 —1H 75
Leigham Av. SW16 —9J 91
Leigham Clo. SW16 —9K 91
Leigham Ct. Rd. SW16 —8J 91
Leigham Dri. Iswth —8C 70
Leigham Hall Pde. SW16 —9J 91
(off Streatham High Rd.)
Leigham Va. SW16 & SW2 —9K 91
Leigh Av. Ilf —2H 47
Leigh Clo. N Mald —8A 104
Leigh Clo. Ind. Est. N Mald —8B 104
Leigh Ct. Borwd —4B 12
Leigh Ct. Harr —6C 38
Leigh Cres. New Ad —9M 125
Leigh Dri. Romf —4H 35
Leigh Gdns. NW10 —5G 57
Leigh Hunt Dri. N14 —1H 27
Leigh Orchard Clo. SW16 —9K 91
Leigh Pl. EC1 —8L 59
Leigh Pl. Dart —1L 115
Leigh Pl. Well —1E 96
Leigh Rd. E6 —2L 63
Leigh Rd. E10 —5A 46
Leigh Rd. N5 —9M 43
Leigh Rd. Houn —3B 86
Leigh Rodd. Wat —3K 21
Leigh St. WC1 —6J 59
Leigh Ter. Orp —7F 112
Leighton Av. E12 —1L 63
Leighton Av. Pinn —1J 37
Leighton Clo. Edgw —9L 23
Leighton Ct. Chesh —2D 6
Leighton Cres. NW5 —1G 59
Leighton Gdns. NW10 —5F 56
Leighton Gdns. Croy —3M 123
Leighton Gdns. S Croy —5F 138
Leighton Gro. NW5 —1G 59
Leighton Ho. SW1 —5H 75
(off Herrick St.)
Leighton House Art Gallery. —4K 73
Leighton House Mus. —4K 73
Leighton Mans. W14 —7J 73
(off Greyhound Rd.)
Leighton Pl. NW5 —1G 59
Leighton Rd. NW5 —1G 59
Leighton Rd. W13 —3E 70
Leighton Rd. Enf —7D 16
Leighton Rd. Har W —9B 22
Leighton St. Croy —3M 123
Leighton Way. Eps —6B 134
Leila Parnell Pl. SE7 —7G 79
Leinster Av. SW14 —2A 88
Leinster Ct. NW6 —6L 57
Leinster Gdns. W2 —9A 58
Leinster M. W2 —1A 74
Leinster Pl. W2 —9A 58
Leinster Rd. N10 —2F 42
Leinster Sq. W2 —9L 57
Leinster Ter. W2 —1A 74
Leisure Way. N12 —7B 26
Leisure West. Felt —8F 84
Leith Clo. NW9 —6B 40
Leithcote Gdns. SW16 —1K 107
Leithcote Path. SW16 —9K 91
Leith Hill. Orp —5E 112
Leith Hill Grn. Orp —5E 112
Leith Mans. W9 —6M 57
(off Grantully Rd.)
Leith Rd. N22 —8M 27
Leith Rd. Eps —4C 134
Leith Towers. Sutt —9M 121
Lela Av. Houn —1G 85
Lelita Clo. E8 —4E 60
Lely Ho. N'holt —5H 53
(off Academy Gdns.)
Leman Pas. E1 —9E 60
(off Leman St.)
Leman St. E1 —9D 60
Lemark Clo. Stan —6G 23
Le May Av. SE12 —9F 94
Lemmon Rd. SE10 —7C 78
Lemna Rd. E11 —5D 46
Le Moal Ho. E1 —8G 61
(off Stepney Way)
Lemon Fld. Dri. Wat —5J 5
Lemonwell Dri. SE9 —5A 96
Lemsford Clo. N15 —4E 44
Lemsford Ct. N4 —7A 44
Lemsford Ct. Borwd —6A 12
Lemuel St. SW18 —5A 90
Lena Gdns. W6 —4G 73
Lena Kennedy Clo. E4 —6A 30
Lenanton Steps. E14 —3L 77
(off Manilla St.)
Len Clifton Ho. SE18 —5K 79
(off Cambridge Barracks Rd.)
Lendal Ter. SW4 —2H 91
Lenderyou Ct. Dart —6H 99
(off Phoenix Pl.)
Lenelby Rd. Surb —3L 119
Len Freeman Pl. SW6 —7K 73
Lenham Ho. SE1 —4B 76
(off Long La.)
Lenham Rd. SE12 —3D 94
Lenham Rd. Bexh —7K 81
Lenham Rd. Sutt —6M 121
Lenham Rd. T Hth —6B 108
Lennard Av. W W'ck —4C 126
Lennard Clo. W W'ck —4C 126
Lennard Rd. SE20 & Beck —3H 109
Lennard Rd. Brom —3K 127
Lennard Rd. Croy —3A 124
Lennon Rd. NW2 —1G 57
Lennox Clo. Romf —4D 50
Lennox Gdns. NW10 —9D 40
Lennox Gdns. SW1 —4D 74
Lennox Gdns. Croy —6M 123
Lennox Gdns. Ilf —6K 47
Lennox Gdns. M. SW1 —4D 74
Lennox Ho. Belv —4L 81
(off Picardy St.)
Lennox Ho. Twic —5H 87
(off Clevedon Rd.)
Lennox Rd. E17 —4K 45
Lennox Rd. N4 —7K 43
Lenor Clo. Bexh —3J 97
Lensbury Clo. Chesh —1E 6
Lensbury Way. SE2 —4G 81
Lens Rd. E7 —3G 63
Lenthall Ho. SW1 —6G 75
(off Churchill Gdns.)
Lenthall Rd. E8 —3E 60
Lenthorp Rd. SE10 —5D 78
Lentmead Rd. Brom —9D 94
Lenton Path. SE18 —7B 80
Lenton Ri. Rich —2J 87
Lenton Rd. SE18 —5B 80
Len Williams Ct. NW6 —5L 57
Leo Ct. Bren —8H 71
Leof Cres. SE6 —2M 109
Leominster Rd. Mord —1A 122
Leominster Wlk. Mord —1A 122
Leonard Av. Mord —9A 106
Leonard Av. Romf —6B 50
Leonard Ct. WC1 —7H 59
Leonard Ct. Har W —8C 22
Leonard Rd. E4 —6L 29
Leonard Rd. E7 —9E 46
Leonard Rd. N9 —3D 28
Leonard Rd. SW16 —5G 107
Leonard Rd. S'hall —4H 69
Leonard Robbins Path. SE28 —1F 80
(off Tawney Rd.)
Leonard's Rd. E14 —8A 62
Leonard St. E16 —2J 79
Leonard St. EC1 —7B 60
Leonora Ho. W9 —7A 58
(off Lanark Rd.)
Leontine Clo. SE15 —8E 76
Leopards Ct. EC1 —8L 59
(off Baldwins Gdns.)
Leopold Av. SW19 —2K 105
Leopold Bldgs. E2 —6D 60
(off Columbia Rd.)
Leopold M. E9 —4G 61
Leopold Rd. E17 —3L 45
Leopold Rd. N2 —1B 42
Leopold Rd. N18 —5F 28
Leopold Rd. NW10 —3C 56
Leopold Rd. SW19 —1K 105
Leopold Rd. W5 —2K 71
Leopold St. E3 —8K 61
Leopold Ter. SW19 —2K 105
Leo St. SE15 —8F 76
Leo Yd. EC1 —7M 59
(off St John St.)
Leppoc Rd. SW4 —4H 91
Leroy St. SE1 —5C 76
Lerry Clo. W14 —7K 73
Lerwick Ct. Enf —7C 16
Lescombe Clo. SE23 —9J 93
Lescombe Rd. SE23 —9J 93
Lesley Clo. Bex —6M 97
Lesley Clo. Swan —7B 114
Leslie Gdns. Sutt —8L 121
Leslie Gro. Croy —3C 124
Leslie Gro. Pl. Croy —3C 124
Leslie Pk. Rd. Croy —3C 124
Leslie Prince Ct. SE5 —8B 76
Leslie Rd. E11 —9A 46
Leslie Rd. E16 —9F 62
Leslie Rd. N2 —1B 42
Leslie Smith Sq. SE18 —7L 79
Lesnes Abbey. —5H 81
Lesney Farm Est. Eri —8B 82
Lesney Pk. Eri —7B 82
Lesney Pk. Rd. Eri —7B 82
Lessar Av. SW4 —5G 91
Lessingham Av. SW17 —1D 106
Lessingham Av. Ilf —1L 47
Lessing St. SE23 —6J 93
Lessington Av. Romf —4A 50
Lessness Av. Bexh —8H 81
Lessness Heath. —6L 81
Lessness Pk. Belv —6K 81
Lessness Rd. Belv —7L 81
Lessness Rd. Mord —1A 122
Lester Av. E15 —7C 62
Lester Ct. Wat —1G 9
Leston Clo. Rain —6F 66
Leswin Pl. N16 —8D 44
Leswin Rd. N16 —8D 44
Letchford Gdns. NW10 —6E 56
Letchford M. NW10 —6E 56
Letchford Ter. Harr —8M 21
Letchmore Heath. —3C 10
Letchworth Av. Felt —6D 84
Letchworth Clo. Brom —9E 110
Letchworth Clo. Wat —5H 21
Letchworth Dri. Brom —9E 110
Letchworth St. SW17 —1D 106
Lethbridge Clo. SE13 —9A 78
Letterstone Rd. SW6 —8K 73
Lettice St. SW6 —9K 73
Lett Rd. E15 —3B 62
Lettsom St. SE5 —1C 92
Lettsom Wlk. E13 —5E 62
Leucha Rd. E17 —3J 45
Levana Clo. SW19 —7J 89
Levant Ho. E1 —7H 61
(off Ernest St.)
Levehurst Ho. SE27 —2A 108
Leven Clo. Wal X —6D 6
Leven Clo. Wat —5H 21
Levendale Rd. SE23 —8J 93
Leven Dri. Wal X —6D 6
Levenhurst Way. SW4 —1J 91
Leven Rd. E14 —8A 62
Leven Way. Hay —9C 52
Leveret Clo. New Ad —3B 140
Leveret Clo. Wat —7E 4
Leverett St. SW3 —5C 74
Leverholme Gdns. SE9 —9L 95
Leverington Pl. N1 —6B 60
(off Charles Sq.)
Leverson St. SW16 —3G 107
Leverstock Ho. SW3 —6C 74
(off Cale St.)
Lever St. EC1 —6M 59
Leverton Pl. NW5 —1G 59
Leverton St. NW5 —1G 59
Leverton Way. Wal A —6J 7
Levett Gdns. Ilf —9D 48
Levett Rd. Bark —2C 64
Levine Gdns. Bark —5H 65
Levison Way. N19 —6H 43
Levita Ho. NW1 —6H 59
(off Ossulston St., in two parts)
Lewes Clo. N'holt —2L 53
Lewesdon Clo. SW19 —7H 89
Lewes Ho. SE1 —3C 76
Lewes Ho. SE15 —7E 76
(off Friary Est.)
Lewes Rd. N12 —5C 26
Lewes Rd. Brom —6H 111
Lewes Rd. Romf —4H 35
Leweston Pl. N16 —5D 44
Lewes Way. Crox G —6A 8
Lewey Ho. E3 —7K 61
(off Joseph St.)
Lewgars Av. NW9 —4A 40
Lewing Clo. Orp —3C 128
Lewin Rd. SW14 —2B 88
Lewin Rd. SW16 —3H 107
Lewin Rd. Bexh —4J 97
Lewins Rd. Eps —6M 133
Lewis Av. E17 —8L 29
Lewis Clo. N14 —9G 15
Lewis Ct. SE16 —6F 76
(off Stubbs Dri.)
Lewis Cres. NW10 —1B 56
Lewis Gdns. N2 —9B 26
Lewis Gro. SE13 —3A 94
Lewisham. —2A 94
Lewisham Bus. Cen. SE14 —7H 77
Lewisham Cen. SE13 —3A 94
Lewisham Crematorium. SE6 —8D 94
Lewisham Heights. SE23 —7G 93
Lewisham High St. SE13 —5M 93
Lewisham Hill. SE13 —1A 94
Lewisham Model Mkt. SE13 —3A 94
(off Lewisham High St.)
Lewisham Pk. SE13 —4A 94
Lewisham Rd. SE13 —9M 77
Lewisham St. SW1 —3H 75
(in two parts)
Lewisham Way. SE14 & SE4 —9K 77
Lewis Ho. E14 —2A 78
(off Coldharbour)
Lewis Rd. Horn —4G 51
Lewis Rd. Mitc —6B 106
(in two parts)
Lewis Rd. Rich —4H 87
Lewis Rd. Sidc —9G 97
Lewis Rd. S'hall —3J 69
Lewis Rd. Sutt —6M 121
Lewis Rd. Well —2G 97
Lewis Silkin Ho. SE15 —7G 77
(off Lovelinch Clo.)
Lewis St. NW1 —2F 58
(in two parts)
Lewis Way. Dag —2M 65
Lexden Dri. Romf —4F 48
Lexden Rd. W3 —1M 71
Lexden Rd. Mitc —8H 107
Lexden Ter. Wal A —7J 7
(off Sewardstone Rd.)
Lexham Gdns. W8 —5L 73
Lexham Gdns. M. W8 —4M 73
Lexham Ho. Bark —4B 64
(off St Margarets)
Lexham M. W8 —5L 73
Lexham Wlk. W8 —4M 73
Lexington Apartments. EC1 —7B 60
Lexington Clo. Borwd —5K 11
Lexington Ct. Purl —2A 138
Lexington St. W1 —1G 75
Lexington Way. Barn —6H 13
Lexton Gdns. SW12 —7H 91
Leyborne Av. W13 —3F 70
Leyborne Pk. Rich —9L 71
Leybourne Clo. Brom —1F 126
Leybourne Ho. E14 —9K 61
Leybourne Ho. SE15 —7G 77
Leybourne Rd. E11 —6D 46
Leybourne Rd. NW1 —3F 58
Leybourne Rd. NW9 —3L 39
Leybourne Rd. Uxb —4A 52
Leybourne St. NW1 —3F 58
Leybridge Ct. SE12 —4E 94
Leyburn Clo. E17 —2M 45
Leyburn Cres. Romf —7J 35
Leyburn Gdns. Croy —4C 124
Leyburn Gro. N18 —6E 28
Leyburn Rd. N18 —6E 28
Leyburn Rd. Romf —7J 35
Leycroft Clo. Lou —7L 19
Leycroft Gdns. Eri —9F 82
Leydenhatch La. Swan —5A 114
Leyden Mans. N19 —5J 43
Leyden St. E1 —8D 60
Leydon Clo. SE16 —2H 77
Leyes Rd. E16 —9H 63
Leyfield. Wor Pk —3C 120
Leyhill Clo. Swan —9C 114
Leyland Av. Enf —4J 17
Leyland Clo. Chesh —1C 6
Leyland Gdns. Wfd G —5G 31
Leyland Ho. E14 —1M 77
(off Hale St.)
Leyland Rd. SE12 —4E 94
Leylang Rd. SE14 —8H 77
Leys Av. Dag —4A 66
Leys Clo. Dag —3B 66
(in two parts)
Leys Clo. Harr —3B 38
Leys Ct. SW9 —1L 91
Leysdown Av. Bexh —3A 98
Leysdown Ho. SE17 —6C 76
(off Madron St.)
Leysdown Rd. SE9 —8J 95
Leysfield Rd. W12 —4E 72
Leys Gdns. Barn —7E 14
Leyspring Rd. E11 —6D 46
Leys Rd. Oxs —4B 132
Leys Rd. E. Enf —3J 17
Leys Rd. W. Enf —3J 17
Leys Sq. N3 —8M 25
Leys, The. N2 —2A 42
Leys, The. Harr —4K 39
Leys, The. W on T —6K 117
Ley St. Ilf —7M 47
Leyswood Dri. Ilf —3C 48
Leythe Rd. W3 —3A 72
Leyton. —8A 46
Leyton Bus. Cen. E10 —7L 45
Leyton Ct. SE23 —7G 93
Leyton Cross. —8E 98
Leyton Cross Rd. Dart —9D 98
Leyton Grange Est. E10 —7L 45
Leyton Grn. Rd. E10 —4A 46
Leyton Ind. Village. E17 —5H 45
Leyton Orient F.C. —8M 45
Leyton Pk. Rd. E10 —8A 46
Leyton Rd. E15 —1A 62
Leyton Rd. SW19 —4A 106
Leytonstone. —6C 46
Leytonstone Rd. E15 —9C 46
Leyton Way. E11 —5C 46
Leywick St. E15 —5C 62
Lezayre Rd. Orp —8D 128
Liardet St. SE14 —7J 77
Liberia Rd. N5 —2M 59
Liberty Av. SW19 —5A 106
Liberty Ct. Bark —5F 64
Liberty M. N22 —8M 27
Liberty M. SW12 —5F 90
Liberty St. SW9 —9K 75
Liberty, The. Romf —3C 50
Liberty 2 Cen. Romf —2D 50
Libra Ct. E4 —4L 29
Libra Rd. E13 —5E 62
Library Ct. N17 —1D 44
Library Pde. NW10 —4C 56
(off Craven Pk. Rd.)
Library Pl. E1 —1F 76
Library St. SE1 —3M 75
Library Way. Twic —6A 86
Lichfield Clo. Barn —5D 14
Lichfield Ct. Rich —3J 87
Lichfield Ct. Surb —9J 103
(off Claremont Rd.)
Lichfield Gdns. Rich —3J 87
Lichfield Gro. N3 —8L 25
Lichfield Rd. E3 —6J 61
Lichfield Rd. E6 —6H 63
Lichfield Rd. N9 —2E 28
Lichfield Rd. NW2 —9J 41
Lichfield Rd. Dag —9F 48
Lichfield Rd. Houn —2G 85
Lichfield Rd. N'wd —1E 36
Lichfield Rd. Rich —9K 71
Lichfield Rd. Wfd G —4C 30
Lichfield Ter. Rich —4J 87
Lichfield Way. S Croy —2H 139
Lichlade Clo. Orp —6D 128
Lickey Ho. W14 —7K 73
(off N. End Rd.)
Lidbury Rd. NW7 —6J 25
Lidcote Gdns. SW9 —1K 91
Liddall Way. W Dray —2K 143
Liddell Clo. Harr —1H 39
Liddell Gdns. NW10 —5G 57
Liddell Rd. NW6 —2L 57
Lidding Rd. Harr —3H 39
Liddington Rd. E15 —4D 62
Liddon Rd. E13 —6F 62
Liddon Rd. Brom —7G 111
Liden Clo. E17 —5K 45
Lidfield Rd. N16 —9B 44
Lidgate Rd. SE15 —8D 76
Lidiard Rd. SW18 —8A 90
Lidlington Pl. NW1 —5G 59
Lido Sq. N17 —9B 28
Lidyard Rd. N19 —6G 43
Lieutenant Ellis Way. Chesh & Wal X —3A 6
Lifetimes. —5A 124
(off Katharine St.)
Liffler Rd. SE18 —6C 80
Liffords Pl. SW13 —1D 88
Lifford St. SW15 —3H 89
Light App. NW9 —9D 24
Lightcliffe Rd. N13 —4L 27
Lighter Clo. SE16 —5J 77
Lighterman Ho. E14 —1A 78
Lighterman M. E1 —9H 61
Lightermans Rd. E14 —3L 77
Lightermans Wlk. SW18 —3L 89
Lightfoot Rd. N8 —3J 43
Light Horse Ct. SW3 —6E 74
(off Royal Hospital Rd.)
Lightley Clo. Wemb —4J 55
Ligonier St. E2 —7D 60
Lilac Clo. E4 —6K 29
Lilac Clo. Chesh —4B 6
Lilac Ct. E13 —4G 63
Lilac Ct. Tedd —1D 102
Lilac Gdns. W5 —4H 71
Lilac Gdns. Croy —5L 125
Lilac Gdns. Hay —9C 52
Lilac Gdns. Romf —6C 50
Lilac Gdns. Swan —7B 114
Lilac Ho. SE4 —2L 93
Lilac Pl. SE11 —5K 75
Lilac Pl. W Dray —1K 143
Lilacs Av. Enf —9C 6
Lilac St. W12 —1E 72
Lila Pl. Swan —8C 114
Lilburne Gdns. SE9 —4J 95
Lilburne Rd. SE9 —4J 95
Lilburne Wlk. NW10 —2A 56
Lile Cres. W7 —8C 54
Lilestone Ho. NW8 —7B 58
(off Frampton St.)
Lilestone St. NW8 —7C 58
Lilford Ho. SE5 —1A 92
Lilford Rd. SE5 —1M 91
Lilian Barker Clo. SE12 —4E 94
Lilian Board Way. Gnfd —1B 54
Lilian Clo. N16 —8C 44
Lilian Gdns. Wfd G —8F 30
Lilian Rd. SW16 —5G 107
Lillechurch Rd. Dag —2F 64

Loxwood Clo.—Macdonald Way

Loxwood Clo. Felt —7B 84
Loxwood Clo. Orp —4H 129
Loxwood Rd. N17 —1C 44
Lubbock Ho. E14 —1M 77
(off Poplar High St.)
Lubbock Rd. Chst —4K 111
Lubbock St. SE14 —8G 77
Lucan Ho. N1 —4B 60
(off Colville Est.)
Lucan Pl. SW3 —5C 74
Lucan Rd. Barn —5J 13
Lucas Av. E13 —4F 62
Lucas Av. Harr —7L 37
Lucas Ct. SE26 —2J 109
Lucas Ct. SW11 —9E 74
Lucas Ct. Wal A —6M 7
Lucas Rd. NW10 —3E 56
Lucas Rd. SE20 —3G 109
Lucas Sq. NW11 —4L 41
Lucas St. SE8 —9L 77
Lucerne Clo. N13 —3J 27
Lucerne Ct. Eri —4J 81
Lucerne Gro. E17 —2B 46
Lucerne M. W8 —2L 73
Lucerne Rd. N5 —9M 43
Lucerne Rd. Orp —3D 128
Lucerne Rd. T Hth —9M 107
Lucerne Way. Romf —6H 35
Lucey Rd. SE16 —4E 76
Lucey Way. SE16 —4E 76
(in two parts)
Lucien Rd. SW17 —1E 106
Lucien Rd. SW19 —8M 89
Lucinda Ct. Enf —7C 16
Lucknow St. SE18 —8C 80
Lucorn Clo. SE12 —5D 94
Lucton M. Lou —6M 19
Luctons Av. Buck H —1G 31
Lucy Brown Ho. SE1 —2A 76
(off Park St.)
Lucy Cres. W3 —8A 56
Lucy Gdns. Dag —8J 49
Luddesdon Rd. Eri —8L 81
Ludford Clo. NW9 —9C 24
Ludford Clo. Croy —5M 123
Ludgate B'way. EC4 —9M 59
Ludgate Cir. EC4 —9M 59
Ludgate Hill. EC4 —9M 59
Ludgate Sq. EC4 —9M 59
Ludham Clo. SE28 —9G 65
Ludlow Clo. Brom —7E 110
Ludlow Clo. Harr —9K 37
Ludlow Ct. W3 —3A 72
Ludlow Mead. Wat —3F 20
Ludlow Rd. W5 —7G 55
Ludlow Rd. Felt —1E 100
Ludlow St. EC1 —7A 60
Ludlow Way. N2 —2A 42
Ludlow Way. Crox G —6A 8
Ludovick Wlk. SW15 —3C 88
Ludwick M. SE14 —8J 77
Luffield Rd. SE2 —4F 80
Luffman Rd. SE12 —9F 94
Lugard Ho. W12 —2F 72
Lugard Rd. SE15 —1F 92
Lugg App. E12 —8L 47
Luke Ho. E1 —9F 60
(off Tillman St.)
Luke St. EC2 —7C 60
Lukin Cres. E4 —3B 30
Lukin St. E1 —9G 61
Lukintone Clo. Lou —8J 19
Lullarook Clo. Big H —8G 141
Lullingstone. —6G 131
Lullingstone Av. Swan —7D 114
Lullingstone Castle. —7G 131
Lullingstone Clo. Orp —4F 112
Lullingstone Cres. Orp —4E 112
Lullingstone Ho. SE15 —7G 77
(off Lovelinch Clo.)
Lullingstone La. SE13 —5B 94
Lullingstone La. Eyns —5G 131
Lullingstone Pk. Vis. Cen.
—8F 130
Lullingstone Rd. Belv —7K 81
Lullingstone Roman Villa.
—5F 130
Lullington Gth. N12 —5K 25
Lullington Gth. Borwd —7M 11
Lullington Gth. Brom —4C 110
Lullington Rd. SE20 —4E 108
Lullington Rd. Dag —3J 65
Lulot Gdns. N19 —7F 42
Lulworth. NW1 —3H 59
(off Wrotham Rd.)
Lulworth. SE17 —6B 76
(off Portland St.)
Lulworth Av. Houn —9M 69
Lulworth Av. Wemb —5G 39
Lulworth Clo. Harr —8K 37
Lulworth Cres. Mitc —6C 106
Lulworth Dri. Pinn —4H 37
Lulworth Dri. Romf —5M 33
Lulworth Gdns. Harr —7J 37
Lulworth Ho. SW8 —8K 75
Lulworth Rd. SE9 —8J 95
Lulworth Rd. SE15 —1F 92
Lulworth Rd. Well —1D 96
Lulworth Waye. Hay —9F 52
Lumen Rd. Wemb —7H 39
Lumiere Building, The. E7 —1H 63
(off Romford Rd.)
Lumley Clo. Belv —6L 81
Lumley Ct. WC2 —1J 75
Lumley Flats. SW1 —6E 74
(off Holbein Pl.)
Lumley Gdns. Sutt —7J 121
Lumley Rd. Sutt —7J 121
Lumley St. W1 —9E 58
Lumsdon. NW8 —4M 57
(off Abbey Rd.)
Lunar Clo. Big H —8H 141
Luna Rd. T Hth —7A 108
Lundin Wlk. Wat —4H 21
Lund Point. E15 —4A 62
Lundy Dri. Hay —5C 68
Lundy Wlk. N1 —2A 60
Lunedale Rd. Dart —8M 99
Lunham Rd. SE19 —3C 108
Luntley Pl. E1 —8E 60
Lupin Clo. SW2 —8M 91
Lupin Clo. Croy —3H 125
Lupin Clo. Rush G —7B 50
Lupin Clo. W Dray —6H 143
Lupin Cres. Ilf —2M 63
Lupin Point. SE1 —3D 76
(off Abbey St.)
Lupton Clo. SE12 —9F 94
Lupton St. NW5 —9G 43
(in two parts)
Lupus St. SW1 —6F 74
Luralda Gdns. E14 —6A 78
Lurgan Av. W6 —7H 73
Lurline Gdns. SW11 —9E 74
Luscombe Ct. Short —6C 110
Luscombe Way. SW8 —8J 75
Lushes Ct. Lou —7M 19
Lushes Rd. Lou —7M 19
Lushington Ho. W on T —1G 117
Lushington Rd. NW10 —5F 56
Lushington Rd. SE6 —1M 109
Lushington Ter. E8 —1E 60
(off Wayland Av.)
Lusted Hall La. Tats —9H 141
Lutea Ho. Sutt —9A 122
(off Walnut M.)
Luther Clo. Edgw —2A 24
Luther King Clo. E17 —4K 45
Luther Rd. Tedd —2D 102
Luton Ho. E13 —7E 62
(off Luton Rd.)
Luton Ho. Romf —5J 35
(off Linfield Rd.)
Luton Pl. SE10 —8A 78
Luton Rd. E13 —7E 62
Luton Rd. E17 —1K 45
Luton Rd. Sidc —9G 97
Luton St. NW8 —7B 58
Lutton Ter. NW3 —9A 42
(off Heath St.)
Luttrell Av. SW15 —4F 88
Lutwyche Rd. SE6 —8K 93
Lutyens Ho. SW1 —6G 75
(off Churchill Gdns.)
Luxborough Ho. W1 —8E 58
(off Luxborough St.)
Luxborough La. Chig —3J 31
Luxborough St. W1 —8E 58
Luxborough Tower. W1 —8E 58
(off Luxborough St.)
Luxemburg Gdns. W6 —5H 73
Luxfield Rd. SE9 —7J 95
Luxford St. SE16 —5H 77
Luxmore St. SE4 —9K 77
Luxor St. SE5 —2A 92
Luxted. —6L 141
Luxted Rd. Dow & Orp —4L 141
Lyall Av. SE21 —1C 108
Lyall M. SW1 —4E 74
Lyall M. W. SW1 —4E 74
Lyall St. SW1 —4E 74
Lyal Rd. E3 —5J 61
Lycett Pl. W12 —3E 72
Lyceum Theatre. —1K 75
(off Strand)
Lych Ga. Wat —6H 5
Lychgate Mnr. Harr —5C 38
Lych Ga. Rd. Orp —3E 128
Lych Ga. Wlk. Hay —1D 68
(in two parts)
Lyconby Gdns. Croy —2J 125
Lydd Clo. Sidc —9C 96
Lydden Gro. SW18 —6M 89
Lydden Rd. SW18 —6M 89
Lydd Rd. Bexh —8K 81
Lydeard Rd. E6 —3K 63
Lydford. NW1 —4G 59
(off Royal College St.)
Lydford Clo. N16 —1C 60
(off Pellerin Rd.)
Lydford Ct. Dart —5M 99
(off Clifton Wlk.)
Lydford Rd. N15 —3B 44
Lydford Rd. NW2 —2G 57
Lydford Rd. W9 —7K 57
Lydhurst Av. SW2 —8K 91
Lydia Ct. N12 —6A 26
Lydia Rd. Eri —7D 82
Lydney Clo. SE15 —8C 76
Lydney Clo. SW19 —8J 89
Lydon Rd. SW4 —2G 91
Lydstep Rd. Chst —1L 111
Lye La. Brick W —1L 5
Lyfield. Oxs —6A 132
Lyford Rd. SW18 —6B 90
Lyford St. SE7 —5J 79
Lygon Ho. E2 —6D 60
(off Gosset St.)
Lygon Ho. SW6 —9J 73
(off Fulham Pal. Rd.)
Lygon Pl. SW1 —4F 74
Lyham Clo. SW2 —5J 91
Lyham Rd. SW2 —4J 91
Lyle Clo. Mitc —2E 122
Lyly Ho. SE1 —4B 76
(off Burbage Clo.)
Lymbourne Clo. Sutt —2L 135
Lyme Farm Rd. SE12 —3E 94
Lyme Gro. E9 —3G 61
Lymer Av. SE19 —2D 108
Lyme Regis Rd. Bans —9K 135
Lyme Rd. Well —9F 80
Lymescote Gdns. Sutt —4L 121
Lyme St. NW1 —3G 59
Lyme Ter. NW1 —3G 59
Lyminge Clo. Sidc —1D 112
Lyminge Gdns. SW18 —7C 90
Lymington Av. N22 —9L 27
Lymington Clo. E6 —8K 63
Lymington Clo. SW16 —6H 107
Lymington Ct. Sutt —5M 121
Lymington Ct. Wat —7E 4
Lymington Dri. Ruis —7B 36
Lymington Gdns. Eps —7D 120
Lymington Rd. NW6 —2M 57
Lymington Rd. Dag —6H 49
Lyminster Clo. Hay —8J 53
Lympne. N17 —9B 28
(off Gloucester Rd.)
Lympstone Gdns. SE15 —8E 76
Lynbridge Gdns. N13 —4M 27
Lynbrook Clo. SE15 —8C 76
Lynbrook Clo. Rain —5B 66
Lynbury Ct. Wat —5E 8
Lynch Clo. Uxb —3A 142
Lynchen Clo. Houn —9F 68
Lynch, The. Uxb —3A 142
Lynch Wlk. SE8 —7K 77
Lyncott Cres. SW4 —3F 90
Lyncourt. SE3 —1B 94
Lyncroft Av. Pinn —3J 37
Lyncroft Gdns. NW6 —1L 57
Lyncroft Gdns. W13 —3G 71
Lyncroft Gdns. Eps —1D 134
Lyncroft Gdns. Houn —4A 86
Lyncroft Mans. NW6 —1L 57
Lyndale. NW2 —9K 41
Lyndale. Th Dit —2C 118
Lyndale Av. NW2 —8K 41
Lyndale Clo. SE3 —7D 78
Lynde Ho. SW4 —2H 91
Lynde Ho. W on T —1G 117
Lynden Hyrst. Croy —4D 124
Lynden Way. Swan —7A 114
Lyndhurst Av. N12 —6D 26
Lyndhurst Av. NW7 —6C 24
Lyndhurst Av. SW16 —6H 107
Lyndhurst Av. Pinn —8F 20
Lyndhurst Av. S'hall —2M 69
Lyndhurst Av. Sun —7E 100
Lyndhurst Av. Surb —3M 119
Lyndhurst Av. Twic —7K 85
Lyndhurst Clo. NW10 —8B 40
Lyndhurst Clo. Bexh —2M 97
Lyndhurst Clo. Croy —5D 124
Lyndhurst Clo. Orp —6M 127
Lyndhurst Ct. E18 —8E 30
Lyndhurst Ct. NW8 —4B 58
(off Finchley Rd.)
Lyndhurst Ct. Sutt —9L 121
(off Grange Rd.)
Lyndhurst Dri. E10 —5A 46
Lyndhurst Dri. Horn —6G 51
Lyndhurst Dri. N Mald —2C 120
Lyndhurst Gdns. N3 —8J 25
Lyndhurst Gdns. NW3 —1B 58
Lyndhurst Gdns. Bark —2C 64
Lyndhurst Gdns. Enf —6C 16
Lyndhurst Gdns. Ilf —4B 48
Lyndhurst Gdns. Pinn —8F 20
Lyndhurst Gro. SE15 —1C 92
Lyndhurst Lodge. E14 —5B 78
(off Millennium Dri.)
Lyndhurst Ri. Chig —4L 31
Lyndhurst Rd. E4 —7A 30
Lyndhurst Rd. N18 —4E 28
Lyndhurst Rd. N22 —6L 27
Lyndhurst Rd. NW3 —1B 58
Lyndhurst Rd. Bexh —2M 97
Lyndhurst Rd. Coul —8E 136
Lyndhurst Rd. Gnfd —7M 53
Lyndhurst Rd. T Hth —8L 107
Lyndhurst Sq. SE15 —9D 76
Lyndhurst Ter. NW3 —1B 58
Lyndhurst Way. SE15 —9D 76
Lyndhurst Way. Sutt —1L 135
Lyndon Av. Pinn —6J 21
Lyndon Av. Sidc —4D 96
Lyndon Av. Wall —5E 122
Lyndon Rd. Belv —5L 81
Lyne Cres. E17 —8K 29
Lynegrove Av. Ashf —2A 100
Lyneham Wlk. E5 —1J 61
Lyneham Wlk. Pinn —1D 36
Lynette Av. SW4 —5F 90
Lynford Clo. Barn —7D 12
Lynford Clo. Edgw —8A 24
Lynford Ct. Croy —6C 124
(off Coombe Rd.)
Lynford Gdns. Edgw —3M 23
Lynford Gdns. Ilf —7D 48
Lynford Ter. N9 —1D 28
Lynhurst Cres. Uxb —3A 52
Lynhurst Rd. Uxb —3A 52
Lynmere Rd. Well —1F 96
Lyn M. E3 —6K 61
Lyn M. N16 —9C 44
Lynmouth Av. Enf —8D 16
Lynmouth Av. Mord —1H 121
Lynmouth Dri. Ruis —7F 36
Lynmouth Gdns. Gnfd —4F 54
Lynmouth Gdns. Houn —8H 69
Lynmouth Ho. Romf —5J 35
(off Dagnam Pk. Dri.)
Lynmouth Ri. Orp —8F 112
Lynmouth Rd. E17 —4J 45
Lynmouth Rd. N2 —1D 42
Lynmouth Rd. N16 —6D 44
Lynmouth Rd. Gnfd —4F 54
Lynn Clo. Ashf —2B 100
Lynn Clo. Harr —9B 22
Lynn Ct. Whyt —9D 138
Lynne Clo. SE23 —6K 93
Lynne Clo. Orp —8D 128
Lynne Clo. S Croy —3G 139
Lynne Ct. S Croy —6C 124
(off Birdhurst Rd.)
Lynnett Rd. Dag —7H 49
Lynne Wlk. Esh —7A 118
Lynne Way. NW10 —2C 56
Lynne Way. N'holt —5H 53
Lynn Ho. SE15 —7F 76
(off Friary Est.)
Lynn M. E11 —7C 46
Lynn Rd. E11 —7C 46
Lynn Rd. SW12 —6F 90
Lynn Rd. Ilf —5B 48
Lynn St. Enf —3B 16
Lynross Clo. Romf —9K 35
Lynscott Way. S Croy —1M 137
Lynstead Ct. Beck —6J 109
Lynsted Clo. Bexh —4M 97
Lynsted Clo. Brom —6G 111
Lynsted Gdns. SE9 —2H 95
Lynton Av. N12 —4B 26
Lynton Av. NW9 —2D 40
Lynton Av. W13 —9E 54
Lynton Av. Orp —8F 112
Lynton Av. Romf —8L 33
Lynton Clo. NW10 —1C 56
Lynton Clo. Chess —6J 119
Lynton Clo. Iswth —3D 86
Lynton Cres. Ilf —4M 47
Lynton Est. SE1 —5E 76
Lynton Gdns. N11 —6H 27
Lynton Gdns. Enf —9C 16
Lynton Grange. N2 —1D 42
Lynton Ho. W2 —9A 58
(off Hallfield Est.)
Lynton Ho. Ilf —7A 48
Lynton Mans. SE1 —4L 75
(off Kennington Rd.)
Lynton Mead. N20 —3L 25
Lynton Pde. Chesh —3E 6
Lynton Rd. E4 —5M 29
Lynton Rd. N8 —3H 43
(in two parts)
Lynton Rd. NW6 —5K 57
Lynton Rd. SE1 —5D 76
Lynton Rd. W3 —1L 71
Lynton Rd. Croy —1L 123
Lynton Rd. Harr —8J 37
Lynton Rd. N Mald —9B 104
Lynton Ter. W3 —9A 56
Lynton Wlk. Hay —6C 52
Lynwood Av. Coul —7F 136
Lynwood Av. Eps —6D 134
Lynwood Clo. E18 —8G 31
Lynwood Clo. Harr —8J 37
Lynwood Clo. Romf —6M 33
Lynwood Ct. Eps —5D 134
Lynwood Ct. King T —6M 103
Lynwood Dri. N'wd —8D 20
Lynwood Dri. Romf —6M 33
Lynwood Dri. Wor Pk —4E 120
Lynwood Gdns. Croy —6K 123
Lynwood Gdns. S'hall —9K 53
Lynwood Gro. N21 —1L 27
Lynwood Gro. Orp —2C 128
Lynwood Rd. SW17 —9D 90
Lynwood Rd. W5 —6H 55
Lynwood Rd. Eps —6D 134
Lynwood Rd. Th Dit —4D 118
Lyon Bus. Pk. Bark —5C 64
Lyon Ct. Ruis —6D 36
Lyon Ho. NW8 —7C 58
Lyon Ind. Est. NW2 —7F 40
Lyon Meade. Stan —8G 23
Lyon Pk. Av. Wemb —2J 55
(in two parts)
Lyon Rd. SW19 —5A 106
Lyon Rd. Harr —4D 38
Lyon Rd. Romf —5D 50
Lyon Rd. W on T —4J 117
Lyonsdown. —7A 14
Lyonsdown Av. New Bar —8A 14
Lyonsdown Rd. Barn & New Bar
—8A 14
Lyons Ind. Est. Uxb —1H 143
Lyons Pl. NW8 —7B 58
Lyon St. N1 —3K 59
Lyons Wlk. W14 —5J 73
Lyon Way. Gnfd —4C 54
Lyoth Rd. Orp —4A 128
Lyric Dri. Gnfd —7M 53
Lyric M. SE26 —1G 109
Lyric Rd. SW13 —9D 72
Lyric Theatre. —5G 73
(Hammersmith)
Lyric Theatre. —1H 75
(off Shaftesbury Av.,
Westminster)
Lysander Gdns. Surb —1K 119
Lysander Gro. N19 —6H 43
Lysander Ho. E2 —5F 60
(off Temple St.)
Lysander M. N19 —6G 43
Lysander Rd. Croy —8K 123
Lysander Rd. Ruis —7B 36
Lysander Way. Ab L —5E 4
Lysander Way. Orp —5A 128
Lysias Rd. SW12 —5F 90
Lysia St. SW6 —8H 73
Lysons Wlk. SW15 —3E 88
Lytchet Rd. Brom —4K 110
Lytchet Way. Enf —3G 17
Lytchgate Clo. S Croy —9C 124
Lytcott Dri. W Mol —7K 101
Lytcott Gro. SE22 —4C 92
Lytham Av. Wat —5H 21
Lytham Clo. SE28 —9J 65
Lytham Ct. S'hall —9M 53
(off Whitecote Rd.)
Lytham Gro. W5 —6K 55
Lytham St. SE17 —6B 76
Lyttelton Clo. NW3 —3C 58
Lyttelton Ct. N2 —3A 42
Lyttelton Rd. E10 —8M 45
Lyttelton Rd. N2 —3A 42
Lyttelton Theatre. —2L 75
(off Royal National Theatre)
Lyttleton Ct. Hay —7G 53
(off Dunedin Way)
Lyttleton Rd. N8 —1L 43
Lytton Av. N13 —2L 27
Lytton Av. Enf —2J 17
Lytton Clo. N2 —3B 42
Lytton Clo. N'holt —3K 53
Lytton Gdns. Wall —6H 123
Lytton Gro. SW15 —4H 89
Lytton Rd. E11 —5C 46
Lytton Rd. Barn & New Bar —6A 14
Lytton Rd. Pinn —7J 21
Lytton Rd. Romf —3F 50
Lytton Strachey Path. SE28 —1F 80
Lyveden Rd. SE3 —8F 78
Lyveden Rd. SW17 —3D 106

Mabbett Ho. SE18 —7L 79
(off Nightingale Pl.)
Mabbutt Clo. Brick W —3J 5
Mabel Evetts Ct. Hay —1F 68
Mabel Rd. Swan —3E 114
Maberley Cres. SE19 —4E 108
Maberley Rd. SE19 —5D 108
Maberley Rd. Beck —7H 109
Mabledon Ct. WC1 —6H 59
(off Mabledon Pl.)
Mabledon Pl. NW1 —6H 59
Mablethorpe Rd. SW6 —8J 73
Mabley St. E9 —1J 61
Mablin Lodge. Buck H —1G 31
Macaret Clo. N20 —9M 13
Macarthur Clo. E7 —2E 62
Macarthur Ter. SE7 —7H 79
Macartney Ho. SW9 —9L 75
(off Gosling Way)
Macaulay Av. Esh —4D 118
Macaulay Ct. SW4 —2F 90
Macaulay Rd. E6 —5H 63
Macaulay Rd. SW4 —2F 90
Macaulay Sq. SW4 —3F 90
Macaulay Way. SE28 —2F 80
McAuley Clo. SE1 —4L 75
McAuley Clo. SE9 —4M 95
Macauley M. SE13 —9A 78
Macbean St. SE18 —4M 79
Macbeth Ho. N1 —5C 60
Macbeth St. W6 —6F 72
McCall Clo. SW4 —1J 91
McCall Cres. SE7 —6J 79
McCall Ho. N7 —9J 43
McCarthy Rd. Felt —2H 101
Macclesfield Ho. EC1 —6A 60
(off Central St.)
Macclesfield Ho. Romf —5J 35
(off Dagnam Pk. Dri.)
Macclesfield Rd. EC1 —6A 60
Macclesfield Rd. SE25 —9F 108
Macclesfield St. W1 —1H 75
McClintock Pl. Enf —1M 17
McCoid Way. SE1 —3A 76
McCrone M. NW3 —2B 58
McCudden Rd. Dart —2K 99
McCullum Rd. E3 —4K 61
McDermott Clo. SW11 —2C 90
McDermott Rd. SE15 —2E 92
Macdonald Av. Dag —8M 49
Macdonald Av. Horn —1J 51
Macdonald Rd. E7 —9E 46
Macdonald Rd. E17 —9A 30
Macdonald Rd. N11 —5D 26
Macdonald Rd. N19 —7G 43
Macdonald Way. Horn —2J 51

Macdonnell Gdns. Wat —8D 4
McDonough Clo. Chess —6J 119
McDowall Clo. E16 —8D 62
McDowall Rd. SE5 —9A 76
Macduff Rd. SW11 —9E 74
Mace Clo. E1 —2F 76
Mace Gateway. E16 —1E 78
McEntee Av. E17 —8J 29
Mace St. E2 —5H 61
McEwen Way. E15 —4B 62
Macey St. SE10 —7A 78
(off Thames St.)
Macfarlane La. Iswth —7D 70
Macfarlane Rd. W12 —2G 73
Macfarren Pl. NW1 —7E 58
McGlashon Ho. E1 —7E 60
(off Hunton St.)
McGrath Rd. E15 —1D 62
McGredy. Chesh —2B 6
McGregor Ct. N1 —6C 60
(off Hoxton St.)
MacGregor Rd. E16 —8G 63
McGregor Rd. W11 —9K 57
Machell Rd. SE15 —2G 93
McIndoe Ct. N1 —4B 60
(off Sherborne St.)
McIntosh Clo. Romf —1C 50
McIntosh Clo. Wall —9J 123
McIntosh Ho. SE16 —5G 77
(off Millender Wlk.)
Macintosh Ho. W1 —8E 58
(off Beaumont St.)
McIntosh Rd. Romf —1C 50
McIntyre Ct. SE18 —5J 79
(off Prospect Va.)
Mackay Ho. W12 —1F 72
(off White City Est.)
Mackay Rd. SW8 —2F 90
McKay Rd. SW20 —4F 104
McKay Trad. Est. W10 —7J 57
McKellar Clo. Bus H —2A 22
Mackennal St. NW8 —5C 58
Mackenzie Clo. W12 —1F 72
Mackenzie Ho. NW2 —8E 40
Mackenzie Rd. N7 —2K 59
Mackenzie Rd. Beck —6G 109
Mackenzie Wlk. E14 —2L 77
McKenzie Way. Eps —1L 133
McKerrell Rd. SE15 —9E 76
Mackeson Rd. NW3 —9D 42
Mackie Rd. SW2 —6L 91
McKillop Way. Sidc —4G 113
Mackintosh La. E9 —1H 61
Macklin St. WC2 —9J 59
Mackonochie Ho. EC1 —8L 59
(off Baldwins Gdns.)
Mackrow Wlk. E14 —1A 78
Mack's Rd. SE16 —5E 76
Mackworth Ho. NW1 —6G 59
(off Augustus St.)
Mackworth St. NW1 —6G 59
Maclaren M. SW15 —3G 89
Maclean Rd. SE23 —5J 93
Maclennan Av. Rain —6H 67
Macleod Rd. N21 —7J 15
McLeod Rd. SE2 —5F 80
McLeod's M. SW7 —5M 73
Macleod St. SE17 —6A 76
Maclise Ho. SW1 —5J 75
(off Marsham St.)
Maclise Rd. W14 —4J 73
Macmillan Ct. S Harr —6L 37
Macmillan Gdns. Dart —3L 99
McMillan Ho. SE4 —2J 93
(off Arica Rd.)
McMillan St. SE8 —7L 77
McNair Rd. S'hall —4M 69
Macnamara Ho. SW10 —8B 74
(off Worlds End Est.)
McNeil Rd. SE5 —1C 92
McNicol Dri. NW10 —5A 56
Macoma Rd. SE18 —7B 80
Macoma Ter. SE18 —7B 80
Maconochies Rd. E14 —6M 77
Macquarie Way. E14 —5M 77
McRae La. Mitc —2D 122
Macready Ho. W1 —8C 58
(off Crawford St.)
Macready Pl. N7 —9J 43
Macroom Rd. W9 —6K 57
Macs Ho. E17 —1M 45
Mac's Pl. EC4 —9L 59
(off Greystoke Pl.)
Madame Tussaud's. —7E 58
Madans Wlk. Eps —7B 134
(in two parts)
Mada Rd. Orp —5M 127
Maddams St. E3 —7M 61
Maddison Clo. Tedd —3D 102
Maddocks Clo. Sidc —2J 113
Maddocks Ho. E1 —1F 76
(off Cornwall St.)
Maddock Way. SE17 —7M 75
Maddox St. W1 —1F 74
Madeira Av. Brom —4C 110
Madeira Gro. Wfd G —6G 31
Madeira Rd. E11 —6B 46
Madeira Rd. N13 —4M 27
Madeira Rd. SW16 —2J 107
Madeira Rd. Mitc —8D 106
Madeley Rd. W5 —9H 55
Madeline Gro. Ilf —1B 64
Madeline Rd. SE20 —4E 108
Madge Gill Way. E6 —4J 63
(off High St. N.)
Madinah Rd. E8 —2E 60
Madison Cres. Bexh —8G 81
Madison Gdns. Bexh —8G 81
Madison Gdns. Brom —7D 110
Madras Pl. N7 —2L 59
Madras Rd. Ilf —9M 47
Madrid Rd. SW13 —9E 72
Madrigal La. SE5 —8M 75
Madron St. SE17 —6C 76
Mafeking Av. E6 —5J 63
Mafeking Av. Bren —7J 71
Mafeking Av. Ilf —5B 48
Mafeking Rd. E16 —7D 62
Mafeking Rd. N17 —9E 28
Mafeking Rd. Enf —5D 16
Magdala Av. N19 —7G 43
Magdala Rd. Iswth —2E 86
Magdala Rd. S Croy —9B 124
Magdalene Clo. SE15 —1F 92
Magdalene Gdns. E6 —7L 63
Magdalen Gro. Orp —6F 128
Magdalen Pas. E1 —1D 76
Magdalen Rd. SW18 —7A 90
Magdalen St. SE1 —2C 76
Magee St. SE11 —7L 75
Magellan Ct. NW10 —3B 56
(off Stonebridge Pk.)
Magellan Ho. E1 —7H 61
(off Ernest St.)
Magellan Pl. E14 —5L 77
Magnaville Rd. Bus H —9C 10
Magnet Rd. Wemb —7H 39
Magnin Clo. E8 —4E 60
Magnolia Av. Ab L —5E 4
Magnolia Clo. E10 —7L 45
Magnolia Clo. King T —3M 103
Magnolia Ct. N'holt —7J 53
Magnolia Ct. Rich —9M 71
Magnolia Ct. Sutt —9L 121
(off Grange Rd.)
Magnolia Ct. Uxb —2F 142
Magnolia Ct. Wall —7F 122
Magnolia Dri. Big H —8H 141
Magnolia Gdns. E10 —7L 45
Magnolia Gdns. Edgw —4A 24
Magnolia Ho. SE8 —7K 77
Magnolia Lodge. E4 —3M 29
Magnolia Lodge. W8 —4M 73
Magnolia Pl. SW4 —4J 91
Magnolia Pl. W5 —8H 55
Magnolia Pl. Harr —5K 39
Magnolia Rd. W4 —7M 71
Magnolia St. W Dray —6H 143
Magnolia Way. Eps —7A 120
Magnum Clo. Rain —7F 66
Magpie All. EC4 —9L 59
Magpie Clo. E7 —1D 62
Magpie Clo. NW9 —9C 24
Magpie Clo. Enf —3E 16
Magpie Hall Clo. Brom —1J 127
Magpie Hall La. Brom —2J 127
Magpie Hall Rd. Bus H —2C 22
Magpie Pl. SE14 —7J 77
Magpie Pl. Wat —5G 5
Magri Wlk. E1 —8G 61
Maguire Dri. Rich —1G 103
Maguire St. SE1 —3D 76
Mahatma Gandhi Ind. Est. SE24 —3M 91
Mahlon Av. Ruis —1F 52
Mahogany Clo. SE16 —2J 77
Mahon Clo. Enf —3D 16
Maida Av. E4 —9M 17
Maida Av. W2 —8A 58
Maida Hill. —7K 57
Maida Rd. Belv —4L 81
Maida Vale. —6M 57
Maida Va. W9 —5M 57
Maida Va. Rd. Dart —4E 98
Maida Way. E4 —9M 17
Maiden Erlegh Av. Bex —7J 97
Maiden La. NW1 —3H 59
Maiden La. SE1 —2A 76
Maiden La. WC2 —1J 75
Maiden La. Dart —2E 98
Maiden Pl. N19 —8G 43
Maiden Rd. E15 —3C 62
Maidenshaw Rd. Eps —4B 134
Maidenstone Hill. SE10 —9A 78
Maids of Honour Row. Rich —4H 87
Maidstone Av. Romf —9A 34
Maidstone Bldgs. SE1 —2A 76
Maidstone Ho. E14 —9M 61
(off Carmen St.)
Maidstone Rd. N11 —6H 27
Maidstone Rd. Sidc —3H 113
Mail Coach Yd. E2 —6C 60
Main Av. Enf —7D 16
Main Av. N'wd —3A 20
Main Dri. Wemb —8H 39
Mainridge Rd. Chst —1L 111
Main Rd. Big H & W'ham —5G 141
Main Rd. Crock —1B 130
Main Rd. Eyns —1J 131
Main Rd. F'ham —4M 131
Main Rd. Hex —4D 114
Main Rd. Orp —7G 113
Main Rd. Romf —2D 50
Main Rd. Sidc —9B 96
Main Rd. S at H —3M 115
Main St. Felt —2H 101
Mais Ho. SE26 —8F 92
Maisie Webster Clo. Stanw —6A 144
Maismore St. SE15 —7E 76
Maisonettes, The. Sutt —7K 121
Maitland Clo. SE10 —8M 77
Maitland Clo. Houn —2K 85
Maitland Clo. W on T —4J 117
Maitland Ct. W2 —1B 74
(off Lancaster Ter.)
Maitland Ho. SW1 —7G 75
(off Churchill Gdns.)
Maitland Pk. Est. NW3 —2D 58
Maitland Pk. Rd. NW3 —2D 58
Maitland Pk. Vs. NW3 —2D 58
Maitland Pl. E5 —9F 44
Maitland Rd. E15 —2D 62
Maitland Rd. SE26 —3H 109
Maitlands. Lou —5K 19
Maitland Yd. W13 —2E 70
Maize Row. E14 —1K 77
Majendie Rd. SE18 —6B 80
Majestic Way. Mitc —6D 106
Major Rd. E15 —1B 62
Major Rd. SE16 —4E 76
Makepeace Av. N6 —7E 42
Makepeace Mans. N6 —7E 42
Makepeace Rd. E11 —2E 46
Makepeace Rd. N'holt —5J 53
Makinen Ho. Buck H —1G 31
Makins St. SW3 —5C 74
Malabar Ct. W12 —1F 72
(off India Way)
Malabar St. E14 —3L 77
Malam Ct. SE11 —5L 75
Malam Gdns. E14 —1M 77
Malan Clo. Big H —9J 141
Malan Sq. Rain —2F 66
Malbrook Rd. SW15 —3F 88
Malcolm Ct. E7 —2D 62
Malcolm Ct. NW4 —4E 40
Malcolm Ct. Stan —5G 23
Malcolm Cres. NW4 —4E 40
Malcolm Dri. Surb —3H 119
Malcolm Gavin Clo. SW17 —8C 90
Malcolm Ho. N1 —5C 60
(off Arden Est.)
Malcolm Pl. E2 —7G 61
Malcolm Rd. E1 —7G 61
Malcolm Rd. SE20 —4G 109
Malcolm Rd. SE25 —1E 124
Malcolm Rd. SW19 —3J 105
Malcolm Rd. Coul —7H 137
Malcolmson Ho. SW1 —6H 75
(off Aylesford St.)
Malcolm Way. E11 —3E 46
Malcombs Way. N14 —7G 15
Malden Av. SE25 —8F 108
Malden Av. Gnfd —1C 54
Malden Ct. N4 —4A 44
Malden Ct. N Mald —7F 104
Malden Cres. NW1 —2E 58
Malden Fields. Bush —7H 9
Malden Green. —3E 120
Malden Grn. Av. Wor Pk —3D 120
Malden Hill. N Mald —7D 104
Malden Hill Gdns. N Mald —7D 104
Malden Junction . (Junct) —9D 104
Malden Pk. N Mald —1D 120
Malden Pl. NW5 —1E 58
Malden Rd. NW5 —1D 58
Malden Rd. Borwd —5L 11
Malden Rd. N Mald & Wor Pk —9C 104
Malden Rd. Sutt —6G 121
Malden Rd. Wat —4F 8
Malden Rushett. —3G 133
Malden Way. N Mald —1B 120
Maldon Clo. E15 —1C 62
Maldon Clo. N1 —4A 60
Maldon Clo. SE5 —2C 92
Maldon Ct. E6 —4L 63
Maldon Ct. Wall —7G 123
Maldon Rd. N9 —3D 28
Maldon Rd. W3 —1A 72
Maldon Rd. Romf —5A 50
Maldon Rd. Wall —7F 122
Maldon Wlk. Wfd G —6G 31
Malet Pl. WC1 —7H 59
Malet St. WC1 —7H 59
Maley Av. SE27 —8M 91
Malford Ct. E18 —9E 30
Malford Gro. E18 —2D 46
Malfort Rd. SE5 —2C 92
Malham Clo. N11 —6E 26
Malham Rd. SE23 —7H 93
Malham Ter. N18 —6F 28
(off Dysons Rd.)
Malibu Ct. SE26 —9F 92
Malins Clo. Barn —7F 12
Mallams M. SW9 —2M 91
Mallard Clo. E9 —2K 61
Mallard Clo. NW6 —5L 57
Mallard Clo. W7 —3C 70
Mallard Clo. Dart —4K 99
Mallard Clo. New Bar —8B 14
Mallard Clo. Twic —6L 85
Mallard Ct. E17 —1B 46
Mallard Ho. NW8 —5C 58
(off Barrow Hill Est.)
Mallard Path. SE28 —4B 80
(off Goosander Way)
Mallard Pl. N22 —9K 27
Mallard Pl. Twic —9E 86
Mallard Rd. Ab L —4E 4
Mallard Rd. S Croy —2H 139
Mallards. E11 —5E 46
(off Blake Hall Rd.)
Mallards Ct. Wat —3K 21
(off Hangar Ruding)
Mallards Reach. Wey —4B 116
Mallards Rd. Wfd G —7F 30
Mallard Wlk. Beck —9H 109
Mallard Wlk. Sidc —3G 113
Mallard Way. NW9 —5A 40
Mallard Way. N'wd —7A 20
Mallard Way. Wall —1G 137
Mallard Way. Wat —1J 9
Mall Chambers. W8 —2L 73
(off Kensington Mall)
Mallet Dri. N'holt —1K 53
Mallet Rd. SE13 —5B 94
Mall Galleries. —2H 75
(off Carlton Ho. Ter.)
Mall Gallery. WC2 —9J 59
(off Thomas Neals Shop. Mall)
Malling Clo. Croy —1G 125
Malling Gdns. Mord —1A 122
Malling Way. Brom —2D 126
Mallinson Clo. Horn —1G 67
Mallinson Rd. SW11 —4C 90
Mallinson Rd. Croy —5H 123
Mallion Ct. Wal A —6M 7
Mallon Gdns. E1 —9D 60
(off Commercial St.)
Mallord St. SW3 —7B 74
Mallory Clo. SE4 —3J 93
Mallory Gdns. E Barn —9E 14
Mallory Ho. E14 —8M 61
(off Teviot St.)
Mallory St. NW8 —7C 58
Mallow Clo. Croy —3H 125
Mallow Mead. NW7 —7J 25
Mallows, The. Uxb —8A 36
Mallow St. EC1 —7B 60
Mall Rd. W6 —6F 72
Mall, The. E15 —3B 62
Mall, The. N14 —3J 27
Mall, The. SW1 —3G 75
Mall, The. SW14 —4A 88
Mall, The. W5 —1J 71
Mall, The. Bexh —3L 97
Mall, The. Bren —7H 71
Mall, The. Brom —7E 110
Mall, The. Croy —4A 124
Mall, The. Dag —2L 65
Mall, The. Harr —4K 39
Mall, The. Horn —6F 50
Mall, The. Park —1M 5
Mall, The. Surb —9H 103
Mall, The. Swan —7C 114
Mall, The. W on T —7H 117
Malmains Clo. Beck —8B 110
Malmains Way. Beck —8A 110
Malmesbury. E2 —5G 61
(off Cyprus St.)
Malmesbury Clo. Pinn —2D 36
Malmesbury Rd. E3 —6K 61
Malmesbury Rd. E16 —8C 62
Malmesbury Rd. E18 —8D 30
Malmesbury Rd. Mord —2A 122
Malmesbury Ter. E16 —8D 62
Malmsey Ho. SE11 —6K 75
Malpas Dri. Pinn —3H 37
Malpas Rd. E8 —1F 60
Malpas Rd. SE4 —1K 93
Malpas Rd. Dag —2H 65
Malsmead Ho. E9 —1K 61
(off Homerton Rd.)
Malta Rd. E10 —6L 45
Malta St. EC1 —7M 59
Maltby Clo. Orp —3E 128
Maltby Dri. Enf —2F 16
Maltby Rd. Chess —8L 119
Maltby St. SE1 —3D 76
Malthouse Dri. W4 —7D 72
Malthouse Dri. Felt —2H 101
Malthouse Pas. SW13 —1D 88
(off Maltings Clo.)
Malthus Path. SE28 —2G 81
Malting Ho. E14 —1K 77
(off Oak La.)
Maltings. W4 —6L 71
Maltings Clo. SW13 —1D 88
Maltings Lodge. W4 —7C 72
(off Corney Reach Way)
Maltings M. Sidc —9E 96
Maltings Pl. SE1 —3C 76
(off Tower Bri. Rd.)
Maltings Pl. SW6 —9M 73
Maltings, The. K Lan —7A 4
Maltings, The. Orp —3D 128
Maltings, The. Romf —5D 50
Malting Way. Iswth —2D 86
Malton M. SE18 —7C 80
Malton M. W10 —9J 57
Malton Rd. W10 —9J 57
Malton St. SE18 —7C 80
Maltravers St. WC2 —1K 75
Malt Shovel Cotts. Eyns —5H 131
Malt St. SE1 —7E 76
Malva Clo. SW18 —4M 89
Malvern Av. E4 —7B 30
Malvern Av. Bexh —8J 81
Malvern Av. Harr —8J 37
Malvern Clo. SE20 —6E 108
Malvern Clo. W10 —8K 57
Malvern Clo. Bush —8A 10
Malvern Clo. Mitc —7G 107
Malvern Clo. Surb —3J 119
Malvern Ct. SW7 —5B 74
(off Onslow Sq.)
Malvern Ct. W12 —3E 72
(off Hadyn Pk. Rd.)
Malvern Ct. Eps —6B 134
Malvern Ct. Sutt —9L 121
Malvern Dri. Felt —2H 101
Malvern Dri. Ilf —9D 48
Malvern Dri. Wfd G —5G 31
Malvern Gdns. NW2 —7J 41
Malvern Gdns. Harr —2J 39
Malvern Gdns. Lou —8K 19
Malvern Ho. N16 —6D 44
Malvern Ho. Wat —8B 8
Malvern M. NW6 —6L 57
Malvern Pl. NW6 —6K 57
Malvern Rd. E6 —4J 63
Malvern Rd. E8 —3E 60
Malvern Rd. E11 —7C 46
Malvern Rd. N8 —1L 43
Malvern Rd. N17 —1E 44
Malvern Rd. NW6 —6L 57
(in two parts)
Malvern Rd. Enf —1J 17
Malvern Rd. Hamp —4L 101
Malvern Rd. Hay —8C 68
Malvern Rd. Horn —4E 50
Malvern Rd. Orp —6F 128
Malvern Rd. Surb —4J 119
Malvern Rd. T Hth —8L 107
Malvern Ter. N1 —4L 59
Malvern Ter. N9 —1D 28
Malvern Way. W13 —8F 54
Malvern Way. Crox G —7A 8
Malwood Rd. SW12 —5F 90
Malyons Rd. SE13 —5M 93
Malyons Rd. Swan —4D 114
Malyons Ter. SE13 —4M 93
Malyons, The. Shep —1B 116
Managers St. E14 —2A 78
Manatee Pl. Wall —5H 123
Manaton Clo. SE15 —2F 92
Manaton Cres. S'hall —9L 53
Manbey Gro. E15 —2C 62
Manbey Pk. Rd. E15 —2C 62
Manbey Rd. E15 —2C 62
Manbey St. E15 —2C 62
Manbre Rd. W6 —7G 73
Manbrough Av. E6 —6L 63
Manchester Dri. W10 —7J 57
Manchester Gro. E14 —6A 78
Manchester Ho. SE17 —6A 76
Manchester M. W1 —8E 58
(off Manchester St.)
Manchester Rd. E14 —3A 78
Manchester Rd. N15 —4B 44
Manchester Rd. T Hth —7A 108
Manchester Sq. W1 —9E 58
Manchester St. W1 —8E 58
Manchester Way. Dag —9M 49
Manchuria Rd. SW11 —5E 90
Manciple St. SE1 —3B 76
Mandalay Rd. SW4 —4G 91
Mandarin Ct. NW10 —2B 56
(off Mitchellbrook Way)
Mandarin Ct. SE8 —7L 77
(off Edward St.)
Mandarin St. E14 —1L 77
Mandarin Way. Hay —9J 53
Mandela Clo. NW10 —3A 56
Mandela Clo. W12 —1F 72
Mandela Ct. Uxb —8A 142
Mandela Ho. E2 —6D 60
(off Virginia Rd.)
Mandela Ho. SE5 —1M 91
Mandela Pl. Wat —4H 9
Mandela Rd. E16 —9E 62
Mandela St. NW1 —4G 59
Mandela St. SW9 —8L 75
(in two parts)
Mandela Way. SE1 —5C 76
Mandeville Clo. SE3 —8D 78
Mandeville Clo. SW19 —4J 105
Mandeville Clo. Wat —2D 8
Mandeville Ct. E4 —5J 29
Mandeville Dri. Surb —3H 119
Mandeville Ho. SE1 —6D 76
(off Rolls Rd.)
Mandeville Ho. SW4 —4G 91
Mandeville M. SW4 —3H 91
Mandeville Pl. W1 —9E 58
Mandeville Rd. N14 —2F 26
Mandeville Rd. Enf —9D 6
Mandeville Rd. Iswth —1E 86
Mandeville Rd. N'holt —3L 53
Mandeville St. E5 —8J 45
Mandrake Rd. SW17 —9D 90
Mandrake Way. E15 —3C 62
Mandrell Rd. SW2 —4J 91
Manesty Ct. N14 —9H 15
(off Ivy Rd.)
Manette St. W1 —9H 59
Manford Clo. Chig —4E 32
Manford Cross. Chig —5E 32
Manford Ind. Est. Eri —7F 82
Manford Way. Chig —5C 32
Manfred Rd. SW15 —4K 89
Manger Rd. N7 —2J 59
Mangold Way. Eri —4H 81
Manilla St. E14 —3L 77

Man in the Moon Theatre—Margery Fry Ct.

Man in the Moon Theatre. —7B 74
(off King's Rd.)
Manister Rd. SE2 —4E 80
Manitoba Ct. SE16 —3G 77
(off Canada Est.)
Manitoba Gdns. Grn St —8D 128
Manley Ct. N16 —8D 44
Manley Ho. SE11 —5L 75
Manley St. NW1 —4E 58
Manly Dixon Dri. Enf —1J 17
Mann Clo. Croy —5A 124
Manneby Prior. N1 —5K 59
(off Cumming St.)
Manning Ct. Wat —8H 9
Manningford Clo. EC1 —6M 59
Manning Gdns. Harr —5H 39
Manning Pl. Rich —5K 87
Manning Rd. E17 —3J 45
Manning Rd. Dag —2L 65
Manning Rd. Orp —9H 113
Manning St. Ave —2M 83
Manningtree Clo. SW19 —7J 89
Manningtree Rd. Ruis —9F 36
Manningtree St. E1 —9E 60
Mannin Rd. Romf —5F 48
Mannock Rd. N22 —1M 43
Mannock Rd. Dart —2K 99
Mann's Clo. Iswth —4D 86
Manns Rd. Edgw —6L 23
Manny Shinwell Ho. SW6 —7K 73
(off Clem Attlee Ct.)
Manoel Rd. Twic —8A 86
Manor Av. E7 —9G 47
Manor Av. SE4 —1K 93
Manor Av. Horn —3G 51
Manor Av. Houn —2H 85
Manor Av. N'holt —3K 53
Manor Brook. SE3 —3E 94
Manor Chase. Wey —7A 116
Manor Circus . (Junct) —2L 87
Manor Clo. E17 —8J 29
Manor Clo. NW7 —5B 24
Manor Clo. NW9 —3M 39
Manor Clo. SE28 —1G 81
Manor Clo. Ave —2M 83
Manor Clo. Barn —6J 13
Manor Clo. Cray —3B 98
Manor Clo. Dag —2B 66
Manor Clo. Romf —3E 50
Manor Clo. Ruis —6D 36
Manor Clo. Warl —9J 139
Manor Clo. Wilm —9E 98
Manor Clo. Wor Pk —3C 120
Manor Clo. S. Ave —2M 83
Manor Cotts. N2 —9A 26
Manor Cotts. N'wd —8D 20
Manor Cotts. App. N2 —9A 26
Manor Ct. E4 —1C 30
Manor Ct. E10 —6M 45
Manor Ct. N2 —3D 42
(off Aylmer Rd.)
Manor Ct. N14 —2H 27
Manor Ct. N20 —3D 26
(off York Way)
Manor Ct. SW2 —4K 91
Manor Ct. SW6 —9M 73
Manor Ct. SW16 —9J 91
Manor Ct. W3 —5L 71
Manor Ct. Bark —3D 64
Manor Ct. Bexh —3M 97
Manor Ct. Chesh —4D 6
Manor Ct. Enf —9B 6
Manor Ct. Harr —4D 38
Manor Ct. King T —5L 103
Manor Ct. Twic —8A 86
Manor Ct. Wemb —1J 55
Manor Ct. W Mol —8L 101
Manor Ct. W W'ck —3M 125
Manor Ct. Wey —6A 116
Manor Ct. Rd. W7 —1C 70
Manor Cres. Eps —4L 133
Manor Cres. Horn —3G 51
Manor Cres. Surb —1L 119
Manorcroft Pde. Chesh —3D 6
Manor Deerfield Cotts. NW9 —3D 40
Manor Dene. SE28 —9G 65
Manordene Clo. Th Dit —3E 118
Manordene Rd. SE28 —9H 65
Manor Dri. N14 —1F 26
Manor Dri. N20 —4D 26
Manor Dri. NW7 —5B 24
Manor Dri. Eps —8C 120
Manor Dri. Esh —4D 118
Manor Dri. Felt —2H 101
Manor Dri. Sun —6E 100
Manor Dri. Surb —1K 119
Manor Dri. Wemb —9K 39
Manor Dri. N. N Mald & Wor Pk —2B 120
Manor Dri., The. Wor Pk —3C 120
Manor Est. SE16 —5F 76
Manor Farm. F'ham —1K 131
Manor Farm Av. Shep —1A 116
Mnr. Farm Clo. Wor Pk —3C 120
Mnr. Farm Ct. E6 —6K 63
(off Holloway Rd.)
Mnr. Farm Dri. E4 —3C 30
Mnr. Farm Rd. SW16 —6L 107
Mnr. Farm Rd. Enf —8B 6
Mnr. Farm Rd. Wemb —5H 55
Manorfield Clo. N19 —9G 43
(off Fulbrook M.)
Manor Fields. SW15 —5H 89
Manorfields Clo. Chst —7D 112
Manor Gdns. N7 —8J 43
Manor Gdns. SW4 —1G 91
(off Larkhall Ri.)
Manor Gdns. SW20 —6K 105
Manor Gdns. W3 —5L 71
Manor Gdns. W4 —6C 72
Manor Gdns. Hamp —4M 101
Manor Gdns. Rich —3K 87
Manor Gdns. Ruis —1G 53
Manor Gdns. S Croy —8D 124
Manor Gdns. Sun —5E 100
Manor Ga. N'holt —4J 53
Manorgate Rd. King T —5L 103
Mnr. Green Rd. Eps —5M 133
Manor Gro. SE15 —7G 77
Manor Gro. Beck —6M 109
Manor Gro. Rich —3L 87
Mnr. Hall Av. NW4 —9H 25
Mnr. Hall Dri. NW4 —9H 25
Manorhall Gdns. E10 —6L 45
Manor Hill. Bans —7D 136
Manor House. (Junct) —6A 44
Manor Ho. NW1 —8C 58
(off Marylebone Rd.)
Manor Ho. S'hall —4J 69
Manor Ho. Ct. W9 —7A 58
(off Warrington Gdns.)
Manor Ho. Ct. Eps —5A 134
Manor Ho. Ct. Shep —2A 116
Manor Ho. Dri. NW6 —3H 57
Manor Ho. Dri. N'wd —7A 20
Manor Ho. Est. Stan —6F 22
Mnr. Ho. Garden. E11 —4F 46
Manor Ho. Gdns. Ab L —4B 4
Manor Ho. Way. Iswth —2F 86
Manor La. SE13 & SE12 —4C 94
Manor La. Felt —8E 84
Manor La. Hay —7B 68
Manor La. Sun —6E 100
Manor La. Sutt —7A 122
Manor La. Ter. SE13 —3C 94
Manor M. NW6 —5L 57
(off Cambridge Rd., in two parts)
Manor M. SE4 —1K 93
Manor Mt. SE23 —7G 93
Manor Pde. N16 —7D 44
Manor Pde. NW10 —5D 56
(off High St.)
Manor Pde. Harr —4D 38
Manor Park. —9J 47
Manor Pk. SE13 —3B 94
Manor Pk. Chst —6B 112
Manor Pk. Eri —7E 82
Manor Pk. Rich —3K 87
Mnr. Park Clo. W W'ck —3M 125
Manor Park Crematorium. E7 —9G 47
Mnr. Park Cres. Edgw —6L 23
Mnr. Park Dri. Harr —1M 37
Mnr. Park Gdns. Edgw —5L 23
Mnr. Park Pde. SE13 —3B 94
(off Lee High Rd.)
Mnr. Park Rd. E12 —9H 47
Mnr. Park Rd. N2 —1A 42
Mnr. Park Rd. NW10 —4D 56
Mnr. Park Rd. Chst —5A 112
Mnr. Park Rd. Sutt —7A 122
Mnr. Park Rd. W W'ck —3M 125
Manor Pl. SE17 —6M 75
Manor Pl. Chst —6B 112
Manor Pl. Dart —7J 99
Manor Pl. Felt —7E 84
Manor Pl. Mitc —7G 107
Manor Pl. Sutt —6M 121
Manor Pl. W on T —2D 116
Manor Rd. E10 —5L 45
Manor Rd. E15 & E16 —5C 62
Manor Rd. E17 —9J 29
Manor Rd. N16 —7B 44
Manor Rd. N17 —8E 28
Manor Rd. N22 —6J 27
Manor Rd. SE25 —8E 108
Manor Rd. SW20 —6K 105
Manor Rd. W13 —1E 70
Manor Rd. Abr —2G 33
Manor Rd. Bark —2D 64
Manor Rd. Barn —6J 13
Manor Rd. Beck —6M 109
Manor Rd. Bex —7M 97
Manor Rd. Chad H —4H 49
Manor Rd. Dag —2A 66
Manor Rd. Dart —3C 98
Manor Rd. E Mol —8B 102
Manor Rd. Enf —4A 16
Manor Rd. Eri —7D 82
Manor Rd. Harr —4E 38
Manor Rd. Hay —9E 52
Manor Rd. H Bee —3F 18
Manor Rd. Lou —8F 18
Manor Rd. Mitc —8G 107
Manor Rd. Rich —3L 87
Manor Rd. Romf —3E 50
Manor Rd. Ruis —6B 36
Manor Rd. Sidc —9D 96
Manor Rd. Sutt —9K 121
Manor Rd. Tedd —2E 102
(in two parts)
Manor Rd. Twic —8A 86
Manor Rd. Wall —6F 122
Manor Rd. Wal A —6K 7
Manor Rd. W on T —2D 116
Manor Rd. Wat —3F 8
Manor Rd. W W'ck —4M 125
Manor Rd. Wfd G & Chig —6K 31
Manor Rd. Ho. Harr —4E 38
Manor Rd. N. Esh & Hin W —5D 118
Manor Rd. N. Wall —6F 122
Manor Rd. S. Esh —6C 118
Manorside. Barn —6J 13
Manorside Clo. SE2 —5G 81
Manor Sq. Dag —7G 49
Manor Va. Bren —6G 71
Manor Vw. N3 —9M 25
Manor Way. E4 —4B 30
Manor Way. NW9 —2C 40
Manor Way. SE3 —3D 94
Manor Way. Bans —8D 136
Manor Way. Beck —6L 109
Manor Way. Bex —7L 97
Manor Way. Bexh —2B 98
Manor Way. Borwd —5A 12
Manor Way. Brom —1J 127
Manor Way. Chesh —3E 6
Manorway. Enf —9C 16
Manor Way. Harr —2M 37
Manor Way. Mitc —7G 107
Manor Way. Orp —8A 112
Manor Way. Oxs —7A 132
Manor Way. Purl —4J 137
Manor Way. Rain —7C 66
Manor Way. Ruis —5C 36
Manor Way. S'hall —5H 69
Manor Way. S Croy —8C 124
Manor Way. Wfd G —5G 31
Manor Way. Wor Pk —3C 120
Manor Way Bus. Cen. Rain —8B 66
Manor Waye. Uxb —4B 142
Manor Way, The. Wall —6F 122
Manor Wood Rd. Purl —5J 137
Manpreet Ct. E12 —1K 63
Manresa Rd. SW3 —6C 74
Mansard Beeches. SW17 —2E 106
Mansard Clo. Horn —7E 50
Mansard Clo. Pinn —1H 37
Manse Clo. Hay —7B 68
Mansel Gro. E17 —8L 29
Mansell Rd. W3 —3B 72
Mansell Rd. Gnfd —8M 53
Mansell St. E1 —9D 60
Mansel Rd. SW19 —3J 105
Manse Pde. Swan —8E 114
Mansergh Clo. SE18 —8J 79
Manse Rd. N16 —8D 44
Manser Rd. Rain —6C 66
Manse Way. Swan —8E 114
Mansfield Av. N15 —2B 44
Mansfield Av. Barn —8D 14
Mansfield Av. Ruis —6F 36
Mansfield Clo. N9 —8E 16
Mansfield Clo. Orp —2H 129
Mansfield Ct. E2 —4D 60
(off Whiston Rd.)
Mansfield Dri. Hay —7C 52
Mansfield Gdns. Horn —7H 51
Mansfield Heights. N2 —3D 42
Mansfield Hill. E4 —9M 17
Mansfield M. W1 —8F 58
Mansfield Pl. NW3 —9A 42
Mansfield Pl. S Croy —8B 124
Mansfield Rd. E11 —4F 46
Mansfield Rd. E17 —2K 45
Mansfield Rd. NW3 —1D 58
Mansfield Rd. W3 —7M 55
Mansfield Rd. Chess —7G 119
Mansfield Rd. Ilf —7L 47
Mansfield Rd. S Croy —8B 124
Mansfield Rd. Swan —3C 114
Mansfield St. W1 —8F 58
Mansford St. E2 —5E 60
Manship Rd. Mitc —4E 106
Mansion Clo. SW9 —9L 75
(in two parts)
Mansion Gdns. NW3 —8M 41
Mansion House. —9B 60
Mansion Ho. Pl. EC4 —9B 60
Mansion Ho. St. EC2 —9B 60
(off Victoria St.)
Mansions, The. SW5 —6M 73
Manson M. SW7 —5B 74
Manson Pl. SW7 —5B 74
Manstead Gdns. Rain —9F 66
Mansted Gdns. Romf —5G 49
Manston. N17 —9B 28
(off Adams Rd.)
Manston. NW1 —3G 59
(off Agar Gro.)
Manston Av. S'hall —5L 69
Manston Clo. SE20 —5G 109
Manston Clo. Chesh —3C 6
Manstone Rd. NW2 —1J 57
Manston Gro. King T —2H 103
Manston Ho. W14 —4J 73
(off Russell Rd.)
Manston Way. Horn —2F 66
Manthorp Rd. SE18 —6A 80
Mantilla Rd. SW17 —1E 106
Mantle Rd. SE4 —2J 93
Mantlet Clo. SW16 —4G 107
Mantle Way. E15 —3C 62
Manton Av. W7 —3D 70
Manton Clo. Hay —1C 68
Manton Rd. SE2 —5E 80
Manton Rd. Enf —1L 17
Mantua St. SW11 —2B 90
Mantus Clo. E1 —7G 61
Mantus Rd. E1 —7G 61
Manus Way. N20 —2A 26
Manville Gdns. SW17 —9F 90
Manville Rd. SW17 —8E 90
Manwood Rd. SE4 —4K 93
Manwood St. E16 —2K 79
Manygate La. Shep —2A 116
Manygate Mobile Home Est. Shep —1B 116
(off Mitre Clo.)
Manygates. SW12 —8F 90
Mapesbury Rd. NW2 —3J 57
Mapeshill Pl. NW2 —2G 57
Mapes Ho. NW6 —3J 57
Mape St. E2 —7F 60
(in two parts)
Maple Av. E4 —5K 29
Maple Av. W3 —2C 72
Maple Av. Harr —7M 37
Maple Av. Upm —8M 51
Maple Av. W Dray —1J 143
Maple Clo. N16 —4E 44
Maple Clo. SW4 —5H 91
Maple Clo. Buck H —3H 31
Maple Clo. Bush —4J 9
Maple Clo. Hamp —3J 101
Maple Clo. Hay —6H 53
Maple Clo. Horn —8F 50
Maple Clo. Ilf —5C 32
Maple Clo. Mitc —5F 106
Maple Clo. Orp —9B 112
Maple Clo. Ruis —4F 36
Maple Clo. Swan —6C 114
Maple Clo. Whyt —9D 138
Maple Ct. E6 —8L 63
Maple Ct. SE6 —7M 93
Maple Ct. Borwd —6L 11
(off Drayton Rd.)
Maple Ct. Croy —6A 124
(off Lwr. Coombe St.)
Maple Ct. Croy —6A 124
(off Waldrons, The)
Maple Ct. N Mald —7B 104
Maple Ct. Wat —9H 5
Maple Cres. Sidc —5E 96
Maplecroft Clo. E6 —9H 63
Mapledale Av. Croy —4E 124
Mapledene. Chst —2A 112
Mapledene Est. E8 —3E 60
Mapledene Rd. E8 —3D 60
Maplefield. Park —2M 5
Maple Gdns. Edgw —7C 24
Maple Gdns. Stai —8C 144
Maple Ga. Lou —4L 19
Maple Gro. NW9 —5A 40
Maple Gro. W5 —4H 71
Maple Gro. Bren —8F 70
Maple Gro. S'hall —8K 53
Maple Gro. Wat —3E 8
Maple Gro. Bus. Cen. Houn —3G 85
Maple Ho. E17 —1M 45
Maple Ho. SE8 —8K 77
(off Idonia St.)
Maple Ho. Surb —9J 103
(off Maple Rd.)
Maplehurst. Brom —6C 110
Maplehurst Clo. King T —8J 103
Maple Ind. Est. Felt —9E 84
Maple Leaf Clo. Ab L —5E 4
Maple Leaf Clo. Big H —8H 141
Mapleleaf Clo. S Croy —3G 139
Maple Leaf Dri. Sidc —7D 96
Mapleleafe Gdns. Ilf —1M 47
Maple Leaf Sq. SE16 —3H 77
Maple Lodge. W8 —4M 73
Maple M. NW6 —5M 57
Maple M. SW16 —2K 107
Maple Pl. N17 —7E 28
Maple Pl. W1 —7G 59
Maple Pl. Bans —6H 135
Maple Pl. W Dray —2J 143
Maple Rd. E11 —4C 46
Maple Rd. SE20 —5F 108
Maple Rd. Dart —7G 99
Maple Rd. Hay —6G 53
Maple Rd. Surb —1H 119
Maple Rd. Whyt —9D 138
Maplescombe. —7M 131
Maplescombe La. F'ham —5L 131
Maples Pl. E1 —8F 60
Maple Springs. Wal A —6M 7
Maplestead Rd. SW2 —6K 91
Maplestead Rd. Dag —4F 64
Maples, The. Bans —6M 135
Maples, The. Borwd —3L 11
Maples, The. Clay —9E 118
Maples, The. Tedd —4G 103
Maple St. W1 —8G 59
Maple St. Romf —2A 50
Maplethorpe Rd. T Hth —8L 107
Mapleton Clo. Brom —1E 126
Mapleton Cres. SW18 —5M 89
Mapleton Cres. Enf —2G 17
Mapleton Rd. E4 —3A 30
Mapleton Rd. SW18 —5L 89
(in two parts)
Mapleton Rd. Enf —4F 16
Maple Wlk. W10 —6H 57
Maple Wlk. Sutt —2M 135
Maple Way. Felt —9E 84
Maplin Clo. N21 —8K 15
Maplin Ho. SE2 —3H 81
(off Wolvercote Rd.)
Maplin Rd. E16 —9E 62
Maplin St. E3 —6K 61
Mapperley Clo. E11 —4D 46
Mapperley Dri. Wfd G —7C 30
Maran Way. Eri —4H 81
Marathon Ho. NW1 —8D 58
(off Marylebone Rd.)
Marban Rd. W9 —6K 57
Marble Arch. (Junct.) —1D 74
Marble Arch. —1D 74
(off Marble Arch)
Marble Arch. W1 —1D 74
Marble Clo. W3 —2M 71
Marble Dri. NW2 —6H 41
Marble Hill Clo. Twic —6F 86
Marble Hill Gdns. Twic —6F 86
Marble Hill House. —6G 87
Marble Ho. W9 —7K 57
Marble Quay. E1 —2E 76
Marbrook Ct. SE12 —9G 95
Marcellina Way. Orp —5C 128
Marcet Rd. Dart —4G 99
March. NW9 —8D 24
(off Concourse, The)
Marchant Ct. SE1 —6D 76
Marchant Rd. E11 —7B 46
Marchant St. SE14 —7J 77
Marchbank Rd. W14 —7K 73
March Ct. SW15 —3F 88
Marchmant Clo. Horn —8G 51
Marchmont Rd. Rich —4K 87
Marchmont Rd. Wall —9G 123
Marchmont St. WC1 —7J 59
March Rd. Twic —6E 86
Marchside Clo. Houn —9H 69
Marchwood Clo. SE5 —8C 76
Marchwood Cres. W5 —9G 55
Marcia Rd. SE1 —5C 76
Marcilly Rd. SW18 —4B 90
Marcon Ct. E8 —1F 60
(off Amhurst Rd.)
Marconi Rd. E10 —6L 45
Marconi Way. S'hall —9M 53
Marcon Pl. E8 —1F 60
Marco Polo Ho. SW8 —8F 74
Marco Rd. W6 —4G 73
Marcourt Lawns. W5 —7J 55
Marcus Ct. E15 —4C 62
Marcus Garvey M. SE22 —5F 92
Marcus Garvey Way. SE24 —3L 91
Marcus Rd. Dart —6E 98
Marcus St. E15 —4C 62
Marcus St. SW18 —5M 89
Marcus Ter. SW18 —5M 89
Mardale Ct. NW7 —7E 24
Mardale Dri. NW9 —3B 40
Mardell Rd. Croy —9H 109
Marden Av. Brom —1D 126
Marden Clo. Chig —2F 32
Marden Cres. Bex —4A 98
Marden Cres. Croy —1K 123
Marden Ho. E5 —1F 60
Marden Rd. N17 —9C 28
Marden Rd. Croy —1K 123
Marden Rd. Romf —4C 50
Marden Sq. SE16 —4F 76
Marder Rd. W13 —3E 70
Mardon. Pinn —7K 21
Mardyke Ho. SE17 —5B 76
(off Mason St.)
Marechal Niel Av. Sidc —9B 96
Marechal Niel Pde. Sidc —9B 96
(off Main Rd.)
Maresby Ho. E4 —2M 29
Mares Fld. Croy —5C 124
Maresfield Gdns. NW3 —1A 58
Mare St. E8 & E2 —1F 60
Marfleet Clo. Cars —4C 122
Margaret Av. E4 —8M 17
Margaret Bondfield Av. Bark —3E 64
Margaret Bldgs. N16 —6D 44
Margaret Clo. Ab L —5D 4
Margaret Clo. Romf —3F 50
Margaret Clo. Wal A —6K 7
Margaret Ct. W1 —9G 59
(off Margaret St.)
Margaret Ct. Barn —6B 14
Margaret Dri. Horn —6K 51
Margaret Gardner Dri. SE9 —8K 95
Margaret Herbison Ho. SW6 —7K 73
(off Clem Attlee Ct.)
Margaret Ho. W6 —6G 73
(off Queen Caroline St.)
Margaret Ingram Clo. SW6 —7K 73
(off Rylston Rd.)
Margaret Lockwood Clo. King T —8K 103
Margaret Rd. N16 —6D 44
Margaret Rd. Barn —6B 14
Margaret Rd. Bex —5H 97
Margaret Rd. Romf —3F 50
Margaret Sq. Uxb —4A 142
Margaret St. W1 —9F 58
Margaretta Ter. SW3 —7C 74
Margaretting Rd. E12 —6G 47
Margaret Way. Ilf —4J 47
Margaret White Ho. NW1 —6H 59
(off Chalton St.)
Margate Rd. SW2 —4J 91
Margeholes. Wat —2J 21
Margery Fry Ct. N7 —8J 43

Margery Pk. Rd. E7 —2E 62
Margery Rd. Dag —8H 49
Margery St. WC1 —6L 59
Margherita Pl. Wal A —7M 7
Margherita Rd. Wal A —7M 7
Margin Dri. SW19 —2H 105
Margravine Gdns. W6 —6H 73
Margravine Rd. W6 —6H 73
Marham Gdns. SW18 —7C 90
Marham Gdns. Mord —1A 122
Maria Clo. SE1 —5F 76
Mariam Gdns. Horn —7K 51
Marian Clo. Hay —7H 53
Marian Ct. E9 —1G 61
Marian Ct. Sutt —7M 121
Marian Gdns. Leav —6F 4
Marian Pl. E2 —5F 60
Marian Rd. SW16 —5G 107
Marian Sq. E2 —5F 60
Marian St. E2 —5F 60
Marian Way. NW10 —3D 56
Maria Ter. E1 —8H 61
Maria Theresa Clo. N Mald —9B 104
Maribor. SE10 —8A 78
(off Burney St.)
Maricas Av. Harr —8B 22
Marie Lloyd Gdns. N19 —5J 43
Marie Lloyd Ho. N1 —5B 60
(off Murray Gro.)
Marie Lloyd Wlk. E8 —2D 60
Mariette Way. Wall —1J 137
Marigold All. SE1 —1M 75
(off Up. Ground)
Marigold Clo. S'hall —1J 69
Marigold Rd. N17 —7G 29
Marigold St. SE16 —3F 76
Marigold Way. Croy —3H 125
Marina App. Hay —8J 53
Marina Av. N Mald —9F 104
Marina Clo. Brom —7E 110
Marina Dri. Dart —7L 99
Marina Dri. Well —1C 96
Marina Gdns. Chesh —3C 6
Marina Gdns. Romf —3M 49
Marina Way. Tedd —4H 103
Marine Ct. Eri —8D 82
Marine Dri. SE18 —5K 79
Marinefield Rd. SW6 —1M 89
Marinel Ho. SE5 —8A 76
Mariner Gdns. Rich —9G 87
Mariner Rd. E12 —9L 47
Mariners M. E14 —5B 78
Mariners Wlk. Eri —7D 82
Marine St. SE16 —4E 76
Marine Tower. SE8 —7K 77
(off Abinger Gro.)
Marion Av. Shep —9A 100
Marion Clo. Bush —3K 9
Marion Clo. Ilf —7B 32
Marion Cres. Orp —9E 112
Marion Gro. Wfd G —5C 30
Marion Rd. NW7 —5E 24
Marion Rd. T Hth —9A 108
Marischal Rd. SE13 —2B 94
Maritime Ind. Est. SE7 —5F 78
Maritime Quay. E14 —6L 77
Maritime St. E3 —7K 61
Marius Pas. SW17 —8E 90
Marius Rd. SW17 —8E 90
Marjorams Av. Lou —4K 19
Marjorie Gro. SW11 —3D 90
Marjorie M. E1 —9H 61
Markab Rd. N'wd —5D 20
Mark Av. E4 —8M 17
Mark Clo. Bexh —9J 81
Mark Clo. S'hall —1M 69
Marke Clo. Kes —6J 127
Markeston Grn. Wat —4H 21
Market Cen., The. S'hall —5F 68
Market Chambers. Enf —5B 16
(off Church St.)
Market Ct. W1 —9G 59
(off Market Pl.)
Market Entrance. SW8 —8G 75
Market Est. N7 —2J 59
Market Hill. SE18 —4L 79
Market La. Edgw —8A 24
Market Link. Romf —2C 50
Market Mdw. Orp —8G 113
Market M. W1 —2F 74
Market Pde. E10 —4A 46
(off High Rd. Leyton)
Market Pde. E17 —1K 45
(off Forest Rd.)
Market Pde. N9 —2E 28
(off Winchester Rd.)
Market Pde. Brom —5E 110
(off East St.)
Market Pde. Felt —9J 85
Market Pde. Sidc —1F 112
Market Pavilion. E10 —8L 45
Market Pl. N2 —1C 42
Market Pl. NW11 —2M 41
Market Pl. SE16 —5E 76
(in two parts)
Market Pl. W1 —9G 59
Market Pl. W3 —2A 72
Market Pl. Bexh —3L 97
Market Pl. Bren —8G 71
Market Pl. Dart —6J 99
Market Pl. Enf —5B 16
Market Pl. King T —6H 103
Market Pl. Romf —3C 50
Market Pl. S'hall —2K 69
Market Rd. N7 —2J 59
Market Rd. Rich —2L 87
Market Row. SW9 —3L 91
Market Sq. E14 —9M 61
Market Sq. Brom —6E 110
Market Sq. Uxb —3A 142
Market Sq. Wal A —6J 7
Market Sq., The. N9 —2F 28
(off Plevna Rd.)
Market St. E6 —5K 63
Market St. SE18 —5L 79
Market St. Dart —6J 99
Market St. Wat —6F 8
Market Ter. Bren —7J 71
(off Albany Rd.)
Market, The. Sutt —3A 122
Market Way. E14 —9M 61
Market Way. Wemb —1J 55
Market Yd. M. SE1 —4C 76
(off Bermondsey St.)
Markfield. Croy —2K 139
(in three parts)
Markfield Gdns. E4 —9M 17
Markfield Rd. N15 —2E 44
Markham Clo. Borwd —4K 11
Markham Ho. Dag —8L 49
(off Uvedale Rd.)
Markham Pl. SW3 —6D 74
Markham Sq. SW3 —6D 74
Markham St. SW3 —6C 74
Markhole Clo. Hamp —4K 101
Mark Ho. E2 —5H 61
(off Sewardstone Rd.)
Markhouse Av. E17 —4J 45
Markhouse Pas. E17 —4K 45
(off Markhouse Rd.)
Markhouse Rd. E17 —4K 45
Markland Ho. W10 —1H 73
(off Darfield Way)
Mark La. EC3 —1C 76
Mark Lodge. Cockf —6C 14
(off Edgeworth Rd.)
Markmanor Av. E17 —5J 45
Mark Rd. N22 —8M 27
Marksbury Av. Rich —2L 87
Marks Gate. —8J 33
Marks Lodge. Romf —3B 50
Mark Sq. EC2 —7C 60
Marks Rd. Romf —3A 50
Marks Rd. Warl —9J 139
Markstone Ho. SE1 —3M 75
(off Lancaster St.)
Mark St. E15 —3C 62
Mark St. EC2 —7C 60
Markway. Sun —6G 101
Mark Way. Swan —9E 114
Markwell Clo. SE26 —1F 108
Markyate Rd. Dag —1F 64
Marlands Rd. Ilf —1J 47
Marlborough Av. E8 —4E 60
(in three parts)
Marlborough Av. N14 —3G 27
Marlborough Av. Edgw —3M 23
Marlborough Av. Ruis —4A 36
Marlborough Clo. N20 —3D 26
Marlborough Clo. SE17 —5A 76
Marlborough Clo. SW19 —3C 106
Marlborough Clo. Orp —1D 128
Marlborough Clo. W on T —5H 117
Marlborough Ct. W1 —1G 75
(off Kingly St.)
Marlborough Ct. W8 —5L 73
(off Pembroke Rd.)
Marlborough Ct. Buck H —2G 31
Marlborough Ct. Enf —4K 17
Marlborough Ct. Harr —2B 38
Marlborough Ct. N'wd —7D 20
Marlborough Ct. S Croy —6C 124
(off Birdhurst Rd.)
Marlborough Ct. Wall —9G 123
Marlborough Cres. W4 —4B 72
Marlborough Dri. Ilf —1J 47
Marlborough Dri. Wey —5A 116
Marlborough Flats. SW3 —5C 74
(off Walton St.)
Marlborough Gdns. N20 —3D 26
Marlborough Gdns. Surb —2H 119
Marlborough Gro. SE1 —6E 76
Marlborough Hill. NW8 —5A 58
Marlborough Hill. Harr —2B 38
Marlborough House —2G 76
Marlborough Ho. NW1 —7F 58
(off Osnaburgh St.)
Marlborough La. SE7 —7G 79
Marlborough Mans. NW6 —1M 57
(off Canon Hill)
Marlborough M. SW2 —3K 91
Marlborough Pde. Uxb —7F 142
Marlborough Pk. Av. Sidc —6E 96
Marlborough Pl. NW8 —5A 58
Marlborough Rd. E4 —6M 29
Marlborough Rd. E7 —3G 63
Marlborough Rd. E15 —9C 46
Marlborough Rd. E18 —9E 30
Marlborough Rd. N9 —1D 28
Marlborough Rd. N19 —7H 43
(in two parts)
Marlborough Rd. N22 —7J 27
Marlborough Rd. SW1 —2G 75
Marlborough Rd. SW19 —3C 106
Marlborough Rd. W4 —6A 72
Marlborough Rd. W5 —3H 71
Marlborough Rd. Bexh —2H 97
Marlborough Rd. Brom —8G 111
Marlborough Rd. Dag —9F 48
Marlborough Rd. Dart —5G 99
Marlborough Rd. Felt —8H 85
Marlborough Rd. Hamp —3L 101
Marlborough Rd. Iswth —9F 70
Marlborough Rd. Rich —5K 87
Marlborough Rd. Romf —2L 49
Marlborough Rd. S'hall —4G 69
Marlborough Rd. S Croy —9A 124
Marlborough Rd. Sutt —5L 121
Marlborough Rd. Uxb —7F 142
Marlborough Rd. Wat —6F 8
Marlborough St. SW3 —5C 74
Marlborough Yd. N19 —7H 43
Marlbury. NW8 —4M 57
(off Abbey Rd.)
Marld, The. Asht —9K 133
Marle Gdns. Wal A —5J 7
Marler Ho. Eri —1D 98
Marler Rd. SE23 —7J 93
Marlescroft Way. Lou —7M 19
Marley Av. Bexh —7H 81
Marley Clo. N15 —2M 43
Marley Clo. Gnfd —6L 53
Marley Ho. W11 —1H 73
(off St Ann's Rd.)
Marley Wlk. NW2 —1G 57
Marlin Clo. Sun —3C 100
Marlingdene Clo. Hamp —3L 101
Marlings Clo. Chst —8C 112
Marlings Clo. Whyt —9C 138
Marlings Pk. Av. Chst —8C 112
Marlin Ho. Wat —8B 8
Marlins Clo. Sutt —7A 122
Marlins Mdw. Wat —8B 8
Marlin Sq. Ab L —4D 4
Marlins, The. N'wd —5D 20
Marloes Clo. Wemb —9H 39
Marloes Rd. W8 —4M 73
Marlow Av. Purf —5L 83
Marlow Clo. SE20 —7F 108
Marlow Ct. N14 —9G 15
Marlow Ct. NW6 —3H 57
Marlow Ct. NW9 —1D 40
Marlow Ct. W2 —9M 57
Marlow Cres. Twic —5D 86
Marlow Dri. Sutt —4H 121
Marlowe Bus. Cen. SE14 —8J 77
(off Batavia Rd.)
Marlowe Clo. Chst —3B 112
Marlowe Clo. Ilf —8A 32
Marlowe Ct. SW3 —5C 74
Marlowe Gdns. SE9 —5L 95
Marlowe Gdns. Romf —8G 35
Marlowe Ho. SE8 —6K 77
(off Bowditch)
Marlowe Ho. King T —8H 103
(off Portsmouth Rd.)
Marlowe Rd. E17 —2A 46
Marlowe Sq. Mitc —8G 107
Marlowes, The. NW8 —4B 58
Marlowes, The. Dart —3B 98
Marlowe Way. Croy —4J 123
Marlow Gdns. Hay —4B 68
Marlow Ho. E2 —6D 60
(off Calvert Av.)
Marlow Ho. SE1 —4D 76
(off Maltby St.)
Marlow Ho. Surb —9J 103
(off Cranes Pk.)
Marlow Ho. Tedd —1E 102
Marlow Rd. E6 —6K 63
Marlow Rd. SE20 —7F 108
Marlow Rd. S'hall —4K 69
Marlow Way. SE16 —3H 77
Marlpit Av. Coul —9J 137
Marlpit La. Coul —8H 137
Marl Rd. SW18 —3A 90
Marlton St. SE10 —6D 78
Marlwood Clo. Sidc —8C 96
Marlyon Rd. Ilf —5F 32
Marmadon Rd. SE18 —5D 80
Marmion App. E4 —4L 29
Marmion Av. E4 —4K 29
Marmion Clo. E4 —4K 29
Marmion M. SW11 —2E 90
Marmion Rd. SW11 —3E 90
Marmont Rd. SE15 —9E 76
Marmora Ho. E1 —8J 61
(off Ben Jonson Rd.)
Marmora Rd. SE22 —5G 93
Marmot Rd. Houn —2H 85
Marne Av. N11 —4F 26
Marne Av. Well —2E 96
Marnell Way. Houn —2H 85
Marne St. W10 —6J 57
Marney Rd. SW11 —3E 90
Marneys Clo. Eps —7L 133
Marnfield Cres. SW2 —7L 91
Marnham Av. NW2 —9J 41
Marnham Ct. Wemb —1G 55
Marnham Cres. Gnfd —6M 53
Marnock Ho. SE17 —6B 76
(off Brandon St.)
Marnock Rd. SE4 —4K 93
Maroon Ho. E14 —8J 61
Maroon St. E14 —8J 61
Maroons Way. SE6 —1L 109
Marqueen Towers. SW16 —4J 107
Marquess Rd. N1 —2B 60
Marquess Rd. N. N1 —2A 60
Marquess Rd. S. N1 —2A 60
Marquis Clo. Wemb —3K 55
Marquis Ct. N4 —6K 43
(off Marquis Rd.)
Marquis Ct. Bark —1C 64
Marquis Ct. King T —8H 103
(off Anglesea Rd.)
Marquis Rd. N4 —6K 43
Marquis Rd. N22 —6K 27
Marquis Rd. NW1 —2H 59
Marrabon Clo. Sidc —7E 96
Marrick Clo. SW15 —3E 88
Marrick Ho. NW6 —4M 57
(off Mortimer Cres.)
Marriett Ho. SE6 —1A 110
Marrilyne Av. Enf —2K 17
Marriner Ct. Hay —1C 68
(off Barra Hall Rd.)
Marriott Clo. Felt —5B 84
Marriott Rd. E15 —4C 62
Marriott Rd. N4 —6K 43
Marriott Rd. N10 —8D 26
Marriott Rd. Barn —5H 13
Marriott Rd. Dart —6K 99
Marriotts Clo. NW9 —4D 40
Marrowells. Wey —5D 116
Marryat Ho. SW1 —6G 75
(off Churchill Gdns.)
Marryat Pl. SW19 —1J 105
Marryat Rd. SW19 —2H 105
Marryat Rd. Enf —8B 6
Marryat Sq. SW6 —9J 73
Marsala Rd. SE13 —3M 93
Marsden Rd. N9 —2F 28
Marsden Rd. SE15 —2D 92
Marsden St. NW5 —2E 58
(in two parts)
Marsden Way. Orp —5D 128
Marshall Clo. SW18 —5A 90
Marshall Clo. Harr —5B 38
Marshall Clo. Houn —4K 85
Marshall Clo. S Croy —5E 138
Marshall Dri. Hay —8D 52
Marshall Est. NW7 —4E 24
Marshall Ho. N1 —5B 60
(off Cranston Est.)
Marshall Ho. NW6 —5K 57
(off Albert Rd.)
Marshall Ho. SE1 —4C 76
(off Page's Wlk.)
Marshall Ho. SE17 —6B 76
Marshall Path. SE28 —1F 80
Marshall Rd. N17 —8B 28
Marshalls Clo. N11 —4F 26
Marshalls Clo. Eps —5A 134
Marshalls Dri. Romf —1C 50
Marshalls Gro. SE18 —5J 79
Marshall's Pl. SE16 —4D 76
Marshalls Rd. Romf —2B 50
Marshall's Rd. Sutt —6M 121
Marshall St. W1 —9G 59
Marshall Way. E10 —8M 45
Marshalsea Rd. SE1 —3A 76
Marsham Clo. Chst —2M 111
Marsham Ct. SW1 —5H 75
(off Marsham St.)
Marsham Ho. Eri —3H 81
Marsham St. SW1 —4H 75
Marsh Av. Eps —2C 134
Marsh Av. Mitc —6D 106
Marshbrook Clo. SE3 —2H 95
Marsh Cen., The. E1 —9D 60
(off Whitechapel High St.)
Marsh Clo. NW7 —3D 24
Marsh Clo. Wal X —6E 6
Marsh Ct. E8 —3D 60
(off St Philip's Rd.)
Marshcroft Dri. Chesh —3E 6
Marsh Dri. NW9 —4D 40
Marsh Farm Rd. Twic —7D 86
Marshfield St. E14 —4A 78
Marsh Ga. Bus. Cen. E15 —4A 62
Marshgate La. E15 —3M 61
Marshgate Path. SE28 —4A 80
Marshgate Trad. Est. E15 —3M 61
Marsh Grn. Rd. Dag —4L 65
Marsh Hall. Wemb —8K 39
Marsh Hill. E9 —1J 61
Marsh Hill. Wal A —1L 7
Marsh Ho. SW1 —6H 75
(off Aylesford St.)
Marsh Ho. SW8 —9G 75
Marsh La. E10 —7K 45
Marsh La. N17 —8F 28
Marsh La. NW7 —3C 24
Marsh La. Stan —5G 23
Marsh Rd. Pinn —2J 37
Marsh Rd. Wemb —6H 55
Marshside Clo. N9 —1G 29
Marsh St. E14 —5M 77
Marsh St. Dart —1L 99
(in two parts)
Marsh Wall. E14 —2L 77
Marsh Way. Rain —6B 66
(in two parts)
Marshwood Ho. NW6 —4L 57
(off Kilburn Va.)
Marsland Clo. SE17 —6M 75
Marsom Ho. N1 —5B 60
(off Provost Est.)
Marston. Eps —3A 134
Marston Av. Chess —8J 119
Marston Av. Dag —7L 49
Marston Clo. NW6 —3A 58
Marston Clo. Dag —8L 49
Marston Ct. W on T —3G 117
Marston Dri. Warl —9J 139
Marston Ho. SW9 —1L 91
Marston Rd. Ilf —8J 31
Marston Rd. Tedd —2F 102
Marston Way. SE19 —4M 107
Marsworth Av. Pinn —8H 21
Marsworth Clo. Hay —8J 53
Marsworth Clo. Wat —9C 8
Marsworth Ho. E2 —4E 60
(off Whiston Rd.)
Martaban Rd. N16 —7D 44
Martello St. E8 —3F 60
Martello Ter. E8 —3F 60
Martell Rd. SE21 —9B 92
Martel Pl. E8 —2D 60
Marten Rd. E17 —9L 29
Martens Av. Bexh —3M 97
Martens Clo. Bexh —3A 98
Martha Ct. E2 —5F 60
Martham Clo. SE28 —1H 81
Martha Rd. E15 —2C 62
Martha St. E1 —9G 61
Marthorne Cres. Harr —9B 22
Martina Ter. Chig —5C 32
Martin Bowes Rd. SE9 —2K 95
Martinbridge Trad. Est. Enf —7E 16
Martin Clo. N9 —1H 29
Martin Clo. S Croy —3H 139
Martin Clo. Uxb —5C 142
Martin Clo. Warl —8F 138
Martin Ct. E14 —3A 78
(off River Barge Clo.)
Martin Ct. S Croy —7B 124
(off Birdhurst Rd.)
Martin Cres. Croy —3L 123
Martindale. SW14 —4A 88
Martindale Av. E16 —1E 78
Martindale Av. Orp —7E 128
Martindale Ho. E14 —1M 77
(off Poplar High St.)
Martin Dale Ind. Est. Enf —5F 16
Martindale Rd. SW12 —6F 90
Martindale Rd. Houn —2J 85
Martin Dene. Bexh —4K 97
Martin Dri. Enf —1L 17
Martin Dri. N'holt —1K 53
Martin Dri. Rain —7F 66
Martin Dri. Stne —6M 99
Martineau Clo. Esh —6B 118
Martineau Est. E1 —1G 77
Martineau Ho. SW1 —6G 75
(off Churchill Gdns.)
Martineau M. N5 —9M 43
Martineau Rd. N5 —9M 43
Martingale Clo. Sun —8E 100
Martingales Clo. Rich —9H 87
Martin Gdns. Dag —9G 49
Martin Gro. Mord —7L 105
Martin Ho. SE1 —4A 76
Martin Ho. SW8 —8J 75
(off Wyvil Rd.)
Martin La. EC4 —1B 76
(in two parts)
Martin Ri. Bexh —4K 97
Martin Rd. Dag —9G 49
Martin Rd. Dart —9G 99
Martins Clo. Orp —7H 113
Martins Clo. W W'ck —3B 126
Martins Dri. Chesh —1E 6
Martinsfield Clo. Chig —4C 32
Martins Mt. New Bar —6L 13
Martin's Rd. Brom —6C 110
Martins, The. Wemb —8K 39
Martinstown Clo. Horn —4L 51
Martin St. SE28 —2C 80
Martins Wlk. N10 —8E 26
Martins Wlk. Borwd —6L 11
Martin Way. SW20 & Mord —6H 105
Martlesham. N17 —9C 28
(off Adams Rd.)
Martlesham Clo. Horn —1G 67
Martlet Gro. N'holt —6H 53
Martlett Ct. WC2 —9J 59
Martley Dri. Ilf —3M 47
Martock Clo. Harr —2F 38
Martock Gdns. N11 —5D 26
Marton Clo. SE6 —9L 93
Marton Rd. N16 —7C 44
Martynside. NW9 —8D 24
Martys Yd. NW3 —9B 42
Marvell Av. Hay —8E 52
Marvell Ho. SE5 —8B 76
(off Camberwell Rd.)
Marvels Clo. SE12 —8F 94
Marvels La. SE12 —8F 94
Marville Rd. SW6 —8K 73
Marvin St. E8 —2F 60
Marwell Clo. Romf —3E 50
Marwell Clo. W W'ck —4D 126
Marwood Clo. Well —2F 96
Mary Adelaide Clo. SW15 —1C 104
Mary Ann Gdns. SE8 —7L 77
Maryatt Av. Harr —7M 37
Mary Bank. SE18 —5K 79
Mary Clo. Stan —2K 39
Mary Datchelor Clo. SE5 —9B 76
Maryfield Clo. Bex —9C 98
Mary Flux Ct. SW5 —6M 73
(off Bramham Gdns.)

Meadow Clo. Ruis —4D 36
Meadow Clo. Sutt —4A 122
Meadow Clo. W on T —6K 117
Meadow Ct. N1 —5C 60
Meadow Ct. Eps —5A 134
Meadow Ct. Houn —5M 85
Meadowcourt Rd. SE3 —3D 94
Meadowcroft. W4 —6L 71
(off Brooks Rd.)
Meadowcroft. Brom —7K 111
Meadowcroft. Bush —8M 9
(off High St.)
Meadowcroft Clo. N13 —2L 27
Meadowcroft Rd. N13 —2L 27
Meadowcross. Wal A —7L 7
Meadow Dri. N10 —1F 42
Meadow Dri. NW4 —9G 25
Meadow Gdns. Edgw —6M 23
Meadow Gth. NW10 —2A 56
Meadow Hill. Coul —6G 137
Meadow Hill. N Mald —1C 120
Meadowlands. Horn —5J 51
Meadow La. SE12 —9F 94
Meadowlea Clo. Harm —7H 143
Meadow M. SW8 —7K 75
Meadow Pl. SW8 —8J 75
Meadow Pl. W4 —8C 72
Meadow Ri. Coul —5H 137
Meadow Rd. SW8 —8K 75
Meadow Rd. SW19 —4A 106
Meadow Rd. Ashf —2B 100
Meadow Rd. Asht —9J 133
Meadow Rd. Bark —3D 64
Meadow Rd. Borwd —4M 11
Meadow Rd. Brom —6C 110
Meadow Rd. Bush —7M 9
Meadow Rd. Clay —8C 118
Meadow Rd. Dag —2K 65
Meadow Rd. Felt —8J 85
Meadow Rd. Lou —7J 19
Meadow Rd. Pinn —2H 37
Meadow Rd. Romf —6A 50
Meadow Rd. S'hall —1K 69
Meadow Rd. Sutt —6C 122
Meadow Rd. Wat —7E 4
Meadow Row. SE1 —4A 76
Meadows Clo. E10 —7L 45
Meadows Ct. Sidc —3F 112
Meadows End. Sun —5E 100
Meadowside. SE9 —3G 95
Meadowside. Dart —7H 99
Meadowside. Twic —6H 87
Meadowside. W on T —4G 117
Meadowside Rd. Sutt —1J 135
Meadowside Rd. Upm —1M 67
Meadows Leigh Clo. Wey —5A 116
Meadows, The. Orp —8G 129
Meadows, The. Warl —9H 139
Meadow Stile. Croy —5A 124
Meadowsweet Clo. E16 —8H 63
Meadowsweet Clo. SW20 —8G 105
Meadow, The. N10 —1F 42
Meadow, The. Chst —3A 112
Meadow Vw. Cow —8A 142
(in three parts)
Meadow Vw. Harr —6C 38
Meadow Vw. Orp —7G 113
Meadow Vw. Sidc —6F 96
Meadowview Rd. SE6 —2K 109
Meadowview Rd. Bex —5J 97
Meadowview Rd. Eps —1C 134
Meadow Vw. Rd. Hay —7B 52
Meadow Vw. Rd. T Hth —9M 107
Meadow Wlk. E18 —2E 46
Meadow Wlk. Dag —2K 65
Meadow Wlk. Dart —1G 115
(in two parts)
Meadow Wlk. Eps —8C 120
(in two parts)
Meadow Wlk. Wall —5F 122
Meadow Way. NW9 —3B 40
Meadow Way. Bedm —1D 4
Meadow Way. Chess —7J 119
Meadow Way. Chig —3A 32
Meadow Way. Dart —6M 99
Meadow Way. Orp —5L 127
Meadow Way. Ruis —4F 36
Meadow Way. Tad —9J 135
Meadow Way. Upm —8M 51
Meadow Way. Wemb —9H 39
Meadow Waye. Houn —7J 69
Meadow Way, The. Harr —8C 22
Mead Path. SW17 —1A 106
Mead Pl. E9 —2G 61
Mead Pl. Croy —3A 124
Mead Plat. NW10 —2A 56
Mead Rd. Chst —3A 112
Mead Rd. Dart —7H 99
Mead Rd. Edgw —6L 23
Mead Rd. Rich —9G 87
Mead Rd. Uxb —3B 142
Mead Rd. W on T —6J 117
Mead Row. SE1 —4L 75
Meads Ct. E15 —2D 62
Meadside Clo. Beck —5J 109
Meads La. Ilf —5C 48
Meads Rd. N22 —9M 27
Meads Rd. Enf —3J 17
Meads, The. Brick W —2K 5
Meads, The. Edgw —6B 24
Meads, The. Mord —9C 106
Meads, The. Sutt —5J 121
Meads, The. Uxb —7C 142

Mead Ter. Wemb —9H 39
Mead, The. N2 —9A 26
Mead, The. W13 —8F 54
Mead, The. Beck —5A 110
Mead, The. Chesh —2C 6
Mead, The. Wall —8H 123
Mead, The. Wat —3J 21
Mead, The. W W'ck —3B 126
Meadvale Rd. W5 —7F 54
Meadvale Rd. Croy —2D 124
Meadway. N14 —2H 27
Meadway. NW11 —4L 41
Mead Way. SW20 —8G 105
Meadway. Ashf —9E 144
Meadway. Barn & New Bar —6L 13
Meadway. Beck —5A 110
Mead Way. Brom —1D 126
Mead Way. Bush —4J 9
Mead Way. Coul —9J 137
Mead Way. Croy —4J 125
Meadway. Enf —9C 6
Meadway. Eps —4A 134
Meadway. Esh —9M 117 & 1A 132
Meadway. Ilf —9C 48
Meadway. Oxs —6C 132
Meadway. Romf —9E 34
Mead Way. Ruis —4B 36
Meadway. Surb —3A 120
Meadway. Twic —7B 86
Meadway. Warl —8G 139
Mead Way. Wfd G —5G 31
Meadway Clo. NW11 —4M 41
Meadway Clo. Barn —6L 13
Meadway Clo. Pinn —6M 21
Meadway Ct. NW11 —4M 41
Meadway Ct. W5 —7K 55
Meadway Ct. Dag —7K 49
Meadway Ct. Tedd —2G 103
Meadway Gdns. Ruis —4B 36
Meadway Ga. NW11 —4L 41
Meadway, The. SE3 —1B 94
Meadway, The. Buck H —1H 31
Meadway, The. Lou —8K 19
Meadway, The. Orp —8F 128
Meaford Way. SE20 —4F 108
Meakin Est. SE1 —4C 76
Meanley Rd. E12 —9J 47
Meard St. W1 —9H 59
(in two parts)
Meath Clo. Orp —9F 112
Meath Rd. E15 —5D 62
Meath Rd. Ilf —8A 48
Meath St. SW11 —9F 74
Mechanic's Path. SE8 —8L 77
Mecklenburgh Pl. WC1 —7K 59
Mecklenburgh Sq. WC1 —7K 59
Mecklenburgh St. WC1 —7K 59
Medburn St. NW1 —5H 59
Medcalf Rd. Enf —1K 17
Medcroft Gdns. SW14 —3A 88
Medebourne Clo. SE3 —2E 94
Mede Ho. Brom —2F 110
(off Pike Clo.)
Medesenge Way. N13 —6M 27
Medfield St. SW15 —6E 88
Medhurst Clo. E3 —5J 61
Median Rd. E5 —1G 61
Medina Av. Esh —5C 118
Medina Gro. N7 —8L 43
Medina Ho. Eri —8C 82
Medina Rd. N7 —8L 43
Medina Sq. Eps —1L 133
Medland Clo. Wall —3E 122
Medland Ho. E14 —1J 77
Medlar Clo. N'holt —5H 53
Medlar Ho. Sidc —9E 96
Medlar St. SE5 —9A 76
Medley Rd. NW6 —2L 57
Medman Clo. Uxb —5A 142
Medmenham. Cars —3B 136
(off Pine Cres.)
Medora Rd. SW2 —6K 91
Medora Rd. Romf —2B 50
Medusa Rd. SE6 —5M 93
Medway Bldgs. E3 —5J 61
(off Medway Rd.)
Medway Clo. Croy —1G 125
Medway Clo. Ilf —1A 64
Medway Clo. Wat —7G 5
Medway Ct. WC1 —6J 59
(off Judd St.)
Medway Dri. Gnfd —5D 54
Medway Gdns. Wemb —9E 38
Medway Ho. NW8 —7C 58
(off Penfold St.)
Medway Ho. SE1 —3B 76
(off Hankey Pl.)
Medway Ho. King T —5H 103
Medway M. E3 —5J 61
Medway Pde. Gnfd —5D 54
Medway Rd. E3 —5J 61
Medway Rd. Dart —2E 98
Medway St. SW1 —4H 75
Medwin St. SW4 —3K 91
Meek Rd. SW10 —8A 74
Meerbrook Rd. SE3 —2G 95
Meeson Rd. E15 —3D 62
Meeson St. E5 —9J 45
Meeting All. Wat —6G 9
Meeting Fld. Path. E9 —2G 61
Meetinghouse All. E1 —2F 76
Meeting Ho. La. SE15 —9F 76
Mehetabel Rd. E9 —1G 61

Meister Clo. Ilf —6B 48
Melancholy Wlk. Rich —8G 87
Melanda Clo. Chst —2K 111
Melanie Clo. Bexh —9J 81
Melba Way. SE13 —9M 77
Melbourne Av. N13 —6K 27
Melbourne Av. W13 —2E 70
Melbourne Av. Pinn —1M 37
Melbourne Clo. SE20 —4E 108
Melbourne Clo. Orp —2C 128
Melbourne Clo. Wall —7G 123
Melbourne Ct. N10 —7F 26
Melbourne Ct. W9 —7A 58
(off Clifton Rd.)
Melbourne Gdns. Romf —3J 49
Melbourne Gro. SE22 —3C 92
Melbourne Ho. W8 —2L 73
(off Kensington Pl.)
Melbourne Ho. Hay —7G 53
Melbourne Mans. W14 —7J 73
(off Musard Rd.)
Melbourne M. SE6 —6A 94
Melbourne M. SW9 —9L 75
Melbourne Pl. WC2 —9K 59
Melbourne Rd. E6 —5K 63
Melbourne Rd. E10 —5M 45
Melbourne Rd. E17 —2J 45
Melbourne Rd. SW19 —5L 105
Melbourne Rd. Bush —7M 9
Melbourne Rd. Ilf —6M 47
Melbourne Rd. Tedd —3G 103
Melbourne Rd. Wall —7F 122
Melbourne Sq. SW9 —9L 75
Melbourne Way. Enf —8D 16
Melbray M. SW6 —1K 89
Melbreak Ho. SE22 —2C 92
Melbury Av. S'hall —4M 69
Melbury Clo. Chst —3J 111
Melbury Clo. Clay —8F 118
Melbury Ct. W8 —4K 73
Melbury Dri. SE5 —8C 76
Melbury Gdns. SW20 —5F 104
Melbury Ho. SW8 —8K 75
(off Richborne Ter.)
Melbury Rd. W14 —4K 73
Melbury Rd. Harr —3K 39
Melbury Ter. NW1 —7C 58
Melchester. W11 —9K 57
(off Ledbury Rd.)
Melchester Ho. N19 —8H 43
(off Wedmore St.)
Melcombe Ct. NW1 —8D 58
(off Melcombe Pl.)
Melcombe Gdns. Harr —4K 39
Melcombe Ho. SW8 —8K 75
(off Dorset Rd.)
Melcombe Pl. NW1 —8D 58
Melcombe Regis Ct. W1 —8E 58
(off Weymouth St.)
Melcombe St. NW1 —7D 58
Meldex Clo. NW7 —6G 25
(off Prince of Wales Clo.)
Meldon Clo. SW6 —9M 73
Meldone Clo. Surb —2M 119
Meldrum Clo. Orp —1G 129
Meldrum Rd. Ilf —7E 48
Melfield Gdns. SE6 —1A 110
Melford Av. Bark —2C 64
Melford Clo. Chess —7K 119
Melford Ct. SE1 —4C 76
(off Fendall St.)
Melford Ct. SE22 —7E 92
Melford Pas. SE22 —6E 92
Melford Rd. E6 —7K 63
Melford Rd. E11 —7C 46
Melford Rd. E17 —2J 45
Melford Rd. SE22 —6E 92
Melford Rd. Ilf —7B 48
Melfort Av. T Hth —7M 107
Melfort Rd. T Hth —7M 107
Melgund Rd. N5 —1L 59
Melina Clo. Hay —8B 52
Melina Ct. SW15 —2E 88
Melina Pl. NW8 —6B 58
Melina Rd. W12 —3F 72
Melior Ct. N6 —4G 43
Melior Pl. SE1 —3C 76
Melior St. SE1 —3C 76
Meliot Rd. SE6 —8B 94
Melksham Clo. Romf —7K 35
Melksham Dri. Romf —7K 35
Melksham Gdns. Romf —7J 35
Melksham Grn. Romf —7K 35
Meller Clo. Croy —5J 123
Melling Dri. Enf —3E 16
Melling St. SE18 —7C 80
Mellish Clo. Bark —4D 64
Mellish Flats. E10 —5L 45
Mellish Gdns. Wfd G —5E 30
Mellish Ho. E1 —9F 60
(off Varden St.)
Mellish Ind. Est. SE18 —4H 79
Mellish St. E14 —4L 77
Mellish Way. Horn —3G 51
Mellison Rd. SW17 —2C 106
Mellitus St. W12 —8D 56
Mellor Clo. W on T —2K 117
Mellow Clo. Bans —6A 136
Mellow La. E. Hay —7A 52
Mellow La. W. Uxb —6A 52
Mellows Rd. Ilf —1K 47
Mellows Rd. Wall —7H 123
Mells Cres. SE9 —1K 111

Mell St. SE10 —6C 78
Melody La. N5 —1A 60
Melody Rd. SW18 —4A 90
Melody Rd. Big H —9G 141
Melon Pl. W8 —3L 73
Melon Rd. E11 —8C 46
Melon Rd. SE15 —9E 76
Melrose Av. N22 —8M 27
Melrose Av. NW2 —1F 56
Melrose Av. SW16 —7K 107
Melrose Av. SW19 —8K 89
Melrose Av. Borwd —7M 11
Melrose Av. Gnfd —5M 53
Melrose Av. Mitc —4F 106
Melrose Av. Twic —6M 85
Melrose Clo. SE12 —7E 94
Melrose Clo. Gnfd —5M 53
Melrose Clo. Hay —8E 52
Melrose Ct. Chesh —2D 6
Melrose Cres. Orp —6B 128
Melrose Dri. S'hall —2L 69
Melrose Gdns. W6 —4G 73
Melrose Gdns. Edgw —1M 39
Melrose Gdns. N Mald —7B 104
Melrose Gdns. W on T —7G 117
Melrose Ho. E14 —4M 77
(off Lanark Sq.)
Melrose Ho. NW6 —6L 57
(off Carlton Va.)
Melrose Pl. Wat —2D 8
Melrose Rd. SW13 —1D 88
Melrose Rd. SW18 —5K 89
Melrose Rd. SW19 —6L 105
Melrose Rd. W3 —4A 72
Melrose Rd. Big H —8G 141
Melrose Rd. Coul —7F 136
Melrose Rd. Pinn —2K 37
Melrose Ter. W6 —4G 73
Melrose Tudor. Wall —7J 123
(off Plough La.)
Melsa Rd. Mord —1A 122
Melstock Av. Upm —9M 51
Melthorne Dri. Ruis —8G 37
Melthorpe Gdns. SE3 —9J 79
Melton Clo. Ruis —6G 37
Melton Ct. SW7 —5B 74
Melton Ct. Sutt —9A 122
Melton Fields. Eps —1B 134
Melton Gdns. Romf —5D 50
Melton Pl. Eps —1B 134
Melton St. NW1 —6G 59
Melville Av. SW20 —4E 104
Melville Av. Gnfd —1D 54
Melville Av. S Croy —7D 124
Melville Clo. Uxb —7B 36
Melville Ct. SE8 —5J 77
Melville Ct. W12 —4F 72
(off Goldhawk Rd.)
Melville Ct. H Hill —7J 35
Melville Ct. N'wd —6B 20
Melville Gdns. N13 —5M 27
Melville Ho. SE10 —9A 78
Melville Ho. New Bar —7B 14
Melville Pl. N1 —3A 60
Melville Rd. E17 —1K 45
Melville Rd. NW10 —3B 56
Melville Rd. SW13 —9E 72
Melville Rd. Rain —7E 66
Melville Rd. Romf —7M 33
Melville Rd. Sidc —8G 97
Melville Vs. Rd. W3 —2A 72
Melvin Rd. SE20 —5G 109
Melwood Ho. E1 —9F 60
(off Watney Mkt.)
Melyn Clo. N7 —9G 43
Memel Ct. EC1 —7A 60
(off Memel St.)
Memel St. EC1 —7A 60
Memess Path. SE18 —7L 79
Memorial Av. E15 —6C 62
Memorial Clo. Houn —7K 69
Mendham Ho. SE1 —4C 76
(off Cluny Pl.)
Mendip Clo. SE26 —1G 109
Mendip Clo. SW19 —8J 89
Mendip Clo. Hay —8B 68
Mendip Clo. Wor Pk —3G 121
Mendip Ct. SE14 —7G 77
(off Avonley Rd.)
Mendip Ct. SW18 —2A 90
Mendip Dri. NW2 —7J 41
Mendip Houses. E2 —6G 61
(off Welwyn St.)
Mendip Rd. SW11 —2A 90
Mendip Rd. Bexh —9C 82
Mendip Rd. Bush —8A 10
Mendip Rd. Horn —5E 50
Mendip Rd. Ilf —3C 48
Mendora Rd. SW6 —8J 73
Mendoza Clo. Horn —3J 51
Menelik Rd. NW2 —9J 41
Menlo Gdns. SE19 —4B 108
Menlo Lodge. N13 —3K 27
(off Crothall Clo.)
Menotti St. E2 —7E 60
Menteath Ho. E14 —9L 61
(off Dod St.)
Menthone Pl. Horn —5H 51
Mentmore Clo. Harr —4G 39
Mentmore Ter. E8 —3F 60
Meon Ct. Iswth —1C 86
Meon Rd. W3 —3A 72
Meopham Rd. Mitc —5G 107

Mepham Cres. Harr —7A 22
Mepham Gdns. Harr —7A 22
Mepham St. SE1 —2L 75
Mera Dri. Bexh —3L 97
Merantun Way. SW19 —5M 105
Merbury Clo. SE13 —4B 94
Merbury Rd. SE28 —3C 80
Mercator Pl. E14 —6L 77
Mercator Rd. SE13 —3B 94
Mercer Clo. Th Dit —2E 118
Mercer Ho. SW1 —6F 74
(off Ebury Bri. Rd.)
Merceron Houses. E2 —6G 61
(off Globe Rd.)
Merceron St. E1 —7F 60
Mercer Pl. Pinn —9G 21
Mercers Clo. SE10 —5D 78
Mercer's Cotts. E1 —9J 61
(off White Horse Rd.)
Mercers Pl. W6 —5H 73
Mercers Rd. N19 —8H 43
(in two parts)
Mercer St. WC2 —9J 59
Mercer Wlk. Uxb —3A 142
Merchant Ind. Ter. NW10 —7A 56
Merchants Lodge. E17 —2L 45
(off Westbury Rd.)
Merchant St. E3 —6K 61
Merchiston Rd. SE6 —8B 94
Merchland Rd. SE9 —7A 96
Mercia Gro. SE13 —3A 94
Mercia Ho. SE5 —1A 92
(off Denmark Rd.)
Mercier Rd. SW15 —4J 89
Mercury. NW9 —8D 24
(off Concourse, The)
Mercury Cen. Felt —4E 84
Mercury Ct. E14 —5L 77
(off Homer Dri.)
Mercury Gdns. Romf —2C 50
Mercury Ho. Bren —7G 71
(off Glenhurst Rd.)
Mercury Rd. Bren —7G 71
Mercury Way. SE14 —7H 77
Mercy Ter. SE13 —4M 93
Merebank La. Croy —7K 123
Mere Clo. SW15 —6H 89
Mere Clo. Orp —4L 127
Meredith Av. NW2 —1G 57
Meredith Clo. Pinn —7H 21
Meredith Ho. N16 —1C 60
Meredith M. SE4 —3K 93
Meredith St. E13 —6E 62
Meredith St. EC1 —6M 59
Meredyth Rd. SW13 —1E 88
Mere End. Croy —2H 125
Mere Rd. Shep —1A 116
Mere Rd. Wey —5B 116
Mere Side. Orp —4L 127
Meretone Clo. SE4 —3J 93
Merevale Cres. Mord —1A 122
Mereway Rd. Twic —7B 86
Merewood Clo. Brom —6L 111
Merewood Rd. Bexh —1A 98
Mereworth Clo. Brom —9D 110
Mereworth Dri. SE18 —8M 79
Mereworth Ho. SE15 —7G 77
Merganser Ct. SE8 —7K 77
(off Edward St.)
Merganser Gdns. SE28 —4B 80
Meriden. —9J 5
Meriden Clo. Brom —4H 111
Meriden Clo. Ilf —8A 32
Meriden Ct. SW3 —6C 74
(off Chelsea Mnr. St.)
Meriden Way. Wat —9J 5
Meridian Ga. E14 —3A 78
Meridian Ho. SE10 —5C 78
(off Azof St.)
Meridian Ho. SE10 —8A 78
(off Royal Hill)
Meridian Pl. E14 —3A 78
Meridian Rd. SE7 —8H 79
Meridian Sq. E15 —3B 62
Meridian Trad. Est. SE7 —5F 78
Meridian Wlk. N17 —6C 28
Meridian Way. N18 & N9 —5G 29
Merifield Rd. SE9 —3G 95
Merino Clo. E11 —2G 47
Merino Pl. Sidc —5E 96
Merioneth Ct. W7 —8D 54
(off Copley Clo.)
Merivale Rd. SW15 —3J 89
Merivale Rd. Harr —5A 38
Merlewood Dri. Chst —5K 111
Merlewood Pl. SE9 —4K 95
Merley Ct. NW9 —6A 40
Merlin. NW9 —8D 24
(off Concourse, The)
Merlin Clo. Croy —6C 124
Merlin Clo. Ilf —5G 33
Merlin Clo. Mitc —7C 106
Merlin Clo. N'holt —6G 53
Merlin Clo. Romf —6B 34
Merlin Clo. Wall —8K 123
Merlin Clo. Wal A —7M 7
Merlin Ct. Ruis —7B 36
Merlin Ct. Short —7D 110
Merlin Cres. Edgw —8K 23
Merlin Gdns. Brom —9E 94
Merlin Gdns. Romf —6B 34
Merling Clo. Chess —7G 119
Merlin Gro. Beck —8K 109

Milling Rd. Edgw —7B 24
Millington Ho. N16 —8B 44
Millington Rd. Hay —4C 68
Mill La. E4 —5M 17
Mill La. NW6 —1K 57
Mill La. SE18 —6L 79
Mill La. Cars —6D 122
Mill La. Chesh —1E 6
Mill La. Crox G —8A 8
Mill La. Croy —5K 123
Mill La. Eps —1D 134
Mill La. Eyns —3J 131
Mill La. Orp —2L 141
Mill La. Romf —4J 49
Mill La. Wfd G —5D 30
Millman M. WC1 —7K 59
Millman Pl. WC1 —7K 59
(off Millman St.)
Millman St. WC1 —7K 59
Millmark Gro. SE14 —1J 93
Millmarsh La. Brim & Enf —4J 17
Millmead. Esh —4L 117
Millmead Ind. Cen. N17 —1F 44
Mill Mead Rd. N17 —1F 44
Mill Meads. —5B 62
Mill Pk. Av. Horn —7J 51
Mill Pl. E14 —9J 61
Mill Pl. Chst —5M 111
Mill Pl. Dart —3E 98
Mill Pl. King T —7K 103
Mill Plat. Iswth —1E 86
(in two parts)
Mill Plat Av. Iswth —1E 86
Millpond Est. SE16 —3F 76
Mill Pond Rd. Dart —5J 99
Mill Ridge. Edgw —5K 23
Mill River Trad. Est. Enf —5J 17
Mill Rd. E16 —2F 78
Mill Rd. SW19 —4A 106
Mill Rd. Ave —1M 83
Mill Rd. Dart —1K 115
Mill Rd. Eps —4D 134
Mill Rd. Eri —8A 82
Mill Rd. Esh —4L 117
Mill Rd. Ilf —8L 47
Mill Rd. Purf —7M 83
Mill Rd. Twic —8A 86
Mill Rd. W Dray —4G 143
Mill Row. N1 —4C 60
Mill Row. Bex —7M 97
Mills Clo. Uxb —5E 142
Mills Ct. EC2 —7C 60
(off Curtain Rd.)
Mills Gro. E14 —8A 62
Mills Gro. NW4 —1H 41
Millshot Clo. SW6 —9G 73
Mills Ho. E17 —1B 46
Mills Ho. SW8 —9G 75
(off Thessaly Rd.)
Millside. Cars —4D 122
Millside Ind. Est. Dart —3H 99
Millside Pl. Iswth —1F 86
Millsmead Way. Lou —4K 19
Millson Clo. N20 —2B 26
Mills Rd. W on T —7G 117
Mills Row. W4 —5B 72
Mill Stone Clo. S Dar —6M 115
Mill Stone M. S Dar —5M 115
Millstream Clo. N13 —5L 27
Millstream Ho. SE16 —3F 76
(off Jamaica Rd.)
Millstream Rd. SE1 —3D 76
Mill St. SE1 —3D 76
Mill St. W1 —1F 74
Mill St. King T —7J 103
Mill Trad. Est., The. NW10 —6A 56
Mill Va. Brom —6D 110
Mill Vw. Clo. Ewe —9D 120
Mill Vw. Gdns. Croy —5H 125
Millwall. —5L 77
Millwall Dock Rd. E14 —4L 77
Millwall F.C. —6G 77
Millway. NW7 —4C 24
Mill Way. Bush —4J 9
Mill Way. Felt —4F 84
Millway Gdns. N'holt —2K 53
Millwell Cres. Chig —5B 32
Millwood Rd. Houn —4A 86
Millwood Rd. Orp —7G 113
Millwood St. W10 —8J 57
Mill Yd. E1 —1E 76
Milman Clo. Pinn —1H 37
Milman Rd. NW6 —5H 57
Milman's St. SW10 —7B 74
Milne Fld. Pinn —7L 21
Milne Gdns. SE9 —4J 95
Milne Ho. SE18 —5K 79
(off Ogilby St.)
Milne Pk. E. New Ad —3B 140
Milne Pk. W. New Ad —3B 140
Milner Clo. Wat —7F 4
Milner Ct. Bush —8M 9
Milner Dri. Twic —6B 86
Milner Pl. N1 —4L 59
Milner Pl. Cars —6E 122
Milner Rd. E15 —6C 62
Milner Rd. SW19 —5M 105
Milner Rd. Dag —7G 49
Milner Rd. King T —7H 103
Milner Rd. Mord —9B 106
Milner Rd. T Hth —7B 108
Milner Sq. N1 —3M 59
Milner St. SW3 —5D 74
Milner Wlk. Sidc —8B 96
Milnthorpe Rd. W4 —7B 72
Milo Gdns. SE22 —5D 92
Milo Rd. SE22 —5D 92
Milrood Ho. E1 —8H 61
(off Stepney Grn.)
Milroy Wlk. SE1 —2M 75
Milson Rd. W14 —4H 73
Milstead Ho. E5 —1F 60
Milton Av. E6 —3H 63
Milton Av. N6 —5G 43
Milton Av. NW9 —1A 40
Milton Av. NW10 —4A 56
Milton Av. Barn —7K 13
Milton Av. Croy —2B 124
Milton Av. Horn —7D 50
Milton Av. Sutt —5B 122
Milton Clo. N2 —3A 42
Milton Clo. SE1 —5D 76
Milton Clo. Hay —9E 52
Milton Clo. Sutt —5B 122
Milton Ct. EC2 —8B 60
Milton Ct. SE14 —7K 77
Milton Ct. SW18 —4L 89
Milton Ct. Chad H —5G 49
Milton Ct. Twic —9C 86
Milton Ct. Uxb —8A 36
Milton Ct. Wal A —7J 7
Milton Ct. Rd. SE14 —7J 77
Milton Ct. Wlk. EC2 —8B 60
(off Silk St.)
Milton Cres. Ilf —5M 47
Milton Dri. Borwd —7M 11
Milton Garden Est. N16 —9B 44
Milton Gdns. Eps —6C 134
Milton Gdns. Stai —7D 144
Milton Gro. N11 —5G 27
Milton Gro. N16 —9B 44
Milton Ho. E2 —6G 61
(off Roman Rd.)
Milton Ho. E17 —2L 45
Milton Ho. SE5 —8B 76
(off Elmington Est.)
Milton Ho. Sutt —5L 121
Milton Lodge. Sidc —1E 112
Milton Lodge. Twic —6D 86
Milton Mans. W14 —7J 73
(off Queen's Club Gdns.)
Milton Pk. N6 —5G 43
Milton Pl. N7 —1L 59
Milton Rd. E17 —2L 45
Milton Rd. N6 —5G 43
Milton Rd. N15 —2M 43
Milton Rd. NW7 —5E 24
Milton Rd. NW9 —5E 40
Milton Rd. SE24 —4M 91
Milton Rd. SW14 —2B 88
Milton Rd. SW19 —3A 106
Milton Rd. W3 —2B 72
Milton Rd. W7 —1D 70
Milton Rd. Belv —5L 81
Milton Rd. Croy —3B 124
Milton Rd. Hamp —4L 101
Milton Rd. Harr —2C 38
Milton Rd. Mitc —4E 106
Milton Rd. Romf —4E 50
Milton Rd. Sutt —5L 121
Milton Rd. Uxb —9A 36
Milton Rd. Wall —8G 123
Milton Rd. W on T —5H 117
Milton Rd. Well —9D 80
Milton St. EC2 —8B 60
Milton St. Wal A —7J 7
Milton St. Wat —2F 8
Milton Way. W Dray —5K 143
Milverton Dri. Uxb —9A 36
Milverton Gdns. Ilf —7D 48
Milverton Ho. SE23 —9J 93
Milverton Rd. NW6 —3G 57
Milverton St. SE11 —6L 75
Milverton Way. SE9 —1L 111
Milward Wlk. E1 —8F 60
Milward Wlk. SE18 —7L 79
Mimosa Clo. Orp —4G 129
Mimosa Clo. Romf —7G 35
Mimosa Ho. Hay —8G 53
Mimosa Lodge. NW10 —1D 56
Mimosa Rd. Hay —8G 53
Mimosa St. SW6 —9K 73
Minard Rd. SE6 —6C 94
(in two parts)
Mina Rd. SE17 —6C 76
Mina Rd. SW19 —5L 105
Minchenden Ct. N14 —2H 27
Minchenden Cres. N14 —3G 27
Minchin Ho. E14 —9L 61
(off Dod St.)
Mincing La. EC3 —1C 76
Minden Rd. SE20 —5F 108
Minden Rd. Sutt —4K 121
Minehead Ho. Romf —5J 35
(off Dagnam Pk. Dri.)
Minehead Rd. SW16 —2K 107
Minehead Rd. Harr —8L 37
Mineral St. SE18 —5C 80
Minera M. SW1 —5E 74
Minerva Clo. SW9 —8L 75
(in two parts)
Minerva Clo. Sidc —1C 112
Minerva Dri. Wat —9C 4
Minerva Rd. E4 —7M 29
Minerva Rd. NW10 —7A 56
Minerva Rd. King T —6K 103
Minerva St. E2 —5F 60
Minet Av. NW10 —5C 56
Minet Dri. Hay —2E 68
Minet Gdns. NW10 —5C 56
Minet Gdns. Hay —2F 68
Minet Rd. SW9 —1M 91
Minford Gdns. W6 —3H 73
Minford Ho. W14 —3H 73
(off Minford Gdns.)
Mingard Wlk. N7 —7K 43
Ming St. E14 —1L 77
Minimax Clo. Felt —5E 84
Ministry Way. SE9 —8K 95
Miniver Pl. EC4 —1A 76
(off Garlick Hill)
Mink Ct. Houn —1G 85
Minniedale. Surb —9K 103
Minnow St. SE17 —5C 76
Minnow Wlk. SE17 —5C 76
Minories. EC3 —9D 60
Minshaw Ct. Sidc —1D 112
Minshill St. SW8 —9H 75
Minshull Pl. Beck —4L 109
Minson Rd. E9 —4H 61
Minstead Gdns. SW15 —6D 88
Minstead Way. N Mald —1C 120
Minster Av. Sutt —4L 121
Minster Ct. EC3 —1C 76
(off Mincing La.)
Minster Ct. W5 —7J 55
Minster Ct. Horn —7L 51
Minster Dri. Croy —6C 124
Minster Gdns. W Mol —8K 101
Minsterley Av. Shep —8C 100
Minster Pavement. EC3 —1C 76
(off Mincing La.)
Minster Rd. NW2 —1J 57
Minster Rd. Brom —4F 110
Minster Wlk. N8 —2J 43
Minster Way. Horn —6K 51
Minstrel Gdns. Surb —8K 103
Mint Bus. Pk. E16 —8F 62
Mint Clo. Hil —6F 142
Mintern Clo. N13 —3M 27
Minterne Av. S'hall —5L 69
Minterne Rd. Harr —3K 39
Minterne Waye. Hay —9G 53
Mintern St. N1 —5B 60
Minton Ho. SE11 —5L 75
(off Walnut Tree Wlk.)
Minton M. NW6 —2M 57
Mint Rd. Bans —8A 136
Mint Rd. Wall —6F 122
Mint St. SE1 —3A 76
Mint Wlk. Croy —5A 124
Mint Wlk. Warl —9H 139
Mirabel Rd. SW6 —8K 73
Miramar Way. Horn —1H 67
Miranda Clo. E1 —8G 61
Miranda Ct. W3 —9K 55
Miranda Rd. N19 —6G 43
Mirfield St. SE7 —5H 79
Miriam Rd. SE18 —6C 80
Mirravale Trad. Est. Dag —5J 49
Mirren Clo. Harr —9K 37
Mirror Path. SE9 —9G 95
Misbourne Rd. Uxb —4E 142
Miskin Rd. Dart —6G 99
Missenden. SE17 —6B 76
(off Roland Way)
Missenden Clo. Felt —7D 84
Missenden Gdns. Mord —1A 122
Missenden Ho. NW8 —7C 58
(off Jerome Cres.)
Missenden Ho. Wat —9C 8
(off Chenies Way)
Mission Gro. E17 —3J 45
Mission Pl. SE15 —9E 76
Mission Sq. Bren —7J 71
Mission, The. E14 —9K 61
(off Commercial Rd.)
Mistletoe Clo. Croy —3H 125
Mistral. SE5 —9C 76
Misty's Fld. W on T —3G 117
Mitali Pas. E1 —9E 60
(in two parts)
Mitcham. —7D 106
Mitcham Garden Village. Mitc —9E 106
Mitcham Ho. SE5 —9A 76
Mitcham Ind. Est. Mitc —5F 106
Mitcham La. SW16 —3G 107
Mitcham Pk. Mitc —8C 106
Mitcham Rd. E6 —6J 63
Mitcham Rd. SW17 —2D 106
Mitcham Rd. Croy —1J 123
Mitcham Rd. Ilf —5D 48
Mitcheldean Ct. SE15 —8C 76
(off Newent Clo.)
Mitchell. NW9 —8D 24
(off Concourse, The)
Mitchellbrook Way. NW10 —2B 56
Mitchell Clo. SE2 —6G 81
Mitchell Clo. Ab L —5E 4
Mitchell Clo. Belv —4A 82
Mitchell Clo. Dart —8J 99
Mitchell Clo. Rain —5G 67
Mitchell Ho. W12 —1F 72
(off White City Est.)
Mitchell Rd. N13 —5A 28
Mitchell Rd. Orp —6D 128
Mitchell's Pl. SE21 —5C 92
(off Aysgarth Rd.)
Mitchell St. EC1 —7A 60
(in two parts)
Mitchell Wlk. E6 —8J 63
(off Neats Ct. Rd.)
Mitchell Way. NW10 —2A 56
Mitchell Way. Brom —5E 110
Mitchison Rd. N1 —2B 60
Mitchley Av. Purl & S Croy —5A 138
Mitchley Gro. S Croy —5E 138
Mitchley Hill. S Croy —5D 138
Mitchley Rd. N17 —1E 44
Mitchley Vw. S Croy —5E 138
Mitford Clo. Chess —8G 119
Mitford Rd. N19 —7J 43
Mitre Av. E17 —1L 45
Mitre Bri. Ind. Pk. W10 —7F 56
Mitre Clo. Brom —6D 110
Mitre Clo. Shep —1B 116
Mitre Clo. Sutt —9A 122
Mitre Ct. EC2 —9A 60
(off Wood St.)
Mitre Rd. E15 —5C 62
Mitre Rd. SE1 —3L 75
Mitre Sq. EC3 —9C 60
Mitre St. EC3 —9C 60
Mitre, The. E14 —1K 77
Mitre Way. NW10 —7F 56
Mitre Yd. SW3 —5C 74
Mixbury Gro. Wey —8B 116
Moat Clo. Bush —7M 9
Moat Clo. Orp —8D 128
Moat Ct. SE9 —5K 95
Moat Ct. Asht —9J 133
Moat Ct. Sidc —9D 96
Moat Cres. N3 —1M 41
Moat Cft. Well —2G 97
Moat Dri. E13 —5G 63
Moat Dri. Harr —2A 38
Moat Dri. Ruis —5C 36
Moat Farm Rd. N'holt —2K 53
Moatfield. NW6 —3J 57
Moatfield Rd. Bush —7M 9
Moat Gdns. SE28 —1G 81
Moatlands Ho. WC1 —6J 59
(off Cromer St.)
Moat La. Eri —9E 82
Moat Pl. SW9 —2K 91
Moat Pl. W3 —9M 55
Moat Side. Enf —6H 17
Moat Side. Felt —1G 101
Moat, The. N Mald —5C 104
Moat Vw. Ct. Bush —7M 9
Moberley Rd. SW4 —6H 91
Mobil Ct. WC2 —9K 59
(off Clement's Inn)
Moby Dick. (Junct.) —2J 49
Modbury Gdns. NW5 —2E 58
Modder Pl. SW15 —3H 89
Model Bldgs. WC1 —6K 59
(off Cubitt St.)
Model Cotts. SW14 —3A 88
Model Cotts. W13 —3F 70
Model Farm Clo. SE9 —9J 95
Modern Ct. EC4 —9M 59
(off Farringdon St.)
Modling Ho. E2 —5H 61
(off Mace St.)
Moelwyn. N7 —1H 59
Moelyn M. Harr —3E 38
Moffat Ct. SW19 —2L 105
Moffat Ho. SE5 —8A 76
Moffat Rd. N13 —6J 27
Moffat Rd. SW17 —1D 106
Moffat Rd. T Hth —6A 108
Mogden La. Iswth —4D 86
Mohammedi Pk. N'holt —4L 53
Mohawk Ho. E3 —5J 61
(off Gernon Rd.)
Mohmmad Khan Rd. E11 —6D 46
Moineau. NW9 —8D 24
(off Concourse, The)
Moira Clo. N17 —9C 28
Moira Rd. SE9 —3K 95
Moir Clo. S Croy —1E 138
Mokswell Ct. N10 —8E 26
Moland Mead. SE16 —6H 77
Molash Rd. Orp —8H 113
Molasses Ho. SW11 —2A 90
(off Clove Hitch Quay)
Molasses Row. SW11 —2A 90
Mole Abbey Gdns. W Mol —7M 101
Mole Ct. Eps —6A 120
Molember Ct. E Mol —8C 102
Molember Rd. E Mol —9C 102
Mole Rd. W on T —7H 117
Molescroft. SE9 —9A 96
Molesey Av. W Mol —9K 101
Molesey Clo. W on T —6J 117
Molesey Dri. Sutt —4J 121
Molesey Pk. Av. W Mol —9M 101
Molesey Pk. Clo. E Mol —9A 102
Molesey Pk. Rd. E Mol & W Mol —9M 101
Molesey Rd. W on T & W Mol —7H 117
Molesford Rd. SW6 —9L 73
Molesham Clo. W Mol —7M 101
Molesham Way. W Mol —7M 101
Moles Hill. Oxs —3B 132
Molesworth Ho. SE17 —7M 75
Molesworth St. SE13 —3A 94
Moliner Ct. Beck —4L 109
Mollis Ho. E3 —8L 61
(off Gale St.)
Mollison Av. Enf —8E 6
Mollison Dri. Wall —9H 123
Mollison Way. Edgw —9K 23
Molly Huggins Clo. SW12 —6G 91
Molteno Rd. Wat —2E 8
Molton Ho. N1 —4K 59
(off Barnsbury Est.)
Molyneux Dri. SW17 —1F 106
Molyneux St. W1 —8C 58
Monach Clo. Rain —5E 66
Monahan Av. Purl —4K 137
Monarch Clo. Felt —6C 84
Monarch Clo. W W'ck —6D 126
Monarch Ct. N2 —3B 42
Monarch Dri. E16 —8H 63
Monarch M. E17 —4M 45
Monarch M. SW16 —2L 107
Monarch Pde. Mitc —6D 106
Monarch Pl. Buck H —2G 31
Monarch Rd. Belv —4L 81
Monarchs Way. Ruis —6C 36
Monarchs Way. Wal X —7E 6
Mona Rd. SE15 —1G 93
Monastery Gdns. Enf —4B 16
Mona St. E16 —8D 62
Monaveen Gdns. W Mol —7M 101
Moncks Row. SW15 —5K 89
(off West Hill Rd.)
Monck St. SW1 —4H 75
Monclar Rd. SE5 —3B 92
Moncorvo Clo. SW7 —3C 74
(off Ennismore Gdns.)
Moncrieff Clo. E6 —9J 63
Moncrieff Pl. SE15 —1E 92
Moncrieff St. SE15 —1E 92
Mondial Way. Hay —8A 68
Monega Rd. E7 & E12 —2G 63
Monet Ct. SE16 —6F 76
(off Stubbs Dri.)
Moneyer Ho. N1 —5B 60
(off Provost Est.)
Money La. W Dray —4H 143
Mongers La. Eps —2D 134
(in two parts)
Mongomery Ct. W4 —8A 72
Monica Clo. Wat —4G 9
Monica Ct. Enf —7C 16
Monica James Ho. Sidc —9E 96
Monica Shaw Ct. NW1 —5H 59
(off Purchese St., in two parts)
Monier Rd. E3 —3L 61
Monivea Rd. Beck —4K 109
Monkchester Clo. Lou —3K 19
Monk Ct. W12 —2E 72
Monk Dri. E16 —1E 78
Monken Hadley. —4K 13
Monkfrith Av. N14 —8F 14
Monkfrith Clo. N14 —9F 14
Monkfrith Way. N14 —9E 14
Monkhams. Wal A —3J 7
Monkham's Av. Wfd G —5F 30
Monkham's Dri. Wfd G —5F 30
Monkham's La. Buck H —3F 30
Monkham's La. Wfd G —5E 30
(in two parts)
Monkleigh Rd. Mord —7J 105
Monk Pas. E16 —1E 78
(off Monk Dri.)
Monks Av. Barn —8A 14
Monks Av. W Mol —9K 101
Monks Clo. SE2 —5H 81
Monks Clo. Enf —4A 16
Monks Clo. Harr —7L 37
Monks Clo. Ruis —9H 37
Monks Cres. W on T —3F 116
Monksdene Gdns. Sutt —5M 121
Monks Dri. W3 —8L 55
Monksgrove. Lou —7L 19
Monksmead. Borwd —6A 12
Monks Orchard. —2J 125
Monks Orchard. Dart —8G 99
Monks Orchard Rd. Beck —3L 125
Monks Pk. Wemb —2M 55
Monks Pk. Gdns. Wemb —3M 55
Monks Rd. Bans —9L 135
Monks Rd. Enf —4M 15
Monk St. SE18 —5L 79
Monks Way. NW11 —2K 41
Monks Way. Beck —1L 125
Monks Way. Orp —3A 128
Monks Way. W Dray —7J 143
Monkswood Av. Wal A —6K 7
Monkswood Gdns. Borwd —7B 12
Monkswood Gdns. Ilf —1L 47
Monkton Ho. E5 —1F 60
Monkton Rd. Well —1D 96
Monkton St. SE11 —5L 75
Monkville Av. NW11 —2K 41
Monkville Pde. NW11 —2K 41
Monkwell Sq. EC2 —8A 60
Monkwood Clo. Romf —3E 50
Monmouth Av. E18 —1F 46
Monmouth Av. King T —4G 103
Monmouth Clo. W4 —4A 72
Monmouth Clo. Mitc —8J 107
Monmouth Clo. Well —3E 96
Monmouth Ct. W7 —8D 54
(off Copley Clo.)
Monmouth Gro. W5 —5J 71
Monmouth Pl. W2 —9M 57
(off Monmouth Rd.)

Monmouth Rd.—Mortimer Rd.

Monmouth Rd. E6 —6K 63
Monmouth Rd. N9 —2F 28
Monmouth Rd. W2 —9L 57
Monmouth Rd. Dag —1K 65
Monmouth Rd. Hay —5C 68
Monmouth Rd. Wat —5F 8
Monmouth St. WC2 —9J 59
Monnery Rd. N19 —8G 43
Monnow Rd. SE1 —6E 76
Mono La. Felt —8F 84
Monoux Almshouses. E17 —2M 45
Monoux Gro. E17 —8L 29
Monroe Cres. Enf —3F 16
Monroe Dri. SW14 —4M 87
Monro Gdns. Harr —7C 22
Monro Ind. Est. Wal X —7E 6
Monro Pl. Eps —1L 133
Monsell Rd. N4 —8L 43
Monson Rd. NW10 —5E 56
Monson Rd. SE14 —8H 77
Mons Way. Brom —1J 127
Montacute Rd. SE6 —6K 93
Montacute Rd. Bus H —9C 10
Montacute Rd. Mord —1B 122
Montacute Rd. New Ad —1A 140
Montagu Cres. N18 —4F 28
Montague Av. SE4 —3K 93
Montague Av. W7 —2D 70
Montague Av. S Croy —4C 138
Montague Clo. SE1 —2B 76
Montague Clo. W on T —2F 116
Montague Ct. Sidc —9E 96
Montague Gdns. W3 —1L 71
Montague Hall Pl. Bush —8L 9
Montague Pas. Uxb —3B 142
Montague Pl. E14 —1A 78
Montague Pl. WC1 —8H 59
Montague Pl. Swan —8D 114
Montague Rd. E8 —1E 60
Montague Rd. E11 —7D 46
Montague Rd. N8 —3K 43
Montague Rd. N15 —2E 44
Montague Rd. SW19 —4M 105
Montague Rd. W7 —2D 70
Montague Rd. W13 —9F 54
Montague Rd. Croy —3M 123
Montague Rd. Houn —2M 85
Montague Rd. Rich —5J 87
Montague Rd. S'hall —5J 69
Montague Rd. Uxb —3B 142
Montague Sq. SE15 —8G 77
Montague St. EC1 —8A 60
Montague St. WC1 —8J 59
Montague Ter. Brom —8D 110
Montague Waye. S'hall —4J 69
Montagu Gdns. N18 —4F 28
Montagu Gdns. Wall —6G 123
Montagu Mans. W1 —8D 58
Montagu M. N. W1 —8D 58
Montagu M. S. W1 —9D 58
Montagu M. W. W1 —9D 58
Montagu Pl. W1 —8D 58
Montagu Rd. N18 & N9 —5F 28
Montagu Rd. NW4 —4E 40
Montagu Rd. Ind. Est. N18 —4G 29
Montagu Row. W1 —8D 58
Montagu Sq. W1 —8D 58
Montagu St. W1 —9D 58
Montalt Rd. Wfd G —4D 30
Montana Clo. S Croy —2B 138
Montana Gdns. SE26 —2K 109
Montana Gdns. Sutt —7A 122
Montana Rd. SW17 —9E 90
Montana Rd. SW20 —5G 105
Montayne Rd. Chesh —5D 6
Montbelle Rd. SE9 —9M 95
Montbretia Clo. Orp —8G 113
Montcalm Clo. Brom —1E 126
Montcalm Clo. Hay —6F 52
Montcalm Ho. E14 —5L 77
Montcalm Rd. SE7 —8H 79
Montclare St. E2 —7D 60
Monteagle Av. Bark —2A 64
Monteagle Ct. N1 —5C 60
Monteagle Way. E5 —8E 44
Monteagle Way. SE15 —2F 92
Montefiore St. SW8 —1F 90
Montego Clo. SE24 —3L 91
Montem Rd. SE23 —6K 93
Montem Rd. N Mald —8C 104
Montem St. N4 —6K 43
Montenotte Rd. N8 —3G 43
Monterey Clo. Bex —8A 98
Monterey Pl. Shop. Cen. NW7 —5C 24
Montesole Ct. Pinn —9G 21
Montesquieu Ter. E16 —9D 62 (off Clarkson Rd.)
Montevetro. SW11 —9B 74
Montford Pl. SE11 —6L 75
Montford Rd. Sun —8E 100
Montfort Gdns. Ilf —6A 32
Montfort Ho. E2 —6G 61 (off Victoria Pk. Sq.)
Montfort Ho. E14 —4A 78 (off Galbraith St.)
Montfort Pl. SW19 —7H 89
Montgolfier Wlk. N'holt —6J 53
Montgomery Av. Esh —4C 118
Montgomery Clo. Mitc —8J 107
Montgomery Clo. Sidc —5D 96
Montgomery Ct. S Croy —7C 124 (off Birdhurst Rd.)
Montgomery Cres. Romf —5G 35
Montgomery Dri. Chesh —1E 6
Montgomery Lodge. E1 —7G 61 (off Cleveland Gro.)
Montgomery Rd. W4 —5A 72
Montgomery Rd. Edgw —6K 23
Montholme Rd. SW11 —5D 90
Monthope Rd. E1 —8E 60 (off Hopetown St., in two parts)
Montolieu Gdns. SW15 —4F 88
Montpelier Av. W5 —8G 55
Montpelier Av. Bex —6H 97
Montpelier Clo. Uxb —4E 142
Montpelier Ct. W5 —8H 55
Montpelier Ct. Brom —8D 110 (off Westmoreland Rd.)
Montpelier Gdns. E6 —6H 63
Montpelier Gdns. Romf —5G 49
Montpelier Gro. NW5 —1G 59
Montpelier M. SW7 —4C 74
Montpelier Pl. E1 —9G 61
Montpelier Pl. SW7 —4C 74
Montpelier Ri. NW11 —5J 41
Montpelier Ri. Wemb —6H 39
Montpelier Rd. N3 —8A 26
Montpelier Rd. SE15 —9F 76
Montpelier Rd. W5 —8H 55
Montpelier Rd. Purl —2M 137
Montpelier Rd. Sutt —6A 122
Montpelier Row. SE3 —1D 94
Montpelier Row. Twic —6G 87
Montpelier Sq. SW7 —3C 74
Montpelier St. SW7 —4C 74
Montpelier Ter. SW7 —3C 74
Montpelier Va. SE3 —1D 94
Montpelier Wlk. SW7 —4C 74
Montpelier Way. NW11 —5J 41
Montpellier Ho. Chig —5A 32
Montrave Rd. SE20 —3G 109
Montreal Pl. WC2 —1K 75
Montreal Rd. Ilf —5A 48
Montrell Rd. SW2 —7J 91
Montrose Av. NW6 —5J 57
Montrose Av. Edgw —9A 24
Montrose Av. Romf —9G 35
Montrose Av. Sidc —6E 96
Montrose Av. Twic —6M 85
Montrose Av. Well —2B 96
Montrose Clo. Ashf —3A 100
Montrose Clo. Well —2D 96
Montrose Clo. Wfd G —4E 30
Montrose Ct. NW9 —9A 24
Montrose Ct. NW11 —2K 41
Montrose Ct. SE6 —7D 94
Montrose Ct. SW7 —3B 74
Montrose Ct. Harr —3M 37
Montrose Cres. N12 —6A 26
Montrose Cres. Wemb —2J 55
Montrose Gdns. Mitc —6D 106
Montrose Gdns. Oxs —4B 132
Montrose Gdns. Sutt —4M 121
Montrose Ho. E14 —4L 77
Montrose Pl. SW1 —3E 74
Montrose Rd. Felt —5B 84
Montrose Rd. Harr —9C 22
Montrose Ter. W Dray —1H 143 (off Trout Rd.)
Montrose Wlk. Stan —6F 22
Montrose Way. SE23 —7H 93
Montrouge Cres. Eps —8G 135
Montserrat Av. Wfd G —7B 30
Montserrat Clo. SE19 —2B 108
Montserrat Rd. SW15 —3J 89
Monument Gdns. SE13 —4A 94
Monument Hill. Wey —6A 116
Monument Rd. Wey —6A 116
Monument St. EC3 —1B 76
Monument, The. —1B 76 (off Monument St.)
Monument Way. N17 —1D 44
Monza St. E1 —1G 77
Moodkee St. SE16 —4G 77
Moody Rd. SE15 —9D 76
Moody St. E1 —6H 61
Moon Ct. SE12 —3E 94
Moon La. Barn —5K 13
Moon St. N1 —4M 59
Moorcroft. Edgw —8M 23
Moorcroft Gdns. Brom —9J 111
Moorcroft La. Uxb —8E 142
Moorcroft Rd. SW16 —9J 91
Moorcroft Way. Pinn —3J 37
Moordown. SE18 —8M 79
Moore Clo. SW14 —2A 88
Moore Clo. Mitc —6F 106
Moore Clo. Wall —9J 123
Moore Ct. N1 —4M 59 (off Gaskin St.)
Moore Cres. Dag —4F 64
Moorehead Way. SE3 —2E 94
Moore Ho. E1 —1G 77 (off Cable St.)
Moore Ho. E2 —6G 61 (off Roman Rd.)
Moore Ho. N8 —2J 43 (off Pembroke Rd.)
Moore Ho. SE10 —6D 78 (off Armitage Rd.)
Moore Ho. Horn —4E 50 (off Globe Rd.)
Mooreland Rd. Brom —4D 110
Moore Pk. Ct. SW6 —8M 73 (off Fulham Rd.)
Moore Pk. Rd. SW6 —8L 73
Moore Rd. SE19 —3A 108
Moore St. SW3 —5D 74
Moore Wlk. E7 —9E 46
Moore Way. Sutt —1L 135
Moorey Clo. E15 —4D 62
Moorfield Av. W5 —7H 55
Moorfield Rd. N17 —9D 28
Moorfield Rd. Chess —7J 119
Moorfield Rd. Enf —3G 17
Moorfield Rd. Orp —2E 128
Moorfield Rd. Uxb —9B 142
Moorfields. EC2 —8B 60
Moorfields Highwalk. EC2 —8B 60 (off Moor La., in two parts)
Moorgate. EC2 —9B 60
Moorgate Pl. EC2 —9B 60 (off Swan All.)
Moorgreen Ho. EC1 —6M 59 (off Spencer St.)
Moorhen Clo. Eri —8F 82
Moorhouse. NW9 —8D 24
Moorhouse Rd. W2 —9L 57
Moorhouse Rd. Harr —1H 39
Moorings, The. E16 —8G 63 (off Prince Regent La.)
Moorland Clo. Romf —7M 33
Moorland Clo. Twic —6L 85
Moorland M. N1 —3L 59
Moorland Rd. SW9 —3M 91
Moorland Rd. W Dray —7G 143
Moorlands. N'holt —4J 53
Moorlands Av. NW7 —6F 24
Moor La. EC2 —8B 60 (in two parts)
Moor La. Chess —6J 119
Moor La. Rick —1A 20
Moor La. W Dray —7G 143
Moor La. Crossing. Wat —9A 8
Moormead Dri. Eps —7C 120
Moor Mead Rd. Twic —5E 86
Moor Park. —3A 20
Moor Pk. Gdns. King T —4C 104
Moor Pk. Ind. Cen. Wat —9A 8
Moor Pk. Rd. N'wd —6B 20
Moor Pl. EC2 —8B 60
Moorside Rd. Brom —9C 94
Moorsom Way. Coul —9H 137
Moor St. W1 —9H 59
Moortown Rd. Wat —4G 21
Moor Vw. Wat —9E 8
Moot Ct. NW9 —3L 39
Moran Clo. Brick W —4K 5
Moran Ho. E1 —2F 76 (off Wapping La.)
Morant Gdns. Romf —5M 33
Morant Pl. N22 —8K 27
Morant St. E14 —1L 77
Mora Rd. NW2 —9G 41
Mora St. EC1 —6A 60
Morat St. SW9 —9K 75
Moravian Clo. SW10 —7B 74
Moravian Pl. SW10 —7B 74
Moravian St. E2 —5G 61
Moray Av. Hay —2D 68
Moray Clo. Edgw —2M 23
Moray Clo. Romf —7C 34
Moray Ct. S Croy —7A 124 (off Warham Rd.)
Moray Ho. E1 —7J 61 (off Harford St.)
Moray M. N7 —7K 43
Moray Rd. N4 —7K 43
Moray Way. Romf —7B 34
Mordaunt Gdns. Dag —3J 65
Mordaunt Ho. NW10 —4B 56
Mordaunt Rd. NW10 —4B 56
Mordaunt St. SW9 —2K 91
Morden. —7M 105
Morden Ct. Mord —8M 105
Morden Ct. Pde. Mord —8M 105
Morden Gdns. Gnfd —1D 54
Morden Gdns. Mitc —8B 106
Morden Hall Rd. Mord —7M 105
Morden Hill. SE13 —1A 94
Morden La. SE13 —9A 78
Morden Park. —1J 121
Morden Rd. SE3 —1E 94
Morden Rd. SW19 —5M 105
Morden Rd. Mord & Mitc —8A 106
Morden Rd. Romf —5J 49
Morden Rd. M. SE3 —1E 94
Morden St. SE13 —9M 77
Morden Way. Sutt —2L 121
Morden Wharf. SE10 —4C 78 (off Morden Wharf Rd.)
Morden Wharf Rd. SE10 —4C 78
Mordern Ho. NW1 —7C 58 (off Harewood Av.)
Mordon Rd. Ilf —5D 48
Mordred Rd. SE6 —8C 94
Morecambe Clo. E1 —8H 61
Morecambe Clo. Horn —1F 66
Morecambe Gdns. Stan —4H 23
Morecambe St. SE17 —5A 76
Morecambe Ter. N18 —4B 28 (off Gt. Cambridge Rd.)
More Clo. E16 —9D 62
More Clo. W14 —5H 73
More Clo. Purl —3L 137
Morecombe Ho. Romf —5J 35 (off Dagnam Pk. Dri.)
Morecoombe Clo. King T —4M 103
Moree Way. N18 —4E 28
Moreland Ct. NW2 —8L 41
Moreland St. EC1 —6M 59
Moreland Way. E4 —3M 29
More La. Esh —5M 117
Morella Rd. SW12 —6D 90
Morello Av. Uxb —8F 142
Morello Clo. Swan —8B 114
Moremead. Wal A —6K 7
Moremead Rd. SE6 —1K 109
Morena St. SE6 —6M 93
Moresby Av. Surb —2M 119
Moresby Rd. E5 —6F 44
Moresby Wlk. SW8 —1G 91
More's Garden. SW3 —7B 74 (off Cheyne Wlk.)
Moretaine Rd. Ashf —9B 144
Moreton Av. Iswth —9C 70
Moreton Clo. E5 —7F 44
Moreton Clo. N15 —4B 44
Moreton Clo. NW7 —6G 25
Moreton Clo. SW1 —6G 75 (off Moreton Ter.)
Moreton Clo. Chesh —1B 6
Moreton Clo. Swan —6C 114
Moreton Ct. Dart —2D 98
Moreton Gdns. Wfd G —5J 31
Moreton Ho. SE16 —4F 76
Moreton Ind. Est. Swan —8F 114
Moreton Pl. SW1 —6G 75
Moreton Rd. N15 —4B 44
Moreton Rd. S Croy —7B 124
Moreton Rd. Wor Pk —4E 120
Moreton St. SW1 —6G 75
Moreton Ter. SW1 —6G 75
Moreton Ter. M. N. SW1 —6G 75
Moreton Ter. M. S. SW1 —6G 75
Moreton Tower. W3 —2M 71
Morford Clo. Ruis —5F 36
Morford Way. Ruis —5F 36
Morgan Av. E17 —2B 46
Morgan Clo. Dag —3L 65
Morgan Clo. N'wd —6D 20
Morgan Gdns. A'ham —2M 9
Morgan Ho. SW1 —5G 75 (off Vauxhall Bri. Rd.)
Morgan Ho. SW8 —9G 75 (off Wadhurst Rd.)
Morgan Mans. N7 —1L 59 (off Morgan Rd.)
Morgan Rd. N7 —1L 59
Morgan Rd. W10 —8K 57
Morgan Rd. Brom —4E 110
Morgan Rd. Tedd —3C 102
Morgan's La. SE1 —2C 76
Morgan's La. Hay —8B 52
Morgan St. E3 —6J 61
Morgan St. E16 —8D 62
Morgan Wlk. Beck —8M 109
Morgan Way. Rain —6G 67
Morgan Way. Wfd G —6J 31
Moriatry Clo. N7 —9J 43
Morie St. SW18 —4M 89
Morieux Rd. E10 —6K 45
Moring Rd. SW17 —1E 106
Morkyns Wlk. SE21 —9C 92
Morland Av. Croy —3C 124
Morland Av. Dart —4F 98
Morland Clo. NW11 —6M 41
Morland Clo. Hamp —2K 101
Morland Clo. Mitc —7C 106
Morland Est. E8 —3E 60
Morland Gdns. NW10 —3B 56
Morland Gdns. S'hall —2M 69
Morland Ho. NW1 —5G 59 (off Cranleigh St.)
Morland Ho. NW6 —4L 57 (off Brondesbury Rd.)
Morland Ho. SW1 —5J 75 (off Marsham St.)
Morland Ho. W11 —9J 57 (off Lancaster Rd.)
Morland Rd. E17 —3H 45
Morland Rd. SE20 —3H 109
Morland Rd. Croy —3C 124
Morland Rd. Dag —3L 65
Morland Rd. Harr —3J 39
Morland Rd. Ilf —7M 47
Morland Rd. Sutt —7A 122
Morland Way. Chesh —1E 6
Morley Av. E4 —7B 30
Morley Av. N18 —4E 28
Morley Av. N22 —9L 27
Morley Clo. Orp —4M 127
Morley Ct. E4 —5K 29
Morley Ct. Short —8D 110
Morley Cres. Edgw —2A 24
Morley Cres. Ruis —7G 37
Morley Cres. E. Stan —9G 23
Morley Cres. W. Stan —1G 39
Morley Hill. Enf —2B 16
Morley Ho. N16 —7E 44
Morley Rd. E10 —6A 46
Morley Rd. E15 —5D 62
Morley Rd. SE13 —3A 94
Morley Rd. Bark —4B 64
Morley Rd. Chst —5A 112
Morley Rd. Romf —3J 49
Morley Rd. S Croy —2D 138
Morley Rd. Sutt —3K 121
Morley Rd. Twic —5H 87
Morley St. SE1 —4L 75
Morna Rd. SE5 —1A 92
Morning La. E9 —2G 61
Morningside Rd. Wor Pk —4F 120
Mornington Av. W14 —5K 73
Mornington Av. Brom —7G 111
Mornington Av. Ilf —5L 47
Mornington Clo. Big H —9H 141
Mornington Clo. Wfd G —4E 30
Mornington Ct. NW1 —5G 59 (off Mornington Cres.)
Mornington Ct. Bex —7B 98
Mornington Cres. NW1 —5G 59
Mornington Cres. Houn —9F 68
Mornington Gro. E3 —6L 61
Mornington M. SE5 —9A 76
Mornington Pl. NW1 —5G 59
Mornington Pl. SE8 —8K 77 (off Mornington Rd.)
Mornington Rd. E4 —9B 18
Mornington Rd. E11 —5D 46
Mornington Rd. SE14 —8K 77
Mornington Rd. Ashf —2A 100
Mornington Rd. Gnfd —8M 53
Mornington Rd. Wfd G —4D 30
Mornington St. NW1 —5F 58
Mornington Ter. NW1 —4F 58
Mornington Wlk. Rich —1G 103
Morocco St. SE1 —3C 76
Morpeth Av. Borwd —2K 11
Morpeth Gro. E9 —4H 61
Morpeth Mans. SW1 —5G 75 (off Morpeth Ter.)
Morpeth Rd. E9 —4H 61
Morpeth St. E2 —6H 61
Morpeth Ter. SW1 —4G 75
Morpeth Wlk. N17 —7F 28
Morrab Gdns. Ilf —8D 48
Morrel Ct. E2 —5E 60 (off Goldsmiths Row)
Morrell Clo. New Bar —5A 14
Morris Av. E12 —1K 63
Morris Blitz Ct. N16 —9D 44
Morris Clo. Croy —9J 109
Morris Clo. Orp —5C 128
Morris Ct. E4 —3M 29
Morris Ct. Wal A —7M 7
Morris Gdns. SW18 —6L 89
Morris Gdns. Dart —4L 99
Morris Ho. E2 —6G 61 (off Roman Rd.)
Morris Ho. NW8 —7C 58 (off Salisbury St.)
Morrish Rd. SW2 —6J 91
Morrison Av. N17 —1C 44
Morrison Bldgs. N. E1 —9E 60 (off Commercial Rd.)
Morrison Bldgs. S. E1 —9E 60 (off Commercial Rd.)
Morrison Ct. Barn —6J 13 (off Manor Way)
Morrison Rd. Bark —5J 65
Morrison Rd. Hay —6F 52
Morrison St. SW11 —2E 90
Morris Pl. N4 —7L 43
Morris Rd. E14 —8M 61
Morris Rd. E15 —9C 46
Morris Rd. Dag —7K 49
Morris Rd. Iswth —2D 86
Morris Rd. Romf —7F 34
Morriss Ho. SE16 —3F 76 (off Cherry Garden St.)
Morris St. E1 —9F 60
Morriston Clo. Wat —5G 21
Morritt Ho. Wemb —1H 55 (off Talbot Rd.)
Morse Clo. E13 —6E 62
Morshead Mans. W9 —6L 57 (off Morshead Rd.)
Morshead Rd. W9 —6L 57
Morson Rd. Enf —8J 17
Morston Gdns. SE9 —1K 111
Mortain Ho. SE16 —5F 76 (off Roseberry St.)
Morten Clo. SW4 —5H 91
Morteyne Rd. N17 —8B 28
Mortgramit Sq. SE18 —4L 79
Mortham St. E15 —4C 62
Mortimer Clo. NW2 —7K 41
Mortimer Clo. SW16 —8H 91
Mortimer Clo. Bush —8M 9
Mortimer Ct. NW8 —5A 58 (off Abercorn Pl.)
Mortimer Cres. NW6 —4M 57
Mortimer Cres. Wor Pk —5B 120
Mortimer Dri. Enf —8B 16
Mortimer Est. NW6 —4M 57 (off Mortimer Pl.)
Mortimer Ho. W11 —2H 73 (off Queensdale Cres.)
Mortimer Ho. W14 —5J 73 (off N. End Rd.)
Mortimer Mkt. WC1 —7G 59
Mortimer Mkt. Cen. WC1 —7G 59 (off Mortimer Mkt.)
Mortimer Pl. NW6 —4M 57
Mortimer Rd. E6 —6K 63
Mortimer Rd. N1 —3C 60 (in two parts)
Mortimer Rd. NW10 —6G 57
Mortimer Rd. W13 —9G 55
Mortimer Rd. Big H —4G 141
Mortimer Rd. Eri —7B 82
Mortimer Rd. Mitc —5D 106
Mortimer Rd. Orp —3E 128

New B'way Bldgs.—Nine Elms Av.

New B'way Bldgs. W5 —1H 71
Newby. NW1 —6G 59 (off Robert St.)
Newby Clo. Enf —4C 16
Newby Pl. E14 —1A 78
Newby St. SW8 —2F 90
New Caledonian Wharf. SE16 —4K 77
Newcastle Av. Ilf —6E 32
Newcastle Clo. EC4 —9M 59
Newcastle Ct. EC4 —1A 76 (off College Hill)
Newcastle Ho. W1 —8E 58 (off Luxborough St.)
Newcastle Pl. W2 —8B 58
Newcastle Row. EC1 —7L 59
New Cavendish St. W1 —8E 58
New Change. EC4 —9A 60
New Chapel Sq. Felt —7F 84
New Charles St. EC1 —6M 59
New Charlton. —5G 79
New Chu. Rd. SE5 —8A 76 (in two parts)
New City Rd. E13 —6G 63
New Clo. SW19 —7A 106
New Clo. Felt —2J 101
New Colebrooke Ct. Cars —9E 122 (off Stanley Rd.)
New College Ct. NW3 —2A 58 (off College Cres.)
New College M. N1 —3L 59
New College Pde. NW3 —2B 58 (off College Cres.)
Newcombe Gdns. SW16 —1J 107
Newcombe Pk. NW7 —5C 24
Newcombe Pk. Wemb —4K 55
Newcombe Ri. W Dray —9C 142
Newcombe St. W8 —2L 73
Newcomen Rd. E11 —8D 46
Newcomen Rd. SW11 —2B 90
Newcomen St. SE1 —3B 76
New Compton St. WC2 —9H 59
New Concordia Wharf. SE1 —3E 76
New Cotts. Wal X —7C 6
New Ct. EC4 —1L 75 (off Fountain Ct.)
New Ct. N'holt —1M 53
Newcourt. Uxb —8A 142
Newcourt Ho. E2 —6F 60 (off Pott St.)
Newcourt St. NW8 —5C 58
New Covent Garden Market. —8H 75
New Coventry St. W1 —1H 75
New Crane Pl. E1 —2G 77
Newcroft Clo. Uxb —8D 142
New Cross. —8K 77
New Cross. (Junct.) —9K 77
New Cross Gate. —9H 77
New Cross Gate. (Junct.) —9H 77
New Cross Rd. SE15 & SE14 —8G 77
Newdales Clo. N9 —2E 28
Newdene Av. N'holt —5H 53
Newdigate Ho. E14 —9K 61 (off Norbiton Rd.)
Newell St. E14 —9K 61
New Eltham. —8A 96
New End. NW3 —9A 42
New End Sq. NW3 —9B 42
New England Ind. Est. Bark —5A 64
Newent Clo. SE15 —8C 76
New Era Est. N1 —4C 60 (off Phillipp St.)
New Farm Av. Brom —8E 110
New Farm La. N'wd —8C 20
New Fetter La. EC4 —9L 59
Newfield Clo. Hamp —5L 101
Newfield Ri. NW2 —8F 40
New Ford Rd. Wal X —7F 6
New Forest La. Chig —6L 31
Newgale Gdns. Edgw —8K 23
New Garden Dri. W Dray —3J 143
Newgate. Croy —3A 124
Newgate Clo. Felt —8J 85
Newgate St. E4 —3C 30 (in two parts)
Newgate St. EC1 —9M 59
New Globe Wlk. SE1 —2A 76
New Goulston St. E1 —9D 60
New Grn. Pl. SE19 —3C 108
Newhall Ct. Wal A —6M 7
New Hall Dri. Romf —8J 35
Newhall Gdns. W on T —4G 117
Newham Grn. N22 —8L 27
Newham's Row. SE1 —3C 76
Newham Way. E16 & E6 —8D 62
Newhaven Clo. Hay —5D 68
Newhaven Cres. Ashf —2B 100
Newhaven Gdns. SE9 —3H 95
Newhaven La. E16 —7D 62
Newhaven Rd. SE25 —9B 108
New Heston Rd. Houn —8K 69
New Horizons Ct. Bren —7G 71
Newhouse Av. Romf —1H 49
Newhouse Clo. N Mald —2C 120
Newhouse Cres. Wat —5F 4
Newhouse Wlk. Mord —2A 122
Newick Clo. Bex —5M 97
Newick Rd. E5 —9F 44
Newing Grn. Brom —4H 111
Newington. —4A 76
Newington Barrow Way. N7 —8K 43
Newington Butts. SE11 & SE1 —5M 75
Newington Causeway. SE1 —4M 75
Newington Ct. Bus. Cen. SE1 (off Newington Causeway) —4A 76
Newington Grn. N1 & N16 —1B 60
Newington Grn. Mans. N16 —1B 60
Newington Grn. Rd. N1 —2B 60
Newington Ind. Est. SE17 —5A 76 (off Crampton St.)
New Inn B'way. EC2 —7C 60
New Inn Pas. WC2 —9K 59 (off Houghton St.)
New Inn Sq. EC2 —7C 60 (off Bateman's Row)
New Inn St. EC2 —7C 60
New Inn Yd. EC2 —7C 60
New Jubilee Ct. Wfd G —7E 30
New Kelvin Av. Tedd —3C 102
New Kent Rd. SE1 —4A 76
New Kings Rd. SW6 —1K 89
New King St. SE8 —7L 77
Newland Clo. Pinn —6J 21
Newland Ct. EC1 —7B 60 (off St Luke's Est.)
Newland Dri. Enf —3F 16
Newland Gdns. W13 —3E 70
Newland Ho. N8 —1J 43 (off Newland Rd.)
Newland Ho. N8 —1J 43 (off Newland Rd.)
Newland Ho. SE14 —7H 77 (off John Williams Clo.)
Newland Rd. N8 —1J 43
Newlands. —4H 93 (Brockley)
Newlands. —3J 23 (Edgware)
Newlands. NW1 —6G 59 (off Harrington St.)
Newlands Av. Th Dit —3C 118
Newlands Clo. Edgw —3J 23
Newlands Clo. S'hall —6J 69
Newlands Clo. W on T —6J 117
Newlands Clo. Wemb —2G 55
Newlands Ct. SE9 —5L 95
Newlands Pk. SE26 —3G 109
Newlands Pl. Barn —7H 13
Newlands Quay. E1 —1G 77
Newlands Rd. SW16 —6J 107
Newlands Rd. Wfd G —2D 30
Newlands, The. Wall —9G 123
Newland St. E16 —2J 79
Newlands Wlk. Wat —6H 5
Newlands Way. Chess —7G 119
Newlands Wood. New Ad —1K 139
Newling Clo. E6 —9K 63
New London St. EC3 —1C 76 (off Hart St.)
New London Theatre. —9J 59 (off Drury La.)
New Lydenburg Commercial Est. SE7 —4G 79
New Lydenburg St. SE7 —4G 79
Newlyn. NW1 —4G 59 (off Plender St.)
Newlyn Clo. Brick W —3J 5
Newlyn Clo. Orp —6E 128
Newlyn Clo. Uxb —8E 142
Newlyn Gdns. Harr —5K 37
Newlyn Ho. Pinn —7K 21
Newlyn Rd. N17 —8D 28
Newlyn Rd. Barn —6K 13
Newlyn Rd. Well —1D 96
New Malden. —8C 104
Newman Clo. Horn —3J 51
Newman Pas. W1 —8G 59
Newman Rd. E13 —6F 62
Newman Rd. E17 —3H 45
Newman Rd. Brom —5E 110
Newman Rd. Croy —3K 123
Newman Rd. Hay —1F 68
Newman Rd. Ind. Est. Croy —2K 123
Newmans Clo. Lou —5L 19
Newman's Ct. EC3 —9B 60 (off Cornhill)
Newmans La. Lou —5L 19
Newmans La. Surb —1H 119
Newman's Row. WC2 —8K 59
Newman St. W1 —8G 59
Newman's Way. Barn —3A 14
Newman Yd. W1 —9G 59
Newmarket Av. N'holt —1L 53
Newmarket Grn. SE9 —6H 95
Newmarket Ho. Romf —5J 35 (off Lindfield Rd.)
Newmarket Way. Horn —9J 51
Newmarsh Rd. SE28 —2D 80
Newmill Ho. E3 —7A 62
New Mill Rd. Orp —5G 113
Newminster Rd. Mord —1A 122
New Mt. St. E15 —3B 62
Newnes Path. SW15 —3F 88
Newnet Clo. Cars —3D 122
Newnham Av. Ruis —6G 37
Newnham Clo. Lou —8H 19
Newnham Clo. N'holt —2A 54
Newnham Clo. T Hth —6A 108
Newnham Gdns. N'holt —2A 54
Newnham Ho. Lou —8H 19
Newnham Lodge. Belv —6L 81 (off Erith Rd.)
Newnham M. N22 —7K 27
Newnham Pde. Chesh —3D 6
Newnham Rd. N22 —8K 27
Newnhams Clo. Brom —7K 111
Newnham Ter. SE1 —4L 75
Newnham Way. Harr —3J 39
New N. Pl. EC2 —7C 60
New N. Rd. N1 —3A 60
New N. Rd. Ilf —7B 32
New N. St. WC1 —8K 59
Newnton Clo. N4 —5B 44 (in two parts)
New Oak Rd. N2 —9A 26
New Orleans Wlk. N19 —5H 43
New Oxford St. WC1 —9H 59
New Pde. Yiew —2J 143
New Pk. Av. N13 —3A 28
New Pk. Clo. N'holt —2J 53
New Pk. Est. N18 —5G 29
New Pk. Ho. N13 —4K 27
New Pk. Pde. SW2 —6J 91 (off New Pk. Rd.)
New Pk. Rd. SW2 —7H 91
New Pk. Rd. Ashf —2A 100
New Peachey La. Uxb —9B 142
Newpiece. Lou —5M 19
New Pl. New Ad —8L 125
New Pl. Sq. SE16 —4F 76
New Plaistow Rd. E15 —4C 62
New Plymouth Ho. Rain —6D 66 (off Dunedin Rd.)
New Pond Pde. Ruis —8E 36
Newport Av. E13 —7F 62
Newport Av. E14 —1B 78
Newport Clo. Enf —1J 17
Newport Ct. WC2 —1H 75
Newport Ho. E3 —6J 61 (off Strahan Rd.)
Newport Lodge. Enf —7C 16 (off Village Rd.)
Newport Mead. Wat —4H 21
Newport Pl. WC2 —1H 75
Newport Rd. E10 —7A 46
Newport Rd. E17 —2J 45
Newport Rd. SW13 —9E 72
Newport Rd. Hay —8B 52
Newport Rd. H'row A —9L 143
Newports. Swan —2B 130
Newport St. SE11 —5K 75
New Priory Ct. NW6 —3L 57 (off Mazenod Av.)
Newquay Cres. Harr —7J 37
Newquay Gdns. Wat —2F 20
Newquay Ho. SE11 —6L 75
Newquay Rd. SE6 —8M 93
New Quebec St. W1 —9D 58
New Ride. SW7 & SW1 —3B 74
New River Ct. N5 —9A 44
New River Ct. Chesh —4B 6
New River Cres. N13 —4M 27
New River Head. EC1 —6L 59
New River Wlk. N1 —3A 60 (off Canonbury Rd.)
New River Way. N4 —5B 44
New Rd. E1 —8F 60
New Rd. E4 —4M 29
New Rd. N8 —3J 43
New Rd. N9 —3E 28
New Rd. N17 —8D 28
New Rd. N22 —8A 28
New Rd. NW7 —9D 12 (Highwood Hill)
New Rd. NW7 —7J 25 (Mill Hill)
New Rd. SE2 —5H 81
New Rd. Bedf —7F 84
New Rd. Bren —7H 71
New Rd. Crox G —8A 8
New Rd. Dag & Rain —5L 65
New Rd. Els —8H 11
New Rd. Esh —5A 118
New Rd. Felt —5B 84
New Rd. Hanw —2J 101
New Rd. Harr —9D 38
New Rd. Hay —8A 68
New Rd. Hex —4D 114
New Rd. Houn —3M 85
New Rd. Ilf —7C 48
New Rd. King T —4L 103
New Rd. Let H —3C 10
New Rd. Mitc —3D 122
New Rd. Orp —2E 120
New Rd. Oxs —3D 132
New Rd. Rad —1C 10
New Rd. Rich —1G 103
New Rd. Shep —7A 100
New Rd. Swan —7D 114
New Rd. Uxb —7A 52
New Rd. Wat —6G 9
New Rd. Well —1F 96
New Rd. W Mol —8L 101
New Rd. Wey —7A 116
New Rd. Hill. Kes & Orp —1J 141
New Rochford St. NW5 —1D 58
New Row. WC2 —1J 75
Newry Rd. Twic —4E 86
Newsam Av. N15 —3B 44
Newsholme Av. N21 —7K 15
New Southgate. —5F 26
New Southgate Crematorium. N11 —3F 26
New Southgate Ind. Est. N11 —5G 27
New Spitalfields Market. —8L 45
New Spitalfields Mkt. E10 —8M 45
New Spring Gdns. Wlk. SE1 —6J 75
New Sq. WC2 —9L 59
New Sq. Felt —7A 84
New Sq. Pas. WC2 —9L 59 (off Star Yd.)
Newstead Av. Orp —5B 128
Newstead Clo. N12 —6C 26
Newstead Ct. N'holt —6J 53
Newstead Ho. Romf —4H 35 (off Troopers Dri.)
Newstead Rd. SE12 —6D 94
Newstead Wlk. Cars —2A 122
Newstead Way. SW19 —1H 105
New St. EC2 —8C 60
New St. Wat —6G 9
New St. Hill. Brom —2F 110
New St. Sq. EC4 —9L 59
Newteswell Dri. Wal A —5K 7
Newton Av. N10 —8E 26
Newton Av. W3 —3A 72
Newton Clo. E17 —4J 45
Newton Clo. Harr —7L 37
Newton Cres. Borwd —6A 12
Newton Gro. W4 —5C 72
Newton Ho. E1 —1F 76 (off Cornwall St.)
Newton Ho. E17 —1M 45 (off Prospect Hill)
Newton Ho. NW8 —4M 57 (off Abbey Rd.)
Newton Ho. SE20 —4H 109
Newton Ho. Borwd —5B 12 (off Chester Rd.)
Newton Ind. Est. Romf —2H 49
Newton Mans. W14 —7J 73 (off Queen's Club Gdns.)
Newton Point. E16 —9D 62 (off Clarkson Rd.)
Newton Rd. E15 —1B 62
Newton Rd. N15 —3E 44
Newton Rd. NW2 —9G 41
Newton Rd. SW19 —4J 105
Newton Rd. W2 —9M 57
Newton Rd. Chig —5F 32
Newton Rd. Harr —9C 22
Newton Rd. Iswth —1D 86
Newton Rd. H'row A —9J 143
Newton Rd. Purl —4G 137
Newton Rd. Well —2E 96
Newton Rd. Wemb —3K 55
Newtons Clo. Rain —3D 66
Newton St. WC1 —9J 59
Newton's Yd. SW18 —4L 89
Newton Ter. Brom —1H 127
Newton Wlk. Edgw —8M 23
Newton Way. N18 —5A 28
Newton Wood Rd. Asht —8K 133
New Tower Bldgs. E1 —2F 76
New Town. —5K 99
Newtown Rd. Den —2A 142
Newtown St. SW11 —9F 74
New Trinity Rd. N2 —1B 42
New Turnstile. WC1 —8K 59
New Union Clo. E14 —4A 78
New Union St. EC2 —8B 60
New Wanstead. E11 —4D 46
New Way Rd. NW9 —2C 40
New Wharf Rd. N1 —5J 59
New Windsor St. Uxb —4A 142
New Zealand Av. W on T —3D 116
New Zealand Way. W12 —1F 72
New Zealand Way. Rain —6D 66
Niagara Av. W5 —5G 71
Niagara Clo. Chesh —2D 6
Niagra Clo. N1 —5A 60
Niagra Ct. SE16 —4G 77 (off Canada Est.)
Nibthwaite Rd. Harr —3C 38
Nicholas Clo. Gnfd —5M 53
Nicholas Clo. Wat —1F 8
Nicholas Ct. W4 —7C 72 (off Corney Reach Way)
Nicholas Gdns. W5 —3H 71
Nicholas La. EC4 —1B 76 (in two parts)
Nicholas Pas. EC4 —1B 76 (off Nicholas La.)
Nicholas Rd. E1 —7G 61
Nicholas Rd. Croy —6J 123
Nicholas Rd. Dag —7K 49
Nicholas Rd. Els —8K 11
Nicholas Way. N'wd —8A 20
Nichola Ter. Bexh —9J 81
Nicholay Rd. N19 —6H 43
Nichol Clo. N14 —1H 27
Nicholes Rd. Houn —3L 85
Nichol La. Brom —4E 110
Nicholl Ho. N4 —6A 44
Nicholls Av. Uxb —7E 142
Nichollsfield Wlk. N7 —1K 59
Nicholls Point. E13 —4E 62 (off Park Gro.)
Nicholl St. E2 —4E 60
Nichols Clo. N4 —6L 43 (off Osborne Rd.)
Nichols Clo. Chess —8G 119
Nichols Grn. W5 —8H 55
Nicholson Ct. E17 —2J 45
Nicholson Dri. Bush —1A 22
Nicholson Ho. SE17 —6B 76
Nicholson M. King T —8J 103
Nicholson Rd. Croy —3D 124
Nicholson St. SE1 —2M 75
Nickelby Clo. SE28 —9G 65
Nickleby Clo. Uxb —9F 142
Nickleby Ho. SE16 —3E 76 (off George Row)
Nicola Clo. Harr —9B 22
Nicola Clo. S Croy —8A 124
Nicola M. Ilf —7M 31
Nicol Clo. Twic —5F 86
Nicoll Ct. N10 —7F 26
Nicoll Ct. NW10 —4C 56
Nicoll Pl. NW4 —4F 40
Nicoll Rd. NW10 —4C 56
Nicoll Way. Borwd —7B 12
Nicolson. NW9 —8C 24
Nicolson Rd. Orp —2H 129
Nicosia Rd. SW18 —6C 90
Niederwald Rd. SE26 —1J 109
Nield Rd. Hay —3D 68
Nigel Clo. N'holt —4J 53
Nigel Ct. N3 —7M 25
Nigel Fisher Way. Chess —9G 119
Nigel Ho. EC1 —8L 59 (off Portpool La.)
Nigel M. Ilf —9M 47
Nigel Playfair Av. W6 —5F 72
Nigel Rd. E7 —1G 63
Nigel Rd. SE15 —2E 92
Nigeria Rd. SE7 —8G 79
Nighthawk. NW9 —8D 24
Nightingale Av. E4 —5C 30
Nightingale Av. Harr —6F 38
Nightingale Clo. E4 —4B 30
Nightingale Clo. W4 —7A 72
Nightingale Clo. Ab L —4E 4
Nightingale Clo. Big H —7G 141
Nightingale Clo. Cars —4E 122
Nightingale Clo. Eps —4L 133
Nightingale Clo. Pinn —3G 37
Nightingale Clo. Rad —1D 10
Nightingale Corner. Orp —8H 113
Nightingale Ct. E14 —3A 78 (off Ovex Clo.)
Nightingale Ct. N4 —7K 43 (off Tollington Pk.)
Nightingale Ct. SW6 —9M 73 (off Maltings Pl.)
Nightingale Ct. Short —6C 110
Nightingale Dri. Eps —8M 119
Nightingale Gro. SE13 —4B 94
Nightingale Gro. Dart —3L 99
Nightingale Heights. SE18 —7M 79
Nightingale Ho. E1 —2E 76 (off Thomas More St.)
Nightingale Ho. N1 —4C 60 (off Wilmer Gdns.)
Nightingale Ho. SE18 —6L 79 (off Connaught M.)
Nightingale Ho. Eps —4C 134
Nightingale La. E11 —2F 46
Nightingale La. N8 —2J 43
Nightingale La. SW12 & SW4 —6D 90
Nightingale La. Brom —6G 111
Nightingale La. Rich —6J 87
Nightingale Lodge. W9 —8L 57 (off Admiral Wlk.)
Nightingale M. E3 —5H 61
Nightingale M. King T —7H 103 (off South La.)
Nightingale Pl. SE18 —7L 79
Nightingale Pl. SW10 —7A 74
Nightingale Rd. E5 —8F 44
Nightingale Rd. N9 —8G 17
Nightingale Rd. N22 —7J 27
Nightingale Rd. NW10 —5D 56
Nightingale Rd. W7 —2D 70
Nightingale Rd. Bush —7L 9
Nightingale Rd. Cars —5D 122
Nightingale Rd. Esh —7K 117
Nightingale Rd. Hamp —2L 101
Nightingale Rd. Orp —1A 128
Nightingale Rd. S Croy —3H 139
Nightingale Rd. W on T —2G 117
Nightingale Rd. W Mol —9M 101
Nightingales. Wal A —7L 7
Nightingale Sq. SW12 —6E 90
Nightingales, The. Stai —6D 144
Nightingale Va. SE18 —7L 79
Nightingale Wlk. SW4 —5F 90
Nightingale Way. E6 —8J 63
Nightingale Way. Swan —7C 114
Nikols Wlk. SW18 —3M 89
Nile Clo. N16 —8D 44
Nile Path. SE18 —7L 79
Nile Rd. E13 —5G 63
Nile St. N1 —6A 60
Nile Ter. SE15 —6D 76
Nimbus Rd. Eps —2B 134
Nimegen Way. SE22 —4C 92
Nimmo Dri. Bus H —9B 10
Nimrod. NW9 —8C 24
Nimrod Clo. N'holt —6H 53
Nimrod Ho. E16 —8F 62 (off Vanguard Clo.)
Nimrod Pas. N1 —2C 60
Nimrod Rd. SW16 —3F 106
Nina Mackay Clo. E15 —4C 62
Nine Acres Clo. E12 —1J 63
Nineacres Way. Coul —8J 137
Nine Elms. —8G 75
Nine Elms Av. Uxb —8B 142

Nine Elms Clo.—Northstead Rd.

Nine Elms Clo. Felt—7D 84
Nine Elms Clo. Uxb—8B 142
Nine Elms La. SW8—8G 75
Ninefields. Wal A—6M 7
Nineteenth Rd. Mitc—8J 107
Ninhams Wood. Orp—6L 127
Ninth Av. Hay—1E 68
Nita Ct. SE12—7E 94
Nithdale Rd. SE18—8M 79
Nithsdale Gro. Uxb—8A 36
Niton Clo. Barn—8H 13
Niton Rd. Rich—2L 87
Niton St. SW6—8H 73
Niven Clo. Borwd—3A 12
Noak Hill. —2J 35
Noak Hill Rd. Noak H & Romf —5F 34
Nobel Dri. Hay—9B 68
Nobel Ho. SE5—1A 92
Nobel Rd. N18—4G 29
Noble Corner. Houn—9L 69
Noble Ct. E1 —1F 76 (off Cable St., in two parts)
Noble Ct. Mitc—6B 106
Noblefield Heights. N2—3C 42
Noble St. EC2—9A 60
Noel. NW9—8C 24
Noel Ct. Houn—2K 85
Noel Coward Ho. SW1 —5G 75 (off Vauxhall Bri. Rd.)
Noel Ho. NW3—3B 58
Noel Park. —9M 27
Noel Pk. Rd. N22—9L 27
Noel Rd. E6—7J 63
Noel Rd. N1—5M 59
Noel Rd. W3—1L 71
Noel Sq. Dag—9G 49
Noel St. W1—9G 59
Noel Ter. SE23—8G 93
Noel Ter. Sidc—1F 112
Noke La. St Alb—1K 5
Nolan Way. E5—9E 44
Nolton Pl. Edgw—8K 23
Nonsuch Clo. Ilf—6M 31
Nonsuch Ct. Av. Eps—2F 134
Nonsuch Pl. Sutt—9H 121
Nonsuch Trad. Est. Eps—3C 134
Nonsuch Wlk. Sutt—2G 135 (in two parts)
Nora Gdns. NW4—2H 41
Norbiton. —6L 103
Norbiton Av. King T—5L 103
Norbiton Comn. Rd. King T —7M 103
Norbiton Hall. King T—6K 103
Norbiton Rd. E14—9K 61
Norbreck Gdns. NW10—6K 55
Norbreck Pde. NW10—6J 55
Norbroke St. W12—1D 72
Norburn St. W10—8J 57
Norbury. —6K 107
Norbury Av. SW16 & T Hth—5K 107
Norbury Av. Houn—3B 86
Norbury Av. Wat—3G 9
Norbury Clo. SW16—5L 107
Norbury Ct. Rd. SW16—7J 107
Norbury Cres. SW16—5K 107
Norbury Cross. SW16—7J 107
Norbury Gdns. Romf—3H 49
Norbury Gro. NW7—3C 24
Norbury Hill. SW16—4L 107
Norbury Ri. SW16—7J 107
Norbury Rd. E4—5L 29
Norbury Rd. T Hth—6A 108
Norbury Trad. Est. SW16—6K 107
Norcombe Gdns. Harr—4G 39
Norcombe Ho. N19 —8H 43 (off Wedmore St.)
Norcott Clo. Hay—7G 53
Norcott Rd. N16—7E 44
Norcroft Gdns. SE22—6E 92
Norcutt Rd. Twic—7C 86
Nordenfeldt Rd. Eri—6B 82
Norden Ho. E2 —6F 60 (off Pott St.)
Norfield Rd. Dart—1A 114
Norfolk Av. N13—6M 27
Norfolk Av. N15—4D 44
Norfolk Av. S Croy—2D 138
Norfolk Av. Wat—2G 9
Norfolk Clo. N2—1C 42
Norfolk Clo. N13—6M 27
Norfolk Clo. Barn—6E 14
Norfolk Clo. Dart—5L 99
Norfolk Clo. Twic—5F 86
Norfolk Ct. Barn—6J 13
Norfolk Cres. W2—9C 58
Norfolk Cres. Sidc—6C 96
Norfolk Gdns. Bexh—9K 81
Norfolk Gdns. Borwd—6B 12
Norfolk Gdns. Houn—4K 85
Norfolk Ho. SE8—9L 77
Norfolk Ho. SE20—5G 109
Norfolk Ho. SW1 —5H 75 (off Page St.)
Norfolk Ho. Rd. SW16—9H 91
Norfolk Mans. SW11 —9D 74 (off Prince of Wales Dri.)
Norfolk M. W10 —8K 57 (off Blagrove Rd.)
Norfolk Pl. W2—9B 58 (in two parts)
Norfolk Pl. Well—1E 96
Norfolk Rd. E6—4K 63
Norfolk Rd. E17—9H 29
Norfolk Rd. NW8—4B 58
Norfolk Rd. NW10—3C 56
Norfolk Rd. SW19—4C 106
Norfolk Rd. Bark—3C 64
Norfolk Rd. Barn—5L 13
Norfolk Rd. Clay—7C 118
Norfolk Rd. Dag—1M 65
Norfolk Rd. Enf—8F 16
Norfolk Rd. Felt—7G 85
Norfolk Rd. Harr—3M 37
Norfolk Rd. Ilf—6C 48
Norfolk Rd. Romf—4A 50
Norfolk Rd. T Hth—7A 108
Norfolk Rd. Upm—8L 51
Norfolk Rd. Uxb—2B 142
Norfolk Row. SE1—5K 75 (in two parts)
Norfolk Sq. W2—9B 58
Norfolk Sq. M. W2 —9B 58 (off London St.)
Norfolk St. E7—1E 62
Norfolk Ter. W6—6J 73
Norgrove St. SW12—6E 90
Norham Ct. Dart —5M 99 (off Osbourne Rd.)
Norheads La. Big H—9E 140
Norhyrst Av. SE25—7D 108
Nork. —7H 135
Nork Gdns. Bans—6J 135
Nork Ri. Bans—8H 135
Nork Way. Bans—8G 135
Norland Ho. W11 —2H 73 (off Queensdale Cres.)
Norland Pl. W11—2J 73
Norland Rd. W11 —2H 73 (off Queensdale Cres.)
Norlands Cres. Chst—5M 111
Norland Sq. W11—2J 73
Norland Sq. Mans. W11 —2J 73 (off Norland Sq.)
Norley Va. SW15—7E 88
Norlington Rd. E10 & E11—6A 46
Norman Av. N22—8M 27
Norman Av. Eps—4D 134
Norman Av. Felt—8J 85
Norman Av. S'hall—1J 69
Norman Av. S Croy—9A 138
Norman Av. Twic—6G 87
Normanby Clo. SW15—4K 89
Normanby Rd. NW10—9D 40
Norman Clo. N22—8A 28
Norman Clo. Orp—5A 128
Norman Clo. Romf—8M 33
Norman Clo. Wal A—6K 7
Norman Colyer Ct. Eps—2B 134
Norman Ct. N4—5L 43
Norman Ct. NW10—3E 56
Norman Ct. W13 —2F 70 (off Kirkfield Clo.)
Norman Ct. Ilf—5B 48
Norman Cres. Houn—8H 69
Norman Cres. Pinn—8G 21
Normand Gdns. W14 —7J 73 (off Greyhound Rd.)
Normand M. W14—7J 73
Normand Rd. W14—7K 73
Normandy Av. Barn—7K 13
Normandy Clo. SE26—9J 93
Normandy Dri. Hay—9A 52
Normandy Rd. SW9—9L 75
Normandy Ter. E16—9F 62
Normandy Way. Eri—9C 82
Norman Gro. E3—5J 61
Norman Hay Trad. Est. W Dray —8K 143
Norman Ho. SW8 —8J 75 (off Wyvil Rd.)
Norman Ho. Felt —8K 85 (off Watermill Way)
Normanhurst Av. Bexh—9H 81
Normanhurst Dri. Twic—4E 86
Normanhurst Rd. SW2—8K 91
Normanhurst Rd. Orp—6F 112
Normanhurst Rd. W on T—4H 117
Norman Pde. Sidc—8H 97
Norman Rd. E6—7K 63
Norman Rd. E11—7B 46
Norman Rd. N15—3D 44
Norman Rd. SE10—8M 77
Norman Rd. SW19—4A 106
Norman Rd. Ashf—3B 100
Norman Rd. Belv—4M 81
Norman Rd. Dart—7J 99
Norman Rd. Horn—5E 50
Norman Rd. Ilf—1M 63
Norman Rd. Sutt—7L 121
Norman Rd. T Hth—9M 107
Norman's Clo. NW10—2B 56
Normans Clo. Uxb—7D 142
Normansfield Av. Tedd—4G 103
Normans Fld. Clo. Bush—9M 9
Normanshire Av. E4—4A 30
Normanshire Dri. E4—4L 29
Norman's Mead. NW10—2B 56
Norman St. EC1—6A 60
Normanton Av. SW19—8L 89
Normanton Pk. E4—2C 30
Normanton Rd. S Croy—7C 124
Normanton St. SE23—8H 93
Norman Way. N14—2J 27
Norman Way. W3—8M 55
Normington Clo. SW16—2L 107
Norrice Lea. N2—3B 42
Norris. NW9 —8D 24 (off Concourse, The)
Norris Ho. N1 —4C 60 (off Colville Est.)
Norris Ho. SE8 —6K 77 (off Grove St.)
Norris St. SW1—1H 75
Norris Way. Dart—2D 98
Norroy Rd. SW15—3H 89
Norry's Clo. Cockf—6D 14
Norry's Rd. Cockf—6D 14
Norseman Clo. Ilf—6F 48
Norseman Way. Gnfd—4M 53
Norstead Pl. SW15—2E 88
N. Access Rd. E17—4H 45
North Acre. NW9—8C 24
North Acre. Bans—8K 135
North Acton. —7B 56
N. Acton Rd. NW10—5B 56
Northallerton Way. Romf—5H 35
Northall Rd. Bexh—1A 98
Northampton Gro. N1—1A 60
Northampton Ho. Romf —4J 35 (off Broseley Rd.)
Northampton Pk. N1—2A 60
Northampton Rd. EC1—7L 59
Northampton Rd. Croy—4E 124
Northampton Rd. Enf—6J 17
Northampton Row. EC1 —7L 59 (off Rosoman Pl.)
Northampton Sq. EC1—6M 59
Northampton St. N1—3A 60
Northanger Rd. SW16—3J 107
North App. N'wd—2A 20
North App. Wat—8D 4
N. Audley St. W1—9E 58
North Av. N18—4E 28
North Av. NW10—6G 57
North Av. W13—8F 54
North Av. Cars—9E 122
North Av. Harr—4M 37
North Av. Hay—1E 68
North Av. Rich—9L 71
North Av. S'hall—1K 69
North Av. W Vill—9C 116
North Bank. NW8—6C 58
Northbank Rd. E17—9A 30
North Beckton. —8J 63
N. Birkbeck Rd. E11—8B 46
North Block. SE1 —3K 75 (off York Rd.)
Northborough Rd. SW16—7H 107
Northbourne. Brom—2E 126
Northbourne Rd. SW4—4H 91
N. Branch Av. NW10—6G 57
Northbrook Dri. N'wd—8C 20
Northbrook Rd. N22—7J 27
Northbrook Rd. SE13—4C 94
Northbrook Rd. Barn—8J 13
Northbrook Rd. Croy—9B 108
Northbrook Rd. Ilf—7L 47
Northburgh St. EC1—7M 59
N. Carriage Dri. W2—1C 74
North Cheam. —6H 121
Northchurch. SE17—6B 76 (in three parts)
Northchurch Rd. N1—3B 60 (in two parts)
Northchurch Rd. Wemb—2L 55
Northchurch Ter. N1—3C 60 (in two parts)
N. Circular Rd. E4—6K 29
N. Circular Rd. N3—2K 41
N. Circular Rd. N13—5L 27
N. Circular Rd. NW2—8C 40
N. Circular Rd. NW4—5G 41
N. Circular Rd. NW10—5K 55
Northcliffe Clo. Wor Pk—5C 120
Northcliffe Dri. N20—1K 25
North Clo. Barn—7G 13
North Clo. Bexh—3H 97
North Clo. Chig—5E 32
North Clo. Dag—4L 65
North Clo. Felt—5B 84
North Clo. Mord—8J 105
N. Colonnade, The. E14—2L 77
North Comn. Wey—6A 116
North Comn. Rd. W5—1J 71
North Comn. Rd. Uxb—1B 142
Northcote. Oxs—6A 132
Northcote. Pinn—9G 21
Northcote Av. W5—1J 71
Northcote Av. Iswth—4E 86
Northcote Av. S'hall—1J 69
Northcote Av. Surb—2M 119
Northcote M. SW11—3C 90
Northcote Rd. E17—2J 45
Northcote Rd. NW10—3C 56
Northcote Rd. SW11—4C 90
Northcote Rd. Croy—1B 124
Northcote Rd. N Mald—7A 104
Northcote Rd. Sidc—1C 112
Northcote Rd. Twic—4E 86
Northcott Av. N22—8J 27
Northcotts. Ab L —6B 4 (off Long Elms Clo.)
N. Countess Rd. E17—9K 29
North Ct. SE24—2M 91
North Ct. SW1 —4J 75 (off Gt. Peter St.)
North Ct. W1—8G 59
North Ct. Brom —5E 110 (off Palace Gro.)
North Cray. —2J 113
N. Cray Rd. Sidc & Bex—3J 113
North Cres. E16—7B 62
North Cres. N3—9K 25
North Cres. WC1—8H 59
Northcroft Ct. W12—3E 72
Northcroft Rd. W13—3F 70
Northcroft Rd. Eps—9C 120
North Crofts. SE23—7F 92
Northcroft Ter. W13—3F 70
N. Cross Rd. SE22—4D 92
N. Cross Rd. Ilf—2A 48
Northdale Ct. SE25—7D 108
North Dene. NW7—3B 24
Northdene. Chig—5B 32
North Dene. Houn—9M 69
Northdene Gdns. N15—4D 44
North Down. S Croy—3C 138
Northdown Clo. Ruis—8D 36
Northdown Gdns. Ilf—3C 48
Northdown Rd. Horn—5F 50
Northdown Rd. Sutt—2L 135
Northdown Rd. Well—1F 96
N. Downs Cres. New Ad—1M 139 (in two parts)
N. Downs Rd. New Ad—2M 139
Northdown St. N1—5J 59
North Dri. SW16—1G 107
North Dri. Beck—8M 109
North Dri. Houn—1A 86
North Dri. Orp—6C 128
North Dri. Romf—1G 51
North Dri. Ruis—5C 36
N. East Pier. E1—2F 76
North East Surrey Crematorium. Mord—1G 121
North End. —8D 82 (Erith)
North End. —7A 42 (Hampstead)
North End. NW3—7A 42
North End. Buck H—9G 19
North End. Croy—4A 124
North End. Noak H—2G 35
N. End Av. NW3—7A 42
N. End Cres. W14—5K 73
N. End Ho. W14—5J 73
N. End La. Orp—3L 141
N. End Pde. W14 —5J 73 (off N. End Rd.)
N. End Rd. NW11—6L 41
N. End Rd. W14 & SW6—5J 73
Northend Rd. Eri—8D 82
N. End Rd. Wemb—8L 39
Northend Trad. Est. Eri—9C 82
N. End Way. NW3—7A 42
Northern Av. N9—2C 28
Northernhay Wlk. Mord—8J 105
Northern Perimeter Rd. H'row A —9M 143
Northern Perimeter Rd. W. H'row A —9J 143
Northern Rd. E13—5F 62
Northesk Ho. E1 —7F 60 (off Tent St.)
Northey Av. Sutt—2H 135
N. Eyot Gdns. W6—6D 72
Northey St. E14—1J 77
North Feltham. —5F 84
N. Feltham Trad. Est. Felt—4F 84
Northfield. Lou—6H 19
Northfield Av. W13 & W5—2F 70
Northfield Av. Orp—1G 129
Northfield Av. Pinn—2H 37
Northfield Clo. Brom—5J 111
Northfield Clo. Hay—4D 68
Northfield Cres. Sutt—6J 121
Northfield Gdns. Dag—9K 49
Northfield Gdns. Wat—1G 9
Northfield Ho. SE15—7E 76
Northfield Ind. Est. NW10—6L 55
Northfield Ind. Est. Wemb—4L 55
Northfield Pde. Hay—4C 68
Northfield Pk. Hay—4D 68
Northfield Path. Dag—9K 49
Northfield Pl. Wey—9A 116
Northfield Rd. E6—3K 63
Northfield Rd. N16—5C 44
Northfield Rd. W13—3F 70
Northfield Rd. Barn—5C 14
Northfield Rd. Borwd—3M 11
Northfield Rd. Dag—9K 49
Northfield Rd. Enf—7F 16
Northfield Rd. Houn—7H 69
Northfield Rd. Wal X—5E 6
Northfields. —4F 70
Northfields. SW18—3L 89
Northfields. Eps—3C 134
Northfields Prospect Bus. Cen. SW18—3L 89
Northfields Rd. W3—8M 55
North Finchley. —5A 26
Northfleet Ho. SE1 —3B 76 (off Tennis St.)
N. Flock St. SE16—3E 76
N. Flower Wlk. W2 —1A 74 (off Lancaster Wlk.)
North Garden. E14—2K 77
North Gdns. SW19—4B 106
North Ga. NW8 —5C 58 (off Prince Albert Rd.)
Northgate. N'wd—7A 20
Northgate Bus. Pk. Enf—5F 16
Northgate Dri. NW9—4C 40
Northgate Ho. E14 —1L 77 (off E. India Dock Rd.)
Northgate Ind. Est. Romf—8K 33
Northgate Path. Borwd—2K 11
N. Glade, The. Bex—6K 97
N. Gower St. NW1—6G 59
North Grn. NW9—7C 24
North Gro. N6—5E 42
North Gro. N15—3B 44
North Harrow. —3M 37
N. Hatton Rd. H'row A—9B 68
North Hill. N6—4D 42
N. Hill Av. N6—4E 42
N. Hill Dri. Romf—3H 35
N. Hill Grn. Romf—4H 35
North Hillingdon. —3A 52
North Ho. SE8—6K 77
N. Hyde Gdns. Hay—5E 68
N. Hyde La. S'hall & Houn—6H 69
N. Hyde Rd. Hay—4C 68
Northiam. N12—4L 25 (in two parts)
Northiam. WC1 —6J 59 (off Cromer St.)
Northiam St. E8 & E9—4F 60
Northington St. WC1—7K 59
North Kensington. —8H 57
Northlands Av. Orp—6C 128
Northlands St. SE5—1A 92
North La. Tedd—3D 102
Northleach Ct. SE15 —7C 76 (off Birdlip Clo.)
North Lodge. New Bar—7A 14
N. Lodge Clo. SW15—4H 89
North Looe. —5G 135
North Mall. N9 —2F 28 (off Plevna Rd.)
North M. WC1—7K 59
North Mt. N20 —2A 26 (off High Rd.)
Northolm. Edgw—4B 24
Northolme Gdns. Edgw—8L 23
Northolme Ri. Orp—4C 128
Northolme Rd. N5—9A 44
Northolt. —3L 53
Northolt. N17 —9C 28 (off Griffin Rd.)
Northolt Av. Ruis—1F 52
Northolt Gdns. Gnfd—1D 54
Northolt Rd. Harr—9M 37
Northolt Rd. H'row A—9H 143
Northolt Way. Horn—2G 67
N. Orbital Rd. Wat & Brick W—6H 5
Northover. Brom—9D 94
North Pde. Chess—7K 119
North Pde. Edgw—9L 23
North Pde. S'hall —9L 53 (off North Rd.)
North Pk. SE9—5K 95
North Pl. SW18—4L 89
North Pl. Mitc—4D 106
North Pl. Tedd—3D 102
North Pl. Wal A—6H 7
N. Pole La. Kes—8D 126
N. Pole Rd. W10—8G 57
Northport St. N1—4B 60
North Ride. W2—1C 74
North Riding. Brick W—3L 5
North Ri. W2—9C 58
North Rd. N2—9C 26
North Rd. N6—5E 42
North Rd. N7—2J 59
North Rd. N9—1F 28
North Rd. SE18—5C 80
North Rd. SW19—3A 106
North Rd. W5—4H 71
North Rd. Belv—4M 81
North Rd. Bren—7J 71
North Rd. Brom—5F 110
North Rd. Chad H—3J 49
North Rd. Dart—5D 98
North Rd. Edgw—8M 23
North Rd. Felt—5B 84
North Rd. Harr—5E 38
North Rd. Hav—3C 34
North Rd. Hay—8B 52
North Rd. Ilf—7C 48
North Rd. Purf—5M 83 (in two parts)
North Rd. Rich—2L 87
North Rd. S'hall—1L 69
North Rd. Surb—1H 119
North Rd. Wal X—6E 6
North Rd. W on T—7G 117
North Rd. W Dray—4K 143
North Rd. W W'ck—3M 125
Northrop Rd. H'row A—9C 68
North Row. W1—1D 74
N. Row Bldgs. W1 —1E 74 (off North Row)
North Several. SE3—1B 94
North Sheen. —2L 87
Northside Rd. Brom—5E 110
N. Side Wandsworth Comn. SW18 —4B 90
Northspur Rd. Sutt—5L 121
North Sq. N9 —2F 28 (off Hertford Rd.)
North Sq. NW11—3L 41
Northstead Rd. SW2—8L 91

North St.—Oaklands Av.

North St. E13 —5F 62
North St. NW4 —3G 41
North St. SW4 —2G 91
North St. Bark —2M 63
(Barking Northern Relief Rd.)
North St. Bark —3A 64
(London Rd.)
North St. Bexh —3L 97
North St. Brom —5E 110
North St. Cars —5D 122
North St. Dart —6H 99
North St. Horn —5H 51
North St. Iswth —2E 86
North St. Romf —1B 50
N. Street Pas. E13 —5F 62
N. Tenter St. E1 —9D 60
North Ter. SW3 —4C 74
Northumberland All. EC3 —9C 60
(in two parts)
Northumberland Av. E12 —6G 47
Northumberland Av. WC2 —2J 75
Northumberland Av. Enf —3F 16
Northumberland Av. Horn —3G 51
Northumberland Av. Iswth —9D 70
Northumberland Av. Well —3B 96
Northumberland Clo. Eri —8A 82
Northumberland Clo. Stanw —5C 144
Northumberland Cres. Felt —5C 84
Northumberland Gdns. N9 —3D 28
Northumberland Gdns. Brom —8L 111
Northumberland Gdns. Iswth —8E 70
Northumberland Gdns. Mitc —9H 107
Northumberland Gro. N17 —7F 28
Northumberland Heath. —8A 82
Northumberland Ho. SW1 —2J 75
(off Northumberland Av.)
Northumberland Pk. N17 —7D 28
Northumberland Pk. Eri —8A 82
Northumberland Pk. Ind. Est. N17 —7F 28
Northumberland Pl. W2 —9L 57
Northumberland Pl. Rich —4H 87
Northumberland Rd. E6 —9J 63
Northumberland Rd. E17 —5L 45
Northumberland Rd. Harr —3K 37
Northumberland Rd. New Bar —8A 14
Northumberland Row. Twic —7C 86
Northumberland St. WC2 —2J 75
Northumberland Way. Eri —9A 82
Northumbria St. E14 —9L 61
N. Verbena Gdns. W6 —6E 72
Northview. N7 —8J 43
North Vw. SW19 —2G 105
North Vw. W5 —7G 55
North Vw. Pinn —5G 37
Northview. Swan —6C 114
N. View Cres. NW10 —9D 40
N. View Cres. Eps —9F 134
Northview Dri. Wfd G —9H 31
N. View Rd. N8 —2H 43
North Vs. NW1 —2H 59
North Wlk. W8 —1M 73
(off Bayswater Rd.)
North Wlk. New Ad —8M 125
(in two parts)
North Watford. —1F 8
North Way. N9 —2H 29
North Way. N11 —6G 27
North Way. NW9 —1M 39
Northway. NW11 —3M 41
Northway. Mord —7J 105
North Way. Pinn —2H 37
North Way. Uxb —3C 142
Northway. Wall —6G 123
Northway Cir. NW7 —4B 24
Northway Cres. NW7 —4B 24
Northway Gdns. NW11 —3M 41
Northway Rd. SE5 —2A 92
Northway Rd. Croy —1D 124
Northways Pde. NW3 —3B 58
(off College Cres., in two parts)
Northweald La. King T —2H 103
North Wembley. —8H 39
N. Western Av. A'ham —4M 9
N. Western Av. Wat —8B 4
(in two parts)
N. Western Commercial Cen. NW1 —3J 59
N. West Pier. E1 —2F 76
Northwest Pl. N1 —5L 59
N. Weylands Ind. Est. W on T —4J 117
North Wharf. E14 —2A 78
(off Coldharbour)
N. Wharf Rd. W2 —8B 58
Northwick Av. Harr —4E 38
Northwick Circ. Harr —4G 39
Northwick Clo. NW8 —7B 58
Northwick Clo. Harr —6F 38
Northwick Ho. W9 —7A 58
(off St John's Wood Rd.)
Northwick Pk. Rd. Harr —4D 38
Northwick Rd. Wat —4G 21
Northwick Rd. Wemb —4H 55
Northwick Ter. NW8 —7B 58
Northwick Wlk. Harr —5D 38
Northwold Dri. Pinn —9G 21
Northwold Est. E5 —7E 44
Northwold Rd. N16 & E5 —7D 44
Northwood. —6C 20
Northwood Av. Horn —9E 50
Northwood Av. Purl —4L 137
N. Wood Ct. SE25 —7E 108
Northwood Gdns. N12 —5B 26
Northwood Gdns. Gnfd —1D 54
Northwood Gdns. Ilf —2L 47
Northwood Hills. —9E 20
Northwood Hills Cir. N'wd —8E 20
Northwood Ho. SE27 —1B 108
Northwood Pl. Eri —4K 81
Northwood Rd. N6 —5F 42
Northwood Rd. SE23 —7K 93
Northwood Rd. Cars —8E 122
Northwood Rd. H'row A —9H 143
Northwood Rd. T Hth —6M 107
Northwood Way. SE19 —3B 108
Northwood Way. N'wd —7D 20
North Woolwich. —2L 79
North Woolwich Old Station Mus. —3L 79
N. Woolwich Rd. E16 —2D 78
N. Worple Way. SW14 —2B 88
Norton Almshouses. Chesh —3D 6
(off Turner's Hill)
Norton Av. Surb —2M 119
Norton Clo. E4 —5L 29
Norton Clo. Borwd —3L 11
Norton Clo. Enf —4F 16
Norton Folgate. EC2 —8C 60
Norton Folgate Almshouses. E1
(off Puma Ct.) —8D 60
Norton Gdns. SW16 —6J 107
Norton Ho. E1 —9F 60
(off Bigland St.)
Norton Ho. E2 —5H 61
(off Mace St.)
Norton Ho. SW1 —4H 75
(off Arneway St.)
Norton Ho. SW9 —1K 91
(off Aytoun Rd.)
Norton Rd. E10 —6K 45
Norton Rd. Dag —2B 66
Norton Rd. Uxb —6B 142
Norton Rd. Wemb —2H 55
Norval Rd. Wemb —7F 38
Norvic Ho. Eri —8D 82
Norway Ga. SE16 —4J 77
Norway Pl. E14 —9K 61
Norway St. SE10 —7M 77
Norway Wlk. Rain —7G 67
Norway Wharf. E14 —9K 61
(off Norway Pl.)
Norwich Ho. E14 —9M 61
(off Cordelia St.)
Norwich Ho. Borwd —4L 11
(off Stratfield Rd.)
Norwich M. Ilf —6E 48
Norwich Pl. Bexh —3L 97
Norwich Rd. E7 —1E 62
Norwich Rd. Dag —5L 65
Norwich Rd. Gnfd —4M 53
Norwich Rd. N'wd —1D 36
Norwich Rd. T Hth —7A 108
Norwich St. EC4 —9L 59
Norwich Wlk. Edgw —7A 24
Norwich Way. Crox G —5A 8
Norwood. —3C 108
Norwood Av. Romf —5C 50
Norwood Av. Wemb —4K 55
Norwood Clo. S'hall —5L 69
Norwood Clo. Twic —8B 86
Norwood Ct. Dart —4L 99
(off Farnol Rd.)
Norwood Dri. Harr —4K 37
Norwood Gdns. Hay —7G 53
Norwood Gdns. S'hall —5K 69
Norwood Green. —5L 69
Norwood Grn. Rd. S'hall —5L 69
Norwood High St. SE27 —9M 91
Norwood Ho. E14 —1M 77
(off Poplar High St.)
Norwood New Town. —3A 108
Norwood Pk. Rd. SE27 —2A 108
Norwood Rd. SE24 —7M 91
Norwood Rd. SE27 —8M 91
Norwood Rd. Chesh —3E 6
Norwood Rd. S'hall —4J 69
Norwood Ter. S'hall —5M 69
Notley St. SE5 —8B 76
Notson Rd. SE25 —8F 108
Notting Barn Rd. W10 —7H 57
Nottingdale Sq. W11 —2J 73
Nottingham Av. E16 —8G 63
Nottingham Clo. Wat —6E 4
Nottingham Ct. WC2 —9J 59
Nottingham Ho. WC2 —9J 59
Nottingham Pl. W1 —8E 58
Nottingham Rd. E10 —4A 46
Nottingham Rd. SW17 —7D 90
Nottingham Rd. Iswth —1D 86
Nottingham Rd. S Croy —6A 124
Nottingham St. W1 —8E 58
Nottingham Ter. NW1 —7E 58
(off York Ter. W.)
Notting Hill. —1K 73
Notting Hill Ga. W11 —2L 73
Nottingwood Ho. W11 —1J 73
(off Clarendon Rd.)
Nova M. Sutt —3J 121
Novar Clo. Orp —2D 128
Nova Rd. Croy —3M 123
Novar Rd. SE9 —7A 96
Novello St. SW6 —9L 73
Novello Way. Borwd —3B 12
Nowell Rd. SW13 —7E 72
Nower Ct. Pinn —2K 37
Nower Hill. Pinn —2K 37
Noyna Rd. SW17 —9D 90
Nubia Way. Brom —9C 94
Nuding Clo. SE13 —2L 93
Nuffield Ct. Houn —8K 69
Nuffield Lodge. N6 —4G 43
Nuffield Lodge. W2 —8L 57
(off Admiral Wlk.)
Nuffield Rd. Swan —3E 114
Nugent Ind. Pk. Orp —8G 113
Nugent Rd. N19 —6J 43
Nugent Rd. SE25 —7D 108
Nugents Ct. Pinn —8J 21
Nugent's Pk. Pinn —8J 21
Nugent Ter. NW8 —5A 58
Numa Ct. Bren —8H 71
Nun Ct. EC2 —9B 60
(off Coleman St.)
Nuneaton Rd. Dag —3J 65
Nunhead. —2F 92
Nunhead Cres. SE15 —2F 92
Nunhead Est. SE15 —3F 92
Nunhead Grn. SE15 —2F 92
Nunhead Gro. SE15 —2F 92
Nunhead La. SE15 —2F 92
Nunhead Pas. SE15 —2E 92
Nunnington Clo. SE9 —9J 95
Nunns Rd. Enf —4A 16
Nuper's Hatch. —1C 34
Nupton Dri. Barn —8G 13
Nurse Clo. Edgw —8A 24
Nursery App. N12 —6C 26
Nursery Av. N3 —9A 26
Nursery Av. Bexh —2K 97
Nursery Av. Croy —4H 125
Nursery Clo. SE4 —1K 93
Nursery Clo. SW15 —3H 89
Nursery Clo. Croy —4H 125
Nursery Clo. Enf —3H 17
Nursery Clo. Eps —2C 134
Nursery Clo. Felt —6F 84
(in two parts)
Nursery Clo. Orp —2D 128
Nursery Clo. Romf —4H 49
Nursery Clo. Swan —6A 114
Nursery Clo. Wfd G —5F 30
Nursery Ct. N17 —7D 28
Nursery Ct. W13 —8E 54
Nursery Gdns. Chst —3M 111
Nursery Gdns. Enf —3H 17
Nursery Gdns. Hamp —1K 101
Nursery Gdns. Houn —4K 85
Nursery Gdns. Sun —6D 100
Nursery La. E2 —4D 60
Nursery La. E7 —2E 62
Nursery La. W10 —8G 57
Nursery La. Uxb —7B 142
Nurserymans Rd. N11 —2E 26
Nursery Rd. E9 —2G 61
Nursery Rd. N2 —8B 26
Nursery Rd. N14 —9G 15
Nursery Rd. SW9 —3K 91
Nursery Rd. SW19 —6M 105
(Merton)
Nursery Rd. SW19 —4J 105
(Wimbledon)
Nursery Rd. H Bee —3G 19
Nursery Rd. Lou —7G 19
Nursery Rd. Pinn —1G 37
Nursery Rd. Sun —6C 100
Nursery Rd. Sutt —6A 122
Nursery Rd. T Hth —8B 108
Nursery Row. Barn —5J 13
Nursery St. N17 —7D 28
Nursery, The. Eri —8D 82
Nursery Wlk. NW4 —1G 41
Nursery Wlk. Romf —5B 50
Nursery Waye. Uxb —4B 142
Nurstead Rd. Eri —8L 81
Nutbourne St. W10 —6J 57
Nutbrook St. SE15 —2E 92
Nutbrowne Rd. Dag —4K 65
Nutcroft Rd. SE15 —8F 76
Nutfield Clo. N18 —6D 28
Nutfield Clo. Cars —5C 122
Nutfield Gdns. Ilf —7D 48
Nutfield Gdns. N'holt —5C 53
Nutfield Rd. E15 —9A 46
Nutfield Rd. NW2 —8E 40
Nutfield Rd. SE22 —3D 92
Nutfield Rd. Coul —8E 136
Nutfield Rd. T Hth —8M 107
Nutfield Way. Orp —4M 127
Nutford Pl. W1 —9D 58
Nuthatch Clo. Stai —7D 144
Nuthatch Gdns. SE28 —3B 80
(in two parts)
Nuthurst Av. SW2 —8K 91
Nutkin Wlk. Uxb —3C 142
Nutley Clo. Swan —5D 114
Nutley Ter. NW3 —2A 58
Nutmead Clo. Bex —7A 98
Nutmeg Clo. E16 —7C 62
Nutmeg La. E14 —9B 62
Nuttall St. N1 —5C 60
Nutter La. E11 —4G 47
Nuttfield Clo. Crox G —8A 8
Nutt Gro. Edgw —2H 23
Nut Tree Clo. Orp —5H 129
Nutt St. SE15 —8D 76
Nutty La. Shep —7A 100
Nutwell St. SW17 —2C 106
Nuxley Rd. Belv —7K 81
Nyanza St. SE18 —7B 80
Nye Bevan Est. E5 —8H 45
Nye Bevan Ho. SW6 —8K 73
(off St Thomas's Way)
Nylands Av. Rich —9L 71
Nymans Gdns. SW20 —7F 104
Nynehead St. SE14 —8J 77
Nyon Gro. SE6 —8K 93
Nyssa Clo. Wfd G —6K 31
Nyssa Ct. E15 —6C 62
(off Teasel Way)
Nyton Clo. N19 —6J 43

Oakapple Clo. S Croy —6F 138
Oak Apple Ct. SE12 —7E 94
Oak Av. N8 —2J 43
Oak Av. N10 —7F 26
Oak Av. N17 —7B 28
Oak Av. Brick W —3L 5
Oak Av. Croy —3L 125
Oak Av. Enf —2K 15
Oak Av. Hamp —2J 101
Oak Av. Houn —8H 69
Oak Av. Upm —8M 51
Oak Av. Uxb —7A 36
Oak Av. W Dray —4L 143
Oak Bank. New Ad —8A 126
Oakbank Av. W on T —2K 117
Oakbank Gro. SE24 —3A 92
Oakbrook Clo. Brom —1F 110
Oakbury Rd. SW6 —1M 89
Oak Clo. N14 —9F 14
Oak Clo. Dart —3C 98
Oak Clo. Sutt —4A 122
Oak Clo. Wal A —7K 7
Oakcombe Clo. N Mald —5C 104
Oak Cottage Clo. SE6 —7D 94
Oak Cotts. W7 —3C 70
Oak Ct. SE15 —8D 76
(off Sumner Rd.)
Oak Ct. N'wd —6B 20
Oak Cres. E16 —8C 62
Oakcroft Bus. Cen. Chess —6K 119
Oakcroft Clo. Pinn —9F 20
Oakcroft Rd. SE13 —1B 94
Oakcroft Rd. Chess —6K 119
Oakcroft Vs. Chess —6K 119
Oakdale. N14 —1F 26
Oakdale Av. Harr —3J 39
Oakdale Av. N'wd —9E 20
Oakdale Clo. Wat —4G 21
Oakdale Ct. E4 —5A 30
Oakdale Gdns. E4 —5A 30
Oakdale Rd. E7 —3F 62
Oakdale Rd. E11 —7B 46
Oakdale Rd. E18 —9F 30
Oakdale Rd. N4 —4A 44
Oakdale Rd. SE15 & SE4 —2G 93
Oakdale Rd. SW16 —2J 107
Oakdale Rd. Eps —1B 134
Oakdale Rd. Wat —3G 21
Oakdale Way. Mitc —2E 122
Oakdene. SE15 —9F 76
Oakdene. W13 —8F 54
Oakdene. Chesh —3E 6
Oakdene. Romf —9K 35
Oakdene Av. Chst —2L 111
Oakdene Av. Eri —7A 82
Oakdene Av. Th Dit —3E 118
Oakdene Clo. Horn —4F 50
Oakdene Clo. Pinn —7K 21
Oakdene Ct. W on T —5F 116
Oakdene Dri. Surb —2A 120
Oakdene M. Sutt —3K 121
Oakdene Pk. N3 —7K 25
Oakdene Rd. Orp —9D 112
Oakdene Rd. Uxb —5F 142
Oakdene Rd. Wat —9F 4
Oakden St. SE11 —5L 75
Oake Ct. SW15 —4J 89
Oakeford Ho. W14 —4J 73
(off Russell Rd.)
Oakend Ho. N4 —5B 44
Oaken Dri. Clay —8D 118
Oakenholt Ho. SE2 —2H 81
Oaken La. Clay —6C 118
Oakenshaw Clo. Surb —2J 119
Oakes Clo. E6 —9K 63
Oakeshott Av. N6 —7E 42
Oakey La. SE1 —4L 75
Oak Farm. Borwd —7A 12
Oakfield. E4 —5M 29
Oakfield Av. Harr —1F 38
Oakfield Cen. SE20 —4F 108
Oakfield Clo. N Mald —9D 104
Oakfield Clo. Ruis —4D 36
Oakfield Clo. Wey —6A 116
Oakfield Ct. N8 —5J 43
Oakfield Ct. NW11 —5H 41
Oakfield Ct. Borwd —5M 11
Oakfield Gdns. N18 —4C 28
Oakfield Gdns. SE19 —2C 108
(in two parts)
Oakfield Gdns. Beck —9M 109
Oakfield Gdns. Cars —3C 122
Oakfield Gdns. Gnfd —7B 54
Oakfield Glade. Wey —6A 116
Oakfield Ho. E3 —8L 61
(off Gale St.)
Oakfield La. Dart —8C 98
Oakfield La. Kes —6G 127
Oakfield Lodge. Ilf —8M 47
(off Albert Rd.)
Oakfield Pk. Rd. Dart —8H 99
Oakfield Pl. Dart —8H 99
Oakfield Rd. E6 —4J 63
Oakfield Rd. E17 —9J 29
Oakfield Rd. N3 —8M 25
Oakfield Rd. N8 —4L 43
Oakfield Rd. N14 —3J 27
Oakfield Rd. SE20 —4F 108
Oakfield Rd. SW19 —9H 89
Oakfield Rd. Asht —9H 133
Oakfield Rd. Croy —3A 124
Oakfield Rd. Ilf —8M 47
Oakfield Rd. Orp —2E 128
Oakfield Rd. Ind. Est. SE20 —4F 108
Oakfields. Lou —7L 19
Oakfields. W on T —3E 116
Oakfields Rd. NW11 —4J 41
Oakfield St. SW10 —7A 74
Oakford Rd. NW5 —9G 43
Oak Gdns. Croy —4L 125
Oak Gdns. Edgw —9M 23
Oak Glade. Eps —4L 133
Oak Glade. N'wd —8A 20
Oak Glen. Horn —1J 51
Oak Grn. Ab L —5C 4
Oak Grn. Way. Ab L —5C 4
Oak Gro. NW2 —9J 41
Oak Gro. Ruis —5F 36
Oak Gro. Sun —4F 100
Oak Gro. W W'ck —3A 126
Oak Gro. Rd. SE20 —5G 109
Oakhall Ct. E11 —4F 46
Oakhall Dri. Sun —2D 100
Oak Hall Rd. E11 —4F 46
Oakham Clo. SE6 —8K 93
Oakham Clo. Barn —5D 14
Oakham Dri. Brom —8D 110
Oakhampton Rd. NW7 —7H 25
Oakhill. Clay —8E 118
Oak Hill. Eps —8B 134
Oakhill. Surb —2J 119
Oak Hill. Wfd G —7B 30
Oakhill Av. NW3 —9M 41
Oakhill Av. Pinn —9J 21
Oakhill Clo. Asht —9G 133
Oak Hill Clo. Wfd G —7B 30
Oakhill Ct. SE23 —5G 93
Oakhill Ct. SW20 —4H 105
Oak Hill Ct. Wfd G —7B 30
Oakhill Cres. Surb —2J 119
Oak Hill Cres. Wfd G —7B 30
Oakhill Dri. Surb —2J 119
Oakhill Gdns. Wey —4C 116
Oak Hill Gdns. Wfd G —8C 30
Oakhill Gro. Surb —1J 119
Oak Hill Pk. NW3 —9M 41
Oak Hill Pk. M. NW3 —9A 42
Oakhill Path. Surb —1J 119
Oakhill Pl. SW15 —4L 89
Oakhill Rd. SW15 —4K 89
Oakhill Rd. SW16 —5J 107
Oakhill Rd. Asht —9G 133
Oakhill Rd. Beck —6A 110
Oakhill Rd. Orp —3D 128
Oakhill Rd. Purf —6M 83
Oak Hill Rd. Stap A —1B 34
Oakhill Rd. Surb —1J 119
Oakhill Rd. Sutt —5M 121
Oak Hill Way. NW3 —9A 42
Oak Ho. N2 —9B 26
Oak Ho. W10 —7J 57
(off Sycamore Wlk.)
Oakhouse Rd. Bexh —4L 97
Oakhurst Av. Barn & E Barn —9C 14
Oakhurst Av. Bexh —8J 81
Oakhurst Clo. E17 —2C 46
Oakhurst Clo. Chst —5K 111
Oakhurst Clo. Ilf —8M 31
Oakhurst Clo. Tedd —2C 102
Oakhurst Gdns. E4 —1D 30
Oakhurst Gdns. E17 —2C 46
Oakhurst Gdns. Bexh —8J 81
Oakhurst Gro. SE22 —3E 92
Oakhurst Pl. Wat —6D 8
Oakhurst Ri. Cars —2C 136
Oakhurst Rd. Enf —9D 6
Oakhurst Rd. Eps —8A 120
Oakington Av. Harr —5L 37
Oakington Av. Hay —5B 68
Oakington Av. Wemb —8K 39
Oakington Ct. Enf —4M 15
(off Ridgeway, The)
Oakington Dri. Sun —6G 101
Oakington Mnr. Dri. Wemb —1L 55
Oakington Rd. W9 —7L 57
Oakington Way. N8 —5J 43
Oakland Pl. Buck H —2E 30
Oakland Rd. E15 —9B 46
Oaklands. N21 —2K 27
Oaklands. W13 —8E 54
Oaklands. Beck —5M 109
Oaklands. Kenl —6A 138
Oaklands Av. N9 —8F 16
Oaklands Av. Esh —3B 118
Oaklands Av. Iswth —7D 70
Oaklands Av. Romf —1C 50

Old Mkt. Sq. E2 —6D 60
Old Marylebone Rd. NW1 —8C 58
Oldmead Ho. Dag —2M 65
Old M. Harr —3C 38
Old Mill Clo. E18 —1G 47
Old Mill Clo. Eyns —3J 131
Old Mill La. Uxb —9A 142
Old Mill Pde. Romf —3D 50
Old Mill Pl. Romf —4B 50
Old Mill Rd. SE18 —7B 80
Old Mill Rd. K Lan —6A 4
Old Mitre Ct. EC4 —9L 59
Old Montague St. E1 —8E 60
Old Nichol St. E2 —7D 60
Old N. St. WC1 —8K 59
(off Theobald's Rd.)
Old Nursery Pl. Ashf —2A 100
Old Oak Clo. Chess —6K 119
Old Oak Common. —7C 56
Old Oak Comn. La. W3 & NW10 —8C 56
Old Oak La. NW10 —6C 56
Old Oak Rd. W3 —1D 72
Old Oaks. Wal A —5L 7
Old Orchard. Sun —6G 101
Old Orchard Clo. Barn —2B 14
Old Orchard Clo. Uxb —9E 142
Old Orchard, The. NW3 —9D 42
Old Pal. La. Rich —4G 87
Old Pal. Rd. Croy —5M 123
Old Pal. Rd. Wey —5A 116
Old Pal. Ter. Rich —4H 87
Old Pal. Yd. SW1 —4J 75
Old Pal. Yd. Rich —4G 87
Old Paradise St. SE1 —5K 75
Old Pk. Av. SW12 —5E 90
Old Pk. Av. Enf —7A 16
Old Pk. Gro. Enf —6A 16
Old Pk. La. W1 —2F 74
Old Pk. M. Houn —8K 69
Oldpark Ride. Wal X —6A 6
(in two parts)
Old Pk. Ridings. N21 —8M 15
Old Pk. Rd. N13 —4K 27
Old Pk. Rd. SE2 —6E 80
Old Pk. Rd. Enf —5M 15
Old Pk. Rd. S. Enf —6M 15
Old Pk. Vw. Enf —5L 15
Old Parsonage Yd., The. Hort K —8M 115
Old Perry St. Chst —3C 112
Old Pound Clo. Iswth —1E 86
Old Pye St. SW1 —4H 75
Old Pye St. Est. SW1 —4H 75
(off Old Pye St.)
Old Quebec St. W1 —9D 58
Old Queen St. SW1 —3H 75
Old Rectory Gdns. Edgw —6L 23
Old Redding. Harr —5M 21
Old Red Lion Theatre. —5L 59
(off St John St.)
Oldridge Rd. SW12 —6E 90
Old River Works. N17 —6A 28
Old Rd. SE13 —3C 94
Old Rd. Dart —4B 98
Old Rd. Enf —3G 17
Old Royal Free Pl. N1 —4L 59
(off Liverpool Rd.)
Old Royal Free Sq. N1 —4L 59
(off Old Royal Free Pl.)
Old Royal Naval College. —7B 78
Old Ruislip Rd. N'holt —5G 53
Old's App. Wat —1A 20
Old School Clo. SE10 —4C 78
Old School Clo. SW19 —6L 105
Old School Clo. Beck —6H 109
Old School Ct. N17 —1D 44
Old School Cres. E7 —2E 62
Old School M. Wey —6B 116
Old School Rd. Uxb —7D 142
Old Schools La. Eps & Ewe —1D 134
Old School Sq. E14 —9L 61
(off Pelling St.)
Old School Sq. Th Dit —1D 118
Old's Clo. Wat —9A 8
Old Seacoal La. EC4 —9M 59
Old S. Clo. H End —8H 21
Old S. Lambeth Rd. SW8 —8J 75
Old Spitalfields Market. —8D 60
Old Sq. WC2 —9K 59
Old Stable M. N5 —8A 44
Old Sta. Gdns. Tedd —3E 102
(off Victoria Rd.)
Old Sta. Rd. Hay —4D 68
Old Sta. Rd. Lou —7J 19
Oldstead Rd. Brom —1A 110
Old Stockley Rd. W Dray —3M 143
Old Street. (Junct.) —6B 60
Old St. E13 —5F 62
Old St. EC1 —7A 60
Old Sungate Cotts. Romf —8K 33
Old Sun Wharf. E14 —1J 77
(off Narrow St.)
Old Swan Wharf. SW11 —9B 74
Old Swan Yd. Cars —6D 122
Old Thackeray School. SW8 —1F 90
Old Theatre Ct. SE1 —2A 76
(off Porter St.)
Old Town. SW4 —2G 91
Old Town. Croy —5M 123
Old Tramyard. SE18 —5C 80
Old Tye Av. Big H —8J 141
Old Vic Theatre. —3L 75
(off Cut, The)
Old Watford Rd. Brick W —3J 5
Old Woolwich Rd. SE10 —7B 78
Old York Rd. SW18 —4M 89
Oleander Clo. Orp —7B 128
O'Leary Sq. E1 —8G 61
Olinda Rd. N16 —4D 44
Oliphant St. W10 —6H 57
Oliver Av. SE25 —7D 108
Oliver Bus. Pk. NW10 —5A 56
Oliver Clo. W4 —7M 71
Oliver Ct. SE18 —5A 80
Oliver Cres. F'ham —2K 131
Oliver Gdns. E6 —8J 63
Oliver Goldsmith Est. SE15 —9E 76
Oliver Gro. SE25 —8D 108
Oliver Ho. SE16 —3E 76
(off George Row)
Oliver Ho. SW8 —8J 75
(off Wyvil Rd.)
Oliver M. SE15 —1E 92
Olive Rd. E13 —6G 63
Olive Rd. NW2 —9G 41
Olive Rd. SW19 —4A 106
Olive Rd. W5 —4H 71
Olive Rd. Dart —7H 99
Oliver Rd. E10 —7M 45
Oliver Rd. E17 —3A 46
Oliver Rd. NW10 —5A 56
Oliver Rd. N Mald —6A 104
Oliver Rd. Rain —4D 66
Oliver Rd. Sutt —6B 122
Oliver Rd. Swan —7B 114
Olivers Wharf. E1 —2F 76
(off Wapping High St.)
Olivers Yd. EC1 —7B 60
Olive St. Romf —3B 50
Olive Tree Ho. SE15 —7G 77
(off Sharratt St.)
Olivette St. SW15 —2H 89
Olive Waite Ho. NW6 —3L 57
Olivia Ct. Enf —3A 16
(off Chase Side)
Olivier Theatre. —2L 75
(off Royal National Theatre)
Ollard's Ct. Lou —7H 19
Ollard's Gro. Lou —6H 19
Ollerton Grn. E3 —4K 61
Ollerton Rd. N11 —5H 27
Olley Clo. Wall —9J 123
Ollgar Clo. W12 —2D 72
Olliffe St. E14 —4A 78
Olmar St. SE1 —7E 76
Olney Ho. NW8 —7C 58
(off Tresham Cres.)
Olney Rd. SE17 —7M 75
(in two parts)
Olron Cres. Bexh —4H 97
Olven Rd. SE18 —7A 80
Olveston Wlk. Cars —1B 122
Olwen M. Pinn —9H 21
Olyffe Av. Well —9E 80
Olympia. —4J 73
Olympia Ind. Est. N22 —1K 43
Olympia M. W2 —1M 73
Olympia Way. W14 —4J 73
Olympic Way. Gnfd —4A 54
Olympic Way. Wemb —8L 39
Olympus Sq. E5 —8E 44
O'Mahoney Ct. SW17 —9A 90
Oman Av. NW2 —9G 41
O'Meara St. SE1 —2A 76
Omega Clo. E14 —4M 77
Omega Pl. N1 —5J 59
(off Caledonian Rd.)
Omega St. SE14 —9L 77
Ommaney Rd. SE14 —9H 77
Omnibus Way. E17 —9L 29
Ondine Rd. SE15 —3D 92
Onega Ga. SE16 —4J 77
O'Neill Ho. NW8 —5C 58
(off Cochrane St.)
O'Neill Path. SE18 —7L 79
One Owen St. EC1 —5M 59
(off Goswell St.)
One Tree Clo. SE23 —5G 93
Ongar Clo. Romf —3G 49
Ongar Rd. SW6 —7L 73
Ongar Way. Rain —4C 66
Onra Rd. E17 —5L 45
Onslow Av. Rich —4J 87
Onslow Av. Sutt —2K 135
Onslow Clo. E4 —2A 30
Onslow Clo. Th Dit —3C 118
Onslow Cres. Chst —5M 111
Onslow Dri. Sidc —8H 97
Onslow Gdns. E18 —1F 46
Onslow Gdns. N10 —3F 42
Onslow Gdns. N21 —7L 15
Onslow Gdns. SW7 —5B 74
Onslow Gdns. S Croy —4E 138
Onslow Gdns. Th Dit —3C 118
Onslow Gdns. Wall —8G 123
Onslow Ho. King T —5K 103
(off Acre Rd.)
Onslow M. E. SW7 —5B 74
Onslow M. W. SW7 —5B 74
Onslow Pde. N14 —1F 26
Onslow Rd. Croy —2K 123
Onslow Rd. N Mald —8E 104
Onslow Rd. Rich —4J 87
Onslow Rd. W on T —6D 116
Onslow Sq. SW7 —5B 74
Onslow St. EC1 —7L 59
Onslow Trad. Est. W Dray —1H 143
Onslow Way. Th Dit —3C 118
Ontario St. SE1 —4M 75
Ontario Way. E14 —1L 77
(in two parts)
On the Hill. Wat —2J 21
Opal Clo. E16 —9H 63
Opal M. NW6 —4K 57
Opal M. Ilf —7M 47
Opal St. SE11 —6M 75
Openshaw Rd. SE2 —5F 80
Openview. SW18 —7A 90
Operating Theatre Mus. —2B 76
(off St Thomas St.)
Ophelia Gdns. NW2 —8J 41
Ophelia Ho. W6 —6H 73
(off Fulham Pal. Rd.)
Ophir Ter. SE15 —9E 76
Opie Ho. NW8 —5C 58
(off Townshend Est.)
Opossum Way. Houn —2G 85
Oppenheim Rd. SE13 —1A 94
Oppidans Rd. NW3 —3D 58
Orange Ct. La. Orp —1L 141
Orange Gro. E11 —8C 46
(in two parts)
Orange Hill Rd. Edgw —7A 24
Orange Pl. SE16 —4G 77
Orangery La. SE9 —4K 95
Orangery, The. Rich —8G 87
Orange St. SW1 —1H 75
Orange Tree Hill. Hav —5B 34
Orange Yd. W1 —9H 59
(off Manette St.)
Oratory La. SW3 —6B 74
(off Stewart's Gro.)
Oratory, The. —4C 74
Orbain Rd. SW6 —8J 73
Orbel St. SW11 —9C 74
Orbital Cen., The. Wfd G —9H 31
Orbital Cres. Wat —8D 4
Orbital One. Dart —8M 99
Orbital One Ind. Est. Dart —8L 99
Orb St. SE17 —5B 76
Orchard Av. N3 —1L 41
Orchard Av. N14 —8G 15
Orchard Av. N20 —2B 26
Orchard Av. Ashf —3A 100
Orchard Av. Belv —7J 81
Orchard Av. Croy —4J 125
Orchard Av. Dart —6F 98
Orchard Av. Felt —4B 84
Orchard Av. Houn —8J 69
Orchard Av. Mitc —3E 122
Orchard Av. N Mald —6C 104
Orchard Av. Rain —7G 67
Orchard Av. S'hall —2K 69
Orchard Av. Th Dit —3E 118
Orchard Av. Wat —5F 4
Orchard Bus. Cen. SE26 —2K 109
Orchard Clo. E4 —4L 29
Orchard Clo. E11 —2F 46
Orchard Clo. N1 —3A 60
Orchard Clo. NW2 —8E 40
Orchard Clo. SE23 —5G 93
Orchard Clo. SW20 —8G 105
Orchard Clo. W10 —8K 57
Orchard Clo. Ashf —3A 100
Orchard Clo. Bans —6M 135
Orchard Clo. Bexh —9J 81
Orchard Clo. Bus H —1B 22
Orchard Clo. Den —2A 142
Orchard Clo. Edgw —6J 23
Orchard Clo. Els —6K 11
Orchard Clo. N'holt —2A 54
Orchard Clo. Rad —1C 10
Orchard Clo. Ruis —5A 36
Orchard Clo. Surb —3F 118
Orchard Clo. W on T —2F 116
Orchard Clo. Wat —4D 8
Orchard Clo. Wemb —4J 55
Orchard Clo. W Ewe —8M 119
Orchard Cotts. Hay —3C 68
Orchard Cotts. King T —5K 103
Orchard Ct. E10 —6M 45
Orchard Ct. N14 —8G 15
Orchard Ct. Edgw —5K 23
Orchard Ct. Iswth —8B 70
Orchard Ct. New Bar —5M 13
Orchard Ct. Twic —8B 86
Orchard Ct. Wall —7F 122
Orchard Ct. W Dray —8G 143
Orchard Ct. Wor Pk —3E 120
Orchard Cres. Edgw —5A 24
Orchard Cres. Enf —3D 16
Orchard Dri. SE3 —1B 94
Orchard Dri. Edgw —5K 23
Orchard Dri. Shep —7C 100
Orchard Dri. Uxb —7B 142
Orchard Dri. Wat —3D 8
Orchard End. Wey —4C 116
Orchard Gdns. Chess —6J 119
Orchard Gdns. Eps —6A 134
Orchard Gdns. Sutt —7L 121
Orchard Gdns. Wal A —7J 7
Orchard Ga. NW9 —2C 40
Orchard Ga. Esh —3B 118
Orchard Ga. Gnfd —2F 54
Orchard Grn. Orp —4C 128
Orchard Gro. SE20 —4E 108
Orchard Gro. Croy —2J 125
Orchard Gro. Edgw —8L 23
Orchard Gro. Harr —3K 39
Orchard Gro. Orp —4D 128
Orchard Hill. SE13 —1M 93
Orchard Hill. Cars —7D 122
Orchard Hill. Dart —4C 98
Orchard Ho. SE5 —9A 76
(off County Gro.)
Orchard Ho. SE16 —4G 77
Orchard Ho. SW6 —8J 73
(off Varna Rd.)
Orchard Ho. W1 —9E 58
(off Fitzhardinge St.)
Orchard Ho. W12 —2E 72
Orchard Ho. Eri —9D 82
Orchard La. SW20 —5F 104
Orchard La. E Mol —1B 118
Orchard La. Wfd G —4G 31
Orchardleigh Av. Enf —4G 17
Orchard Mead Ho. NW2 —7L 41
Orchardmede. N21 —8B 16
Orchard M. N1 —3B 60
Orchard Pl. E14 —1C 78
(in two parts)
Orchard Pl. N17 —7D 28
Orchard Pl. Cow —3B 142
Orchard Pl. Kes —1G 141
Orchard Pl. Orp —7G 113
Orchard Ri. Croy —3J 125
Orchard Ri. King T —5A 104
Orchard Ri. Pinn —1D 36
Orchard Ri. Rich —3M 87
Orchard Ri. E. Sidc —4C 96
Orchard Ri. W. Sidc —4C 96
Orchard Rd. N6 —5F 42
Orchard Rd. SE3 —1C 94
Orchard Rd. SE18 —5B 80
Orchard Rd. Barn —6K 13
Orchard Rd. Belv —5L 81
Orchard Rd. Bren —7G 71
Orchard Rd. Brom —5G 111
Orchard Rd. Chess —6J 119
Orchard Rd. Dag —4L 65
Orchard Rd. Enf —7G 17
Orchard Rd. Farnb —7M 127
Orchard Rd. Hamp —4K 101
Orchard Rd. Hay —1E 68
Orchard Rd. Houn —4K 85
Orchard Rd. King T —6J 103
Orchard Rd. Mitc —3E 122
Orchard Rd. Rich —2L 87
Orchard Rd. Romf —8M 33
Orchard Rd. Sidc —1C 112
Orchard Rd. S Croy —6F 138
Orchard Rd. Sun —4F 100
Orchard Rd. Sutt —7L 121
Orchard Rd. Twic —4E 86
Orchard Rd. Well —2F 96
Orchardson Ho. NW8 —7B 58
(off Orchardson St.)
Orchardson St. NW8 —7B 58
Orchard Sq. W14 —6K 73
Orchards Shop. Cen., The. Dart —5J 99
Orchards, The. Dart —5J 99
Orchard St. E17 —2J 45
Orchard St. W1 —9E 58
Orchard St. Dart —5J 99
Orchard Ter. Enf —8E 16
Orchard, The. N14 —7F 14
Orchard, The. N21 —8B 16
Orchard, The. NW11 —3L 41
Orchard, The. SE3 —1B 94
Orchard, The. W4 —5B 72
Orchard, The. W5 —8H 55
(off Montpelier Rd.)
Orchard, The. Bans —7L 135
Orchard, The. Eps —9D 120
(Meadow Wlk.)
Orchard, The. Eps —2D 134
(Tayles Hill)
Orchard, The. Houn —1A 86
Orchard, The. Swan —6B 114
Orchard, The. Wey —6A 116
Orchard Theatre. —5J 99
Orchard Vw. Uxb —7B 142
Orchard Way. Ashf —8D 144
Orchard Way. Chig —3E 32
Orchard Way. Croy & Beck —3J 125
Orchard Way. Dart —9H 99
Orchard Way. Enf —5C 16
Orchard Way. Esh —8A 118
Orchard Way. Sutt —6B 122
Orchard Waye. Uxb —5B 142
Orchard Wharf. E14 —1C 78
(off Orchard Pl.)
Orchid Clo. E6 —8J 63
Orchid Clo. S'hall —1J 69
Orchid Ct. Rush G —7C 50
Orchid Ct. Wemb —7J 39
Orchid Grange. N14 —9G 15
Orchid Mead. Bans —6M 135
Orchid Rd. N14 —9G 15
Orchid St. W12 —1E 72
Orchis Way. Romf —6K 35
Orde. NW9 —8D 24
Orde Hall St. WC1 —7K 59
Ordell Rd. E3 —5K 61
Ordnance Clo. Felt —8E 84
Ordnance Cres. SE10 —3B 78
Ordnance Hill. NW8 —4B 58
Ordnance M. NW8 —5B 58
Ordnance Rd. E16 —8D 62
Ordnance Rd. SE18 —7L 79
Ordnance Rd. Enf —1H 17
Oregano Clo. W Dray —9C 142
Oregano Dri. E14 —9B 62
Oregon Av. E12 —9K 47
Oregon Clo. N Mald —8A 104
Oregon Sq. Orp —3B 128
Orestes M. NW6 —1L 57
Oreston Rd. Rain —6H 67
Orford Ct. SE27 —8M 91
Orford Ct. Dart —5M 99
(off Osbourne Rd.)
Orford Ct. Stan —6G 23
Orford Gdns. Twic —8D 86
Orford Rd. E17 —3L 45
Orford Rd. E18 —1F 46
Orford Rd. SE6 —9M 93
Organ Crossroads. (Junct.) —9E 120
Organ Hall Rd. Borwd —3J 11
Organ La. E4 —2A 30
Oriel Clo. Mitc —8H 107
Oriel Ct. NW3 —9A 42
Oriel Ct. Croy —3B 124
Oriel Dri. SW13 —7G 73
Oriel Gdns. Ilf —1K 47
Oriel Pl. NW3 —9A 42
(off Heath St.)
Oriel Rd. E9 —2H 61
Oriel Way. N'holt —3M 53
Oriental Rd. E16 —2H 79
Oriental St. E14 —1L 77
(off Pennyfields)
Orient Ind. Pk. E10 —7L 45
Orient St. SE11 —5M 75
Orient Way. E5 —8H 45
Orient Way. E10 —6J 45
Oriole Clo. Ab L —4E 4
Oriole Way. SE28 —1F 80
Orion Bus. Cen. SE14 —6H 77
Orion Cen., The. Croy —4J 123
Orion Ho. E1 —7F 60
(off Coventry Rd.)
Orion Rd. N11 —7E 26
Orion Way. N'wd —4D 20
Orissa Rd. SE18 —6C 80
Orkney Ho. N1 —4K 59
(off Bemerton Est.)
Orkney St. SW11 —1E 90
Orlando Gdns. Eps —2B 134
Orlando Rd. SW4 —2G 91
Orleans Clo. Esh —4B 118
Orleans Ct. Twic —6F 86
Orleans House Gallery. —7F 86
Orleans Rd. SE19 —3B 108
Orleans Rd. Twic —6F 86
Orlestone Gdns. Orp —7J 129
Orleston M. N7 —2L 59
Orleston Rd. N7 —2L 59
Orley Ct. Harr —9D 38
Orley Farm Rd. Harr —8C 38
Orlop St. SE10 —6C 78
Ormanton Rd. SE26 —1E 108
Orme Ct. W2 —1M 73
Orme Ct. M. W2 —1M 73
(off Orme La.)
Orme Ho. E8 —4D 60
Orme La. W2 —1M 73
Ormeley Rd. SW12 —7F 90
Orme Rd. King T —6M 103
Ormerod Gdns. Mitc —6E 106
Ormesby Clo. SE28 —1H 81
Ormesby Way. Harr —4K 39
Orme Sq. W2 —1M 73
Ormiston Gro. W12 —2F 72
Ormiston Rd. SE10 —6E 78
Ormond Av. Hamp —5M 101
Ormond Av. Rich —4H 87
Ormond Clo. WC1 —8J 59
Ormond Clo. H Wood —9H 35
Ormond Cres. Hamp —5M 101
Ormond Dri. Hamp —4M 101
Ormonde Av. Eps —2B 134
Ormonde Av. Orp —4A 128
Ormonde Ct. SW15 —3G 89
Ormonde Ct. Horn —5D 50
(off Clydesdale Rd.)
Ormonde Ga. SW3 —6D 74
Ormonde Pl. SW1 —5E 74
Ormonde Ri. Buck H —1G 31
Ormonde Rd. SW14 —2A 88
Ormonde Rd. N'wd —4B 20
Ormonde Ter. NW8 —4D 58
Ormond M. WC1 —7J 59
Ormond Rd. N19 —6J 43
Ormond Rd. Rich —4H 87
Ormond Yd. SW1 —2G 75
Ormsby. Sutt —9M 121
Ormsby Gdns. Gnfd —5A 54
Ormsby Lodge. W4 —4C 72
Ormsby Pl. N16 —8D 44
Ormsby St. E2 —5D 60
Ormside St. SE15 —7G 77
Ormskirk Rd. Wat —4H 21
Ornan Rd. NW3 —1C 58
Oronsay Wlk. N1 —3A 60
Orpen Wlk. N16 —8C 44
Orphanage Rd. Wat —4G 9
Orpheus St. SE5 —9B 76
Orpington. —3E 128
Orpington By-Pass. Orp —3F 128
Orpington By-Pass Rd. Orp & Badg M —9K 129

Paignton Rd.—Park La.

Paignton Rd. N15 —4C 44
Paignton Rd. Ruis —8E 36
Paines Brook Rd. Romf —6K 35
Paines Brook Way. Romf —6K 35
Paines Clo. Pinn —1J 37
Paines La. Pinn —8J 21
Pain's Clo. Mitc —6F 106
Painsthorpe Rd. N16 —8C 44
Painswick Ct. SE15 —8D 76
(off Daniel Gdns.)
Painters La. Enf —8E 6
Painters Rd. Ilf —1D 48
Paisley Rd. N22 —8M 27
Paisley Rd. Cars —3B 122
Pakeman Ho. SE1 —3M 75
(off Surrey Row)
Pakeman St. N7 —8K 43
Pakenham Clo. SW12 —7E 90
Pakenham St. WC1 —6K 59
Pakington Ho. SW9 —1J 91
(off Stockwell Gdns. Est.)
Palace Av. W8 —3M 73
Palace Ct. NW3 —1M 57
Palace Ct. W2 —1M 73
(off Moscow Rd.)
Palace Ct. W2 —1M 73
(Bayswater Rd.)
Palace Ct. Brom —5F 110
(off Palace Gro.)
Palace Ct. Harr —4J 39
Palace Ct. Gdns. N10 —1G 43
Palace Dri. Wey —5A 116
Palace Gdns. Buck H —1H 31
Palace Gdns. Enf —6B 16
Palace Gdns. M. W8 —2M 73
Palace Gdns. Shop. Cen. Enf —6B 16
Palace Gdns. Ter. W8 —2L 73
Palace Ga. W8 —3A 74
Palace Gates Rd. N22 —8H 27
Palace Grn. W8 —2M 73
Palace Grn. Croy —9K 125
Palace Gro. SE19 —4D 108
Palace Gro. Brom —5F 110
Palace Mans. W14 —5J 73
(off Hammersmith Rd.)
Palace Mans. King T —8H 103
(off Palace Rd.)
Palace M. E17 —2K 45
Palace M. SW1 —5E 74
(off Eaton Ter.)
Palace M. SW6 —8L 73
Palace M. Enf —5B 16
Palace Pde. E17 —2K 45
Palace Pl. SW1 —4G 75
Palace Pl. Mans. W8 —3M 73
(off Kensington Ct.)
Palace Rd. N8 —3H 43
(in two parts)
Palace Rd. N11 —7J 27
Palace Rd. SE19 —4D 108
Palace Rd. SW2 —7K 91
Palace Rd. Brom —5F 110
Palace Rd. E Mol —7B 102
Palace Rd. King T —8H 103
Palace Rd. Ruis —9J 37
Palace Sq. SE19 —4D 108
Palace St. SW1 —4G 75
Palace Theatre. —5F 8
(off Clarendon Rd.)
Palace Theatre. —9H 59
(off Shaftesbury Av., Westminster)
Palace Vw. SE12 —8E 94
Palace Vw. Brom —7F 110
(in two parts)
Palace Vw. Croy —6K 125
Palace Vw. Rd. E4 —5M 29
Palace Way. Wey —5A 116
Palamon Ct. SE1 —6D 76
(off Cooper's Rd.)
Palamos Rd. E10 —6L 45
Palatine Av. N16 —9C 44
Palatine Rd. N16 —9C 44
Palermo Rd. NW10 —5E 56
Palestine Gro. SW19 —5B 106
Palewell Clo. Orp —6F 112
Palewell Comn. Dri. SW14 —4B 88
Palewell Pk. SW14 —4B 88
Paley Gdns. Lou —5M 19
Palfrey Pl. SW8 —8K 75
Palgrave Av. S'hall —1L 69
Palgrave Gdns. NW1 —7C 58
Palgrave Ho. SE5 —8A 76
(off Wyndham Est.)
Palgrave Ho. Twic —6A 86
Palgrave Rd. W12 —4D 72
Palissy St. E2 —6D 60
(in two parts)
Pallant Ho. SE1 —4B 76
(off Tabard St.)
Pallant Way. Orp —5L 127
Pallett Way. SE18 —9J 79
Palliser Ct. W14 —6J 73
Palliser Dri. Rain —8E 66
Palliser Ho. E1 —7H 61
(off Ernest St.)
Palliser Ho. SE10 —7B 78
(off Trafalgar Rd.)
Palliser Rd. W14 —6J 73
Pall Mall. SW1 —2G 75
Pall Mall E. SW1 —2H 75
Pall Mall Pl. SW1 —2G 75
(off Pall Mall)
Palmar Cres. Bexh —2L 97
Palmar Rd. Bexh —1L 97
Palmarsh Rd. Orp —8H 113
Palm Av. Sidc —3H 113
Palm Clo. E10 —8M 45
Palm Ct. SE15 —8D 76
(off Garnies Clo.)
Palmeira Rd. Bexh —2H 97
Palmer Av. Bush —7M 9
Palmer Av. Sutt —6G 121
Palmer Clo. Houn —9L 69
Palmer Clo. W W'ck —5B 126
Palmer Clo. NW10 —4B 56
(in two parts)
Palmer Cres. King T —7J 103
Palmer Gdns. Barn —7H 13
Palmer Pl. N7 —1L 59
Palmer Rd. E13 —7F 62
Palmer Rd. Dag —6H 49
Palmer's Ct. N11 —5G 27
(off Palmer's Rd.)
Palmersfield Rd. Bans —6L 135
Palmers Green. —4L 27
Palmers Gro. W Mol —8L 101
Palmers La. Enf —3F 16
(in two parts)
Palmers Pas. SW14 —2A 88
(off Palmers Rd.)
Palmer's Rd. E2 —5H 61
Palmer's Rd. N11 —5G 27
Palmers Rd. SW14 —2A 88
Palmers Rd. SW16 —6K 107
Palmers Rd. Borwd —3M 11
Palmerston Cen. W'stone —1D 38
Palmerston Ct. E3 —5H 61
(off Old Ford Rd.)
Palmerston Ct. Buck H —1G 31
Palmerston Ct. Surb —2H 119
Palmerston Cres. N13 —5K 27
Palmerston Cres. SE18 —7A 80
Palmerston Gro. SW19 —4L 105
Palmerston Ho. SE1 —3L 75
(off Westminster Bri. Rd.)
Palmerston Ho. W8 —2L 73
(off Kensington Pl.)
Palmerston Mans. W14 —7J 73
(off Queen's Club Gdns.)
Palmerston Rd. E7 —2F 62
Palmerston Rd. E17 —1K 45
Palmerston Rd. N22 —7K 27
Palmerston Rd. NW6 —3K 57
(in two parts)
Palmerston Rd. SW14 —3A 88
Palmerston Rd. SW19 —4L 105
Palmerston Rd. W3 —4A 72
Palmerston Rd. Buck H —2F 30
Palmerston Rd. Cars —6D 122
Palmerston Rd. Croy —9B 108
Palmerston Rd. Harr —1C 38
Palmerston Rd. Houn —9A 70
Palmerston Rd. Orp —6A 128
Palmerston Rd. Rain —5G 67
Palmerston Rd. Sutt —7A 122
Palmerston Rd. Twic —5C 86
Palmerston Way. SW8 —8F 74
Palmer St. SW1 —4H 75
Palmers Way. Chesh —2E 6
Palm Gro. W5 —4J 71
Palm Rd. Romf —3A 50
Palm Tree Ho. SE14 —8H 77
(off Barlborough St.)
Pamela Ct. N3 —6M 25
Pamela Gdns. Pinn —3F 36
Pamela Ho. E8 —4D 60
(off Haggerston Rd.)
Pamela Wlk. E8 —4E 60
(off Marlborough Av.)
Pampisford Rd. Purl & S Croy —3L 137
Pams Way. Eps —7B 120
Panama Ho. E1 —8H 61
(off Beaumont Sq.)
Pancras La. EC4 —9A 60
Pancras Rd. NW1 —5H 59
Pandora Rd. NW6 —2L 57
Panfield M. Ilf —4L 47
Panfield Rd. SE2 —4E 80
Pangbourne. NW1 —6G 59
(off Stanhope St.)
Pangbourne Av. W10 —8G 57
Pangbourne Dri. Stan —5H 23
Panhard Pl. S'hall —1M 69
Pank Av. Barn —7A 14
Pankhurst Av. E16 —2F 78
Pankhurst Clo. SE14 —8H 77
Pankhurst Clo. Iswth —2D 86
Pankhurst Pl. Wat —5G 9
Pankhurst Rd. W on T —2G 117
Panmuir Rd. SW20 —5F 104
Panmure Clo. N5 —9M 43
Panmure Ct. S'hall —9A 54
(off Osborne Rd.)
Panmure Rd. SE26 —9F 92
Panorama Ct. N6 —4G 43
Pansy Gdns. W12 —1E 72
Panter's. Swan —4D 114
Panther Dri. NW10 —1B 56
Pantile Rd. Wey —6B 116
Pantiles Clo. N13 —5M 27
Pantiles, The. NW11 —3K 41
Pantiles, The. Bexh —8K 81
Pantiles, The. Brom —7J 111
Pantiles, The. Bush —1B 22
Pantile Wlk. Uxb —3A 142
Panton St. SW1 —1H 75
Panyer All. EC4 —9A 60
(off Newgate St.)
Paper Bldgs. EC4 —1L 75
(off Crown Office Row)
Papermill Clo. Cars —6E 122
Paper Mill Wharf. E14 —1J 77
Papillons Wlk. SE3 —1E 94
Papworth Gdns. N7 —1K 59
Papworth Way. SW2 —6L 91
Parade Mans. NW4 —3F 40
Parade M. SE27 —8M 91
Parade, The. N4 —6L 43
Parade, The. SE4 —1K 93
(off Up. Brockley Rd.)
Parade, The. SE26 —9F 92
(off Wells Pk. Rd.)
Parade, The. SW11 —8D 74
Parade, The. Cars —7D 122
(off Beynon Rd.)
Parade, The. Clay —8C 118
Parade, The. Croy —1J 123
Parade, The. Dart —4D 98
Parade, The. Eps —5B 134
(in two parts)
Parade, The. Gnfd —1F 54
Parade, The. Hamp —2B 102
Parade, The. King T —6J 103
(off London Rd.)
Parade, The. Romf —6M 35
Parade, The. Sun —4D 100
Parade, The. Sutt —5K 121
Parade, The. Wat —3H 21
(Fairfield Av.)
Parade, The. Wat —5F 8
(High St.)
Parade, The. Wat —3J 21
(Parade, The)
Parade, The. Wor Pk —6D 120
Paradise Clo. Chesh —1B 6
Paradise Pas. N7 —1L 59
Paradise Pl. SE18 —5J 79
Paradise Rd. SW4 —1J 91
Paradise Rd. Rich —4H 87
Paradise Rd. Wal A —7J 7
Paradise Row. E2 —6F 60
Paradise St. SE16 —3F 76
Paradise Wlk. SW3 —7D 74
Paragon Clo. E16 —9E 62
Paragon Gro. Surb —1K 119
Paragon M. SE1 —5B 76
Paragon Pl. SE3 —1D 94
Paragon Pl. Surb —1K 119
Paragon Rd. E9 —2G 61
Paragon, The. SE3 —1D 94
Paramount Building. EC1 —7M 59
(off St John St.)
Paramount Ct. WC1 —7G 59
Paramount Ind. Est. Wat —1G 9
(off Sandown Rd.)
Parbury Ri. Chess —8J 119
Parbury Rd. SE23 —5J 93
Parchmore Rd. T Hth —6M 107
Parchmore Way. T Hth —6M 107
Pardoner Ho. SE1 —4B 76
(off Pardoner St.)
Pardoner St. SE1 —4B 76
(in two parts)
Pardon St. EC1 —7M 59
Parfett St. E1 —8E 60
(in two parts)
Parfitt Clo. NW3 —6A 42
Parfour Dri. Kenl —8A 138
Parfrey St. W6 —7G 73
Pargreaves Ct. Wemb —7L 39
Parham Dri. Ilf —4M 47
Parham Way. N10 —9G 27
Paris Garden. SE1 —2M 75
Parish Clo. Horn —7F 50
Parish Clo. Wat —7G 5
Parish Cotts. Dag —7L 49
Parish Ct. Surb —9J 103
Parish Ga. Dri. Sidc —5C 96
Parish La. SE20 —3H 109
Parish M. SE20 —4H 109
Paris Ho. E2 —5F 60
(off Old Bethnal Grn. Rd.)
Parish Wharf Pl. SE18 —5J 79
Park App. SE16 —4F 76
Park App. Well —3F 96
Park Av. E6 —4L 63
Park Av. E15 —2C 62
Park Av. N3 —8M 25
Park Av. N13 —3L 27
Park Av. N18 —4E 28
Park Av. N22 —9J 27
Park Av. NW2 —2G 57
Park Av. NW10 —5K 55
(in two parts)
Park Av. NW11 —6M 41
Park Av. SW14 —3B 88
Park Av. Bark —2A 64
Park Av. Brom —3D 110
Park Av. Bush —4H 9
Park Av. Cars —8E 122
Park Av. Enf —7B 16
Park Av. Houn —5M 85
Park Av. Ilf —6L 47
Park Av. Mitc —4F 106
Park Av. Orp —5K 127
(Farnborough Rd.)
Park Av. Orp —4E 128
(Sevenoaks Rd.)
Park Av. Ruis —4B 36
Park Av. Shep —7C 100
Park Av. S'hall —3K 69
Park Av. Wat —6E 8
Park Av. W W'ck —4A 126
Park Av. Wfd G —5F 30
Park Av. E. Eps —8E 120
Park Av. Maisonettes. Bush —4K 9
Park Av. M. Mitc —4F 106
Park Av. N. N8 —2H 43
Park Av. N. NW10 —1F 56
Park Av. Rd. N17 —7F 28
Park Av. S. N8 —2H 43
Park Av. W. Eps —8E 120
Park Boulevd. Romf —8D 34
Park Bus. Cen. NW6 —6L 57
Park Chase. Wemb —9K 39
Park Clo. E9 —4G 61
Park Clo. N20 —3B 26
Park Clo. NW2 —8F 40
Park Clo. NW10 —6K 55
Park Clo. SW1 —3D 74
Park Clo. W4 —7B 72
Park Clo. W14 —4K 73
Park Clo. Bush —5H 9
Park Clo. Cars —8D 122
Park Clo. Esh —8L 117
Park Clo. Hamp —5A 102
Park Clo. Harr —8C 22
Park Clo. Houn —4A 86
Park Clo. King T —5L 103
Park Clo. Rick —4A 20
Park Clo. W on T —4D 116
Park Ct. E4 —2A 30
Park Ct. E17 —3M 45
Park Ct. N11 —7H 27
Park Ct. N17 —7E 28
Park Ct. SE26 —3F 108
Park Ct. SW11 —9F 74
Park Ct. Harr —5J 39
Park Ct. King T —5G 103
Park Ct. N Mald —8B 104
Park Ct. S Croy —7A 124
(off Warham Rd.)
Park Ct. Uxb —4B 142
Park Ct. Wemb —1J 55
Park Cres. N3 —7M 25
Park Cres. NW1 —7F 58
Park Cres. Els —5K 11
Park Cres. Enf —6B 16
Park Cres. Eri —7A 82
Park Cres. Harr —8C 22
Park Cres. Horn —5E 50
Park Cres. Twic —7B 86
Park Cres. M. E. W1 —7F 58
Park Cres. M. W. W1 —7F 58
Park Cres. Rd. Eri —7B 82
Park Cft. Edgw —8A 24
Parkcroft Rd. SE12 —6D 94
Parkdale. N11 —6H 27
Parkdale Cres. Wor Pk —5B 120
Parkdale Rd. SE18 —6C 80
Park Dri. N21 —8A 16
Park Dri. NW11 —6M 41
Park Dri. SE7 —7J 79
Park Dri. SW14 —4B 88
Park Dri. W3 —4L 71
Park Dri. Asht —9L 133
Park Dri. Dag —8A 50
Park Dri. Har W —6B 22
Park Dri. N Har —5L 37
Park Dri. Romf —2B 50
Park Dri. Upm —9M 51
Park Dwellings. NW3 —1D 58
Park End. NW3 —9C 42
Park End. Brom —5D 110
Pk. End Rd. Romf —2C 50
Parker Clo. E16 —2J 79
Parker Ho. E14 —3L 77
(off Admirals Way)
Parker M. WC2 —9J 59
Parke Rd. SW13 —9E 72
Parke Rd. Sun —8E 100
Parker Rd. Croy —6A 124
Parkers Row. SE1 —3E 76
Parker St. E16 —2J 79
Parker St. WC2 —9J 59
Parker St. Wat —3F 8
Parkes Rd. Chig —5C 32
Pk. Farm Clo. N2 —1A 42
Pk. Farm Clo. Pinn —3F 36
Pk. Farm Ct. Hay —1C 68
Pk. Farm Rd. Brom —5H 111
Pk. Farm Rd. King T —4J 103
Pk. Farm Rd. Upm —1K 67
Parkfield. Iswth —9C 70
Parkfield Av. SW14 —3C 88
Parkfield Av. Felt —9E 84
Parkfield Av. Harr —9A 22
Parkfield Av. Hil —6F 142
Parkfield Av. N'holt —5H 53
Parkfield Clo. Edgw —6M 23
Parkfield Clo. N'holt —5J 53
Parkfield Ct. SE14 —9K 77
(off Parkfield Rd.)
Parkfield Cres. Felt —9E 84
Parkfield Cres. Harr —9A 22
Parkfield Cres. Ruis —7J 37
Parkfield Dri. N'holt —5H 53
Parkfield Gdns. Harr —1M 37
Parkfield Ho. N Har —8M 21
Parkfield Ind. Est. SW11 —1E 90
Parkfield Pde. Felt —9E 84
Parkfield Rd. NW10 —3F 56
Parkfield Rd. SE14 —9K 77
Parkfield Rd. Felt —9E 84
Parkfield Rd. Harr —8A 38
Parkfield Rd. Ick & Uxb —7A 36
Parkfield Rd. N'holt —5J 53
Parkfields. SW15 —3G 89
Parkfields. Croy —3K 125
Parkfields. Oxs —3B 132
Parkfields Av. NW9 —6B 40
Parkfields Av. SW20 —5F 104
Parkfields Clo. Cars —6E 122
Parkfields Rd. King T —2K 103
Parkfield St. N1 —5L 59
Parkfield Way. Brom —1K 127
Park Gdns. E10 —6L 45
Park Gdns. NW9 —1M 39
Park Gdns. Eri —5B 82
Park Gdns. King T —2K 103
Park Ga. N2 —1B 42
Park Ga. N21 —9K 15
Park Ga. SE3 —2D 94
Park Ga. W5 —8H 55
Parkgate Av. Barn —3A 14
Pk. Gate Clo. King T —3M 103
Pk. Gate Ct. Hamp H —3A 102
Parkgate Cres. Barn —3A 14
Parkgate Gdns. SW14 —4B 88
Parkgate M. N6 —5G 43
Parkgate Rd. SW11 —8C 74
Parkgate Rd. Orp —6M 129
Parkgate Rd. Wall —7E 122
Parkgate Rd. Wat —1G 9
Park Gates. Harr —9L 37
Park Gro. E15 —4E 62
Park Gro. N11 —7H 27
Park Gro. Bexh —3A 98
Park Gro. Brom —5F 110
Park Gro. Edgw —5K 23
Park Gro. Rd. E11 —7C 46
Parkhall Rd. N2 —2C 42
Pk. Hall Rd. SE21 —9A 92
Pk. Hall Trad. Est. SE21 —9A 92
Parkham Ct. Short —6C 110
Parkham St. SW11 —9C 74
Park Hill. SE23 —8F 92
Park Hill. SW4 —4H 91
Park Hill. W5 —8H 55
Park Hill. Brom —8J 111
Park Hill. Cars —8C 122
Park Hill. Lou —7H 19
Park Hill. Rich —5K 87
Pk. Hill Clo. Cars —7C 122
Parkhill Clo. Horn —7G 51
Pk. Hill Ct. SW17 —9D 90
Pk. Hill Ri. Croy —4C 124
Parkhill Rd. E4 —1A 30
Parkhill Rd. NW3 —1D 58
Parkhill Rd. Bex —6K 97
Pk. Hill Rd. Brom —6C 110
Pk. Hill Rd. Croy —4C 124
Parkhill Rd. Eps —3D 134
Pk. Hill Rd. Sidc —9B 96
Pk. Hill Rd. Wall —9F 122
Parkhill Wlk. NW3 —1D 58
Parkholme Rd. E8 —2E 60
Park Ho. N21 —9K 15
Park Ho. Gdns. Twic —4G 87
Park Ho. Pas. N6 —5E 42
Parkhouse St. SE5 —8B 76
Parkhurst. Eps —2A 134
Parkhurst Ct. N7 —9J 43
Parkhurst Gdns. Bex —6L 97
Parkhurst Rd. E12 —9L 47
Parkhurst Rd. E17 —2J 45
Parkhurst Rd. N7 —9J 43
Parkhurst Rd. N11 —5E 26
Parkhurst Rd. N17 —9E 28
Parkhurst Rd. N22 —6K 27
Parkhurst Rd. Bex —6L 97
Parkhurst Rd. Sutt —6B 122
Parkinson Ho. SW1 —5G 75
(off Tachbrook St.)
Parkland Av. Romf —1C 50
Parkland Av. Upm —1M 67
Parkland Ct. E15 —1C 62
(off Maryland Pk.)
Parkland Gdns. SW19 —7H 89
Parkland Gro. Ashf —9E 144
Parkland Rd. N22 —9K 27
Parkland Rd. Ashf —9E 144
Parkland Rd. Wfd G —7F 30
Parklands. N6 —6F 42
Parklands. Chig —2A 32
Parklands. Surb —9K 103
Parklands. Wal A —6J 7
Parklands Clo. SW14 —4A 88
Parklands Clo. Barn —2B 14
Parklands Clo. Chig —3A 32
Parklands Ct. Houn —1H 85
Parklands Dri. N3 —1J 41
Parklands Gro. Iswth —9D 70
Parklands Pde. Houn —1H 85
Parklands Rd. SW16 —2F 106
Parklands Way. Wor Pk —4C 120
Park La. E15 —4B 62
Park La. N9 —3C 28
Park La. N17 —7D 28
(in two parts)
Park La. W1 —1D 74
Park La. Cars & Wall —6E 122

Pavilion Lodge—Penpoll Rd.

Pavilion Lodge. Harr —6B 38
Pavilion M. N3 —1L 41
Pavilion Rd. SW1 —4D 74
Pavilion Rd. Ilf —5K 47
Pavilion Shop. Cen., The. Wal X —6E 6
Pavilions, The. Uxb —3A 142
Pavilion St. SW1 —4D 74
Pavilion Ter. Ilf —3C 48
Pavilion, The. SW8 —8H 75
Pavilion Way. Edgw —7M 23
Pavilion Way. Ruis —7G 37
Pavillion Ter. W12 —9G 57
(off Wood La.)
Pawleyne Clo. SE20 —4G 109
Pawsey Clo. E13 —4F 62
Pawsons Rd. Croy —1A 124
Paxfold. Stan —5H 23
Paxford Rd. Wemb —7F 38
Paxton Clo. Rich —1K 87
Paxton Clo. W on T —2G 117
Paxton Ct. SE12 —9G 95
Paxton Ct. SE26 —1J 109
(off Adamsrill Rd.)
Paxton Ct. Borwd —6A 12
Paxton Pl. SE27 —1C 108
Paxton Rd. N17 —7D 28
Paxton Rd. SE23 —9J 93
Paxton Rd. W4 —7C 72
Paxton Rd. Brom —4E 110
Paxton Ter. SW1 —7F 74
Paymal Ho. E1 —8G 61
(off Stepney Way)
Payne Clo. Bark —3D 64
Payne Ho. N1 —4K 59
(off Barnsbury Est.)
Paynell Ct. SE3 —2C 94
Payne Rd. E3 —5M 61
Paynesfield Av. SW14 —2B 88
Paynesfield Rd. Bus H —9D 10
Payne St. SE8 —8K 77
Paynes Wlk. W6 —7J 73
Payzes Gdns. Wfd G —6D 30
Peabody Av. SW1 —6F 74
Peabody Bldgs. E1 —1E 76
(off John Fisher St.)
Peabody Bldgs. EC1 —7A 60
(off Roscoe St.)
Peabody Bldgs. SW3 —7C 74
(off Lawrence St.)
Peabody Clo. SE10 —9M 77
Peabody Clo. SW1 —6F 74
(off Lupus St.)
Peabody Clo. Croy —3G 125
Peabody Cotts. N17 —8C 28
Peabody Ct. EC1 —7A 60
(off Roscoe St.)
Peabody Ct. SE5 —9B 76
(off Kimpton Rd.)
Peabody Est. E1 —1H 77
(off Glasmis Pl.)
Peabody Est. E2 —5F 60
(off Cambridge Cres.)
Peabody Est. EC1 —7L 59
(off Farringdon La.)
Peabody Est. EC1 —7A 60
(off Whitecross St., in two parts)
Peabody Est. N1 —4A 60
Peabody Est. SE1 —3A 76
(off Mint St.)
Peabody Est. SE1 —2L 75
(Hatfield St.)
Peabody Est. SE1 —2A 76
(Southwark St.)
Peabody Est. SE24 —6M 91
Peabody Est. SW1 —5G 75
(off Vauxhall Bri. Rd.)
Peabody Est. SW3 —7C 74
Peabody Est. SW6 —7K 73
(off Lillie Rd.)
Peabody Est. SW11 —3C 90
Peabody Est. W6 —6G 73
Peabody Est. W10 —8G 57
Peabody Hill. SE21 —7M 91
Peabody Sq. SE1 —3M 75
(in two parts)
Peabody Tower. EC1 —7A 60
(off Golden La.)
Peabody Trust. SE17 —5B 76
(off Rodney Rd.)
Peabody Yd. N1 —4A 60
Peace Clo. N14 —7F 14
Peace Clo. SE25 —8C 108
Peace Clo. Chesh —2B 6
Peace Clo. Gnfd —4B 54
Peace Dri. Wat —5E 8
Peace Gro. Wemb —8M 39
Peace Prospect. Wat —5E 8
Peace St. SE18 —7L 79
Peaches Clo. Sutt —9J 121
Peachey Clo. Uxb —9B 142
Peachey Edwards Ho. E2 —6F 60
(off Teesdale St.)
Peachey La. Uxb —8B 142
Peach Rd. W10 —6H 57
Peach Tree Av. W Dray —9D 142
Peachum Rd. SE3 —7D 78
(in two parts)
Peachwalk M. E3 —5H 61
Peacock Av. Felt —7B 84
Peacock Clo. Horn —2J 51
Peacock Gdns. S Croy —2J 139
Peacock Ind. Est. N17 —7D 28
Peacock St. SE17 —5M 75
Peacock Theatre. —9K 59
(off Portugal St.)
Peacock Wlk. E16 —9F 62
(off Mortlake Rd.)
Peacock Wlk. N6 —5F 42
Peacock Wlk. Ab L —4E 4
Peacock Yd. SE17 —6M 75
(off Iliffe St.)
Peakes Way. Chesh —1A 6
Peaketon Av. Ilf —2H 47
Peak Hill. SE26 —1G 109
Peak Hill Av. SE26 —1G 109
Peak Hill Gdns. SE26 —1G 109
Peak Ho. N4 —6A 44
(off Woodberry Down Est.)
Peaks Hill. Purl —2H 137
Peaks Hill Ri. Purl —2J 137
Peak, The. SE26 —9G 93
Peal Gdns. W13 —6E 54
Peall Rd. Croy —1K 123
Peall Rd. Ind. Est. Croy —1K 123
Pearce Clo. Mitc —6E 106
Pearcefield Av. SE23 —7G 93
Pearce Rd. W Mol —7M 101
Pear Clo. NW9 —2B 40
Pear Clo. SE14 —8J 77
Pear Ct. SE15 —8D 76
(off Thruxton Way)
Pearcroft Rd. E11 —7B 46
Peardon St. SW8 —1F 90
Peareswood Gdns. Stan —8H 23
Peareswood Rd. Eri —9D 82
Pearfield Rd. SE23 —9J 93
Pearl Clo. E6 —9L 63
Pearl Clo. NW2 —5H 41
Pearl Rd. E17 —1L 45
Pearl St. E1 —2F 76
Pearmain Clo. Shep —9A 100
Pearman St. SE1 —4L 75
Pear Pl. SE1 —3L 75
Pear Rd. E11 —8B 46
Pearsall Ho. Uxb —2E 142
Pears Av. Shep —7C 100
Pearscroft Ct. SW6 —9M 73
Pearscroft Rd. SW6 —9M 73
Pearse St. SE15 —7C 76
Pearson's Av. SE14 —9L 77
Pearson St. E2 —5D 60
Pearson Way. Dart —8K 99
Pears Rd. Houn —2A 86
Peartree. SE26 —2J 109
Peartree Av. SW17 —9A 90
Pear Tree Av. W Dray —9D 142
Pear Tree Clo. E2 —4D 60
Pear Tree Clo. Chess —7L 119
Peartree Clo. Eri —9B 82
Peartree Clo. Mitc —6C 106
Peartree Clo. S Croy —6F 138
Pear Tree Clo. Swan —6B 114
Pear Tree Ct. E18 —8F 30
Pear Tree Ct. EC1 —7L 59
Peartree Ct. Wat —9H 5
Peartree Gdns. Dag —9F 48
Peartree Gdns. Romf —9M 33
Pear Tree Ho. SE4 —2K 93
Peartree La. E1 —1G 77
Pear Tree Rd. Ashf —2A 100
Peartree Rd. Enf —5C 16
Peartrees. W Dray —1H 143
Pear Tree St. EC1 —7A 60
Pear Tree Way. SE10 —5E 78
Peary Ho. NW10 —3B 56
Peary Pl. E2 —6G 61
Pease Clo. Horn —3F 66
Peas Mead Ter. E4 —4A 30
Peatfield Clo. Sidc —9C 96
Pebble Way. W3 —2M 71
(off Steyne Rd.)
Pebworth Rd. Harr —7E 38
Peckarmans Wood. SE26 —9E 92
Peckett Sq. N5 —9A 44
Peckford Clo. SW9 —1L 91
Peckford Pl. SW9 —1L 91
Peckham. —9E 76
Peckham Gro. SE15 —8C 76
Peckham High St. SE15 —9E 76
Peckham Hill St. SE15 —8E 76
Peckham Pk. Rd. SE15 —8E 76
Peckham Rd. SE5 & SE15 —9C 76
Peckham Rye. SE15 & SE22 —2E 92
Peckham Sq. SE15 —9E 76
Pecks Yd. E1 —8D 60
(off Hanbury St.)
Peckwater St. NW5 —1G 59
Pedham Pl. Ind. Est. Swan —9E 114
Pedhoulas. N14 —3J 27
Pedlar's Wlk. N7 —1K 59
Pedley Rd. Dag —6G 49
Pedley St. E1 —7D 60
Pedro St. E5 —8H 45
Pedworth Gdns. SE16 —5G 77
Peebles Ct. S'hall —9A 54
(off Haldane Rd.)
Peek Cres. SW19 —2H 105
Peel Cen. Ind. Est. Eps —3C 134
Peel Clo. E4 —2M 29
Peel Clo. N9 —3E 28
Peel Dri. Ilf —1J 47
Peel Gro. E2 —5G 61
(in two parts)
Peel La. NW9 —1E 40
Peel Pas. W8 —2L 73
(off Peel St.)
Peel Pl. Ilf —9J 31
Peel Precinct. NW6 —5L 57
Peel Rd. E18 —8D 30
Peel Rd. Harr & W'stone —1D 38
(in two parts)
Peel Rd. Orp —7A 128
Peel Rd. Wemb —8H 39
Peel St. W8 —2L 73
Peel Way. Romf —9K 35
Peel Way. Uxb —8C 142
Peerage Way. Horn —5J 51
Peerglow Est. Enf —7G 17
Peerglow Ind. Est. Wat —1A 20
Peerless St. EC1 —6B 60
Pegamoid Rd. N18 —3G 29
Pegasus Clo. N5 —9B 44
Pegasus Ct. Ab L —5D 4
Pegasus Ct. Bren —6K 71
Pegasus Ct. King T —7H 103
Pegasus Ho. E1 —7H 61
(off Beaumont Sq.)
Pegasus Pl. SE11 —7L 75
Pegasus Pl. SW6 —9L 73
Pegasus Way. N11 —6F 26
Pegelm Gdns. Horn —5K 51
Peggotty Way. Uxb —9F 142
Pegg Rd. Houn —8H 69
Pegley Gdns. SE12 —8E 94
Pegmire La. A'ham —3A 10
Pegwell St. SE18 —8C 80
Pekin Clo. E14 —9L 61
(off Pekin St.)
Pekin Ho. E14 —9L 61
(off Pekin St.)
Pekin St. E14 —9L 61
Pelabon Ho. Twic —5H 87
(off Clevedon Rd.)
Peldon Ct. Rich —3K 87
Peldon Pas. Rich —3K 87
Peldon Wlk. N1 —4M 59
(off Popham St.)
Pelham Av. Bark —4D 64
Pelham Clo. SE5 —2C 92
Pelham Cotts. Bex —7M 97
Pelham Ct. SW3 —5C 74
(off Fulham Rd.)
Pelham Ct. Sidc —9E 96
Pelham Cres. SW7 —5C 74
Pelham Ho. W14 —5K 73
(off Mornington Av.)
Pelham Pl. SW7 —5C 74
Pelham Rd. E18 —1F 46
Pelham Rd. N15 —2D 44
Pelham Rd. N22 —9L 27
Pelham Rd. SW19 —4L 105
Pelham Rd. Beck —6G 109
Pelham Rd. Bexh —2L 97
Pelham Rd. Ilf —7B 48
Pelham's Clo. Esh —6L 117
Pelhams, The. Wat —8H 5
Pelham St. SW7 —5B 74
Pelham's Wlk. Esh —6L 117
Pelican Est. SE15 —9D 76
Pelican Ho. SE8 —5K 77
Pelican Pas. E1 —7G 61
Pelican Stairs. E1 —2G 77
Pelican Wlk. SW9 —3M 91
Pelier St. SE17 —7A 76
Pelinore Rd. SE6 —8C 94
Pella Ho. SE11 —6K 75
Pellant Rd. SW6 —8J 73
Pellatt Gro. N22 —8L 27
Pellatt Rd. SE22 —4D 92
Pellatt Rd. Wemb —7H 39
(in two parts)
Pellerin Rd. N16 —1C 60
Pellew Ho. E1 —7F 60
(off Somerford St.)
Pelling St. E14 —9L 61
Pellipar Clo. N13 —3L 27
Pellipar Gdns. SE18 —6K 79
Pellipar Rd. SE18 —6K 79
Pelly Rd. E13 —4E 62
(in two parts)
Pelter St. E2 —6D 60
(in two parts)
Pelton Av. Sutt —2M 135
Pelton Rd. SE10 —6C 78
Pembar Av. E17 —1J 45
Pemberley Chase. W Ewe —7M 119
Pemberley Clo. W Ewe —7M 119
Pember Rd. NW10 —6H 57
Pemberton Av. Romf —1F 50
Pemberton Ct. E1 —6H 61
(off Portelet Rd.)
Pemberton Gdns. N19 —8G 43
Pemberton Gdns. Romf —3J 49
Pemberton Gdns. Swan —7C 114
Pemberton Ho. SE26 —1E 108
(off High Level Dri.)
Pemberton Pl. E8 —3F 60
Pemberton Pl. Esh —5A 118
Pemberton Rd. N4 —3L 43
Pemberton Rd. E Mol —8A 102
Pemberton Row. EC4 —9L 59
Pemberton Ter. N19 —8G 43
Pembrey Way. Horn —2G 67
Pembridge Av. Twic —7K 85
Pembridge Cres. W11 —1L 73
Pembridge Gdns. W2 —1L 73
Pembridge M. W11 —1L 73
Pembridge Pl. SW15 —4L 89
Pembridge Pl. W2 —1L 73
Pembridge Rd. W11 —1L 73
Pembridge Sq. W2 —1L 73
Pembridge Vs. W11 & W2 —1L 73
Pembroke Av. Enf —2F 16
Pembroke Av. Harr —1E 38
Pembroke Av. Pinn —6H 37
Pembroke Av. Surb —9M 103
Pembroke Av. W on T —6H 117
Pembroke Bldgs. NW10 —6E 56
Pembroke Cen., The. Ruis —6D 36
Pembroke Clo. SW1 —3E 74
Pembroke Clo. Bans —9M 135
Pembroke Clo. Horn —2K 51
Pembroke Cotts. W8 —4L 73
(off Pembroke Sq.)
Pembroke Ct. W7 —9D 54
(off Copley Clo.)
Pembroke Gdns. W14 —5K 73
Pembroke Gdns. Dag —8M 49
Pembroke Gdns. Clo. W8 —4L 73
Pembroke Hall. NW4 —1G 41
(off Mulberry Clo.)
Pembroke Ho. W2 —9M 57
(off Hallfield Est.)
Pembroke Ho. W3 —3A 72
(off Park Rd. E.)
Pembroke Ho. Borwd —6L 11
(off Station Rd.)
Pembroke Lodge. Stan —6G 23
Pembroke M. E1 —7G 61
(off Wessex St.)
Pembroke M. E3 —6J 61
Pembroke M. N10 —8F 26
Pembroke M. W8 —4L 73
Pembroke Pde. Eri —6A 82
Pembroke Pl. W8 —4L 73
Pembroke Pl. Edgw —7L 23
Pembroke Pl. Iswth —1C 86
Pembroke Pl. S at H —5M 115
Pembroke Rd. E6 —8K 63
Pembroke Rd. E17 —3M 45
Pembroke Rd. N8 —2J 43
Pembroke Rd. N10 —8F 26
Pembroke Rd. N13 —3A 28
Pembroke Rd. N15 —3D 44
Pembroke Rd. SE25 —8C 108
Pembroke Rd. W8 —5K 73
Pembroke Rd. Brom —6G 111
Pembroke Rd. Eri —6A 82
Pembroke Rd. Gnfd —7M 53
Pembroke Rd. Ilf —6D 48
Pembroke Rd. Mitc —6E 106
Pembroke Rd. N'wd —3A 20
Pembroke Rd. Ruis —6C 36
Pembroke Rd. Wemb —8H 39
Pembroke Sq. W8 —4L 73
Pembroke St. N1 —3J 59
(in two parts)
Pembroke Vs. W8 —5L 73
Pembroke Vs. Rich —3H 87
Pembroke Wlk. W8 —5L 73
Pembroke Way. Hay —4A 68
Pembrook M. SW11 —3B 90
Pembry Clo. SW9 —9L 75
Pembury Av. Wor Pk —3E 120
Pembury Clo. E5 —1F 60
Pembury Clo. Brom —2D 126
Pembury Clo. Coul —6E 136
Pembury Ct. Hay —7B 68
Pembury Cres. Sidc —8J 97
Pembury Pl. E5 —1F 60
Pembury Rd. E5 —1F 60
Pembury Rd. N17 —8D 28
Pembury Rd. SE25 —8E 108
Pembury Rd. Bexh —8J 81
Pemdevon Rd. Croy —2L 123
Pemell Clo. E1 —7G 61
Pemell Ho. E1 —7G 61
(off Pemell Clo.)
Pemerich Clo. Hay —6D 68
Pempath Pl. Wemb —7H 39
Penally Pl. N1 —4B 60
Penang Ho. E1 —2F 76
(off Prusom St.)
Penang St. E1 —2F 76
Penard Rd. S'hall —4M 69
Penarth Cen. SE15 —7G 77
Penarth St. SE15 —7G 77
Penates. Esh —6B 118
Penberth Rd. SE6 —8A 94
Penbury Rd. S'hall —5K 69
Pencombe M. W11 —1K 73
Pencraig Way. SE15 —7F 76
Pencroft Dri. Dart —6G 99
Pendall Clo. Barn —6C 14
Penda Rd. Eri —8M 81
Pendarves Rd. SW20 —5G 105
Penda's Mead. E9 —9J 45
Pendell Av. Hay —8D 68
Pendennis Ho. SE8 —5J 77
Pendennis Rd. N17 —1B 44
Pendennis Rd. SW16 —1J 107
Pendennis Rd. Orp —4G 129
Penderel Rd. Houn —4L 85
Penderry Ri. SE6 —8B 94
Penderyn Way. N7 —9H 43
Pendlebury Ct. Surb —8J 103
(off Cranes Pk.)
Pendle Ct. Uxb —4F 142
Pendle Ho. SE26 —9E 92
Pendle Rd. SW16 —3F 106
Pendlestone Rd. E17 —3M 45
Pendragon Rd. Brom —9D 94
Pendragon Wlk. NW9 —4C 40
Pendrell Ho. WC2 —9H 59
(off New Compton St.)
Pendrell Rd. SE4 —1J 93
Pendrell St. SE18 —7B 80
Pendula Dri. Hay —7H 53
Pendulum M. E8 —1D 60
Penerley Rd. SE6 —7M 93
Penerley Rd. Rain —8F 66
Penfield Lodge. W9 —8L 57
(off Admiral Wlk.)
Penfields Ho. N7 —2J 59
Penfold Clo. Croy —5L 123
Penfold La. Bex —8H 97
(in two parts)
Penfold Pl. NW1 —8C 58
Penfold Rd. N9 —1H 29
Penfold St. NW8 & NW1 —7B 58
Penfold Trad. Est. Wat —3G 9
Penford Gdns. SE9 —2H 95
Penford St. SE5 —1M 91
Pengarth Rd. Bex —4H 97
Penge. —4G 109
Penge Ho. SW11 —2B 90
Penge La. SE20 —4G 109
Pengelly Clo. Chesh —3B 6
Penge Rd. E13 —4G 63
Penge Rd. SE25 & SE20 —7E 108
Penhale Clo. Orp —6E 128
Penhall Rd. SE7 —5H 79
Penhill Rd. Bex —5G 97
Penhurst Pl. SE1 —4K 75
(off Carlisle La.)
Penhurst Rd. Ilf —7M 31
Penifather La. Gnfd —6B 54
Peninsula Ct. E14 —4M 77
(off E. Ferry Rd.)
Peninsula Heights. SE1 —6J 75
Peninsula Pk. SE7 —5E 78
(off Peninsula Pk. Rd., in two parts)
Peninsular Clo. Felt —5B 84
Peninsular Pk. Rd. SE7 —5E 78
Penistone Rd. SW16 —4J 107
Penistone Wlk. Romf —6G 35
Penketh Dri. Harr —8B 38
Penley Ct. WC2 —1K 75
Penmayne Ho. SE11 —6L 75
(off Kennings Way)
Penmon Rd. SE2 —4E 80
Pennack Rd. SE15 —7D 76
Penn Almshouses. SE10 —9A 78
(off Greenwich S. St.)
Pennant M. W8 —5M 73
Pennant Ter. E17 —9K 29
Pennard Mans. W12 —3G 73
(off Goldhawk Rd.)
Pennard Rd. W12 —3G 73
Pennards, The. Sun —7G 101
Penn Clo. Gnfd —5M 53
Penn Clo. Harr —2G 39
Penn Clo. Uxb —7B 142
Penn Ct. NW9 —1B 40
Penner Clo. SW19 —8J 89
Penners Gdns. Surb —2J 119
Pennethorne Clo. E9 —4G 61
Pennethorne Ho. SW11 —2B 90
Pennethorne Rd. SE15 —8F 76
Penney Clo. Dart —6H 99
Penn Gdns. Chst —6M 111
Penn Gdns. Romf —7L 33
Penn Ho. NW8 —7C 58
(off Mallory St.)
Pennine Dri. NW2 —7H 41
Pennine La. NW2 —7J 41
Pennine Pde. NW2 —7J 41
Pennine Way. Bexh —9C 82
Pennine Way. Hay —8B 68
Pennington Clo. SE27 —1B 108
Pennington Clo. Romf —5L 33
Pennington Ct. SE16 —2J 77
Pennington Dri. N21 —7J 15
Pennington Dri. Wey —5C 116
Pennington Lodge. Surb —8J 103
(off Cranes Dri.)
Pennington St. E1 —1F 76
Pennington Way. SE12 —8F 94
Penniston Clo. N17 —9A 28
Penn La. Bex —4H 97
(in two parts)
Penn Rd. N7 —1J 59
Penn Rd. Park —1M 5
Penn Rd. Wat —3F 8
Penn St. N1 —4B 60
Penny Clo. Rain —6F 66
Penny Ct. Wat —4F 8
(off Westland Rd.)
Pennycroft. Croy —1J 139
Pennyfather La. Enf —5A 16
Pennyfields. E14 —1L 77
(in two parts)
Pennyford Ct. NW8 —7B 58
(off St John's Wood Rd.)
Penny La. Shep —2C 116
Penny M. SW12 —6F 90
Pennymoor Wlk. W9 —7K 57
(off Ashmore Rd.)
Penny Rd. NW10 —6M 55
Penny Royal. Wall —8H 123
Pennyroyal Av. E6 —9L 63
Penpoll Rd. E8 —2F 60

Penpool La.—Pickfords Wharf

Penpool La. Well —2F 96
Penrhyn Av. E17 —8K 29
Penrhyn Cres. E17 —8L 29
Penrhyn Cres. SW14 —3A 88
Penrhyn Gdns. King T —8H 103
Penrhyn Gro. E17 —8L 29
Penrhyn Rd. King T —8J 103
Penrith Clo. SW15 —4J 89
Penrith Clo. Beck —5M 109
Penrith Clo. Uxb —3B 142
Penrith Cres. Rain —1E 66
Penrith Pl. SE27 —8M 91
Penrith Rd. N15 —3B 44
Penrith Rd. Ilf —6D 32
Penrith Rd. N Mald —8B 104
Penrith Rd. Romf —6L 35
Penrith Rd. T Hth —6A 108
Penrith St. SW16 —3G 107
Penrose Av. Wat —2J 21
Penrose Dri. Eps —3L 133
Penrose Gro. SE17 —6A 76
Penrose Ho. SE17 —6A 76
(in two parts)
Penrose St. SE17 —6A 76
Penryn Ho. SE11 —6L 75
(off Seaton Clo.)
Penryn St. NW1 —5H 59
Penry St. SE1 —5C 76
Pensbury Pl. SW8 —1G 91
Pensbury St. SW8 —1G 91
Penscroft Gdns. Borwd —6B 12
Pensford Av. Rich —1L 87
Penshurst. NW5 —2E 58
Penshurst Av. Sidc —5E 96
Penshurst Gdns. Edgw —5M 23
Penshurst Grn. Brom —9D 110
Penshurst Ho. SE15 —7G 77
(off Lovelinch Clo.)
Penshurst Rd. E9 —3H 61
Penshurst Rd. N17 —7D 28
Penshurst Rd. Bexh —9K 81
Penshurst Rd. T Hth —9M 107
Penshurst Wlk. Brom —9D 110
Penshurst Way. Orp —8G 113
Penshurst Way. Sutt —9L 121
Pensilver Clo. Barn —6C 14
Penstemon Clo. N3 —6L 25
Penta Ct. Borwd —6L 11
(off Station Rd.)
Pentagon, The. W13 —1E 70
Pentavia Retail Pk. NW7 —7D 24
Pentelow Gdns. Felt —5E 84
Pentire Rd. E17 —8B 30
Pentland Av. Edgw —2M 23
Pentland Clo. NW11 —7J 41
Pentland Gdns. SW18 —5A 90
Pentland Pl. N'holt —4J 53
Pentland Rd. Bush —8A 10
Pentlands Clo. Mitc —7F 106
Pentland St. SW18 —5A 90
Pentland Way. Uxb —8A 36
Pentlow St. SW15 —2G 89
Pentlow Way. Buck H —9J 19
Pentney Rd. E4 —1B 30
Pentney Rd. SW12 —7G 91
Pentney Rd. SW20 —5J 105
Penton Dri. Chesh —2D 6
Penton Gro. N1 —5L 59
Penton Ho. N1 —5L 59
(off Donegal St.)
Penton Ho. SE2 —2H 81
Penton Pl. SE17 —6M 75
Penton Ri. WC1 —6K 59
Penton St. N1 —5L 59
Pentonville. —5K 59
Pentonville Rd. N1 —5K 59
Pentrich Av. Enf —2E 16
Pentridge St. SE15 —8D 76
Pentyre Av. N18 —5B 28
Penwerris Av. Iswth —8A 70
Penwerris Ct. Houn —8A 70
Penwith Rd. SW18 —8L 89
Penwood Ct. Pinn —2K 37
Penwood Ho. SW15 —5D 88
Penwortham Ct. N22 —9K 27
Penwortham Rd. SW16 —3F 106
Penwortham Rd. S Croy —2A 138
Penylan Pl. Edgw —7L 23
Penywern Rd. SW5 —6L 73
Penzance Gdns. Romf —6L 35
(in two parts)
Penzance Ho. SE11 —6L 75
(off Seaton Clo.)
Penzance Pl. W11 —2J 73
Penzance Rd. Romf —6L 35
Penzance St. W11 —2J 73
Peony Ct. E4 —6C 30
Peony Gdns. W12 —1E 72
Peperfield. WC1 —6K 59
(off Cromer St.)
Pepler Ho. W10 —7J 57
(off Wornington Rd.)
Pepler M. SE5 —6D 76
Peploe Rd. NW6 —5H 57
(in two parts)
Peplow Clo. W Dray —2H 143
Pepper All. Lou —4D 18
Pepper Clo. E6 —8K 63
Peppercorn Clo. T Hth —6B 108
Peppermead Sq. SE4 —4L 93
Peppermint Clo. Croy —2J 123
Peppermint Pl. E11 —8C 46
Pepper St. E14 —4M 77
Pepper St. SE1 —3A 76
Peppie Clo. N16 —7C 44
(in two parts)
Pepys Clo. Asht —9L 133
Pepys Clo. Dart —3L 99
Pepys Ct. SW4 —2F 90
Pepys Cres. E16 —2E 78
Pepys Cres. Barn —7G 13
Pepys Ho. E2 —6G 61
(off Kirkwall Pl.)
Pepys Ri. Orp —3D 128
Pepys Rd. SE14 —9H 77
Pepys Rd. SW20 —5G 105
Pepys St. EC3 —1C 76
Perceval Av. NW3 —1C 58
Perceval Ct. N'holt —1L 53
Perceval Ho. W5 —1G 71
Percheron Clo. Iswth —2D 86
Percheron Rd. Borwd —8B 12
Perch St. E8 —9D 44
Percival Clo. Oxs —3A 132
Percival Ct. N17 —7D 28
Percival Ct. Chesh —3E 6
Percival David Foundation of Chinese Art. —7H 59
(off Gordon Sq.)
Percival Gdns. Romf —4G 49
Percival Rd. SW14 —3A 88
Percival Rd. Enf —6D 16
Percival Rd. Felt —8D 84
Percival Rd. Horn —4G 51
Percival Rd. Orp —4M 127
Percival St. EC1 —7M 59
Percival Way. Eps —6B 120
Percy Bryant Rd. Sun —4C 100
Percy Bush Rd. W Dray —4K 143
Percy Cir. WC1 —6K 59
Percy Gdns. Enf —7H 17
Percy Gdns. Hay —6C 52
Percy Gdns. Iswth —2E 86
Percy Gdns. Wor Pk —3C 120
Percy M. W1 —8H 59
(off Rathbone Pl.)
Percy Pas. W1 —8G 59
(off Rathbone St.)
Percy Rd. E11 —5C 46
Percy Rd. E16 —8C 62
Percy Rd. N12 —5A 26
Percy Rd. N21 —9A 16
Percy Rd. SE20 —5H 109
Percy Rd. SE25 —9E 108
Percy Rd. W12 —3E 72
Percy Rd. Bexh —1J 97
Percy Rd. Hamp —4L 101
Percy Rd. Ilf —5E 48
Percy Rd. Iswth —3E 86
Percy Rd. Mitc —2E 122
Percy Rd. Romf —1M 49
Percy Rd. Twic —7M 85
Percy Rd. Wat —6F 8
Percy St. W1 —8H 59
Percy Way. Twic —7A 86
Percy Yd. WC1 —6K 59
Peregrine Clo. NW10 —1B 56
Peregrine Clo. Wat —7J 5
Peregrine Ct. SE8 —7L 77
(off Edward St.)
Peregrine Ct. SW16 —1K 107
Peregrine Ct. Well —9D 80
Peregrine Gdns. Croy —4J 125
Peregrine Ho. EC1 —6M 59
(off Hall St.)
Peregrine Rd. Ilf —5F 32
Peregrine Rd. Sun —6D 100
Peregrine Wlk. Horn —2F 66
Peregrine Way. SW19 —4G 105
Peregrin Rd. Wal A —7M 7
Perham Rd. W14 —6J 73
Peridot St. E6 —8J 63
Perifield. SE21 —7A 92
Perimeade Rd. Gnfd —5G 55
Periton Rd. SE9 —3H 95
Perivale. —4G 55
Perivale Gdns. W13 —7F 54
Perivale Gdns. Wat —7F 4
Perivale Grange. Gnfd —6E 54
Perivale Ind. Pk. Gnfd —5F 54
Perivale La. Gnfd —6E 54
Perivale Lodge. Gnfd —6E 54
(off Perivale La.)
Perivale New Bus. Cen. Gnfd —5G 55
Perkin Clo. Wemb —1F 54
Perkins Ho. E14 —8K 61
(off Wallwood St.)
Perkin's Rents. SW1 —4H 75
Perkins Rd. Ilf —3B 48
Perkins Sq. SE1 —2A 76
(off Porter St.)
Perks Clo. SE3 —2C 94
Perley Ho. E3 —8K 61
(off Weatherley Clo.)
Perpins Rd. SE9 —5B 96
Perran Rd. SW2 —7M 91
Perran Wlk. Bren —6J 71
Perren St. NW5 —2F 58
Perrers Rd. W6 —5F 72
Perring Est. E3 —8L 61
(off Gale St.)
Perrin Ho. NW6 —6L 57
Perrin Rd. Wemb —9F 38
Perrin's Ct. NW3 —9A 42
Perrin's La. NW3 —9A 42
Perrin's Wlk. NW3 —9A 42
Perronet Ho. SE1 —4M 75
(off Princess St.)
Perrott St. SE18 —5A 80
Perry Av. W3 —9B 56
Perry Clo. Rain —5B 66
Perry Clo. Uxb —9F 142
Perry Ct. E14 —6L 77
(off Maritime Quay)
Perry Ct. N15 —4C 44
Perryfield Way. NW9 —4D 40
Perryfield Way. Rich —9F 86
Perry Gdns. N9 —3B 28
Perry Gth. N'holt —4G 53
Perry Gro. Dart —3L 99
Perry Hall Clo. Orp —2E 128
Perry Hall Rd. Orp —1D 128
Perry Hill. SE6 —9K 93
Perry How. Wor Pk —3D 120
Perrymans Farm Rd. Ilf —4B 48
Perry Mead. Bush —8A 10
Perry Mead. Enf —4M 15
Perrymead St. SW6 —9L 73
Perryn Ct. Twic —5E 86
Perryn Ho. W3 —1C 72
Perryn Rd. SE16 —4F 76
Perryn Rd. W3 —2B 72
Perry Oaks Dri. W Dray & Houn —1A 144
Perry Ri. SE23 —9J 93
Perry Rd. Dag —8K 65
Perry's Pl. W1 —9H 59
Perry St. Chst —4B 112
Perry St. Dart —3C 98
Perry St. Gdns. Chst —3C 112
Perry St. Shaw. Chst —4C 112
Perry Va. SE23 —8G 93
Perry Way. Ave —1M 83
Persant Rd. SE6 —8C 94
Perseverance Pl. SW9 —8L 75
Perseverance Pl. Rich —3J 87
Perseverance Works. E2 —6C 60
(off Kingsland Rd.)
Persfield Clo. Eps —2D 134
Persfield M. Eps —2D 134
Pershore Clo. Ilf —3M 47
Pershore Gro. Cars —1B 122
Pert Clo. N10 —7F 26
Perth Av. NW9 —5B 40
Perth Av. Hay —7G 53
Perth Clo. SE5 —3B 92
Perth Clo. SW20 —6D 104
Perth Ho. N1 —3K 59
Perth Rd. E10 —6J 45
Perth Rd. E13 —5F 62
Perth Rd. N4 —6L 43
Perth Rd. N22 —8M 27
Perth Rd. Bark —5B 64
Perth Rd. Beck —6A 110
Perth Rd. Ilf —4L 47
Perth Ter. Ilf —5A 48
Perwell Av. Harr —6K 37
Perystreete. SE23 —8G 93
Petands Ct. Horn —8H 51
(off Randall Dri.)
Petavel Rd. Tedd —3C 102
Peter Av. NW10 —3F 56
Peter Best Ho. E1 —9F 60
(off Nelson St.)
Peterboat Clo. SE10 —5C 78
Peterborough Ct. EC4 —9L 59
Peterborough Gdns. Ilf —5J 47
Peterborough Ho. Borwd —4L 11
(off Stratfield Rd.)
Peterborough M. SW6 —1L 89
Peterborough Rd. E10 —3A 46
Peterborough Rd. SW6 —1L 89
Peterborough Rd. Cars —1C 122
Peterborough Rd. Harr —6C 38
Peterborough Vs. SW6 —9M 73
Peter Butler Ho. SE1 —3E 76
(off Wolseley St.)
Peterchurch Ho. SE15 —7F 76
(off Commercial Way)
Petergate. SW11 —3A 90
Peterhead Ct. S'hall —9A 54
(off Osborne Rd.)
Peter Ho. SW8 —8J 75
(off Luscombe Way)
Peter James Bus. Cen. Hay —3E 68
Peter James Enterprise Cen. NW10 —6A 56
Peterley Bus. Cen. E2 —5F 60
Peters Clo. Dag —6H 49
Peters Clo. Stan —6H 23
Peters Clo. Well —1C 96
Peter Scott Vis. Cen., The. —9F 72
Peters Ct. W2 —9M 57
(off Porchester Rd.)
Petersfield Av. Romf —6J 35
Petersfield Clo. N18 —5A 28
Petersfield Clo. Romf —6L 35
Petersfield Cres. Coul —7J 137
Petersfield Ri. SW15 —7F 88
Petersfield Rd. W3 —3A 72
Petersham. —7J 87
Petersham Clo. Rich —8H 87
Petersham Clo. Sutt —7K 121
Petersham Dri. Orp —6D 112
Petersham Gdns. Orp —6D 112
Petersham Ho. SW7 —5B 74
(off Kendrick M.)
Petersham La. SW7 —4A 74
Petersham M. SW7 —4A 74
Petersham Pl. SW7 —4A 74
Petersham Rd. Rich —5H 87
Petersham Ter. Mitc —5J 123
(off Richmond Grn.)
Peter's Hill. EC4 —1A 76
Peter's La. EC1 —8M 59
Peterson Ct. Lou —4L 19
Peter's Path. SE26 —1F 108
Peterstone Rd. SE2 —4F 80
Peterstow Clo. SW19 —8J 89
Peter St. W1 —1H 75
Peterwood Pk. Croy —4K 123
Peterwood Way. Croy —4K 123
Petherton Ct. Harr —4D 38
(off Gayton Rd.)
Petherton Ho. N4 —6A 44
(off Woodberry Down Est.)
Petherton Rd. N5 —1A 60
Petiver Clo. E9 —3G 61
Petley Rd. W6 —7H 73
Peto Pl. NW1 —7F 58
Peto St. N. E16 —9D 62
Peto St. S. E16 —1D 78
Petrie Clo. NW2 —2J 57
Petrie Ho. SE18 —7L 79
(off Woolwich Comn.)
Petrie Mus. of Egyptian Archaeology. —7H 59
(off Gordon Sq.)
Petros Gdns. NW3 —2A 58
Pett Clo. Horn —7F 50
Petten Clo. Orp —3H 129
Petten Gro. Orp —3G 129
Petters Rd. Asht —8K 133
Petticoat La. E1 —8C 60
Petticoat Lane Market. —9D 60
(off Middlesex St.)
Petticoat Sq. E1 —9D 60
Petticoat Tower. E1 —9D 60
(off Petticoat Sq.)
Pettits Boulevd. Romf —8C 34
Pettits Clo. Romf —9C 34
Pettits La. Romf —9C 34
Pettits La. N. Romf —8B 34
Pettits Pl. Dag —1L 65
Pettits Rd. Dag —1L 65
Pettiward Clo. SW15 —3G 89
Pettley Gdns. Romf —3B 50
Pettman Cres. SE28 —4B 80
Pettsgrove Av. Wemb —1G 55
Pett's Hill. N'holt —1M 53
Pett St. SE18 —5J 79
Petts Wood. —9A 112
Petts Wood Rd. Orp —9A 112
Petty France. SW1 —4G 75
Pettys Clo. Chesh —1D 6
Petworth Clo. N'holt —3K 53
Petworth Gdns. SW20 —7F 104
Petworth Gdns. Uxb —4A 52
Petworth Rd. N12 —5C 26
Petworth Rd. Bexh —4L 97
Petworth St. SW11 —9C 74
Petworth Way. Horn —9D 50
Petyt Pl. SW3 —7C 74
Petyward. SW3 —5C 74
Pevensey Av. N11 —5H 27
Pevensey Av. Enf —4C 16
Pevensey Clo. Iswth —8A 70
Pevensey Ct. W3 —3M 71
Pevensey Ho. E1 —8H 61
(off Ben Jonson Rd.)
Pevensey Rd. E7 —9D 46
Pevensey Rd. SW17 —1B 106
Pevensey Rd. Felt —7J 85
Peverel. E6 —9L 63
Peverel Ho. Dag —7L 49
Peveret Clo. N11 —5F 26
Peveril Ct. Dart —5M 99
(off Clifton Wlk.)
Peveril Dri. Tedd —2B 102
Peveril Ho. SE1 —4B 76
(off Rephidim St.)
Pewsey Clo. E4 —5L 29
Peyton Pl. SE10 —8A 78
Pharamond. NW2 —2H 57
Pharaoh Clo. Mitc —2D 122
Pheasant Clo. E16 —9F 62
Pheasant Clo. Purl —5M 137
Phelp St. SE17 —7B 76
Phelps Way. Hay —5D 68
Phene St. SW3 —7C 74
Philadelphia Ct. SW10 —8A 74
(off Uverdale Rd.)
Philan Way. Romf —6B 34
Philbeach Gdns. SW5 —6K 73
Phil Brown Pl. SW8 —2F 90
(off Wandsworth Rd.)
Philchurch Pl. E1 —9E 60
Philimore Clo. SE18 —6C 80
Philip Av. Romf —6B 50
Philip Av. Swan —8B 114
Philip Clo. Romf —6B 50
Philip Ct. W2 —8B 58
(off Hall Pl.)
Philip Gdns. Croy —4K 125
Philip Ho. NW6 —4M 57
(off Mortimer Pl.)
Philip La. N15 —2B 44
Philipot Path. SE9 —5K 95
Philippa Gdns. SE9 —4H 95
Philip Rd. Rain —6C 66
Philips Clo. Cars —3E 122
Philip St. E13 —7E 62
Philip Wlk. SE15 —2E 92
(in three parts)
Phillida Rd. Romf —9L 35
Phillimore Ct. Rad —1C 10
Phillimore Gdns. NW10 —4G 57
Phillimore Gdns. W8 —3L 73
Phillimore Gdns. Clo. W8 —4L 73
Phillimore Pl. W8 —3L 73
Phillimore Pl. Rad —1C 10
Phillimore Ter. W8 —4L 73
(off Allen St.)
Phillimore Wlk. W8 —4L 73
Phillipers. Wat —9H 5
Phillipp St. N1 —4C 60
(in two parts)
Phillips Clo. Dart —5F 98
Phillips Ct. Edgw —6L 23
Philpot La. EC3 —1C 76
Philpot Path. Ilf —8A 48
Philpots Clo. W Dray —1H 143
Philpot Sq. SW6 —2M 89
Philpot St. E1 —9F 60
Phineas Pett Rd. SE9 —2J 95
Phipps Bri. Rd. SW19 & Mitc —6A 106
Phipps Hatch La. Enf —2A 16
Phipps Ho. SE7 —6F 78
(off Woolwich Rd.)
Phipps Ho. W12 —1F 72
(off White City Est.)
Phipp St. EC2 —7C 60
Phoebeth Rd. SE13 —4L 93
Phoenix Bus. Cen. E3 —8L 61
Phoenix Cen. Brom —8F 110
Phoenix Clo. E8 —4D 60
Phoenix Clo. Eps —4L 133
Phoenix Clo. N'wd —4D 20
Phoenix Clo. W W'ck —4B 126
Phoenix Ct. E4 —3M 29
Phoenix Ct. E14 —5L 77
Phoenix Ct. NW1 —5H 59
(off Purchese St.)
Phoenix Ct. SE14 —7J 77
(off Chipley St.)
Phoenix Ct. Houn —4H 85
Phoenix Ct. S Croy —7D 124
Phoenix Ct. Wemb —8M 39
Phoenix Dri. Kes —6H 127
Phoenix Ho. Sutt —6M 121
Phoenix Ind. Est. Harr —2D 38
Phoenix Lodge Mans. W6 —5G 73
(off Brook Grn.)
Phoenix Pl. WC1 —7K 59
Phoenix Pl. Dart —6H 99
Phoenix Rd. NW1 —6H 59
Phoenix Rd. SE20 —3G 109
Phoenix St. WC2 —9H 59
Phoenix Theatre. —9H 59
(off Charing Cross Rd.)
Phoenix Trad. Est. Gnfd —4G 55
Phoenix Trad. Pk. Bren —6H 71
Phoenix Way. Houn —7H 69
Phoenix Wharf Rd. SE1 —3D 76
(off Tanner St.)
Phoenix Yd. WC1 —6K 59
(off Kings Cross Rd.)
Photographers' Gallery. —1J 75
Phyllis Av. N Mald —9F 104
Phyllis Ho. Croy —6M 123
(off Ashley La.)
Physic Pl. SW3 —7D 74
Piazza, The. WC2 —1J 75
(off Covent Garden)
Piazza, The. Uxb —3B 142
Picardy Manorway. Belv —4M 81
Picardy Rd. Belv —6L 81
Picardy St. Belv —4L 81
Piccadilly. W1 —2F 74
Piccadilly Arc. SW1 —2G 75
(off Piccadilly)
Piccadilly Circus. —1H 75
Piccadilly Cir. W1 —1H 75
Piccadilly Pl. W1 —1G 75
(off Piccadilly)
Piccadilly Theatre. —1G 75
(off Denman St.)
Pickard St. EC1 —6M 59
Pickering Av. E6 —5L 63
Pickering Clo. E9 —3H 61
Pickering Ct. Dart —5M 99
(off Osbourne Rd.)
Pickering Gdns. N11 —6E 26
Pickering Gdns. Croy —1D 124
Pickering Ho. W2 —9A 58
(off Hallfield Est.)
Pickering Ho. W5 —5G 71
(off Windmill Rd.)
Pickering M. W2 —9M 57
Pickering Pl. SW1 —2G 75
(off St James's St.)
Pickering St. N1 —4M 59
Pickets Clo. Bus H —1B 22
Pickets St. SW12 —6F 90
Pickett Cft. Stan —8H 23
Picketts Lock La. N9 —2G 29
Picketts Lock La. Ind. Est. N9 —2J 29
Pickford Clo. Bexh —1J 97
Pickford La. Bexh —1J 97
Pickford Rd. Bexh —2J 97
Pickfords Wharf. N1 —5A 60
Pickfords Wharf. SE1 —2B 76

Pickfords Yd. N17 —6D 28
Pick Hill. Wal A —5M 7
Pickhurst Grn. Brom —2D 126
Pickhurst La. Brom —9C 110
Pickhurst Mead. Brom —2D 126
Pickhurst Pk. Brom —9C 110
Pickhurst Ri. W W'ck —2A 126
Pickwick Clo. Houn —4J 85
Pickwick Ho. SE16 —3E 76
(off George Row)
Pickwick Ho. W11 —2H 73
(off St Ann's Rd.)
Pickwick M. N18 —4C 28
Pickwick Pl. Harr —5C 38
Pickwick Rd. SE21 —6B 92
Pickwick St. SE1 —3A 76
Pickwick Way. Chst —3A 112
Pickworth Clo. SW8 —8J 75
Picquets Way. Bans —8J 135
Picton Pl. W1 —9E 58
Picton St. SE5 —8B 76
Pied Bull Yd. WC1 —8J 59
(off Bury Pl.)
Piedmont Rd. SE18 —6B 80
Pield Heath. —8C 142
Pield Heath Av. Uxb —7E 142
Pield Heath Rd. Uxb —7C 142
Pier Head. E1 —2F 76
(off Wapping High St.)
Pierhead Wharf. E1 —2F 76
(off Wapping High St.)
Pier Ho. SW3 —7C 74
Piermont Pl. Brom —6J 111
Piermont Rd. SE22 —4F 92
Pier Pde. E16 —2L 79
(off Pier Rd.)
Pierpoint Building. E14 —3K 77
Pierrepoint Rd. W3 —1M 71
Pierrepont Arc. N1 —5M 59
(off Pierrepont Row)
Pierrepont Row. N1 —5M 59
(off Camden Pas.)
Pier Rd. E16 —3K 79
Pier Rd. Eri —7C 82
(in two parts)
Pier Rd. Felt —4F 84
Pier St. E14 —5A 78
(in two parts)
Pier Ter. SW18 —3M 89
Pier Way. SE28 —4B 80
Pigeon La. Hamp —1L 101
Pigott St. E14 —9L 61
Pike Clo. Brom —2F 110
Pike Clo. Uxb —4D 142
Pikemans Ct. SW5 —5L 73
(off W. Cromwell Rd.)
Pike Rd. NW7 —4B 24
Pikes Cotts. Barn —6G 13
Pike's End. Pinn —2F 36
Pikes Hill. Eps —5C 134
Pikestone Clo. Hay —7J 53
Pikethorne. SE23 —8H 93
Pilgrimage St. SE1 —3B 76
Pilgrim Clo. Mord —2M 121
Pilgrim Hill. SE27 —1A 108
Pilgrim Ho. SE1 —4B 76
(off Lansdowne Pl.)
Pilgrims Cloisters. SE5 —8C 76
(off Sedgmoor Pl.)
Pilgrims Clo. N13 —4K 27
Pilgrims Clo. N'holt —1A 54
Pilgrims Clo. Wat —6H 5
Pilgrim's Ct. Dart —4L 99
Pilgrim's La. NW3 —9B 42
Pilgrims M. E14 —1C 78
Pilgrim's Pl. NW3 —9B 42
Pilgrims Ri. Barn —7C 14
Pilgrim St. EC4 —9M 59
Pilgrims Way. E6 —4J 63
Pilgrims Way. N19 —6H 43
Pilgrims Way. Dart —7L 99
Pilgrims Way. S Croy —7D 124
Pilgrim's Way. Wemb —6M 39
Pilkington Rd. SE15 —1F 92
Pilkington Rd. Orp —5A 128
Pillions La. Hay —7B 52
Pilot Clo. SE8 —7K 77
Pilot Ind. Cen. NW10 —7B 56
Pilsden Clo. SW19 —7H 89
Piltdown Rd. Wat —4H 21
Pilton Est., The. Croy —4M 123
Pilton Pl. SE17 —6A 76
(off Pingle St.)
Pilton Pl. Est. SE17 —6A 76
Pimento Ct. W5 —4H 71
Pimlico. —6G 75
Pimlico Ho. SW1 —6F 74
(off Ebury Bri. Rd.)
Pimlico Rd. SW1 —6E 74
Pimlico Wlk. N1 —6C 60
(off Aske St.)
Pimpernel Way. Romf —6H 35
Pinchbeck Rd. Orp —8D 128
Pinchin St. E1 —1E 76
Pincombe Ho. SE17 —6B 76
Pincott Pl. SE4 —2H 93
Pincott Rd. SW19 —4A 106
Pincott Rd. Bexh —4L 97
Pindar St. EC2 —8C 60
Pindock M. W9 —7M 57
Pineapple Ct. SW1 —4G 75
(off Wilfred St.)
Pine Av. E15 —1B 62
Pine Av. W W'ck —3M 125
Pine Clo. E10 —7M 45
Pine Clo. N14 —9G 15
Pine Clo. N19 —7G 43
Pine Clo. SE20 —5G 109
Pine Clo. Chesh —1D 6
Pine Clo. Kenl —9B 138
Pine Clo. Stan —4F 22
Pine Clo. Swan —8D 114
Pine Coombe. Croy —6H 125
Pine Ct. N21 —7K 15
Pine Ct. N'holt —7J 53
Pinecourt. Upm —9M 51
Pine Cres. Cars —3B 136
Pinecrest Gdns. Orp —6M 127
Pinecroft. Gid P —2G 51
Pinecroft Ct. Well —8E 80
Pinecroft Cres. Barn —6J 13
Pinedene. SE15 —9F 76
Pinefield Clo. E14 —1L 77
Pine Gdns. Ruis —6F 36
Pine Gdns. Surb —1L 119
Pine Glade. Orp —6K 127
Pine Gro. N4 —7J 43
Pine Gro. N20 —1K 25
Pine Gro. SW19 —2K 105
Pine Gro. Brick W —3K 5
Pine Gro. Bush —4K 9
Pine Gro. Wey —7A 116
Pine Gro. M. Wey —7A 116
Pine Hill. Eps —7B 134
Pine Ho. SE16 —3G 77
(off Ainsty Est.)
Pine Ho. W10 —7J 57
(off Droop St.)
Pinehurst Clo. Ab L —5C 4
Pinehurst Ct. W11 —9K 57
(off Colville Gdns.)
Pinehurst Wlk. Orp —3B 128
Pinemartin Clo. NW2 —8G 41
Pine M. NW10 —5H 57
Pine Pl. Bans —6H 135
Pine Pl. Hay —7D 52
Pine Ridge. Cars —9E 122
Pineridge Ct. Barn —6H 13
Pine Rd. N11 —2E 26
Pine Rd. NW2 —9G 41
Pines Av. Enf —9C 6
Pines Clo. N'wd —6C 20
Pines Rd. Brom —6J 111
Pines, The. N14 —7G 15
Pines, The. SE19 —4M 107
Pines, The. Borwd —4K 11
Pines, The. Coul —9F 136
Pines, The. Purl —5A 138
Pines, The. Sun —7E 100
Pines, The. Wfd G —3E 30
Pine St. EC1 —7L 59
Pine Tree Clo. Houn —9F 68
Pine Tree Ho. SE14 —8H 77
(off Reaston St.)
Pinetree Ho. Wat —9J 5
Pine Tree Lodge. Short —8D 110
Pineview Ct. E4 —1A 30
Pine Wlk. Bans —9D 136
Pine Wlk. Cars —2B 136
Pine Wlk. Surb —1L 119
Pine Wlk. E. Cars —3B 136
Pine Wlk. W. Cars —2B 136
Pine Wood. Sun —5E 100
Pinewood Av. Pinn —6M 21
Pinewood Av. Rain —7F 66
Pinewood Av. Sidc —7C 96
Pinewood Av. Uxb —9D 142
Pinewood Clo. Borwd —3B 12
Pinewood Clo. Croy —5J 125
Pinewood Clo. N'wd —5E 20
Pinewood Clo. Orp —3B 128
Pinewood Clo. Pinn —6M 21
Pinewood Clo. Wat —3E 8
Pinewood Ct. SW4 —5H 91
Pinewood Ct. Enf —5M 15
Pinewood Dri. Orp —7C 128
Pinewood Gro. W5 —9G 55
Pinewood Lodge. Bush —1B 22
Pinewood M. Stai —5B 144
Pinewood Pl. Eps —6B 120
Pinewood Rd. SE2 —7H 81
Pinewood Rd. Brom —8E 110
Pinewood Rd. Felt —9F 84
Pinewood Rd. Hav —4A 34
Pinfold Rd. SW16 —1J 107
Pinfold Rd. Bush —4K 9
Pinglestone Clo. W Dray —8J 143
Pinkcoat Clo. Felt —9F 84
Pinkerton Pl. SW16 —1H 107
Pinkham Mans. W4 —6L 71
Pinkham Way. N11 —7E 26
Pink's Hill. Swan —9C 114
Pinkwell Av. Hay —5B 68
Pinkwell La. Hay —5A 68
Pinley Gdns. Dag —4F 64
Pinnace Ho. E14 —4A 78
(off Manchester Rd.)
Pinnacle Hill. Bexh —3M 97
Pinnacle Hill N. Bexh —2M 97
Pinnacle Pl. Stan —4F 22
Pinnacles. Wal A —7L 7
Pinn Clo. Uxb —9B 142
Pinnell Rd. SE9 —3H 95
Pinner. —2J 37
Pinner Ct. NW8 —7B 58
(off St John's Wood Rd.)
Pinner Ct. Pinn —2L 37
Pinner Green. —9G 21
Pinner Grn. Pinn —9G 21
Pinner Gro. Pinn —2J 37
Pinner Hill. Pinn —7F 20
Pinner Hill Farm. Pinn —8F 20
Pinner Hill Rd. Pinn —7F 20
Pinner Pk. Pinn —9L 21
Pinner Pk. Av. Harr —1M 37
Pinner Pk. Gdns. Harr —9A 22
Pinner Rd. Harr —2L 37
Pinner Rd. N'wd & Pinn —8D 20
Pinner Rd. Pinn —2K 37
Pinner Rd. Wat —8H 9
Pinner Vw. Harr —2A 38
Pinnerwood Park. —8G 21
Pinn Way. Ruis —5B 36
Pintail Clo. E6 —8J 63
Pintail Ct. SE8 —7K 77
(off Pilot Clo.)
Pintail Rd. Wfd G —7F 30
Pintail Way. Hay —8H 53
Pinter Ho. SW9 —1J 91
(off Grantham Rd.)
Pinto Clo. Borwd —8B 12
Pinto Way. SE3 —3F 94
Pioneer Mkt. Ilf —8M 47
(off Winston Way)
Pioneer Pl. Croy —1L 139
Pioneers Ind. Pk. Croy —3J 123
Pioneer St. SE15 —9E 76
Pioneer Way. W12 —9F 56
Pioneer Way. Swan —7C 114
Pioneer Way. Wat —8D 8
Piper Clo. N7 —1K 59
Piper Rd. King T —7L 103
Piper's Gdns. Croy —2J 125
Pipers Grn. NW9 —3A 40
Pipers Grn. La. Edgw —3J 23
(in two parts)
Pipewell Rd. Cars —1C 122
Pippin Clo. NW2 —8E 40
Pippin Clo. Croy —3K 125
Pippins Clo. W Dray —4H 143
Pippins, The. Wat —7G 5
Piquet Rd. SE20 —6G 109
Pirbright Cres. New Ad —8A 126
Pirbright Rd. SW18 —7K 89
Pirie Clo. SE5 —2B 92
Pirie St. E16 —2F 78
Pitcairn Clo. Romf —2L 49
Pitcairn Ho. E8 —3G 61
Pitcairn Rd. Mitc —4D 106
Pitcairn's Path. Harr —8A 38
Pitchford St. E15 —3B 62
Pitfield Cres. SE28 —2E 80
Pitfield Est. N1 —6C 60
Pitfield St. N1 —6C 60
Pitfield Way. NW10 —2A 56
Pitfield Way. Enf —3G 17
Pitfold Clo. SE12 —5E 94
Pitfold Rd. SE12 —5E 94
Pitlake. Croy —4M 123
Pitman Ho. SE8 —9L 77
Pitman St. SE5 —8A 76
(in two parts)
Pitmaston Ho. SE13 —1A 94
(off Lewisham Rd.)
Pitsea Pl. E1 —9H 61
Pitsea St. E1 —9H 61
Pitshanger La. W5 —7F 54
Pitshanger Manor. —1H 71
Pitt Cres. SW19 —1M 105
Pittman Gdns. Ilf —1A 64
Pitt Pl. Eps —6C 134
Pitt Rd. Eps —6C 134
Pitt Rd. Orp —6A 128
Pitt Rd. T Hth & Croy —9A 108
Pitt's Head M. W1 —2E 74
Pittsmead Av. Brom —2E 126
Pitt St. W8 —3L 73
Pittville Gdns. SE25 —7E 108
Pixfield Ct. Brom —6D 110
(off Beckenham La.)
Pixley St. E14 —9K 61
Pixton Way. Croy —1J 139
Place Farm Av. Orp —3B 128
Place, The. —6H 59
(off Flaxman Ter.)
Plaisterers Highwalk. EC2 —8A 60
(off Noble St.)
Plaistow. —4E 110
(Bromley)
Plaistow. —6F 62
(West Ham)
Plaistow Gro. E15 —4D 62
Plaistow Gro. Brom —4F 110
Plaistow La. Brom —4E 110
(in two parts)
Plaistow Pk. Rd. E13 —5F 62
Plaistow Rd. E15 & E13 —4D 62
Plaistow Wharf. E16 —2E 78
Plane Ho. Short —6C 110
Plane St. SE26 —9F 92
Planetree Ct. W6 —5H 73
(off Brook Grn.)
Plane Tree Cres. Felt —9F 84
Plane Tree Ho. SE8 —7J 77
(off Etta St.)
Plane Tree Wlk. SE19 —3C 108
Plantaganet Pl. Wal A —6H 7
Plantagenet Clo. Wor Pk —6B 120
Plantagenet Gdns. Romf —5H 49
Plantagenet Ho. SE18 —4K 79
(off Leda Rd.)
Plantagenet Pl. Romf —5H 49
Plantagenet Rd. Barn —6A 14
Plantain Gdns. E11 —8B 46
(off Hollydown Way, in two parts)
Plantain Pl. SE1 —3B 76
Plantation Dri. Orp —3H 129
Plantation Rd. Eri —9E 82
Plantation Rd. Swan —4E 114
Plantation, The. SE3 —1E 94
Plantation Wharf. SW11 —2A 90
Plasel Ct. E13 —4F 62
(off Pawsey Clo.)
Plashet. —2J 63
Plashet Gro. E6 —4G 63
Plashet Rd. E13 —4E 62
Plassy Rd. SE6 —6M 93
Plate Ho. E14 —6M 77
(off Burrells Wharf Sq.)
Platford Grn. Horn —2J 51
Platina St. EC2 —7B 60
(off Tabernacle St.)
Plato Rd. SW2 —3J 91
Platt Halls. NW9 —9D 24
Platt's La. NW3 —9L 41
Platts Rd. Enf —3G 17
Platt St. NW1 —5H 59
Platt, The. SW15 —2H 89
Plawsfield Rd. Beck —5H 109
Plaxtol Clo. Brom —5G 111
Plaxtol Rd. Eri —8L 81
Plaxton Ct. E11 —8D 46
Players Theatre. —2J 75
(off Arches, The)
Playfair Ho. E14 —9L 61
(off Saracen St.)
Playfair Mans. W14 —7J 73
(off Queen's Club Gdns.)
Playfair St. W6 —6G 73
Playfield Av. Romf —8A 34
Playfield Cres. SE22 —4D 92
Playfield Rd. Edgw —9A 24
Playford Rd. N4 —7K 43
(in two parts)
Playgreen Way. SE6 —9L 93
Playground Clo. Beck —6H 109
Playhouse Theatre. —2J 75
(off Northumberland Av.)
Playhouse Yd. EC4 —9M 59
Plaza Bus. Cen. Enf —4J 17
Plaza Pde. NW6 —5M 57
Plaza Shop. Cen., The. W1 —9G 59
Pleasance Rd. SW15 —4F 88
Pleasance Rd. Orp —6F 112
Pleasance, The. SW15 —3F 88
Pleasant Gro. Croy —5K 125
Pleasant Pl. N1 —3M 59
Pleasant Pl. S Harr —6B 38
Pleasant Pl. W on T —8G 117
Pleasant Row. NW1 —4F 58
Pleasant Vw. Eri —6C 82
Pleasant Vw. Pl. Orp —7M 127
Pleasant Way. Wemb —5G 55
Pleasure Pit Rd. Asht —9M 133
Plender Pl. NW1 —4G 59
(off Plender St.)
Plender St. NW1 —4G 59
Pleshey Rd. N7 —9H 43
Plesman Way. Wall —1J 137
Plevna Cres. N15 —4C 44
Plevna Rd. N9 —3E 28
Plevna Rd. Hamp —5M 101
Plevna St. E14 —4A 78
Pleydell Av. SE19 —4D 108
Pleydell Av. W6 —5D 72
Pleydell Ct. EC4 —9L 59
(off Lombard La.)
Pleydell Est. EC1 —6A 60
(off Lever St.)
Pleydell St. EC4 —9L 59
(off Bouverie St.)
Plimsoll Clo. E14 —9M 61
Plimsoll Rd. N4 —8L 43
Plough Ct. EC3 —1B 76
Plough Farm Clo. Ruis —4B 36
Plough La. SE22 —5D 92
Plough La. SW19 & SW17 —2M 105
Plough La. Purl —1J 137
Plough La. Tedd —2E 102
Plough La. Wall —6J 123
Plough La. Clo. Wall —7J 123
Ploughmans Clo. NW1 —4H 59
Ploughmans End. Iswth —4B 86
Plough Pl. EC4 —9L 59
Plough Rd. SW11 —2B 90
Plough Rd. Eps —1B 134
Plough St. E1 —9D 60
Plough Ter. SW11 —3B 90
Plough Way. SE16 —5H 77
Plough Yd. EC2 —7C 60
Plover Ho. SW9 —8L 75
(off Brixton Rd.)
Plover Way. SE16 —4J 77
Plover Way. Hay —9H 53
Plowden Bldgs. EC4 —1L 75
(off Middle Temple La.)
Plowman Clo. N18 —5B 28
Plowman Way. Dag —6G 49
Plumber's Row. E1 —8E 60
Plumbridge St. SE10 —9M 77
Plum Clo. Felt —7E 84
Plume Ho. SE10 —7M 77
(off Creek Rd.)
Plum Gth. Bren —5H 71
Plum La. SE18 —8M 79
Plummer La. Mitc —6D 106
Plummer Rd. SW4 —6H 91
Plumpton Av. Horn —9J 51
Plumpton Clo. N'holt —2L 53
Plumpton Way. Cars —5C 122
Plumstead. —5C 80
Plumstead Common. —7B 80
Plumstead Comn. Rd. SE18 —7M 79
Plumstead High St. SE18 —5B 80
Plumstead Rd. SE18 —5M 79
Plumtree Clo. Dag —2M 65
Plumtree Clo. Wall —9H 123
Plumtree Ct. EC4 —9M 59
Plumtree Mead. Lou —5L 19
Plymouth Ct. Surb —8J 103
(off Cranes Pk. Av.)
Plymouth Ho. SE10 —8M 77
(off Devonshire Dri.)
Plymouth Ho. Bark —3E 64
(off Keir Hardie Way)
Plymouth Rd. E16 —8E 62
Plymouth Rd. Brom —5F 110
Plymouth Wharf. E14 —5B 78
Plympton Av. NW6 —3K 57
Plympton Clo. Belv —4J 81
Plympton Pl. NW8 —7C 58
Plympton Rd. NW6 —3K 57
Plympton St. NW8 —7C 58
Plymstock Rd. Well —8G 81
Pocklington Clo. NW9 —9C 24
Pocklington Clo. W12 —4E 72
(off Goldhawk Rd.)
Pocklington Lodge. W12 —4E 72
Pocock Av. W Dray —4K 143
Pocock St. SE1 —3M 75
Podmore Rd. SW18 —3A 90
Poet's Rd. N5 —1B 60
Poets Way. Harr —2C 38
Pointalls Clo. N3 —9A 26
Point Clo. SE10 —9A 78
Pointer Clo. SE28 —9H 65
Pointers Clo. E14 —6M 77
Pointers Cotts. Rich —8G 87
Point Hill. SE10 —8A 78
Point Pl. Wemb —3M 55
Point Pleasant. SW18 —3L 89
Point Ter. E7 —1F 62
(off Claremont Rd.)
Point, The. Ruis —9E 36
Point West. W8 —5M 73
Poland St. W1 —9G 59
Polebrook Rd. SE3 —2G 95
Pole Cat All. Brom —4D 126
Polecroft La. SE6 —8K 93
Polehamptons, The. Hamp —4A 102
Pole Hill Rd. E4 —9A 18
Pole Hill Rd. Uxb & Hayes —7F 142
Polesden Gdns. SW20 —6F 104
Polesteeple Hill. Big H —9H 141
Polesworth Ho. W2 —8L 57
(off Alfred Rd.)
Polesworth Rd. Dag —3H 65
Police Sta. La. Bush —9M 9
Police Sta. Rd. W on T —8G 117
Polish War Memorial. (Junct.) —3F 52
Pollard Clo. E16 —1E 78
Pollard Clo. N7 —9K 43
Pollard Clo. Chig —5E 32
Pollard Ho. N1 —5K 59
(off Northdown St.)
Pollard Rd. N20 —2C 26
Pollard Rd. Mord —9B 106
Pollard Row. E2 —6E 60
Pollards Clo. Lou —7G 19
Pollards Cres. SW16 —7J 107
Pollards Hill E. SW16 —7K 107
Pollards Hill N. SW16 —7J 107
Pollards Hill S. SW16 —7J 107
Pollards Hill W. SW16 —7K 107
Pollard St. E2 —6E 60
Pollards Wood Rd. SW16 —7J 107
Pollard Wlk. Sidc —3G 113
Pollen St. W1 —9G 59
Pollitt Dri. NW8 —7B 58
Pollock Ho. W10 —7J 57
(off Kensal Rd.)
Pollock's Toy Mus. —8G 59
Pollyhaugh. Eyns —5H 131
Polperro Clo. Orp —1D 128
Polsted Rd. SE6 —6K 93
Polthorne Gro. SE18 —5A 80
Polworth Rd. SW16 —2J 107
Polygon Rd. NW1 —5H 59
Polygon, The. NW8 —4B 58
(off Avenue Rd.)
Polygon, The. SW4 —3G 91
Polytechnic St. SE18 —5L 79
Pomell Way. E1 —9D 60
Pomeroy Cres. Wat —9F 4
Pomeroy Ho. E2 —5H 61
(off St James's Av.)
Pomeroy Ho. W11 —9J 57
(off Lancaster Rd.)
Pomeroy St. SE14 —8G 77
Pomfret Rd. SE5 —2M 91
Pomoja La. N19 —7J 43
Pond Clo. N12 —6C 26

Pond Clo.—Prestwood Av.

Pond Clo. SE3 —1D 94
Pond Clo. W on T —8D 116
(in two parts)
Pond Cottage La. W W'ck —3L 125
Pond Cotts. SE21 —7C 92
Ponders End. —7G 17
Ponders End Ind. Est. Enf —7J 17
Ponder St. N7 —3K 59
(in two parts)
Pond Farm Est. E5 —8G 45
Pond Fld. End. Lou —9H 19
Pondfield Ho. SE27 —2A 108
Pondfield Rd. Brom —3C 126
Pondfield Rd. Dag —1M 65
Pondfield Rd. Kenl —8M 137
(in two parts)
Pondfield Rd. Orp —5M 127
Pond Grn. Ruis —7C 36
Pond Hill Gdns. Sutt —8J 121
Pond Ho. SW3 —5C 74
Pond Lees Clo. Dag —3B 66
Pond Mead. SE21 —5B 92
Pond Path. Chst —3M 111
Pond Piece. Oxs —5A 132
Pond Pl. SW3 —5C 74
Pond Pl. Asht —9J 133
Pond Rd. E15 —5C 62
Pond Rd. SE3 —1D 94
Pondside Clo. Hay —7B 68
Pond Sq. N6 —6E 42
Ponds, The. Wey —8B 116
Pond St. NW3 —1C 58
Pond Way. Tedd —3G 103
Pondwood Ri. Orp —2C 128
Ponler St. E1 —9F 60
Ponsard Rd. NW10 —6F 56
Ponsford St. E9 —2G 61
Ponsonby Pl. SW1 —6H 75
Ponsonby Rd. SW15 —6F 88
Ponsonby Ter. SW1 —6H 75
Pontefract Ct. N'holt —1M 53
(off Newmarket Av.)
Pontefract Rd. Brom —2D 110
Ponton Rd. SW8 —8H 75
Pont St. SW1 —4D 74
Pont St. M. SW1 —4D 74
Pontypool Pl. SE1 —3M 75
Pontypool Wlk. Romf —6G 35
Pool Clo. Beck —2L 109
Pool Clo. W Mol —9K 101
Pool Ct. SE6 —8L 93
Poole Clo. Ruis —7C 36
Poole Ct. Houn —1J 85
Poole Ct. Rd. Houn —1J 85
Poole Ho. SE11 —4L 75
(off Lambeth Wlk.)
Poole Rd. E9 —2H 61
Poole Rd. Eps —8B 120
Poole Rd. Horn —5K 51
Pooles Bldgs. WC1 —7L 59
(off Mt. Pleasant)
Pooles Cotts. Rich —8H 87
Pooles La. SW10 —8A 74
Pooles La. Dag —5J 65
Pooles Pk. N4 —7L 43
Poole St. N1 —4B 60
Poole Way. Hay —6C 52
Pool Ho. NW8 —8B 58
(off Penfold St.)
Poolmans St. SE16 —3H 77
Pool Rd. Harr —5B 38
Pool Rd. W Mol —9K 101
Poolsford Rd. NW9 —2C 40
Poonah St. E1 —9G 61
Pope Clo. SW19 —3B 106
Pope Clo. Felt —7D 84
Pope Ho. SE5 —8B 76
(off Elmington Est.)
Pope Ho. SE16 —5F 76
(off Manor Est.)
Pope Rd. Brom —9H 111
Popes Av. Twic —8C 86
Popes Ct. Twic —8C 86
Popes Dri. N3 —8L 25
Popes Gro. Croy —5K 125
Popes Gro. Twic —8C 86
Pope's Head All. EC3 —9B 60
Popes La. W5 —4H 71
Popes La. Wat —1F 8
Pope's Rd. SW9 —2L 91
Pope's Rd. Ab L —4C 4
Pope St. SE1 —3C 76
Popham Clo. Hanw —9K 85
Popham Gdns. Rich —2L 87
Popham Rd. N1 —4A 60
Popham St. N1 —4M 59
(in two parts)
Pop-In Commercial Cen. Wemb —1M 55
Popinjays Row. Cheam —7H 121
(off Netley Clo.)
Poplar. —1M 77
Poplar Av. Mitc —5D 106
Poplar Av. Orp —4M 127
Poplar Av. S'hall —4M 69
Poplar Av. W Dray —1K 143
Poplar Bath St. E14 —1M 77
Poplar Bus. Pk. E14 —1A 78
Poplar Clo. E9 —1K 61
Poplar Clo. Pinn —8H 21
Poplar Ct. SW19 —2L 105
Poplar Ct. N'holt —5G 53
Poplar Ct. Twic —5G 87
Poplar Cres. Eps —8A 120
Poplar Dri. Bans —6H 135
Poplar Farm Clo. Eps —8A 120
Poplar Gdns. SE28 —1G 81
Poplar Gdns. N Mald —6B 104
Poplar Gro. N11 —6E 26
Poplar Gro. W6 —3G 73
Poplar Gro. N Mald —6B 104
Poplar Gro. Wemb —8A 40
Poplar High St. E14 —1M 77
Poplar Ho. SE4 —3K 93
(off Wickham Rd.)
Poplar Ho. SE16 —3H 77
(off Woodland Cres.)
Poplar M. W12 —2G 73
(off Uxbridge Rd.)
Poplar Mt. Belv —5M 81
Poplar Pl. SE28 —1G 81
Poplar Pl. W2 —1M 73
Poplar Pl. Hay —1E 68
Poplar Rd. SE24 —3A 92
Poplar Rd. SW19 —6L 105
Poplar Rd. Ashf —2A 100
Poplar Rd. Den —1A 142
Poplar Rd. Sutt —3K 121
Poplar Rd. S. SW19 —7L 105
Poplars Av. NW2 —2G 57
Poplars Clo. Ruis —6C 36
Poplars Clo. Wat —5F 4
Poplar Shaw. Wal A —6M 7
Poplars Rd. E17 —4M 45
Poplars, The. N14 —7F 14
Poplars, The. Borwd —3L 11
Poplar St. Romf —2A 50
Poplar Vw. Wemb —7H 39
Poplar Wlk. SE24 —2A 92
(in two parts)
Poplar Wlk. Croy —4A 124
Poplar Way. Felt —9E 84
Poplar Way. Ilf —2A 48
Poppins Ct. EC4 —9M 59
Poppleton Rd. E11 —4C 46
Poppy Clo. Wall —3E 122
Poppy La. Croy —2G 125
Porchester Clo. SE5 —3A 92
Porchester Clo. Horn —4J 51
Porchester Ct. W2 —1M 73
Porchester Gdns. W2 —1M 73
Porchester Gdns. M. W2 —9M 57
Porchester Ga. W2 —1M 73
(off Bayswater Rd., in two parts)
Porchester Ho. E1 —9F 60
(off Philpot St.)
Porchester Mead. Beck —3L 109
Porchester M. W2 —9M 57
Porchester Pl. W2 —9C 58
Porchester Rd. W2 —9M 57
Porchester Rd. King T —6M 103
Porchester Sq. W2 —9M 57
Porchester Ter. W2 —1A 74
Porchester Ter. N. W2 —9M 57
Porchfield Clo. Sutt —2M 135
Porch Way. N20 —3D 26
Porcupine Clo. SE9 —8J 95
Porden Rd. SW2 —3K 91
Porlock Av. Harr —6A 38
Porlock Ho. SE26 —9E 92
Porlock Rd. W10 —7H 57
Porlock Rd. Enf —9D 16
Porlock St. SE1 —3B 76
Porrington Clo. Chst —5K 111
Porson Ct. SE13 —2M 93
Portal Clo. SE27 —9L 91
Portal Clo. Ruis —9E 36
(in two parts)
Portal Clo. Uxb —3C 142
(in two parts)
Porta Way. E3 —7K 61
Portbury Clo. SE15 —9E 76
Port Cres. E13 —7F 62
Portcullis Ho. SW1 —3J 75
(off Bridge St.)
Portcullis Lodge Rd. Enf —5B 16
Portelet Ct. N1 —4C 60
(off De Beauvoir Est.)
Portelet Rd. E1 —6H 61
Porten Houses. W14 —4J 73
(off Porten Rd.)
Porten Rd. W14 —4J 73
Porter Rd. E6 —9K 63
Porters & Walters Almshouses. N22 —7K 27
(off Nightingale Rd.)
Porters Av. Dag —2F 64
Porter Sq. N19 —6J 43
Porter St. SE1 —2A 76
Porter St. W1 —8D 58
Porters Wlk. E1 —1F 76
(off Pennington St.)
Porters Way. W Dray —4K 143
Porteus Rd. W2 —8A 58
Portgate Clo. W9 —7K 57
Porthallow Clo. Orp —6D 128
Porthcawe Rd. SE26 —1J 109
Porthkerry Av. Well —3E 96
Portia Ct. SE11 —6M 75
(off Opal St.)
Portia Ct. Bark —3E 64
Portia Way. E3 —7K 61
Porticos, The. SW3 —7B 74
(off Kings Rd.)
Portinscale Rd. SW15 —4J 89
Portland Av. N16 —5D 44
Portland Av. N Mald —2D 120
Portland Av. Sidc —5E 96
Portland Clo. Romf —3J 49
Portland Commercial Est. Bark —5G 65
Portland Ct. SE1 —4B 76
(off Gt. Dover St.)
Portland Ct. SE14 —7J 77
(off Whitcher Clo.)
Portland Cres. SE9 —8J 95
Portland Cres. Felt —1B 100
Portland Cres. Gnfd —7M 53
Portland Cres. Stan —9H 23
Portland Dri. Chesh —4A 6
Portland Dri. Enf —2C 16
Portland Gdns. N4 —4M 43
Portland Gdns. Romf —3H 49
Portland Gro. SW8 —9K 75
Portland Heights. N'wd —4D 20
Portland Ho. SW1 —4G 75
(off Stag Pl.)
Portland M. W1 —9G 59
Portland Pl. SE25 —8E 108
(off Portland Rd.)
Portland Pl. W1 —7F 58
Portland Pl. Eps —4C 134
Portland Ri. N4 —6M 43
Portland Ri. Est. N4 —6A 44
Portland Rd. N15 —2D 44
Portland Rd. SE9 —8J 95
Portland Rd. SE25 —8E 108
Portland Rd. W11 —1J 73
Portland Rd. Ashf —9C 144
Portland Rd. Brom —1G 111
Portland Rd. Hay —6C 52
Portland Rd. King T —7J 103
Portland Rd. Mitc —6C 106
Portland Rd. S'hall —4K 69
Portland Sq. E1 —2F 76
Portland St. SE17 —6B 76
Portland Ter. Rich —3H 87
Portland Wlk. SE17 —7B 76
Portmadoc Ho. Romf —4J 35
(off Broseley Rd.)
Portman Av. SW14 —2B 88
Portman Clo. W1 —9D 58
Portman Clo. Bex —7C 98
Portman Clo. Bexh —2J 97
Portman Dri. Wfd G —9H 31
Portman Gdns. NW9 —9B 24
Portman Gdns. Uxb —3E 142
Portman Ga. NW1 —7C 58
(off Broadley Ter.)
Portman Mans. W1 —8D 58
(off Chiltern St.)
Portman M. S. W1 —9E 58
Portman Pl. E2 —6G 61
Portman Rd. King T —6K 103
Portman Sq. W1 —9E 58
Portman St. W1 —9E 58
Portman Towers. W1 —9D 58
Portmeadow Wlk. SE2 —3H 81
Portmeers Clo. E17 —4K 45
Portmore Gdns. Romf —5L 33
Portnall Rd. W9 —5K 57
Portnalls Clo. Coul —8F 136
Portnalls Ri. Coul —8F 136
Portnalls Rd. Coul —9F 136
Portnoi Clo. Romf —9B 34
Portobello Ct. Est. W11 —9K 57
Portobello M. W11 —1L 73
Portobello Rd. W10 —8J 57
Portobello Rd. W11 —9K 57
Portobello Road Market. —8J 57
Portpool La. WC1 —8L 59
Portree Clo. N22 —7K 27
Portree St. E14 —9B 62
Portrush Ct. S'hall —9A 54
(off Whitecote Rd.)
Portsdown. Edgw —5L 23
Portsdown Av. NW11 —4K 41
Portsdown M. NW11 —4K 41
Portsea Hall. W2 —9D 58
(off Portsea Pl.)
Portsea M. W2 —9C 58
(off Portsea Pl.)
Portsea Pl. W2 —9C 58
Portslade Rd. SW8 —1G 91
Portsmouth Av. Th Dit —2E 118
Portsmouth M. E16 —2F 78
Portsmouth Rd. SW15 —6F 88
Portsmouth Rd. Esh & Surb —8L 117
Portsmouth Rd. Th Dit & Surb —2E 118
Portsmouth St. WC2 —9K 59
Portsoken St. EC3 —1D 76
Portswood Pl. SW15 —5D 88
Portugal Gdns. Twic —8A 86
Portugal St. WC2 —9K 59
Portway. E15 —4D 62
Portway. Eps —1E 134
Portway Cres. Eps —1E 134
Portway Gdns. SE18 —8H 79
Pory Ho. SE11 —5K 75
Poseidon Ct. E14 —5L 77
(off Homer Dri.)
Postern Grn. Enf —4L 15
Postern, The. EC2 —8A 60
(off Wood St.)
Post La. Twic —7B 86
Postmill Clo. Croy —5G 125
Post Office All. Hamp —6M 101
Post Office App. E7 —1F 62
Post Office Ct. EC4 —9B 60
(off Barbican)
Post Office Way. SW8 —8H 75
Post Rd. S'hall —4M 69
Postway M. Ilf —8M 47
(in two parts)
Potier St. SE1 —4B 76
Potter Clo. Mitc —6F 106
Potteries, The. Barn —7L 13
Potterne Clo. SW19 —6H 89
Potters Clo. Croy —3J 125
Potters Clo. Lou —4J 19
Potters End. Pinn —6F 20
Potters Fld. Enf —6C 16
(off Lincoln Rd.)
Potters Fields. SE1 —2C 76
Potters Gro. N Mald —8A 104
Potters Heights Clo. Pinn —7F 20
Potter's La. SW16 —3H 107
Potters La. Barn —6L 13
(in two parts)
Potters La. Borwd —3A 12
Potters Lodge. E14 —6A 78
(off Manchester Rd.)
Potters M. Els —8H 11
Potters Rd. SW6 —1A 90
Potter's Rd. Barn —6M 13
Potter St. N'wd —8E 20
Potter St. Pinn —8F 20
Potter St. Hill. Pinn —6F 20
Pottery La. W11 —2J 73
Pottery Rd. Bex —8A 98
Pottery Rd. Bren —7J 71
Pottery St. SE16 —3F 76
Pott St. E2 —6F 60
Poulett Gdns. Twic —7E 86
Poulett Rd. E6 —5K 63
Poulters Wood. Kes —7H 127
Poulton Av. Sutt —5B 122
Poulton Clo. E8 —2F 60
Poultry. EC2 —9B 60
Pound Clo. Orp —4B 128
Pound Clo. Surb —3G 119
Pound Ct. Dri. Orp —4B 128
Poundfield. Wat —8D 4
Poundfield Rd. Lou —7L 19
Pound Grn. Bex —6L 97
Pound La. NW10 —2E 56
Pound La. Eps —4A 134
Pound Pk. Rd. SE7 —5H 79
Pound Pl. SE9 —5L 95
Pound Rd. Bans —9K 135
Pound St. Cars —7D 122
Pound Way. Chst —4A 112
Pountney Rd. SW11 —2E 90
Poverest. —9E 112
Poverest Rd. Orp —9D 112
Povey Ho. SE17 —5C 76
(off Tatum St.)
Powder Mill La. Dart —8J 99
Powder Mill La. Twic —6K 85
Powdermill La. Wal A —6H 7
Powdermill M. Wal A —6H 7
(off Powdermill La.)
Powell Clo. Chess —7H 119
Powell Clo. Edgw —6K 23
Powell Clo. Wall —9J 123
Powell Ct. E17 —1M 45
Powell Ct. S Croy —6M 123
(off Bramley Hill)
Powell Gdns. Dag —9L 49
Powell Rd. E5 —8F 44
Powell Rd. Buck H —9G 19
Powell's Wlk. W4 —7C 72
Power Dri. Enf —9F 6
Powergate Bus. Pk. NW10 —6B 56
Power Rd. W4 —5L 71
Powers Ct. Twic —6H 87
Powerscroft Rd. E5 —9G 45
Powerscroft Rd. Sidc —3G 113
Power Works. Eri —9E 82
Powis Ct. W11 —9K 57
(off Powis Gdns.)
Powis Ct. Bus H —1B 22
(off Rutherford Way)
Powis Gdns. NW11 —5K 41
Powis Gdns. W11 —9K 57
Powis M. W11 —9K 57
Powis Pl. WC1 —7J 59
Powis Rd. E3 —6M 61
Powis Sq. W11 —9K 57
(in two parts)
Powis St. SE18 —4L 79
Powis Ter. W11 —9K 57
Powlett Ho. NW1 —2F 58
(off Powlett Pl.)
Powlett Pl. NW1 —3E 58
Pownall Gdns. Houn —3M 85
Pownall Rd. E8 —4E 60
Pownall Rd. Houn —3M 85
Pownsett Ter. Ilf —1A 64
Powster Rd. Brom —2E 110
Powys Clo. Bexh —7H 81
Powys Ct. N11 —5J 27
Powys Ct. Borwd —5B 12
Powys La. N14 & N13 —4J 27
Poynders Ct. SW4 —5G 91
Poynders Gdns. SW4 —6G 91
Poynders Rd. SW4 —5G 91
Poynings Clo. Orp —4G 129
Poynings Rd. N19 —8G 43
Poynings Way. N12 —5L 25
Poynings Way. H Wood —8J 35
Poyntell Cres. Chst —5B 112
Poynter Ct. N'holt —5H 53
(off Gallery Gdns.)
Poynter Ho. NW8 —7B 58
(off Fisherton St.)
Poynter Ho. W11 —2H 73
(off Queensdale Cres.)
Poynter Rd. Enf —7D 16
Poynton Rd. N17 —9E 28
Poyntz Rd. SW11 —1D 90
Poyser St. E2 —5F 60
Praed M. W2 —9B 58
Praed St. W2 —9B 58
Pragel St. E13 —5G 63
Pragnell Rd. SE12 —8F 94
Prague Pl. SW2 —4J 91
Prah Rd. N4 —7L 43
Prairie St. SW8 —1E 90
Pratt M. NW1 —4G 59
Pratts La. W on T —6H 117
Pratts Pas. King T —6J 103
Pratt St. NW1 —4G 59
Pratt Wlk. SE11 —5K 75
Prayle Gro. NW2 —6H 41
Preachers Ct. EC1 —7M 59
(off Charterhouse Sq.)
Prebend Gdns. W6 & W4 —5D 72
(in two parts)
Prebend Mans. W4 —5D 72
(off Chiswick High Rd.)
Prebend St. N1 —4A 60
Precinct Rd. Hay —1E 68
Precincts, The. Mord —1L 121
Precinct, The. N1 —4A 60
(in two parts)
Precinct, The. W Mol —7M 101
Premier Corner. W9 —5K 57
Premier Ct. Enf —2H 17
Premiere Pl. E14 —1L 77
Premier Ho. N1 —3M 59
Premier Pk. Rd. NW10 —5M 55
Premier Pl. SW15 —3J 89
Prendergast Rd. SE3 —2C 94
Prentice Ct. SW19 —2K 105
Prentis Rd. SW16 —1H 107
Prentiss Ct. SE7 —5H 79
Presburg Rd. N Mald —9C 104
Presburg St. E5 —8H 45
Prescelly Pl. Edgw —8K 23
Prescot St. E1 —1D 76
Prescott Av. Orp —1M 127
Prescott Clo. SW16 —4J 107
Prescott Clo. Horn —6F 50
Prescott Ho. SE5 —7M 75
(off Hillingdon St.)
Prescott Pl. SW4 —2H 91
Prescott Rd. Chesh —1E 6
Presentation M. SW2 —8K 91
Preshaw Cres. Mitc —7C 106
President Dri. E1 —2F 76
President Ho. EC1 —6M 59
President Quay. E1 —2D 76
(off St Katherine's Way)
President St. EC1 —6A 60
(off Central St.)
Press Ho. NW10 —8B 40
Press Rd. NW10 —8B 40
Press Rd. Uxb —2B 142
Prestage Way. E14 —1A 78
Prestbury Cres. Bans —8D 136
Prestbury Rd. E7 —3G 63
Prestbury Sq. SE9 —1K 111
Prested Rd. SW11 —3C 90
Prestige Way. NW4 —3G 41
Preston. —6J 39
Preston Av. E4 —6B 30
Preston Clo. SE1 —5C 76
Preston Clo. Twic —9C 86
Preston Ct. New Bar —6A 14
Preston Ct. Sidc —1D 112
(off Crescent, The)
Preston Ct. W on T —3G 117
Preston Dri. E11 —3G 47
Preston Dri. Bexh —9H 81
Preston Dri. Eps —8C 120
Preston Gdns. NW10 —2D 56
Preston Gdns. Enf —1J 17
Preston Gdns. Ilf —4J 47
Preston Gro. Asht —9G 133
Preston Hill. Harr —5J 39
Preston Ho. SE1 —4D 76
(off Stanworth St.)
Preston Ho. SE17 —5C 76
(off Preston Clo.)
Preston Ho. Dag —8L 49
(off Uvedale Rd.)
Preston Pl. NW2 —2E 56
Preston Pl. Rich —4J 87
Preston Rd. E11 —4C 46
Preston Rd. SE19 —3M 107
Preston Rd. SW20 —4D 104
Preston Rd. Romf —4H 35
Preston Rd. Wemb & Harr —6J 39
Preston's Rd. E14 —1A 78
Prestons Rd. Brom —5E 126
Preston Waye. Harr —6J 39
Prestwich Ter. SW4 —4G 91
Prestwick Clo. S'hall —6J 69
Prestwick Ct. S'hall —1A 70
(off Baird Av.)
Prestwick Rd. Wat —5F 20
Prestwood. Wat —2J 21
Prestwood Av. Harr —2F 38

Pump Hill—Queenswood Ct.

Pump Hill. *Lou* —4K **19**
Pump Ho. Clo. *Brom* —6C **110**
Pumping Sta. Rd. *W4* —8C **72**
Pump La. *SE14* —8G **77**
Pump La. *Hay* —3D **68**
Pump La. *Orp* —7M **129**
Pump La. Ind. Est. *Hay* —3E **68**
Pump Pail N. *Croy* —5A **124**
Pump Pail S. *Croy* —5A **124**
Punderson's Gdns. *E2* —6F **60**
Punjab La. *S'hall* —2K **69**
Purbeck Av. *N Mald* —1D **120**
Purbeck Dri. *NW2* —7H **41**
Purbeck Ho. SW8 —8K 75
(off Bolney St.)
Purbeck Rd. *Horn* —5E **50**
Purberry Gro. *Eps* —2D **134**
Purbrock Av. *Wat* —9G **5**
Purbrook Est. *SE1* —3C **76**
Purbrook St. *SE1* —4C **76**
Purcell Clo. *Borwd* —3H **11**
Purcell Clo. *Kenl* —6A **138**
Purcell Cres. *SW6* —8H **73**
Purcell Ho. SW10 —7B 74
(off Milman's St.)
Purcell Mans. W14 —7J 73
(off Queen's Club Gdns.)
Purcell M. *NW10* —3C **56**
Purcell Rd. *Gnfd* —8M **53**
***Purcell Room.* —2K 75**
(off Waterloo Rd.)
Purcells Av. *Edgw* —5L **23**
Purcell St. *N1* —5C **60**
Purchese St. *NW1* —5H **59**
Purdon Ho. SE15 —9E 76
(off Peckham High St.)
Purdy Ct. *Wor Pk* —4E **120**
Purdy St. *E3* —7M **61**
Purelake M. SE13 —2B 94
(off Marischal Rd.)
Purfleet. —6L 83
Purfleet By-Pass. *Purf* —5M **83**
Purfleet Ind. Pk. *Ave* —3K **83**
Purfleet Rd. *Ave* —3L **83**
Purland Clo. *Dag* —6K **49**
Purland Rd. *SE28* —3D **80**
Purleigh Av. *Wfd G* —6J **31**
Purley. —3L 137
Purley Av. *NW2* —7J **41**
Purley Bury Av. *Purl* —3A **138**
Purley Bury Clo. *Purl* —3A **138**
Purley Clo. *Ilf* —9L **31**
Purley Cross. (Junct.) —3L **137**
Purley Downs Rd. *Purl & S Croy* —2A **138**
Purley Hill. *Purl* —4M **137**
Purley Knoll. *Purl* —3K **137**
Purley Oaks Rd. *S Croy* —1B **138**
Purley Pde. *Purl* —3L **137**
Purley Pk. Rd. *Purl* —2M **137**
Purley Pl. *N1* —3M **59**
Purley Ri. *Purl* —4K **137**
Purley Rd. *N9* —3C **28**
Purley Rd. *Purl* —3L **137**
Purley Rd. *S Croy* —9B **124**
Purley Va. *Purl* —5M **137**
Purley Vw. Ter. S Croy —9B 124
(off Sanderstead Rd.)
Purley Way. *Croy & Purl* —2K **123**
Purley Way Cen., The. *Croy* —4L **123**
Purley Way Corner. *Croy* —2K **123**
Purley Way Cres. *Croy* —2K **123**
Purlings Rd. *Bush* —7M **9**
Purneys Rd. *SE9* —3H **95**
Purrett Rd. *SE18* —6D **80**
Purser Ho. SW2 —5L 91
(off Tulse Hill)
Pursers Cross Rd. *SW6* —9K **73**
(in two parts)
Purse Wardens Clo. *W13* —2G **71**
Pursley Gdns. *Borwd* —2L **11**
Pursley Rd. *NW7* —7F **24**
Purves Rd. *NW10* —6F **56**
Pusey Ho. E14 —9L 61
(off Saracen St.)
Puteaux Ho. E2 —5H 61
(off Mace St.)
Putney. —3J 89
Putney Bri. *SW15 & SW6* —2J **89**
Putney Bri. App. *SW6* —2J **89**
Putney Bri. Rd. *SW15 & SW18* —3J **89**
Putney Comn. *SW15* —2G **89**
Putney Exchange Shop. Cen. *SW15* —3H **89**
Putney Gdns. *Chad H* —3F **48**
Putney Heath. —5G 89
Putney Heath. *SW15* —6F **88**
Putney Heath La. *SW15* —5H **89**
Putney High St. *SW15* —3H **89**
Putney Hill. *SW15* —6H **89**
(in two parts)
Putney Pk. Av. *SW15* —3E **88**
Putney Pk. La. *SW15* —3F **88**
Putney Rd. *Enf* —9D **6**
Putney Vale. —9E 88
Putney Vale Crematorium. *SW15* —8E **88**
Puttenham Clo. *Wat* —2G **21**
Pycroft Way. *N9* —4D **28**
Pyecombe Corner. *N12* —4K **25**
Pylbrook Rd. *Sutt* —5L **121**
Pylon Trad. Est. *E16* —7C **62**
Pylon Way. *Croy* —3J **123**
Pym Clo. *E Barn* —7B **14**
Pymers Mead. *SE21* —7A **92**
Pym Ho. *SW9* —1L **91**
Pymmes Brook Ho. *N10* —7E **26**
Pymmes Clo. *N13* —5K **27**
Pymmes Clo. *N17* —8F **28**
Pymmes Gdns. N. *N9* —3D **28**
Pymmes Gdns. S. *N9* —3D **28**
Pymmes Grn. Rd. *N11* —4F **26**
Pymmes Rd. *N13* —6J **27**
Pymms Brook Dri. *Barn* —6C **14**
Pyne Rd. *Surb* —3L **119**
Pynest Grn. La. *Wal A* —2E **18**
Pynfolds. *SE16* —3F **76**
Pynham Clo. *SE2* —4F **80**
Pynnacles Clo. *Stan* —5F **22**
Pynnersmead. *SE24* —4A **92**
Pyramid Ho. *Houn* —1J **85**
Pyrcroft La. *Wey* —7A **116**
Pyrford Ho. *SW9* —3M **91**
Pyrland Rd. *N5* —1B **60**
Pyrland Rd. *Rich* —5K **87**
Pyrles Grn. *Lou* —3M **19**
Pyrles La. *Lou* —4M **19**
Pyrmont Gro. *SE27* —9M **91**
Pyrmont Rd. *W4* —7L **71**
Pytchley Cres. *SE19* —3A **108**
Pytchley Rd. *SE22* —2C **92**

Quadrangle Clo. *SE1* —5C **76**
Quadrangle, The. *SE24* —4A **92**
Quadrangle, The. *SW10* —9A **74**
Quadrangle, The. *W2* —9C **58**
Quadrangle, The. W12 —9F 56
(off Du Cane Rd.)
Quadrangle, The. *Stan* —7G **23**
Quadrant Arc. W1 —1G 75
(off Regent St.)
Quadrant Arc. *Romf* —3C **50**
Quadrant Clo. *NW4* —3F **40**
Quadrant Gro. *NW5* —1D **58**
Quadrant Ho. SE1 —2M 75
(off Burrell St.)
Quadrant Rd. *Rich* —3H **87**
Quadrant Rd. *T Hth* —8M **107**
Quadrant, The. *NW4* —2G **41**
Quadrant, The. *SW20* —5J **105**
Quadrant, The. *W10* —6H **57**
Quadrant, The. *Bexh* —8H **81**
Quadrant, The. *Edgw* —6L **23**
Quadrant, The. *Eps* —5C **134**
Quadrant, The. *Harr* —1B **38**
Quadrant, The. *Purf* —5M **83**
Quadrant, The. *Rich* —3H **87**
Quadrant, The. *Sutt* —8A **122**
Quad Rd. *Wemb* —8H **39**
Quaggy Wlk. *SE3* —3E **94**
Quail Gdns. *S Croy* —2J **139**
Quain Mans. W14 —7J 73
(off Queen's Club Gdns.)
Quainton St. *NW10* —8B **40**
Quaker Ct. E1 —7D 60
(off Quaker St.)
Quaker Ct. EC1 —7A 60
(off Banner St.)
Quaker La. *S'hall* —4L **69**
Quaker La. *Wal A* —7J **7**
Quakers Course. *NW9* —8D **24**
Quakers La. *Iswth* —8E **70**
Quakers Pl. *E7* —1H **63**
Quaker St. *E1* —7D **60**
Quakers Wlk. *N21* —8B **16**
Quality Ct. WC2 —9L 59
(off Chancery La.)
Quantock Clo. *Hay* —8B **68**
Quantock Dri. *Wor Pk* —4G **121**
Quantock Gdns. *NW2* —7H **41**
Quantock Ho. *N16* —6D **44**
Quantock Rd. *Bexh* —1C **98**
Quarles Clo. *Romf* —7L **33**
Quarley Way. *SE15* —8D **76**
Quarrendon St. *SW6* —1L **89**
Quarr Rd. *Cars* —1B **122**
Quarry M. *Purf* —5L **83**
Quarry Pk. Rd. *Sutt* —8K **121**
Quarry Ri. *Sutt* —8K **121**
Quarry Rd. *SW18* —5A **90**
Quarterdeck, The. *E14* —3L **77**
Quarter Mile La. *E10* —9M **45**
Quatre Ports. *E4* —5B **30**
Quay Ho. E14 —3L 77
(off Admirals Way)
Quayside Cotts. E1 —2E 76
(off Mew St.)
Quayside Ct. SE16 —2H 77
(off Abbotshade Rd.)
Quayside Ho. *E14* —2L **77**
Quebec M. *W1* —9D **58**
Quebec Rd. *Hay* —9G **53**
Quebec Rd. *Ilf* —5M **47**
Quebec Way. *SE16* —3H **77**
Quebec Way Ind. Est. *SE16* —3J **77**
Quedgeley Ct. SE15 —7D 76
(off Ebley Clo.)
Queen Adelaide Ct. *SE20* —3G **109**
Queen Adelaide Rd. *SE20* —3G **109**
Queen Alexandra Mans. WC1
(off Bidborough St.) —6J 59
Queen Alexandra's Ct. *SW19* —2K **105**
Queen Alexandra's Way. *Eps* —3L **133**
Queen Anne Av. *Brom* —7D **110**
Queen Anne Dri. *Clay* —9C **118**
Queen Anne M. *W1* —8F **58**
Queen Anne Rd. *E9* —2H **61**
Queen Anne's Clo. *Twic* —9B **86**
Queen Anne's Ct. SE10 —6B 78
(off Park Row)
Queen Anne's Gdns. *W4* —4C **72**
Queen Anne's Gdns. *W5* —3J **71**
Queen Anne's Gdns. *Enf* —8C **16**
Queen Anne's Gdns. *Mitc* —7D **106**
Queen Annes Ga. *SW1* —3H **75**
Queen Anne's Ga. *Bexh* —2H **97**
Queen Anne's Gro. *W4* —4C **72**
Queen Anne's Gro. *W5* —3J **71**
Queen Anne's Gro. *Enf* —9B **16**
Queen Anne's Pl. *Enf* —8C **16**
Queen Anne St. *W1* —8F **58**
Queen Anne's Wlk. WC1 —7J 59
(off Queen Sq.)
Queen Anne Ter. E1 —1F 76
(off Sovereign Clo.)
Queenborough Gdns. *Chst* —3B **112**
Queenborough Gdns. *Ilf* —2L **47**
Queen Caroline St. *W6* —5G **73**
Queen Catherine Ho. SW6 —8M 73
(off Wandon Rd.)
Queen Charlotte's Cottage. —1H 87
Queen Elizabeth Bldgs. EC4 —1L 75
(off Middle Temple La.)
Queen Elizabeth Ct. *High Bar* —5K **13**
Queen Elizabeth Gdns. *Mord* —8L **105**
***Queen Elizabeth Hall.* —2K 75**
(off Waterloo Rd.)
Queen Elizabeth Ho. *SW12* —6E **90**
Queen Elizabeth II Conference Cen.
(off Broad Sanctuary) **—3H 75**
Queen Elizabeth Rd. *E17* —1J **45**
Queen Elizabeth Rd. *King T* —6K **103**
Queen Elizabeth's Clo. *N16* —7B **44**
Queen Elizabeth's College. *SE10* —8A **78**
Queen Elizabeth's Dri. *N14* —1J **27**
Queen Elizabeth's Dri. *New Ad* —1B **140**
Queen Elizabeth's Gdns. *New Ad* —2B **140**
Queen Elizabeth's Hunting Lodge. —9D 18
Queen Elizabeth St. *SE1* —3C **76**
Queen Elizabeth's Wlk. *N16* —6B **44**
Queen Elizabeth's Wlk. *Wall* —6H **123**
Queen Elizabeth Wlk. *SW13* —9E **72**
Queengate Ct. *N12* —5M **25**
Queenhill Rd. *S Croy* —2F **138**
Queenhithe. *EC4* —1A **76**
Queen Margaret Flats. E2 —6F 60
(off St Jude's Rd.)
Queen Margaret's Gro. *N1* —1C **60**
Queen Mary Av. *Mord* —9H **105**
Queen Mary Clo. *Romf* —4D **50**
Queen Mary Clo. *Surb* —5M **119**
Queen Mary Rd. *SE19* —3M **107**
Queen Mary Rd. *Shep* —6A **100**
Queen Mary's Av. *Cars* —9D **122**
Queen Mary's Av. *Wat* —6C **8**
Queen Marys Bldgs. SW1 —5G 75
(off Stillington St.)
Queen Mary's Ct. SE10 —7B 78
(off Park Row)
Queen Mary Works. *Wat* —6C **8**
Queen of Denmark Ct. *SE16* —4K **77**
Queens Acre. *Sutt* —9H **121**
Queens Av. *N3* —7A **26**
Queens Av. *N10* —1E **42**
Queens Av. *N20* —2B **26**
Queens Av. *N21* —1M **27**
Queens Av. *Felt* —1G **101**
Queen's Av. *Gnfd* —9M **53**
Queens Av. *Stan* —1G **39**
Queen's Av. *Wat* —6D **8**
Queen's Av. *Wfd G* —5F **30**
Queensberry M. W. *SW7* —5B **74**
Queensberry Pl. *SW7* —5B **74**
Queensberry Way. *SW7* —5B **74**
Queensborough Ct. NW11 —2K 41
(off N. Circular Rd.)
Queensborough M. *W2* —1A **74**
Queensborough Pas. W2 —1A 74
(off Queensborough M.)
Queensborough Studios. W2
(off Queensborough M.) —1A 74
Queensborough Ter. *W2* —1M **73**
Queensbridge Ct. E2 —4D 60
(off Queensbridge Rd.)
Queensbridge Pk. *Iswth* —4C **86**
Queensbridge Rd. *E8 & E2* —2D **60**
Queensbury. —9K 23
Queensbury Circ. Pde. *Harr & Stan* —1J **39**
Queensbury Ho. *Rich* —4G **87**
Queensbury Rd. *NW9* —5B **40**
Queensbury Rd. *Wemb* —5K **55**
Queensbury Sta. Pde. *Edgw* —1K **39**
Queensbury St. *N1* —3A **60**
Queen's Cir. *SW8* —8F **74**
Queens Clo. *Edgw* —5L **23**
Queen's Clo. *Esh* —6M **117**
Queens Clo. *Wall* —7F **122**
Queen's Club. —6J 73
(Tennis)
Queen's Club Gdns. *W14* —7J **73**
Queens Ct. *NW6* —1M **57**
Queen's Ct. NW8 —5B 58
(off Queen's Ter.)
Queens Ct. *NW11* —3K **41**
Queens Ct. *SE23* —8F **92**
Queens Ct. W2 —1M 73
(off Queensway)
Queen's Ct. *Belm* —3L **135**
Queens Ct. *Rich* —5K **87**
Queens Ct. S Croy —7A 124
(off Warham Rd.)
Queen's Ct. Wat —5G 9
(off Queen's Rd.)
Queens Ct. *W'stone* —9G **23**
Queenscourt. *Wemb* —9J **39**
Queens Ct. *Wey* —7B **116**
Queen's Cres. *NW5* —2E **58**
Queen's Cres. *Rich* —4K **87**
Queenscroft Rd. *SE9* —4H **95**
Queensdale Cres. *W11* —2H **73**
Queensdale Pl. *W11* —2J **73**
Queensdale Rd. *W11* —2H **73**
Queensdale Wlk. *W11* —2J **73**
Queensdown Rd. *E5* —9F **44**
Queens Dri. *E10* —5L **45**
Queen's Dri. *N4* —7M **43**
Queens Dri. *W5 & W3* —9K **55**
Queens Dri. *Ab L* —5D **4**
Queen's Dri. *Oxs* —3A **132**
Queen's Dri. *Surb* —2L **119**
Queen's Dri. *Th Dit* —1E **118**
Queen's Dri. *Wal X* —7G **7**
Queen's Elm Pde. SW3 —6B 74
(off Old Church St.)
Queen's Elm Sq. *SW3* —6B **74**
Queens Ferry Wlk. *N17* —2F **44**
Queensfield Ct. *Sutt* —6G **121**
Queen's Gdns. *NW4* —3G **41**
Queen's Gdns. *W2* —1A **74**
Queen's Gdns. *W5* —7G **55**
Queens Gdns. *Dart* —7M **99**
Queen's Gdns. *Houn* —9J **69**
Queen's Gdns. *Rain* —5B **66**
Queen's Ga. *SW7* —3A **74**
Queensgate. *Wal X* —7F **6**
Queen's Ga. Gdns. *SW7* —4A **74**
Queens Ga. Gdns. *SW15* —3F **88**
Queensgate Gdns. *Chst* —5B **112**
Queen's Ga. M. *SW7* —4A **74**
Queensgate Pl. *NW6* —3L **57**
Queen's Ga. Pl. *SW7* —4A **74**
Queen's Ga. Pl. M. *SW7* —4A **74**
Queen's Ga. Ter. *SW7* —4A **74**
Queen's Gro. *NW8* —4B **58**
Queens Gro. Rd. *E4* —1B **30**
Queen's Gro. Studios. *NW8* —4B **58**
Queen's Head St. *N1* —4M **59**
Queen's Head Yd. SE1 —2B 76
(off Borough High St.)
Queens Ho. SW8 —8J 75
(off S. Lambeth Rd.)
Queens Ho. *Tedd* —3D **102**
***Queen's House, The.* —7B 78**
(off Romney Rd.)
Queen's Ice Club. —1M 73
Queens Keep. *Twic* —5G **87**
Queensland Av. *N18* —6A **28**
Queensland Av. *SW19* —5M **105**
Queensland Ho. E16 —2L 79
(off Rymill St.)
Queensland Pl. *N7* —9L **43**
Queensland Rd. *N7* —9L **43**
Queens La. *N10* —1F **42**
Queens La. *Ashf* —9D **144**
Queen's Mans. W6 —5H 73
(off Brook Grn.)
Queen's Mkt. *E13* —4G **63**
Queensmead. *NW8* —4B **58**
Queensmead. *Oxs* —3A **132**
Queensmead Av. *Eps* —2F **134**
Queen's Mead Rd. *Brom* —6D **110**
Queensmere Clo. *SW19* —8H **89**
Queensmere Ct. *SW13* —8D **72**
Queensmere Rd. *SW19* —8H **89**
Queen's M. *W2* —1M **73**
(in two parts)
Queensmill Rd. *SW6* —8H **73**
Queens Pde. *N8* —2M **43**
Queen's Pde. N11 —5D 26
(off Friern Barnet Rd.)
Queen's Pde. NW2 —2G 57
(off Walm La.)
Queens Pde. NW4 —3G 41
(off Queens Rd.)
Queens Pde. *W5* —9K **55**
Queens Pde. Clo. *N11* —5D **26**
Queens Pk. Ct. *W10* —6H **57**
Queen's Pk. Gdns. *Felt* —9D **84**
Queen's Park Rangers F.C. —2F 72
Queen's Pk. Rd. *Romf* —8L **35**
Queens Pas. *Chst* —3M **111**
Queens Pl. *Mord* —8L **105**
Queens Pl. *Wat* —5G **9**
Queen's Promenade. *King T* —8H **103**
Queen Sq. *WC1* —7J **59**
Queen Sq. Pl. WC1 —7J 59
(off Queen Sq.)
Queen's Quay. EC4 —1A 76
(off Up. Thames St.)
Queens Reach. *E Mol* —8C **102**
Queens Reach. *King T* —6H **103**
Queens Ride. *SW13 & SW15* —2E **88**
Queens Ri. *Rich* —5K **87**
Queens Rd. *E11* —5B **46**
Queens Rd. *E13* —4F **62**
Queen's Rd. *E17* —4K **45**
Queens Rd. *N3* —8A **26**
Queens Rd. *N9* —2F **28**
Queens Rd. *N11* —7J **27**
Queens Rd. *NW4* —3G **41**
Queen's Rd. *SE15 & SE14* —9F **76**
Queen's Rd. *SW14* —2B **88**
Queen's Rd. *SW19* —3K **105**
Queen's Rd. *W5* —9J **55**
Queens Rd. *Bark* —2A **64**
Queens Rd. *Barn* —5H **13**
Queens Rd. *Beck* —6J **109**
Queens Rd. *Brom* —6E **110**
Queen's Rd. *Buck H* —2F **30**
Queens Rd. *Chst* —3M **111**
Queens Rd. *Croy* —1M **123**
Queen's Rd. *Enf* —6C **16**
Queen's Rd. *Eri* —7C **82**
Queen's Rd. *Felt* —7F **84**
Queen's Rd. *Hamp H* —1M **101**
Queen's Rd. *Hay* —9C **52**
Queen's Rd. *Houn* —2M **85**
Queens Rd. *King T* —4L **103**
Queen's Rd. *Lou* —5J **19**
Queens Rd. *Mord* —8L **105**
Queens Rd. *N Mald* —8D **104**
Queen's Rd. *Rich* —6K **87**
Queens Rd. *S'hall* —3H **69**
Queen's Rd. *Sutt* —2L **135**
Queen's Rd. *Tedd* —3D **102**
Queen's Rd. *Th Dit* —9D **102**
Queen's Rd. *Twic* —7E **86**
Queen's Rd. *Uxb* —6A **142**
Queen's Rd. *Wall* —7F **122**
Queen's Rd. *Wal X* —6E **6**
Queen's Rd. *Wat* —5G **9**
(in three parts)
Queen's Rd. *Well* —1E **96**
Queens Rd. *W Dray* —3K **143**
Queen's Rd. *Wey & W on T* —6A **116**
Queens Rd. W. *E13* —5E **62**
Queen's Row. *SE17* —7B **76**
Queens Ter. *E1* —7G **61**
Queen's Ter. *E13* —4F **62**
Queen's Ter. *NW8* —4B **58**
Queens Ter. *Iswth* —3E **86**
Queen's Ter. Cotts. *W7* —3C **70**
***Queen's Theatre.* —1H 75**
(off Shaftesbury Av.)
Queens Theatre. —6H 51
(Hornchurch)
Queensthorpe Rd. *SE26* —1H **109**
Queenstown Gdns. *Rain* —6D **66**
Queenstown M. *SW11* —1F **90**
Queenstown Rd. *SW8* —7F **74**
Queen St. *EC4* —1A **76**
(in two parts)
Queen St. *N17* —6C **28**
Queen St. *W1* —2F **74**
Queen St. *Bexh* —2K **97**
Queen St. *Croy* —6A **124**
Queen St. *Eri* —7C **82**
Queen St. *Romf* —4B **50**
Queen St. Pl. *EC4* —1A **76**
Queensville Rd. *SW12* —6H **91**
Queens Wlk. *E4* —1B **30**
Queens Wlk. *NW9* —7A **40**
Queen's Wlk. *SW1* —2G **75**
Queen's Wlk. *W5* —7G **55**
Queen's Wlk. *Ashf* —9B **144**
Queens Wlk. *Harr* —2C **38**
Queens Wlk. *Ruis* —7G **37**
Queens Wlk. Ter. *Ruis* —8G **37**
Queen's Wlk., The. SE1 —2K 75
(off Waterloo Rd.)
Queen's Wlk., The. *SE1* —1L **75**
(Barge Ho. St.)
Queen's Wlk., The. *SE1* —2C **76**
(Morgan's La.)
Queen's Way. *NW4* —3G **41**
Queensway. *W2* —9M **57**
Queensway. *Croy* —8K **123**
Queensway. *Enf* —6F **16**
Queens Way. *Felt* —1G **101**
Queensway. *Orp* —9A **112**
Queensway. *Sun* —6F **100**
Queens Way. *Wal X* —7F **6**
Queensway. *W W'ck* —5C **126**
Queensway Bus. Cen. *Enf* —6F **16**
Queensway Ind. Est. *Enf* —6G **17**
Queensway N. *W on T* —6G **117**
(in two parts)
Queensway S. *W on T* —7G **117**
(in two parts)
Queenswell Av. *N20* —3C **26**
Queens Wharf. *W6* —6G **73**
Queenswood Av. *E17* —8A **30**
Queenswood Av. *Hamp* —3M **101**
Queenswood Av. *Houn* —1K **85**
Queenswood Av. *T Hth* —9L **107**
Queenswood Av. *Wall* —6H **123**
Queenswood Ct. *SE27* —1B **108**
Queenswood Ct. *SW4* —4J **91**

Queenswood Cres.—Ravensbury Gro.

Queenswood Cres. Wat —6E 4
Queenswood Gdns. E11 —6F 46
Queenswood Pk. N3 —9J 25
Queens Wood Rd. N10 —4F 42
Queenswood Rd. SE23 —9H 93
Queenswood Rd. Sidc —4D 96
Queen's Yd. W1 —8G 59
Queen Victoria. (Junct.) —5G 121
Queen Victoria Av. Wemb —3H 55
Queen Victoria Memorial. —3G 75
Queen Victoria Seaman's Rest. E14
(off E. India Dock Rd.) —9M 61
Queen Victoria St. EC4 —1M 75
Queen Victoria Ter. E1 —1F 76
(off Sovereign Clo.)
Quemerford Rd. N7 —1K 59
Quendon Dri. Wal A —6K 7
Quendon Ho. W10 —7G 57
(off Sutton Way)
Quenington Ct. SE15 —7D 76
Quentin Ho. SE1 —3L 75
(off Gray St., in two parts)
Quentin Pl. SE13 —2C 94
Quentin Rd. SE3 —2C 94
Quentins Dri. Berr G —8M 141
Quernmore Clo. Brom —3E 110
Quernmore Rd. N4 —4L 43
Quernmore Rd. Brom —3E 110
Querrin St. SW6 —1A 90
Quested Ct. E8 —1F 60
(off Brett Rd.)
Questor. Dart —8J 99
Quex M. NW6 —4L 57
Quex Rd. NW6 —4L 57
Quick Rd. W4 —6C 72
Quicksilver Pl. N22 —9K 27
Quicks Rd. SW19 —4M 105
Quick St. N1 —5M 59
Quick St. M. N1 —5M 59
Quickswood. NW3 —3C 58
Quiet Nook. Brom —5H 127
Quill La. SW15 —3H 89
Quillot, The. W on T —7D 116
Quill St. N4 —8L 43
Quill St. W5 —5J 55
Quilp St. SE1 —3A 76
(in two parts)
Quilter Gdns. Orp —3G 129
Quilter Ho. W10 —6K 57
Quilter Rd. Orp —3G 129
Quilter St. E2 —6E 60
Quilter St. SE18 —6D 80
Quinta Dri. Barn —7F 12
Quintin Av. SW20 —5K 105
Quintin Clo. Pinn —2F 36
Quinton Clo. Beck —7A 110
Quinton Clo. Houn —8F 68
Quinton Clo. Wall —6F 122
Quinton Ho. SW8 —8J 75
(off Wyvil Rd.)
Quinton Rd. Th Dit —3E 118
Quinton St. SW18 —8A 90
Quinton Way. Wal A —8J 7
Quixley St. E14 —1B 78
Quorn Rd. SE22 —3C 92

Rabbit La. W on T —9E 116
Rabbit Row. W8 —2L 73
Rabbits Rd. E12 —9J 47
Rabbs Mill Ho. Uxb —5A 142
Rabournmead Dri. N'holt —1J 53
Raby Rd. N Mald —8B 104
Raby St. E14 —9J 61
Raccoon Way. Houn —1G 85
Rachel Clo. Ilf —1B 48
Rachel Point. E5 —9E 44
Racine. SE5 —9C 76
(off Peckham Rd.)
Rackham M. SW16 —3G 107
Rackman Clo. Well —1F 96
Rackstraw Ho. NW3 —3D 58
Racton Rd. SW6 —7L 73
Radbourne Av. W5 —5G 71
Radbourne Clo. E5 —9H 45
Radbourne Ct. Harr —4F 38
Radbourne Cres. E17 —9B 30
Radbourne Rd. SW12 —6G 91
Radcliffe Av. NW10 —5E 56
Radcliffe Av. Enf —3A 16
Radcliffe Gdns. Cars —1C 136
Radcliffe Ho. SE16 —5F 76
(off Anchor St.)
Radcliffe M. Hamp H —2A 102
Radcliffe Path. SW8 —1F 90
Radcliffe Rd. N21 —1M 27
Radcliffe Rd. SE1 —4C 76
Radcliffe Rd. Croy —4D 124
Radcliffe Rd. Harr —9E 22
Radcliffe Sq. SW15 —5H 89
Radcliffe Way. N'holt —6H 53
Radcot Point. SE23 —9H 93
Radcot St. SE11 —6L 75
Raddington Rd. W10 —8J 57
Radfield Way. Sidc —6B 96
Radford Ho. E14 —8M 61
(off St Leonard's Rd.)
Radford Ho. N7 —1K 59
Radford Rd. SE13 —5A 94
Radford Way. Bark —6D 64
Radipole Rd. SW6 —9K 73
Radius Pk. Felt —3D 84
Radland Rd. E16 —9D 62
Radlet Av. SE26 —9F 92
Radlett Clo. E7 —2D 62
Radlett Pl. NW8 —4C 58
Radlett Rd. A'ham —2M 9
Radlett Rd. Wat —5G 9
Radley Av. Ilf —9E 48
Radley Clo. Felt —7D 84
Radley Ct. SE16 —3H 77
Radley Gdns. Harr —2J 39
Radley Ho. NW1 —7D 58
(off Gloucester Pl.)
Radley Ho. SE2 —3H 81
(off Wolvercote Rd.)
Radley M. W8 —4L 73
Radley Rd. N17 —9C 28
Radley's La. E18 —9E 30
Radleys Mead. Dag —2M 65
Radley Sq. E5 —7G 45
Radley Ter. E16 —8D 62
(off Hermit Rd.)
Radlix Rd. E10 —6L 45
Radnor Av. Harr —3C 38
Radnor Av. Well —4F 96
Radnor Clo. Chst —3C 112
Radnor Clo. Mitc —8J 107
Radnor Ct. W7 —9D 54
(off Copley Clo.)
Radnor Ct. Har W —8D 22
Radnor Cres. SE18 —8E 80
Radnor Cres. Ilf —3K 47
Radnor Gdns. Enf —3C 16
Radnor Gdns. Twic —8D 86
Radnor Gro. Uxb —5E 142
Radnor Hall Mobile Homes. Borwd —7J 11
Radnor M. W2 —9B 58
Radnor Pl. W2 —9C 58
Radnor Rd. NW6 —4J 57
Radnor Rd. SE15 —8E 76
Radnor Rd. Harr —3B 38
Radnor Rd. Twic —7D 86
Radnor St. EC1 —6A 60
Radnor Ter. W14 —5K 73
Radnor Ter. Sutt —9L 121
Radnor Wlk. E14 —5L 77
(off Barnsdale Av.)
Radnor Wlk. SW3 —6C 74
Radnor Wlk. Croy —1J 125
Radnor Way. NW10 —7M 55
Radstock Av. Harr —1E 38
Radstock Clo. N11 —6E 26
Radstock Ho. H Hill —5H 35
(off Darlington Gdns.)
Radstock St. SW11 —8C 74
(in two parts)
Raebarn Gdns. Barn —7F 12
Raeburn Av. Dart —4F 98
Raeburn Av. Surb —3M 119
Raeburn Clo. NW11 —4A 42
Raeburn Clo. King T —4H 103
Raeburn Ho. N'holt —5H 53
(off Academy Gdns.)
Raeburn Rd. Edgw —8L 23
Raeburn Rd. Hay —5B 52
Raeburn Rd. Sidc —5C 96
Raeburn St. SW2 —3J 91
Raffles Ct. NW4 —2F 40
Raffles Sq. E15 —3B 62
Rafford Way. Brom —6F 110
R.A.F. Northolt. —2E 52
Raggleswood. Chst —5L 111
Raglan Av. Wal X —7D 6
Raglan Clo. Houn —4K 85
Raglan Ct. SE12 —4E 94
Raglan Ct. S Croy —7M 123
Raglan Ct. Wemb —9K 39
Raglan Gdns. Wat —1F 20
Raglan Rd. E17 —3A 46
Raglan Rd. SE18 —6M 79
Raglan Rd. Belv —5K 81
Raglan Rd. Brom —8G 111
Raglan Rd. Enf —9D 16
Raglan St. NW5 —2F 58
Raglan Ter. Harr —9M 37
Raglan Way. N'holt —2A 54
Ragley Clo. W3 —3A 72
Raider Clo. Romf —8L 33
Railey M. NW5 —1G 59
Railpit La. Warl —7C 140
Railshead Rd. Iswth —3F 86
Railton Rd. SE24 —3L 91
Railway App. N4 —4L 43
Railway App. SE1 —2B 76
Railway App. Harr —2D 38
Railway App. Twic —6E 86
Railway App. Wall —7F 122
Railway Arches. E10 —5M 45
(off Capworth St.)
Railway Arches. E11 —7C 46
(off Leytonstone High Rd.)
Railway Arches. E11 —6B 46
(off Sidings, The)
Railway Arches. E17 —3L 45
(off Yunus Khan Clo.)
Railway Av. SE16 —3G 77
(in two parts)
Railway Children Wlk. Brom —8E 94
Railway Cotts. SW19 —1M 105
Railway Cotts. W6 —3G 73
(off Sulgrave Rd.)
Railway Cotts. Borwd —6L 11
(off Station Rd.)
Railway Cotts. Twic —5L 85
Railway Cotts. Wat —3F 8
Railway Gro. SE14 —8K 77
Railway M. E3 —6L 61
(off Wellington Way)
Railway M. W11 —9J 57
Railway Pas. Tedd —3E 102
Railway Pl. SW19 —3K 105
Railway Pl. Belv —4L 81
Railway Ri. SE22 —3C 92
Railway Rd. Tedd —1C 102
Railway Rd. Wal X —6F 6
Railway Side. SW13 —2C 88
(in two parts)
Railway St. N1 —5J 59
Railway St. Romf —5G 49
Railway Ter. E17 —8A 30
Railway Ter. SE13 —4M 93
Railway Ter. Coul —7H 137
(off Station App.)
Railway Ter. Felt —7E 84
Rainborough Clo. NW10 —2A 56
Rainbow Av. E14 —6M 77
Rainbow Ct. SE14 —7J 77
(off Chipley St.)
Rainbow Ct. Wat —8G 9
Rainbow Ind. Est. W Dray —1H 143
Rainbow Quay. SE16 —4J 77
Rainbow St. SE5 —8C 76
Rainer Clo. Chesh —2D 6
Raine St. E1 —2F 76
Rainham. —7E 66
Rainham Clo. SE9 —5B 96
Rainham Clo. SW11 —5C 90
Rainham Hall. —7E 66
Rainham Ho. NW1 —4G 59
(off Bayham Pl.)
Rainham Rd. NW10 —6G 57
Rainham Rd. Horn & Rain —1D 66
Rainham Rd. N. Dag —7L 49
Rainham Rd. S. Dag —9M 49
Rainham Trad. Est. Rain —7D 66
Rainhill Way. E3 —6L 61
(in two parts)
Rainsborough Av. SE8 —5J 77
Rainsford Clo. Stan —4G 23
Rainsford Rd. NW10 —5M 55
(in two parts)
Rainsford St. W2 —9C 58
Rainsford Way. Horn —6E 50
Rainton Rd. SE7 —6E 78
Rainville Rd. W6 —7G 73
Raisins Hill. Pinn —1G 37
Raith Av. N14 —3H 27
Raleana Rd. E14 —2A 78
Raleigh Av. Hay —8F 52
Raleigh Av. Wall —6H 123
Raleigh Clo. NW4 —3G 41
Raleigh Clo. Eri —7D 82
Raleigh Clo. Pinn —5H 37
Raleigh Clo. Ruis —7D 36
Raleigh Ct. SE16 —2H 77
(off Clarence M.)
Raleigh Ct. W12 —3G 73
(off Scott's Rd.)
Raleigh Ct. W13 —8F 54
Raleigh Ct. Beck —5M 109
Raleigh Ct. Eri —8D 82
Raleigh Ct. Wall —8F 122
Raleigh Dri. N20 —3C 26
Raleigh Dri. Clay —7B 118
Raleigh Dri. Surb —3A 120
Raleigh Gdns. SW2 —5K 91
Raleigh Gdns. Mitc —7D 106
(in two parts)
Raleigh Ho. E14 —3M 77
(off Admirals Way)
Raleigh Ho. SW1 —7H 75
(off Dolphin Sq.)
Raleigh M. N1 —4M 59
(off Packington St.)
Raleigh M. Orp —7D 128
Raleigh Rd. N2 —9C 26
Raleigh Rd. N8 —2L 43
Raleigh Rd. SE20 —4H 109
Raleigh Rd. Enf —6B 16
Raleigh Rd. Felt —9D 84
Raleigh Rd. Rich —2K 87
Raleigh Rd. S'hall —6J 69
Raleigh St. N1 —4M 59
Raleigh Way. N14 —1H 27
Raleigh Way. Felt —2G 101
Ralph Brook Ct. N1 —6B 60
(off Chart St.)
Ralph Ct. W2 —9M 57
(off Queensway)
Ralph Perring Ct. Beck —8L 109
Ralston St. SW3 —6D 74
Ralston Way. Wat —2H 21
Ramac Ind. Est. SE7 —5F 78
Rama Clo. SW16 —4J 107
Rama Ct. Harr —7C 38
Ramac Way. SE7 —5F 78
Rama La. SE19 —4D 108
Ramar Ho. E1 —8E 60
(off Hanbury St.)
Rambler Clo. SW16 —1G 107
Rame Clo. SW17 —2E 106
Ramilles Clo. SW2 —5J 91
Ramillies Pl. W1 —9G 59
Ramillies Rd. NW7 —2C 24
Ramillies Rd. W4 —5B 72
Ramillies Rd. Sidc —5F 96
Ramillies St. W1 —9G 59
Ramney Dri. Enf —9E 6
Ramones Ter. Mitc —8J 107
Ramornie Clo. W on T —7K 117
Rampart St. E1 —9F 60
Ram Pas. King T —6H 103
Rampayne St. SW1 —6H 75
Ram Pl. E9 —2G 61
Rampton Clo. E4 —3L 29
Ramsay Gdns. Romf —8G 35
Ramsay Ho. NW8 —5C 58
(off Townshend Est.)
Ramsay M. SW3 —7C 74
Ramsay Pl. Harr —6C 38
Ramsay Rd. E7 —9C 46
Ramsay Rd. W3 —4A 72
Ramscroft Clo. N9 —9C 16
Ramsdale Rd. SW17 —2E 106
Ramsden. —3G 129
Ramsden Clo. Orp —3G 129
Ramsden Dri. Romf —7L 33
Ramsden Rd. N11 —5D 26
Ramsden Rd. SW12 —5E 90
Ramsden Rd. Eri —8B 82
Ramsden Rd. Orp —2F 128
Ramsey Clo. NW9 —4D 40
Ramsey Clo. Gnfd —1B 54
Ramsey Ct. Croy —4M 123
(off Church St.)
Ramsey Ho. SW9 —8L 75
(off Vassall Rd.)
Ramsey Rd. T Hth —1K 123
Ramsey St. E2 —7E 60
Ramsey Wlk. N1 —2B 60
(off Handa Wlk.)
Ramsey Way. N14 —9G 15
Ramsfort Ho. SE16 —5F 76
(off Camilla Rd.)
Ramsgate Clo. E16 —2F 78
Ramsgate St. E8 —2D 60
Ramsgill App. Ilf —2D 48
Ramsgill Dri. Ilf —3D 48
Rams Gro. Romf —2J 49
Ram St. SW18 —4M 89
Ramulis Dri. Hay —7H 53
Ramuswood Av. Orp —7C 128
Rancliffe Gdns. SE9 —3J 95
Rancliffe Rd. E6 —5J 63
Randall Av. NW2 —7C 40
Randall Clo. SW11 —9C 74
Randall Clo. Eri —7A 82
Randall Ct. NW7 —7E 24
Randall Dri. Horn —9G 51
Randall Pl. SE10 —8A 78
Randall Rd. SE11 —6K 75
Randall Row. SE11 —5K 75
Randalls Rents. SE16 —4K 77
(off Gulliver St.)
Randell's Rd. N1 —4J 59
(in two parts)
Randisbourne Gdns. SE6 —9M 93
Randle Rd. Rich —1G 103
Randlesdown Rd. SE6 —1L 109
(in two parts)
Randolph App. E16 —9G 63
Randolph Av. W9 —5M 57
Randolph Clo. Bexh —2A 98
Randolph Clo. King T —2A 104
Randolph Ct. H End —7L 21
(off Avenue, The)
Randolph Cres. W9 —7A 58
Randolph Gdns. NW6 —5M 57
Randolph Gro. Romf —3G 49
Randolph M. W9 —7A 58
Randolph Rd. E17 —3M 45
Randolph Rd. W9 —7A 58
Randolph Rd. Brom —3K 127
Randolph Rd. Eps —6D 134
Randolph Rd. S'hall —3K 69
Randolph St. NW1 —3G 59
Randon Clo. Harr —9M 21
Ranelagh Av. SW6 —2K 89
Ranelagh Av. SW13 —1E 88
Ranelagh Bri. W2 —8M 57
Ranelagh Clo. Edgw —4L 23
Ranelagh Dri. Edgw —4L 23
Ranelagh Dri. Twic —3F 86
Ranelagh Gdns. E11 —3G 47
Ranelagh Gdns. SW6 —2J 89
Ranelagh Gdns. W4 —8A 72
Ranelagh Gdns. W6 —6D 72
Ranelagh Gdns. Ilf —6K 47
Ranelagh Gdns. Mans. SW6 —2J 89
(off Ranelagh Gdns.)
Ranelagh Gro. SW1 —6E 74
Ranelagh Ho. SW3 —6D 74
(off Elystan Pl.)
Ranelagh M. W5 —3H 71
Ranelagh Pl. N Mald —9C 104
Ranelagh Rd. E6 —4L 63
Ranelagh Rd. E11 —9C 46
Ranelagh Rd. E15 —5C 62
Ranelagh Rd. N17 —1C 44
Ranelagh Rd. N22 —8K 27
Ranelagh Rd. NW10 —5D 56
Ranelagh Rd. SW1 —6G 75
Ranelagh Rd. W5 —3H 71
Ranelagh Rd. S'hall —2H 69
Ranelagh Rd. Wemb —2H 55
Ranfurly Rd. Sutt —4L 121
Rangbourne Ho. N7 —1J 59
Rangefield Rd. Brom —2C 110
Rangemoor Rd. N15 —3D 44
Ranger's House. —9B 78
Ranger's Rd. E4 —9C 18
Rangers Sq. SE10 —9B 78
Rangeworth Pl. Sidc —9D 96
Rangoon St. EC3 —9D 60
(off Crutched Friars)
Rankin Clo. NW9 —1C 40
Rankine Ho. SE1 —4A 76
(off Bath Ter.)
Ranleigh Gdns. Bexh —8K 81
Ranmere St. SW12 —7F 90
Ranmoor Clo. Harr —2B 38
Ranmoor Gdns. Harr —2B 38
Ranmore Av. Croy —5D 124
Ranmore Path. Orp —8E 112
Ranmore Pl. Wey —7A 116
(off Princes Rd.)
Ranmore Rd. Sutt —1H 135
Rannoch Clo. Edgw —2M 23
Rannoch Rd. W6 —7G 73
Rannock Av. NW9 —5B 40
Ranskill Ct. Borwd —3L 11
Ranskill Rd. Borwd —3L 11
Ransom Clo. Wat —9G 9
Ransome's Dock Bus. Cen. SW11 —8C 74
Ransom Rd. SE7 —5G 79
Ranston St. NW1 —8C 58
Ranulf Rd. NW2 —9K 41
Ranwell Clo. E3 —4K 61
Ranworth Clo. Eri —1C 98
Ranworth Rd. N9 —2G 29
Ranyard Clo. Chess —5K 119
Raphael Av. Romf —1D 50
Raphael Ct. SE16 —6F 76
(off Stubbs Dri.)
Raphael Dri. Th Dit —2D 118
Raphael Dri. Wat —4H 9
Raphael St. SW7 —3D 74
Rapier Clo. Purf —5K 83
Rapley Ho. E2 —6E 60
(off Turin St.)
Rashleigh Ct. SW8 —1F 90
Rashleigh Ho. WC1 —6J 59
(off Thanet St.)
Rasper Rd. N20 —2A 26
Rastell Av. SW2 —8H 91
Ratcliff. —9J 61
Ratcliffe Clo. SE12 —6E 94
Ratcliffe Clo. Uxb —6B 142
Ratcliffe Cross St. E1 —9H 61
Ratcliffe Ho. E14 —9J 61
Ratcliffe La. E14 —9J 61
Ratcliffe Orchard. E1 —1H 77
Ratcliff Rd. E7 —1G 63
Rathbone Ho. NW6 —4L 57
Rathbone Mkt. E16 —8D 62
Rathbone Pl. W1 —8H 59
Rathbone Point. E5 —9E 44
Rathbone Sq. Croy —6A 124
Rathbone St. E16 —8D 62
Rathbone St. W1 —8G 59
Rathcoole Av. N8 —3K 43
Rathcoole Gdns. N8 —3K 43
Rathfern Rd. SE6 —7K 93
Rathgar Av. W13 —2F 70
Rathgar Clo. N3 —9K 25
Rathgar Rd. SW9 —2M 91
Rathlin Wlk. N1 —2B 60
Rathmell Dri. SW4 —5H 91
Rathmore Rd. SE7 —6F 78
Rats La. Lou —2F 18
Rattray Ct. SE6 —8D 94
Rattray Rd. SW2 —3L 91
Raul Rd. SE15 —1E 92
Raveley St. NW5 —9G 43
(in two parts)
Raven Clo. NW9 —9C 24
Ravendale Rd. Sun —6D 100
Ravenet St. SW11 —9F 74
Ravenfield Rd. SW17 —9D 90
Ravenhill Rd. E13 —5G 63
Raven Ho. SE16 —5H 77
(off Tawny Way)
Ravenings Pde. Ilf —6E 48
Ravenna Rd. SW15 —4H 89
Ravenoak Way. Chig —5C 32
Ravenor Ct. Gnfd —7M 53
Ravenor Pk. Rd. Gnfd —6M 53
Raven Rd. E18 —9G 31
Raven Row. E1 —8F 60
Ravensbourne Av. Brom —4B 110
Ravensbourne Av. Stai —7C 144
Ravensbourne Ct. SE6 —6L 93
Ravensbourne Cres. Romf —1K 51
Ravensbourne Gdns. W13 —8F 54
Ravensbourne Gdns. Ilf —8L 31
Ravensbourne Ho. NW8 —8C 58
(off Broadley St.)
Ravensbourne Ho. Brom —2B 110
Ravensbourne Mans. SE8 —7L 77
(off Berthon St.)
Ravensbourne Pk. SE6 —6L 93
Ravensbourne Pk. Cres. SE6 —6K 93
Ravensbourne Pl. SE13 —1M 93
Ravensbourne Rd. SE6 —6K 93
Ravensbourne Rd. Brom —7E 110
Ravensbourne Rd. Dart —2E 98
Ravensbourne Rd. Twic —5G 87
Ravensbury Av. Mord —9A 106
Ravensbury Ct. Mitc —8B 106
(off Ravensbury Gro.)
Ravensbury Gro. Mitc —8B 106

Rochelle Clo.—Rosedale Ho.

Rochelle Clo. SW11 —3B 90
Rochelle St. E2 —6D 60
(in two parts)
Rochemont Wlk. E8 —4E 60
(off Pownell Rd.)
Roche Rd. SW16 —5K 107
Rochester Av. E13 —4G 63
Rochester Av. Brom —6F 110
Rochester Av. Felt —8D 84
Rochester Clo. SW16 —4J 107
Rochester Clo. Enf —3C 16
Rochester Clo. Sidc —5F 96
Rochester Ct. E2 —7F 60
(off Wilmot St.)
Rochester Ct. NW1 —3G 59
(off Rochester Sq.)
Rochester Dri. Bex —5K 97
Rochester Dri. Pinn —3H 37
Rochester Dri. Wat —8G 5
Rochester Gdns. Croy —5C 124
Rochester Gdns. Ilf —5K 47
Rochester Ho. SE1 —3B 76
Rochester Ho. SE15 —7G 77
(off Sharratt St.)
Rochester M. NW1 —3G 59
Rochester M. W5 —5G 71
Rochester Pde. Felt —8E 84
Rochester Pl. NW1 —2G 59
Rochester Rd. NW1 —2G 59
Rochester Rd. Cars —6D 122
Rochester Rd. Dart —6L 99
Rochester Rd. N'wd —1D 36
Rochester Row. SW1 —5G 75
Rochester Sq. NW1 —3G 59
Rochester St. SW1 —4H 75
Rochester Ter. NW1 —2G 59
Rochester Wlk. SE1 —2B 76
(off Stoney St.)
Rochester Way. SE3 & SE9 —9F 78
Rochester Way. Dart —6B 98
Rochester Way Relief Rd. SE3 & SE9 —9F 78
Roche Wlk. Cars —1B 122
Rochford. N17 —9C 28
(off Griffin Rd.)
Rochford Av. Romf —3G 49
Rochford Av. Wal A —7K 7
Rochford Clo. E6 —5H 63
Rochford Clo. Horn —2F 66
Rochford Wlk. E8 —3E 60
Rochford Way. Croy —1J 123
Rochfort Ho. SE8 —6K 77
Rock Av. SW14 —2B 88
Rockbourne M. SE23 —7H 93
Rockbourne Rd. SE23 —7H 93
Rockchase Gdns. Horn —4J 51
Rock Circus. —1H 75
(off Piccadilly Circus)
Rock Clo. Mitc —6B 106
Rockell's Pl. SE22 —5F 92
Rockfield Ho. NW4 —2H 41
(off Belle Vue Est.)
Rockfield Ho. SE10 —7A 78
(off Welland St.)
Rockford Av. Gnfd —5E 54
Rock Gdns. Dag —1M 65
Rock Gro. Way. SE16 —5E 76
(in two parts)
Rockhall Rd. NW2 —9H 41
Rockhampton Clo. SE27 —1L 107
Rockhampton Rd. SE27 —1L 107
Rockhampton Rd. S Croy —8C 124
Rock Hill. SE26 —1D 108
Rock Hill. Orp —8M 129
Rockingham Av. Horn —4F 50
Rockingham Clo. SW15 —3D 88
Rockingham Clo. Uxb —4A 142
Rockingham Ga. Bush —8A 10
Rockingham Pde. Uxb —3A 142
Rockingham Rd. Uxb —4A 142
Rockingham St. SE1 —4A 76
Rockland Rd. SW15 —3J 89
Rocklands Dri. Stan —9F 22
Rockley Ct. W14 —3H 73
(off Rockley Rd.)
Rockley Rd. W14 —3H 73
Rockmount Rd. SE18 —6D 80
Rockmount Rd. SE19 —3B 108
Rocks La. SW13 —9E 72
Rock St. N4 —7L 43
Rockware Av. Gnfd —4B 54
Rockware Av. Bus. Cen. Gnfd —4B 54
Rockways. Barn —8D 12
Rockwell Gdns. SE19 —2C 108
Rockwell Rd. Dag —1M 65
Rockwood Pl. W12 —3G 73
Rocliffe St. N1 —5M 59
Rocombe Cres. SE23 —6G 93
Rocque Ho. SW6 —8K 73
(off Estcourt Rd.)
Rocque La. SE3 —2D 94
Rodale Mans. SW18 —5M 89
Rodborough Ct. W9 —7L 57
(off Hermes Clo.)
Rodborough Rd. NW11 —6L 41
Roden Gdns. Croy —1C 124
Rodenhurst Rd. SW4 —5G 91
Roden St. N7 —8K 43
Roden St. Ilf —8L 47
Roden Way. Ilf —8L 47
(off Roden St.)
Rodeo Clo. Eri —9F 82
Roderick Ho. SE16 —5G 77
(off Raymouth Rd.)
Roderick Rd. NW3 —9D 42
Rodgers Clo. Els —8H 11
Rodgers Ho. SW4 —6H 91
(off Clapham Pk. Est.)
Rodin Ct. N1 —4M 59
(off Essex Rd.)
Roding Av. Wfd G —6J 31
Roding Gdns. Lou —8J 19
Roding Ho. N1 —4L 59
(off Barnsbury Est.)
Roding La. Buck H & Chig —1H 31
Roding La. N. Wfd G —6J 31
Roding La. S. Ilf & Wfd G —2H 47
Roding M. E1 —2E 76
Roding Rd. E5 —9H 45
Roding Rd. E6 —8M 63
Roding Rd. Lou —7J 19
Rodings Row. Barn —6J 13
(off Leecroft Rd.)
Rodings, The. Wfd G —6G 31
Roding Trad. Est. Bark —3M 63
Roding Vw. Buck H —1H 31
Roding Way. Rain —5H 67
Rodmarton St. W1 —8D 58
Rodmell. WC1 —6J 59
(off Regent Sq.)
Rodmell Clo. Hay —7J 53
Rodmell Slope. N12 —5K 25
Rodmere St. SE10 —6C 78
Rodmill La. SW2 —6J 91
Rodney Clo. Croy —3M 123
Rodney Clo. N Mald —9C 104
Rodney Clo. Pinn —5J 37
Rodney Clo. W on T —3G 117
Rodney Ct. NW8 —7A 58
Rodney Ct. Barn —5K 13
Rodney Gdns. Pinn —3F 36
Rodney Gdns. W W'ck —6E 126
Rodney Grn. W on T —4G 117
Rodney Ho. E14 —5M 77
(off Cahir St.)
Rodney Ho. N1 —5K 59
(off Donegal St.)
Rodney Ho. SW1 —6G 75
(off Dolphin Sq.)
Rodney Ho. W11 —1L 73
(off Pembridge Cres.)
Rodney Pl. E17 —9J 29
Rodney Pl. SE17 —5A 76
Rodney Pl. SW19 —5A 106
Rodney Rd. E11 —2F 46
Rodney Rd. SE17 —5A 76
Rodney Rd. Mitc —7C 106
Rodney Rd. N Mald —9C 104
Rodney Rd. Twic —5L 85
Rodney Rd. W on T —4G 117
Rodney St. N1 —5K 59
Rodney Way. Romf —8M 33
Rodway Rd. SW15 —6E 88
Rodway Rd. Brom —5F 110
Rodwell Clo. Ruis —6G 37
Rodwell Pl. Edgw —6L 23
Rodwell Rd. SE22 —5D 92
Roe. NW9 —7D 24
Roebourne Way. E16 —2L 79
Roebuck Clo. Felt —1F 100
Roebuck Ho. SW1 —4G 75
(off Palace Ho.)
Roebuck La. N17 —6D 28
Roebuck La. Buck H —9G 19
Roebuck Rd. Chess —7L 119
Roebuck Rd. Ilf —5F 32
Roebuck Trad. Est. Ilf —6F 32
Roedean Av. Enf —3G 17
Roedean Clo. Enf —3G 17
Roedean Clo. Orp —6F 128
Roedean Cres. SW15 —5C 88
Roedean Dri. Romf —2C 50
Roe End. NW9 —2A 40
Roe Green. —2A 40
Roe Grn. NW9 —3A 40
Roehampton. —6E 88
Roehampton Clo. SW15 —3E 88
Roehampton Dri. Chst —3A 112
Roehampton Ga. SW15 —5C 88
Roehampton High St. SW15 —6E 88
Roehampton Lane. (Junct.) —7F 88
Roehampton La. SW15 —3E 88
Roehampton Va. SW15 —9D 88
Roe La. NW9 —2M 39
Rofant Rd. N'wd —6C 20
Roffey Clo. Purl —8M 137
Roffey St. E14 —3A 78
Rogate Ho. E5 —8E 44
Roger Dowley Ct. E2 —5G 61
Roger Harriss Almshouses. E15 —4D 62
(off Gift La.)
Roger Reede's Almshouses. Romf —2C 50
Rogers Ct. Swan —8E 114
Rogers Est. E2 —6G 61
Rogers Gdns. Dag —1L 65
Rogers Ho. SW1 —5H 75
(off Page St.)
Roger's Ho. Dag —8L 49
Rogers La. Warl —9K 139
Rogers Rd. E16 —9D 62
Rogers Rd. SW17 —1B 106
Rogers Rd. Dag —1L 65
Rogers Ruff. N'wd —8A 20
Roger St. WC1 —7K 59
Rogers Wlk. N12 —3M 25
Rohere Ho. EC1 —6A 60
Rojack Rd. SE23 —7H 93
Rokeby Gdns. Wfd G —8E 30
Rokeby Pl. SW20 —4F 104
Rokeby Rd. SE4 —1K 93
Rokeby Rd. Harr —1B 38
Rokeby St. E15 —4B 62
Roke Clo. Kenl —6A 138
Rokell Ho. Beck —2M 109
(off Beckenham Hill Rd.)
Roke Lodge Rd. Kenl —5M 137
Roke Rd. Kenl —7A 138
Rokesby Clo. Well —1B 96
Rokesby Pl. Wemb —1H 55
Rokesly Av. N8 —3J 43
Roland Gdns. SW7 —6A 74
Roland Ho. SW7 —6A 74
(off Cranley M.)
Roland M. E1 —8H 61
Roland Rd. E17 —2B 46
Roland Way. SE17 —6B 76
Roland Way. SW7 —6A 74
Roland Way. Wor Pk —4D 120
Roles Gro. Romf —2H 49
Rolfe Clo. Barn —6C 14
Rolinsden Way. Kes —7H 127
Rolland Ho. W7 —8C 54
Rollesby Rd. Chess —8L 119
Rollesby Way. SE28 —9G 65
Rolleston Av. Orp —1M 127
Rolleston Clo. Orp —2M 127
Rolleston Rd. S Croy —9B 124
Roll Gdns. Ilf —3L 47
Rollins St. SE15 —7G 77
Rollit Cres. Houn —4L 85
Rollit St. N7 —1L 59
Rollo Rd. Swan —4D 114
Rolls Bldgs. EC4 —9L 59
Rollscourt Av. SE24 —4A 92
Rolls Pk. Av. E4 —5L 29
Rolls Pk. Rd. E4 —5M 29
Rolls Pas. WC2 —9L 59
(off Chancery La.)
Rolls Rd. SE1 —6D 76
Rolt St. SE8 —7J 77
(in two parts)
Rolvenden Gdns. Brom —4H 111
Rolvenden Pl. N17 —8E 28
Roman Clo. W3 —3M 71
Roman Clo. Felt —4G 85
Roman Clo. Rain —5B 66
Romanfield Rd. SW2 —6K 91
Roman Gdns. K Lan —3A 4
Roman Ho. EC2 —8A 60
(off Wood St.)
Romanhurst Av. Brom —8C 110
Romanhurst Gdns. Brom —8C 110
Roman Ind. Est. Croy —2C 124
Roman Ri. SE19 —3B 108
Roman Rd. E2 & E3 —6G 61
Roman Rd. E3 —4K 61
Roman Rd. E6 —7H 63
Roman Rd. N10 —7F 26
Roman Rd. NW2 —8G 41
Roman Rd. W4 —5C 72
Roman Rd. Ilf —2M 63
Roman Sq. SE28 —2E 80
Roman Wlk. Rad —1D 10
Roman Way. N7 —2K 59
Roman Way. SE15 —8G 77
Roman Way. Cars —1D 136
Roman Way. Croy —4M 123
Roman Way. Dart —4C 98
Roman Way. Enf —7D 16
Romany Gdns. E17 —8J 29
Romany Gdns. Sutt —2L 121
Romany Ri. Orp —3A 128
Roma Read Clo. SW15 —6F 88
Roma Rd. E17 —1J 45
Romayne Ho. SW4 —2H 91
Romberg Rd. SW17 —9E 90
Romborough Gdns. SE13 —4A 94
Romborough Way. SE13 —4A 94
Rom Cres. Romf —5D 50
Romeland. Els —8H 11
Romeland. Wal A —6J 7
Romero Clo. SW9 —2K 91
Romero Sq. SE3 —3G 95
Romeyn Rd. SW16 —9K 91
Romford. —3C 50
Romford Greyhound Stadium. —4A 50
Romford Ice Rink. —5C 50
Romford Rd. E15 & E7 —2C 62
Romford Rd. Ave —1M 63
Romford Rd. Chig —3F 32
Romford Rd. Romf —7J 33
Romford St. E1 —8E 60
Romilly Dri. Wat —4J 21
Romilly Rd. N4 —7M 43
Romilly St. W1 —1H 75
Romily Ct. SW6 —1J 89
Rommany Rd. SE27 —1B 108
(in two parts)
Romney Chase. Horn —4L 51
Romney Clo. N17 —8F 28
Romney Clo. NW11 —6A 42
Romney Clo. SE14 —8G 77
Romney Clo. Ashf —2A 100
Romney Clo. Chess —6J 119
Romney Clo. Harr —5L 37
Romney Ct. NW3 —2C 58
Romney Ct. W12 —3H 73
(off Shepherd's Bush Grn.)
Romney Dri. Brom —4H 111
Romney Dri. Harr —5L 37
Romney Gdns. Bexh —9K 81
Romney M. W1 —8E 58
Romney Pde. Hay —5B 52
Romney Rd. SE10 —7B 78
Romney Rd. Hay —5B 52
Romney Rd. N Mald —1B 120
Romney Row. NW2 —7H 41
(off Brent Ter.)
Romney St. SW1 —4J 75
Romola Rd. SE24 —7M 91
Romsey Clo. Orp —6M 127
Romsey Gdns. Dag —4H 65
Romsey Rd. W13 —1E 70
Romsey Rd. Dag —4H 65
Romulus Ct. Bren —8H 71
Rom Valley Way. Romf —5C 50
Ronald Av. E15 —6C 62
Ronald Buckingham Ct. SE16 —3G 77
(off Kenning St.)
Ronald Clo. Beck —8K 109
Ronald Ct. Brick W —2K 5
Ronald Ct. New Bar —5M 13
Ronald Ho. SE3 —3G 95
Ronald Rd. Romf —8L 35
Ronaldshay. N4 —6L 43
Ronalds Rd. N7 —1L 59
(in three parts)
Ronalds Rd. Brom —5E 110
Ronaldstone Rd. Sidc —5C 96
Ronald St. E1 —9G 61
Rona Rd. NW3 —9E 42
Ronart St. W'stone —1D 38
Rona Wlk. N1 —2B 60
(off Ramsey Wlk.)
Rondel Ct. Bex —5J 97
Rondu Rd. NW2 —1J 57
Ronelean Rd. Surb —4K 119
Roneo Corner. Horn —6D 50
Roneo Link. Horn —6D 50
Ronfearn Av. Orp —9H 113
Ron Leighton Way. E6 —4J 63
Ronneby Clo. Wey —5C 116
Ronver Rd. SE12 —7D 94
Rood La. EC3 —1C 76
Rookby Ct. N21 —2M 27
Rook Clo. Horn —3E 66
Rook Clo. Wemb —8M 39
Rookeries Clo. Felt —9F 84
Rookery Clo. NW9 —3D 40
Rookery Cres. Dag —3M 65
Rookery Dri. Chst —5L 111
Rookery Gdns. Orp & St M —9G 113
Rookery La. Brom —1H 127
Rookery Rd. SW4 —3G 91
Rookery Rd. Orp —2K 141
Rookery, The. —9F 8
Rookery Way. NW9 —3D 40
Rookesley Rd. Orp —2H 129
Rooke Way. SE10 —6D 78
Rookfield Av. N10 —2G 43
Rookfield Clo. N10 —2G 43
Rookley Clo. Sutt —1M 135
Rooksmead Rd. Sun —6E 100
Rooks Ter. W Dray —3J 143
Rookstone Rd. SW17 —2D 106
Rook Wlk. E6 —9H 63
Rookwood Av. N Mald —8E 104
Rookwood Av. Wall —6H 123
Rookwood Gdns. E4 —2D 30
Rookwood Ho. Bark —5B 64
Rookwood Rd. N16 —5D 44
Roosevelt Way. Dag —2B 66
Rootes Dri. W10 —8H 57
Ropemaker Rd. SE16 —3J 77
Ropemaker's Field. E14 —1K 77
Ropemakers Fields. E14 —1K 77
Ropemaker St. EC2 —8B 60
Roper La. SE1 —3C 76
Ropers Av. E4 —5M 29
Ropers Orchard. SW3 —7C 74
(off Danvers St.)
Roper St. SE9 —4K 95
Ropers Wlk. SW2 —6L 91
Roper Way. Mitc —6E 106
Ropery Bus. Pk. SE7 —5G 79
Ropery St. E3 —7K 61
Rope St. SE16 —5J 77
Rope Wlk. Sun —7G 101
Rope Wlk. Gdns. E1 —9E 60
Rope Yd. Rails. SE18 —4M 79
Ropley St. E2 —5E 60
Rosa Alba M. N5 —9A 44
Rosalind Ct. Bark —3E 64
(off Meadow Rd.)
Rosalind Ho. N1 —5C 60
(off Arden Ho.)
Rosaline Rd. SW6 —8J 73
Rosaline Ter. SW6 —8J 73
(off Rosaline Rd.)
Rosamond St. SE26 —9F 92
Rosamund Clo. S Croy —6B 124
Rosamun St. S'hall —5J 69
Rosary Clo. Houn —1J 85
Rosary Gdns. SW7 —5A 74
Rosary Gdns. Ashf —1A 100
Rosary Gdns. Bush —9C 10
Rosaville Rd. SW6 —8K 73
Roscoe St. EC1 —7A 60
(in two parts)
Roscoe St. Est. EC1 —7A 60
Roscoff Clo. Edgw —8A 24
Roseacre Clo. W13 —8F 54
Roseacre Clo. Horn —5M 51
Roseacre Rd. Well —2F 96
Rose All. EC2 —8C 60
(off Bishopsgate)
Rose All. SE1 —2A 76
Rose & Crown Ct. EC2 —9A 60
(off Foster La.)
Rose & Crown Pas. Iswth —9E 70
Rose & Crown Yd. SW1 —2G 75
Roseary Clo. W Dray —5H 143
Rose Av. E18 —9F 30
Rose Av. Mitc —5D 106
Rose Av. Mord —9A 106
Rosebank. SE20 —4F 108
Rosebank. SW6 —8G 73
Rosebank. W3 —9B 56
Rosebank. Eps —6A 134
Rosebank. Wal A —6L 7
Rosebank Av. Horn —1G 67
Rosebank Av. Wemb —9D 38
Rose Bank Clo. N12 —5C 26
Rosebank Clo. Tedd —3E 102
Rosebank Gdns. E3 —5K 61
Rosebank Gdns. W3 —9B 56
Rosebank Gro. E17 —1K 45
Rosebank Rd. E17 —4M 45
Rosebank Rd. W7 —3C 70
Rosebank Vs. E17 —2L 45
Rosebank Wlk. NW1 —3H 59
Rosebank Wlk. SE18 —5J 79
Rosebank Way. W3 —9B 56
Rose Bates Dri. NW9 —2L 39
Roseberry Av. T Hth —6A 108
Roseberry Ct. Wat —3E 8
Roseberry Gdns. N4 —4M 43
Roseberry Gdns. Dart —6G 99
Roseberry Gdns. Orp —5C 128
Roseberry Pl. E8 —2D 60
Roseberry St. SE1 —5F 76
Rosebery Av. E12 —2J 63
Rosebery Av. EC1 —7L 59
Rosebery Av. N17 —9E 28
Rosebery Av. Eps —6C 134
Rosebery Av. Harr —9J 37
Rosebery Av. N Mald —6D 104
Rosebery Av. Sidc —6C 96
Rosebery Clo. Mord —1H 121
Rosebery Ct. EC1 —7L 59
(off Rosebery Av.)
Rosebery Gdns. N8 —3J 43
Rosebery Gdns. W13 —9E 54
Rosebery Gdns. Sutt —6M 121
Rosebery Ho. E2 —5H 61
(off Sewardstone Rd.)
Rosebery Ind. Est. N17 —9F 28
Rosebery Ind. Pk. N17 —9F 28
Rosebery M. N10 —9G 27
Rosebery Rd. N9 —3E 28
Rosebery Rd. N10 —9G 27
Rosebery Rd. SW2 —5J 91
Rosebery Rd. Bush —9M 9
Rosebery Rd. Houn —4A 86
Rosebery Rd. King T —6M 103
Rosebery Rd. Sutt —8K 121
Rosebery Sq. EC1 —7L 59
(off Rosebery Av.)
Rosebery Sq. King T —6M 103
Rosebine Av. Twic —6B 86
Rosebriars. Esh —7A 118
(in two parts)
Rosebriar Wlk. Wat —9D 4
Rosebury Rd. SW6 —1M 89
Rosebury Sq. Wfd G —7L 31
Rosebury Va. Ruis —7E 36
Rose Bush Ct. NW3 —1D 58
Rosebushes. Eps —8F 134
Rose Cotts. Brick —3M 5
Rose Cotts. Kes —3G 141
Rose Ct. E1 —8D 60
(off Wentworth St.)
Rose Ct. Chesh —1A 6
Rose Ct. S Harr —7A 38
Rose Ct. Wemb —5J 55
(off Vicars Bri. Clo.)
Rosecourt Rd. Croy —1K 123
Rosecroft. N14 —2H 27
Rosecroft Av. NW3 —8L 41
Rosecroft Clo. Big H —9K 141
Rosecroft Clo. Orp —1G 129
Rosecroft Ct. N'wd —6A 20
Rosecroft Dri. Wat —9C 4
Rosecroft Gdns. NW2 —8E 40
Rosecroft Gdns. Twic —7B 86
Rosecroft Rd. S'hall —7L 53
Rosecroft Wlk. Pinn —3H 37
Rosecroft Wlk. Wemb —1H 55
Rosedale. —1A 6
Rosedale. Asht —9G 133
Rose Dale. Orp —4M 127
Rosedale Av. Chesh —2A 6
Rosedale Av. Hay —8B 52
Rosedale Clo. SE2 —4F 80
Rosedale Clo. W7 —3D 70
Rosedale Clo. Brick W —3J 5
Rosedale Clo. Dart —6M 99
Rosedale Clo. Stan —6F 22
Rosedale Ct. N5 —9M 43
Rosedale Ct. Harr —9D 38
Rosedale Gdns. Dag —3F 64
Rosedale Ho. N16 —6B 44

Royal Hill Ct. SE10 —8A 78
(off Greenwich High St.)
Royal Hospital Chelsea Mus. —6E 74
Royal Hospital Rd. SW3 —7D 74
Royal La. Uxb & W Dray —8D 142
Royal London Ind. Est. NW10 —5B 56
Royal M. SW1 —4F 74
Royal Mews, The. —4F 74
Royal Mint Ct. EC3 —1D 76
Royal Mint Pl. E1 —1E 76
(off Cartwright St.)
Royal Mint St. E1 —1D 76
Royal National Theatre. —2K 75
Royal Naval Pl. SE14 —8K 77
Royal Oak Ct. N1 —6C 60
(off Pitfield St.)
Royal Oak Pl. SE22 —5F 92
Royal Oak Rd. E8 —2F 60
Royal Oak Rd. Bexh —4K 97
Royal Oak Yd. SE1 —3C 76
Royal Observatory Greenwich. —8B 78
Royal Opera Arc. SW1 —2H 75
Royal Opera House. —9J 59
Royal Orchard Clo. SW18 —6J 89
Royal Pde. SE3 —1D 94
Royal Pde. SW6 —8J 73
(off Dawes Rd.)
Royal Pde. W5 —6J 55
Royal Pde. Chst —4A 112
Royal Pde. Dag —2M 65
(off Church St.)
Royal Pde. Rich —9L 71
(off Layton Pl.)
Royal Pde. M. SE3 —1D 94
(off Royal Pde.)
Royal Pde. M. Chst —4A 112
(off Royal Pde.)
Royal Pl. SE10 —8A 78
Royal Rd. E16 —9G 63
Royal Rd. SE17 —7M 75
Royal Rd. Dart —2L 115
Royal Rd. Sidc —9H 97
Royal Rd. Tedd —2B 102
Royal Route. Wemb —9L 39
Royal St. SE1 —4K 75
Royal Tower Lodge. E1 —1E 76
(off Cartwright St.)
Royalty M. W1 —9H 59
(off Dean St.)
Royalty Studios. W10 —7H 57
(off Lancaster Rd.)
Royal Victoia Pl. E16 —2F 78
Royal Victoria Patriotic Building. SW18 —5B 90
Royal Victor Pl. E3 —5H 61
Royal Wlk. Wall —4F 122
Royal Westminster Lodge. SW1 —5H 75
(off Elverton St.)
Royce Gro. Leav —7D 4
Roycraft Av. Bark —5D 64
Roycroft Clo. E18 —8F 30
Roycroft Clo. SW2 —7L 91
Roydene Rd. SE18 —7C 80
Roydon Clo. SW11 —1D 90
(off Battersea Pk. Rd.)
Roydon Clo. Lou —9J 19
Roydon Ct. W on T —6F 116
Roy Gdns. Ilf —2C 48
Roy Gro. Hamp —3M 101
Royle Clo. Romf —3F 50
Royle Cres. W13 —7E 54
Roymount Ct. Twic —9C 86
Roy Rd. N'wd —7D 20
Roy Sq. E14 —1J 77
Royston Av. E4 —5L 29
Royston Av. Sutt —5B 122
Royston Av. Wall —6H 123
Royston Clo. Houn —9F 68
Royston Clo. W on T —3E 116
Royston Ct. E13 —4E 62
(off Stopford Rd.)
Royston Ct. SE24 —5A 92
Royston Ct. Hin W —4D 118
Royston Ct. Rich —9K 71
Royston Gdns. Ilf —4H 47
Royston Gro. Pinn —6L 21
Royston Ho. N11 —4D 26
Royston Ho. SE15 —7F 76
(off Friary Est.)
Royston Pde. Ilf —4H 47
Royston Pk. Rd. Pinn —6K 21
Royston Rd. SE20 —5H 109
Royston Rd. Dart —5D 98
Royston Rd. Rich —4J 87
Royston Rd. Romf —7L 35
Roystons, The. Surb —9M 103
Royston St. E2 —5G 61
Rozel Ct. N1 —4C 60
Rozel Rd. SW4 —2G 91
Rozel Ter. Croy —4A 124
(off Church Rd.)
Rubastic Rd. S'hall —4G 69
Rubens Pl. SW4 —3J 91
Rubens Rd. N'holt —5G 53
Rubens St. SE6 —8K 93
Ruberoid Rd. Enf —5K 17
Rubin Pl. Enf —1L 17
Ruby M. E17 —1L 45
Ruby Rd. E17 —1L 45
Ruby St. NW10 —3B 56
Ruby St. SE15 —7F 76
Ruby Triangle. SE15 —7F 76
Ruckholt Clo. E10 —8M 45
Ruckholt Rd. E10 —9M 45
Rucklidge Av. NW10 —5D 56
Rucklidge Pas. NW6 —5K 57
(off Carlton Va.)
Rucklidge Pas. NW10 —5D 56
(off Rucklidge Av.)
Rudall Cres. NW3 —9B 42
Rudbeck Ho. SE15 —8E 76
(off Peckham Pk. Rd.)
Ruddington Clo. E5 —9J 45
Ruddock Clo. Edgw —7A 24
Ruddstreet Clo. SE18 —5M 79
Ruddy Way. NW7 —6D 24
Ruden Way. Eps —8F 134
Rudge Ho. SE16 —4E 76
(off Jamaica Rd.)
Rudgwick Ct. SE18 —5J 79
(off Woodville St., in two parts)
Rudgwick Ter. NW8 —4C 58
Rudland Rd. Bexh —2M 97
Rudloe Rd. SW12 —6G 91
Rudolf Pl. SW8 —7J 75
Rudolph Rd. E13 —5D 62
Rudolph Rd. NW6 —5L 57
Rudolph Rd. Bush —8L 9
Rudyard Gro. NW7 —6A 24
Rue de St Lawrence. Wal A —7J 7
Ruegg Ho. SE18 —7L 79
(off Woolwich Comn.)
Ruffetts Clo. S Croy —9F 124
Ruffetts, The. S Croy —9F 124
Ruffle Clo. W Dray —3J 143
Rufford Clo. Harr —4E 38
Rufford Clo. Wat —1D 8
Rufford St. N1 —4J 59
Rufford Tower. W3 —2M 71
Rufforth Ct. NW9 —8C 24
(off Pageant Av.)
Rufus Clo. Ruis —8J 37
Rufus Ho. SE1 —4D 76
(off Abbey St.)
Rufus St. EC1 —6C 60
Rugby Av. N9 —1D 28
Rugby Av. Gnfd —2B 54
Rugby Av. Wemb —1F 54
Rugby Clo. Harr —2C 38
Rugby Gdns. Dag —2G 65
Rugby La. Sutt —1H 135
Rugby Mans. W14 —5J 73
(off Bishop King's Rd)
Rugby Rd. NW9 —2M 39
Rugby Rd. W4 —3C 72
Rugby Rd. Dag —2F 64
Rugby Rd. Twic —4C 86
Rugby St. WC1 —7K 59
Rugg St. E14 —1L 77
Rugless Ho. E14 —3A 78
(off E. Ferry Rd.)
Rugmere. NW1 —3E 58
(off Ferdinand St.)
Ruislip. —6C 36
Ruislip Clo. Gnfd —7M 53
Ruislip Common. —2A 36
Ruislip Ct. Ruis —7D 36
Ruislip Gardens. —8E 36
Ruislip Lido Railway. —2B 36
Ruislip Manor. —6E 36
Ruislip Rd. Gnfd —6L 53
Ruislip Rd. N'holt & S'hall —4G 53
Ruislip Rd. E. Gnfd & W7 —7B 54
Ruislip St. SW17 —1D 106
Rumball Ho. SE5 —8C 76
(off Harris St.)
Rumbold Rd. SW6 —8M 73
Rum Clo. E1 —1G 77
Rumford Ho. SE1 —4A 76
(off Tiverton St.)
Rumford Shopping Hall. Romf —3C 50
Rumney Ct. N'holt —5H 53
(off Parkfield Dri.)
Rumsey Clo. Hamp —3K 101
Rumsey M. N4 —8M 43
Rumsey Rd. SW9 —2K 91
Runacres Ct. SE17 —6A 76
Runbury Circ. NW9 —7B 40
Runcorn Clo. N17 —2F 44
Runcorn Ho. Romf —6J 35
(off Kingsbridge Cir.)
Runcorn Pl. W11 —1J 73
Rundell Cres. NW4 —3F 40
Rundell Tower. SW8 —9K 75
Runes Clo. Mitc —8B 106
Runnel Fld. Harr —8C 38
Running Horse Yd. Bren —7J 71
Runnymede. SW19 —5A 106
Runnymede Clo. Twic —5M 85
Runnymede Ct. SW15 —7E 88
Runnymede Ct. Dart —7M 99
Runnymede Cres. SW16 —5H 107
Runnymede Gdns. Gnfd —5C 54
Runnymede Gdns. Twic —5M 85
Runnymede Ho. E9 —9J 45
Runnymede Rd. Twic —5M 85
Runway, The. Ruis —1F 52
Rupack St. SE16 —3G 77
Rupert Av. Wemb —1J 55
Rupert Ct. W1 —1H 75
Rupert Ct. W Mol —8L 101
(off St Peters Rd.)
Rupert Gdns. SW9 —1M 91
Rupert Ho. SE11 —5L 75
Rupert Rd. N19 —8H 43
(in two parts)
Rupert Rd. NW6 —5K 57
Rupert Rd. W4 —4C 72
Rupert St. W1 —1H 75
Rural Clo. Horn —6F 50
Rural Way. SW16 —4F 106
Ruscoe Rd. E16 —9D 62
Ruscombe Way. Felt —6D 84
Rusham Rd. SW12 —5D 90
Rushbrook Cres. E17 —8K 29
Rushbrook Rd. SE9 —8A 96
Rushbury Ct. Hamp —5L 101
Rushcroft Rd. E4 —7M 29
Rushcroft Rd. SW2 —3L 91
Rushcutters Ct. SE16 —5J 77
(off Boat Lifter Way)
Rushden Clo. SE19 —4B 108
Rushdene. SE2 —4G 81
(in two parts)
Rushdene Av. Barn —9C 14
Rushdene Clo. N'holt —5G 53
Rushdene Cres. N'holt —5F 52
Rushdene Rd. Pinn —4H 37
Rushdene Wlk. Big H —9H 141
Rushden Gdns. NW7 —6G 25
Rushden Gdns. Ilf —9L 31
Rushdon Clo. Romf —3E 50
Rush Dri. Wal A —9J 7
Rushen Wlk. Cars —3B 122
Rushes Mead. Uxb —4A 142
Rushet Rd. Orp —6E 112
Rushett Clo. Th Dit —3F 118
Rushett La. Chess & Eps —3G 133
Rushett Rd. Th Dit —2F 118
Rushey Clo. N Mald —8B 104
Rushey Grn. SE6 —6M 93
Rushey Hill. Enf —6K 15
Rushey Mead. SE4 —4L 93
Rushford Rd. SE4 —5K 93
Rush Green. —6B 50
Rush Grn. Gdns. Romf —6A 50
Rush Grn. Rd. Romf —6M 49
Rushgrove Av. NW9 —3C 40
Rushgrove Pde. NW9 —3C 40
Rushgrove St. SE18 —5K 79
Rush Hill M. SW11 —2E 90
(off Rush Hill Rd.)
Rush Hill Rd. SW11 —2E 90
Rushleigh Av. Chesh —4D 6
Rushley Clo. Kes —6H 127
Rushmead. E2 —6F 60
Rushmead. Rich —9F 86
Rushmead Clo. Croy —6D 124
Rushmead Clo. Edgw —2M 23
Rushmere Ct. Wor Pk —4E 120
Rushmere Pl. SW19 —2H 105
Rushmon Gdns. W on T —5F 116
Rushmon Pl. Cheam —8J 121
Rushmon Vs. N Mald —8D 104
Rushmoor Clo. Pinn —2F 36
Rushmoor Ct. Wat —8A 8
Rushmore Clo. Brom —7J 111
Rushmore Cres. E5 —9H 45
Rushmore Ho. W14 —4J 73
(off Russell Rd.)
Rushmore Rd. E5 —9G 45
(in three parts)
Rusholme Av. Dag —8L 49
Rusholme Gro. SE19 —2C 108
Rusholme Rd. SW15 —5H 89
Rushout Av. Harr —4F 38
Rush, The. SW19 —5K 105
(off Kingston Rd.)
Rushton Av. Wat —8E 4
Rushton Ct. Chesh —2D 6
Rushton Ho. SW8 —1H 91
Rushton St. N1 —5B 60
Rushworth Av. NW4 —1E 40
Rushworth Gdns. NW4 —1E 40
Rushworth St. SE1 —3M 75
Rushy Mdw. La. Cars —5C 122
Ruskin Av. E12 —2J 63
Ruskin Av. Felt —5D 84
Ruskin Av. Rich —8L 71
(in two parts)
Ruskin Av. Wal A —7L 7
Ruskin Av. Well —1E 96
Ruskin Clo. NW11 —4M 41
Ruskin Ct. N21 —9K 15
Ruskin Ct. SE5 —2B 92
(off Champion Hill)
Ruskin Dri. Orp —5C 128
Ruskin Dri. Well —2E 96
Ruskin Dri. Wor Pk —4F 120
Ruskin Gdns. W5 —7H 55
Ruskin Gdns. Harr —3K 39
Ruskin Gdns. Romf —7F 34
Ruskin Gro. Dart —4L 99
Ruskin Gro. Well —1E 96
Ruskin Ho. SW1 —5H 75
(off Herrick St.)
Ruskin Ho. S Croy —7B 124
(off Selsdon Rd.)
Ruskin Mans. W14 —7J 73
(off Queen's Club Gdns.)
Ruskin Pde. S Croy —7B 124
(off Selsdon Rd.)
Ruskin Pk. Ho. SE5 —2B 92
Ruskin Rd. N17 —8D 28
Ruskin Rd. Belv —5L 81
Ruskin Rd. Cars —7D 122
Ruskin Rd. Croy —4M 123
Ruskin Rd. Iswth —2D 86
Ruskin Rd. S'hall —1J 69
Ruskin Wlk. N9 —2E 28
Ruskin Wlk. SE24 —4A 92
Ruskin Wlk. Brom —1M 127
Ruskin Way. SW19 —5B 106
Rusland Av. Orp —5B 128
Rusland Heights. Harr —2C 38
Rusland Pk. Rd. Harr —2C 38
Rusling Ct. Wat —5F 8
Rusper Clo. NW2 —8G 41
Rusper Clo. Stan —4G 23
Rusper Ct. SW9 —1J 91
(off Clapham Rd.)
Rusper Rd. N22 & N17 —9M 27
Rusper Rd. Dag —2G 65
Russell Av. N22 —9L 27
Russell Clo. NW10 —3A 56
Russell Clo. SE7 —8G 79
Russell Clo. W4 —7D 72
Russell Clo. Beck —7M 109
Russell Clo. Bexh —3L 97
Russell Clo. Dart —3E 98
Russell Clo. N'wd —5A 20
Russell Clo. Ruis —7G 37
Russell Ct. E10 —5M 45
Russell Ct. N14 —8H 15
Russell Ct. SE15 —1F 92
(off Heaton Rd.)
Russell Ct. SW1 —2G 75
(off Cleveland Row)
Russell Ct. SW16 —2K 107
Russell Ct. WC1 —7J 59
Russell Ct. Brick W —3L 5
Russell Ct. New Bar —6A 14
Russell Ct. S Croy —2L 137
Russell Ct. Wall —7G 123
(off Ross Rd.)
Russell Cres. Wat —8D 4
Russell Dri. Stanw —5B 144
Russell Gdns. N20 —2C 26
Russell Gdns. NW11 —4J 41
Russell Gdns. W14 —4J 73
Russell Gdns. Ilf —5B 48
Russell Gdns. Rich —8G 87
Russell Gdns. W Dray —6L 143
Russell Gdns. M. W14 —3J 73
Russell Grn. Clo. Purl —2L 137
Russell Gro. NW7 —5C 24
Russell Gro. SW9 —8L 75
Russell Hill. Purl —2K 137
Russell Hill Pl. Purl —3L 137
Russell Hill Rd. Purl —3L 137
Russell Ho. E14 —9L 61
(off Saracen St.)
Russell Ho. SW1 —6G 75
(off Cambridge St.)
Russell Kerr Clo. W4 —8A 72
Russell La. N20 —2C 26
Russell La. Wat —9B 4
Russell Lodge. E4 —2A 30
Russell Lodge. SE1 —4B 76
(off Spurgeon St.)
Russell Mead. Har W —8D 22
Russell Pde. NW11 —4J 41
(off Golders Grn. Rd.)
Russell Pl. NW3 —1C 58
Russell Pl. SE16 —4J 77
Russell Pl. S at H —5L 115
Russell Rd. E4 —4K 29
Russell Rd. E10 —4M 45
Russell Rd. E16 —9E 62
Russell Rd. E17 —1K 45
Russell Rd. N8 —4H 43
Russell Rd. N13 —6K 27
Russell Rd. N15 —3C 44
Russell Rd. N20 —2C 26
Russell Rd. NW9 —4D 40
Russell Rd. SW19 —4L 105
Russell Rd. W14 —4J 73
Russell Rd. Buck H —1F 30
Russell Rd. Enf —2D 16
Russell Rd. Mitc —7C 106
Russell Rd. N'holt —1A 54
Russell Rd. N'wd —5A 20
Russell Rd. Shep —2A 116
Russell Rd. Twic —5D 86
Russell Rd. W on T —1E 116
Russell's Footpath. SW16 —2J 107
Russell Sq. WC1 —8J 59
Russell's Ride. Chesh —4E 6
Russell St. WC2 —1J 75
Russell Ter. Hort K —8M 115
Russell Wlk. Rich —5K 87
Russell Way. Sutt —7M 121
Russell Way. Wat —9F 8
Russell Yd. SW15 —3J 89
Russet Av. Shep —7C 100
Russet Clo. Uxb —7A 52
Russet Clo. W on T —5H 117
Russet Cres. N7 —1K 59
Russet Dri. Croy —3J 125
Russets Clo. E4 —4B 30
Russetts Clo. Orp —7F 128
Russettings. Pinn —7K 21
(off Westfield Pk.)
Russetts. Horn —2J 51
Russett Way. SE13 —1M 93
Russett Way. Swan —6B 114
Russia Ct. EC2 —9A 60
(off Russia Row)
Russia Dock Rd. SE16 —2J 77
Russia Row. EC2 —9A 60
Russia Wlk. SE16 —3J 77
Russington Rd. Shep —1B 116
Rusthall Av. W4 —5B 72
Rusthall Clo. Croy —1G 125
Rustic Av. SW16 —4F 106
Rustic Pl. Wemb —9H 39
Rustic Wlk. E16 —9F 62
(off Lambert Rd.)
Rustington Wlk. Mord —2K 121
Ruston Av. Surb —2M 119
Ruston Gdns. N14 —8E 14
Ruston M. W11 —9J 57
Ruston Rd. SE18 —4J 79
Ruston St. E3 —4K 61
Rust Sq. SE5 —8B 76
Rutford Rd. SW16 —2J 107
Ruth Clo. Stan —2K 39
Ruth Ct. E3 —5J 61
Ruthen Clo. Eps —6M 133
Rutherford Clo. Borwd —4A 12
Rutherford Clo. Sutt —8B 122
Rutherford Clo. Uxb —7D 142
Rutherford Ho. E1 —7F 60
(off Brady St.)
Rutherford Ho. Wemb —8A 40
(off Barnhill Rd.)
Rutherford St. SW1 —5H 75
Rutherford Tower. S'hall —9M 53
Rutherford Way. Bus H —1B 22
Rutherford Way. Wemb —9L 39
Rutherglen Rd. SE2 —7E 80
Rutherwick Ri. Coul —9J 137
Rutherwyke Clo. Eps —8E 120
Ruth Ho. W10 —7J 57
(off Kensal Rd.)
Ruthin Clo. NW9 —4C 40
Ruthin Rd. SE3 —7E 78
Ruthven Av. Wal X —6D 6
Ruthven St. E9 —4H 61
Rutland App. Horn —3L 51
Rutland Av. Sidc —6E 96
Rutland Clo. SW14 —2M 87
Rutland Clo. SW19 —4C 106
Rutland Clo. Asht —9J 133
Rutland Clo. Bex —8H 97
Rutland Clo. Chess —8K 119
Rutland Clo. Dart —6H 99
Rutland Clo. Eps —2B 134
Rutland Ct. SE5 —3B 92
Rutland Ct. SE9 —8A 96
Rutland Ct. SW7 —3C 74
(off Rutland Gdns.)
Rutland Ct. W3 —9L 55
Rutland Ct. Chst —5L 111
Rutland Ct. Enf —7F 16
Rutland Ct. King T —8H 103
(off Palace Rd.)
Rutland Dri. Horn —3L 51
Rutland Dri. Mord —1K 121
Rutland Dri. Rich —7H 87
Rutland Gdns. N4 —4M 43
Rutland Gdns. SW7 —3C 74
Rutland Gdns. W13 —8E 54
Rutland Gdns. Croy —6C 124
Rutland Gdns. Dag —1G 65
Rutland Gdns. M. SW7 —3C 74
Rutland Ga. SW7 —3C 74
Rutland Ga. Belv —6M 81
Rutland Ga. Brom —8D 110
Rutland Ga. M. SW7 —3C 74
(off Rutland Ga.)
Rutland Gro. W6 —6F 72
Rutland Ho. W8 —4M 73
(off Marloes Rd.)
Rutland Ho. N'holt —2L 53
(off Farmlands, The)
Rutland M. NW8 —4M 57
Rutland M. E. SW7 —4C 74
(off Ennismore St.)
Rutland M. S. SW7 —4C 74
(off Ennismore St.)
Rutland M. W. SW7 —4C 74
(off Rutland Ga.)
Rutland Pk. NW2 —2G 57
Rutland Pk. SE6 —8K 93
Rutland Pk. Gdns. NW2 —2G 57
(off Rutland Pk.)
Rutland Pk. Mans. NW2 —2G 57
Rutland Pl. EC1 —7M 59
Rutland Pl. Bush —1B 22
Rutland Rd. E7 —3H 63
Rutland Rd. E9 —4H 61
Rutland Rd. E11 —3F 46
Rutland Rd. E17 —4L 45
Rutland Rd. SW19 —4C 106
Rutland Rd. Harr —4A 38
Rutland Rd. Hay —5B 68
Rutland Rd. Ilf —8M 47
Rutland Rd. S'hall —8L 53
Rutland Rd. Twic —8B 86
Rutland St. SW7 —4C 74
Rutland Wlk. SE6 —8K 93
Rutland Way. Orp —1G 129
Rutley Clo. SE17 —7M 75
Rutley Clo. H Wood —9H 35
Rutlish Rd. SW19 —5L 105
Rutter Gdns. Mitc —8A 106
Rutters Clo. W Dray —3L 143
Rutt's Ter. SE14 —9H 77
Rutts, The. Bush —1B 22
Ruvigny Gdns. SW15 —2H 89

St George's Clo.—St Marys

St George's Clo. SW8 —9G 75
St George's Clo. Wemb —8E 38
St George's Clo. Wey —7A 116
St George's Ct. E6 —7K 63
St Georges Ct. E17 —3B 46
St Georges Ct. EC4 —9M 59
St George's Ct. SW15 —3K 89
St Georges Ct. Harr —4E 38
(off Kenton Rd.)
St George's Ct. Wemb —8M 39
St George's Dri. SW1 —5F 74
St George's Dri. Wat —3J 21
St George's Fields. W2 —9C 58
St George's Gdns. Eps —6D 134
St George's Gdns. Surb —4M 119
St George's Gro. SW17 —9B 90
St George's Ho. NW1 —5H 59
(off Bridgeway St.)
St Georges Ind. Est. N17 —7M 27
St George's Ind. Est. King T —2H 103
St George's La. EC3 —1B 76
(off Pudding La.)
St George's Mans. SW1 —6H 75
(off Causton St.)
St George's M. NW1 —3D 58
St Georges M. SE1 —4L 75
(off Westminster Bri. Rd.)
St Georges Pde. SE6 —8K 93
St George's Path. SE4 —3L 93
(off Adelaide Av.)
St George's Pl. Twic —7E 86
St George's Rd. E7 —3F 62
St George's Rd. E10 —8A 46
St George's Rd. N9 —3E 28
St George's Rd. N13 —3K 27
St George's Rd. NW11 —4K 41
St George's Rd. SE1 —4L 75
St George's Rd. SW19 —4K 105
(in two parts)
St George's Rd. W4 —3B 72
St George's Rd. W7 —2D 70
St George's Rd. Beck —5M 109
St George's Rd. Brom —6K 111
(in two parts)
St George's Rd. Dag —1J 65
St George's Rd. Enf —2D 16
St George's Rd. Felt —1H 101
St George's Rd. Ilf —5K 47
St George's Rd. King T —4L 103
St George's Rd. Mitc —7F 106
St George's Rd. Orp —1B 128
St Georges Rd. Rich —2K 87
St George's Rd. Sidc —3H 113
St Georges Rd. Swan —8D 114
St George's Rd. Twic —4F 86
St George's Rd. Wall —7F 122
St George's Rd. Wat —2F 8
St George's Rd. Wey —8B 116
St George's Rd. W. Brom —6J 111
St George's Shop. & Leisure Cen. Harr —4C 38
St George's Sq. E7 —3F 62
St Georges Sq. E14 —1J 77
St George's Sq. SE8 —5K 77
St George's Sq. SW1 —6H 75
St George's Sq. N Mald —7C 104
St George's Sq. M. SW1 —6H 75
St George's Ter. NW1 —3D 58
St George St. W1 —1F 74
St George's Wlk. Croy —5A 124
St George's Way. SE15 —7C 76
St George's Wharf. SE1 —3D 76
(off Shad Thames)
St Gerards Clo. SW4 —4G 91
St German's Pl. SE3 —9E 78
St German's Rd. SE23 —7J 93
St Giles Av. Dag —3M 65
St Giles Av. Uxb —9A 36
St Giles Cir. W1 —9H 59
St Giles Clo. Dag —3M 65
St Giles Clo. Orp —7B 128
St Giles Ct. WC2 —9J 59
(off St Giles High St.)
St Giles Ct. Enf —8C 6
St Giles High St. WC1 —9H 59
St Giles Ho. New Bar —6A 14
St Giles Pas. WC2 —9H 59
(off New Compton St.)
St Giles Rd. SE5 —8C 76
St Giles Ter. EC2 —8A 60
(off Beech St.)
St Giles Tower. SE5 —9C 76
(off Gables Clo.)
St Gilles Ho. E2 —5H 61
(off Mace St.)
St Gothard Rd. SE27 —1B 108
(in two parts)
St Gregory Clo. Ruis —9G 37
St Helena Ho. WC1 —6L 59
(off Margery St.)
St Helena Rd. SE16 —5H 77
St Helena St. WC1 —6L 59
St Helen Clo. Uxb —8B 142
St Helens. Th Dit —2D 118
St Helen's Ct. Rain —7E 66
St Helen's Cres. SW16 —5K 107
St Helen's Gdns. W10 —8H 57
St Helen's Pl. EC2 —9C 60
St Helen's Rd. SW16 —5K 107
St Helen's Rd. W13 —2F 70
St Helen's Rd. Eri —3H 81
St Helen's Rd. Ilf —4K 47
St Helier. —2C 122
St Helier Av. Mord —2A 122
St Helier Ct. N1 —4C 60
(off De Beauvoir Est.)
St Helier's Av. Houn —4L 85
St Helier's Rd. E10 —4A 46
St Hilda's Clo. NW6 —4H 57
St Hilda's Clo. SW17 —8C 90
St Hilda's Rd. SW13 —7F 72
St Hubert's Ho. E14 —4L 77
(off Janet St.)
St Hughes Clo. SW17 —8C 90
St Hugh's Rd. SE20 —5F 108
St Ives Clo. Romf —7K 35
St Ivian's Dri. Romf —1E 50
St James Apartments. E17 —3J 45
(off High St.)
St James Av. N20 —3C 26
St James Av. W13 —2E 70
St James Av. Eps —3D 134
St James Av. Sutt —7L 121
St James Clo. N20 —3C 26
St James Clo. SE18 —6A 80
St James Clo. Barn —6B 14
St James Clo. Eps —6C 134
St James Clo. N Mald —9D 104
St James Clo. Ruis —7G 37
St James Ct. E2 —6E 60
(off Bethnal Grn. Rd.)
St James Ct. E12 —7G 47
St James Ct. SE3 —9F 78
St James' Ct. SW1 —4G 75
St James Ct. Asht —9H 133
St James Ct. Romf —2D 50
St James' Gdns. Wemb —3H 55
St James Ga. Buck H —1F 30
St James Gro. SW11 —1D 90
St James Ho. Romf —3D 50
(off Eastern Rd.)
St James' Mans. NW6 —3L 57
(off W. End La.)
St James M. E14 —4A 78
St James M. E17 —3J 45
(off St James's St.)
St James Pl. Dart —5H 99
St James Residences. W1 —1H 75
(off Brewer St.)
St James' Rd. E15 —1D 62
St James' Rd. N9 —2F 28
St James Rd. Cars —5C 122
St James Rd. Mitc —4E 106
St James Rd. Purl —5M 137
St James' Rd. Surb —1H 119
St James Rd. Sutt —7L 121
St James Rd. Wat —7F 8
St James's. —2H 75
St James's. SE14 —9J 77
St James's. SW1 —2G 75
St James's App. EC2 —7C 60
St James's Av. E1 —5G 61
St James's Av. Beck —7J 109
St James's Av. Hamp H —2A 102
St James's Chamber. SW1 —2G 75
(off Jermyn St.)
St James's Clo. NW8 —4D 58
(off St James's Ter M.)
St James's Clo. SW17 —8D 90
St James's Cotts. Rich —4H 87
St James's Ct. N18 —6D 28
(off Fore St.)
St James's Ct. Harr —4E 38
St James's Ct. King T —7J 103
St James's Cres. SW9 —2L 91
St James's Dri. SW17 & SW12 —7D 90
St James's Gdns. W11 —2J 73
St James's La. N10 —2F 42
St James's Mkt. SW1 —1H 75
St James's Palace. —3G 75
St James's Pk. —3H 75
St James's Pk. Croy —2A 124
St James's Pas. EC3 —9C 60
(off Duke's Pl.)
St James's Pl. SW1 —2G 75
St James's Rd. SE1 —7E 76
St James's Rd. SE16 —4E 76
St James's Rd. Croy —2M 123
St James's Rd. Hamp H —2M 101
St James's Rd. King T —6H 103
St James's Sq. SW1 —2G 75
St James's St. E17 —3J 45
St James's St. SW1 —2G 75
St James's Ter. NW8 —4D 58
(off Prince Albert Rd.)
St James's Ter. M. NW8 —4D 58
St James St. W6 —6G 73
St James's Wlk. EC1 —7M 59
St James Ter. SW12 —7E 90
St James Way. Sidc —2J 113
St Jeromes Gro. Hay —9A 52
St Joan's Rd. N9 —2D 28
St John Fisher Rd. Eri —4H 81
St John's. —1L 93
St John's Av. N11 —5D 26
St John's Av. NW10 —4D 56
St John's Av. SW15 —4H 89
St John's Av. Eps —4E 134
St Johns Cvn. Pk. Enf —1M 15
St Johns Chu. Rd. E9 —1G 61
St Johns Clo. N14 —8G 15
St John's Clo. N20 —3A 26
(off Rasper Rd.)
St John's Clo. SW6 —8L 73
St John's Clo. Rain —3E 66
St Johns Clo. Uxb —4A 142
St John's Clo. Wemb —1J 55
St John's Cotts. SE20 —4G 109
St John's Ct. N4 —7M 43
St John's Ct. N5 —9M 43
St John's Ct. SE13 —1A 94
St John's Ct. W6 —5F 72
(off Glenthorne Rd.)
St John's Ct. Buck H —1F 30
St John's Ct. Eri —5B 82
St John's Ct. Harr —4D 38
St John's Ct. Iswth —1D 86
St John's Ct. King T —8J 103
(off Beaufort Rd.)
St John's Ct. N'wd —8C 20
(off Murray Rd.)
St John's Cres. SW9 —2L 91
St Johns Dri. SW18 —7M 89
St John's Dri. W on T —3G 117
St John's Est. N1 —5B 60
St John's Est. SE1 —3D 76
(off Fair St.)
St John's Gdns. W11 —1J 73
St John's Gate. —7M 59
(off St John's La.)
St John's Gro. N19 —7G 43
St John's Gro. SW13 —1D 88
St John's Gro. Rich —3J 87
St John's Hill. SW11 —4B 90
St John's Hill. Coul —9L 137
(in two parts)
St John's Hill. Purl —8L 137
St John's Hill Gro. SW11 —3B 90
St John's Ho. E14 —5A 78
(off Pier St.)
St Johns Ho. SE17 —7B 76
(off Lytham St.)
St John's Jerusalem Garden. —4M 115
St John's La. EC1 —7M 59
St John's M. W11 —9L 57
St John's Pde. W13 —2F 70
St Johns Pde. Sidc —1E 112
(off Sidcup High St.)
St John's Pk. SE3 —8D 78
St John's Pk. Mans. N19 —8G 43
St John's Pas. SW19 —3J 105
St John's Path. EC1 —7M 59
(off Britton St.)
St Johns Pathway. SE23 —7G 93
St John's Pl. EC1 —7M 59
St Johns Ri. Berr G —8M 141
St John's Rd. E4 —4M 29
St John's Rd. E6 —4J 63
St John's Rd. E16 —9E 62
St John's Rd. E17 —9M 29
St John's Rd. N15 —4C 44
St John's Rd. NW11 —4K 41
St John's Rd. SE20 —3G 109
St John's Rd. SW11 —3C 90
St John's Rd. SW19 —4J 105
St John's Rd. Bark —4C 64
St John's Rd. Cars —5C 122
St John's Rd. Croy —5M 123
St John's Rd. Dart —6M 99
St John's Rd. E Mol —8B 102
St John's Rd. Eri —6B 82
St John's Rd. Felt —1J 101
St John's Rd. Hamp W —6G 103
St John's Rd. Harr —4D 38
St John's Rd. Ilf —5C 48
St John's Rd. Iswth —1D 86
St John's Rd. Lou —4K 19
St John's Rd. N Mald —7A 104
St John's Rd. Orp —1B 128
St John's Rd. Rich —3J 87
St Johns Rd. Romf —5A 34
St John's Rd. Sidc —1F 112
St John's Rd. S'hall —4J 69
St John's Rd. Sutt —4M 121
St John's Rd. Uxb —4A 142
St John's Rd. Wat —4F 8
St John's Rd. Well —2F 96
St John's Rd. Wemb —9H 39
St John's Sq. EC1 —7M 59
St John's Ter. E7 —2F 62
St John's Ter. SE18 —7A 80
St John's Ter. SW15 —9C 88
(off Kingston Va.)
St John's Ter. W10 —7H 57
St John's Ter. Enf —1B 16
St John St. EC1 —5L 59
St John's Va. SE8 —1L 93
St John's Vs. N11 —5D 26
(off Friern Barnet Rd.)
St John's Vs. N19 —7H 43
St John's Vs. W8 —4M 73
St John's Way. N19 —7G 43
St John's Wood. —5B 58
St John's Wood Ct. NW8 —6B 58
(off St John's Wood Rd.)
St John's Wood High St. NW8 —5B 58
St John's Wood Pk. NW8 —4B 58
St John's Wood Rd. NW8 —7B 58
St John's Wood Ter. NW8 —5B 58
St John's Yd. N17 —7D 28
St Joseph's Clo. W10 —8J 57
St Joseph's Clo. Orp —5D 128
St Joseph's Ct. E4 —9B 18
St Josephs Ct. SE7 —7F 78
St Joseph's Dri. S'hall —2J 69
St Joseph's Flats. NW1 —6H 59
(off Drummond Cres.)
St Joseph's Gro. NW4 —2F 40
St Joseph's Ho. W6 —5H 73
(off Brook Grn.)
St Joseph's Rd. N9 —9F 16
St Joseph's Rd. Wal X —6E 6
St Joseph's St. SW8 —9F 74
St Joseph's Va. SE3 —2B 94
St Jude's Rd. E2 —5F 60
St Jude St. N1 —1C 60
St Julian's Clo. SW16 —1L 107
St Julian's Farm Rd. SE27 —1L 107
St Julian's Rd. NW6 —4L 57
St Justin Clo. St P —7H 113
St Katharine Docks. —2E 76
St Katharine's Precinct. NW1 —5F 58
St Katharine's Way. E1 —2D 76
(in two parts)
St Katherine's Rd. Eri —3H 81
St Katherine's Row. EC3 —1C 76
(off Fenchurch St.)
St Katherines Wlk. W11 —2H 73
(off St Ann's Rd.)
St Kathryn's Pl. Upm —7M 51
St Keverne Rd. SE9 —1J 111
St Kilda Rd. W13 —2E 70
St Kilda Rd. Orp —3D 128
St Kilda's Rd. N16 —6B 44
St Kilda's Rd. Harr —4C 38
St Kitts Ter. SE19 —2C 108
St Laurence Clo. NW6 —4H 57
St Laurence Clo. Orp —7H 113
St Laurence Clo. Uxb —8A 142
St Lawrence Bus. Cen. Twic —8F 84
St Lawrence Clo. Ab L —3C 4
St Lawrence Clo. Edgw —7K 23
St Lawrence Cotts. E14 —2A 78
(off St Lawrence St.)
St Lawrence Ct. N1 —3B 60
(off De Beauvoir Est.)
St Lawrence Dri. Pinn —3F 36
St Lawrence Ho. SE1 —4C 76
(off Purbrook St.)
St Lawrence Rd. Upm —7M 51
St Lawrence St. E14 —2A 78
St Lawrence Ter. W10 —8J 57
St Lawrence Way. SW9 —1L 91
St Lawrence Way. Brick W —3K 5
St Leonard M. N1 —5C 60
St Leonard's Av. E4 —6B 30
St Leonard's Av. Harr —3G 39
St Leonard's Clo. Bush —6J 9
St Leonard's Clo. Well —2E 96
St Leonard's Ct. N1 —6B 60
(off New N. Rd.)
St Leonards Ct. SW14 —2A 88
St Leonard's Gdns. Houn —9J 69
St Leonard's Gdns. Ilf —1A 64
St Leonards Hamlet. —6F 50
St Leonard's Ri. Orp —6C 128
St Leonard's Rd. E14 —8M 61
(in two parts)
St Leonard's Rd. NW10 —7B 56
St Leonard's Rd. SW14 —2M 87
St Leonard's Rd. W13 —1G 71
St Leonard's Rd. Clay —8D 118
St Leonard's Rd. Croy —5M 123
St Leonard's Rd. Surb —9H 103
St Leonard's Rd. Th Dit —1E 118
St Leonards Sq. NW5 —2E 58
St Leonards Sq. Surb —9H 103
St Leonard's St. E3 —6M 61
St Leonard's Ter. SW3 —6D 74
St Leonard's Wlk. SW16 —4K 107
St Leonards Way. Horn —7F 50
St Loo Av. SW3 —7C 74
St Louis Rd. SE27 —1B 108
St Loy's Rd. N17 —9C 28
St Lucia Dri. E15 —4D 62
St Luke Clo. Uxb —9B 142
St Luke's. —7A 60
St Luke's Av. SW4 —3H 91
St Luke's Av. Enf —2B 16
St Luke's Av. Ilf —1M 63
St Luke's Clo. EC1 —7A 60
St Luke's Clo. SE25 —1F 124
St Luke's Clo. Swan —6B 114
St Lukes Ct. E10 —5M 45
(off Capworth St.)
St Luke's Est. EC1 —6B 60
St Lukes M. W11 —9K 57
St Luke's Pas. King T —5K 103
St Luke's Path. Ilf —1M 63
St Luke's Rd. W11 —8K 57
St Luke's Rd. Uxb —4C 142
St Luke's Rd. Whyt —9D 138
St Luke's Sq. E16 —9D 62
St Luke's St. SW3 —6C 74
St Luke's Yd. W9 —5K 57
(in two parts)
St Malo Av. N9 —3G 29
St Margaret Dri. Eps —6A 134
St Margarets. —5F 86
St Margaret's. Bark —4A 64
St Margaret's Av. N15 —2M 43
St Margaret's Av. N20 —1A 26
St Margaret's Av. Ashf —2A 100
St Margarets Av. Berr G —8M 141
St Margaret's Av. Harr —8A 38
St Margaret's Av. Sidc —9B 96
St Margaret's Av. Sutt —5J 121
St Margarets Av. Uxb —7E 142
St Margarets Bus. Cen. Twic —5F 86
St Margaret's Clo. EC2 —9B 60
(off Lothbury)
St Margaret's Clo. Orp —6F 128
St Margaret's Ct. N11 —4E 26
St Margarets Ct. SE1 —2A 76
St Margarets Ct. SW15 —3F 88
St Margarets Ct. Edgw —5M 23
St Margaret's Cres. SW15 —4F 88
St Margaret's Dri. Twic —4F 86
St Margaret's Gro. E11 —8D 46
St Margaret's Gro. SE18 —7A 80
St Margaret's Gro. Twic —5E 86
St Margaret's La. W8 —4M 73
St Margaret's Pas. SE13 —2C 94
St Margarets Path. SE18 —6A 80
St Margaret's Rd. E12 —7G 47
St Margaret's Rd. N17 —1C 44
St Margaret's Rd. NW10 —6G 57
St Margarets Rd. SE4 —3K 93
(in two parts)
St Margaret's Rd. W7 —3C 70
St Margaret's Rd. Edgw —5M 23
St Margarets Rd. Iswth & Twic —3F 86
St Margaret's Rd. Ruis —4B 36
St Margarets Roundabout. (Junct.) —5F 86
St Margaret's Ter. SE18 —6A 80
St Margaret St. SW1 —3J 75
St Mark's Clo. SE10 —8A 78
St Marks Clo. SW6 —9L 73
St Marks Clo. Harr —5F 38
St Mark's Clo. New Bar —5M 13
St Marks Ct. E10 —5M 45
(off Capworth St.)
St Marks Ct. NW8 —5A 58
(off Abercorn Pl.)
St Marks Ct. W7 —3C 70
(off Lwr. Boston Rd.)
St Mark's Cres. NW1 —4E 58
St Mark's Ga. E9 —3K 61
St Mark's Gro. SW10 —8M 73
St Mark's Hill. Surb —1J 119
St Marks Ho. SE17 —7B 76
(off Lytham St.)
St Marks Ind. Est. E16 —2H 79
St Mark's Pl. SW19 —3K 105
St Mark's Pl. W11 —9J 57
St Mark's Ri. E8 —1D 60
St Mark's Rd. SE25 —8E 108
St Mark's Rd. W5 —2J 71
St Mark's Rd. W7 —3C 70
St Mark's Rd. W10 & W11 —8H 57
St Mark's Rd. Brom —7E 110
St Marks Rd. Enf —8D 16
St Marks Rd. Mitc —6D 106
St Mark's Rd. Tedd —4F 102
St Mark's Sq. NW1 —4E 58
St Mark St. E1 —9D 60
St Martin Clo. Uxb —9B 142
St Martin-in-the-Fields Church. —1J 75
St Martin's Almshouses. NW1 —4G 59
St Martin's App. Ruis —5C 36
St Martin's Av. E6 —5H 63
St Martin's Av. Eps —6C 134
St Martin's Clo. NW1 —4G 59
St Martin's Clo. Enf —3F 16
St Martins Clo. Eps —5C 134
St Martin's Clo. Eri —3H 81
St Martins Clo. Wat —4G 21
St Martin's Clo. W Dray —4H 143
St Martins Ct. N1 —4C 60
(off De Beauvoir Est.)
St Martin's Ct. WC2 —1J 75
St Martin's Dri. Eyns —6H 131
St Martins Dri. W on T —5G 117
St Martins Est. SW2 —7L 91
St Martin's La. WC2 —1J 75
St Martins La. Beck —9M 109
St Martin's Le-Grand. EC1 —9A 60
St Martin's Pl. WC2 —1J 75
St Martin's Rd. N9 —2F 28
St Martin's Rd. SW9 —1K 91
St Martin's Rd. Dart —5K 99
St Martin's Rd. W Dray —4H 143
St Martin's St. WC2 —1H 75
(in two parts)
St Martin's Theatre. —1J 75
(off West St.)
St Martins Way. SW17 —9A 90
St Mary Abbot's Ct. W14 —4K 73
(off Warwick Gdns.)
St Mary Abbot's Pl. W8 —4K 73
St Mary Abbot's Ter. W14 —4K 73
St Mary at Hill. EC3 —1C 76
St Mary Av. Wall —5E 122
St Mary Axe. EC3 —9C 60
St Marychurch St. SE16 —3G 77
St Mary Cray. —8G 113
St Mary Graces Ct. E1 —1D 76
St Marylebone Crematorium. N2 —1M 41
St Mary le-Park Ct. SW11 —8C 74
(off Parkgate Rd.)
St Mary Newington Clo. SE17 —6C 76
(off Surrey Sq.)
St Mary Rd. E17 —2L 45
St Mary's. Bark —4B 64
St Marys. Wey —5B 116

St Mary's App.—Saltram Cres.

St Mary's App. E12 —1K 63
St Mary's Av. E11 —5F 46
St Mary's Av. N3 —9J 25
St Mary's Av. Brom —7C 110
St Mary's Av. N'wd —5C 20
St Mary's Av. Stanw —6B 144
St Mary's Av. Tedd —3D 102
St Mary's Av. Central. S'hall —5M 69
St Mary's Av. N. S'hall —5M 69
St Mary's Av. S. S'hall —5M 69
St Mary's Clo. N17 —8D 28
St Mary's Clo. Chess —9K 119
St Mary's Clo. Eps —9D 120
St Mary's Clo. Orp —6F 112
St Mary's Clo. Stanw —6B 144
St Mary's Clo. Sun —8E 100
St Mary's Clo. Wat —6F 8
(off Church St.)
St Mary's Ct. E6 —7K 63
St Mary's Ct. SE7 —8H 79
St Mary's Ct. W5 —3H 71
St Mary's Ct. W12 —4D 72
St Mary's Ct. Wall —6G 123
St Mary's Cres. NW4 —1F 40
St Mary's Cres. Hay —1D 68
St Mary's Cres. Iswth —8B 70
St Mary's Cres. Stanw —6B 144
St Mary's Dri. Felt —6A 84
St Mary's Est. SE16 —3G 77
(off St Marychurch St.)
St Mary's Flats. NW1 —6H 59
St Mary's Gdns. SE11 —5L 75
St Mary's Ga. W8 —4M 73
St Mary's Grn. N2 —9A 26
St Mary's Grn. Big H —9G 141
St Mary's Gro. N1 —2M 59
St Mary's Gro. SW13 —2F 88
St Mary's Gro. W4 —7M 71
St Mary's Gro. Big H —9G 141
St Mary's Gro. Rich —3K 87
St Mary's Ho. N1 —4M 59
(off St Mary's Path)
St Mary's La. N Ock & Upm —7L 51
St Mary's Mans. W2 —8B 58
St Mary's M. NW6 —3M 57
(in two parts)
St Marys M. Rich —8G 87
St Mary's Path. N1 —4M 59
St Mary's Pl. SE9 —5K 95
St Mary's Pl. W5 —3H 71
St Mary's Pl. W8 —4M 73
St Mary's Rd. E10 —8A 46
St Mary's Rd. E13 —5F 62
St Mary's Rd. N8 —2J 43
St Mary's Rd. N9 —1F 28
St Mary's Rd. NW10 —4C 56
St Mary's Rd. NW11 —5J 41
St Mary's Rd. SE15 —9G 77
St Mary's Rd. SE25 —7C 108
St Mary's Rd. SW19 —2J 105
St Marys Rd. W5 —3H 71
St Mary's Rd. Barn —9D 14
St Mary's Rd. Bex —7A 98
St Mary's Rd. Chesh —2C 6
St Mary's Rd. Dit H —2G 119
St Mary's Rd. E Mol —9B 102
St Mary's Rd. Hay —1D 68
St Mary's Rd. Ilf —7B 48
St Mary's Rd. S Croy —2B 138
St Mary's Rd. Surb —1H 119
St Mary's Rd. Swan —8B 114
St Mary's Rd. Wat —6F 8
St Mary's Rd. Wey —6B 116
St Mary's Rd. Wor Pk —4C 120
St Mary's Sq. W2 —8B 58
St Mary's Sq. W5 —3H 71
St Mary's Ter. W2 —8B 58
St Mary's Tower. EC1 —7A 60
(off Fortune St.)
St Mary St. SE18 —5K 79
St Mary's Vw. Harr —3G 39
St Mary's Vw. Wat —6G 9
(off King St.)
St Mary's Wlk. SE11 —5L 75
St Mary's Wlk. Hay —1D 68
St Mary's Way. Chig —5L 31
St Matthew Clo. Uxb —9B 142
St Matthew's Av. Surb —3J 119
St Matthew's Clo. Rain —3E 66
St Matthews Clo. Wat —8H 9
St Matthews Ct. E10 —5M 45
(off Capworth St.)
St Matthews Ct. N10 —9E 26
St Matthews Ct. SE1 —4A 76
(off Meadow Row)
St Matthew's Dri. Brom —7K 111
St Matthews Ho. SE17 —7B 76
(off Phelp St.)
St Matthew's Lodge. NW1 —5G 59
(off Oakley Sq.)
St Matthew's Rd. SW2 —3K 91
St Matthew's Rd. W5 —2J 71
St Matthew's Row. E2 —6E 60
St Matthew St. SW1 —4H 75
St Matthias Clo. NW9 —3D 40
St Maur Rd. SW6 —9K 73
St Mellion Clo. SE28 —9H 65
St Merryn Clo. SE18 —8B 80
St Merryn Ct. Beck —4L 109
St Michael's All. EC3 —9B 60
St Michael's Av. N9 —9G 17
St Michael's Av. Wemb —2L 55
St Michaels Clo. E16 —8H 63
St Michael's Clo. N3 —9K 25
St Michael's Clo. N12 —5C 26
St Michael's Clo. Brom —7J 111
St Michael's Clo. Eri —3H 81
St Michael's Clo. W on T —4G 117
St Michael's Clo. Wor Pk —4D 120
St Michaels Ct. E14 —8A 62
(off St Leonards Rd.)
St Michael's Ct. SE1 —3A 76
(off Trinity St.)
St Michael's Ct. Wey —7A 116
(off Princes Rd.)
St Michael's Cres. Pinn —4J 37
St Michaels Dri. Wat —6F 4
St Michael's Flats. NW1 —5H 59
(off Aldenham St.)
St Michael's Gdns. W10 —8J 57
St Michael's Pde. Wat —2F 8
St Michael's Ri. Well —9F 80
St Michael's Rd. NW2 —9G 41
St Michael's Rd. SW9 —1K 91
St Michael's Rd. Croy —3A 124
St Michael's Rd. Wall —8G 123
St Michael's Rd. Well —2F 96
St Michael's St. W2 —9B 58
St Michaels Ter. N6 —6E 42
(off South Gro.)
St Michael's Ter. N22 —8J 27
St Mildred's Ct. EC2 —9B 60
St Mildreds Rd. SE6 —6C 94
St Mirren Ct. New Bar —7A 14
St Neots Clo. Borwd —2L 11
St Neot's Rd. Romf —7K 35
St Nicholas Av. Horn —8E 50
St Nicholas Cen. Sutt —7M 121
St Nicholas Clo. Els —8H 11
St Nicholas Clo. Uxb —9B 142
St Nicholas Ct. King T —8J 103
(off Surbiton Rd.)
St Nicholas' Flats. NW1 —5H 59
(off Werrington St.)
St Nicholas Glebe. SW17 —2E 106
St Nicholas Ho. SE8 —7L 77
(off Deptford Grn.)
St Nicholas Rd. SE18 —6D 80
St Nicholas Rd. Sutt —7M 121
St Nicholas Rd. Th Dit —1D 118
St Nicholas St. SE8 —9K 77
St Nicholas Way. Sutt —6M 121
St Nicolas La. Chst —5J 111
St Ninian's Ct. N20 —3D 26
St Norbert Grn. SE4 —3J 93
St Norbert Rd. SE4 —4H 93
St Normans Way. Eps —2F 134
St Olaf Ho. SE1 —2B 76
(off Tooley St.)
St Olaf's Rd. SW6 —8J 73
St Olaf Stairs. SE1 —2B 76
(off Tooley St.)
St Olave's Ct. EC2 —9B 60
St Olave's Est. SE1 —3C 76
St Olave's Gdns. SE11 —5L 75
St Olave's Mans. SE11 —5L 75
(off Walnut Tree Wlk.)
St Olave's Rd. E6 —4L 63
St Olave's Ter. SE1 —3C 76
(off Fair St.)
St Olaves Wlk. SW16 —6G 107
St Onge Pde. Enf —5B 16
(off Southbury Rd.)
St Oswald's Pl. SE11 —6K 75
St Oswald's Rd. SW16 —5M 107
St Oswulf St. SW1 —5H 75
(off Erasmus St.)
St Owen Ho. SE1 —4C 76
(off Fendall St.)
St Pancras. —6J 59
St Pancras Commercial Cen. NW1
(off Pratt St.) —4G 59
St Pancras Ct. N2 —9B 26
St Pancras Way. NW1 —3G 59
St Patrick's Ct. E4 —7C 30
St Paul Clo. Uxb —8B 142
St Paul's All. EC4 —9M 59
(off St Paul's Chyd.)
St Paul's Av. NW2 —2F 56
St Paul's Av. SE16 —2H 77
St Paul's Av. Harr —2K 39
St Paul's Cathedral. —9A 60
St Paul's Chyd. EC4 —9M 59
(in two parts)
St Pauls Clo. SE7 —6H 79
St Pauls Clo. W5 —3K 71
St Paul's Clo. Ashf —2A 100
St Paul's Clo. Ave —1M 83
St Paul's Clo. Cars —3C 122
St Paul's Clo. Chess —6H 119
St Paul's Clo. Hay —6B 68
St Paul's Clo. Houn —1J 85
St Pauls Ct. SW4 —4H 91
St Paul's Ct. Houn —2J 85
St Pauls Courtyard. SE8 —8L 77
St Paul's Cray. —6F 112
St Paul's Cray Rd. Chst —5B 112
St Paul's Cres. NW1 —3H 59
(in two parts)
St Paul's Dri. E15 —1B 62
St Paul's M. NW1 —3H 59
St Paul's Pl. N1 —2B 60
St Pauls Pl. Ave —1M 83
St Paul's Ri. N13 —6M 27
St Paul's Rd. N1 —2M 59
St Paul's Rd. N17 —7E 28
St Paul's Rd. Bark —4A 64
St Paul's Rd. Bren —7H 71
St Paul's Rd. Eri —8A 82
St Paul's Rd. Rich —2K 87
St Paul's Rd. T Hth —7A 108
St Paul's Shrubbery. N1 —2B 60
St Paul's Sq. Brom —6D 110
St Paul's Studios. W6 —6J 73
(off Talgarth Rd.)
St Pauls Ter. SE17 —7M 75
St Pauls Tower. E10 —5M 45
(off Beaumont Rd.)
St Paul St. N1 —4A 60
(in two parts)
St Pauls Vw. Apartments. WC1
(off Amwell St.) —6L 59
St Paul's Wlk. King T —4L 103
St Pauls Way. E3 —8K 61
St Paul's Way. N3 —7M 25
St Pauls Way. Wal A —6K 7
St Pauls Way. Wat —4G 9
St Paul's Wood Hill. Orp —6C 112
St Peter's All. EC3 —9B 60
(off Cornhill)
St Peter's Av. E2 —5E 60
St Peter's Av. E17 —2C 46
St Peters Av. N2 —7C 26
St Peter's Av. N18 —4E 28
St Peters Av. Berr G —8M 141
St Petersburgh M. W2 —1M 73
St Petersburgh Pl. W2 —1M 73
St Peter's Cen. E1 —2F 76
(off Watts St.)
St Peters Chu. Clo. N1 —4M 59
(off Devonia Rd.)
St Peter's Clo. E2 —5E 60
St Peter's Clo. SW17 —8C 90
St Peter's Clo. Barn —7F 12
St Peters Clo. Bus H —1B 22
St Peter's Clo. Chst —4B 112
St Peter's Clo. Ilf —2C 48
St Peter's Clo. Ruis —7H 37
St Peter's Ct. NW4 —3G 41
St Peters Ct. W Mol —8L 101
St Peter's Gdns. SE27 —9L 91
St Peter's Gro. W6 —5E 72
St Peters Ho. SE17 —7B 76
St Peter's Ho. WC1 —6J 59
(off Regent Sq.)
St Peter's La. St P —6E 112
St Peters Pl. W9 —7M 57
St Peter's Rd. N9 —1F 28
St Peter's Rd. W6 —6E 72
St Peter's Rd. Croy —6B 124
St Peter's Rd. King T —6L 103
St Peter's Rd. S'hall —8L 53
St Peter's Rd. Twic —4F 86
St Peters Rd. Uxb —8B 142
St Peter's Rd. W Mol —8L 101
St Peter's Sq. E2 —5E 60
St Peter's Sq. W6 —5D 72
St Peter's St. N1 —4M 59
St Peter's St. S Croy —7B 124
St Peter's St. M. N1 —5M 59
(off St Peters St.)
St Peter's Ter. SW6 —8K 73
St Peter's Vs. W6 —5E 72
St Peter's Way. N1 —3C 60
St Peter's Way. W5 —8H 55
St Peter's Way. Hay —6B 68
St Peter's Wharf. W4 —6E 72
St Philip Ho. WC1 —6L 59
(off Lloyd Baker St.)
St Philips Av. N2 —7C 26
St Philip's Av. Wor Pk —4F 120
St Philip's Ga. Wor Pk —4F 120
St Philip Sq. SW8 —1F 90
St Philip's Rd. E8 —2E 60
St Philips Rd. Surb —1H 119
St Philip St. SW8 —1F 90
St Philip's Way. N1 —4A 60
St Quentin Rd. Well —2D 96
St Quintin Av. W10 —8G 57
St Quintin Gdns. W10 —8G 57
St Quintin Rd. E13 —6F 62
St Raphael's Way. NW10 —1A 56
St Regis Clo. N10 —9F 26
St Regis Heights. NW3 —8M 41
St Richard's Ho. NW1 —6H 59
(off Eversholt St.)
St Ronan's Clo. Barn —2B 14
St Ronan's Cres. Wfd G —7E 30
St Rule St. SW8 —1G 91
St Saviour's College. SE27 —1B 108
St Saviour's Ct. N10 —9F 26
(off Alexandra Pk. Rd.)
St Saviours Ct. Harr —3C 38
St Saviour's Est. SE1 —3D 76
St Saviour's Rd. SW2 —4K 91
St Saviour's Rd. Croy —1M 123
St Saviour's Wharf. SE1 —3D 76
(off Shad Thames)
St Saviour's Wharf. SE1 —3D 76
(off Mill St.)
Saints Clo. SE27 —1M 107
Saints Dri. E7 —1H 63
St Silas Pl. NW5 —2E 58
St Simon's Av. SW15 —4G 89
St Stephen's Av. E17 —3A 46
St Stephen's Av. W12 —3F 72
(in two parts)
St Stephen's Av. W13 —9F 54
St Stephen's Av. Asht —8J 133
St Stephen's Clo. E17 —3M 45
St Stephen's Clo. NW8 —4C 58
St Stephen's Clo. S'hall —8L 53
St Stephens Ct. N8 —4K 43
St Stephens Ct. W13 —9F 54
St Stephen's Ct. Enf —8C 16
(off Park Av.)
St Stephen's Cres. W2 —9L 57
St Stephen's Cres. T Hth —7L 107
St Stephen's Gdns. SW15 —4K 89
St Stephen's Gdns. W2 —9L 57
(in two parts)
St Stephen's Gdns. Twic —5G 87
St Stephens Gro. SE13 —2A 94
St Stephens Ho. SE17 —7B 76
(off Lytham St.)
St Stephens M. W2 —8L 57
St Stephens Pde. E7 —3G 63
St Stephen's Pas. Twic —5G 87
St Stephen's Rd. E3 —4J 61
St Stephen's Rd. E6 —3G 63
St Stephen's Rd. E17 —3M 45
St Stephen's Rd. W13 —9F 54
St Stephen's Rd. Barn —7H 13
St Stephens Rd. Enf —1H 17
St Stephen's Rd. Houn —5L 85
St Stephen's Rd. W Dray —2H 143
St Stephen's Row. EC4 —9B 60
(off Walbrook)
St Stephen's Ter. SW8 —8K 75
St Stephen's Wlk. SW7 —5A 74
(off Southwell Gdns.)
St Swithins La. EC4 —1B 76
St Swithun's Rd. SE13 —5B 94
St Theresa Clo. Eps —6A 134
St Theresa Ct. E4 —9B 18
St Theresa's Rd. Felt —3D 84
St Thomas Clo. Surb —3K 119
St Thomas Ct. E10 —5M 45
(off Beaumont Rd.)
St Thomas Ct. Bex —6L 97
St Thomas Ct. Pinn —8J 21
St Thomas Dri. Orp —3A 128
St Thomas Dri. Pinn —8J 21
St Thomas Gdns. Ilf —2A 64
St Thomas Ho. E1 —9H 61
(off W. Arbour St.)
St Thomas Rd. E16 —9E 62
St Thomas Rd. N14 —9H 15
St Thomas Rd. W4 —7A 72
St Thomas Rd. Belv —3A 82
St Thomas's Gdns. NW5 —2E 58
St Thomas's Pl. E9 —3G 61
St Thomas's Rd. N4 —7L 43
St Thomas's Rd. NW10 —4C 56
St Thomas's Sq. E9 —3G 61
St Thomas St. SE1 —2B 76
St Thomas's Way. SW6 —8K 73
St Timothys M. Brom —5F 110
St Ursula Gro. Pinn —3H 37
St Ursula Rd. S'hall —9L 53
St Vincent Clo. SE27 —2M 107
St Vincent De Paul Ho. E1 —8G 61
(off Jubilee St.)
St Vincent Ho. SE1 —4D 76
(off Fendall St.)
St Vincent Rd. Twic —5A 86
St Vincent Rd. W on T —5F 116
St Vincents Av. Dart —4L 99
St Vincent's Cotts. Wat —6F 8
(off Marlborough Rd.)
St Vincent's Hamlet. —1M 35
St Vincents Rd. Dart —5L 99
St Vincent St. W1 —8E 58
St Vincents Vs. Dart —5J 99
St Wilfrid's Clo. Barn —7C 14
St Wilfrid's Rd. New Bar —7C 14
St Winefride's Av. E12 —1K 63
St Winifreds. Kenl —7A 138
St Winifred's Clo. Chig —5A 32
St Winifred's Rd. Big H —9K 141
St Winifred's Rd. Tedd —3F 102
Saladin Dri. Purf —5L 83
Sala Ho. SE3 —3F 94
Salamanca Pl. SE1 —5K 75
Salamanca St. SE1 & SE11 —5K 75
Salamander Clo. King T —2G 103
Salamander Quay. King T —5H 103
Salamons Way. Rain —9C 66
Salcombe Dri. Mord —3H 121
Salcombe Dri. Romf —4K 49
Salcombe Gdns. NW7 —6G 25
Salcombe Pk. Lou —7H 19
Salcombe Rd. E17 —5K 45
Salcombe Rd. N16 —1C 60
Salcombe Rd. Ashf —9C 144
Salcombe Way. Hay —6B 52
Salcombe Way. Ruis —7E 36
Salcot Cres. New Ad —2A 140
Salcott Rd. SW11 —4C 90
Salcott Rd. Croy —5J 123
Salehurst Clo. Harr —3J 39
Salehurst Rd. SE4 —5K 93
Salem Pl. Croy —5A 124
Salem Rd. W2 —1M 73
Sale Pl. W2 —8C 58
Sale St. E2 —7E 60
Salford Ho. E14 —5A 78
(off Seyssel St.)
Salford Rd. SW2 —7H 91
Salhouse Clo. SE28 —9G 65
Salisbury Av. N3 —1K 41
Salisbury Av. Bark —3B 64
Salisbury Av. Sutt —8K 121
Salisbury Av. Swan —8E 114
Salisbury Clo. SE17 —5B 76
Salisbury Clo. Wor Pk —5D 120
Salisbury Ct. EC4 —9M 59
Salisbury Ct. Cars —7D 122
Salisbury Ct. Enf —6B 16
(off London Rd.)
Salisbury Ct. N'holt —1M 53
(off Newmarket Av.)
Salisbury Cres. Chesh —5D 6
Salisbury Gdns. SW19 —4J 105
Salisbury Gdns. Buck H —2H 31
Salisbury Hall Gdns. E4 —6L 29
Salisbury Ho. E14 —9M 61
(off Hobday St.)
Salisbury Ho. EC2 —8B 60
(off London Wall)
Salisbury Ho. N1 —4M 59
(off St Mary's Path)
Salisbury Ho. SW1 —6H 75
(off Drummond Ga.)
Salisbury Ho. SW9 —8L 75
(off Cranmer Rd.)
Salisbury Ho. Stan —6E 22
Salisbury Mans. N4 —3M 43
Salisbury M. SW6 —8K 73
Salisbury Pas. SW6 —8K 73
(off Dawes Rd.)
Salisbury Pavement. SW6 —8K 73
(off Dawes Rd.)
Salisbury Pl. SW9 —8M 75
Salisbury Pl. W1 —8D 58
Salisbury Rd. E4 —3L 29
Salisbury Rd. E7 —2E 62
Salisbury Rd. E10 —7A 46
Salisbury Rd. E12 —1H 63
Salisbury Rd. E17 —3A 46
Salisbury Rd. N4 —3M 43
Salisbury Rd. N9 —3E 28
Salisbury Rd. N22 —8M 27
Salisbury Rd. SE25 —1E 124
Salisbury Rd. SW19 —4J 105
Salisbury Rd. W13 —3F 70
Salisbury Rd. Bans —6M 135
Salisbury Rd. Barn —5J 13
Salisbury Rd. Bex —7L 97
Salisbury Rd. Brom —9J 111
Salisbury Rd. Cars —8D 122
Salisbury Rd. Dag —2M 65
Salisbury Rd. Enf —1K 17
Salisbury Rd. Felt —7G 85
Salisbury Rd. Harr —3B 38
Salisbury Rd. Houn —2G 85
Salisbury Rd. Ilf —7C 48
Salisbury Rd. H'row A —4A 84
Salisbury Rd. N Mald —7B 104
Salisbury Rd. Pinn —2E 36
Salisbury Rd. Rich —3J 87
Salisbury Rd. Romf —3F 50
Salisbury Rd. S'hall —5J 69
Salisbury Rd. Uxb —5A 142
Salisbury Rd. Wat —2F 8
Salisbury Rd. Wor Pk —6B 120
Salisbury Sq. EC4 —9L 59
Salisbury St. NW8 —7C 58
Salisbury St. W3 —3A 72
Salisbury Ter. SE15 —2G 93
Salisbury Wlk. N19 —7G 43
Salix Clo. Sun —4F 100
Salix Ct. N3 —6L 25
Salliesfield. Twic —5B 86
Sally Murray Clo. E12 —9L 47
(off Grantham Rd.)
Salmen Rd. E13 —5D 62
Salmond Clo. Stan —6E 22
Salmon La. E14 —9J 61
Salmon M. NW6 —1L 57
Salmon Rd. Belv —6L 81
Salmon Rd. Dart —2K 99
Salmons Rd. N9 —1E 28
Salmons Rd. Chess —8J 119
Salmon St. E14 —9K 61
Salmon St. NW9 —6M 39
Salomons Rd. E13 —8G 63
Salop Rd. E17 —4H 45
Saltash Clo. Sutt —6K 121
Saltash Rd. Ilf —7B 32
Saltash Rd. Well —9G 81
Saltbox Hill. Big H —5F 140
Saltcoats Rd. W4 —3C 72
Saltcroft Clo. Wemb —6M 39
Saltdene. N4 —6K 43
Salter Clo. Harr —9K 37
Salterford Rd. SW17 —3E 106
Salter Rd. SE16 —2H 77
Salters Ct. EC4 —9A 60
(off Bow La.)
Salters Gdns. Wat —3E 8
Salters Hall Ct. EC4 —1B 76
(off Cannon St.)
Salter's Hill. SE19 —2B 108
Salters Rd. E17 —2B 46
Salters Rd. W10 —7H 57
Salter St. E14 —1K 77
Salter St. NW10 —6E 56
Salterton Rd. N7 —8K 43
Saltford Clo. Eri —6C 82
Salt Hill Clo. Uxb —1C 142
Saltley Clo. E6 —9J 63
Saltoun Rd. SW2 —3L 91
Saltram Clo. N15 —2D 44
Saltram Cres. W9 —6K 57

Saltwell St. E14 —1L 77
Saltwood Clo. Orp —6G 129
Saltwood Gro. SE17 —6B 76
Saltwood Ho. SE15 —7G 77
(off Lovelinch Clo.)
Salusbury Rd. NW6 —4J 57
Salutation Rd. SE10 —5C 78
Salvador. SW17 —2D 106
Salvia Gdns. Gnfd —5E 54
Salvin Rd. SW15 —2H 89
Salway Clo. Wfd G —7E 30
Salway Pl. E15 —2B 62
Salway Rd. E15 —2B 62
Samantha Clo. E17 —5K 45
Samantha M. Hav —3C 34
Sam Bartram Clo. SE7 —6G 79
Sambrook Ho. E1 —8G 61
(off Jubilee St.)
Sambrook Ho. SE11 —5L 75
(off Hotspur St.)
Sambruck M. SE6 —7M 93
Samels Ct. W6 —6E 72
Samford Ho. N1 —4L 59
(off Barnsbury Est.)
Samford St. NW8 —7B 58
Samira Clo. E17 —4L 45
Sam Manners Ho. SE10 —6C 78
(off Tuskar St.)
Sam March Ho. E14 —9B 62
(off Blair St.)
Samos Rd. SE20 —6F 108
Sampson Av. Barn —7H 13
Sampson Clo. Belv —4H 81
Sampson Ho. SE1 —2M 75
Sampsons Ct. Shep —9A 100
Sampson St. E1 —2E 76
Samsbrooke Ct. Enf —8C 16
Samson St. E13 —5G 63
Samuda Est. E14 —4A 78
Samuel Clo. E8 —4D 60
Samuel Clo. SE14 —7H 77
Samuel Clo. SE18 —5J 79
Samuel Gray Gdns. King T —5H 103
Samuel Ho. E8 —4D 60
(off Clarissa St.)
Samuel Johnson Clo. SW16 —1K 107
Samuel Jones Ind. Est. SE5 —8C 76
(off Peckham Gro.)
Samuel Lewis Bldgs. N1 —2L 59
Samuel Lewis Trust Dwellings. E8 —1E 60
Samuel Lewis Trust Dwellings. N15 —4C 44
Samuel Lewis Trust Dwellings. SE5
(off Warner Rd.) —9A 76
Samuel Lewis Trust Dwellings. SW3 —5C 74
(off Ixworth Pl., in two parts)
Samuel Lewis Trust Dwellings. SW6
(off Vanston Pl.) —8L 73
Samuel Lewis Trust Dwellings. W14
(off Lisgar Ter.) —5K 73
Samuel Palmer Ct. Orp —2E 128
(off Chislehurst Rd.)
Samuel Richardson Ho. W14
(off N. End Cres.) —5K 73
Samuel's Clo. W6 —5G 73
Samuel St. SE15 —8D 76
Samuel St. SE18 —5K 79
Sancroft Clo. NW2 —8F 40
Sancroft Ho. SE11 —6K 75
(off Sancroft St.)
Sancroft Rd. Harr —9D 22
Sancroft St. SE11 —6K 75
Sanctuary Clo. Dart —5G 99
Sanctuary Rd. H'row A —5E 144
Sanctuary St. SE1 —3A 76
Sanctuary, The. SW1 —4H 75
(off Broadway Sanctuary)
Sanctuary, The. Bex —5H 97
Sanctuary, The. Mord —1L 121
Sandale Clo. N16 —8B 44
Sandall Clo. W5 —7J 55
Sandall Ho. E3 —5J 61
Sandall Rd. NW5 —2G 59
Sandall Rd. W5 —7J 55
Sandal Rd. N18 —5E 28
Sandal Rd. N Mald —9B 104
Sandal St. E15 —4C 62
Sandalwood Clo. E1 —7J 61
Sandal Wood Dri. Ruis —5A 36
Sandalwood Ho. Sidc —9D 96
Sandalwood Mans. W8 —4M 73
Sandalwood Rd. Felt —9F 84
Sandbach Pl. SE18 —5A 80
Sandbanks. Felt —7C 84
Sandbourne. NW8 —4M 57
(off Abbey Rd.)
Sandbourne. W11 —9L 57
(off Dartmouth Clo.)
Sandbourne Av. SW19 —6M 105
Sandbourne Rd. SE4 —1J 93
Sandbrook Clo. NW7 —6B 24
Sandbrook Rd. N16 —8C 44
Sandby Grn. SE9 —2J 95
Sandby Ho. NW6 —4L 57
Sandcliff Rd. Eri —5B 82
Sandcroft Clo. N13 —6M 27
Sandell's Av. Ashf —1A 100
Sandell St. SE1 —3L 75
Sanderling Ct. SE8 —7K 77
(off Abinger Gro.)
Sanderling Ct. SE28 —1G 81
Sanders Clo. Hamp H —2A 102
Sandersfield Gdns. Bans —7L 135
Sandersfield Rd. Bans —7M 135
Sanders Ho. WC1 —6L 59
(off Gt. Percy St.)
Sanders La. NW7 —7G 25
(in three parts)
Sanderson Clo. NW5 —9F 42
Sanderson Ho. SE8 —6K 77
(off Grove St.)
Sanderson Rd. Uxb —2A 142
Sanderstead. —4E 138
Sanderstead Av. NW2 —7J 41
Sanderstead Clo. SW12 —6G 91
Sanderstead Ct. Av. S Croy —5E 138
Sanderstead Hill. S Croy —3C 138
Sanderstead Rd. E10 —6J 45
Sanderstead Rd. S Croy —9B 124
Sanders Way. N19 —6H 43
Sandfield. WC1 —6J 59
(off Cromer St.)
Sandfield Gdns. T Hth —7M 107
Sandfield Rd. T Hth —7M 107
Sandford Av. N22 —8A 28
Sandford Clo. E6 —7K 63
Sandford Ct. N16 —6C 44
Sandford Ct. New Bar —5M 13
Sandford Rd. E6 —6J 63
Sandford Rd. Bexh —3J 97
Sandford Rd. Brom —7E 110
Sandford Row. SE17 —6B 76
Sandford St. SW6 —8M 73
Sandgate Clo. Romf —5A 50
Sandgate Ho. E5 —1F 60
Sandgate Ho. W5 —8G 55
Sandgate La. SW18 —7C 90
Sandgate Rd. Well —8G 81
Sandgate St. SE15 —7F 76
Sandgate Trad. Est. SE15 —7F 76
(off Sandgate St.)
Sandham Ct. SW4 —9J 75
Sandhills. Wall —6H 123
Sandhills Mdw. Shep —2A 116
Sandhills, The. SW10 —7A 74
(off Limerston St.)
Sandhurst Av. Harr —4M 37
Sandhurst Av. Surb —2M 119
Sandhurst Cen. Wat —3G 9
Sandhurst Clo. NW9 —1L 39
Sandhurst Clo. S Croy —1C 138
Sandhurst Ct. SW2 —3J 91
Sandhurst Dri. Ilf —9D 48
Sandhurst Ho. E1 —8G 61
(off Wolsy St.)
Sandhurst Mkt. SE6 —7A 94
(off Sangley Rd.)
Sandhurst Rd. N9 —8G 17
Sandhurst Rd. NW9 —1L 39
Sandhurst Rd. SE6 —7B 94
Sandhurst Rd. Bex —4H 97
Sandhurst Rd. Orp —5E 128
Sandhurst Rd. Sidc —9D 96
Sandhurst Way. S Croy —9C 124
Sandifer Dri. NW2 —8H 41
Sandiford Rd. Sutt —4K 121
Sandiland Cres. Brom —4D 126
Sandilands. Croy —4E 124
Sandilands Rd. SW6 —9M 73
Sandison St. SE15 —2E 92
Sandland St. WC1 —8K 59
Sandling Ri. SE9 —9L 95
Sandlings Clo. SE15 —1F 92
Sandlings, The. N22 —1M 43
Sandmere Rd. SW4 —3J 91
Sandon Clo. Esh —2B 118
Sandon Rd. Chesh —3C 6
Sandow Cres. Hay —4D 68
Sandown Av. Dag —2A 66
Sandown Av. Esh —7A 118
Sandown Av. Horn —7H 51
Sandown Clo. Houn —9E 68
Sandown Ct. SE26 —9F 92
Sandown Ct. Stan —5G 23
Sandown Ct. Sutt —9M 121
Sandown Dri. Cars —1E 136
Sandown Ga. Esh —5B 118
Sandown Lodge. Eps —6B 134
Sandown Pk. Racecourse. —5A 118
Sandown Rd. SE25 —9F 108
Sandown Rd. Coul —8E 136
Sandown Rd. Esh —6A 118
Sandown Rd. Wat —2G 9
Sandown Rd. Ind. Est. Wat —1G 9
Sandown Way. N'holt —2J 53
Sandpiper Clo. E17 —7H 29
Sandpiper Clo. SE16 —3K 77
Sandpiper Ct. E14 —4A 78
(off New Union Clo.)
Sandpiper Ct. SE8 —7L 77
(off Edward Pl.)
Sandpiper Dri. Eri —8F 82
Sandpiper Rd. S Croy —3H 139
Sandpiper Rd. Sutt —7K 121
Sandpiper Way. Orp —8H 113
Sandpit Pl. SE7 —6J 79
Sandpit Rd. Brom —2C 110
Sandpit Rd. Dart —3G 99
Sandpits Rd. Croy —6H 125
Sandpits Rd. Rich —8H 87
Sandra Clo. N22 —8A 28
Sandra Clo. Houn —4M 85
Sandridge Clo. Harr —2C 38
Sandridge Ct. N4 —7A 44
Sandridge St. N19 —7G 43
Sandringham Av. SW20 —5J 105
Sandringham Clo. SW19 —7H 89
Sandringham Clo. Enf —4C 16
Sandringham Clo. Ilf —1A 48
Sandringham Ct. SE16 —2H 77
(off King & Queen Wharf)
Sandringham Ct. W1 —9G 59
(off Dufour's Pl.)
Sandringham Ct. W9 —6A 58
(off Maida Va.)
Sandringham Ct. Sidc —5D 96
Sandringham Ct. Sutt —1L 135
Sandringham Ct. Uxb —7A 52
Sandringham Cres. Harr —7L 37
Sandringham Dri. Ashf —9B 144
Sandringham Dri. Well —1C 96
Sandringham Flats. WC2 —1H 75
(off Charing Cross Rd.)
Sandringham Gdns. N8 —4J 43
Sandringham Gdns. N12 —6B 26
Sandringham Gdns. Houn —9E 68
Sandringham Gdns. Ilf —1A 48
Sandringham Ho. W14 —5J 73
(off Windsor Way)
Sandringham M. W5 —1H 71
Sandringham Rd. E7 —1G 63
Sandringham Rd. E8 —1D 60
Sandringham Rd. E10 —4B 46
Sandringham Rd. N22 —1A 44
Sandringham Rd. NW2 —2F 56
Sandringham Rd. NW11 —5J 41
Sandringham Rd. Bark —1D 64
Sandringham Rd. Brom —2E 110
Sandringham Rd. H'row A —4C 144
Sandringham Rd. N'holt —3L 53
Sandringham Rd. T Hth —9A 108
Sandringham Rd. Wat —1G 9
Sandringham Rd. Wor Pk —5E 120
Sandringham Way. Wal X —7C 6
Sandrock Pl. Croy —6H 125
Sandrock Rd. SE13 —2L 93
Sands End. —9A 74
Sand's End La. SW6 —9M 73
Sandstone Pl. N19 —7F 42
Sandstone Rd. SE12 —8F 94
Sands Way. Wfd G —6K 31
Sandtoft Rd. SE7 —7F 78
Sandway Path. St M —8G 113
(off Okemore Gdns.)
Sandway Rd. Orp —8G 113
Sandwell Cres. NW6 —2L 57
Sandwich Ho. SE16 —3G 77
(off Swan Rd.)
Sandwich Ho. WC1 —6J 59
(off Sandwich St.)
Sandwich St. WC1 —6J 59
Sandwick Clo. NW7 —7E 24
Sandy Bury. Orp —5B 128
Sandycombe Rd. Felt —7E 84
Sandycombe Rd. Rich —2K 87
Sandycoombe Rd. Twic —5G 87
Sandycroft. SE2 —7E 80
Sandy Cft. Eps —2G 135
Sandy Dri. Felt —7C 84
Sandy Hill Av. SE18 —6M 79
Sandy Hill Rd. SE18 —5M 79
Sandyhill Rd. Ilf —9M 47
Sandy Hill Rd. Wall —1G 137
Sandy La. Ave —1K 83
Sandy La. Bush —5A 10
Sandy La. Cob & Oxs —3A 132
Sandy La. Harr —4K 39
Sandy La. Mitc —5E 106
(in two parts)
Sandy La. N'wd —2D 20
Sandy La. Orp —2E 128
Sandy La. Rich —8G 87
Sandy La. St P & Sidc —6H 113
Sandy La. Sutt —9J 121
Sandy La. Tedd & King T —4E 102
Sandy La. W on T —1F 116
Sandy La. N. Wall —7H 123
Sandy La. S. Wall —1G 137
Sandy Lodge. N'wd —2C 20
Sandy Lodge. Pinn —6L 21
Sandy Lodge Ct. N'wd —5C 20
Sandy Lodge La. N'wd —2B 20
Sandy Lodge Rd. Rick —2A 20
Sandy Lodge Way. N'wd —5B 20
Sandy Mead. Eps —2L 133
Sandymount Av. Stan —5G 23
Sandy Ridge. Chst —3L 111
Sandy Rd. NW3 —7M 41
Sandys Row. E1 —8C 60
Sandy Way. Croy —5K 125
Sandy Way. W on T —3D 116
Sanford La. N16 —8D 44
(in two parts)
Sanford St. SE14 —7J 77
Sanford Ter. N16 —8D 44
Sanford Wlk. N16 —7D 44
Sanford Wlk. SE14 —7J 77
Sanger Av. Chess —7J 119
Sangley Rd. SE6 —6M 93
Sangley Rd. SE25 —8C 108
Sangora Rd. SW11 —3B 90
Sankey Ho. E2 —5G 61
(off St James's Av.)
Sansom Rd. E11 —7D 46
Sansom St. SE5 —9B 76
Sans Wlk. EC1 —7L 59
Santley Ho. SE1 —3L 75
Santley St. SW4 —3K 91
Santos Rd. SW18 —4L 89
Santway, The. Stan —5C 22
Sapcote Trad. Est. NW10 —2D 56
Saperton Wlk. SE11 —5K 75
(off Juxon St.)
Saphora Clo. Orp —7B 128
Sapperton Ct. EC1 —7A 60
(off Gee St.)
Sapphire Clo. E6 —9L 63
Sapphire Clo. Dag —6G 49
Sapphire Ct. E1 —1E 76
(off Cable St.)
Sapphire Rd. SE8 —5J 77
Saracen Clo. Croy —1B 124
Saracens Head Yd. EC3 —9D 60
(off Jewry St.)
Saracens R.U.F.C. —7F 8
(Watford Football Ground)
Saracen St. E14 —9L 61
Sarah Ct. N'holt —4K 53
Sarah Ho. E1 —9F 60
(off Commercial Rd.)
Sara Ho. Eri —8C 82
Sarah St. N1 —6C 60
Sarah Swift Ho. SE1 —3B 76
(off Kipling St.)
Sara La. Ct. N1 —5C 60
(off Stanway St.)
Saratoga Rd. E5 —9G 45
Sara Turnbull Ho. SE18 —5K 79
Sardinia St. WC2 —9K 59
Sargeant Clo. Uxb —6B 142
Sarita Clo. Harr —9B 22
Sarjant Path. SW19 —8H 89
(off Blincoe Clo.)
Sark Clo. Houn —8L 69
Sark Ho. Enf —2H 17
Sark Wlk. E16 —9F 62
Sarnes Ct. N11 —4F 26
(off Oakleigh Rd. S.)
Sarnesfield Ho. SE15 —7F 76
(off Pencraig Way)
Sarnesfield Rd. Enf —6B 16
Sarratt Ho. W10 —8G 57
(off Sutton Way)
Sarre Av. Horn —2G 67
Sarre Rd. NW2 —1K 57
Sarre Rd. St M —9G 113
Sarsen Av. Houn —1L 85
Sarsfeld Rd. SW12 —8D 90
Sarsfield Rd. Gnfd —5F 54
Sartor Rd. SE15 —3H 93
Sarum Complex. Uxb —6A 142
Sarum Grn. Wey —5C 116
Sarum Ter. E3 —7K 61
Sassoon. NW9 —8D 24
Satanita Clo. E16 —9H 63
Satchell Mead. NW9 —8D 24
Satchwell Rd. E2 —6E 60
Satchwell St. E2 —6E 60
Satis Ct. Eps —3D 134
Sattar M. N16 —8B 44
(off Clissold Rd.)
Saul Ct. SE15 —7D 76
Sauls Grn. E11 —8C 46
Saunders Clo. E14 —1K 77
(off Limehouse Causeway)
Saunders Clo. Chesh —1D 6
Saunders Hill. Wemb —5K 39
Saunders Ho. W11 —2H 73
Saunders Ness Rd. E14 —6A 78
Saunders Rd. SE18 —6D 80
Saunders Rd. Uxb —3D 142
Saunders St. SE11 —5L 75
Saunders Way. SE28 —1F 80
Saunders Way. Dart —8K 99
Saunderton Rd. Wemb —1F 54
Saunton Av. Hay —8D 68
Saunton Ct. S'hall —1A 70
(off Haldane Rd.)
Saunton Rd. Horn —7E 50
Savage Gdns. E6 —9K 63
Savage Gdns. EC3 —1C 76
(in two parts)
Savernake Ct. Stan —6F 22
Savernake Ho. N4 —5A 44
Savernake Rd. N9 —8E 16
Savernake Rd. NW3 —9D 42
Savery Dri. Surb —2G 119
Savile Clo. N Mald —9C 104
Savile Clo. Th Dit —3D 118
Savile Gdns. Croy —4D 124
Savile Row. W1 —1G 75
Saville Cres. Ashf —3B 100
Saville Rd. E16 —2J 79
Saville Rd. W4 —4B 72
Saville Rd. Romf —4K 49
Saville Rd. Twic —7D 86
Saville Row. Brom —3D 126
Saville Row. Enf —4H 17
Savill Gdns. SW20 —7E 104
Savill Ho. E16 —2M 79
(off Robert St.)
Savill Ho. SW4 —5H 91
Savill Row. Wfd G —6D 30
Savin Lodge. Sutt —9A 122
(off Walnut M.)
Savona Clo. SW19 —4H 105
Savona Ho. SW8 —8G 75
Savona St. SW8 —8G 75
Savoy Av. Hay —6C 68
Savoy Bldgs. WC2 —1K 75
(off Strand)
Savoy Clo. E15 —4C 62
Savoy Clo. Edgw —5L 23
Savoy Ct. NW3 —8A 42
Savoy Ct. WC2 —1K 75
Savoy Hill. WC2 —1K 75
Savoy Pde. Enf —5C 16
Savoy Pl. WC2 —1J 75
Savoy Rd. Dart —4H 99
Savoy Row. WC2 —1K 75
(off Savoy St.)
Savoy Steps. WC2 —1K 75
(off Savoy St.)
Savoy St. WC2 —1K 75
Savoy Theatre. —1J 75
(off Strand)
Savoy Way. WC2 —1K 75
(off Savoy Hill)
Sawbill Clo. Hay —8H 53
Sawkins Clo. SW19 —8J 89
Sawley Rd. W12 —2D 72
Sawmill Yd. E3 —4J 61
Sawtry Clo. Cars —2C 122
Sawtry Way. Borwd —2L 11
Sawyer Clo. N9 —2E 28
Sawyer Ct. NW10 —3B 56
Sawyers Clo. Dag —2A 66
Sawyer's Hill. Rich —6K 87
Sawyers La. Els —3F 10
Sawyers Lawn. W13 —9E 54
Sawyer St. SE1 —3A 76
Saxby Rd. SW2 —6J 91
Saxham Rd. Bark —4C 64
Saxlingham Rd. E4 —3B 30
Saxon Av. Felt —8J 85
Saxonbury Av. Sun —7F 100
Saxonbury Clo. Mitc —7B 106
Saxonbury Ct. N7 —1J 59
Saxonbury Gdns. Surb —3G 119
Saxon Bus. Cen. SW19 —6A 106
Saxon Clo. E17 —5L 45
Saxon Clo. Romf —9K 35
Saxon Clo. Surb —1H 119
Saxon Clo. Uxb —8D 142
Saxon Ct. Borwd —3J 11
Saxon Dri. W3 —9L 55
Saxonfield Clo. SW2 —7K 91
Saxon Gdns. S'hall —1J 69
Saxon Ho. Felt —8K 85
Saxon Lodge. Croy —3A 124
(off Tavistock Rd.)
Saxon Pl. Hort K —9M 115
Saxon Rd. E3 —5K 61
Saxon Rd. E6 —7K 63
Saxon Rd. N22 —8M 27
Saxon Rd. SE25 —9B 108
Saxon Rd. Ashf —3B 100
Saxon Rd. Brom —4D 110
Saxon Rd. Dart —1J 115
Saxon Rd. Ilf —2M 63
Saxon Rd. S'hall —1J 69
Saxon Rd. W on T —5H 117
Saxon Rd. Wemb —8A 40
Saxon Wlk. Sidc —3G 113
Saxon Way. N14 —8H 15
Saxon Way. Wal A —6J 7
Saxon Way. W Dray —7G 143
Saxon Way Ind. Est. W Dray —7G 143
Saxony Pde. Hay —8A 52
Saxton Clo. SE13 —2B 94
Saxton M. Wat —4E 8
Saxville Rd. Orp —7F 112
Sayers Ho. N2 —9B 26
(off Grange, The)
Sayer's Wlk. Rich —6K 87
Sayesbury La. N18 —5E 28
Sayes Ct. SE8 —7K 77
Sayes Ct. Rd. Orp —8E 112
Sayes Ct. St. SE8 —7K 77
Scadbury Gdns. Orp —6E 112
Scads Hill Clo. Orp —1D 128
Scafell. NW1 —6G 59
(off Stanhope St.)
Scala St. W1 —8G 59
Scales Rd. N17 —1D 44
Scammell Way. Wat —8D 8
Scampston M. W10 —9H 57
Scampton Rd. H'row A —5D 144
Scandrett St. E1 —2F 76
Scarba Wlk. N1 —2B 60
(off Marquess Rd.)
Scarborough Clo. Sutt —3K 135
Scarborough Rd. E11 —6B 46
Scarborough Rd. N4 —6L 43
Scarborough Rd. N9 —9G 17
Scarborough Rd. H'row A —5A 84
Scarborough St. E1 —9D 60
Scarbrook Rd. Croy —5A 124
Scarle Rd. Wemb —2H 55
Scarlet Clo. St P —8F 112
Scarlet Rd. SE6 —9C 94
Scarlette Mnr. Way. SW2 —6L 91
Scarsbrook Rd. SE3 —2H 95
Scarsdale Pl. W8 —4M 73
Scarsdale Rd. Harr —8A 38
Scarsdale Vs. W8 —4L 73
Scarth Rd. SW13 —2D 88
Scawen Clo. Cars —6E 122
Scawen Rd. SE8 —6J 77

Scawfell St. E2 —5D 60
Sceaux Gdns. SE5 —9C 76
Sceptre Ct. E1 —1D 76
(off Tower Hill)
Sceptre Ho. E1 —7G 61
(off Malcolm Rd.)
Sceptre Rd. E2 —6G 61
Sceynes Link. N12 —4L 25
Schafer Ho. NW1 —6G 59
Schofield Wlk. SE3 —8E 78
Scholars Ho. E4 —1B 30
Scholars Rd. SW12 —7G 91
Scholars, The. Wat —6G 9
(off Lady's Clo.)
Scholefield Rd. N19 —6H 43
Scholey Ho. SW11 —2C 90
Schomberg Ho. SW1 —5H 75
(off Page St.)
Schonfeld Sq. N16 —7B 44
School All. Twic —7E 86
School App. E2 —6C 60
Schoolbank Rd. SE10 —4D 78
Schoolbell M. E3 —5J 61
School Cres. Cray —3D 98
School Ho. SE1 —5C 76
(off Quadrangle Clo.)
Schoolhouse Gdns. Lou —6M 19
School Ho. La. E1 —1H 77
School Ho. La. Tedd —4F 102
School La. Brick W —7K 5
School La. Bush —9M 9
School La. Chig —4D 32
School La. King T —5G 103
School La. Pinn —2J 37
School La. Shep —1A 116
School La. Surb —3L 119
School La. Swan —5F 114
School La. Well —2F 96
School Mead. Ab L —5C 4
School Pas. King T —6K 103
School Pas. S'hall —1K 69
School Rd. E12 —9K 47
School Rd. NW10 —7B 56
School Rd. Chst —5A 112
School Rd. Dag —4L 65
School Rd. E Mol —8B 102
School Rd. Hamp H —3A 102
School Rd. Houn —2A 86
School Rd. King T —5G 103
School Rd. W on T —7D 116
School Rd. W Dray —7H 143
School Rd. Av. Hamp H —3A 102
School Road Junction. (Junct.) —4A 100
School Wlk. Sun —8D 100
School Way. N12 —6B 26
School Way. Dag —8G 49
Schooner Clo. E14 —4B 78
Schooner Clo. SE16 —3H 77
Schopwick Pl. Els —8H 11
(off St Nicholas Clo.)
Schubert Rd. SW15 —4K 89
Schubert Rd. Els —8H 11
Science Mus. —4B 74
Scilly Isles. (Junct.) —4C 118
Sclater St. E1 —7D 60
Scoble Pl. N16 —9D 44
Scoles Cres. SW2 —7L 91
Scope Way. King T —8J 103
Scoresby St. SE1 —2M 75
Scorton Av. Gnfd —5E 54
Scorton Ho. N1 —5C 60
(off Whitmore Est.)
Scotch Comn. W13 —8E 54
Scotch House. (Junct.) —3D 74
Scoter Clo. Wfd G —7F 30
Scoter Ct. SE8 —7K 77
(off Abinger Gro.)
Scot Gro. Pinn —7H 21
Scotia Building. E1 —1H 77
(off Jardine Rd.)
Scotia Ct. SE16 —3G 77
(off Canada Est.)
Scotia Rd. SW2 —6L 91
Scotland Grn. N17 —9D 28
Scotland Grn. Rd. Enf —7H 17
Scotland Grn. Rd. N. Enf —6H 17
Scotland Pl. SW1 —2J 75
Scotland Rd. Buck H —1G 31
Scotney Clo. Farnb —6L 127
Scotney Ho. E9 —2G 61
Scotney Wlk. Horn —1G 67
Scots Clo. Stanw —7B 144
Scotsdale Clo. Orp —8C 112
Scotsdale Clo. Sutt —9J 121
Scotsdale Rd. SE12 —4F 94
Scotshall La. Warl —7A 140
Scotson Ho. SE11 —5L 75
(off Marylee Way)
Scotswood St. EC1 —7L 59
Scotswood Wlk. N17 —7E 28
Scott Clo. SW16 —5K 107
Scott Clo. Eps —7A 120
Scott Clo. W Dray —5K 143
Scott Ct. W3 —3B 72
Scott Cres. Eri —9D 82
Scott Cres. Harr —6M 37
Scott Ellis Gdns. NW8 —6B 58
Scottes La. Dag —6H 49
Scott Farm Clo. Th Dit —3F 118
Scott Gdns. Houn —8H 69
Scott Ho. E13 —5E 62
(off Queens Rd. W.)
Scott Ho. E14 —3L 77
(off Admirals Way)
Scott Ho. N1 —4B 60
(off Sherborne St.)
Scott Ho. N7 —2K 59
(off Caledonian Rd.)
Scott Ho. NW1 —7C 58
(off Ashmill St.)
Scott Ho. NW10 —3B 56
(off Stonebridge Pk.)
Scott Ho. Belv —6K 81
Scott Ho. Horn —4E 50
(off Benjamin Clo.)
Scott Lidgett Cres. SE16 —3E 76
Scott Russell Pl. E14 —6M 77
Scotts Av. Brom —6B 110
Scotts Av. Sun —4C 100
Scotts Clo. Horn —1G 67
Scotts Ct. W12 —3G 73
(off Scott's Rd.)
Scotts Dri. Hamp —4M 101
Scotts Farm Rd. Eps —8A 120
Scott's La. Brom —7B 110
Scotts La. W on T —6H 117
Scotts Pas. SE18 —5M 79
Scott's Rd. E10 —6A 46
Scott's Rd. W12 —3F 72
Scotts Rd. Brom —4E 110
Scott's Rd. S'hall —4G 69
Scott's Sufferance Wharf. SE1 —3D 76
(off Mill St.)
Scott St. E1 —7F 60
Scotts Way. Sun —4C 100
Scottswood Clo. Bush —4J 9
Scottswood Rd. Bush —4J 9
Scott's Yd. EC4 —1B 76
(off Gophir La.)
Scott Trimmer Way. Houn —1J 85
Scottwell Dri. NW9 —3D 40
Scoulding Ho. E14 —4L 77
(off Mellish St.)
Scoulding Rd. E16 —9E 62
Scouler St. E14 —1A 78
Scout App. NW10 —9C 40
Scout La. SW4 —2G 91
Scout Way. NW7 —4B 24
Scovell Cres. SE1 —3A 76
(off McCoid Way)
Scovell Rd. SE1 —3A 76
Scrattons Ter. Bark —5H 65
Scriven Ct. E8 —4D 60
Scriven St. E8 —4D 60
Scrooby St. SE6 —5M 93
Scrope Ho. EC1 —8L 59
(off Bourne Est.)
Scrubs La. NW10 & W10 —6E 56
Scrutton Clo. SW12 —6H 91
Scrutton St. EC2 —7C 60
Scudamore La. NW9 —2A 40
Scutari Rd. SE22 —4G 93
Scylla Cres. H'row A —5F 144
Scylla Rd. SE15 —2E 92
(in two parts)
Scylla Rd. H'row A —5F 144
Seabright St. E2 —6F 60
Seabrook Dri. W W'ck —4C 126
Seabrook Gdns. Romf —5L 49
Seabrook Rd. Dag —8H 49
Seabrook Rd. K Lan —1B 4
Seaburn Clo. Rain —5C 66
Seacole Clo. W3 —9B 56
Seacourt Rd. SE2 —3H 81
Seacroft Gdns. Wat —3H 21
Seafield Rd. N11 —4H 27
Seaford Clo. Ruis —6B 36
Seaford Ho. SE16 —3G 77
(off Swan Rd.)
Seaford Rd. E17 —1M 45
Seaford Rd. N15 —3B 44
Seaford Rd. W13 —2F 70
Seaford Rd. Enf —6C 16
Seaford Rd. H'row A —4B 144
Seaford St. WC1 —6K 59
Seaforth Av. N Mald —9F 104
Seaforth Clo. Romf —7C 34
Seaforth Cres. N5 —1A 60
Seaforth Dri. Wal X —7D 6
Seaforth Gdns. N21 —9K 15
Seaforth Gdns. Eps —6D 120
Seaforth Gdns. Wfd G —5G 31
Seaforth Pl. SW1 —4G 75
(off Buckingham Ga.)
Seagar Bldgs. SE8 —9L 77
Seagar Pl. E3 —8K 61
Seagrave Clo. E1 —8H 61
Seagrave Lodge. SW6 —7L 73
(off Seagrave Rd.)
Seagrave Rd. SW6 —7L 73
Seagry Rd. E11 —5E 46
Sealand Rd. H'row A —5E 144
Sealand Wlk. N'holt —6H 53
Seal Ho. SE1 —4B 76
(off Pardoner St.)
Seal St. E8 —9D 44
Searches La. Bedm —1G 5
Searchwood Rd. Warl —9F 138
Searle Pl. N4 —6K 43
Searles Clo. SW11 —8C 74
Searles Dri. E6 —8M 63
Searles Rd. SE1 —5B 76
Searson Ho. SE17 —5M 75
(off Canterbury Pl.)
Sears St. SE5 —8B 76
Seasprite Clo. N'holt —6H 53
Seaton Av. Ilf —1D 64
Seaton Clo. E13 —7E 62
Seaton Clo. SE11 —6L 75
Seaton Clo. SW15 —7F 88
Seaton Clo. Twic —5B 86
Seaton Dri. Ashf —8C 144
Seaton Gdns. Ruis —8D 36
Seaton Point. E5 —9E 44
Seaton Rd. Dart —6E 98
Seaton Rd. Hay —5B 68
Seaton Rd. Mitc —6C 106
Seaton Rd. Twic —5A 86
Seaton Rd. Well —8G 81
Seaton Rd. Wemb —5J 55
Seaton St. N18 —5E 28
Sebastian Ho. N1 —5C 60
(off Hoxton St.)
Sebastian St. EC1 —6M 59
Sebastopol Rd. N9 —4E 28
Sebbon St. N1 —3M 59
Sebergham Gro. NW7 —7E 24
Sebert Rd. E7 —1F 62
Sebright Ho. E2 —5E 60
(off Coate St.)
Sebright Pas. E2 —5E 60
Sebright Rd. Barn —4H 13
Secker Cres. Harr —8A 22
Secker Ho. SW9 —1M 91
(off Loughborough Est.)
Secker St. SE1 —2L 75
Secombe Centre. —7M 121
Second Av. E12 —9J 47
Second Av. E13 —6E 62
Second Av. E17 —3L 45
Second Av. N18 —4G 29
Second Av. NW4 —2H 41
Second Av. SW14 —2C 88
Second Av. W3 —2D 72
Second Av. W10 —7J 57
Second Av. Dag —4M 65
Second Av. Enf —7D 16
Second Av. Hay —2D 68
Second Av. Romf —3G 49
Second Av. W on T —1F 116
Second Av. Wat —8H 5
Second Av. Wemb —7H 39
Second Clo. W Mol —8A 102
Second Cross Rd. Twic —8C 86
Second Way. Wemb —9M 39
Sedan Way. SE17 —6C 76
Sedcombe Clo. Sidc —1F 112
Sedcote Rd. Enf —7G 17
Sedding St. SW1 —5E 74
Sedding Studios. SW1 —5E 74
(off Sedding St.)
Seddon Highwalk. EC2 —8A 60
(off Barbican)
Seddon Ho. EC2 —8A 60
(off Beech St.)
Seddon Rd. Mord —9B 106
Seddon St. WC1 —6K 59
Sedgebrook Rd. SE3 —1H 95
Sedgecombe Av. Harr —3G 39
Sedgefield Clo. Romf —4K 35
Sedgefield Ct. N'holt —1M 53
(off Newmarket Av.)
Sedgefield Cres. Romf —5K 35
Sedgeford Rd. W12 —2D 72
Sedgehill Rd. SE6 —1L 109
Sedgemere Av. N2 —1A 42
Sedgemere Rd. SE2 —4G 81
Sedgemoor Dri. Dag —9L 49
Sedge Rd. N17 —7G 29
Sedgeway. SE6 —7D 94
Sedgewick Av. Uxb —3F 142
Sedgewood Clo. Brom —2D 126
Sedgmoor Pl. SE5 —8C 76
Sedgwick Ho. E3 —8L 61
(off Gale St.)
Sedgwick Rd. E10 —7A 46
Sedgwick St. E9 —1H 61
Sedleigh Rd. SW18 —5K 89
Sedlescombe Rd. SW6 —7L 73
Sedley Clo. Enf —2F 16
Sedley Ct. SE26 —8F 92
Sedley Ho. SE11 —6K 75
(off Newburn St.)
Sedley Pl. W1 —9F 58
Sedley Ri. Lou —4K 19
Sedum Clo. NW9 —3M 39
Seeley Dri. SE21 —1C 108
Seelig Av. NW9 —5E 40
Seely Rd. SW17 —3E 106
Seething La. EC3 —1C 76
Seething Wells. —1G 119
Seething Wells La. Surb —1G 119
Sefton Av. NW7 —5B 24
Sefton Av. Harr —9B 22
Sefton Clo. Orp —8D 112
Sefton Ct. Enf —4M 15
(in two parts)
Sefton Ct. Houn —9M 69
Sefton Rd. Croy —3E 124
Sefton Rd. Eps —2B 134
Sefton Rd. Orp —8D 112
Sefton St. SW15 —2G 89
Sefton Way. Uxb —9A 142
Segal Clo. SE23 —6J 93
Sekforde St. EC1 —7M 59
Sekhon Ter. Felt —9L 85
Selah Dri. Swan —5A 114
Selan Gdns. Hay —8F 52
Selbie Av. NW10 —1D 56
Selborne Av. E12 —9L 47
Selborne Av. Bex —7J 97
Selborne Gdns. NW4 —2E 40
Selborne Gdns. Gnfd —4E 54
Selborne Rd. E17 —3K 45
Selborne Rd. N14 —3J 27
Selborne Rd. SE5 —1B 92
Selborne Rd. Croy —5C 124
Selborne Rd. Ilf —7L 47
Selborne Rd. N Mald —6C 104
Selborne Rd. Sidc —1F 112
Selborne Wlk. E17 —3K 45
Selborne Wlk. Shop. Cen. E17 —2K 45
Selbourne Av. Surb —4K 119
Selbourne Ho. SE1 —3B 76
(off Gt. Dover St.)
Selbourne Rd. N22 —8K 27
Selby Chase. Ruis —7F 36
Selby Clo. E6 —8J 63
Selby Clo. Chess —9J 119
Selby Clo. Chst —3L 111
Selby Gdns. S'hall —7L 53
Selby Grn. Cars —2C 122
Selby Ho. W10 —6J 57
(off Beethoven St.)
Selby Rd. E11 —8C 46
Selby Rd. E13 —8F 62
Selby Rd. N17 —7C 28
Selby Rd. SE20 —6E 108
Selby Rd. W5 —7F 54
Selby Rd. Ashf —3A 100
Selby Rd. Cars —2C 122
Selby St. E1 —7E 60
Selcroft Ho. SE10 —6D 78
(off Glenister Rd.)
Selcroft Rd. Purl —4M 137
Selden Ho. SE15 —1H 93
(off Selden Rd.)
Selden Rd. SE15 —1G 93
Selden Wlk. N7 —7K 43
Seldon Ho. SW1 —6G 75
(off Churchill Gdns.)
Seldon Ho. SW8 —8G 75
(off Stewart's Rd.)
Selhurst. —1B 124
Selhurst Clo. SW19 —7H 89
Selhurst New Rd. SE25 —1C 124
Selhurst Pl. SE25 —1C 124
Selhurst Rd. N9 —3B 28
Selhurst Rd. SE25 —1C 124
Selina Ho. NW8 —7B 58
(off Frampton St.)
Selinas La. Dag —5J 49
Selkirk Dri. Eri —9C 82
Selkirk Rd. SW17 —1C 106
Selkirk Rd. Twic —8A 86
Sellers Clo. Borwd —3A 12
Sellers Hall Clo. N3 —7L 25
Sellincourt Rd. SW17 —2C 106
Sellindge Clo. Beck —4K 109
Sellons Av. NW10 —4D 56
Selsdon. —2G 139
Selsdon Av. S Croy —8B 124
Selsdon Clo. Romf —8A 34
Selsdon Clo. Surb —9J 103
Selsdon Ct. S'hall —9M 53
(off Dormers Ri.)
Selsdon Cres. S Croy —2G 139
Selsdon Pk. Rd. S Croy —1H 139
Selsdon Rd. E11 —5E 46
Selsdon Rd. E13 —4G 63
Selsdon Rd. NW2 —7D 40
Selsdon Rd. SE27 —9L 91
Selsdon Rd. S Croy —7B 124
Selsdon Way. E14 —4M 77
Selsea Pl. N16 —1C 60
Selsey Cres. Well —9H 81
Selsey St. E3 —8L 61
Selsey St. E14 —8L 61
Selvage La. NW7 —5B 24
Selway Clo. Pinn —1F 36
Selway Ho. SW8 —9J 75
(off S. Lambeth Rd.)
Selwood Clo. Stanw —5A 144
Selwood Dri. Barn —7H 13
Selwood Gdns. Stanw —5A 144
Selwood Pl. SW7 —6B 74
Selwood Rd. Chess —6H 119
Selwood Rd. Croy —4F 124
Selwood Rd. Sutt —3K 121
Selwood Ter. SW7 —6B 74
Selworthy Clo. E11 —3E 46
Selworthy Rd. SE6 —9K 93
Selwyn Av. E4 —6A 30
Selwyn Av. Ilf —4D 48
Selwyn Av. Rich —2J 87
Selwyn Clo. Houn —3J 85
Selwyn Ct. E17 —3L 45
(off Yunus Khan Clo.)
Selwyn Ct. SE3 —2D 94
Selwyn Ct. Edgw —7M 23
Selwyn Cres. Well —2F 96
Selwyn Pl. Orp —7F 112
Selwyn Rd. E3 —5K 61
Selwyn Rd. E13 —4F 62
Selwyn Rd. NW10 —3B 56
Selwyn Rd. N Mald —9B 104
Semley Ga. E9 —2K 61
Semley Ho. SW1 —5F 74
(off Semley Pl.)
Semley Pl. SW1 —5E 74
Semley Rd. SW16 —6J 107
Senate St. SE15 —1G 93
Senators Lodge. E3 —5J 61
(off Roman Rd.)
Senator Wlk. SE28 —4B 80
Seneca Rd. T Hth —8A 108
Senga Rd. Wall —3E 122
Senhouse Rd. Sutt —5H 121
Senior St. W2 —8M 57
Senlac Rd. SE12 —7F 94
Sennen Rd. Enf —9D 16
Sennen Wlk. SE9 —9J 95
Senrab St. E1 —9H 61
Sentinel Clo. N'holt —7J 53
Sentinel Sq. NW4 —2G 41
Sentis Ct. N'wd —6D 20
September Ct. S'hall —2M 69
(off Dormers Wells La.)
September Ct. Uxb —5B 142
September Way. Stan —6F 22
Septimus Pl. Enf —7E 16
Sequoia Clo. Bus H —1B 22
Sequoia Gdns. Orp —2D 128
Sequoia Pk. Pinn —6M 21
Seraph Ct. EC1 —6A 60
(off Moreland St.)
Serbin Clo. E10 —5A 46
Sergeant Ind. Est. SW18 —5M 89
Serica Ct. SE10 —8A 78
Serjeant's Inn. EC4 —9L 59
Serle St. WC2 —9K 59
Sermon Dri. Swan —7A 114
Sermon La. EC4 —9A 60
(off Carter La.)
Serpentine Gallery. —3B 74
Serpentine Rd. W2 —2C 74
Serviden Dri. Brom —5H 111
Servite Ho. Wor Pk —4D 120
(off Avenue, The)
Servius Ct. Bren —8H 71
Setchell Rd. SE1 —5D 76
Setchell Way. SE1 —5D 76
Seth St. SE16 —3G 77
Seton Gdns. Dag —3G 65
Settle Rd. E13 —5E 62
Settle Rd. Romf —4L 35
Settles St. E1 —8E 60
Settrington Rd. SW6 —1M 89
Seven Acres. Cars —4C 122
Seven Acres. N'wd —6F 20
Seven Acres. Swan —1B 130
Seven Dials. WC2 —9J 59
Seven Dials Ct. WC2 —9J 59
(off Short Gdns.)
Sevenex Pde. Wemb —1J 55
Seven Hills Clo. W on T —9C 116
Seven Hills Rd. W on T & Cob —9C 116
Seven Kings. —6C 48
Seven Kings Rd. Ilf —6C 48
Sevenoaks Clo. Bexh —3M 97
Sevenoaks Clo. Romf —4G 35
Sevenoaks Clo. Sutt —2L 135
Sevenoaks Ct. N'wd —7A 20
Sevenoaks Rd. SE4 —5J 93
Sevenoaks Rd. Orp —7D 128
Sevenoaks Rd. Prat B —9D 128 & 9H 129
Sevenoaks Way. Sidc & Orp —4G 113
Seven Sisters. (Junct.) —3D 44
Seven Sisters. N15 —3D 44
Seven Sisters Rd. N7 & N4 —8K 43
Seven Sisters Rd. N15 —4B 44
Seven Stars Corner. W6 —4E 72
Seventh Av. E12 —9K 47
Seventh Av. Hay —2E 68
Severnake Clo. E14 —5L 77
Severn Av. Romf —1F 50
Severn Ct. King T —5H 103
Severn Dri. Enf —2E 16
Severn Dri. Esh —4E 118
Severn Dri. W on T —4H 117
Severn Way. NW10 —1D 56
Severn Way. Wat —7G 5
Severus Rd. SW11 —3C 90
Seville M. N1 —3C 60
Seville St. SW1 —3D 74
Sevington Rd. NW4 —4F 40
Sevington St. W9 —7M 57
Seward Rd. W7 —3E 70
Seward Rd. Beck —6H 109
Sewardstone. —4A 18
Sewardstonebury. —7C 18
Sewardstone Gdns. E4 —7M 17
Sewardstone Rd. E2 —5G 61
Sewardstone Rd. E4 —9M 17
Sewardstone Rd. Wal A & E4 —7J 7
Sewardstone St. Wal A —7J 7
Seward St. EC1 —6M 59
Sewdley St. E5 —8H 45
Sewell Rd. SE2 —4E 80
Sewell St. E13 —6E 62
Sextant Av. E14 —5B 78
Sexton Clo. Rain —4D 66
Sextons Ho. SE10 —7A 78
(off Bardsley La.)
Seymer Rd. Romf —1B 50
Seymour Av. N17 —9E 28
Seymour Av. Eps —1F 134
Seymour Av. Mord —2H 121
Seymour Clo. E Mol —9A 102

Seymour Clo.—Sheridan Ct.

Seymour Clo. Lou —8J 19
Seymour Clo. Pinn —8K 21
Seymour Ct. E4 —2D 30
Seymour Ct. N10 —9E 26
Seymour Ct. N21 —8K 15
Seymour Ct. NW2 —7F 40
Seymour Dri. Brom —3K 127
Seymour Gdns. SE4 —2J 93
Seymour Gdns. Felt —1G 101
Seymour Gdns. Ilf —6K 47
Seymour Gdns. Ruis —6H 37
Seymour Gdns. Surb —9K 103
Seymour Gdns. Twic —6F 86
Seymour Ho. NW1 —6H 59
(off Churchway)
Seymour Ho. WC1 —7J 59
(off Tavistock Pl.)
Seymour Ho. Sutt —8M 121
(off Mulgrave Rd.)
Seymour M. W1 —9E 58
Seymour M. Ewe —2E 134
Seymour Pl. SE25 —8F 108
Seymour Pl. W1 —8D 58
Seymour Rd. E4 —1M 29
Seymour Rd. E6 —5H 63
Seymour Rd. E10 —6K 45
Seymour Rd. N3 —7M 25
Seymour Rd. N8 —3L 43
Seymour Rd. N9 —2F 28
Seymour Rd. SW18 —6K 89
Seymour Rd. SW19 —9H 89
Seymour Rd. W4 —5A 72
Seymour Rd. Cars —7E 122
Seymour Rd. E Mol —9A 102
Seymour Rd. Hamp H —2A 102
Seymour Rd. King T —5H 103
Seymour Rd. Mitc —2E 122
Seymour Rd. Ind. Est. E10 —6K 45
Seymours, The. Lou —3L 19
Seymour St. W2 & W1 —9D 58
Seymour Ter. SE20 —5F 108
Seymour Vs. SE20 —5F 108
Seymour Wlk. SW10 —7A 74
Seymour Way. Sun —4D 100
Seyssel St. E14 —5A 78
Shaa Rd. W3 —1B 72
Shacklegate La. Tedd —1C 102
Shackleton Clo. SE23 —8F 92
Shackleton Ct. E14 —6L 77
(off Maritime Quay)
Shackleton Ct. W12 —3F 72
Shackleton Ho. E1 —2G 77
(off Prusom St.)
Shackleton Ho. NW10 —3B 56
Shackleton Rd. S'hall —1K 69
Shackleton Way. Ab L —5E 4
(off Lysander Way)
Shacklewell. —9D 44
Shacklewell Grn. E8 —9D 44
Shacklewell Ho. E8 —9D 44
Shacklewell La. N16 —1D 60
Shacklewell Rd. N16 —9D 44
Shacklewell Row. E8 —9D 44
Shacklewell St. E2 —6D 60
Shadbolt Clo. Wor Pk —4D 120
Shad Thames. SE1 —2D 76
Shadwell. —1F 76
Shadwell Ct. N'holt —5K 53
Shadwell Dri. N'holt —6K 53
Shadwell Gdns. E1 —1G 77
(off Sutton St.)
Shadwell Pier Head. E1 —1G 77
Shadwell Pl. E1 —1G 77
(off Shadwell Gdns.)
Shadybush Clo. Bush —9A 10
Shady La. Wat —4F 8
Shaef Way. Tedd —4E 102
Shafter Rd. Dag —2A 66
Shaftesbury. Lou —5H 19
Shaftesbury Av. WC1 & WC2 —9J 59
Shaftesbury Av. Enf —4H 17
Shaftesbury Av. Felt —5E 84
Shaftesbury Av. Harr & S Harr —6M 37
Shaftesbury Av. Kent —3H 39
Shaftesbury Av. New Bar —6A 14
Shaftesbury Av. S'hall —5L 69
Shaftesbury Cen. W10 —7H 57
(off Barlby Rd.)
Shaftesbury Circ. S Harr —6A 38
Shaftesbury Ct. E6 —9L 63
(off Sapphire Clo.)
Shaftesbury Ct. N1 —5B 60
(off Shaftesbury St)
Shaftesbury Ct. SW6 —9M 73
(off Maltings Pl.)
Shaftesbury Ct. SW16 —9H 91
Shaftesbury Ct. Crox G —7A 8
Shaftesbury Gdns. NW10 —7C 56
Shaftesbury La. Dart —3M 99
Shaftesbury Lodge. E14 —9M 61
(off Upper N. St.)
Shaftesbury M. SE1 —4B 76
(off Falmouth Rd.)
Shaftesbury M. SW4 —4G 91
Shaftesbury M. W8 —4L 73
(off Stratford Rd.)
Shaftesbury Pde. S Harr —6A 38
Shaftesbury Pl. EC2 —8A 60
(off London Wall)
Shaftesbury Pl. W14 —5K 73
(off Warwick Rd.)
Shaftesbury Point. E13 —5E 62
(off High St.)
Shaftesbury Rd. E4 —1B 30
Shaftesbury Rd. E7 —3G 63
Shaftesbury Rd. E10 —6L 45
Shaftesbury Rd. E17 —4M 45
Shaftesbury Rd. N18 —6C 28
Shaftesbury Rd. N19 —6J 43
Shaftesbury Rd. Beck —6K 109
Shaftesbury Rd. Cars —2B 122
Shaftesbury Rd. Rich —2J 87
Shaftesbury Rd. Romf —4D 50
Shaftesbury Rd. Wat —5G 9
Shaftesburys, The. Bark —5A 64
Shaftesbury St. N1 —5A 60
(in two parts)
Shaftesbury Theatre. —9J 59
(off Shaftesbury Av.)
Shaftesbury Way. K Lan —1A 4
Shaftesbury Way. Twic —9B 86
Shaftesbury Waye. Hay —8G 53
Shafto M. SW1 —4D 74
Shafton M. E9 —4H 61
Shafton Rd. E9 —4H 61
Shaftsbury Ct. SE5 —3B 92
Shaftsbury Ct. Eri —9D 82
(off Selkirk Dri.)
Shafts Ct. EC3 —9C 60
Shahjalal Ho. E2 —5E 60
(off Pritchards Rd.)
Shakespeare Av. N11 —5G 27
Shakespeare Av. NW10 —4B 56
Shakespeare Av. Felt —5E 84
Shakespeare Av. Hay —9E 52
(in two parts)
Shakespeare Ct. New Bar —5M 13
Shakespeare Cres. E12 —2K 63
Shakespeare Cres. NW10 —4B 56
Shakespeare Dri. Harr —4K 39
Shakespeare Gdns. N2 —2D 42
Shakespeare Ho. N14 —2H 27
Shakespeare Ind. Est. Wat —2E 8
Shakespeare Rd. E17 —9H 29
Shakespeare Rd. N3 —8L 25
Shakespeare Rd. NW7 —4D 24
Shakespeare Rd. SE24 —4M 91
Shakespeare Rd. W3 —2A 72
Shakespeare Rd. W7 —1D 70
Shakespeare Rd. Bexh —9J 81
Shakespeare Rd. Dart —3L 99
Shakespeare Rd. Romf —4D 50
Shakespeare's Globe Exhibition. —2A 76
(off Shakespeare's Globe Theatre)
Shakespeare's Globe Theatre. —2A 76
Shakespeare Sq. Ilf —6A 32
Shakespeare St. Wat —2F 8
Shakespeare Tower. EC2 —8A 60
(off Beech St.)
Shakespeare Way. Felt —1G 101
Shakspeare M. N16 —9C 44
Shakspeare Wlk. N16 —9C 44
Shalcomb St. SW10 —7A 74
Shalcross Dri. Chesh —3F 6
Shalden Ho. SW15 —5D 88
Shaldon Dri. Mord —9J 105
Shaldon Dri. Ruis —8G 37
Shaldon Rd. Edgw —9K 23
Shaldon Way. W on T —5G 117
Shalfleet Dri. W10 —1H 73
Shalford Clo. Orp —6A 128
Shalford Ct. N1 —5M 59
(off Charlton Pl.)
Shalford Ho. SE1 —4B 76
Shalimar Gdns. W3 —1A 72
Shalimar Rd. W3 —1A 72
Shallons Rd. SE9 —1M 111
Shalstone Rd. SW14 —2M 87
Shalston Vs. Surb —1K 119
Shamrock Rd. Croy —1K 123
Shamrock St. SW4 —2H 91
Shamrock Way. N14 —1F 26
Shandon Rd. SW4 —5G 91
Shand St. SE1 —3C 76
Shandy St. E1 —8H 61
Shanklin Clo. Chesh —2A 6
Shanklin Gdns. Wat —4G 21
Shanklin Ho. E17 —9K 29
Shanklin Rd. N8 —3H 43
Shannon Clo. NW2 —8H 41
Shannon Clo. S'hall —6H 69
Shannon Corner. (Junct.) —8E 104
Shannon Corner Retail Pk. N Mald —8E 104
Shannon Ct. N16 —8C 44
Shannon Ct. Croy —3A 124
(off Tavistock Rd.)
Shannon Gro. SW9 —3K 91
Shannon Pl. NW8 —5C 58
Shannon Way. Ave —1M 83
Shannon Way. Beck —3M 109
Shanti Ct. SW18 —7L 89
Shap Cres. Cars —3D 122
Shapland Way. N13 —5K 27
Shap St. E2 —5D 60
Shapwick Clo. N11 —5D 26
Shardcroft Av. SE24 —4M 91
Shardeloes Rd. SE14 —1K 93
Shard's Sq. SE15 —7E 76
Sharland Clo. T Hth —1L 123
Sharman Ct. Sidc —1E 112
(off Carlton Rd.)
Sharnbrooke Clo. Well —2G 97
Sharnbrook Ho. W14 —7L 73
Sharon Clo. Eps —5A 134
Sharon Clo. Surb —3G 119
Sharon Ct. S Croy —7A 124
(off Warham Rd.)
Sharon Gdns. E9 —4G 61
Sharon Rd. W4 —6B 72
Sharon Rd. Enf —4J 17
Sharpe Clo. W7 —8D 54
Sharp Ho. SW8 —2F 90
Sharp Ho. Twic —5H 87
Sharpleshall St. NW1 —3D 58
Sharpness Clo. Hay —8J 53
Sharpness Ct. SE15 —8D 76
(off Daniel Gdns.)
Sharp's La. Ruis —5B 36
Sharp Way. Dart —2K 99
Sharratt St. SE15 —7G 77
Sharsted St. SE17 —6M 75
Sharvel La. N'holt —4F 52
Sharwood. WC1 —5K 59
(off Penton Ri.)
Shaver's Pl. SW1 —1H 75
(off Coventry St.)
Shaw Av. Bark —5J 65
Shawbrooke Rd. SE9 —4G 95
Shawbury Rd. SE22 —4D 92
Shaw Clo. SE28 —2F 80
Shaw Clo. Bus H —2C 22
Shaw Clo. Chesh —1C 6
Shaw Clo. Eps —3D 134
Shaw Clo. Horn —6F 50
Shaw Clo. S Croy —4D 138
Shaw Ct. W3 —4A 72
(off All Saints Rd.)
Shaw Cres. S Croy —4D 138
Shaw Dri. W on T —2G 117
Shawfield Ct. W Dray —4J 143
Shawfield Pk. Brom —6H 111
Shawfield St. SW3 —6C 74
Shawford Ct. SW15 —6E 88
Shawford Rd. Eps —8B 120
Shaw Gdns. Bark —5J 65
Shaw Ho. E14 —9J 61
(off Blount St.)
Shaw Ho. E16 —2L 79
(off Claremont St.)
Shaw Ho. Belv —6K 81
Shawley Cres. Eps —9G 135
Shawley Way. Eps —9F 134
Shaw Path. Brom —9D 94
Shaw Rd. SE22 —3C 92
Shaw Rd. Brom —9D 94
Shaw Rd. Enf —3H 17
Shaws Cotts. SE23 —9J 93
Shaws Path. King T —5G 103
(off High St.)
Shaw Sq. E17 —8J 29
Shaw Way. Wall —9J 123
Shaxton Cres. New Ad —1A 140
Shearing Dri. Cars —2A 122
Shearling Way. N7 —2J 59
Shearman Rd. SE3 —3D 94
Shears Clo. Dart —8G 99
Shears Ct. Sun —4C 100
Shears, The. (Junct.) —4C 100
Shearwater Ct. SE8 —7K 77
(off Abinger Gro.)
Shearwater Rd. Sutt —7K 121
Shearwater Way. Hay —9H 53
Shearwood Cres. Dart —2D 98
Sheath's La. Oxs —5A 132
Sheaveshill Av. NW9 —2C 40
Sheaveshill Ct. NW9 —2B 40
Sheaveshill Pde. NW9 —2C 40
(off Sheaveshill Av.)
Sheen Comn. Dri. Rich —3L 87
Sheen Ct. Rich —3L 87
Sheen Ct. Rd. Rich —3L 87
Sheendale Rd. Rich —3K 87
Sheenewood. SE26 —1F 108
Sheen Ga. Gdns. SW14 —3A 88
Sheengate Mans. SW14 —3B 88
Sheen Gro. N1 —4L 59
Sheen La. SW14 —4A 88
Sheen Pk. Rich —3J 87
Sheen Rd. Orp —8D 112
Sheen Rd. Rich —4J 87
Sheen Way. Wall —7K 123
Sheen Wood. SW14 —4A 88
Sheepbarn La. Warl —4D 140
Sheepcot Dri. Wat —7G 5
Sheepcote Clo. Houn —8E 68
Sheepcote La. SW11 —1D 90
Sheepcote La. Orp & Swan —1K 129
Sheepcote Rd. Harr —4D 38
Sheepcotes Rd. Romf —2J 49
Sheepcot La. Wat —6E 4
(in two parts)
Sheephouse Way. N Mald —3B 120
Sheep La. E8 —4F 60
Sheep Wlk. M. SW19 —3H 105
Sheerness M. E16 —3M 79
Sheerwater Rd. E16 —8H 63
Sheffield Dri. Romf —5L 35
Sheffield Gdns. Romf —5L 35
Sheffield Rd. H'row A —5A 84
Sheffield Sq. E3 —6K 61
Sheffield St. WC2 —9K 59
Sheffield Ter. W8 —2L 73
Sheffield Way. H'row A —4B 84
Shefton Ri. N'wd —7E 20
Sheila Clo. Romf —7M 33
Sheila Rd. Romf —7M 33
Sheilings, The. Horn —3K 51
Shelbourne Clo. Pinn —1K 37
Shelbourne Pl. Beck —4K 109
Shelbourne Rd. N17 —9F 28
Shelburne Dri. Houn —5L 85
Shelburne Rd. N7 —9K 43
Shelbury Clo. Sidc —9E 96
Shelbury Rd. SE22 —4F 92
Sheldon Av. N6 —5C 42
Sheldon Av. Ilf —9M 31
Sheldon Clo. SE12 —4F 94
Sheldon Clo. SE20 —5F 108
Sheldon Ct. SW8 —9J 75
(off Lansdowne Grn.)
Sheldon Ct. Barn —6M 13
Sheldon Rd. N18 —4C 28
Sheldon Rd. NW2 —9H 41
Sheldon Rd. Bexh —9K 81
Sheldon Rd. Dag —3J 65
Sheldon St. Croy —5A 124
Sheldrake Clo. E16 —2K 79
Sheldrake Ct. E6 —5J 63
(off St Bartholomew's Rd.)
Sheldrake Ho. SE16 —5H 77
(off Tawny Way)
Sheldrake Pl. W8 —3L 73
Sheldrick Clo. SW19 —6B 106
Shelduck Clo. E15 —1D 62
Shelduck Ct. SE8 —7K 77
(off Pilot Clo.)
Sheldwich Ter. Brom —1J 127
Shelford Pl. N16 —8B 44
Shelford Ri. SE19 —4D 108
Shelford Rd. Barn —8G 13
Shelgate Rd. SW11 —4C 90
Shell Clo. Brom —1J 127
Shellduck Clo. NW9 —9C 24
Shelley. N8 —1J 43
(off Boyton Rd.)
Shelley Av. E12 —2J 63
Shelley Av. Gnfd —6B 54
Shelley Av. Horn —7D 50
Shelley Clo. SE15 —1F 92
Shelley Clo. Bans —7H 135
Shelley Clo. Coul —9K 137
Shelley Clo. Edgw —4L 23
Shelley Clo. Gnfd —6B 54
Shelley Clo. Hay —8E 52
Shelley Clo. N'wd —5D 20
Shelley Clo. Orp —5C 128
Shelley Ct. E10 —5M 45
(off Skelton's La.)
Shelley Ct. E11 —2F 46
(off Makepeace Rd.)
Shelley Ct. N19 —6K 43
Shelley Ct. SW3 —7D 74
(off Tite St.)
Shelley Ct. Wal A —6M 7
(off Ninefields)
Shelley Cres. Houn —9H 69
Shelley Cres. S'hall —9K 53
Shelley Dri. Well —9C 80
Shelley Gdns. Wemb —7G 39
Shelley Gro. Lou —6K 19
Shelley Ho. E2 —6G 61
(off Cornwall Av.)
Shelley Ho. SE17 —6A 76
(off Browning St.)
Shelley Ho. SW1 —7G 75
(off Churchill Gdns.)
Shelley Rd. NW10 —4B 56
Shelley Way. SW19 —3B 106
Shellness Rd. E5 —1F 60
Shell Rd. SE13 —2M 93
Shellwood Rd. SW11 —1D 90
Shelmerdine Clo. E3 —8L 61
Shelson Av. Felt —9D 84
Shelton Av. Warl —9G 139
Shelton Clo. Warl —9G 139
Shelton Rd. SW19 —5L 105
Shelton St. WC2 —9J 59
(in two parts)
Shene Ho. EC1 —8L 59
(off Bourne Est.)
Shenfield Ho. SE18 —9H 79
(off Portway Gdns.)
Shenfield Rd. Wfd G —7F 30
Shenfield St. N1 —5C 60
(in two parts)
Shenley Av. Ruis —7D 36
Shenley Rd. SE5 —9C 76
Shenley Rd. Borwd —6L 11
Shenley Rd. Dart —5L 99
Shenley Rd. Houn —9J 69
Shenstone. W5 —2G 71
Shenstone Clo. Dart —3B 98
Shenstone Gdns. Romf —8G 35
Shenwood Ct. Borwd —1L 11
Shepherd Clo. W1 —1E 74
(off Lees Pl.)
Shepherdess Pl. N1 —6A 60
Shepherdess Wlk. N1 —5A 60
Shepherd Ho. E14 —9M 61
(off Annabel Clo.)
Shepherd Mkt. W1 —2F 74
Shepherd's Bush. —3G 73
Shepherd's Bush Grn. W12 —3G 73
Shepherd's Bush Mkt. W12 —3G 73
Shepherd's Bush Pl. W12 —3H 73
Shepherd's Bush Rd. W6 —5G 73
Shepherd's Clo. N6 —4F 42
Shepherd's Clo. Orp —5D 128
Shepherds Clo. Romf —3H 49
Shepherds Clo. Uxb —7A 142
Shepherds Ct. W12 —3H 73
(off Shepherd's Bush Grn.)
Shepherds Grn. Chst —4B 112
Shepherd's Hill. N6 —4F 42
Shepherds Hill. Romf —9L 35
Shepherds La. E9 —2H 61
Shepherd's La. Dart —7E 98
Shepherds Leas. SE9 —3A 96
Shepherd's Path. NW3 —1B 58
(off Lyndhurst Rd.)
Shepherds Path. N'holt —2J 53
(off Arnold Rd.)
Shepherds Pl. W1 —1E 74
Shepherd's Rd. Wat —5D 8
Shepherd St. W1 —2F 74
Shepherds Wlk. NW2 —7E 40
Shepherd's Wlk. NW3 —1B 58
Shepherds Wlk. Bus H —2B 22
Shepherds Way. S Croy —9H 125
Shepiston La. Hay —5M 143
Shepley Clo. Cars —5E 122
Shepley Clo. Horn —1H 67
Shepley M. Enf —1L 17
Sheppard Clo. Enf —3F 16
Sheppard Clo. King T —8J 103
Sheppard Dri. SE16 —6F 76
Sheppard Ho. E2 —5E 60
(off Warner Pl.)
Sheppard Ho. SW2 —7L 91
Sheppards College. Brom —5E 110
(off London Rd.)
Sheppard St. E16 —7D 62
Shepperton. —1A 116
Shepperton Bus. Pk. Shep —9A 100
Shepperton Clo. Borwd —3B 12
Shepperton Ct. Shep —1A 116
Shepperton Ct. Dri. Shep —9A 100
Shepperton Rd. N1 —4A 60
Shepperton Rd. Orp —1A 128
Sheppey Clo. Eri —8F 82
Sheppey Gdns. Dag —3G 65
Sheppey Rd. Dag —3F 64
Sheppey's La. K Lan & Ab L —2A 4
Sheppey Wlk. N1 —2A 60
Shepton Houses. E2 —6G 61
(off Welwyn St.)
Sherard Ct. N7 —8J 43
Sherard Rd. SE9 —4J 95
Sheraton Bus. Cen. Gnfd —5G 55
Sheraton Clo. Els —7K 11
Sheraton Dri. Eps —5A 134
Sheraton Ho. SW1 —7F 74
(off Churchill Gdns.)
Sheraton M. Wat —6C 8
Sheraton St. W1 —9H 59
Sherborne Av. Enf —4G 17
Sherborne Av. S'hall —5L 69
Sherborne Clo. Eps —9G 135
Sherborne Clo. Hay —9G 53
Sherborne Cotts. Wat —7G 9
(off Muriel Av.)
Sherborne Cres. Cars —2C 122
Sherborne Gdns. NW9 —1L 39
Sherborne Gdns. W13 —8F 54
Sherborne Gdns. Romf —5L 33
Sherborne Gdns. Shep —2C 116
Sherborne Ho. SW1 —6F 74
Sherborne Ho. SW8 —8K 75
(off Bolney St.)
Sherborne La. EC4 —1B 76
Sherborne Pl. N'wd —6B 20
Sherborne Rd. Bedf & Felt —7B 84
(in two parts)
Sherborne Rd. Chess —7J 119
Sherborne Rd. Orp —8D 112
Sherborne Rd. Sutt —4L 121
Sherborne St. N1 —4B 60
Sherborne Way. Crox G —7A 8
Sherboro Rd. N15 —4D 44
Sherbourne Ct. Sutt —8A 122
Sherbourne Ho. Wat —8B 8
Sherbourne Pl. Stan —6E 22
Sherbrooke Clo. Bexh —3L 97
Sherbrooke Ho. E2 —5G 61
(off Bonner Rd.)
Sherbrooke Rd. SW6 —8J 73
Sherbrook Gdns. N21 —9M 15
Shere Av. Sutt —2G 135
Shere Clo. Chess —7H 119
Sheredan Rd. E4 —5B 30
Shere Ho. SE1 —4B 76
(off Gt. Dover St.)
Shere Rd. Ilf —3L 47
Sherfield Clo. N Mald —8M 103
Sherfield Gdns. SW15 —5D 88
Sheridan Bldgs. WC2 —9J 59
(off Martlett Ct.)
Sheridan Clo. Romf —7G 35
Sheridan Clo. Swan —8D 114
Sheridan Clo. Uxb —7A 52
Sheridan Ct. NW6 —3A 58
(off Belsize Rd.)
Sheridan Ct. W7 —1D 70
(off Milton Rd.)
Sheridan Ct. Croy —6C 124
(off Coombe Rd.)
Sheridan Ct. Dart —3L 99
Sheridan Ct. Harr —4B 38

Silvester St.—Southborough Rd.

Silvester St. SE1 —3B 76
Silvocea Way. E14 —9B 62
Silwood Est. SE16 —5G 77
Silwood St. SE16 —5G 77
Simla Ho. SE1 —3B 76
(off Kipling Est.)
Simmil Rd. Clay —7C 118
Simmons Clo. N20 —2C 26
Simmons Clo. Chess —8G 119
Simmons La. E4 —2B 30
Simmons Rd. SE18 —6M 79
Simmons Way. N20 —2C 26
Simms Clo. Cars —4C 122
Simms Rd. SE1 —5E 76
Simnel Rd. SE12 —6F 94
Simon Clo. W11 —1K 73
Simon Ct. W9 —6L 57
(off Saltram Cres.)
Simon Ct. Bush —8L 9
Simonds Rd. E10 —7L 45
Simone Clo. Brom —5H 111
Simone Ct. SE26 —9G 93
Simone Dri. Kenl —8A 138
Simon Peter Ct. Enf —4M 15
Simons Ct. N16 —7D 44
Simons Wlk. E15 —1B 62
Simpson Clo. N21 —7J 15
Simpson Dri. W3 —9B 56
Simpson Ho. NW8 —6C 58
Simpson Ho. SE11 —6K 75
Simpson Rd. Houn —5K 85
Simpson Rd. Rain —2D 66
Simpson Rd. Rich —1G 103
Simpson's Rd. E14 —1M 77
Simpsons Rd. Brom —7E 110
Simpson St. SW11 —1C 90
Simpson Way. Surb —1G 119
Simrose Ct. SW18 —4L 89
Sims Clo. Romf —2D 50
Sims Wlk. SE3 —3D 94
Sinclair Ct. Croy —4C 124
Sinclair Dri. Sutt —1M 135
Sinclair Gdns. W14 —3H 73
Sinclair Gro. NW11 —4H 41
Sinclair Ho. WC1 —6J 59
(off Sandwich St.)
Sinclair Mans. W14 —3H 73
(off Richmond Way)
Sinclair Pl. SE4 —5L 93
Sinclair Rd. E4 —5K 29
Sinclair Rd. W14 —3H 73
Sinclare Clo. Enf —3D 16
Sinderby Clo. Borwd —3K 11
Singapore Rd. W13 —2E 70
Singer St. EC1 —6B 60
Single Street. —7M 141
Single St. Berr G —7M 141
Singleton Clo. SW17 —4D 106
Singleton Clo. Croy —2A 124
Singleton Clo. Horn —9D 50
Singleton Rd. Dag —1K 65
Singleton Scarp. N12 —5L 25
Singret Pl. Cow —7A 142
Sinnott Rd. E17 —8H 29
Sion Ct. Twic —7F 86
Sion Rd. Twic —7F 86
Sippets Ct. Ilf —6B 48
Sipson. —7L 143
Sipson Clo. W Dray —7L 143
Sipson La. W Dray & Hay —7L 143
Sipson Rd. W Dray —4K 143
(in two parts)
Sipson Way. W Dray —8L 143
Sir Abraham Dawes Cotts. SW15 —3J 89
Sir Alexander Clo. W3 —2D 72
Sir Alexander Rd. W3 —2D 72
Sir Cyril Black Way. SW19 —4L 105
Sirdar Rd. N22 —1M 43
Sirdar Rd. W11 —1H 73
Sirdar Rd. Mitc —3E 106
Sir Henry Floyd Ct. Stan —2F 22
Sirinham Point. SW8 —7K 75
(off Meadow Rd.)
Sirius Building. E1 —1H 77
(off Jardine Rd.)
Sirius Rd. N'wd —5E 20
Sir John Soane's Mus. —9K 59
Sir Nicholas Garrow Ho. W10
(off Kensal Rd.) —7J 57
Sir Oswald Stoll Foundation, The.
(off Fulham Rd.) SW6 —8M 73
Sir Oswald Stoll Mans. SW6
(off Fulham Rd.) —8M 73
Sir William Atkins Ho. Eps —6B 134
Sir William Powell's Almshouses. SW6 —1J 89
Sise La. EC4 —9B 60
(off Queen Victoria St.)
Siskin Clo. Borwd —6L 11
Siskin Clo. Bush —6J 9
Siskin Ho. SE16 —5H 77
(off Tawny Way)
Siskin Ho. Wat —8B 8
Sisley Rd. Bark —4C 64
Sispara Gdns. SW18 —5K 89
Sissinghurst Clo. Brom —2C 110
Sissinghurst Ho. SE15 —7G 77
(off Sharratt St.)
Sissinghurst Rd. Croy —2E 124
Sister Mabel's Way. SE15 —8E 76
Sisters Av. SW11 —2D 90
Sistova Rd. SW12 —7F 90
Sisulu Pl. SW9 —2L 91
Sittingbourne Av. Enf —8B 16
Sitwell Gro. Stan —5D 22
Siverst Clo. N'holt —2M 53
Sivill Ho. E2 —6D 60
(off Columbia Rd.)
Siviter Way. Dag —3M 65
Siward Rd. N17 —8B 28
Siward Rd. SW17 —9A 90
Siward Rd. Brom —7F 110
Six Acres Est. N4 —7L 43
Six Bridges Ind. Est. SE1 —6E 76
Sixth Av. E12 —9K 47
Sixth Av. W10 —6J 57
Sixth Av. Hay —2D 68
Sixth Av. Wat —8H 5
Sixth Cross Rd. Twic —9A 86
Skardu Rd. NW2 —1J 57
Skarnings Ct. Wal A —6M 7
Skeena Hill. SW18 —6J 89
Skeet Hill La. Orp —3J 129
Skeffington Rd. E6 —4K 63
Skeggs Ho. E14 —4A 78
(off Glengall St.)
Skegness Ho. N7 —3K 59
(off Sutterton St.)
Skelbrook St. SW18 —8A 90
Skelgill Rd. SW15 —3K 89
Skelley Rd. E15 —3D 62
Skelton Clo. E8 —2D 60
Skelton Rd. E7 —2E 62
Skelton's La. E10 —5M 45
Skelwith Rd. W6 —7G 73
Skenfrith Ho. SE15 —7F 76
(off Commercial Way)
Skerne Rd. King T —5H 103
Sketchley Gdns. SE16 —6H 77
Sketty Rd. Enf —5D 16
Skibbs La. Orp —7J 129
Skid Hill La. Warl —4D 140
Skiers St. E15 —4C 62
Skiffington Clo. SW2 —7L 91
Skillen Lodge. Pinn —8H 21
Skinner Ct. E2 —5F 60
Skinner Pl. SW1 —5E 74
(off Bourne St.)
Skinners La. EC4 —1A 76
Skinners La. Asht —9H 133
Skinners La. Houn —9M 69
Skinner's Row. SE10 —9M 77
Skinner St. EC1 —6L 59
Skipsey Av. E6 —6K 63
Skipton Clo. N11 —6E 26
Skipton Dri. Hay —4A 68
Skipton Ho. SE4 —3J 93
Skipwith Ho. EC1 —8L 59
(off Bourne Est.)
Skipworth Rd. E9 —4G 61
Skomer Wlk. N1 —2A 60
Skua Ct. SE8 —7K 77
(off Dorking Clo.)
Skyline Plaza Building. E1 —9E 60
(off Commercial Rd.)
Skylines. E14 —3A 78
Sky Peals Rd. Wfd G —7B 30
Skyport Dri. Harm & W Dray —8H 143
Sladebrook Rd. SE3 —2H 95
Slade Ct. New Bar —5M 13
Sladedale Rd. SE18 —6C 80
Slade Gdns. Eri —9D 82
Slade Green. —9E 82
Slade Grn. Rd. Eri —8F 82
Slade Ho. Houn —5K 85
Sladen Pl. E5 —9F 44
Slades Clo. Enf —5L 15
Slades Dri. Chst —1M 111
Slades Gdns. Enf —4L 15
Slades Hill. Enf —5L 15
Slades Ri. Enf —5L 15
Slade, The. SE18 —7C 80
Slade Tower. E10 —7L 45
(off Leyton Grange Est.)
Slade Wlk. SE17 —7M 75
Slagrove Pl. SE4 —4L 93
Slaidburn St. SW10 —7A 74
Slaithwaite Rd. SE13 —3A 94
Slaney Ct. NW10 —3G 57
Slaney Pl. N7 —1L 59
Slaney Rd. Romf —3C 50
Slater Clo. SE18 —6L 79
Slatter. NW9 —7D 24
Slattery Rd. Felt —7H 85
Sleaford Grn. Wat —3H 21
Sleaford Ind. Est. SW8 —8G 75
Sleaford St. SW8 —8G 75
Sledmere Ct. Felt —7C 84
Sleigh Ho. E2 —6G 61
(off Bacton St.)
Slewins Clo. Horn —3G 51
Slewins La. Horn —3G 51
Slewyn Ct. Wemb —8A 40
Slievemore Clo. SW4 —2H 91
Sligo Ho. E1 —7H 61
(off Beaumont Gro.)
Slindon Ct. N16 —8D 44
Slingsby Pl. WC2 —1J 75
Slippers Pl. SE16 —4F 76
Slipway Ho. E14 —6M 77
(off Burrells Wharf Sq.)
Sloane Av. SW3 —5C 74
Sloane Ct. E. SW3 —6E 74
Sloane Ct. W. SW3 —6E 74
Sloane Gdns. SW1 —5E 74
Sloane Gdns. Orp —5A 128
Sloane Sq. SW1 —5D 74
Sloane St. SW1 —3D 74
Sloane Ter. SW1 —5E 74
Sloane Ter. Mans. SW1 —5E 74
Sloane Wlk. Croy —1K 125
Slocum Clo. SE28 —1G 81
Sloman Ho. W10 —6J 57
(off Beethoven St.)
Slough La. NW9 —3A 40
Sly St. E1 —9F 60
Smaldon Clo. W Dray —4L 143
Smallberry Av. Iswth —1D 86
Smallbrook M. W2 —9B 58
Smalley Clo. N16 —8D 44
Smalley Rd. Est. N16 —8D 44
(off Smalley Clo.)
Smallholdings Rd. Eps —6G 135
(in two parts)
Smallwood Rd. SW17 —1B 106
Smarden Clo. Belv —6L 81
Smarden Gro. SE9 —1K 111
Smart Clo. Romf —8F 34
Smart's La. Lou —6H 19
Smart's Pl. N18 —5E 28
Smart's Pl. WC1 —9J 59
Smart St. E2 —6H 61
Smeaton Clo. Chess —8H 119
Smeaton Clo. Wal A —5L 7
Smeaton Ct. SE1 —4A 76
Smeaton Rd. SW18 —6L 89
Smeaton Rd. Enf —1L 17
Smeaton Rd. Wfd G —5K 31
Smeaton St. E1 —2F 76
Smedley St. SW8 & SW4 —1H 91
Smeed Rd. E3 —3L 61
Smiles Pl. SE13 —1A 94
Smitham Bottom La. Purl —3G 137
Smitham Downs Rd. Purl —5H 137
Smith Clo. SE16 —2H 77
Smithfield St. EC1 —8M 59
Smith Hill. Bren —7J 71
Smithies Ct. E15 —1A 62
Smithies Rd. SE2 —5F 80
Smith's Ct. W1 —1H 75
(off Gt. Windmill St.)
Smithson Rd. N17 —8B 28
Smiths Point. E13 —4E 62
(off Brooks Rd.)
Smith Sq. SW1 —4J 75
Smith St. SW3 —6D 74
Smith St. Surb —1K 119
Smith St. Wat —6G 9
Smith's Yd. SW18 —8A 90
Smiths Yd. Croy —5A 124
(off St George's Wlk.)
Smith Ter. SW3 —6D 74
Smithwood Clo. SW19 —7J 89
Smithy St. E1 —8G 61
Smock Wlk. Croy —1A 124
Smokehouse Yd. EC1 —8M 59
(off St John St.)
Smoothfield. Houn —3L 85
Smugglers Way. SW18 —3M 89
Smug Oak. —3M 5
Smug Oak Grn. Bus. Cen. Brick W —3M 5
Smug Oak La. Brick W & Col S —3M 5
Smyrk's Rd. SE17 —6C 76
Smyrna Rd. NW6 —3L 57
Smythe Rd. S at H —5L 115
Smythe St. E14 —1M 77
Snakes La. Barn —5F 14
Snakes La. E. Wfd G —6G 31
Snakes La. W. Wfd G —5E 30
Snaresbrook. —3E 46
Snaresbrook Dri. Stan —4H 23
Snaresbrook Hall. E18 —2E 46
Snaresbrook Rd. E11 —2C 46
Snarsgate St. W10 —8G 57
Sneath Av. NW11 —5K 41
Snellings Rd. W on T —7G 117
Snells Pk. N18 —6D 28
Sneyd Rd. NW2 —1G 57
Snipe Clo. Eri —8F 82
Snodland Clo. Orp —2L 141
Snowberry Clo. E11 —9B 46
Snowbury Rd. SW6 —1M 89
Snowden Av. Hil & Uxb —5F 142
Snowden Dri. NW9 —4C 40
Snowden St. EC2 —7C 60
Snowdon Cres. Hay —4A 68
Snowdon Rd. H'row A —5A 84
Snowdown Clo. SE20 —5G 109
Snowdrop Clo. Hamp —3L 101
Snowdrop Path. Romf —7H 35
Snow Hill. EC1 —8M 59
Snow Hill Ct. EC1 —9M 59
(in two parts)
Snowman Ho. NW6 —4M 57
Snowsfields. SE1 —3B 76
Snowshill Rd. E12 —1J 63
Snowy Fielder Waye. Iswth —1F 86
Soames St. SE15 —2D 92
Soames Wlk. N Mald —5C 104
Soane Ct. NW1 —3G 59
(off St Pancras Way)
Sobraon Ho. King T —4K 103
(off Elm Rd.)
Socket La. Hayes —1F 126
Soham Rd. Enf —1K 17
Soho. —9G 59
Soho Sq. W1 —9H 59
Soho St. W1 —9H 59
Soho Theatre & Writers Cen.
(off Dean St.) —9H 59
Sojourner Truth Clo. E8 —2F 60
Solander Gdns. E1 —1G 77
Solar Ct. N3 —7M 25
Solar Ct. Wat —7D 8
Solar Ho. E6 —8L 63
(off Alpine Way)
Solarium Ct. SE1 —5D 76
(off Alscot Rd.)
Solar Way. Enf —9F 6
Soldene Ct. N7 —1K 59
(off George's Rd.)
Solebay St. E1 —7J 61
Solent Ho. E1 —8J 61
(off Ben Jonson Rd.)
Solent Ri. E13 —6E 62
Solent Rd. NW6 —1L 57
Solent Rd. H'row A —5D 144
Soley M. WC1 —6L 59
Solna Av. SW15 —4G 89
Solna Rd. N21 —1B 28
Soloman Av. N18 —6M 27
Solomon's Pas. SE15 —3F 92
Soloms Ct. Rd. Bans —9B 136
(in two parts)
Solon New Rd. SW4 —3J 91
Solon New Rd. Est. SW4 —3J 91
Solon Rd. SW2 —3J 91
Solway Clo. E8 —2D 60
(off Queensbridge Rd.)
Solway Clo. Houn —2J 85
Solway Ho. E1 —7H 61
(off Ernest St.)
Solway Rd. N22 —8M 27
Solway Rd. SE22 —3E 92
Somaford Gro. Barn —8B 14
Somali Rd. NW2 —1K 57
Somerby Rd. Bark —3B 64
Somercoates Clo. Barn —5C 14
Somer Ct. SW6 —7L 73
(off Anselm Rd.)
Somerden Rd. Orp —2H 129
Somerfield Ho. SE16 —6H 77
Somerfield Rd. N4 —7M 43
Somerford Clo. Eastc & Pinn —2E 36
Somerford Gro. N16 —9D 44
Somerford Gro. N17 —7E 28
(in two parts)
Somerford Gro. Est. N16 —9D 44
Somerford St. E1 —7F 60
Somerford Way. SE16 —3J 77
Somerhill Av. Sidc —6F 96
Somerhill Rd. Well —1F 96
Somerleyton Pas. SW9 —3M 91
Somerleyton Rd. SW9 —3L 91
Somersby Gdns. Ilf —3K 47
Somers Clo. NW1 —5H 59
Somers Cres. W2 —9C 58
Somerset Av. SW20 —6F 104
Somerset Av. Chess —6H 119
Somerset Av. Well —4D 96
Somerset Clo. N17 —9B 28
Somerset Clo. Eps —1B 134
Somerset Clo. N Mald —1C 120
Somerset Clo. W on T —7F 116
Somerset Clo. Wfd G —8E 30
Somerset Ct. W7 —9D 54
(off Copley Clo.)
Somerset Ct. Buck H —2G 31
Somerset Est. SW11 —9B 74
Somerset Gdns. N6 —5E 42
Somerset Gdns. N17 —7C 28
Somerset Gdns. SE13 —1M 93
Somerset Gdns. SW16 —7K 107
Somerset Gdns. Horn —6L 51
Somerset Gdns. Tedd —2C 102
Somerset Hall. N17 —7C 28
Somerset House. —1K 75
Somerset Lodge. Bren —7H 71
Somerset Rd. E17 —4L 45
Somerset Rd. N17 —1D 44
Somerset Rd. N18 —5D 28
Somerset Rd. NW4 —2G 41
Somerset Rd. SW19 —9H 89
Somerset Rd. W4 —4B 72
Somerset Rd. W13 —2F 70
Somerset Rd. Bren —7G 71
Somerset Rd. Dart —5F 98
Somerset Rd. Enf —2L 17
Somerset Rd. Harr —3A 38
Somerset Rd. King T —6K 103
Somerset Rd. New Bar —7M 13
Somerset Rd. Orp —2E 128
Somerset Rd. S'hall —8K 53
Somerset Rd. Tedd —2C 102
Somerset Sq. W14 —3J 73
Somerset Waye. Houn —7J 69
Somersham Rd. Bexh —1J 97
Somers Pl. SW2 —6K 91
Somers Rd. E17 —2K 45
Somers Rd. SW2 —5K 91
Somers Town. —6H 59
Somers Way. Bush —9A 10
Somerton Av. Rich —2M 87
Somerton Clo. Purl —7L 137
Somerton Rd. NW2 —8J 41
Somerton Rd. SE15 —3F 92
Somertrees Av. SE12 —8F 94
Somervell Rd. Harr —1K 53
Somerville Av. SW13 —7F 72
Somerville Point. SE16 —3K 77
Somerville Rd. SE20 —4H 109
Somerville Rd. Dart —5K 99
Somerville Rd. Romf —4G 49
Sonderburg Rd. N7 —7K 43
Sondes St. SE17 —7B 76
Sonia Clo. Wat —9G 9
Sonia Ct. Edgw —7K 23
Sonia Ct. Harr —4D 38
Sonia Gdns. N12 —4A 26
Sonia Gdns. NW10 —9D 40
Sonia Gdns. Houn —8L 69
Sonning Gdns. Hamp —3J 101
Sonning Ho. E2 —6D 60
(off Swanfield St.)
Sonning Rd. SE25 —1E 124
Sontan Ct. Twic —7B 86
Soper Clo. E4 —5K 29
Soper Clo. SE23 —7H 93
Soper M. Enf —2L 17
Sophia Clo. N7 —2K 59
Sophia Ho. W6 —6G 73
(off Queen Caroline St.)
Sophia Rd. E10 —6M 45
Sophia Rd. E16 —9F 62
Sophia Sq. SE16 —1J 77
(off Sovereign Cres.)
Sopwith. NW9 —7D 24
Sopwith Av. Chess —7J 119
Sopwith Clo. Big H —8H 141
Sopwith Clo. King T —2K 103
Sopwith Rd. Houn —8G 69
Sopwith Way. SW8 —8F 74
Sopwith Way. King T —5J 103
Sorbie Clo. Wey —8B 116
Sorensen Ct. E10 —7M 45
(off Leyton Grange Est.)
Sorrel Bank. Croy —2J 139
Sorrel Clo. SE28 —2E 80
Sorrel Gdns. E6 —8J 63
Sorrel La. E14 —9B 62
Sorrell Clo. SE14 —8J 77
Sorrell Clo. SW9 —1L 91
Sorrel Wlk. Romf —1D 50
Sorrento Rd. Sutt —5L 121
Sotheby Rd. N5 —8M 43
Sotheran Clo. E8 —4E 60
Sotheron Rd. SW6 —8M 73
Sotheron Rd. Wat —5G 9
Soudan Rd. SW11 —9D 74
Souldern Rd. W14 —4H 73
Souldern St. Wat —7F 8
Sounds Lodge. Swan —1A 130
S. Access Rd. E17 —5J 45
South Acre. NW9 —9D 24
Southacre. W2 —9C 58
(off Hyde Pk. Cres.)
Southacre Way. Pinn —8G 21
South Acton. —3M 71
S. Africa Rd. W12 —2F 72
Southall. —2K 69
Southall Ct. S'hall —1K 69
Southall Enterprise Cen. S'hall —3L 69
Southall Green. —4J 69
Southall Ho. Romf —6J 35
(off Kingsbridge Cir)
Southall La. Cran & Houn —7F 68
Southall Pl. SE1 —3B 76
Southampton Bldgs. WC2 —8L 59
Southampton Gdns. Mitc —9J 107
Southampton Pl. WC1 —8J 59
Southampton Rd. NW5 —1D 58
Southampton Rd. H'row A —5C 144
Southampton Row. WC1 —8J 59
Southampton St. WC2 —1J 75
Southampton Way. SE5 —8B 76
Southampton Way. Stanw —5C 144
Southam St. W10 —7J 57
South App. N'wd —3B 20
S. Audley St. W1 —1E 74
South Av. E4 —9M 17
South Av. N2 —2M 41
South Av. NW10 —7G 57
South Av. Cars —9E 122
South Av. Rich —1L 87
South Av. S'hall —1K 69
South Av. Gdns. S'hall —1K 69
South Bank. Surb —1J 119
Southbank. Th Dit —2F 118
South Bank Bus. Cen. SW8 —7H 75
Southbank Bus. Cen. SW11 —9D 74
South Bank Cen. —2K 75
S. Bank Ter. Surb —1J 119
South Barnet. —1E 26
South Beddington. —8H 123
S. Birkbeck Rd. E11 —8B 46
S. Black Lion La. W6 —6E 72
South Block. SE1 —3K 75
(off Westminster Bri. Rd.)
S. Bolton Gdns. SW5 —6A 74
S. Border, The. Purl —3H 137
Southborough. —9K 111
(Bromley)
Southborough. —3J 119
(Surbiton)
Southborough Clo. Surb —3H 119
Southborough Ho. SE17 —6C 76
(off Surrey Gro.)
Southborough La. Brom —9J 111
Southborough Rd. E9 —4H 61

Southborough Rd.—Spencer M.

Southborough Rd. Brom —7J 111
Southborough Rd. Surb —3J 119
S. Boundary Rd. E12 —8K 47
Southbourne. Brom —2E 126
Southbourne Av. NW9 —9A 24
Southbourne Clo. Pinn —5J 37
Southbourne Ct. NW9 —9A 24
Southbourne Cres. NW4 —2J 41
Southbourne Gdns. SE12 —4F 94
Southbourne Gdns. Ilf —1A 64
Southbourne Gdns. Ruis —6F 36
S. Branch Av. NW10 —7G 57
Southbridge Pl. Croy —6A 124
Southbridge Rd. Croy —6A 124
Southbridge Way. S'hall —3J 69
South Bromley. —9B 62
Southbrook Dri. Chesh —1D 6
Southbrook M. SE12 —5D 94
Southbrook Rd. SE12 —5D 94
Southbrook Rd. SW16 —5J 107
Southbury. NW8 —4A 58
(off Loudoun Rd.)
Southbury Av. Enf —6E 16
Southbury Clo. Horn —1G 67
Southbury Rd. Enf —5C 16
S. Carriage Dri. SW7 & SW1 —3B 74
South Chingford. —5K 29
Southchurch Ct. E6 —5K 63
(off High St. S.)
Southchurch Rd. E6 —5K 63
S. Circular Rd. SW15 —3E 88
South Clo. N6 —4F 42
South Clo. Barn —5K 13
South Clo. Bexh —3H 97
South Clo. Dag —4L 65
South Clo. Mord —1L 121
South Clo. Pinn —5K 37
South Clo. Twic —9L 85
South Clo. W Dray —4K 143
S. Colonnade, The. E14 —2L 77
Southcombe St. W14 —5J 73
S. Common Rd. Uxb —2C 142
Southcote Av. Felt —8D 84
Southcote Av. Surb —2M 119
Southcote Ri. Ruis —5B 36
Southcote Rd. E17 —3H 45
Southcote Rd. N19 —9G 43
Southcote Rd. SE25 —9F 108
Southcote Rd. S Croy —2C 138
S. Countess Rd. E17 —1K 45
South Cres. E16 —7B 62
South Cres. WC1 —8H 59
Southcroft Av. Well —2C 96
Southcroft Av. W W'ck —4A 126
Southcroft Rd. SW17 & SW16 —3E 106
Southcroft Rd. Orp —5C 128
S. Cross Rd. Ilf —3A 48
S. Croxted Rd. SE21 —9B 92
South Croydon. —7B 124
Southdale. Chig —6B 32
Southdean Gdns. SW19 —8K 89
South Dene. NW7 —3B 24
Southdene Ct. N11 —3F 26
Southdown. N7 —2J 59
Southdown Av. W7 —4E 70
Southdown Cres. Harr —6A 38
Southdown Cres. Ilf —3C 48
Southdown Dri. SW20 —4H 105
Southdown Rd. SW20 —5H 105
Southdown Rd. Cars —1E 136
Southdown Rd. Horn —5J 50
Southdown Rd. W on T —6J 117
South Dri. E12 —8J 47
South Dri. Bans —5C 136
South Dri. Coul —7H 137
South Dri. Orp —7C 128
South Dri. Romf —1G 51
South Dri. Ruis —6C 36
South Dri. Sutt —2J 135
S. Ealing Rd. W5 —3H 71
S. Eastern Av. N9 —3D 28
S. Eaton Pl. SW1 —5E 74
S. Eden Pk. Rd. Beck —1M 125
S. Edwardes Sq. W8 —4K 73
Southend. —1B 110
South End. W8 —4M 73
South End. Croy —6A 124
Southend Arterial Rd. Gid P & Romf —9G 35
S. End Clo. NW3 —9C 42
Southend Clo. SE9 —5M 95
Southend Cres. SE9 —5M 95
S. End Grn. NW3 —9C 42
Southend La. SE26 & SE6 —1K 109
Southend Rd. E4 & E17 —5J 29
Southend Rd. E6 —3K 63
Southend Rd. E18 & Wfd G —8E 30
S. End Rd. NW3 —9C 42
Southend Rd. Beck —5L 109
S. End Rd. Rain & Horn —4E 66
S. End Row. W8 —4M 73
Southerland Clo. Wey —6A 116
Southern Av. SE25 —7D 108
Southern Av. Felt —7E 84
Southern Dri. Lou —9K 19
Southerngate Way. SE14 —8J 77
Southern Gro. E3 —6K 61
Southernhay. Lou —7H 19
Southern Perimeter Rd. H'row A —4A 144
Southern Pl. Swan —8B 114
Southern Rd. E13 —5F 62
Southern Rd. N2 —2D 42
Southern Row. W10 —7J 57
Southern St. N1 —5K 59
Southern Way. Romf —4L 49
Southernwood Retail Pk. SE1 —6D 76
Southerton Rd. W6 —5G 73
S. Esk Rd. E7 —2G 63
Southey Ho. SE17 —6A 76
(off Browning St.)
Southey M. E16 —2E 78
Southey Rd. N15 —3C 44
Southey Rd. SW9 —9L 75
Southey Rd. SW19 —4L 105
Southey St. SE20 —4H 109
Southfield. Barn —8H 13
Southfield Av. Wat —2G 9
Southfield Clo. Uxb —7E 142
Southfield Cotts. W7 —3D 70
Southfield Ct. E11 —8D 46
Southfield Gdns. Twic —1D 102
Southfield Pk. Harr —2M 37
Southfield Pl. Wey —9A 116
Southfield Rd. N17 —9C 28
Southfield Rd. W4 —3B 72
Southfield Rd. Chst —7E 112
Southfield Rd. Enf —8F 16
Southfield Rd. Wal X —5E 6
Southfields. —7L 89
Southfields. NW4 —1F 40
Southfields. E Mol —1C 118
Southfields. Swan —4C 114
Southfields Av. Ashf —3A 100
Southfields Ct. Sutt —4L 121
Southfields M. SW18 —5L 89
Southfields Pas. SW18 —5L 89
Southfields Rd. SW18 —5L 89
Southfleet Rd. Orp —5C 128
South Gdns. SW19 —4B 106
South Gdns. Wemb —7L 39
Southgate. —1H 27
Southgate Av. Felt —1B 100
Southgate Cir. N14 —1H 27
Southgate Gro. N1 —3B 60
Southgate Ho. Chesh —3D 6
Southgate Ind. Est. N14 —9H 15
Southgate Rd. N1 —4B 60
S. Gipsy Rd. Well —2H 97
S. Glade, The. Bex —7K 97
South Grn. NW9 —8C 24
South Gro. E17 —3K 45
South Gro. N6 —6E 42
South Gro. N15 —3B 44
South Gro. Ho. N6 —6E 42
South Hackney. —3H 61
S. Hall Clo. F'ham —2K 131
S. Hall Dri. Rain —8F 66
South Hampstead. —3A 58
South Harrow. —8A 38
S. Harrow Ind. Est. S Harr —7A 38
South Hill. Chst —3K 111
South Hill. N'wd —8C 20
S. Hill Av. Harr & S Harr —8A 38
S. Hill Gro. Harr —9C 38
S. Hill Pk. NW3 —9C 42
S. Hill Pk. Gdns. NW3 —8C 42
S. Hill Rd. Brom —7C 110
Southholme Clo. SE19 —5C 108
South Hornchurch. —4D 66
Southill Ct. Brom —9D 110
Southill La. Pinn —2F 36
Southill Rd. Chst —4J 111
Southill St. E14 —9M 61
S. Island Pl. SW9 —8K 75
South Kensington. —5B 74
S. Kensington Sta. Arc. SW7 —5B 74
(off Pelham St.)
South Lambeth. —8J 75
S. Lambeth Pl. SW8 —6J 75
S. Lambeth Rd. SW8 —7J 75
Southland Rd. SE18 —8D 80
Southlands Av. Orp —6B 128
Southlands Clo. Coul —9K 137
Southlands Dri. SW19 —8H 89
Southlands Gro. Brom —7J 111
Southlands Rd. Brom —9G 111
Southland Way. Houn —4B 86
South La. King T —7H 103
(in two parts)
South La. N Mald —8B 104
South La. W. N Mald —8B 104
South Lodge. NW8 —5B 58
South Lodge. SW7 —3C 74
(off Knightsbridge)
South Lodge. Twic —5A 86
S. Lodge Av. Mitc —8J 107
S. Lodge Cres. Enf —6H 15
(in two parts)
S. Lodge Dri. N14 —6H 15
S. Lodge Rd. W on T —9E 116
South London Crematorium. Mitc —6G 107
South London Gallery. —9C 76
(off Peckham Rd.)
Southly Clo. Sutt —5L 121
South Mall. N9 —3E 28
(off Plevna Rd.)
South Mead. NW9 —8D 24
South Mead. Eps —9D 120
Southmead Cres. Chesh —3E 6
South Meadows. Wemb —1K 55
Southmead Rd. SW19 —7J 89
S. Molton La. W1 —9F 58
S. Molton Rd. E16 —9E 62
S. Molton St. W1 —9F 58
Southmont Rd. Esh —4C 118
Southmoor Way. E9 —2K 61
South Mt. N20 —2A 26
(off High Rd.)
South Norwood. —8D 108
South Norwood Country Pk. —8G 109
S. Norwood Hill. SE25 —5C 108
S. Oak Rd. SW16 —1K 107
Southold Ri. SE9 —9K 95
Southolm St. SW11 —9F 74
S. Ordnance Rd. Enf —2L 17
Southover. N12 —3L 25
Southover. Brom —2E 110
South Oxhey. —4H 21
South Pde. SW3 —6B 74
South Pde. W4 —5B 72
South Pde. Edgw —9L 23
South Pde. Wall —8G 123
South Pde. Wal A —6J 7
S. Park Ct. Beck —4L 109
S. Park Cres. SE6 —7C 94
S. Park Cres. Ilf —7C 48
S. Park Dri. Ilf & Bark —7C 48
S. Park Gro. N Mald —8A 104
S. Park Hill Rd. S Croy —7B 124
S. Park M. SW6 —2M 89
S. Park Rd. SW19 —3L 105
S. Park Rd. Ilf —8B 48
S. Park Ter. Ilf —8C 48
S. Park Vs. Ilf —9C 48
S. Park Way. Ruis —2G 53
South Pl. EC2 —8B 60
South Pl. Enf —7G 17
South Pl. Surb —2K 119
South Pl. M. EC2 —8B 60
Southport Rd. SE18 —5B 80
S. Quay Plaza. E14 —3M 77
Southridge Pl. SW20 —4H 105
South Riding. Brick W —3K 5
South Ri. W2 —1C 74
(off St George's Fields)
South Ri. Cars —1C 136
South Ri. Way. SE18 —6B 80
South Rd. N9 —1E 28
South Rd. SE23 —8H 93
South Rd. SW19 —3A 106
South Rd. W5 —5H 71
South Rd. Chad H —4J 49
South Rd. Edgw —8M 23
South Rd. Eri —8D 82
South Rd. Felt —2H 101
South Rd. Hamp —3J 101
South Rd. Harr —6E 38
South Rd. L Hth —3G 49
South Rd. S'hall —3K 69
South Rd. Twic —9B 86
South Rd. W Dray —4L 143
South Rd. Wey —7A 116
South Row. SE3 —1D 94
South Ruislip. —9G 37
Southsea Av. Wat —6E 8
Southsea Ho. H Hill —5H 35
(off Darlington Gdns.)
Southsea Rd. King T —8J 103
S. Sea St. SE16 —4K 77
South Side. N15 —2D 44
South Side. W6 —4D 72
Southside Comn. SW19 —3G 105
Southside House. —3G 105
Southside Ind. Est. SW8 —9G 75
(off Havelock Ter.)
Southspring. Sidc —6B 96
South Sq. NW11 —4M 41
South Sq. WC1 —8L 59
South St. W1 —2E 74
South St. Brom —6E 110
South St. Enf —7G 17
South St. Eps —5B 134
South St. Iswth —2E 86
South St. Rain —5A 66
South St. Romf —3C 50
(in two parts)
S. Tenter St. E1 —1D 76
South Ter. SW7 —5C 74
South Ter. F'ham —2K 131
South Ter. Surb —1J 119
South Tottenham. —3D 44
Southvale. SE19 —3C 108
South Va. Harr —9C 38
Southvale Rd. SE3 —1C 94
South Vw. Brom —6G 111
South Vw. Eps —2L 133
Southview Av. NW10 —1D 56
Southview Clo. SW17 —2E 106
S. View Clo. Bex —5K 97
S. View Clo. Swan —8E 114
S. View Ct. SE19 —4A 108
Southview Cres. Ilf —4M 47
S. View Dri. E18 —1F 46
S. View Dri. Upm —8L 51
Southview Gdns. Wall —9G 123
Southview Pde. Rain —6B 66
S. View Rd. N8 —1H 43
Southview Rd. Brom —1B 110
S. View Rd. Dart —9H 99
S. View Rd. Lou —8K 19
S. View Rd. Pinn —6F 20
Southviews. S Croy —2H 139
South Vs. NW1 —2H 59
Southville. SW8 —9H 75
Southville Clo. Eps —1B 134
Southville Clo. Felt —7C 84
Southville Cres. Felt —7C 84
Southville Rd. Felt —7C 84
Southville Rd. Th Dit —2E 118
South Wlk. Hay —8B 52
South Wlk. W W'ck —5C 126
Southwark. —2A 76
Southwark Bri. SE1 & EC4 —1A 76
Southwark Bri. Bus. Cen. SE1 —2A 76
(off Tower Bri. Rd.)
Southwark Bri. Office Village. SE1 —2A 76
(off Southwark Bri. Rd.)
Southwark Bri. Rd. SE1 —4M 75
Southwark Cathedral. —2B 76
Southwark Ho. Borwd —4L 11
(off Stratfield Rd.)
Southwark Pk. Est. SE16 —4F 76
Southwark Pk. Rd. SE16 —5D 76
Southwark Pl. Brom —7K 111
Southwark St. SE1 —2M 75
Southwater Clo. E14 —9K 61
Southwater Clo. Beck —4M 109
South Way. N9 —2G 29
South Way. N11 —6G 27
Southway. N20 —2L 25
Southway. NW11 —4M 41
Southway. SW20 —9G 105
South Way. Ab L —6B 4
South Way. Cars —2B 136
South Way. Croy —5J 125
South Way. Harr —2L 37
South Way. Hayes —2E 126
Southway. Wall —6G 123
South Way. Wemb —1L 55
Southway Clo. W12 —3F 72
(off Scott's Rd.)
Southways Pde. Ilf —3L 47
S. Weald Dri. Wal A —6K 7
Southwell Av. N'holt —2L 53
Southwell Gdns. SW7 —5A 74
Southwell Gro. Rd. E11 —7C 46
Southwell Ho. SE16 —5F 76
(off Anchor St.)
Southwell Rd. SE5 —2A 92
Southwell Rd. Croy —1L 123
Southwell Rd. Kent —4H 39
S. Western Rd. Twic —5E 86
S. W. India Dock Entrance. E14 —3A 78
S. W. India Dock Rd. E14 —3A 78
South West Middlesex Crematorium. Felt —7J 85
Southwest Rd. E11 —6B 46
S. Wharf Rd. W2 —9B 58
Southwick M. W2 —9B 58
Southwick Pl. W2 —9C 58
Southwick St. W2 —9C 58
Southwick Yd. W2 —9C 58
(off Titchborne Row)
South Wimbledon. —3M 105
Southwold Dri. Bark —1E 64
Southwold Mans. W9 —6L 57
(off Widley Rd.)
Southwold Rd. E5 —7F 44
Southwold Rd. Bex —5M 97
Southwold Rd. Wat —1G 9
Southwood Av. N6 —5F 42
Southwood Av. Coul —7G 137
Southwood Av. King T —5A 104
Southwood Clo. Brom —8K 111
Southwood Clo. Wor Pk —3H 121
Southwood Ct. EC1 —6M 59
(off Wynyatt St.)
Southwood Ct. NW11 —3M 41
Southwood Dri. Surb —2A 120
South Woodford. —9E 30
S. Woodford to Barking Relief Rd. E11 & Bark —3H 47
Southwood Gdns. Esh —5E 118
Southwood Gdns. Ilf —2M 47
Southwood Hall. N6 —4F 42
Southwood Heights. N6 —5F 42
Southwood Ho. W11 —1J 73
(off Avondale Pk. Rd.)
Southwood La. N6 —6E 42
Southwood Lawn Rd. N6 —5E 42
Southwood Mans. N6 —4E 42
(off Southwood La.)
Southwood Pk. N6 —5E 42
Southwood Rd. SE9 —8M 95
Southwood Rd. SE28 —2F 80
Southwood Smith Ho. E2 —6F 60
(off Florida St.)
Southwood Smith St. N1 —4M 59
(off Old Royal Free Sq.)
S. Worple Av. SW14 —2C 88
S. Worple Way. SW14 —2B 88
Southwyck Ho. SW9 —3M 91
Sovereign Bus. Cen. Enf —5K 17
Sovereign Clo. E1 —1F 76
Sovereign Clo. W5 —8G 55
Sovereign Clo. Purl —2K 137
Sovereign Clo. Ruis —6C 36
Sovereign Ct. Houn —2L 85
Sovereign Ct. S at H —5M 115
(off Barton Rd.)
Sovereign Ct. Wat —6E 8
Sovereign Ct. W Mol —8K 101
Sovereign Cres. SE16 —1J 77
Sovereign Gro. Wemb —8H 39
Sovereign Ho. E1 —7F 60
(off Cambridge Heath Rd.)
Sovereign Ho. SE18 —4K 79
(off Leda Rd.)
Sovereign M. E2 —5D 60
Sovereign Pk. NW10 —7M 55
Sovereign Pk. Trad. Est. NW10 —7M 55
Sovereign Rd. Bark —6G 65
Sowerby Clo. SE9 —4J 95
Sowrey Av. Rain —2D 66
Space Waye. Felt —4E 84
Spa Clo. SE25 —5C 108
Spa Ct. SW16 —1K 107
Spa Dri. Eps —6L 133
Spafield St. EC1 —7L 59
Spa Grn. Est. EC1 —6M 59
Spa Hill. SE19 —5B 108
Spalding Ho. SE4 —3J 93
Spalding Rd. NW4 —5G 41
Spalding Rd. SW17 —2F 106
Spanbrook. Chig —3M 31
Spanby Rd. E3 —7L 61
Spaniards Clo. NW11 —6B 42
Spaniards End. NW11 —6A 42
Spaniards Rd. NW3 —7A 42
Spanish Pl. W1 —9E 58
Spanish Rd. SW18 —4A 90
Spanswick Lodge. N15 —2M 43
Spareleaze Hill. Lou —7K 19
Sparepenny La. Eyns & F'ham —4H 131
Sparkbridge Rd. Harr —2C 38
Sparke Ter. E16 —9D 62
(off Clarkson Rd.)
Sparkford Gdns. N11 —5E 26
Sparks Clo. W3 —9B 56
Sparks Clo. Dag —7H 49
Sparks Clo. Hamp —3J 101
Spa Rd. SE16 —4D 76
Sparrick's Row. SE1 —3B 76
Sparrow Clo. Hamp —3J 101
Sparrow Dri. Orp —3A 128
Sparrow Farm Dri. Felt —6G 85
Sparrow Farm Rd. Eps —6E 120
Sparrow Grn. Dag —8M 49
Sparrow Ho. E1 —7G 61
(off Cephas Av.)
Sparrows Herne. Bush —9M 9
Sparrows La. SE9 —6A 96
Sparrows Way. Bush —9A 10
Sparsholt Clo. Bark —4C 64
(off Sparsholt Rd.)
Sparsholt Rd. N19 —6K 43
Sparsholt Rd. Bark —4C 64
Sparta St. SE10 —9A 78
Speakers Ct. Croy —3B 124
Speakman Ho. SE4 —2J 93
(off Arica Rd.)
Spearman Ho. E14 —9L 61
(off Up. North St.)
Spearman St. SE18 —7L 79
Spear M. SW5 —5L 73
Spearpoint Gdns. Ilf —3D 48
Spears Rd. N19 —6J 43
Speart La. Houn —8J 69
Spectacle Works. E13 —6G 63
Spedan Clo. NW3 —8A 42
Speedbird Way. Harm —8G 143
Speed Highwalk. EC2 —8A 60
(off Silk St.)
Speed Ho. EC2 —8B 60
(off Silk St.)
Speedway Ind. Est. Hay —3B 68
Speedwell Ho. N12 —4M 25
Speedwell St. SE8 —8L 77
Speedy Pl. WC1 —6J 59
(off Cromer St.)
Speer Rd. Th Dit —1D 118
Speirs Clo. N Mald —1D 120
Speke Hill. SE9 —9K 95
Speke Rd. T Hth —6B 108
Speke's Monument. —2A 74
Speldhurst Clo. Brom —9D 110
Speldhurst Rd. E9 —3H 61
Speldhurst Rd. W4 —4B 72
Spellbrook Wlk. N1 —4A 60
Spelman Ho. E1 —8E 60
(off Spelman St.)
Spelman St. E1 —8E 60
(in two parts)
Spelthorne Gro. Sun —4D 100
Spelthorne La. Ashf —5A 100
Spence Clo. SE16 —3K 77
Spencer Av. N13 —6K 27
Spencer Av. Hay —8E 52
Spencer Clo. N3 —9L 25
Spencer Clo. NW10 —6K 55
Spencer Clo. Orp —4C 128
Spencer Clo. Uxb —6A 142
Spencer Clo. Wfd G —5G 31
Spencer Ct. Farnb —7A 128
Spencer Dri. N2 —4A 42
Spencer Gdns. SE9 —4K 95
Spencer Gdns. SW14 —4A 88
Spencer Hill Rd. SW19 —4J 105
Spencer House. —2G 75
(off St James's Pl.)
Spencer Ho. NW4 —3F 40
Spencer Mans. W14 —7J 73
(off Queen's Club Gdns.)
Spencer M. SW8 —9K 75
(off S. Lambeth Rd.)

Spencer M.—Stane Way

Spencer M. W6 —7J 73
(off Queen's Club Gdns.)
Spencer Park. —4B 90
Spencer Pk. SW18 —4B 90
Spencer Pk. E Mol —9A 102
Spencer Pl. N1 —3M 59
Spencer Pl. Croy —2B 124
Spencer Ri. NW5 —9F 42
Spencer Rd. E6 —4H 63
Spencer Rd. E17 —9A 30
Spencer Rd. N8 —3K 43
(in two parts)
Spencer Rd. N11 —4F 26
Spencer Rd. N17 —8E 28
Spencer Rd. SW11 —3B 90
Spencer Rd. SW19 —3J 105
Spencer Rd. SW20 —5F 104
Spencer Rd. W3 —2A 72
Spencer Rd. W4 —8A 72
Spencer Rd. Brom —4D 110
Spencer Rd. E Mol —8A 102
Spencer Rd. Harr —9C 22
Spencer Rd. Ilf —6D 48
Spencer Rd. Iswth —9A 70
Spencer Rd. Mitc —7E 106
Spencer Rd. Mit J —2E 122
Spencer Rd. Rain —6B 66
Spencer Rd. S Croy —7C 124
Spencer Rd. Twic —9C 86
Spencer Rd. Wemb —7G 39
Spencer St. EC1 —6M 59
Spencer St. S'hall —3H 69
Spencer Wlk. NW3 —9B 42
Spencer Wlk. SW15 —3H 89
Spenlow Ho. SE16 —4E 76
(off Jamaica Rd.)
Spenser Cres. Upm —5M 51
Spenser Gro. N16 —1C 60
(in two parts)
Spenser M. SE21 —8B 92
Spenser Rd. SE24 —4M 91
Spenser St. SW1 —4G 75
Spensley Wlk. N16 —8B 44
Speranza Rd. SE18 —6D 80
Sperling Rd. N17 —9C 28
Spert St. E14 —1J 77
Speyside. N14 —8G 15
Spey St. E14 —8A 62
Spey Way. Romf —7C 34
Spezia Rd. NW10 —5E 56
Spice Ct. E1 —1E 76
(off Asher Way)
Spice Quay Heights. SE1 —2D 76
Spicer Clo. SW9 —1M 91
Spicer Clo. W on T —1G 117
Spicer Ct. Enf —5C 16
Spicers Fld. Oxs —5B 132
Spice's Yd. Croy —6A 124
Spielman Rd. Dart —3K 99
Spigurnell Rd. N17 —8B 28
Spikes Bri. Rd. S'hall —9J 53
Spilsby Clo. NW9 —8C 24
Spilsby Rd. H Hill & Romf —7H 35
Spindle Clo. SE18 —4J 79
Spindlewood Gdns. Croy —6C 124
Spindrift Av. E14 —5L 77
Spinel Clo. SE18 —6D 80
Spingate Clo. Horn —1H 67
Spinnaker Ct. Hamp W —5H 103
(off Becketts Pl.)
Spinnaker Ho. E14 —3L 77
(off Byng St.)
Spinnells Rd. Harr —6K 37
Spinney Clo. Beck —8M 109
Spinney Clo. N Mald —9C 104
Spinney Clo. Rain —5C 66
Spinney Clo. W Dray —1J 143
Spinney Clo. Wor Pk —4D 120
Spinney Cft. Oxs —7B 132
Spinney Dri. Felt —6A 84
Spinney Gdns. SE19 —2D 108
Spinney Gdns. Dag —1J 65
Spinney Oak. Brom —6J 111
Spinneys, The. Brom —6K 111
Spinney, The. N21 —9L 15
Spinney, The. SW13 —8F 72
Spinney, The. SW16 —9G 91
Spinney, The. Barn —4M 13
Spinney, The. Chesh —3B 6
Spinney, The. Eps —5C 134
Spinney, The. Lou —6M 19
Spinney, The. Oxs —4A 132
Spinney, The. Purl —3M 137
Spinney, The. Sidc —2J 113
Spinney, The. Stan —4J 23
Spinney, The. Sun —5E 100
Spinney, The. Sutt —6G 121
Spinney, The. Swan —6C 114
Spinney, The. Wat —3E 8
Spinney, The. Wemb —8E 38
Spire Ho. W2 —1A 74
(off Lancaster Ga.)
Spires Shop. Cen., The. Barn —5J 13
Spires, The. Dart —8H 99
Spirit Quay. E1 —2E 76
Spitalfields. —8D 60
Spital Sq. E1 —8C 60
Spital St. E1 —8E 60
Spital St. Dart —5H 99
Spital Yd. EC2 —8C 60
Spitfire Est., The. Houn —6G 69
Spitfire Rd. H'row A —5A 84
Spitfire Rd. Wall —9K 123
Spitfire Way. Houn —6G 69
Splendour Wlk. SE16 —6G 77
(off Verney Rd.)
Spode Ho. SE11 —4L 75
(off Lambeth Wlk.)
Spode Wlk. NW6 —1M 57
Spondon Rd. N15 —2E 44
Spoonbill Way. Hay —8H 53
Spooner Ho. Houn —7L 69
Spooners Dri. Park —1M 5
Spooners M. W3 —2B 72
Spooner Wlk. Wall —7J 123
Sportsbank St. SE6 —6A 94
Spottons Gro. N17 —8A 28
Spout Hill. Croy —7L 125
Spout La. N. Stai —3A 144
Spratt Hall Rd. E11 —4E 46
Spray La. Twic —5C 86
Spray St. SE18 —5M 79
Spread Eagle Wlk. Eps —5B 134
Spreighton Rd. W Mol —8M 101
Spriggs Ho. N1 —3M 59
(off Canonbury Rd.)
Sprimont Pl. SW3 —6D 74
Springall St. SE15 —8F 76
Springalls Wharf. SE16 —3E 76
(off Bermondsey Wall W.)
Spring Bank. N21 —8K 15
Springbank Av. Horn —1G 67
Springbank Rd. SE13 —5B 94
Springbank Wlk. NW1 —3H 59
Springbourne Ct. Beck —5A 110
(in two parts)
Spring Bri. M. W5 —1H 71
Springbridge Rd. W5 —1H 71
Spring Clo. Barn —7H 13
Spring Clo. Borwd —3L 11
Spring Clo. Dag —6H 49
Spring Clo. La. Sutt —8J 121
Spring Corner. Felt —9E 84
Spring Cotts. Surb —9H 103
Spring Ct. NW6 —2K 57
Spring Ct. Eps —1D 134
Spring Ct. Rd. Enf —2L 15
Springcroft Av. N2 —2D 42
Spring Crofts. Bush —7L 9
Springdale M. N16 —9B 44
Springdale Rd. N16 —9B 44
Spring Dri. Pinn —4E 36
Springfarm Clo. Rain —6H 67
Springfield. E5 —6F 44
Springfield. Bus H —1B 22
Springfield Av. N10 —1G 43
Springfield Av. SW20 —7K 105
Springfield Av. Hamp —3M 101
Springfield Av. Swan —8D 114
Springfield Clo. N12 —5M 25
Springfield Clo. Crox G —7A 8
Springfield Clo. Stan —3E 22
Springfield Ct. NW3 —3C 58
(off Eton Av.)
Springfield Ct. Ilf —1M 63
Springfield Ct. King T —8J 103
(off Springfield Rd.)
Springfield Ct. Wall —7F 122
Springfield Dri. Ilf —3A 48
Springfield Gdns. E5 —6F 44
Springfield Gdns. NW9 —3B 40
Springfield Gdns. Brom —8K 111
Springfield Gdns. Ruis —6F 36
Springfield Gdns. Upm —8M 51
Springfield Gdns. W W'ck —4M 125
Springfield Gdns. Wfd G —7G 31
Springfield Gro. SE7 —7G 79
Springfield Gro. Sun —5D 100
Springfield La. NW6 —4M 57
Springfield Mt. NW9 —3C 40
Springfield Pde. M. N13 —4L 27
Springfield Pl. N Mald —8A 104
Springfield Ri. SE26 —9F 92
(in two parts)
Springfield Rd. E4 —1C 30
Springfield Rd. E6 —3K 63
Springfield Rd. E15 —6C 62
Springfield Rd. E17 —4K 45
Springfield Rd. N11 —5F 26
Springfield Rd. N15 —2E 44
Springfield Rd. NW8 —4A 58
Springfield Rd. SE26 —2F 108
Springfield Rd. SW19 —2K 105
Springfield Rd. W7 —2C 70
Springfield Rd. Bexh —2M 97
Springfield Rd. Brom —8K 111
Springfield Rd. Chesh —5E 6
Springfield Rd. Eps —2G 135
Springfield Rd. Harr —4C 38
Springfield Rd. Hay —2G 69
Springfield Rd. King T —7J 103
Springfield Rd. Tedd —2E 102
Springfield Rd. T Hth —5A 108
Springfield Rd. Twic —7L 85
Springfield Rd. Wall —7F 122
Springfield Rd. Wat —6F 4
Springfield Rd. Well —2F 96
Springfields. New Bar —7M 13
(off Somerset Rd.)
Springfields. Wal A —7L 7
Springfield Wlk. NW6 —4M 57
Springfield Wlk. Orp —3C 128
(off Andover Rd.)
Spring Gdns. N5 —1A 60
Spring Gdns. SW1 —2H 75
(in two parts)
Spring Gdns. Big H —9G 141
Spring Gdns. Horn —9F 50
Spring Gdns. Orp —8F 128
Spring Gdns. Romf —3A 50
Spring Gdns. Wall —7G 123
Spring Gdns. Wat —8G 5
Spring Gdns. W Mol —9M 101
Spring Gdns. Wfd G —7G 31
Spring Grove. —9C 70
Spring Gro. SE19 —4D 108
Spring Gro. W4 —6L 71
Spring Gro. Hamp —5M 101
Spring Gro. Lou —8H 19
Spring Gro. Mitc —5E 106
Spring Gro. Cres. Houn —9A 70
Spring Gro. Rd. Houn & Iswth —9M 69
Spring Gro. Rd. Rich —4K 87
Springhead Rd. Eri —7D 82
Spring Hill. E5 —5E 44
Spring Hill. SE26 —1G 109
Springhill Clo. SE5 —2B 92
Springholm Clo. Big H —9G 141
Spring Ho. WC1 —6L 59
(off Margery St.)
Springhurst Clo. Croy —6K 125
Spring Lake. Stan —4H 22
Spring La. E5 —5F 44
Spring La. N10 —1E 42
Spring La. SE25 —1F 124
Spring M. W1 —8D 58
Spring M. Eps —1D 134
Spring Park. —5L 125
Spring Pk. Av. Croy —4H 125
Spring Pk. Dri. N4 —6A 44
Springpark Dri. Beck —7A 110
Spring Pk. Rd. Croy —4H 125
Spring Pas. SW15 —2H 89
Spring Path. NW3 —1B 58
Spring Pl. N3 —1L 41
Spring Pl. NW5 —1F 58
Springpond Rd. Dag —1J 65
Springrice Rd. SE13 —5B 94
Spring Rd. Felt —9D 84
Spring Shaw Rd. Orp —5E 112
Spring St. W2 —9B 58
Spring St. Eps —1D 134
Spring Ter. Rich —4J 87
Spring Tide Clo. SE15 —9E 76
Spring Va. Bexh —3M 97
Springvale Av. Bren —6H 71
Spring Va. Clo. Swan —5D 114
Spring Va. N. Dart —6H 99
Springvale Retail Pk. Orp —7G 113
Spring Va. S. Dart —6H 99
Spring Va. Ter. W14 —4H 73
Springvale Way. Orp —7G 113
Spring Villa Rd. Edgw —7L 23
Spring Wlk. E1 —8E 60
Springwater. WC1 —8K 59
(off New North St.)
Springwater Clo. SE18 —9L 79
Springway. Harr —5B 38
Springwell Av. NW10 —4D 56
Springwell Clo. SW16 —1K 107
Springwell Ct. Houn —1H 85
Springwell Rd. SW16 —1L 107
Springwell Rd. Houn —1H 85
Springwood Ct. S Croy —6C 124
(off Birdhurst Rd.)
Springwood Cres. Edgw —2M 23
Springwood Way. Romf —3E 50
Sprowston M. E7 —2E 62
Sprowston Rd. E7 —1E 62
Spruce Ct. W5 —4J 71
Sprucedale Clo. Swan —6C 114
Sprucedale Gdns. Croy —6H 125
Sprucedale Gdns. Wall —1J 137
Spruce Hills Rd. E17 —9A 30
Spruce Ho. SE16 —3H 77
(off Woodland Cres.)
Spruce Pk. Short —8D 110
Spruce Rd. Big H —8H 141
Sprules Rd. SE4 —1J 93
Spur Clo. Ab L —6B 4
Spurfield. W Mol —7M 101
Spurgeon Av. SE19 —5B 108
Spurgeon Rd. SE19 —5B 108
Spurgeon St. SE1 —4B 76
Spurling Rd. SE22 —3D 92
Spurling Rd. Dag —2K 65
Spurrell Av. Bex —1B 114
Spur Rd. N15 —2B 44
Spur Rd. SE1 —3L 75
(off Station App. Rd.)
Spur Rd. SW1 —3G 75
Spur Rd. Edgw —4J 23
Spur Rd. Felt —3F 84
Spur Rd. Iswth —8E 70
Spur Rd. Orp —4E 128
Spurstowe Rd. E8 —2F 60
Spurstowe Ter. E8 —2F 60
Spur, The. Chesh —1D 6
Spurway Pde. Ilf —3K 47
(off Woodford Av.)
Squadrons App. Horn —2G 67
Square Rigger Row. SW11 —2A 90
Square, The. W6 —6G 73
Square, The. Cars —7E 122
Square, The. Ilf —5L 47
Square, The. Rich —4H 87
Square, The. Swan —7B 114
Square, The. Uxb —2B 68
Square, The. Wat —1F 8
Square, The. W Dray —9G 143
Square, The. Wey —6A 116
Square, The. Wfd G —5E 30
Squarey St. SW17 —9A 90
Squire Gdns. NW8 —6B 58
(off Grove End Rd.)
Squires Ct. SW4 —9J 75
Squires Ct. SW19 —1L 105
Squires Fld. Hex —5E 114
Squires La. N3 —9M 25
Squires Mt. NW3 —8B 42
Squires, The. Romf —4A 50
Squires Wlk. Ashf —4B 100
Squires Way. Dart —1B 114
Squires Wood Dri. Chst —4J 111
Squirrel Clo. Houn —2G 85
Squirrel Clo. Orp —3C 128
Squirrel M. W13 —1D 70
Squirrels Clo. N12 —4A 26
Squirrels Clo. Uxb —3E 142
Squirrels Ct. Wor Pk —4E 120
(off Avenue, The)
Squirrels Drey. Short —6C 110
(off Park Hill Rd.)
Squirrels Grn. Wor Pk —4D 120
Squirrel's Heath. —1H 51
Squirrels Heath Av. Romf —1F 50
Squirrels Heath La. Romf & Horn —2G 51
Squirrels Heath Rd. Romf —1J 51
Squirrel's La. Buck H —3H 31
Squirrels, The. SE13 —2B 94
Squirrels, The. Bush —8B 10
Squirrels, The. Pinn —1K 37
Squirrels Trad. Est., The. Hay —4D 68
Squirrels Way. Eps —6B 134
Squirries St. E2 —6E 60
Stable Clo. N'holt —5L 53
Stables End. Orp —5A 128
Stables Mkt., The. NW1 —3F 58
Stables M. SE27 —2A 108
Stables, The. Buck H —9G 19
Stables Way. SE11 —6L 75
Stable Wlk. N2 —8B 26
Stable Way. W10 —9G 57
Stable Yd. SW1 —3G 75
(off St James' Pal.)
Stable Yd. SW15 —2G 89
Stable Yd. Rd. SW1 —3G 75
Stableyard, The. SW9 —1K 91
Stacey Av. N18 —4G 29
Stacey Clo. E10 —3B 46
Stacey St. N7 —8L 43
Stacey St. WC2 —9H 59
Stack Ho. SW1 —5E 74
(off Cundy St.)
Stackhouse St. SW3 —4D 74
(off Pavilion Rd.)
Stacy Path. SE5 —8C 76
Stadium Bus. Cen. Wemb —8M 39
Stadium Retail Pk. Wemb —8L 39
Stadium Rd. SE18 —8K 79
Stadium Rd. E. NW4 —5F 40
Stadium St. SW10 —8A 74
Stadium Way. Dart —4C 98
Stadium Way. Wemb —9K 39
Staffa Rd. E10 —6J 45
Stafford Av. Horn —1H 51
Stafford Clo. E17 —4K 45
(in two parts)
Stafford Clo. N14 —7G 15
Stafford Clo. NW6 —6L 57
(in two parts)
Stafford Clo. Chesh —2B 6
Stafford Clo. Sutt —8J 121
Stafford Ct. SW8 —8J 75
Stafford Ct. W7 —9D 54
(off Copley Clo.)
Stafford Cripps Ho. E2 —6G 61
(off Globe Rd.)
Stafford Cripps Ho. SW6 —7K 73
(off Clem Attlee Ct.)
Stafford Cross Bus. Pk. Croy —7K 123
Stafford Gdns. Croy —7K 123
Stafford Ind. Est. Horn —1H 51
Stafford Mans. SW1 —4G 75
(off Stafford Pl.)
Stafford Mans. SW4 —3J 91
Stafford Mans. SW11 —8D 74
(off Albert Bri. Rd.)
Stafford Pl. SW1 —4G 75
Stafford Pl. Rich —6K 87
Stafford Rd. E3 —5K 61
Stafford Rd. E7 —3G 63
Stafford Rd. NW6 —6L 57
Stafford Rd. Harr —7A 22
Stafford Rd. N Mald —7A 104
Stafford Rd. Ruis —9D 36
Stafford Rd. Sidc —1C 112
Stafford Rd. Wall & Croy —8G 123
Staffordshire St. SE15 —9E 76
Stafford Sq. Wey —6B 116
Stafford St. W1 —2G 75
Stafford Ter. W8 —4L 73
Staff St. EC1 —6B 60
Stag Clo. Edgw —9M 23
Stag Ct. King T —5L 103
(off Coombe Rd.)
Staggart Grn. Chig —5D 32
Stagg Hill. Barn —1C 14
Stag Lane. (Junct.) —8D 88
Stag La. SW15 —9D 88
Stag La. Buck H —2F 30
Stag La. Edgw & NW9 —9M 23
Stag Leys Clo. Bans —7B 136
Stag Pl. SW1 —4G 75
Stags Way. Iswth —8D 70
Stainbank Rd. Mitc —7F 106
Stainby Clo. W Dray —4J 143
Stainby Rd. N15 —2D 44
Stainer Ho. SE3 —3G 95
Stainer Rd. Borwd —3H 11
Stainer St. SE1 —2B 76
Staines Av. Sutt —4H 121
Staines Rd. Felt & Houn —7E 144
Staines Rd. Ilf —1A 64
Staines Rd. Twic —9L 85
Staines Rd. E. Sun —4E 100
Staines Rd. W. Ashf & Sun —4A 100
Staines Wlk. Sidc —3G 113
Stainford Clo. Ashf —2B 100
Stainforth Rd. E17 —2L 45
Stainforth Rd. Ilf —5B 48
Staining La. EC2 —9A 60
Stainmore Clo. Chst —5B 112
Stainsbury St. E2 —5G 61
Stainsby Pl. E14 —9L 61
Stainsby Rd. E14 —9L 61
Stains Clo. Chesh —1E 6
Stainton Rd. SE6 —5B 94
Stainton Rd. Enf —3G 17
Stalbridge Flats. W1 —9E 58
(off Lumley St.)
Stalbridge St. NW1 —8C 58
Stalham St. SE16 —4F 76
Stalham Way. Ilf —8M 31
Stalisfield Pl. Dow —2L 141
Stambourne Way. SE19 —4C 108
Stambourne Way. W W'ck —4A 126
Stamford Brook Arches. W6 —5E 72
Stamford Brook Av. W6 —4D 72
Stamford Brook Gdns. W6 —4D 72
Stamford Brook Mans. W6 —5D 72
(off Goldhawk Rd.)
Stamford Brook Rd. W6 —4D 72
Stamford Clo. N15 —3E 44
Stamford Clo. NW3 —8A 42
(off Heath St.)
Stamford Clo. Harr —7C 22
Stamford Clo. S'hall —1L 69
Stamford Ct. W6 —5E 72
Stamford Dri. Brom —8D 110
Stamford Gdns. Dag —3G 65
Stamford Ga. SW6 —8M 73
Stamford Green. —5M 133
Stamford Grn. Rd. Eps —5M 133
Stamford Gro. E. N16 —6E 44
Stamford Gro. W. N16 —6E 44
Stamford Hill. —6D 44
Stamford Hill. N16 —7D 44
Stamford Lodge. N16 —5D 44
Stamford Rd. E6 —4J 63
Stamford Rd. N1 —3C 60
Stamford Rd. N15 —3E 44
Stamford Rd. Dag —4F 64
Stamford Rd. W on T —5H 117
Stamford Rd. Wat —4F 8
Stamford St. SE1 —2L 75
Stamp Pl. E2 —5D 60
Stanard Clo. N16 —5C 44
Stanborough Av. Borwd —1L 11
Stanborough Clo. Borwd —2L 11
Stanborough Clo. Hamp —3K 101
Stanborough Pk. Wat —8F 4
Stanborough Pas. E8 —2D 60
Stanborough Rd. Houn —2B 86
Stanbridge Pl. N21 —2M 27
Stanbridge Rd. SW15 —2G 89
Stanbrook Rd. SE2 —3F 80
Stanbury Av. Wat —1C 8
Stanbury Ct. NW3 —2D 58
Stanbury Rd. SE15 —1F 92
(in two parts)
Stancroft. NW9 —3C 40
Standale Gro. Ruis —3A 36
Standard Ind. Est. E16 —3K 79
Standard Pl. EC2 —6C 60
(off Rivington St.)
Standard Rd. NW10 —7A 56
Standard Rd. Belv —6L 81
Standard Rd. Bexh —3J 97
Standard Rd. Dow & Orp —2L 141
Standard Rd. Enf —2J 17
Standard Rd. Houn —2J 85
Standen Av. Horn —8J 51
Standen Rd. SW18 —6K 89
Standfield. Ab L —4C 4
Standfield Gdns. Dag —2L 65
Standfield Rd. Dag —1L 65
Standish Ho. SE3 —3F 94
(off Elford Clo.)
Standish Ho. W6 —5E 72
(off St Peter's Gro.)
Standish Rd. W6 —5E 72
Standlake Point. SE23 —9H 93
Stane Clo. SW19 —4M 105
Stane Pas. SW16 —2J 107
Stanesgate Ho. SE15 —8E 76
(off Friary Est.)
Stane Way. SE18 —8H 79

Stratford Vs.—Sunningdale Rd.

Stratford Vs. NW1 —3G 59
Stratford Way. Brick W —2K 5
Stratford Way. Wat —4D 8
Stratham Ct. N19 —8J 43
(off Alexander Rd.)
Strathan Clo. SW18 —5J 89
Strathaven Rd. SE12 —5F 94
Strathblaine Rd. SW11 —4B 90
Strathbrook Rd. SW16 —4K 107
Strathcona Rd. Wemb —7H 39
Strathdale. SW16 —2K 107
Strathdon Dri. SW17 —9B 90
Strathearn Av. Hay —8D 68
Strathearn Av. Twic —7M 85
Strathearn Pl. W2 —9C 58
Strathearn Rd. SW19 —2L 105
Strathearn Rd. Sutt —7L 121
Stratheden Pde. SE3 —8E 78
Stratheden Rd. SE3 —9E 78
Strathfield Gdns. Bark —2B 64
Strathleven Rd. SW2 —4J 91
Strathmore Ct. NW8 —6C 58
(off Park Rd.)
Strathmore Gdns. N3 —8M 25
Strathmore Gdns. W8 —2L 73
Strathmore Gdns. Edgw —9M 23
Strathmore Gdns. Horn —6D 50
Strathmore Rd. SW19 —9L 89
Strathmore Rd. Croy —2B 124
Strathmore Rd. Tedd —1C 102
Strathnairn St. SE1 —5E 76
Strathray Gdns. NW3 —2C 58
Strath Ter. SW11 —3C 90
Strathville Rd. SW18 —8L 89
Strathyre Av. SW16 —7L 107
Stratton Av. Enf —1B 16
Stratton Av. Wall —1H 137
Stratton Clo. SW19 —6L 105
Stratton Clo. Bexh —2J 97
Stratton Clo. Edgw —6K 23
Stratton Clo. Houn —9L 69
Stratton Clo. W on T —3G 117
Stratton Ct. Pinn —7K 21
(off Devonshire Rd.)
Strattondale St. E14 —4A 78
Stratton Dri. Bark —1C 64
Stratton Gdns. S'hall —9K 53
Stratton Rd. SW19 —6L 105
Stratton Rd. Bexh —2J 97
Stratton Rd. Romf —5L 35
Stratton Rd. Sun —6D 100
Stratton St. W1 —2F 74
Stratton Wlk. Romf —5L 35
Strauss Rd. W4 —3B 72
Strawberry Fields. Swan —5C 114
Strawberry Hill. —9D 86
Strawberry Hill. Twic —9D 86
Strawberry Hill Clo. Twic —9D 86
Strawberry Hill House. —9D 86
(off Strawberry Va.)
Strawberry Hill Rd. Twic —9D 86
Strawberry La. Cars —5E 122
Strawberry Ter. N10 —8D 26
Strawberry Va. N2 —8B 26
Strawberry Va. Twic —9E 86
(in two parts)
Strayfield Rd. Enf —1L 15
Streakes Fld. Rd. NW2 —7E 40
Streamdale. SE2 —7E 80
Stream La. Edgw —5M 23
Streamside Clo. N9 —1D 28
Streamside Clo. Brom —8E 110
Stream Way. Belv —7K 81
Streatfield Av. E6 —4K 63
Streatfield Rd. Harr —1G 39
Streatham. —1J 107
Streatham Clo. SW16 —8J 91
Streatham Common. —3J 107
Streatham Comn. N. SW16 —2J 107
Streatham Comn. S. SW16 —3J 107
Streatham Ct. SW16 —9J 91
Streatham High Rd. SW16 —1J 107
Streatham Hill. —7J 91
Streatham Hill. SW2 —8J 91
Streatham Ice Rink. —2J 107
Streatham Park. —1G 107
Streatham Pl. SW2 —6J 91
Streatham Rd. Mitc & SW16 —5E 106
Streatham St. WC1 —9J 59
Streatham Vale. —4G 107
Streatham Va. SW16 —5G 107
Streathbourne Rd. SW17 —8E 90
Streatley Pl. NW3 —9A 42
Streatley Rd. NW6 —3K 57
Streeters La. Wall —5H 123
Streetfield M. SE3 —2E 94
Street, The. Hort K —8M 115
Streimer Rd. E15 —5A 62
Strelley Way. W3 —1C 72
Stretton Mans. SE8 —6L 77
Stretton Rd. Croy —2C 124
Stretton Rd. Rich —8G 87
Stretton Way. Borwd —2J 11
Strickland Av. Dart —2K 99
(in two parts)
Strickland Ct. SE15 —2E 92
Strickland Ho. E2 —6D 60
(off Chambord St.)
Strickland Row. SW18 —6B 90
Strickland St. SE8 —1L 93
Strickland Way. Orp —6D 128
Stride Rd. E13 —5D 62
Stringer Ho. N1 —4C 60
(off Whitmore Est.)
Stripling Way. Wat —8E 8
Strode Clo. N10 —7E 26
Strode Rd. E7 —9E 46
Strode Rd. N17 —9C 28
Strode Rd. NW10 —2E 56
Strode Rd. SW6 —8J 73
Strome Ho. NW6 —5M 57
(off Carlton Va.)
Strone Rd. E7 & E12 —2G 63
Strone Way. Hay —7J 53
Strongbow Cres. SE9 —4K 95
Strongbow Rd. SE9 —4K 95
Strongbridge Clo. Harr —6L 37
Stronsa Rd. W12 —3D 72
Strood Av. Romf —6B 50
Strood Ho. SE1 —3B 76
(off Staple St.)
Stroud Cres. SW15 —9E 88
Stroudes Clo. Wor Pk —2C 120
Stroud Fld. N'holt —2J 53
Stroud Ga. Harr —9M 37
Stroud Green. —5K 43
Stroud Grn. Gdns. Croy —2G 125
Stroud Grn. Rd. N4 —6K 43
Stroud Grn. Way. Croy —2F 124
Stroud Ho. Romf —5H 35
(off Montgomery Cres.)
Stroudley Ho. SW8 —9G 75
Stroudley Wlk. E3 —6M 61
Stroud Rd. SE25 —1E 124
Stroud Rd. SW19 —9L 89
Stroud's Clo. Chad H —3F 48
Stroudwater Pk. Wey —8A 116
Stroud Way. Ashf —3A 100
Strouts Pl. E2 —6D 60
Strudwick Ct. SW4 —9J 75
(off Binfield Rd.)
Strutton Ground. SW1 —4H 75
Strype St. E1 —8D 60
Stuart Av. NW9 —5E 40
Stuart Av. W5 —2K 71
Stuart Av. Brom —3E 126
Stuart Av. Harr —8K 37
Stuart Av. W on T —3F 116
Stuart Clo. Swan —4D 114
Stuart Clo. Uxb —2E 142
Stuart Ct. Croy —5M 123
(off St John's Rd.)
Stuart Ct. Els —8H 11
Stuart Cres. N22 —8K 27
Stuart Cres. Croy —5K 125
Stuart Cres. Hay —9A 52
Stuart Evans Clo. Well —2G 97
Stuart Gro. Tedd —2C 102
Stuart Ho. W14 —5J 73
(off Windsor Way)
Stuart Mantle Way. Eri —8C 82
Stuart Mill Ho. N1 —5K 59
(off Killick St.)
Stuart Pl. Mitc —5D 106
Stuart Rd. NW6 —6L 57
(in two parts)
Stuart Rd. SE15 —3G 93
Stuart Rd. SW19 —9L 89
Stuart Rd. W3 —2A 72
Stuart Rd. Bark —3D 64
Stuart Rd. E Barn —9C 14
Stuart Rd. Harr —1D 38
Stuart Rd. Rich —8F 86
Stuart Rd. T Hth —8A 108
Stuart Rd. Well —9F 80
Stuarts. Horn —6K 51
(off High St.)
Stuart Tower. W9 —6A 58
(off Maida Va.)
Stuart Way. Chesh —4B 6
Stubbings Hall La. Wal A —1J 7
Stubbs Ct. W4 —6M 71
(off Chaseley Dri.)
Stubbs Dri. SE16 —6F 76
Stubbs Ho. E2 —6H 61
(off Bonner St.)
Stubbs Ho. SW1 —5H 75
(off Erasmus St.)
Stubbs M. Dag —9F 48
(off Marlborough Rd.)
Stubbs Point. E16 —7E 62
Stubbs Way. SW19 —5B 106
Stucley Pl. NW1 —3F 58
Stucley Rd. Houn —8A 70
Studdridge St. SW6 —1L 89
(in two parts)
Studd St. N1 —4M 59
Stud Grn. Wat —5E 4
Studholme Ct. NW3 —9L 41
Studholme St. SE15 —8F 76
Studio La. W5 —2H 71
Studio Pl. SW1 —3D 74
(off Kinnerton St.)
Studios, The. Bush —8L 9
Studio Way. Borwd —4A 12
Studland. SE17 —6B 76
(off Portland St.)
Studland Clo. Sidc —9D 96
Studland Ho. E14 —9J 61
(off Aston St.)
Studland Rd. SE26 —2H 109
Studland Rd. W7 —9B 54
Studland Rd. King T —3J 103
Studland St. W6 —5F 72
Studley Av. E4 —7B 30
Studley Clo. E5 —1J 61
Studley Ct. E14 —1B 78
(off Jamestown Way)
Studley Ct. Sidc —2F 112
Studley Dri. Ilf —4H 47
Studley Est. SW4 —9J 75
Studley Grange Rd. W7 —3C 70
Studley Rd. E7 —2F 62
Studley Rd. SW4 —9J 75
Studley Rd. Dag —3H 65
Stukeley Rd. E7 —3F 62
Stukeley St. WC2 —9J 59
Stumps Hill La. Beck —3L 109
Stumps La. Whyt —9C 138
Stunell Ho. SE14 —7H 77
(off John Williams Clo.)
Sturdee Ho. E2 —5E 60
(off Horatio St.)
Sturdy Ho. E3 —5J 61
(off Gernon Rd.)
Sturdy Rd. SE15 —1F 92
Sturge Av. E17 —9M 29
Sturgeon Rd. SE17 —6A 76
Sturges Fld. Chst —3B 112
Sturgess Av. NW4 —5F 40
Sturge St. SE1 —3A 76
Sturlas Way. Wal X —6D 6
Sturmer Way. N7 —1K 59
Sturminster Clo. Hay —9G 53
Sturminster Ho. SW8 —8K 75
(off Dorset Rd.)
Sturrock Clo. N15 —2B 44
Sturry St. E14 —9M 61
Sturt St. N1 —5A 60
(off Wenlock Rd.)
Stutfield St. E1 —9E 60
Styles Gdns. SW9 —2M 91
Styles Ho. SE1 —2M 75
(off Hatfields)
Styles Way. Beck —8A 110
Sudbourne Rd. SW2 —4J 91
Sudbrooke Rd. SW12 —5D 90
Sudbrook Gdns. Rich —9H 87
Sudbrook La. Rich —7J 87
Sudbury. —1F 54
Sudbury. E6 —9L 63
Sudbury Av. Wemb —8G 39
Sudbury Ct. E5 —9J 45
Sudbury Ct. SW8 —9H 75
Sudbury Ct. Dri. Harr —8D 38
Sudbury Ct. Rd. Harr —8D 38
Sudbury Cres. Brom —3E 110
Sudbury Cres. Wemb —1F 54
Sudbury Cft. Wemb —9D 38
Sudbury Gdns. Croy —6C 124
Sudbury Heights Av. Gnfd —1D 54
Sudbury Hill. Harr —7C 38
Sudbury Hill Clo. Wemb —9D 38
Sudbury Ho. SW18 —4M 89
Sudbury Rd. Bark —1D 64
Sudbury Towers. Gnfd —1C 54
Sudeley St. N1 —5M 59
Sudicamps Ct. Wal A —6M 7
Sudlow Rd. SW18 —4L 89
Sudrey St. SE1 —3A 76
Suez Av. Gnfd —5D 54
Suez Rd. Enf —6J 17
Suffield Clo. S Croy —4H 139
Suffield Hatch. —4A 30
Suffield Ho. SE17 —6M 75
(off Berryfield Rd.)
Suffield Rd. E4 —3M 29
Suffield Rd. N15 —3D 44
Suffield Rd. SE20 —6G 109
Suffolk Clo. Borwd —7B 12
Suffolk Ct. E10 —5L 45
Suffolk Ct. Ilf —4C 48
Suffolk Ho. SE20 —5H 109
(off Croydon Rd.)
Suffolk Ho. Croy —4B 124
(off George St.)
Suffolk La. EC4 —1B 76
Suffolk Pk. Rd. E17 —2J 45
Suffolk Pl. SW1 —2H 75
Suffolk Rd. E13 —6E 62
Suffolk Rd. N15 —3B 44
Suffolk Rd. NW10 —3C 56
Suffolk Rd. SE25 —8D 108
Suffolk Rd. SW13 —8D 72
Suffolk Rd. Bark —3B 64
Suffolk Rd. Dag —1A 66
Suffolk Rd. Dart —5J 99
(in two parts)
Suffolk Rd. Enf —7F 16
Suffolk Rd. Harr —4K 37
Suffolk Rd. Ilf —4C 48
Suffolk Rd. Sidc —3G 113
Suffolk Rd. Wor Pk —4D 120
Suffolk St. E7 —9E 46
Suffolk St. SW1 —1H 75
Suffolk Way. Horn —2L 51
Sugar Bakers Ct. EC3 —9C 60
(off Creechurch La.)
Sugar Ho. La. E15 —5A 62
Sugar Loaf Wlk. E2 —6G 61
Sugar Quay. EC3 —1C 76
(off Lwr. Thames St.)
Sugar Quay Wlk. EC3 —1C 76
Sugden Rd. SW11 —2E 90
Sugden Rd. Th Dit —3F 118
Sugden St. SE5 —7B 76
(off Depot St.)
Sugden Way. Bark —5D 64
Sulby Ho. SE4 —3J 93
(off Turnham Rd.)
Sulgrave Gdns. W6 —3G 73
Sulgrave Rd. W6 —4G 73
Sulina Rd. SW2 —6J 91
Sulivan Ct. SW6 —1L 89
Sulivan Enterprise Cen. SW6 —2M 89
Sulivan Rd. SW6 —2L 89
Sulkin Ho. E2 —6H 61
(off Knottisford St.)
Sullivan Av. E16 —8H 63
Sullivan Clo. SW11 —2C 90
Sullivan Clo. Dart —5F 98
Sullivan Clo. W Mol —7M 101
Sullivan Ct. N16 —5D 44
Sullivan Ho. SE11 —5K 75
(off Vauxhall St.)
Sullivan Ho. SW1 —7F 74
(off Churchill Gdns.)
Sullivan Rd. SE11 —5M 75
Sullivans Reach. W on T —2D 116
Sullivan Way. Els —8G 11
Sultan Rd. E11 —2F 46
Sultan St. SE5 —8A 76
Sultan St. Beck —6H 109
Sumatra Rd. NW6 —1L 57
Sumburgh Rd. SW12 —5E 90
Summer Av. E Mol —9C 102
Summercourt Rd. E1 —9G 61
Summerene Clo. SW16 —4G 107
Summerfield Av. NW6 —5J 57
Summerfield La. Surb —4H 119
Summerfield Rd. W5 —7F 54
Summerfield Rd. Lou —8H 19
Summerfield Rd. Wat —8E 4
Summerfields. Brom —5F 110
(off Freelands Rd.)
Summerfields Av. N12 —6C 26
Summerfield St. SE12 —6D 94
Summer Gdns. E Mol —9C 102
Summer Gro. Els —8H 11
Summer Hill. Chst —6L 111
Summer Hill. Els —7L 11
Summerhill Clo. Orp —5C 128
Summerhill Gro. Enf —8C 16
Summerhill Rd. N15 —2B 44
Summerhill Rd. Dart —6H 99
Summerhill Vs. Chst —5L 111
(off Susan Wood)
Summerhill Way. Mitc —5E 106
Summerhouse Av. Houn —9J 69
Summerhouse Dri. Bex & Dart —1B 114
Summerhouse La. A'ham —4A 10
Summerhouse La. W Dray —7H 143
Summerhouse Rd. N16 —7C 44
Summerhouse Way. Ab L —3D 4
Summerland Gdns. N10 —1F 42
Summerland Grange. N10 —1F 42
Summerlands Av. W3 —1A 72
Summerlands Lodge. Orp —6L 127
Summerlee Av. N2 —2D 42
Summerlee Gdns. N2 —2D 42
Summerleigh. Wey —8B 116
(off Gower Rd.)
Summerley St. SW18 —8M 89
Summer Pl. Wat —8D 8
Summer Rd. E Mol & Th Dit —9C 102
Summersby Rd. N6 —4F 42
Summers Clo. Sutt —9L 121
Summers Clo. Wemb —6M 39
Summers La. N12 —7B 26
Summers Row. N12 —6C 26
Summers St. EC1 —7L 59
Summerstown. —9A 90
Summerstown. SW17 —9A 90
Summerswood Clo. Kenl —8B 138
Summerswood La. Borwd —1C 12
Summerton Way. SE28 —9H 65
Summer Trees. Sun —5F 100
Summerville Gdns. Sutt —8K 121
Summerwood Rd. Iswth —4D 86
Summit Av. NW9 —3B 40
Summit Bus. Pk. Sun —4E 100
Summit Clo. N14 —2G 27
Summit Clo. NW2 —1J 57
Summit Clo. NW9 —2B 40
Summit Clo. Edgw —7L 23
Summit Dri. Wfd G —9H 31
Summit Est. N16 —5E 44
Summit Rd. E17 —2M 45
Summit Rd. N'holt —3L 53
Summit, The. Lou —3K 19
Summit Way. N14 —2F 26
Summit Way. SE19 —4C 108
Sumner Av. SE15 —9D 76
Sumner Bldgs. SE1 —2A 76
(off Sumner St.)
Sumner Clo. Orp —6A 128
Sumner Ct. SW8 —8J 75
Sumner Est. SE15 —8D 76
Sumner Gdns. Croy —3L 123
Sumner Ho. E3 —8M 61
(off Watts Gro.)
Sumner Pl. SW7 —5B 74
Sumner Pl. M. SW7 —5B 74
Sumner Rd. SE15 —7D 76
(in two parts)
Sumner Rd. Croy —3L 123
Sumner Rd. Harr —5A 38
Sumner Rd. S. Croy —3L 123
Sumner St. SE1 —2M 75
Sumpter Clo. NW3 —2A 58
Sun All. Rich —3J 87
Sunbeam Cres. W10 —7G 57
Sunbeam Rd. NW10 —7A 56
Sunbury. —7G 101
Sunbury Av. NW7 —5B 24
Sunbury Av. SW14 —3B 88
Sunbury Av. Pas. SW14 —3C 88
Sunbury Common. —4D 100
Sunbury Ct. Barn —6J 13
Sunbury Ct. Island. Sun —7H 101
Sunbury Ct. M. Sun —6H 101
Sunbury Ct. Rd. Sun —6G 101
Sunbury Cres. Felt —1D 100
Sunbury Cross. (Junct.) —4E 100
Sunbury Cross Shop. Cen. Sun —4D 100
Sunbury Gdns. NW7 —5B 24
Sunbury Ho. E2 —6D 60
(off Swanfield St.)
Sunbury Ho. SE14 —7H 77
(off Myers La.)
Sunbury La. SW11 —9B 74
(in two parts)
Sunbury La. W on T —1E 116
Sunburylock Ait. W on T —8F 100
Sunbury Pk. Walled Garden. —7F 100
Sunbury Rd. Felt —9D 84
Sunbury Rd. Sutt —5H 121
Sunbury St. SE18 —4K 79
Sunbury Way. Hanw —2G 101
Sunbury Workshops. E2 —6D 60
(off Swanfield St.)
Sun Ct. EC3 —9B 60
(off Cornhill)
Sun Ct. Eri —1D 98
Suncroft Pl. SE26 —9G 93
Sundale Av. S Croy —2G 139
Sunderland Ct. SE22 —6E 92
Sunderland Ct. Stanw —5C 144
Sunderland Gro. Leav —7D 4
Sunderland Mt. SE23 —8H 93
Sunderland Rd. SE23 —7H 93
Sunderland Rd. W5 —4H 71
Sunderland Rd. H'row A —5C 144
Sunderland Ter. W2 —9M 57
Sunderland Way. E12 —7H 47
Sundew Av. W12 —1E 72
Sundew Clo. W12 —1E 72
Sundew Ct. Wemb —5J 55
(off Elmore Clo.)
Sundial Av. SE25 —7D 108
Sundorne Rd. SE7 —6G 79
Sundown Av. S Croy —3D 138
Sundown Rd. Ashf —2A 100
Sundra Wlk. E1 —7H 61
Sundridge. —3G 111
Sundridge Av. Brom & Chst —5H 111
Sundridge Av. Well —1B 96
Sundridge Clo. Dart —5L 99
Sundridge Pde. Brom —4F 110
Sundridge Park. —4F 110
Sundridge Pl. Croy —3E 124
Sundridge Rd. Croy —2D 124
Sunfields Pl. SE3 —8F 78
Sunflower Dri. E8 —3D 60
Sunflower Way. Romf —8H 35
Sungate Cotts. Romf —8K 33
Sun-in-the-Sands. (Junct.) —8F 78
Sun-in-the-Sands. SE3 —8E 78
Sunken Rd. Croy —7G 125
Sunkist Way. Wall —1J 137
Sunland Av. Bexh —3J 97
Sun La. SE3 —8F 78
Sunleigh Rd. Wemb —4J 55
Sunley Gdns. Gnfd —4E 54
Sunlight Clo. SW19 —3A 106
Sunlight Sq. E2 —6F 60
Sunmead Rd. Sun —7E 100
Sunna Gdns. Sun —6F 100
Sunniholme Ct. S Croy —7A 124
(off Warham Rd.)
Sunningdale. N14 —5H 27
Sunningdale. W13 —8F 54
(off Hardwick Grn.)
Sunningdale Av. W3 —1C 72
Sunningdale Av. Bark —4B 64
Sunningdale Av. Felt —8J 85
Sunningdale Av. Rain —7G 67
Sunningdale Av. Ruis —6G 37
Sunningdale Clo. E6 —6K 63
Sunningdale Clo. SE16 —6F 76
(off Ryder Dri.)
Sunningdale Clo. SE28 —9J 65
Sunningdale Clo. Stan —6E 22
Sunningdale Clo. Surb —4J 119
Sunningdale Ct. Houn —5B 86
(off Whitton Dene)
Sunningdale Ct. S'hall —9A 54
(off Fleming Rd.)
Sunningdale Gdns. NW9 —3A 40
Sunningdale Gdns. W8 —4L 73
(off Stratford Rd.)
Sunningdale Lodge. Edgw —5K 23
(off Stonegrove)
Sunningdale Lodge. Harr —5C 38
(off Grove Hill)
Sunningdale Rd. Brom —8J 111
Sunningdale Rd. Rain —3E 66
Sunningdale Rd. Sutt —5K 121

Sunningfields Cres.—Sycamore Rd.

Sunningfields Cres. NW4 —9F 24
Sunningfields Rd. NW4 —1F 40
Sunninghill Ct. W3 —3A 72
Sunninghill Rd. SE13 —1M 93
Sunningvale Av. Big H —7G 141
Sunningvale Clo. Big H —7H 141
Sunny Bank. SE25 —7E 108
Sunnybank. Eps —8A 134
Sunnybank. Warl —9J 139
Sunny Cres. NW10 —3A 56
Sunnycroft Rd. SE25 —7E 108
Sunnycroft Rd. Houn —1M 85
Sunnycroft Rd. S'hall —8L 53
Sunnydale. Orp —4L 127
Sunnydale Gdns. NW7 —6B 24
Sunnydale Rd. SE12 —4F 94
Sunnydene Av. E4 —5B 30
Sunnydene Av. Ruis —6E 36
Sunnydene Clo. Romf —7K 35
Sunnydene Gdns. Wemb —2G 55
Sunnydene Rd. Purl —5M 137
Sunnydene St. SE26 —1J 109
Sunnyfield. NW7 —4D 24
Sunnyfield Rd. Chst —7E 112
Sunny Gdns. Pde. NW4 —9F 24
Sunny Gdns. Rd. NW4 —9F 24
Sunny Hill. NW4 —1F 40
Sunnyhill Clo. E5 —9J 45
Sunnyhill Rd. SW16 —1J 107
Sunnyhurst Clo. Sutt —5L 121
Sunnymead Av. Mitc —7H 107
Sunnymead Rd. NW9 —5B 40
Sunnymead Rd. SW15 —4F 88
Sunnymede. Chig —3F 32
Sunnymede Av. Cars —3B 136
Sunnymede Av. Eps —1C 134
Sunnymede Dri. Ilf —3M 47
Sunny Nook Gdns. S Croy —8B 124
Sunny Rd., The. Enf —3H 17
Sunnyside. NW2 —8K 41
Sunnyside. SW19 —3J 105
Sunnyside. W on T —9G 101
Sunnyside Dri. E4 —9A 18
Sunnyside Gdns. Upm —8M 51
Sunnyside Houses. NW2 —8K 41
(off Sunnyside)
Sunnyside Pas. SW19 —3J 105
Sunnyside Rd. E10 —6L 45
Sunnyside Rd. N19 —5H 43
Sunnyside Rd. W5 —2H 71
Sunnyside Rd. Ilf —8A 48
Sunnyside Rd. Tedd —1B 102
Sunnyside Rd. E. N9 —3E 28
Sunnyside Rd. N. N9 —3D 28
Sunnyside Rd. S. N9 —3D 28
Sunnyside Ter. NW9 —1B 40
Sunny Vw. NW9 —3B 40
Sunny Way. N12 —7C 26
Sun Pas. SE16 —4E 76
(off Old Jamaica Rd.)
Sunray Av. SE24 —3B 92
Sunray Av. Brom —1J 127
Sunray Av. Surb —4M 119
Sunray Av. W Dray —3H 143
Sunrise Av. Horn —8G 51
Sunrise Clo. Felt —9K 85
Sunrise Vw. NW7 —6D 24
Sun Rd. W14 —6K 73
Sunset Av. E4 —1M 29
Sunset Av. Wfd G —4D 30
Sunset Clo. Eri —9F 82
Sunset Ct. Wfd G —7G 31
Sunset Dri. Hav —5F 34
Sunset Gdns. SE25 —6D 108
Sunset Rd. SE5 —3A 92
Sunset Rd. SE28 —2E 80
Sunset Vw. Barn —4J 13
Sunshine Way. Mitc —6D 106
Sun St. EC2 —8B 60
(in two parts)
Sun St. Wal A —6J 7
Sun St. Pas. EC2 —8C 60
Sun Wlk. E1 —1D 76
Sunwell Clo. SE15 —9F 76
Sun Wharf. SE8 —8M 77
(off Creekside)
Superior Dri. Grn St —8D 128
Surbiton. —1H 119
Surbiton Ct. Surb —1G 119
Surbiton Cres. King T —8J 103
Surbiton Hall Clo. King T —8J 103
Surbiton Hill Pk. Surb —9K 103
Surbiton Hill Rd. Surb —8J 103
Surbiton Pde. Surb —1J 119
Surbiton Rd. King T —8H 103
Surlingham Clo. SE28 —1H 81
Surma Clo. E1 —7E 60
Surrendale Pl. W9 —7L 57
Surrey Canal Rd. SE15 & SE14 —7G 77
Surrey County Cricket Club. —7K 75
Surrey Ct. N3 —9J 25
Surrey Cres. W4 —6L 71
Surrey Dri. Horn —3L 51
Surrey Gdns. N4 —4A 44
Surrey Gro. SE17 —6C 76
Surrey Gro. Sutt —5B 122
Surrey Ho. SE16 —2H 77
(off Rotherhithe St.)
Surrey La. SW11 —9C 74
Surrey La. Est. SW11 —9C 74
Surrey M. SE27 —1C 108
Surrey Mt. SE23 —7F 92
Surrey Quays Rd. SE16 —4G 77
Surrey Quays Shop. Cen. SE16 —4H 77
Surrey Rd. SE15 —4H 93
Surrey Rd. Bark —3C 64
Surrey Rd. Dag —1M 65
Surrey Rd. Harr —3A 38
Surrey Rd. W W'ck —3M 125
Surrey Row. SE1 —3M 75
Surrey Sq. SE17 —6C 76
Surrey Steps. WC2 —1K 75
(off Surrey St.)
Surrey St. E13 —6F 62
Surrey St. WC2 —1K 75
Surrey St. Croy —4A 124
Surrey Ter. SE17 —6C 76
Surrey Water Rd. SE16 —2H 77
Surridge Clo. Rain —6G 67
Surridge Ct. SW9 —1J 91
(off Clapham Rd.)
Surridge Gdns. SE19 —3B 108
Surr St. N7 —1J 59
Susan Clo. Romf —1A 50
Susan Constant Ct. E14 —1B 78
(off Newport Av.)
Susan Lawrence Ho. E12 —9L 47
(off Walton Rd.)
Susannah St. E14 —9M 61
Susan Rd. SE3 —1F 94
Susan Wood. Chst —5L 111
Sussex Av. Iswth —2C 86
Sussex Av. Romf —7K 35
Sussex Clo. N19 —7J 43
Sussex Clo. Ilf —3K 47
Sussex Clo. N Mald —8C 104
Sussex Clo. Twic —5F 86
Sussex Ct. SE10 —7A 78
(off Roan St.)
Sussex Cres. N'holt —2L 53
Sussex Gdns. N4 —3A 44
Sussex Gdns. N6 —3D 42
Sussex Gdns. W2 —1B 74
Sussex Gdns. Chess —8H 119
Sussex Ga. N6 —3D 42
Sussex Lodge. W2 —9B 58
(off Sussex Pl.)
Sussex Mans. SW7 —5B 74
(off Old Brompton Rd.)
Sussex Mans. WC2 —1J 75
(off Maiden La.)
Sussex M. E. W2 —9B 58
(off Clifton Pl.)
Sussex M. W. W2 —1B 74
Sussex Pl. NW1 —7D 58
Sussex Pl. W2 —9B 58
Sussex Pl. W6 —6G 73
Sussex Pl. Eri —8M 81
Sussex Pl. N Mald —8C 104
Sussex Ring. N12 —5L 25
Sussex Rd. E6 —4L 63
Sussex Rd. Cars —9D 122
Sussex Rd. Dart —6L 99
Sussex Rd. Eri —8M 81
Sussex Rd. Harr —3A 38
Sussex Rd. Mitc —9J 107
Sussex Rd. N Mald —8C 104
Sussex Rd. Orp —1G 129
Sussex Rd. Sidc —2F 112
Sussex Rd. S'hall —4H 69
Sussex Rd. S Croy —8B 124
Sussex Rd. Uxb —9A 36
Sussex Rd. Wat —1E 8
Sussex Rd. W W'ck —3M 125
Sussex Sq. W2 —1B 74
Sussex St. E13 —6F 62
Sussex St. SW1 —6F 74
Sussex Ter. SE20 —4G 109
(off Graveney Gro.)
Sussex Wlk. SW9 —3M 91
(in two parts)
Sussex Way. N19 & N7 —6H 43
(in four parts)
Sussex Way. Barn & Cockf —7F 14
Sutcliffe Clo. NW11 —3M 41
Sutcliffe Clo. Bush —6A 10
Sutcliffe Rd. SE18 —7C 80
Sutcliffe Rd. Well —1G 97
Sutherland Av. W9 —7L 57
Sutherland Av. W13 —9F 54
Sutherland Av. Big H —9H 141
Sutherland Av. Hay —5E 68
Sutherland Av. Orp —1D 128
Sutherland Av. Sun —6D 100
Sutherland Av. Well —3C 96
Sutherland Clo. Barn —6J 13
Sutherland Ct. N16 —8B 44
Sutherland Ct. NW9 —3M 39
Sutherland Ct. W9 —7L 57
(off Surrendale Pl.)
Sutherland Dri. SW19 —5B 106
Sutherland Gdns. SW14 —2C 88
Sutherland Gdns. Sun —6D 100
Sutherland Gdns. Wor Pk —3F 120
Sutherland Gro. SW18 —5J 89
Sutherland Gro. Tedd —2C 102
Sutherland Ho. W8 —4M 73
Sutherland Pl. W2 —9L 57
Sutherland Point. E5 —9F 44
(off Brackenfield Clo.)
Sutherland Rd. E3 —5K 61
Sutherland Rd. E17 —9H 29
Sutherland Rd. N9 —1F 28
Sutherland Rd. N17 —7E 28
Sutherland Rd. W4 —7C 72
Sutherland Rd. W13 —9E 54
Sutherland Rd. Belv —4L 81
Sutherland Rd. Croy —2L 123
Sutherland Rd. Enf —8H 17
Sutherland Rd. S'hall —9K 53
Sutherland Rd. Path. E17 —1H 45
Sutherland Row. SW1 —6F 74
Sutherland Sq. SE17 —6A 76
Sutherland St. SW1 —6F 74
Sutherland Wlk. SE17 —6A 76
Sutlej Rd. SE7 —8G 79
Sutterton St. N7 —2K 59
Sutton. —7M 121
Sutton Arc. Sutt —7M 121
Sutton At Hone. —4M 115
Sutton Clo. Beck —5M 109
Sutton Clo. Lou —9J 19
Sutton Clo. Pinn —3E 36
Sutton Comn. Rd. Sutt —2K 121
Sutton Ct. SE19 —4D 108
Sutton Ct. W4 —7A 72
Sutton Ct. W5 —2J 71
Sutton Ct. Sutt —8A 122
Sutton Ct. Rd. E13 —6G 63
Sutton Ct. Rd. W4 —8A 72
Sutton Ct. Rd. Sutt —8A 122
Sutton Ct. Rd. Uxb —4F 142
Sutton Cres. Barn —7H 13
Sutton Dene. Houn —9M 69
Sutton Est. EC1 —6B 60
(off City Rd.)
Sutton Est. W10 —8G 57
Sutton Est., The. N1 —3M 59
Sutton Est., The. SW3 —6C 74
(off Cale St.)
Sutton Gdns. SE25 —9D 108
Sutton Gdns. Bark —4C 64
Sutton Grn. Bark —4C 64
Sutton Gro. Sutt —6B 122
Sutton Hall Rd. Houn —8L 69
Sutton La. Houn —2K 85
Sutton La. Sutt & Bans —3M 135
Sutton La. N. W4 —6A 72
Sutton La. S. W4 —7A 72
Sutton Pde. NW4 —2G 41
(off Church Rd.)
Sutton Pk. Rd. Sutt —8M 121
Sutton Path. Borwd —5L 11
Sutton Pl. E9 —1G 61
Sutton Rd. E13 —7D 62
Sutton Rd. E17 —8H 29
Sutton Rd. N10 —8E 26
Sutton Rd. Bark —5C 64
Sutton Rd. Houn —9L 69
Sutton Rd. Wat —5G 9
(in two parts)
Sutton Row. W1 —9H 59
Suttons Av. Horn —8G 51
Suttons Bus. Pk. Rain —6B 66
Suttons Gdns. Horn —8H 51
Suttons La. Horn —1H 67
Sutton Sq. E9 —1G 61
Sutton Sq. Houn —9K 69
Sutton St. E1 —1G 77
Sutton's Way. EC1 —7A 60
Sutton United F.C. —6L 121
Sutton Wlk. SE1 —2K 75
Sutton Way. W10 —7G 57
Sutton Way. Houn —9K 69
Swaby Rd. SW18 —7A 90
Swaffham Way. N22 —7M 27
Swaffield Rd. SW18 —6M 89
Swain Clo. SW16 —3F 106
Swain Rd. T Hth —9A 108
Swains Clo. W Dray —3J 143
Swains La. N6 —6E 42
Swainson Rd. W3 —3D 72
Swains Rd. SW17 —4D 106
Swain St. NW8 —7C 58
(off Grendon St.)
Swaisland Dri. Cray —4D 98
Swaisland Rd. Dart —4F 98
Swakeleys Dri. Uxb —1E 142
Swakeleys Rd. Ick & Uxb —1C 142 & 8A 36
Swakeleys Roundabout. (Junct.) —1C 142
Swalecliffe Rd. Belv —6M 81
Swale Clo. Ave —9M 67
Swaledale Clo. N11 —6E 26
Swaledale Rd. Dart —7M 99
Swale Rd. Dart —3E 98
Swallands Rd. SE6 —9L 93
(in two parts)
Swallow Clo. SE14 —9H 77
Swallow Clo. Bush —1M 21
Swallow Clo. Eri —9C 82
Swallow Ct. SE12 —6E 94
Swallow Ct. W9 —8L 57
(off Admiral Wlk.)
Swallow Ct. Enf —1G 17
Swallow Ct. Ilf —3M 47
Swallow Ct. Ruis —6G 37
Swallowdale. S Croy —1H 139
Swallow Dri. NW10 —2B 56
Swallow Dri. N'holt —3L 53
Swallowfield Rd. SE7 —6F 78
Swallowfield Way. Hay —3B 68
Swallow Gdns. SW16 —2H 107
Swallow Ho. NW8 —5C 58
(off Barrow Hill Est.)
Swallow Oaks. Ab L —4D 4
Swallow Pk. Cvn. Site. Surb —5K 119
Swallow Pas. W1 —9F 58
(off Swallow Pl.)
Swallow Pl. W1 —9F 58
Swallow St. E6 —8J 63
Swallow St. W1 —1G 75
Swallowtail Clo. Orp —8H 113
Swallow Wlk. Horn —2F 66
Swanage Ho. SW8 —8K 75
(off Dorset Rd.)
Swanage Rd. E4 —7A 30
Swanage Rd. SW18 —5A 90
Swanage Waye. Hay —9G 53
Swan & Pike Rd. Enf —2L 17
Swan App. E6 —8J 63
Swanbourne. SE17 —5A 76
(off Wansey St.)
Swanbourne Dri. Horn —1G 67
Swanbourne Ho. NW8 —7C 58
(off Capland St.)
Swanbridge Rd. Bexh —9L 81
Swan Bus. Pk. Dart —3H 99
Swan Cen., The. SW17 —9M 89
Swan Clo. E17 —8J 29
Swan Clo. Croy —2C 124
Swan Clo. Felt —1J 101
Swan Clo. Orp —7E 112
Swan Ct. E14 —9K 61
(off Agnes St)
Swan Ct. SW3 —6C 74
Swan Ct. SW6 —8L 73
(off Fulham Rd.)
Swan Ct. Iswth —2F 86
(off Swan St.)
Swandon Way. SW18 —4M 89
Swan Dri. NW9 —9C 24
Swanfield Rd. Wal X —6E 6
Swanfield St. E2 —6D 60
Swan Ho. N1 —3B 60
(off Oakley Rd.)
Swan La. EC4 —1B 76
Swan La. N20 —3A 26
Swan La. Dart —6D 98
Swan La. Lou —9G 19
Swanley. —8D 114
Swanley By-Pass. Sidc & Swan —5M 113
Swanley Cen. Swan —7C 114
Swanley Ho. SE17 —6C 76
(off Kinglake Est.)
Swanley Interchange. (Junct.) —9F 114
Swanley La. Swan —7D 114
Swanley Rd. Well —9G 81
Swanley Village. —5F 114
Swanley Village Rd. Swan —5F 114
Swan Mead. SE1 —4C 76
Swan M. SW6 —9K 73
Swan M. SW9 —1K 91
Swann Ct. Iswth —2E 86
(off South St.)
Swanne Ho. SE10 —8A 78
(off Gloucester Cir.)
Swan Pas. E1 —1D 76
(off Royal Mint Pl.)
Swan Pl. SW13 —1D 88
Swan Rd. SE16 —3G 77
Swan Rd. Felt —2J 101
Swan Rd. S'hall —9M 53
Swan Rd. Wal X —7E 6
Swan Rd. W Dray —3H 143
Swanscombe Ho. W11 —2H 73
(off St Ann's Rd.)
Swanscombe Point. E16 —8D 62
(off Clarkson Rd.)
Swanscombe Rd. W4 —6C 72
Swanscombe Rd. W11 —2H 73
Swans Ct. Wal X —7E 6
Swansea Ct. E16 —2M 79
Swansea Rd. Enf —6G 17
Swansea Rd. H'row A —5A 84
Swanshope. Lou —4M 19
Swansland Gdns. E17 —8J 29
Swanston Path. Wat —3G 21
Swan St. SE1 —4A 76
Swan St. SE18 —4H 79
(in two parts)
Swan St. Iswth —2F 86
Swanton Gdns. SW19 —7H 89
Swanton Rd. Eri —8L 81
Swan Wlk. SW3 —7D 74
Swan Wlk. Romf —3C 50
Swan Wlk. Shep —2C 116
Swan Way. Enf —4H 17
Swan Wharf Bus. Cen. Uxb —5A 142
Swanwick Clo. SW15 —6D 88
Swan Yd. N1 —2M 59
Sward Rd. Orp —1E 128
Swathling Ho. SW15 —5D 88
(off Tunworth Cres.)
Swaton Rd. E3 —7L 61
Swaylands Rd. Belv —7L 81
Swaythling Clo. N18 —4F 28
Swedeland Ct. E1 —8C 60
(off Bishopsgate)
Swedenborg Gdns. E1 —1F 76
Sweden Ga. SE16 —4J 77
Swedish Quays. SE16 —4J 77
Sweeney Cres. SE1 —3D 76
Sweeps La. Orp —9H 113
Sweet Briar Grn. N9 —3D 28
Sweet Briar Gro. N9 —3D 28
Sweet Briar La. Eps —6B 134
Sweet Briar Wlk. N18 —4D 28
Sweetcroft La. Uxb —3D 142
Sweetland Ct. Dag —2F 64
Sweetmans Av. Pinn —1H 37
Sweets Way. N20 —2B 26
Swell Ct. E17 —4L 45
Swetenham Wlk. SE18 —6A 80
Swete St. E13 —5E 62
Sweyn Pl. SE3 —1E 94
Swievelands Rd. Big H —9G 141
Swift Clo. E17 —7J 29
Swift Clo. Harr —7M 37
Swift Clo. Hay —9D 52
Swift Ct. Sutt —9M 121
Swift Lodge. W9 —7L 57
(off Admiral Wlk.)
Swift Rd. Felt —9J 85
Swift Rd. S'hall —4L 69
Swiftsden Way. Brom —3C 110
Swift St. SW6 —9K 73
Swinbrook Rd. W10 —8J 57
Swinburne Ct. SE5 —3B 92
(off Basingdon Way)
Swinburne Cres. Croy —1G 125
Swinburne Ho. E2 —6G 61
(off Roman Rd.)
Swinburne Rd. SW15 —3E 88
Swinderby Rd. Wemb —2J 55
Swindon Clo. Ilf —7C 48
Swindon Clo. Romf —5K 35
Swindon Gdns. Romf —5K 35
Swindon La. Romf —5K 35
Swindon Rd. H'row A —4A 84
Swindon St. W12 —2F 72
Swinfield Clo. Felt —9J 85
Swinford Gdns. SW9 —2M 91
Swingate La. SE18 —7C 80
Swinley Ho. NW1 —6F 58
(off Redhill St.)
Swinnerton St. E9 —1J 61
Swinton Clo. Wemb —6M 39
Swinton Pl. WC1 —6K 59
Swinton St. WC1 —6K 59
Swires Shaw. Kes —6H 127
Swiss Av. Wat —6C 8
Swiss Cen. WC2 —1H 75
(off Wardour St.)
Swiss Clo. Wat —5C 8
Swiss Cottage. (Junct.) —3B 58
Swiss Cottage. NW3 —3B 58
Swiss Ct. WC2 —1H 75
(off Panton St.)
Swiss Ter. NW6 —3B 58
Swithland Gdns. SE9 —1L 111
Swyncombe Av. W5 —5F 70
Swynford Gdns. NW4 —2E 40
Sybil M. N4 —4M 43
Sybil Phoenix Clo. SE8 —6H 77
Sybil Thorndike Casson Ho. SW5 —6L 73
(off Old Brompton Rd.)
Sybourn St. E17 —5K 45
Sycamore App. Crox G —7A 8
Sycamore Av. E3 —4K 61
Sycamore Av. W5 —4H 71
Sycamore Av. Hay —1C 68
Sycamore Av. Sidc —5D 96
Sycamore Av. Upm —8L 51
Sycamore Clo. E16 —7C 62
Sycamore Clo. N9 —4E 28
Sycamore Clo. SE9 —8J 95
Sycamore Clo. W3 —2C 72
Sycamore Clo. Barn —8B 14
Sycamore Clo. Bush —4J 9
Sycamore Clo. Cars —6D 122
Sycamore Clo. Edgw —4A 24
Sycamore Clo. Felt —9E 84
Sycamore Clo. N'holt —4J 53
Sycamore Clo. Wat —8F 4
Sycamore Clo. W Dray —1K 143
Sycamore Ct. E7 —2E 62
Sycamore Ct. NW6 —4L 57
(off Bransdale Clo.)
Sycamore Ct. Eri —6B 82
(off Sandcliff Rd.)
Sycamore Ct. Houn —3J 85
Sycamore Ct. N Mald —7C 104
Sycamore Dri. Swan —7C 114
Sycamore Gdns. N15 —2D 44
Sycamore Gdns. W12 —3F 72
Sycamore Gdns. Mitc —6B 106
Sycamore Gro. NW9 —5A 40
Sycamore Gro. SE6 —5A 94
Sycamore Gro. SE20 —5E 108
Sycamore Gro. N Mald —7B 104
Sycamore Hill. N11 —6E 26
Sycamore Ho. N2 —9B 26
(off Grange, The)
Sycamore Ho. SE16 —3H 77
(off Woodland Cres.)
Sycamore Ho. W6 —3F 72
Sycamore Ho. Brom —6C 110
Sycamore Ho. Buck H —2H 31
Sycamore Lodge. W8 —4M 73
(off St Mary's Pl.)
Sycamore Lodge. Orp —4D 128
Sycamore M. SW4 —2G 91
Sycamore M. Eri —6B 82
(off St John's Rd.)
Sycamore Ri. Bans —6H 135
Sycamore Rd. SW19 —3G 105
Sycamore Rd. Crox G —7A 8

Thistlebrook. SE2 —4G 81
Thistle Ct. Dart —7M 99
(off Churchill Clo.)
Thistlecroft Gdns. Stan —8H 23
Thistlecroft Rd. W on T —6G 117
Thistledene. Th Dit —1C 118
Thistledene Av. Harr —8J 37
Thistledene Av. Romf —5M 33
Thistle Gro. SW10 —6A 74
Thistle Ho. E14 —9A 62
(off Dee St.)
Thistlemead. Chst —6M 111
Thistle Mead. Lou —5L 19
Thistlewaite Rd. E5 —8F 44
Thistlewood Clo. N7 —7K 43
Thistlewood Cres. New Ad —4B 140
Thistleworth Clo. Iswth —8B 70
Thistleworth Marina. Iswth —3F 86
(off Railshead Rd.)
Thistley Clo. N12 —6C 26
Thistley Ct. SE8 —7M 77
Thomas A'Beckett Clo. Wemb —9D 38
Thomas Baines Rd. SW11 —2B 90
Thomas Burt Ho. E2 —6F 60
(off Canrobert St.)
Thomas Ct. E17 —3M 45
Thomas Cribb M. E6 —9L 63
Thomas Darby Ct. W11 —9J 57
(off Lancaster Rd.)
Thomas Dean Rd. SE26 —1K 109
Thomas Dinwiddy Rd. SE12 —8F 94
Thomas Doyle St. SE1 —4M 75
Thomas England Ho. Romf —4B 50
(off Waterloo Gdns.)
Thomas Hewlett Ho. Harr —9C 38
Thomas Hollywood Ho. E2 —5G 61
(off Approach Rd.)
Thomas Ho. Sutt —9M 121
Thomas La. SE6 —6L 93
Thomas More Highwalk. EC2
(off Beech St.) —8A 60
Thomas More Ho. EC2 —8A 60
(off Beech St.)
Thomas More Sq. E1 —1E 76
(off Thomas More St.)
Thomas More St. E1 —1E 76
Thomas More Way. N2 —1A 42
Thomas Neals Shop. Mall. WC2
(off Earlham St.) —9J 59
Thomas N. Ter. E16 —8D 62
(off Barking Rd.)
Thomas Pl. W8 —4M 73
Thomas Rd. E14 —9K 61
Thomas Rd. Ind. Est. E14 —8L 61
(in two parts)
Thomas Sims Ct. Horn —2F 66
Thomas St. SE18 —5M 79
Thomas Turner Path. Croy —4A 124
(off George St.)
Thomas Wall Clo. Sutt —7M 121
Thomas Watson Cottage Homes.
(off Leecroft Rd.) Barn —6J 13
Thompson Av. Rich —2L 87
Thompson Clo. Ilf —7A 48
Thompson Ho. SE14 —7G 77
(off John Williams Clo.)
Thompson Rd. SE22 —5D 92
Thompson Rd. Dag —8K 49
Thompson Rd. Uxb —4C 142
Thompson's Av. SE5 —8A 76
Thompson's La. Lou —2E 18
Thomson Cres. Croy —3L 123
Thomson Ho. E14 —9L 61
(off Saracen St.)
Thomson Ho. SE17 —5C 76
(off Tatum St.)
Thomson Ho. SW1 —6H 75
(off Bessborough Pl.)
Thomson Ho. S'hall —1J 69
(off Broadway, The)
Thomson Rd. Harr —1C 38
Thorburn Sq. SE1 —5E 76
Thorburn Way. SW19 —5B 106
Thoresby St. N1 —6A 60
Thorkhill Gdns. Th Dit —3E 118
Thorkhill Rd. Th Dit —3E 118
Thornaby Gdns. N18 —6E 28
Thornaby Ho. E2 —6F 60
(off Canrobert St.)
Thorn Av. Bus H —1A 22
Thorn Bank. Edgw —6L 23
Thornbury. NW4 —2F 40
(off Prince of Wales Clo.)
Thornbury Av. Iswth —8B 70
Thornbury Clo. N16 —1C 60
Thornbury Ct. W11 —1L 73
(off Chepstow Vs.)
Thornbury Ct. Iswth —8C 70
Thornbury Ct. S Croy —7B 124
(off Blunt Rd.)
Thornbury Gdns. Borwd —6A 12
Thornbury Ho. Romf —5H 35
(off Bridgewater Wlk.)
Thornbury Rd. SW2 —5J 91
Thornbury Rd. Iswth —8B 70
Thornbury Sq. N6 —6G 43
Thornby Rd. E5 —8G 45
Thorncliffe Rd. SW4 —5J 91
Thorncliffe Rd. S'hall —6K 69
Thorn Clo. Brom —1L 127
Thorn Clo. N'holt —6K 53
Thorncombe Rd. SE22 —4C 92
Thorncroft. Horn —4F 50
Thorncroft Rd. Sutt —7M 121
Thorncroft St. SW8 —8J 75
Thorndean St. SW18 —8A 90
Thorndene. SE28 —1F 80
Thorndene Av. N11 —1E 26
Thorndike Av. N'holt —4H 53
Thorndike Clo. SW10 —8A 74
Thorndike Ho. SW1 —6H 75
(off Vauxhall Bri. Rd.)
Thorndike St. SW1 —5H 75
Thorndon Clo. Orp —6D 112
Thorndon Gdns. Eps —7C 120
Thorndon Rd. Orp —6D 112
Thorndyke Ct. Pinn —6K 21
Thorne Clo. E11 —9C 46
Thorne Clo. E16 —9E 62
Thorne Clo. Ashf —4A 100
Thorne Clo. Eri —7M 81
Thorne Ho. E2 —6G 61
(off Roman Rd.)
Thorne Ho. E14 —4A 78
(off Launch St.)
Thorne Ho. Clay —9F 118
Thorneloe Gdns. Croy —7L 123
Thorne Pas. SW13 —1C 88
Thorne Rd. SW8 —8J 75
Thornes Clo. Beck —7A 110
Thorne St. SW13 —2C 88
Thornet Wood Rd. Brom —7L 111
Thornewill Ho. E1 —1G 77
(off Cable St.)
Thorney. —4G 143
Thorney Ct. SW7 —3A 74
(off Palace Ga.)
Thorney Cres. SW11 —8B 74
Thorneycroft Clo. W on T —1G 117
Thorneycroft Dri. Enf —1L 17
Thorney Hedge Rd. W4 —5M 71
Thorney Mill Rd. Iver & W Dray —4G 143
Thorney St. SW1 —5J 75
Thornfield Av. NW7 —8J 25
Thornfield Ct. NW7 —8J 25
Thornfield Ho. E14 —1L 77
(off Rosefield Gdns.)
Thornfield Pde. NW7 —7J 25
(off Holders Hill Rd.)
Thornfield Rd. W12 —3F 72
(in four parts)
Thornfield Rd. Bans —9L 135
Thornford Rd. SE13 —4A 94
Thorngate Rd. W9 —7L 57
Thorngrove Rd. E13 —4F 62
Thornham Gro. E15 —1B 62
Thornham St. SE10 —7M 77
Thornhaugh M. WC1 —7H 59
Thornhaugh St. WC1 —7H 59
Thornhill Av. SE18 —8C 80
Thornhill Av. Surb —4J 119
Thornhill Bri. Wharf. N1 —4K 59
Thornhill Cres. N1 —3K 59
Thornhill Gdns. E10 —7M 45
Thornhill Gdns. Bark —3C 64
Thornhill Gro. N1 —3K 59
Thornhill Ho. W4 —6C 72
(off Wood St.)
Thornhill Houses. N1 —3L 59
Thornhill Rd. E10 —7M 45
Thornhill Rd. N1 —3L 59
Thornhill Rd. Croy —2A 124
Thornhill Rd. N'wd —4A 20
Thornhill Rd. Surb —4J 119
Thornhill Sq. N1 —3K 59
Thorn Ho. Borwd —4A 12
(off Elstree Way)
Thornicroft Ho. SW9 —1K 91
(off Stockwell Rd.)
Thorn La. Rain —5H 67
Thornlaw Rd. SE27 —1L 107
Thornley Clo. N17 —7E 28
Thornley Dri. Harr —7M 37
Thornsbeach Rd. SE6 —7A 94
Thornsett Pl. SE20 —6F 108
Thornsett Rd. SE20 —6F 108
Thornsett Rd. SW18 —7M 89
Thornsett Ter. SE20 —6F 108
(off Croydon Rd.)
Thorn Ter. SE15 —2G 93
Thornton Av. SW2 —7H 91
Thornton Av. W4 —5C 72
Thornton Av. Croy —1K 123
Thornton Av. W Dray —4K 143
Thornton Clo. W Dray —4K 143
Thornton Dene. Beck —6L 109
Thornton Gdns. SW12 —7H 91
Thornton Gro. Pinn —6L 21
Thornton Heath. —8A 108
Thornton Heath Pond. (Junct.) —9L 107
Thornton Hill. SW19 —4J 105
Thornton Ho. SE17 —5C 76
(off Townsend St.)
Thornton Pl. W1 —8D 58
Thornton Rd. E11 —7B 46
Thornton Rd. N18 —3G 29
Thornton Rd. SW12 —6H 91
Thornton Rd. SW14 —3B 88
Thornton Rd. SW19 —3H 105
Thornton Rd. Barn —5J 13
Thornton Rd. Belv —5M 81
Thornton Rd. Brom —2E 110
Thornton Rd. Cars —3B 122
Thornton Rd. Croy & T Hth —2K 123
Thornton Rd. Ilf —9M 47
Thornton Rd. E. SW19 —3H 105
Thornton Row. T Hth —9L 107
Thornton's Farm Av. Romf —6A 50
Thornton St. SW9 —1L 91
Thornton Way. NW11 —3M 41
Thorntree Ct. W5 —8J 55
Thorntree Rd. SE7 —6H 79
Thornville Gro. Mitc —6B 106
Thornville St. SE8 —9L 77
Thornwell Ct. W7 —3C 70
(off Du Burstow Ter.)
Thornwood Clo. E18 —9F 30
Thornwood Ho. Buck H —9J 19
Thornwood Rd. SE13 —4C 94
Thornycroft Ho. W4 —6C 72
(off Fraser St.)
Thorogood Gdns. E15 —1C 62
Thorogood Way. Rain —4C 66
Thorold Clo. S Croy —2H 139
Thorold Ho. SE1 —3A 76
(off Pepper St.)
Thorold Rd. N22 —7J 27
Thorold Rd. Ilf —7M 47
Thorparch Rd. SW8 —9H 75
Thorpebank Rd. W12 —2E 72
Thorpe Clo. SE26 —1H 109
Thorpe Clo. W10 —9J 57
Thorpe Clo. New Ad —3A 140
Thorpe Clo. Orp —4C 128
Thorpe Ct. Enf —5M 15
Thorpe Cres. E17 —9K 29
Thorpe Cres. Wat —9G 9
Thorpedale Gdns. Ilf —2L 47
Thorpedale Rd. N4 —7J 43
Thorpe Hall Rd. E17 —8A 30
Thorpe Ho. N1 —4K 59
(off Barnsbury Est.)
Thorpe Lodge. Horn —4J 51
Thorpe Pk. —8J 107
Thorpe Rd. E6 —4K 63
Thorpe Rd. E7 —9D 46
Thorpe Rd. E17 —9A 30
Thorpe Rd. N15 —4C 44
Thorpe Rd. Bark —3B 64
Thorpe Rd. King T —4J 103
Thorpewood Av. SE26 —8F 92
Thorpland Av. Uxb —8A 36
Thorsden Way. SE19 —2C 108
Thorverton Rd. NW2 —8J 41
Thoydon Rd. E3 —5J 61
Thrale Rd. SW16 —1G 107
Thrale St. SE1 —2A 76
Thrapston Ho. Romf —6J 35
(off Lindfield Rd.)
Thrasher Clo. E8 —4D 60
Thrawl St. E1 —8D 60
Thrayle Ho. SW9 —2K 91
(off Benedict Rd.)
Threadgold Ho. N1 —2B 60
(off Dovercourt Est.)
Threadneedle St. EC2 —9B 60
Three Barrels Wlk. EC4 —1A 76
(off Queen St. Pl.)
Three Bridges Bus. Cen. S'hall —3A 70
Three Colt Corner. E2 & E1 —7E 60
(off Cheshire St.)
Three Colts La. E2 —7F 60
Three Colt St. E14 —9K 61
Three Corners. Bexh —1M 97
Three Cranes Wlk. EC4 —1A 76
(off Bell Wharf La.)
Three Cups Yd. WC1 —8K 59
(off Sandland St.)
Three Kings Yd. W1 —1F 74
Three Mill La. E3 —6A 62
Three Oak La. SE1 —3D 76
Three Quays. EC3 —1C 76
(off Tower Hill)
Three Quays Wlk. EC3 —1C 76
Three Valleys Way. Bush —7H 9
Threshers Pl. W11 —1J 73
Thriffwood. SE26 —9G 93
Thrift Farm La. Borwd —4A 12
Thrigby Rd. Chess —8K 119
Thring Ho. SW9 —1K 91
(off Stockwell Rd.)
Throckmorten Rd. E16 —9F 62
Throgmorton Av. EC2 —9B 60
(in two parts)
Throgmorton St. EC2 —9B 60
Throstle Pl. Wat —5G 5
Throwley Clo. SE2 —4G 81
(in two parts)
Throwley Rd. Sutt —7M 121
Throwley Way. Sutt —6M 121
Thrums. Wat —1F 8
Thrupp Clo. Mitc —6F 106
Thrupp's Av. W on T —7H 117
Thrupp's La. W on T —7H 117
Thrush Grn. Harr —2L 37
Thrush St. SE17 —6A 76
Thurbarn Rd. SE6 —2M 109
Thurland Ho. SE16 —5F 76
(off Camilla Rd.)
Thurland Rd. SE16 —4E 76
Thurlby Clo. Harr —4E 38
Thurlby Clo. Wfd G —5K 31
Thurlby Cft. NW4 —1G 41
(off Mulberry Clo.)
Thurlby Rd. SE27 —1L 107
Thurlby Rd. Wemb —2H 55
Thurleigh Av. SW12 —5E 90
Thurleigh Rd. SW12 —6D 90
Thurleston Av. Mord —9J 105
Thurlestone Av. N12 —6D 26
Thurlestone Av. Ilf —9D 48
Thurlestone Clo. Shep —1A 116
Thurlestone Ct. S'hall —9M 53
(off Howard Rd.)
Thurlestone Pde. Shep —1A 116
(off High St.)
Thurlestone Rd. SE27 —9L 91
Thurloe Clo. SW7 —5C 74
Thurloe Ct. SW3 —5C 74
(off Fulham Ct.)
Thurloe Gdns. Romf —4D 50
Thurloe Pl. SW7 —5B 74
Thurloe Pl. M. SW7 —5B 74
(off Thurloe Pl.)
Thurloe Sq. SW7 —5C 74
Thurloe St. SW7 —5B 74
Thurlow Clo. E4 —6M 29
Thurlow Gdns. Ilf —6B 32
Thurlow Gdns. Wemb —1H 55
Thurlow Hill. SE21 —7A 92
Thurlow Ho. SW16 —9J 91
Thurlow Pk. Rd. SE21 —8M 91
Thurlow Rd. NW3 —1B 58
Thurlow Rd. W7 —3E 70
Thurlow St. SE17 —6B 76
(in two parts)
Thurlow Ter. NW5 —1E 58
Thurlow Wlk. SE17 —6C 76
(in two parts)
Thurlstone Rd. Ruis —8E 36
Thurnby Ct. Twic —9C 86
Thurnscoe. NW1 —4G 59
(off Pratt St.)
Thurrock Commercial Cen. Ave —3K 83
Thursland Rd. Sidc —2J 113
Thursley Cres. New Ad —9A 126
Thursley Gdns. SW19 —8H 89
Thursley Ho. SW2 —6K 91
(off Holmewood Gdns.)
Thursley Rd. SE9 —9K 95
Thurso Clo. Romf —6M 35
Thurso Ho. NW6 —5M 57
Thurso St. SW17 —1B 106
Thurstan Dwellings. WC2 —9J 59
(off Newton St.)
Thurstan Rd. SW20 —4F 104
Thurston Ind. Est. SE13 —2M 93
Thurston Rd. SE13 —1M 93
Thurston Rd. S'hall —9K 53
Thurtle Rd. E2 —5D 60
Thwaite Clo. Eri —7A 82
Thyer Clo. Orp —6A 128
Thyra Gro. N12 —6M 25
Tibbatts Rd. E3 —7M 61
Tibbenham Pl. SE6 —8L 93
Tibbenham Wlk. E13 —5D 62
Tibberton Sq. N1 —4A 60
Tibbet's Clo. SW19 —7H 89
Tibbet's Corner. (Junct.) —6H 89
Tibbet's Ride. SW15 —6H 89
Tibbles Clo. Wat —8J 5
Tibbs Hill Rd. Ab L —3D 4
Tiber Gdns. N1 —4J 59
Ticehurst Clo. Orp —4E 112
Ticehurst Rd. SE23 —8J 93
Tichmarsh. Eps —2A 134
Tickford Clo. SE2 —3G 81
Tickford Ho. NW8 —6C 58
Tidal Basin Rd. E16 —1D 78
Tidbury Ct. SW8 —8G 75
(off Stewart's Rd.)
Tidenham Gdns. Croy —5C 124
Tideside Ct. SE18 —4J 79
Tideswell Rd. SW15 —3G 89
Tideswell Rd. Croy —5L 125
Tideway Clo. Rich —1F 102
Tideway Ct. SE16 —2H 77
Tideway Ho. E14 —3L 77
(off Strafford St.)
Tideway Ind. Est. SW8 —7G 75
(off Kirtling St.)
Tideway Wlk. SW8 —7G 75
Tidey St. E3 —8L 61
Tidford Rd. Well —1D 96
Tidworth Rd. E3 —7L 61
Tiepigs La. W W'ck & Brom —4C 126
Tierney Ct. Croy —4C 124
Tierney Rd. SW2 —7J 91
Tiffany Heights. SW18 —6L 89
Tiger La. Brom —8F 110
Tiger Way. E5 —9F 44
Tilbrook Rd. SE3 —2G 95
Tilbury Clo. SE15 —8D 76
Tilbury Clo. Orp —6F 112
Tilbury Ho. SE14 —7H 77
(off Myers La.)
Tilbury Rd. E6 —5K 63
Tilbury Rd. E10 —5A 46
Tildesley Rd. SW15 —5G 89
Tile Farm Rd. Orp —5B 128
Tilehouse Clo. Borwd —5K 11
Tilehurst Point. SE2 —3H 81
Tilehurst Rd. SW18 —7B 90
Tilehurst Rd. Sutt —7J 121
Tile Kiln La. N6 —6F 42
Tile Kiln La. N13 —5A 28
(in two parts)
Tile Kiln La. Bex —8A 98
(in two parts)
Tile Kiln La. Hare —5A 36
Tile Kiln Studios. N6 —6G 43
Tile Yd. E14 —9K 61
Tileyard Rd. N7 —3J 59
Tilford Av. New Ad —1A 140
Tilford Gdns. SW19 —7H 89
Tilford Ho. SW2 —6K 91
(off Holmewood Gdns.)
Tilia Clo. Sutt —7K 121
Tilia Rd. E5 —9F 44
Tilia Wlk. SW9 —3M 91
Till Av. F'ham —2K 131
Tilleard Ho. W10 —6J 57
(off Herries St.)
Tiller Rd. E14 —4L 77
Tillett Clo. NW10 —2A 56
Tillett Sq. SE16 —3J 77
Tillet Way. E2 —6E 60
Tillingbourne Gdns. N3 —1K 41
Tillingbourne Grn. Orp —8D 112
Tillingbourne Way. N3 —2K 41
Tillingham Ct. Wal A —6M 7
Tillingham Way. N12 —4L 25
Tilling Rd. NW2 —6G 41
Tilling Way. Wemb —8H 39
Tillman St. E1 —9F 60
Tilloch St. N1 —3K 59
Tillotson Ct. SW8 —8H 75
(off Wandsworth Rd.)
Tillotson Rd. N9 —2D 28
Tillotson Rd. Harr —7M 21
Tillotson Rd. Ilf —5L 47
Tilmans Mead. F'ham —3K 131
Tilney Ct. EC1 —7A 60
Tilney Ct. Buck H —2E 30
Tilney Dri. Buck H —2E 30
Tilney Gdns. N1 —2B 60
Tilney Rd. Dag —2K 65
(in two parts)
Tilney Rd. S'hall —5G 69
Tilney St. W1 —2E 74
Tilson Gdns. SW12 —6J 91
Tilson Ho. SW2 —6J 91
Tilson Rd. N17 —8E 28
Tilston Clo. E11 —8D 46
Tilton St. SW6 —7J 73
Tiltwood, The. W3 —1A 72
Tilt Yd. App. SE9 —5K 95
Timber Clo. Chst —6L 111
Timbercroft. Eps —6C 120
Timbercroft La. SE18 —7C 80
Timberdene. NW4 —9H 25
Timberdene Av. Ilf —8M 31
Timberland Clo. SE15 —8E 76
Timberland Rd. E1 —9F 60
Timberling Gdns. S Croy —1B 138
Timber Mill Way. SW4 —2H 91
Timber Pond Rd. SE16 —2H 77
Timberslip Dri. Wall —1H 137
Timbers, The. Sutt —8J 121
Timber St. EC1 —7A 60
Timbertop Rd. Big H —9G 141
Timberwharf Rd. N16 —4E 44
Timber Wharves Est. E14 —5L 77
(off Copeland Dri.)
Timbrell Pl. SE16 —2K 77
Time Sq. E8 —1D 60
Times Sq. Sutt —7M 121
Timor Ho. E1 —7J 61
(off Duckett St.)
Timothy Clo. SW4 —4G 91
Timothy Clo. Bexh —4J 97
Timothy Ho. Eri —3J 81
(off Kale Rd.)
Timothy Rd. E3 —8K 61
Timsbury Wlk. SW15 —7E 88
Tindale Clo. S Croy —3B 138
Tindall Clo. Romf —9K 35
Tindal St. SW9 —9M 75
Tinderbox All. SW14 —2B 88
Tine Rd. Chig —5C 32
(in two parts)
Tinniswood Clo. N5 —1L 59
Tinsley Rd. E1 —8G 61
Tintagel Clo. Eps —6D 134
Tintagel Ct. Horn —6L 51
Tintagel Cres. SE22 —3D 92
Tintagel Dri. Stan —4H 23
Tintagel Gdns. SE22 —3D 92
Tintagel Rd. Orp —4G 129
Tintern Av. NW9 —1M 39
Tintern Clo. SW15 —4J 89
Tintern Clo. SW19 —3A 106
Tintern Ct. W13 —1E 70
Tintern Gdns. N14 —9J 15
Tintern Ho. NW1 —5F 58
(off Augustus St.)
Tintern Ho. SW1 —5F 74
(off Abbots Mnr.)
Tintern Path. NW9 —4C 40
(off Fryent Gro.)
Tintern Rd. N22 —8A 28
Tintern Rd. Cars —3B 122
Tintern St. SW4 —3J 91
Tintern Way. Harr —6M 37
Tinto Rd. E16 —7E 62
Tinwell M. Borwd —7B 12
Tinworth St. SE1 —6J 75

Trafford Ho.—Tufton St.

Trafford Ho. N1 —5B 60
(off Cranston Est.)
Trafford Rd. T Hth —9K 107
Traitors' Gate. —2D 76
(off Tower of London, The)
Tralee Ct. SE16 —6F 76
(off Masters Dri.)
Tramsheds Ind. Est. Croy —2H 123
Tramway Av. E15 —3C 62
Tramway Av. N9 —9F 16
Tramway Path. Mitc —8C 106
(in three parts)
Tranley M. NW3 —9C 42
Tranmere Ct. Sutt —9A 122
Tranmere Rd. N9 —9D 16
Tranmere Rd. SW18 —8A 90
Tranmere Rd. Twic —6M 85
Tranquil Pas. SE3 —1D 94
Tranquil Ri. Eri —6C 82
Tranquil Va. SE3 —1C 94
Transay Wlk. N1 —2B 60
Transept St. NW1 —8C 58
Transmere Clo. Orp —1A 128
Transmere Rd. Orp —1A 128
Transom Clo. SE16 —5J 77
Transom Sq. E14 —6M 77
Transport Av. Bren —6E 70
Tranton Rd. SE16 —4E 76
Trappes Ho. SE16 —5F 76
(off Camilla Rd.)
Trap's Hill. Lou —5K 19
Traps La. N Mald —5C 104
Travellers Site. E17 —6K 29
Travellers Way. Houn —1G 85
Travers Clo. E17 —8H 29
Travers Ho. SE10 —7B 78
(off Trafalgar Gro.)
Travers Rd. N7 —8L 43
Travis Ho. SE10 —9A 78
Treacy Clo. Bus H —2A 22
Treadgold St. W11 —1H 73
Treadway St. E2 —5F 60
Treadwell Rd. Eps —8C 134
Treasury Pas. SW1 —3J 75
(off Downing St.)
Treaty Cen. Houn —2M 85
Treaty St. N1 —4K 59
Trebeck St. W1 —2F 74
Trebovir Rd. SW5 —6L 73
Treby St. E3 —7K 61
Trecastle Way. N7 —9H 43
Tredegar M. E3 —6K 61
Tredegar Rd. E3 —5K 61
Tredegar Rd. N11 —7H 27
Tredegar Rd. Dart —8E 98
Tredegar Sq. E3 —6K 61
Tredegar Ter. E3 —6K 61
Trederwen Rd. E8 —4E 60
Tredown Rd. SE26 —2G 109
Tredwell Clo. SW2 —8K 91
Tredwell Clo. Brom —8J 111
Tredwell Rd. SE27 —1M 107
Treebourne Rd. Big H —9G 141
Tree Clo. Rich —7H 87
Treemount Ct. Eps —5C 134
Treen Av. SW13 —2D 88
Tree Rd. E16 —9G 63
Treeside Clo. W Dray —5H 143
Tree Top M. Dag —2B 66
Treetops Clo. SE2 —6J 81
Treetops Clo. N'wd —5B 20
Treeview Clo. SE19 —5C 108
Treewall Gdns. Brom —1F 110
Trefgarne Rd. Dag —7L 49
Trefil Wlk. N7 —9J 43
Trefoil Ho. Eri —3J 81
(off Kale Rd.)
Trefoil Rd. SW18 —4A 90
Trefusis Ct. Houn —9F 68
Trefusis Wlk. Wat —3C 8
Tregaron Av. N8 —4J 43
Tregaron Gdns. N Mald —8C 104
Tregarvon Rd. SW11 —3E 90
Tregenna Av. Harr —9L 37
Tregenna Clo. N14 —7G 15
Tregenna Ct. S Harr —9L 37
Tregony Rd. Orp —6D 128
Trego Rd. E9 —3L 61
Tregothnan Rd. SW9 —2J 91
Tregunter Rd. SW10 —7M 73
Trehearn Rd. Ilf —7B 32
Treherne Ct. SW9 —9M 75
Treherne Ct. SW17 —1E 106
Trehern Rd. SW14 —2B 88
Trehurst St. E5 —1J 61
Trelawney Est. E9 —2G 61
Trelawney Ho. SE1 —3A 76
(off Pepper St.)
Trelawney Rd. Ilf —7B 32
Trelawn Rd. E10 —8A 46
Trelawn Rd. SW2 —4L 91
Trelawny Clo. E17 —2M 45
Trellick Tower. W10 —7K 57
(off Golborne Rd.)
Trellis Sq. E3 —6K 61
Treloar Gdns. SE19 —3B 108
Tremadoc Rd. SW4 —3H 91
Tremaine Clo. SE4 —1L 93
Tremaine Rd. SE20 —6F 108
Trematon Ho. SE11 —6L 75
(off Kennings Way)
Trematon Pl. Tedd —4G 103
Tremlett Gro. N19 —8G 43
Tremlett M. N19 —8G 43
Trenance Gdns. Ilf —8E 48
Trenchard Av. Ruis —9F 36
Trenchard Clo. NW9 —8C 24
Trenchard Clo. Stan —6E 22
Trenchard Clo. W on T —7G 117
Trenchard Ct. NW4 —3E 40
Trenchard Ct. Mord —1L 121
Trenchard St. SE10 —6B 78
Trenchold St. SW8 —7J 75
Trendell Ho. E14 —9L 61
(off Dod St.)
Trenear Clo. Orp —6E 128
Trenham Dri. Warl —8G 139
Trenholme Clo. SE20 —4F 108
Trenholme Rd. SE20 —4F 108
Trenholme Ter. SE20 —4F 108
Trenmar Gdns. NW10 —6F 56
Trent Av. W5 —4G 71
Trentbridge Clo. Ilf —6D 32
Trent Ct. S Croy —7A 124
(off Nottingham Rd.)
Trent Gdns. N14 —8F 14
Trentham Dri. Orp —8E 112
Trentham St. SW18 —7L 89
Trent Ho. SE15 —3G 93
Trent Ho. King T —5H 103
Trent Pk. Country Pk. —3F 14
Trent Rd. SW2 —4K 91
Trent Rd. Buck H —1F 30
Trent Way. Hay —5C 52
Trent Way. Wor Pk —5G 121
Trentwood Side. Enf —5K 15
Treport St. SW18 —6M 89
Tresco Clo. Brom —3C 110
Trescoe Gdns. Harr —5J 37
Trescoe Gdns. Romf —5A 34
Tresco Gdns. Ilf —7E 48
Tresco Ho. SE11 —6L 75
(off Sancroft St.)
Tresco Rd. SE15 —3F 92
Tresham Cres. NW8 —7C 58
Tresham Rd. Bark —3D 64
Tresham Wlk. E9 —1G 61
Tresidder Ho. SW4 —6H 91
Tresilian Av. N21 —7K 15
Tressell Clo. N1 —3M 59
Tressillian Cres. SE4 —2L 93
Tressillian Rd. SE4 —3K 93
Tress Pl. SE1 —2M 75
(off Blackfriars Rd.)
Trestis Clo. Hay —7H 53
Treswell Rd. Dag —4J 65
Tretawn Gdns. NW7 —4C 24
Tretawn Pk. NW7 —4C 24
Trevanion Rd. W14 —5J 73
Treve Av. Harr —5B 38
Trevellance Way. Wat —6H 5
Trevelyan Av. E12 —9K 47
Trevelyan Clo. Dart —3K 99
Trevelyan Cres. Harr —5H 39
Trevelyan Gdns. NW10 —4G 57
Trevelyan Ho. E2 —6H 61
(off Morpeth St.)
Trevelyan Ho. SE5 —8M 75
(off John Ruskin St.)
Trevelyan Rd. E15 —9D 46
Trevelyan Rd. SW17 —2C 106
Trevenna Ho. SE23 —9H 93
(off Dacres Rd.)
Trevera Ct. Enf —7J 17
Trevera Ct. Wal X —6E 6
(off Eleanor Rd.)
Treveris St. SE1 —2M 75
Treverton St. W10 —7J 57
Treverton Towers. W10 —8H 57
(off Treverton St.)
Treves Clo. N21 —7K 15
Treves Ho. E1 —7E 60
(off Vallance Rd.)
Treville St. SW15 —6F 88
Treviso Rd. SE23 —8H 93
Trevithick Clo. Felt —7D 84
Trevithick Dri. Dart —3K 99
Trevithick Ho. SE16 —5F 76
(off Rennie Est.)
Trevithick St. SE8 —7L 77
Trevone Ct. SW2 —6J 91
(off Doverfield Rd.)
Trevone Gdns. Pinn —4J 37
Trevor Clo. Brom —2D 126
Trevor Clo. E Barn —8B 14
Trevor Clo. Harr —7D 22
Trevor Clo. Iswth —4D 86
Trevor Clo. N'holt —5G 53
Trevor Cres. Ruis —9D 36
Trevor Gdns. Edgw —8B 24
Trevor Gdns. N'holt —5G 53
Trevor Gdns. Ruis —9E 36
Trevor Pl. SW7 —3C 74
Trevor Rd. SW19 —4J 105
Trevor Rd. Edgw —8B 24
Trevor Rd. Hay —3C 68
Trevor Rd. Wfd G —7E 30
Trevor Sq. SW7 —3D 74
Trevor St. SW7 —3C 74
Trevor Wlk. SW7 —3C 74
(off Trevor Pl.)
Trevose Ho. SE11 —6K 75
(off Orsett St.)
Trevose Rd. E17 —8B 30
Trevose Way. Wat —3G 21
Trewenna Dri. Chess —7H 119
Trewince Rd. SW20 —5G 105
Trewint St. SW18 —8A 90
Trewsbury Ho. SE2 —2H 81
Trewsbury Rd. SE26 —2H 109
Triandra Way. Hay —8H 53
Triangle Bus. Cen., The. NW10 —6D 56
Triangle Cen. S'hall —2B 70
Triangle Ct. E16 —8H 63
Triangle Pas. Barn —6A 14
Triangle Pl. SW4 —3H 91
Triangle Rd. E8 —4F 60
Triangle, The. E8 —4F 60
Triangle, The. EC1 —7M 59
(off Cyrus St.)
Triangle, The. N13 —4K 27
Triangle, The. Bark —2A 64
Triangle, The. King T —6M 103
Triangle, The. Sidc —6E 96
(off Burnt Oak La.)
Triangle, The. Wemb —1K 55
Trickett Ho. Sutt —1M 135
Tricycle Theatre. —3K 57
(off Kilburn High Rd.)
Trident Bus. Cen. SW17 —2D 106
Trident Gdns. N'holt —6H 53
Trident Ho. E14 —9A 62
(off Blair St.)
Trident Rd. Wat —7D 4
Trident St. SE16 —5H 77
Trident Way. S'hall —4F 68
Trig La. EC4 —1A 76
Trigo Ct. Eps —3B 134
Trigon Rd. SW8 —8K 75
Trilby Rd. SE23 —8H 93
Trillo Ct. Ilf —5C 48
Trimdon. NW1 —4G 59
Trimmer Wlk. Bren —7J 71
Trim St. SE14 —7K 77
Trinder Gdns. N19 —6J 43
Trinder Rd. N19 —6J 43
Trinder Rd. Barn —7G 13
Tring Av. W5 —2K 71
Tring Av. S'hall —9K 53
Tring Av. Wemb —2L 55
Tring Clo. Ilf —3B 48
Tring Clo. Romf —4K 35
Tring Ct. Twic —1E 102
Tring Gdns. Romf —4J 35
Tring Grn. Romf —4J 35
Tring Ho. Wat —9C 8
Tring Wlk. Romf —4J 35
Trinidad Gdns. Dag —3B 66
Trinidad Ho. E14 —1K 77
(off Gill St.)
Trinidad St. E14 —1K 77
Trinity Av. N2 —1B 42
Trinity Av. Enf —8D 16
Trinity Buoy Wharf. E14 —1C 78
(off Orchard Pl.)
Trinity Bus. Pk. E4 —6K 29
Trinity Chu. Pas. SW13 —7F 72
Trinity Chu. Rd. SW13 —7F 72
Trinity Chu. Sq. SE1 —4A 76
Trinity Clo. E8 —2D 60
Trinity Clo. E11 —7C 46
Trinity Clo. NW3 —9B 42
Trinity Clo. SE13 —3B 94
Trinity Clo. SW4 —3G 91
Trinity Clo. Brom —3J 127
Trinity Clo. Houn —3J 85
Trinity Clo. N'wd —6C 20
Trinity Clo. S Croy —1C 138
Trinity Clo. Stanw —5A 144
Trinity Cotts. Rich —2K 87
Trinity Ct. SE1 —4A 76
(off Brockham St.)
Trinity Ct. SE7 —5H 79
Trinity Ct. SE25 —1C 124
Trinity Ct. SE26 —9G 93
Trinity Ct. W2 —9A 58
(off Gloucester Ter.)
Trinity Ct. WC1 —7K 59
(off Gray's Inn Rd.)
Trinity Ct. Croy —4A 124
Trinity Ct. Dart —7M 99
(off Churchill Clo.)
Trinity Ct. Enf —4A 16
Trinity Cres. SW17 —8D 90
Trinity Gdns. E16 —8D 62
Trinity Gdns. SW9 —3K 91
Trinity Gdns. Dart —5H 99
Trinity Grn. E1 —7G 61
Trinity Gro. SE10 —9A 78
Trinity Hall Clo. Wat —5G 9
Trinity Hospital Almshouses. SE10 —6B 78
(off High Bri.)
Trinity Ho. SE1 —4A 76
(off Bath Ter.)
Trinity Ho. Wal X —5E 6
Trinity La. Wal X —5E 6
Trinity M. SE20 —5F 108
Trinity M. W10 —9H 57
Trinity Path. SE23 —9G 93
Trinity Pier. E14 —1C 78
Trinity Pl. EC3 —1D 76
Trinity Pl. Bexh —3K 97
Trinity Ri. SW2 —7L 91
Trinity Rd. N2 —1B 42
Trinity Rd. N22 —7J 27
(in two parts)
Trinity Rd. SW18 & SW17 —3A 90
Trinity Rd. SW19 —3L 105
Trinity Rd. Ilf —1A 48
Trinity Rd. Rich —2K 87
Trinity Rd. S'hall —2J 69
Trinity Sq. EC3 —1C 76
Trinity St. E16 —8D 62
Trinity St. SE1 —3A 76
(in two parts)
Trinity St. Enf —4A 16
Trinity Tower. E1 —1E 76
(off Vaughan Way)
Trinity Wlk. NW3 —2A 58
Trinity Way. E4 —6K 29
Trinity Way. W3 —1C 72
Trio Pl. SE1 —3A 76
Tristan Ct. SE8 —7K 77
(off Dorking Clo)
Tristan Sq. SE3 —2C 94
Tristram Clo. E17 —1B 46
Tristram Rd. Brom —1D 110
Triton Ho. E14 —5M 77
(off Cahir St.)
Triton Sq. NW1 —7G 59
Tritton Av. Croy —6J 123
Tritton Rd. SE21 —9B 92
Triumph Clo. Hay —9A 68
Triumph Ho. Bark —6E 64
Triumph Rd. E6 —9K 63
Triumph Trad. Est. N17 —6E 28
Trocadero Entertainment Cen. —1H 75
Trocette Mans. SE1 —4C 76
(off Bermondsey St.)
Trojan Ct. NW6 —3J 57
Trojan Ind. Est. NW10 —2D 56
Trojan Way. Croy —5K 123
Troon Clo. SE16 —6F 76
Troon Clo. SE28 —9H 65
Troon Ho. E1 —9J 61
(off White Horse Rd.)
Troon St. E1 —9J 61
Troopers Dri. Romf —4H 35
Trosley Rd. Belv —7L 81
Trossachs Rd. SE22 —4C 92
Trothy Rd. SE1 —5E 76
Trotman Ho. SE14 —9G 77
(off Pomeroy St.)
Trotters Bottom. Barn —1E 12
Trotter Way. Eps —4M 133
Trott Rd. N10 —7D 26
Trott St. SW11 —9C 74
Trot Wood. Chig —5B 32
Troughton Rd. SE7 —6F 78
Troutbeck. NW1 —6F 58
(off Albany St.)
Troutbeck Rd. SE14 —9J 77
Trout La. W Dray —1G 143
Trout Rd. W Dray —2H 143
Trouville Rd. SW4 —5G 91
Trowbridge Rd. E9 —2K 61
Trowbridge Rd. Romf —6H 35
Trowley Ri. Ab L —4C 4
Trowlock Av. Tedd —3G 103
Trowlock Way. Tedd —3H 103
Troy Ct. SE18 —5M 79
Troy Ct. W8 —4L 73
(off Kensington High St.)
Troy Ind. Est. Harr —3D 38
Troy Rd. SE19 —3B 108
Troy Town. SE15 —2E 92
Trubshaw Rd. S'hall —4M 69
Truesdale Rd. E6 —9K 63
Trulock Ct. N17 —7E 28
Trulock Rd. N17 —7E 28
Truman Clo. Edgw —7M 23
Trumans Rd. N16 —1D 60
Trumble Gdns. T Hth —8M 107
Trumpers Way. W7 —4C 70
Trumper Way. Uxb —3A 142
Trumpington Rd. E7 —9D 46
Trump St. EC2 —9A 60
Trundlers Way. Bush —1C 22
Trundle St. SE1 —3A 76
(off Weller St.)
Trundley's Rd. SE8 —6H 77
Trundley's Ter. SE8 —5H 77
Trunks All. Swan —6M 113
Truro Gdns. Ilf —5J 47
Truro Ho. Pinn —7K 21
Truro Rd. E17 —2K 45
Truro Rd. N22 —7J 27
Truro St. NW5 —2E 58
Truro Wlk. Romf —6G 35
Truro Way. N'holt —6C 52
Truslove Rd. SE27 —2L 107
Trussley Rd. W6 —4G 73
Truston's Gdns. Horn —5E 50
Trust Rd. Wal X —7E 6
Trust Wlk. SE21 —7M 91
Tryfan Clo. Ilf —3H 47
Tryon Cres. E9 —4G 61
Tryon St. SW3 —6D 74
Trystings Clo. Clay —8E 118
Tuam Rd. SE18 —7B 80
Tubbenden Clo. Orp —5C 128
Tubbenden Dri. Orp —6B 128
Tubbenden La. Orp —6B 128
Tubbenden La. S. Orp —7B 128
Tubbs Rd. NW10 —5D 56
Tucker St. Wat —7G 9
Tucklow Wlk. SW15 —6D 88
Tuck Rd. Rain —2E 66
Tudor Av. E17 —5K 45
Tudor Av. Chesh —4A 6
Tudor Av. Hamp —4L 101
Tudor Av. Romf —1E 50
Tudor Av. Wat —2H 9
Tudor Av. Wor Pk —5F 120
Tudor Clo. N6 —5G 43
Tudor Clo. NW3 —1C 58
Tudor Clo. NW7 —6E 24
Tudor Clo. NW9 —7A 40
Tudor Clo. SW2 —5K 91
Tudor Clo. Ashf —9C 144
Tudor Clo. Bans —7J 135
Tudor Clo. Chesh —4B 6
Tudor Clo. Chess —7J 119
Tudor Clo. Chig —4L 31
Tudor Clo. Chst —5K 111
Tudor Clo. Dart —5F 98
Tudor Clo. Eps —2D 134
Tudor Clo. Hamp —2A 102
Tudor Clo. Pinn —3E 36
Tudor Clo. S Croy —7F 138
Tudor Clo. Sutt —7H 121
Tudor Clo. Wall —9G 123
Tudor Clo. Wfd G —5F 30
Tudor Ct. N1 —2C 60
Tudor Ct. N22 —7J 27
Tudor Ct. SE9 —3J 95
Tudor Ct. SE16 —2H 77
(off Princes Riverside Rd.)
Tudor Ct. W3 —3L 71
Tudor Ct. Big H —9J 141
Tudor Ct. Borwd —4J 11
Tudor Ct. Crock —2A 130
Tudor Ct. Felt —1G 101
Tudor Ct. Romf —6M 35
Tudor Ct. Sidc —9E 96
Tudor Ct. Stanw —5C 144
Tudor Ct. Tedd —3D 102
Tudor Ct. N. Wemb —1L 55
Tudor Ct. S. Wemb —1L 55
Tudor Cres. Enf —3A 16
Tudor Cres. Ilf —6M 31
Tudor Dri. King T —2H 103
Tudor Dri. Mord —1H 121
Tudor Dri. Romf —2E 50
Tudor Dri. W on T —3H 117
Tudor Dri. Wat —2H 9
Tudor Enterprise Pk. Harr —8D 38
(HA1)
Tudor Enterprise Pk. Harr —1B 38
(HA3)
Tudor Est. NW10 —5M 55
Tudor Gdns. NW9 —7A 40
Tudor Gdns. SW13 —2C 88
Tudor Gdns. W3 —8L 55
Tudor Gdns. Harr —9B 22
Tudor Gdns. Romf —2E 50
Tudor Gdns. Twic —7D 86
Tudor Gdns. Upm —7M 51
Tudor Gdns. W W'ck —5A 126
Tudor Gro. E9 —3G 61
Tudor Ho. E9 —3G 61
Tudor Ho. W14 —5H 73
(off Windsor Way)
Tudor Ho. Pinn —9G 21
(off Pinner Hill Rd.)
Tudor Mnr. Gdns. Wat —5H 5
Tudor M. Romf —3D 50
Tudor Pde. SE9 —3J 95
Tudor Pde. Romf —5H 49
Tudor Pl. SE19 —4D 108
Tudor Pl. Mitc —4C 106
Tudor Rd. E4 —6M 29
Tudor Rd. E6 —4G 63
Tudor Rd. E9 —4F 60
Tudor Rd. N9 —9F 16
Tudor Rd. SE19 —4D 108
Tudor Rd. SE25 —9F 108
Tudor Rd. Ashf —3B 100
Tudor Rd. Bark —4D 64
Tudor Rd. Barn —5L 13
Tudor Rd. Beck —7A 110
Tudor Rd. Hamp —4L 101
Tudor Rd. Harr —9B 22
Tudor Rd. Hay —9B 52
Tudor Rd. Houn —3B 86
Tudor Rd. King T —4L 103
Tudor Rd. Pinn —9G 21
Tudor Rd. S'hall —1J 69
Tudor Sq. Hay —8B 52
Tudor Stacks. SE24 —3A 92
Tudor St. EC4 —1L 75
Tudor Wlk. Bex —5J 97
Tudor Wlk. Wat —1H 9
Tudor Wlk. Wey —5A 116
Tudor Way. N14 —1H 27
Tudor Way. W3 —3L 71
Tudor Way. Orp —1B 128
Tudor Way. Uxb —2E 142
Tudor Way. Wal A —6K 7
Tudor Well Clo. Stan —5F 22
Tudor Works. Hay —2H 69
Tudway Rd. SE3 —2F 94
Tuffnell Ct. Chesh —1D 6
(off Coopers Wlk.)
Tufnail Rd. Dart —5K 99
Tufnell Park. —9G 43
Tufnell Pk. Rd. N19 & N7 —9G 43
Tufter Rd. Chig —5D 32
Tufton Ct. SW1 —4J 75
(off Tufton St.)
Tufton Gdns. W Mol —6M 101
Tufton Rd. E4 —4L 29
Tufton St. SW1 —4J 75

Tugboat St.—Up. Grosvenor St.

Tugboat St. SE28 —3C 80
Tugela Rd. Croy —1B 124
Tugela St. SE6 —8K 93
Tugmutton Clo. Orp —6M 127
Tulip Clo. E6 —8K 63
Tulip Clo. Croy —3H 125
Tulip Clo. Hamp —3K 101
Tulip Clo. Romf —6G 35
Tulip Clo. S'hall —3A 70
Tulip Gdns. E4 —3B 30
Tulip Gdns. Ilf —2M 63
Tulip Tree Ct. Belm —3L 135
Tulip Way. W Dray —9F 143
Tull St. Mitc —2D 122
Tulse Clo. Beck —7A 110
Tulse Hill. —7M 91
Tulse Hill. SW2 —5L 91
Tulse Hill Est. SW2 —5L 91
Tulse Ho. SW2 —5L 91
Tulsemere Rd. SE27 —8A 92
Tumblewood Rd. Bans —8J 135
Tumbling Bay. W on T —1E 116
Tummons Gdns. SE25 —6C 108
Tunbridge Ho. EC1 —6M 59
(off Spa Grn. Est.)
Tuncombe Rd. N18 —4C 28
Tunis Rd. W12 —2G 73
Tunley Grn. E14 —8K 61
Tunley Rd. NW10 —4C 56
Tunley Rd. SW17 —7E 90
Tunmarsh La. E13 —6F 62
Tunnanleys. E6 —9L 63
Tunnel App. E14 —1J 77
Tunnel App. SE10 —3C 78
Tunnel App. SE16 —3G 77
Tunnel Av. SE10 —3B 78
(in two parts)
Tunnel Av. Trad. Est. SE10 —3B 78
Tunnel Gdns. N11 —7G 27
Tunnel Link Rd. H'row A —4E 144
Tunnel Rd. SE16 —3G 77
Tunnel Rd. E. H'row A —9M 143
Tunnel Rd. W. H'row A —9L 143
Tunnel Wood Clo. Wat —1D 8
Tunnel Wood Rd. Wat —1D 8
Tunstall Av. Ilf —6E 32
Tunstall Clo. Orp —6C 128
Tunstall Rd. SW9 —3K 91
Tunstall Rd. Croy —3C 124
Tunstall Wlk. Bren —7J 71
Tunstock Way. Belv —4J 81
Tunworth Clo. NW9 —4A 40
Tunworth Cres. SW15 —5D 88
Tun Yd. SW8 —1F 90
(off Silverthorne Rd.)
Tupelo Rd. E10 —7M 45
Tupman Ho. SE16 —3E 76
(off Scott Lidgett Cres.)
Turenne Clo. SW18 —3A 90
Turin Rd. N9 —9G 17
Turin St. E2 —6E 60
Turkey Oak Clo. SE19 —4C 108
Turkey Street. —1F 16
Turkey St. Enf —9A 6
(in two parts)
Turks Clo. Uxb —6E 142
Turk's Head Yd. EC1 —8M 59
Turk's Row. SW3 —6D 74
Turle Rd. N4 —7K 43
Turle Rd. SW16 —6J 107
Turlewray Clo. N4 —6K 43
Turley Clo. E15 —4C 62
Turnagain La. EC4 —9M 59
(off Farringdon St.)
Turnage Rd. Dag —6J 49
Turnberry Clo. NW4 —9H 25
Turnberry Clo. SE16 —6F 76
(off Ryder Dri.)
Turnberry Ct. Wat —3G 21
Turnberry Dri. Brick W —3J 5
Turnberry Quay. E14 —4M 77
Turnberry Way. Orp —3B 128
Turnbull Ho. N1 —4M 59
Turnbury Clo. SE28 —9H 65
Turnchapel M. SW4 —2F 90
Turner Av. N15 —2C 44
Turner Av. Mitc —5D 106
Turner Av. Twic —9A 86
Turner Clo. NW11 —4M 41
Turner Clo. SE5 —8M 75
Turner Clo. Hay —5A 52
Turner Clo. Wemb —1H 55
Turner Ct. SE16 —3G 77
(off Albion St.)
Turner Ct. Dart —4G 99
Turner Dri. NW11 —4M 41
Turner Ho. NW8 —5C 58
(off Townshend Est.)
Turner Ho. SW1 —5H 75
(off Herrick St.)
Turner Ho. Twic —5H 87
(off Clevedon Rd.)
Turner Pl. SW11 —4C 90
Turner Rd. E17 —1A 46
Turner Rd. Big H —4G 141
Turner Rd. Bush —6A 10
Turner Rd. Edgw —9J 23
Turner Rd. N Mald —2B 120
Turner's All. EC3 —1C 76
Turner's Hill. Chesh & Wal X —2D 6
Turners La. W on T —8F 116
Turners Mdw. Way. Beck —5K 109
Turners Rd. E14 & E3 —8K 61
Turner St. E1 —8F 60
Turner St. E16 —9D 62
Turner's Way. Croy —4L 123
Turners Wood. NW11 —5A 42
Turneville Rd. W14 —7K 73
Turney Rd. SE21 —6A 92
Turnham Green. —6B 72
Turnham Grn. Ter. W4 —5C 72
Turnham Grn. Ter. M. W4 —5C 72
Turnham Rd. SE4 —4J 93
Turnmill St. EC1 —7M 59
Turnour Ho. E1 —9F 60
(off Walburgh St.)
Turnpike Clo. SE8 —8K 77
Turnpike Ct. Bexh —3H 97
Turnpike Ho. EC1 —6M 59
Turnpike La. N8 —2K 43
Turnpike La. Sutt —7A 122
Turnpike La. Uxb —6C 142
Turnpike Link. Croy —4C 124
Turnpike Pde. N8 —1M 43
(off Green Lanes)
Turnpike Way. Iswth —9E 70
Turnpin La. SE10 —7A 78
Turnstone Clo. E13 —6E 62
Turnstone Clo. NW9 —9C 24
Turnstone Clo. Ick —1F 142
Turnstone Clo. S Croy —2J 139
Turnstones, The. Wat —9J 5
Turpentine La. SW1 —6F 74
Turpin Av. Romf —6L 33
Turpin Clo. Enf —1L 17
Turpington Clo. Brom —1J 127
Turpington La. Brom —2J 127
Turpin Ho. SW11 —9F 74
Turpin La. Eri —8E 82
Turpin Rd. Felt —5D 84
Turpin's La. Wfd G —5K 31
Turpin Way. N19 —7H 43
(in two parts)
Turpin Way. Wall —9F 122
Turquand St. SE17 —5A 76
Turret Gro. SW4 —2G 91
Turton Rd. Wemb —1J 55
Turville Ho. NW8 —7C 58
(off Grendon St.)
Turville St. E2 —7D 60
Tuscan Ho. E2 —6G 61
(off Knottisford St.)
Tuscan Rd. SE18 —6B 80
Tuscany Ho. E17 —9K 29
Tuskar St. SE10 —7C 78
Tustin Est. SE15 —7G 77
Tutshill Ct. SE15 —8C 76
(off Newent Clo.)
Tuttlebee La. Buck H —2E 30
Tuttle Ho. SW1 —6H 75
(off Aylesford St.)
Tuxford Clo. Borwd —2J 11
Tweedale Ct. E15 —1A 62
Tweed Ct. W7 —9C 54
(off Hanway Rd.)
Tweeddale Gro. Uxb —8A 36
Tweeddale Rd. Cars —3B 122
Tweed Glen. Romf —7B 34
Tweed Grn. Romf —7B 34
Tweed Ho. E14 —7A 62
(off Teviot St.)
Tweedmouth Rd. E13 —5F 62
Tweed Way. Romf —7B 34
Tweedy Clo. Enf —7D 16
Tweedy Rd. Brom —5E 110
Tweezer's All. WC2 —1L 75
(off Milford La.)
Twelvetrees Cres. E3 & E16 —7A 62
(in two parts)
Twentyman Clo. Wfd G —5E 30
Twickenham. —7E 86
Twickenham Clo. Croy —5K 123
Twickenham Gdns. Gnfd —1E 54
Twickenham Gdns. Harr —7C 22
Twickenham Rd. E11 —7A 46
Twickenham Rd. Felt & Hanw —9K 85
Twickenham Rd. Iswth —4E 86
Twickenham Rd. Rich —3G 87
Twickenham Rd. Tedd —1E 102
(in two parts)
Twickenham Rugby Union Football Ground. —5C 86
Twickenham Stadium Tours. —5C 86
Twickenham Trad. Est. Twic —5D 86
Twig Folly Clo. E2 —5H 61
Twigg Clo. Eri —8C 82
Twilley St. SW18 —6M 89
Twin Bridges Bus. Pk. S Croy —8B 124
Twine Clo. Bark —6F 64
Twine Ct. E1 —1G 77
Twineham Grn. N12 —4L 25
Twine Ter. E3 —7K 61
(off Ropery St.)
Twining Av. Twic —9A 86
Twinn Rd. NW7 —6J 25
Twin Tumps Way. SE28 —1E 80
Twisden Rd. NW5 —9F 42
Twistleton Ct. Dart —5H 99
Twybridge Way. NW10 —3A 56
Twycross M. SE10 —6C 78
Twyford Abbey Rd. NW10 —6K 55
Twyford Av. N2 —1D 42
Twyford Av. W3 —1L 71
Twyford Ct. N10 —1E 42
Twyford Ct. Wemb —5J 55
(off Vicars Bri. Clo.)
Twyford Cres. W3 —2L 71
Twyford Ho. N5 —8M 43
Twyford Ho. N15 —4C 44
(off Chisley Rd.)
Twyford Pl. WC2 —9K 59
Twyford Rd. Cars —3B 122
Twyford Rd. Harr —6M 37
Twyford Rd. Ilf —1A 64
Twyford St. N1 —4K 59
Tyas Rd. E16 —7D 62
Tybenham Rd. SW19 —7L 105
Tyberry Rd. Enf —5F 16
Tyburn La. Harr —5D 38
Tyburn Way. W1 —1D 74
Tycehurst Hill. Lou —6J 19
Tye La. Orp —7A 128
Tyers Est. SE1 —3C 76
(off Bermondsey St.)
Tyers Ga. SE1 —3C 76
Tyers St. SE11 —6K 75
Tyers Ter. SE11 —6K 75
Tyeshurst Clo. SE2 —6J 81
Tyfield Clo. Chesh —3C 6
Tykeswater La. Els —4G 11
Tylecroft Rd. SW16 —6J 107
Tyle Grn. Horn —2J 51
Tylehurst Gdns. Ilf —1A 64
Tyler Clo. E2 —5D 60
Tyler Gro. Dart —3K 99
Tyler Rd. S'hall —4M 69
Tylers Clo. Lou —9J 19
Tylers Ct. E17 —2L 45
(off Westbury Rd.)
Tyler's Ct. W1 —9H 59
(off Wardour St.)
Tylers Ct. Wemb —5J 55
Tylers Cres. Horn —1G 67
Tylersfield. Ab L —4D 4
Tylers Ga. Harr —4J 39
Tylers Grn. Rd. Swan —1A 130
Tylers Path. Cars —6D 122
Tyler St. SE10 —6C 78
(in two parts)
Tylers Way. Wat —5A 10
Tylney Av. SE19 —2D 108
Tylney Ho. E1 —9F 60
(off Nelson St.)
Tylney Rd. E7 —9G 47
Tylney Rd. Brom —6H 111
Tynamara. King T —8H 103
(off Portsmouth Rd.)
Tynan Clo. Felt —7E 84
Tyndale Ct. E14 —6M 77
(off Transom Sq.)
Tyndale La. N1 —3M 59
Tyndale Mans. N1 —3M 59
(off Upper St.)
Tyndale Ter. N1 —3M 59
Tyndall Gdns. E10 —7A 46
Tyndall Rd. E10 —7A 46
Tyndall Rd. Well —2D 96
Tyne Ct. W7 —9C 54
(off Hanway Rd.)
Tyneham Clo. SW11 —2E 90
Tyneham Rd. SW11 —1E 90
Tyne Ho. King T —5H 103
Tynemouth Clo. E6 —9M 63
Tynemouth Dri. Enf —2E 16
Tynemouth Rd. N15 —2D 44
Tynemouth Rd. SE18 —6C 80
Tynemouth Rd. Mitc —4E 106
Tynemouth St. SW6 —1A 90
Tyne St. E1 —9D 60
Tynley Av. SE19 —2D 108
Tynwald Ho. SE26 —9E 92
Type St. E2 —5H 61
Tyrawley Rd. SW6 —9M 73
Tyre La. NW9 —2C 40
Tyrell Clo. Harr —9C 38
Tyrell Ct. Cars —6D 122
Tyrell Ho. Beck —2M 109
(off Beckenham Hill Rd.)
Tyrells Clo. Upm —7M 51
Tyrols Rd. SE23 —7H 93
Tyrone Rd. E6 —5K 63
Tyron Way. Sidc —1C 112
Tyrrell Av. Well —4E 96
Tyrrell Ho. SW1 —7G 75
(off Churchill Gdns.)
Tyrrell Rd. SE22 —3E 92
Tyrrell Sq. Mitc —5C 106
Tyrrel Way. NW9 —5D 40
Tyrwhitt Rd. SE4 —2L 93
Tysea Hill. Stap A —1C 34
Tysoe Av. Enf —9F 6
Tysoe St. EC1 —6L 59
Tyson Gdns. SE23 —6G 93
Tyson Rd. SE23 —6G 93
Tyssen Pas. E8 —2D 60
Tyssen Rd. N16 —8D 44
Tyssen St. E8 —2D 60
Tytherton. E2 —5G 61
(off Cyprus St.)
Tytherton Rd. N19 —8H 43

Uamvar St. E14 —8M 61
UCI Empire Cinema. —1H 75
(off Leicester Sq.)
Uckfield Gro. Mitc —4E 106
Uckfield Rd. Enf —1H 17
Udall Gdns. Romf —6L 33
Udall St. SW1 —5G 75
Udimore Ho. W10 —8G 57
(off Sutton Way)
Udney Pk. Rd. Tedd —3E 102
Uffington Rd. NW10 —4E 56
Uffington Rd. SE27 —1L 107
Ufford Clo. Harr —7M 21
Ufford Rd. Harr —7M 21
Ufford St. SE1 —3L 75
Ufton Ct. N'holt —6H 53
Ufton Gro. N1 —3B 60
Ufton Rd. N1 —3B 60
(in two parts)
UGC Haymarket Cinema. —1H 75
(off Haymarket)
UGC Trocadero Cinema. —1H 75
(off Windmill St.)
Uhura Sq. N16 —8C 44
Ujima Ct. SW16 —1J 107
Ullathorne Rd. SW16 —1G 107
Ulleswater Rd. N14 —4J 27
Ullin St. E14 —8A 62
Ullswater Clo. SW15 —1B 104
Ullswater Clo. Brom —4C 110
Ullswater Clo. Hay —5C 52
Ullswater Ct. Harr —5L 37
Ullswater Cres. SW15 —1B 104
Ullswater Cres. Coul —8H 137
Ullswater Ho. SE15 —7G 77
(off Hillbeck Clo.)
Ullswater Rd. SE27 —8M 91
Ullswater Rd. SW13 —8E 72
Ullswater Way. Horn —1E 66
Ulster Gdns. N13 —4A 28
Ulster Pl. NW1 —7F 58
Ulster Ter. NW1 —7E 58
(off Outer Circ.)
Ulundi Rd. SE3 —7C 78
Ulva Rd. SW15 —4H 89
Ulverscroft Rd. SE22 —4D 92
Ulverstone Rd. SE27 —8M 91
Ulverston Ho. Romf —6J 35
(off Kingsbridge Cir.)
Ulverston Rd. E17 —9B 30
Ulysses Rd. NW6 —1K 57
Umberston St. E1 —9E 60
Umbria St. SW15 —5E 88
Umfreville Rd. N4 —4M 43
Undercliff Rd. SE13 —2L 93
Underhill. —7L 13
Underhill. Barn —7L 13
Underhill Ct. Barn —7L 13
Underhill Ho. E14 —8L 61
(off Burgess St.)
Underhill Pas. NW1 —4F 58
(off Camden High St.)
Underhill Rd. SE22 —4E 92
Underhill St. NW1 —4F 58
Underne Av. N14 —2F 26
Undershaft. EC3 —9C 60
Undershaw Rd. Brom —9D 94
Underwood. New Ad —7A 126
Underwood Ct. E10 —6M 45
(off Leyton Grange Est.)
Underwood Ho. W6 —4F 72
(off Sycamore Gdns.)
Underwood Rd. E1 —7E 60
Underwood Rd. E4 —5M 29
Underwood Rd. Wfd G —7G 31
Underwood Row. N1 —6A 60
Underwood St. N1 —6A 60
Underwood, The. SE9 —8K 95
Undine Rd. E14 —5M 77
Undine St. SW17 —2D 106
Uneeda Dri. Gnfd —4B 54
Unicorn Building. E1 —1H 77
(off Jardine Rd.)
Union Clo. E11 —9B 46
Union Cotts. E15 —3C 62
Union Ct. EC2 —9C 60
(off Old Broad St.)
Union Ct. SW4 —1J 91
Union Ct. Rich —4J 87
Union Dri. E1 —7J 61
Union Gro. SW8 —1H 91
Union M. SW4 —1J 91
Union Rd. N11 —6H 27
Union Rd. SW8 & SW4 —1H 91
Union Rd. Brom —9H 111
Union Rd. Croy —2A 124
Union Rd. N'holt —5L 53
Union Rd. Wemb —2J 55
Union Sq. N1 —4A 60
Union St. E15 —4B 62
Union St. SE1 —2M 75
Union St. Barn —5J 13
Union St. King T —6H 103
Union Theatre. —2M 75
(off Union St.)
Union Wlk. E2 —6C 60
Union Yd. W1 —9F 58
Unitair Cen. Felt —5A 84
Unit Workshops. E1 —9E 60
(off Adler St.)
Unity Clo. NW10 —2E 56
Unity Clo. SE19 —2A 108
Unity Clo. New Ad —1M 139
Unity M. NW1 —5H 59
Unity Rd. Enf —1G 17
Unity Way. SE7 —4H 79
Unity Wharf. SE1 —3D 76
(off Mill St.)
University Clo. NW7 —7D 24
University Clo. Bush —6L 9
University Gdns. Bex —6K 97
University Pl. Eri —8A 82
University Rd. SW19 —3B 106
University St. WC1 —7G 59
University Way. E16 —1L 79
University Way. Dart —3G 99
Unwin Av. Felt —4B 84
Unwin Clo. SE15 —7E 76
Unwin Mans. W14 —7K 73
(off Queen's Club Gdns.)
Unwin Rd. SW7 —4B 74
Unwin Rd. Iswth —2C 86
Upbrook M. W2 —9A 58
Upcerne Rd. SW10 —8A 74
Upchurch Clo. SE20 —4F 108
Upcroft Av. Edgw —5A 24
Updale Rd. Sidc —1D 112
Upfield. Croy —5F 124
Upfield Rd. W7 —8D 54
Upgrove Mnr. Way. SE24 —6L 91
Uphall Rd. Ilf —1M 63
Upham Pk. Rd. W4 —5C 72
Uphill Dri. NW7 —5C 24
Uphill Dri. NW9 —3A 40
Uphill Gro. NW7 —4C 24
Uphill Rd. NW7 —4C 24
Upland Ct. Rd. Romf —9K 35
Upland M. SE22 —4E 92
Upland Rd. E13 —7E 62
Upland Rd. SE22 —4E 92
Upland Rd. Bexh —2K 97
Upland Rd. S Croy —7B 124
Upland Rd. Sutt —9B 122
Uplands. Beck —6L 109
Uplands Av. E17 —9H 29
Uplands Bus. Pk. E17 —1H 45
Uplands Clo. SW14 —4M 87
Uplands Ct. N21 —9L 15
(off Green, The)
Uplands Dri. Oxs —6B 132
Uplands End. Wfd G —7J 31
Uplands Pk. Rd. Enf —4L 15
Uplands Rd. N8 —3K 43
Uplands Rd. E Barn —1E 26
Uplands Rd. Kenl —8A 138
Uplands Rd. Orp —3F 128
Uplands Rd. Romf —1H 49
Uplands Rd. Wfd G —7J 31
Uplands, The. Brick W —3J 5
Uplands, The. Lou —5K 19
Uplands, The. Ruis —6E 36
Uplands Way. N21 —7L 15
Upland Way. Eps —9G 135
Upminster Rd. Horn —7K 51
Upminster Rd. N. Rain —6G 67
Upminster Rd. S. Rain —7E 66
Upminster Smockmill. —7M 51
Upnall Ho. SE15 —7G 77
Upney Clo. Horn —1H 67
Upney La. Bark —1C 64
Upnor Way. SE17 —6C 76
Uppark Dri. Ilf —4A 48
Up. Abbey Rd. Belv —5K 81
Up. Addison Gdns. W14 —3J 73
Up. Austin Lodge Rd. Eyns —6H 131
Up. Bardsey Wlk. N1 —2A 60
(off Douglas Rd. N.)
Up. Belgrave St. SW1 —4E 74
Up. Berenger Wlk. SW10 —8B 74
(off Berenger Wlk.)
Up. Berkeley St. W2 —9D 58
Up. Beulah Hill. SE19 —5C 108
Up. Blantyre Wlk. SW10 —8B 74
(off Blantyre Wlk.)
Up. Brentwood Rd. Romf —2G 51
Up. Brighton Rd. Surb —1H 119
Up. Brockley Rd. SE4 —2K 93
Up. Brook St. W1 —1E 74
Up. Butts. Bren —7G 71
Up. Caldy Wlk. N1 —3A 60
(off Caldy Wlk.)
Up. Camelford Wlk. W11 —9J 57
(off St Mark's Rd.)
Up. Cavendish Av. N3 —1L 41
Up. Cheyne Row. SW3 —7C 74
(off Up. Cheyne Row)
Upper Clapton. —7F 44
Up. Clapton Rd. E5 —7F 44
Up. Clarendon Wlk. W11 —9J 57
(off Clarendon Rd.)
Up. Court Rd. Eps —3A 134
Up. Dartrey Wlk. SW10 —8A 74
(off Whistler Wlk.)
Up. Dengie Wlk. N1 —4A 60
(off Baddow Wlk.)
Upper Dri. Big H —9G 141
Upper Dunnymans. Bans —6K 135
Upper Edmonton. —5F 28
Upper Elmers End. —9K 109
Up. Elmers End Rd. Beck —8J 109
Up. Farm Rd. W Mol —8K 101
Upper Feilde. W1 —1E 74
(off Park St.)
Upper Fosters. NW4 —2G 41
(off New Brent St.)
Up. Green E. Mitc —7D 106
Up. Green W. Mitc —6D 106
(in two parts)
Up. Grosvenor St. W1 —1E 74

Up. Grotto Rd.—Veronica Gdns.

Up. Grotto Rd. Twic —8D 86
Upper Ground. SE1 —2L 75
Upper Gro. SE25 —8C 108
Up. Grove Rd. Belv —7K 81
Up. Gulland Wlk. N1 —2A 60
(off Oronsay Wlk.)
Upper Halliford. —8C 100
Up. Halliford By-Pass. Shep —9C 100
Up. Halliford Grn. Shep —8C 100
Up. Halliford Rd. Shep —7C 100
Up. Hampstead Wlk. NW3 —9A 42
Up. Ham Rd. Rich —1H 103
Up. Handa Wlk. N1 —2B 60
(off Handa Wlk.)
Up. Hawkwell Wlk. N1 —4A 60
(off Maldon Rd.)
Up. High St. Eps —5C 134
Up. Highway. Ab L —6B 4
Up. Highway. K Lan —5A 4
Up. Hilldrop Est. N7 —1H 59
Upper Hitch. Wat —1J 21
Upper Holloway. —7G 43
Up. Holly Hill Rd. Belv —6M 81
Up. James St. W1 —1G 75
Up. John St. W1 —1G 75
Up. Lismore Wlk. N1 —2B 60
(off Clephane St.)
Upper Mall. W6 —6E 72
(in two parts)
Upper Marsh. SE1 —4K 75
Up. Montagu St. W1 —8D 58
Up. Mulgrave Rd. Sutt —9J 121
Up. North St. E14 —8L 61
Upper Norwood. —5C 108
Up. Paddock Rd. Wat —8J 9
Up. Palace Rd. E Mol —7A 102
Upper Pk. Lou —6H 19
Up. Park Rd. N11 —5F 26
Up. Park Rd. NW3 —1D 58
Up. Park Rd. Belv —5M 81
Up. Park Rd. Brom —5F 110
Up. Park Rd. King T —3L 103
Up. Phillimore Gdns. W8 —3L 73
Up. Pillory Down. Cars —5E 136
Upper Pines. Bans —9D 136
Up. Rainham Rd. Horn —6D 50
Up. Ramsey Wlk. N1 —2B 60
(off Ramsey Wlk.)
Up. Rawreth Wlk. N1 —4A 60
(off Basire St.)
Up. Richmond Rd. SW15 —3D 88
Up. Richmond Rd. W. Rich & SW14 —3L 87
Upper Rd. E13 —6E 62
Upper Rd. Wall —7H 123
Upper Ruxley. —4K 113
Up. St Martin's La. WC2 —1J 75
Upper Sawleywood. Bans —6K 135
Up. Selsdon Rd. S Croy —9D 124
Up. Sheppey Wlk. N1 —2A 60
(off Skomer Wlk.)
Up. Sheridan Rd. Belv —5L 81
Upper Shirley. —6H 125
Up. Shirley Rd. Croy —4G 125
Upper Sq. Iswth —2E 86
Upper St. N1 —5L 59
Up. Sunbury Rd. Hamp —5J 101
Up. Sutton La. Houn —8L 69
Upper Sydenham. —9F 92
Up. Tachbrook St. SW1 —5G 75
Upper Tail. Wat —3J 21
Up. Talbot Wlk. W11 —9J 57
(off Talbot Wlk.)
Up. Teddington Rd. King T —4G 103
Upper Ter. NW3 —8A 42
Up. Thames St. EC4 —1M 75
Up. Tollington Pk. N4 —6L 43
(in two parts)
Upperton Rd. Sidc —2D 112
Upperton Rd. E. E13 —6G 63
Upperton Rd. W. E13 —6G 63
Upper Tooting. —9D 90
Up. Tooting Pk. SW17 —8D 90
Up. Tooting Rd. SW17 —1D 106
Up. Town Rd. Gnfd —7M 53
Up. Tulse Hill. SW2 —6K 91
Up. Vernon Rd. Sutt —7B 122
Upper Walthamstow. —2B 46
Up. Walthamstow Rd. E17 —2A 46
Up. Whistler Wlk. SW10 —8A 74
(off Worlds End Est.)
Up. Wickham La. Well —2F 96
Up. Wimpole St. W1 —8E 58
Up. Woburn Pl. WC1 —6H 59
Up. Woodcote Village. Purl —4H 137
Uppingham Av. Stan —8F 22
Upsdell Av. N13 —6L 27
Upshire Ho. E17 —9K 29
Upshire Rd. Wal A —5M 7
Upstall St. SE5 —9M 75
Upton. —4H 97
(Bexleyheath)
Upton. —3E 62
(Plaistow)
Upton Av. E7 —3E 62
Upton Clo. Bex —5K 97
Upton Ct. SE20 —4G 109
Upton Dene. Sutt —9M 121
Upton Gdns. Harr —3F 38
Upton Ho. H Hill —5H 35
(off Barnstaple Rd.)
Upton La. E7 —3E 62
Upton Lodge. E7 —2E 62
Upton Lodge Clo. Bush —9A 10
Upton Park. —5H 63
Upton Pk. Rd. E7 —3F 62
Upton Rd. N18 —5E 28
Upton Rd. SE18 —7A 80
Upton Rd. Bexh & Bex —3J 97
Upton Rd. Houn —2L 85
Upton Rd. T Hth —6B 108
Upton Rd. Wat —5F 8
Upton Rd. S. Bex —5K 97
Upton Vs. Bexh —3J 97
Upward Ct. Romf —2D 50
Upway. N12 —6C 26
Upwey Ho. N1 —4C 60
Upwood Rd. SE12 —5E 94
Upwood Rd. SW16 —5J 107
Urban Av. Horn —8G 51
Urlwin St. SE5 —7A 76
Urlwin Wlk. SW9 —9L 75
Urmston Dri. SW19 —7J 89
Urmston Ho. E14 —5A 78
(off Seyssel St.)
Urquhart Ct. Beck —4K 109
Ursula Lodges. Sidc —2F 112
(off Eynswood Dri.)
Ursula M. N4 —6A 44
Ursula St. SW11 —9C 74
Urswick Gdns. Dag —3J 65
Urswick Rd. E9 —1G 61
Urswick Rd. Dag —3H 65
Usborne M. SW8 —8K 75
Usher Rd. E3 —4K 61
Usher-Walker Ho. E16 —7B 62
(off South Cres.)
Usk Rd. SW11 —3A 90
Usk Rd. Ave —9M 67
Usk St. E2 —6H 61
Utopia Village. NW1 —3E 58
Uvedale Clo. New Ad —3B 140
Uvedale Cres. New Ad —3B 140
Uvedale Rd. Dag —8L 49
Uvedale Rd. Enf —7B 16
Uverdale Rd. SW10 —8A 74
Uxbridge. —3A 142
Uxbridge Ct. King T —9H 103
(off Uxbridge Rd.)
Uxbridge Ind. Est. Uxb —5A 142
Uxbridge Rd. W5 & W3 —1J 71
Uxbridge Rd. W7 —2D 70
Uxbridge Rd. W12 —2D 72
Uxbridge Rd. W13 & W5 —2F 70
Uxbridge Rd. Felt —8G 85
Uxbridge Rd. Hamp —1L 101
Uxbridge Rd. Harr & Stan —7A 22
Uxbridge Rd. Hil & Uxb —6E 142
Uxbridge Rd. King T —8H 103
Uxbridge Rd. Pinn —9G 21
Uxbridge Rd. S'hall & W7 —2L 69
Uxbridge St. W8 —2L 73
Uxendon Cres. Wemb —6J 39
Uxendon Hill. Wemb —6K 39

Vaillant Rd. Wey —6A 116
Valance Av. E4 —1C 30
Valan Leas. Brom —7C 110
Vale Av. Borwd —7M 11
Vale Border. S Croy —3H 139
Vale Clo. N2 —1D 42
Vale Clo. W9 —6A 58
Vale Clo. Coul —6J 137
Vale Clo. Orp —6L 127
Vale Clo. Twic —9E 86
Vale Clo. Wey —5B 116
Vale Cotts. SW15 —9C 88
Vale Ct. W3 —2D 72
Vale Ct. W9 —6A 58
Vale Ct. New Bar —6M 13
Vale Ct. Wey —5B 116
Vale Cres. SW15 —1C 104
Vale Cft. Clay —1D 132
Vale Cft. Pinn —3J 37
Vale Dri. Barn —6K 13
Vale End. SE22 —3D 92
Vale Est., The. W3 —2C 72
Vale Gro. N4 —5A 44
Vale Gro. W3 —3B 72
Vale Ind. Est. Wat —9A 8
Vale La. W3 —8L 55
Vale Lodge. SE23 —8G 93
Valence Av. Dag —6H 49
Valence Cir. Dag —8H 49
Valence Dri. Chesh & Wal X —1A 6
Valence House Mus. —8J 49
Valence Rd. Eri —8B 82
Valence Wood Rd. Dag —8H 49
Valencia Rd. Stan —4G 23
Valency Clo. N'wd —4D 20
Valentia Pl. SW9 —3L 91
Valentine Av. Bex —8J 97
Valentine Ct. SE23 —8H 93
(in two parts)
Valentine Pl. SE1 —3M 75
Valentine Rd. E9 —2H 61
Valentine Rd. Harr —8M 37
Valentine Row. SE1 —3M 75
Valentines Rd. Ilf —6M 47
Valentine's Way. Romf —7B 50
Valentyne Clo. New Ad —3C 140
Vale of Health. —8A 42
Vale of Health. NW3 —8B 42
Vale Pde. SW15 —9C 88
Valerian Way. E15 —6C 62
Valerie Ct. Sutt —9M 121
Vale Ri. NW11 —6K 41
Vale Rd. E7 —2F 62
Vale Rd. N4 —5A 44
Vale Rd. Brom —5L 111
Vale Rd. Bush —7J 9
Vale Rd. Clay —1C 132
Vale Rd. Dart —7F 98
Vale Rd. Eps —6D 120
Vale Rd. Mitc —7H 107
Vale Rd. Sutt —6M 121
Vale Rd. Wey —5B 116
Vale Rd. Wor Pk —5D 120
Vale Rd. N. Surb —4J 119
Vale Rd. S. Surb —4J 119
Vale Row. N5 —8M 43
Vale Royal. N7 —3J 59
Vale Royal Ho. WC2 —1H 75
(off Charing Cross Rd.)
Valery Pl. Hamp —4L 101
Valeside Ct. Barn —6M 13
Vale St. SE27 —9B 92
Valeswood Rd. Brom —2D 110
Vale Ter. N4 —4A 44
Vale, The. N10 —8E 26
Vale, The. N21 —8K 15
Vale, The. NW11 —8H 41
Vale, The. SW3 —7B 74
Vale, The. W3 —2B 72
Vale, The. Coul —6H 137
Vale, The. Croy —4H 125
Vale, The. Felt —5F 84
Vale, The. Houn —7J 69
Vale, The. Ruis —9G 37
Vale, The. Sun —3E 100
Vale, The. Wfd G —7E 30
Valetta Gro. E13 —5E 62
Valetta Rd. W3 —3C 72
Valette Ct. N10 —2F 42
(off St James's La.)
Valette Ho. E9 —2G 61
Valette St. E9 —2G 61
Valiant Clo. N'holt —6H 53
Valiant Clo. Romf —9M 33
Valiant Ho. SE7 —6G 79
Valiant Way. E6 —8K 63
Vallance Rd. E2 & E1 —7E 60
Vallance Rd. N10 —9G 27
Vallentin Rd. E17 —2A 46
Valley Av. N12 —4B 26
Valley Clo. Dart —5D 98
Valley Clo. Lou —8K 19
Valley Clo. Pinn —9F 20
Valley Clo. Wal A —5J 7
Valley Dri. NW9 —4L 39
Valleyfield Rd. SW16 —2K 107
Valley Fields Cres. Enf —4L 15
Valley Gdns. SW19 —4B 106
Valley Gdns. Wemb —3K 55
Valley Gro. SE7 —6G 79
Valley Hill. Lou —9J 19
Valleylink Est. Enf —8J 17
Valley M. Twic —8D 86
Valley Pk. Wat —9A 8
Valley Ri. Wat —6F 4
Valley Rd. SW16 —2K 107
Valley Rd. Belv —5M 81
Valley Rd. Brom & Short —6C 110
Valley Rd. Dart —5D 98
Valley Rd. Eri —5A 82
Valley Rd. Kenl —7B 138
Valley Rd. Orp —5F 112
Valley Rd. Uxb —5C 142
Valley Side. E4 —2L 29
Valley Side. SE7 —6H 79
Valley Side Pde. E4 —2L 29
Valley Vw. Barn —8J 13
Valley Vw. Big H —9G 141
Valley Vw. Gdns. Kenl —7C 138
Valley Vw. Ter. F'ham —3K 131
Valley Wlk. Crox G —7A 8
Valley Wlk. Croy —4G 125
Valliere Rd. NW10 —6E 56
Valliers Wood Rd. Sidc —7C 96
Vallis Way. W13 —8E 54
Vallis Way. Chess —6H 119
Valmar Rd. SE5 —9A 76
Valmar Trad. Est. SE5 —9A 76
Val McKenzie Av. N7 —8L 43
Valnay St. SW17 —2D 106
Valognes Av. E17 —8J 29
Valois Ho. SE1 —4D 76
(off Grange, The)
Valonia Gdns. SW18 —5K 89
Vambery Rd. SE18 —7A 80
Vanbrough Cres. N'holt —4G 53
Vanbrugh Clo. E16 —8H 63
Vanbrugh Ct. SE11 —5L 75
(off Wincott St.)
Vanbrugh Dri. W on T —2G 117
Vanbrugh Fields. SE3 —7D 78
Vanbrugh Hill. SE10 & SE3 —6D 78
Vanbrugh Pk. SE3 —8D 78
Vanbrugh Pk. Rd. SE3 —8D 78
Vanbrugh Pk. Rd. W. SE3 —8D 78
Vanbrugh Rd. W4 —4B 72
Vanbrugh Ter. SE3 —9D 78
Vanburgh Clo. Orp —3C 128
Vanburgh Ho. E1 —8D 60
(off Folgate St.)
Vancouver Clo. Eps —3A 134
Vancouver Clo. Orp —6E 128
Vancouver Ho. E1 —2F 76
(off Reardon Path)
Vancouver Mans. Edgw —8M 23
Vancouver Rd. SE23 —8J 93
Vancouver Rd. Edgw —8M 23
Vancouver Rd. Hay —7F 52
Vancouver Rd. Rich —1G 103
Vanderbilt Rd. SW18 —7M 89
Vandome Clo. E16 —9F 62
Vandon Ct. SW1 —4G 75
(off Petty France)
Vandon Pas. SW1 —4G 75
Vandon St. SW1 —4G 75
Van Dyck Av. N Mald —2B 120
Vandyke Clo. SW15 —6H 89
Vandyke Cross. SE9 —4J 95
Vandy St. EC2 —7C 60
Vane Clo. NW3 —1B 58
Vane Clo. Harr —4K 39
Vanessa Clo. Belv —6L 81
Vanessa Way. Bex —9B 98
Vane St. SW1 —5G 75
Vange Ho. W10 —8G 57
(off Sutton Way)
Van Gogh Clo. Iswth —2E 86
Van Gogh Ct. E14 —4K 79
Vanguard Building. E14 —3K 77
Vanguard Clo. E16 —8E 62
Vanguard Clo. Croy —3M 123
Vanguard Clo. Romf —9L 33
Vanguard St. SE8 —9L 77
Vanguard Trad. Est. E15 —4A 62
Vanguard Way. H'row A —1C 84
Vanguard Way. Wall —9J 123
Vanneck Sq. SW15 —4E 88
Vanoc Gdns. Brom —1E 110
Vanryne Ho. Lou —6J 19
Vansittart Rd. E7 —9D 46
Vansittart St. SE14 —8J 77
Vanston Pl. SW6 —8L 73
Vantage M. E14 —2A 78
(off Preston's Rd.)
Vantage W. W3 —5K 71
Vantrey Ho. SE11 —5L 75
(off Marylee Way)
Vant Rd. SW17 —2D 106
Varcoe Rd. SE16 —6F 76
Vardens Rd. SW11 —3B 90
Varden St. E1 —9F 60
Vardon Clo. W3 —9B 56
Vardon Ho. SE10 —9A 78
Varley Ho. NW6 —4L 57
(off Brondesbury Rd.)
Varley Pde. NW9 —2C 40
Varley Rd. E16 —9F 62
Varley Way. Mitc —6B 106
Varna Rd. SW6 —8J 73
Varna Rd. Hamp —5M 101
Varndell St. NW1 —6G 59
Varney Clo. Chesh —1A 6
Varsity Dri. Twic —4C 86
Varsity Row. SW14 —1A 88
Vartry Rd. N15 —4B 44
Vassall Ho. E3 —6J 61
(off Antill Rd.)
Vassall Rd. SW9 —8L 75
Vat Ho. SW8 —8J 75
(off Rita Rd.)
Vauban Est. SE1 —4D 76
Vauban St. SE16 —4D 76
Vaudeville Ct. N4 —7L 43
Vaudeville Theatre. —1J 75
(off Strand)
Vaughan Av. NW4 —3E 40
Vaughan Av. W6 —5D 72
Vaughan Av. Horn —9H 51
Vaughan Clo. Hamp —3J 101
Vaughan Est. E2 —6D 60
(off Diss St.)
Vaughan Gdns. Ilf —5K 47
Vaughan Ho. SE1 —3M 75
(off Blackfriars Rd.)
Vaughan Ho. SW4 —6G 91
Vaughan Rd. E15 —2D 62
Vaughan Rd. SE5 —1A 92
Vaughan Rd. Harr —5A 38
Vaughan Rd. Th Dit —2F 118
Vaughan Rd. Well —1D 96
Vaughan St. SE16 —3K 77
Vaughan Way. E1 —1E 76
Vaughan Williams Clo. SE8 —8L 77
Vaux Cres. W on T —8F 116
Vauxhall. —6J 75
Vauxhall Bri. SW1 & SE1 —6J 75
Vauxhall Bri. Rd. SW1 —4G 75
Vauxhall Cross. (Junct.) —6J 75
Vauxhall Distribution Pk. SW8 —7H 75
(off Post Office Way)
Vauxhall Gdns. S Croy —8A 124
Vauxhall Gro. SW8 —7K 75
Vauxhall Pl. Dart —6J 99
Vauxhall St. SE11 —6K 75
Vauxhall Wlk. SE11 —6K 75
Vawdrey Clo. E1 —7G 61
Veals Mead. Mitc —5C 106
Vectis Gdns. SW17 —3F 106
Vectis Rd. SW17 —3F 106
Veda Rd. SE13 —3L 93
Vega Cres. N'wd —5D 20
Vega Rd. Bush —9A 10
Veitch Rd. Wal A —7J 7
Veldene Way. Harr —8K 37
Velde Way. SE22 —4C 92
Velletri Ho. E2 —5H 61
(off Mace St.)
Vellum Dri. Cars —5E 122
Venables Clo. Dag —9M 49
Venables St. NW8 —7B 58
Vencourt Pl. W6 —5E 72
Venetian Rd. SE5 —1A 92
Venetia Rd. N4 —4M 43
Venetia Rd. W5 —3H 71
Venette Clo. Rain —8F 66
Venice Ct. SE5 —8A 76
(off Bowyer St.)
Venner Rd. SE26 —3G 109
Venners Clo. Bexh —1C 98
Venn Ho. N1 —4K 59
(off Barnsbury Est.)
Venn St. SW4 —3G 91
Ventnor Av. Stan —8F 22
Ventnor Dri. N20 —3M 25
Ventnor Gdns. Bark —2C 64
Ventnor Rd. SE14 —8H 77
Ventnor Rd. Sutt —9M 121
Venture Clo. Bex —6J 97
Venture Ct. SE12 —6E 94
Venue St. E14 —8A 62
Venus Rd. SE18 —4K 79
Veny Cres. Horn —1H 67
Vera Av. N21 —7L 15
Vera Ct. Wat —9H 9
Vera Lynn Clo. E7 —9E 46
Vera Rd. SW6 —9J 73
Verbena Clo. E16 —7D 62
Verbena Clo. W Dray —6H 143
Verbena Gdns. W6 —6E 72
Verdant Ct. SE6 —6C 94
(off Verdant La.)
Verdant La. SE6 —6C 94
Verdayne Av. Croy —3H 125
Verdayne Gdns. Warl —8L 139
Verderers Rd. Chig —5E 32
Verdi Ho. W10 —5J 57
(off Herries St.)
Verdun Rd. SE18 —7E 80
Verdun Rd. SW13 —7E 72
Verdure Clo. Wat —5J 5
Vereker Dri. Sun —7E 100
Vereker Rd. W14 —6J 73
Vere St. W1 —9F 58
Veritas Ho. Sidc —8E 96
(off Station Rd.)
Verity Clo. W11 —1J 73
Ver Meer Ct. E14 —4B 78
Vermeer Gdns. SE15 —3G 93
Vermont Clo. Enf —6M 15
Vermont Ho. E17 —9K 29
Vermont Rd. SE19 —3B 108
Vermont Rd. SW18 —5M 89
Vermont Rd. Sutt —5M 121
Verne Ct. W3 —4A 72
(off Vincent Rd.)
Verney Gdns. Dag —9J 49
Verney Ho. NW8 —7C 58
(off Jerome Cres.)
Verney Rd. SE16 —7E 76
Verney Rd. Dag —9J 49
(in two parts)
Verney St. NW10 —8B 40
Verney Way. SE16 —6F 76
Vernham Rd. SE18 —7A 80
Vernon Av. E12 —9K 47
Vernon Av. SW20 —6H 105
Vernon Av. Enf —9E 6
Vernon Av. Wfd G —7F 30
Vernon Clo. Eps —8A 120
Vernon Clo. Orp —7F 112
Vernon Ct. NW2 —8K 41
Vernon Ct. W5 —1G 71
Vernon Ct. Stan —8F 22
Vernon Cres. Barn —8E 14
Vernon Dri. Stan —8E 22
Vernon Ho. SE11 —6K 75
(off Vauxhall St.)
Vernon Ho. WC1 —8J 59
(off Vernon Pl.)
Vernon M. E17 —3K 45
Vernon M. W14 —5J 73
(off Vernon St.)
Vernon Pl. WC1 —8J 59
Vernon Ri. WC1 —6K 59
Vernon Ri. Gnfd —1B 54
Vernon Rd. E3 —5K 61
Vernon Rd. E11 —6C 46
Vernon Rd. E15 —3C 62
Vernon Rd. E17 —3K 45
Vernon Rd. N8 —1L 43
Vernon Rd. SW14 —2B 88
Vernon Rd. Bush —7J 9
Vernon Rd. Felt —8D 84
Vernon Rd. Ilf —6D 48
Vernon Rd. Romf —5A 34
Vernon Rd. Sutt —7A 122
Vernon Sq. WC1 —6K 59
Vernon St. W14 —5J 73
Vernon Yd. W11 —1K 73
Veroan Rd. Bexh —1J 97
Verona Clo. Uxb —9A 142
Verona Ct. SE14 —7H 77
(off Myers La.)
Verona Dri. Surb —4J 119
Verona Ho. Eri —8D 82
Verona Rd. E7 —3E 62
Veronica Clo. Romf —7G 35
Veronica Gdns. SW16 —5G 107

Viscount St.—Wanborough Dri.

Viscount St. EC1 —7A 60
Viscount Way. H'row A —3C 84
Vista Av. Enf —4H 17
Vista Dri. Ilf —3H 47
Vista, The. SE9 —5H 95
Vista, The. Sidc —2D 112
Vista Way. Harr & Kent —4J 39
Vittoria Ho. N1 —4K 59
(off High Rd.)
Viveash Clo. Hay —4D 68
Vivian Av. NW4 —3F 40
Vivian Av. Wemb —1L 55
Vivian Clo. Wat —1E 20
Vivian Comma Clo. N4 —8M 43
Vivian Ct. N12 —5M 25
Vivian Gdns. Wat —1E 20
Vivian Gdns. Wemb —1L 55
Vivian Mans. NW4 —3F 40
(off Vivian Av.)
Vivian Rd. E3 —5J 61
Vivian Sq. SE15 —2F 92
Vivian Way. N2 —3B 42
Vivien Clo. Chess —9J 119
Vivienne Clo. Twic —5H 87
Voce Rd. SE18 —8B 80
Voewood Clo. N Mald —1D 120
Vogans Mill. SE1 —3D 76
Vogler Ho. E1 —1G 77
(off Cable St.)
Vogue Ct. Brom —5F 110
Vollasky Ho. E1 —8E 60
(off Daplyn St.)
Voltaire Rd. SW4 —2H 91
Voltaire Way. Hay —1C 68
Volt Av. NW10 —6B 56
Volta Way. Croy —3K 123
Voluntary Pl. E11 —4E 46
Vorley Rd. N19 —7G 43
Voss Ct. SW16 —3J 107
Voss St. E2 —6E 60
Voyager Bus. Est. SE16 —4E 76
(off Spa Rd.)
Voyagers Clo. SE28 —9G 65
Vulcan Clo. E6 —9L 63
Vulcan Clo. Wall —9K 123
(off Handley Page Rd.)
Vulcan Ga. Enf —4L 15
Vulcan Rd. SE4 —1K 93
Vulcan Sq. E14 —5M 77
Vulcan Ter. SE4 —1K 93
Vulcan Way. N7 —2K 59
Vulcan Way. New Ad —2C 140
Vyner Rd. W3 —1B 72
Vyner St. E2 —4F 60
Vyner's Way. Uxb —1E 142
Vyne, The. Bexh —2M 97
Vyse Clo. Barn —6G 13

Wadard Ter. Swan —9G 115
Wadbrook St. King T —6H 103
Wadding St. SE17 —5B 76
Waddington Clo. Enf —6C 16
Waddington Rd. E15 —1B 62
Waddington St. E15 —2B 62
Waddington Way. SE19 —4A 108
Waddon. —5L 123
Waddon Clo. Croy —5L 123
Waddon Ct. Rd. Croy —5L 123
Waddon Marsh Way. Croy —3K 123
Waddon New Rd. Croy —5M 123
Waddon Pk. Av. Croy —6L 123
Waddon Rd. Croy —5L 123
Waddon Way. Croy —8L 123
Wade Av. Orp —2H 129
Wade Ct. N10 —7F 26
Wade Ho. SE1 —3E 76
(off Parkers Row)
Wade Ho. Enf —7B 16
Wades Gro. N21 —9L 15
Wades Hill. N21 —8L 15
Wades La. Tedd —2E 102
Wadeson St. E2 —5F 60
Wade's Pl. E14 —1M 77
Wadeville Av. Romf —4J 49
Wadeville Clo. Belv —7L 81
Wadham Av. E17 —7M 29
Wadham Clo. Shep —2A 116
Wadham Gdns. NW3 —4C 58
Wadham Gdns. Gnfd —2B 54
Wadham Rd. E17 —7M 29
Wadham Rd. SW15 —3J 89
Wadham Rd. Ab L —4D 4
Wadhurst Clo. SE20 —6F 108
Wadhurst Rd. SW8 —9G 75
Wadhurst Rd. W4 —4B 72
Wadley Rd. E11 —5C 46
Wadsworth Bus. Cen. Gnfd —5G 55
Wadsworth Clo. Enf —7H 17
Wadsworth Clo. Gnfd —5G 55
Wadsworth Rd. Gnfd —5F 54
Wager St. E3 —7K 61
Waggoners Roundabout. (Junct.) —9F 68
Waggon La. N17 —6E 28
Waggon M. N14 —1G 27
Waggon Rd. Barn —1A 14
Waghorn Rd. E13 —4G 63
Waghorn Rd. Harr —1H 39
Waghorn St. SE15 —2E 92
Wagner St. SE15 —8G 77
Wagstaff Gdns. Dag —3G 65
Wagtail Clo. NW9 —9C 24
Wagtail Gdns. S Croy —2J 139
Wagtail Wlk. Beck —9A 110
Wagtail Way. Orp —8H 113
Waid Clo. Dart —5K 99
Waight's Ct. King T —5J 103
Wainfleet Av. Romf —9A 34
Wainford Clo. SW19 —6H 89
Wainwright Gro. Iswth —3B 86
Waite Davies Rd. SE12 —6D 94
Waite St. SE15 —7D 76
Waithman St. EC4 —9M 59
(off Apothecary St.)
Wakefield Ct. SE26 —3G 109
Wakefield Gdns. SE19 —4C 108
Wakefield Gdns. Ilf —4J 47
Wakefield Ho. SE15 —9E 76
Wakefield M. WC1 —6J 59
Wakefield Rd. N11 —5H 27
Wakefield Rd. N15 —3D 44
Wakefield Rd. Rich —4H 87
Wakefield St. E6 —4H 63
Wakefield St. N18 —5E 28
Wakefield St. WC1 —7J 59
Wakefields Wlk. Chesh —4E 6
Wakeford Clo. SW4 —4G 91
Wakehams Hill. Pinn —1K 37
Wakeham St. N1 —2B 60
Wakehurst Rd. SW11 —4C 90
Wakeling Rd. W7 —8D 54
Wakeling St. E14 —9J 61
Wakelin Ho. N1 —3M 59
(off Sebbon St.)
Wakelin Ho. SE23 —6J 93
Wakelin Rd. E15 —5C 62
Wakeman Rd. NW10 —6G 57
Wakemans Hill Av. NW9 —3B 40
Wakerfield Clo. Horn —3K 51
Wakering Rd. Bark —2A 64
(in two parts)
Wakerings, The. Bark —2A 64
Wakerley Clo. E6 —9K 63
Wake Rd. Lou —2G 19
Wakley St. EC1 —6M 59
Walberswick St. SW8 —8J 75
Walbrook. EC4 —1B 76
(in three parts)
Walbrook Ho. N9 —2G 29
(off Huntingdon Rd.)
Walbrook Wharf. EC4 —1A 76
(off Bell Wharf La.)
Walburgh St. E1 —9F 60
Walburton Rd. Purl —5G 137
Walcorde Av. SE17 —5A 76
Walcot Gdns. SE11 —5L 75
(off Kennington Rd.)
Walcot Rd. Enf —4K 17
Walcot Sq. SE11 —5L 75
Walcott St. SW1 —5G 75
Waldair Ct. E16 —3M 79
Waldeck Gro. SE27 —9M 91
Waldeck Rd. N15 —2M 43
Waldeck Rd. SW14 —2A 88
Waldeck Rd. W4 —7L 71
Waldeck Rd. W13 —9F 54
Waldeck Rd. Dart —6K 99
Waldeck Ter. SW14 —2A 88
(off Waldeck Rd.)
Waldegrave Av. Tedd —2D 102
Waldegrave Ct. Bark —4B 64
Waldegrave Ct. Upm —6M 51
Waldegrave Gdns. Twic —8D 86
Waldegrave Gdns. Upm —6M 51
Waldegrave Pk. Twic —1D 102
Waldegrave Rd. N8 —1L 43
Waldegrave Rd. SE19 —4D 108
Waldegrave Rd. W5 —1K 71
Waldegrave Rd. Brom —8J 111
Waldegrave Rd. Dag —7G 49
Waldegrave Rd. Tedd —1D 102
Waldegrove. Croy —5D 124
Waldemar Av. SW6 —9J 73
Waldemar Av. W13 —2G 71
Waldemar Rd. SW19 —2L 105
Walden Av. N13 —4A 28
Walden Av. Chst —1K 111
Walden Av. Rain —5B 66
Walden Clo. Belv —6K 81
Walden Ct. SW8 —9H 75
Walden Gdns. T Hth —7K 107
Walden Ho. SW1 —5E 74
(off Pimlico Rd.)
Waldenhurst Rd. Orp —2H 129
Walden Pde. Chst —3K 111
(in two parts)
Walden Rd. N17 —8B 28
Walden Rd. Chst —3K 111
Walden Rd. Horn —4H 51
Waldens Clo. Orp —2H 129
Waldenshaw Rd. SE23 —7G 93
Waldens Rd. Orp —2J 129
Walden St. E1 —9F 60
Walden Way. NW7 —6H 25
Walden Way. Horn —4H 51
Walden Way. Ilf —7C 32
Waldo Clo. SW4 —4G 91
Waldo Ind. Est. Brom —7H 111
Waldo Pl. Mitc —4C 106
Waldorf Clo. S Croy —1M 137
Waldo Rd. NW10 —6E 56
(in two parts)
Waldo Rd. Brom —7H 111
Waldram Cres. SE23 —7G 93
Waldram Pk. Rd. SE23 —7H 93
Waldram Pl. SE23 —7G 93
Waldrist Way. Eri —3K 81
Waldron Gdns. Brom —7B 110
Waldronhyrst. S Croy —6M 123
Waldron M. SW3 —7B 74
Waldron Rd. SW18 —9A 90
Waldron Rd. Harr —6C 38
Waldron's Path. S Croy —6A 124
Waldrons, The. Croy —6M 123
Waldrons Yd. S Harr —7B 38
Waldstock Rd. SE28 —1E 80
Waleran Clo. Stan —5D 22
Walerand Rd. SE13 —1A 94
Waleran Flats. SE1 —5C 76
Wales Av. Cars —7C 122
Wales Clo. SE15 —8F 76
Wales Farm Rd. W3 —8B 56
Waleton Acres. Wall —8G 123
Waley St. E1 —8J 61
Walfield Av. N20 —9M 13
Walford Ho. E1 —9F 60
Walford Rd. N16 —9C 44
Walford Rd. Uxb —5A 142
Walfrey Gdns. Dag —3J 65
Walham Green. —9M 73
Walham Grn. Ct. SW6 —8M 73
(off Waterford Rd.)
Walham Gro. SW6 —8L 73
Walham Ri. SW19 —3J 105
Walham Yd. SW6 —8L 73
Walkato Lodge. Buck H —1G 31
Walkden Rd. Chst —2L 111
Walker Clo. N11 —4G 27
Walker Clo. SE18 —5A 80
Walker Clo. W7 —2C 70
Walker Clo. Dart —2D 98
Walker Clo. Felt —6D 84
Walker Clo. Hamp —3K 101
Walker Ho. NW1 —5H 59
Walker's Ct. W1 —1H 75
(off Brewer St.)
Walkerscroft Mead. SE21 —7A 92
Walkers Pl. SW15 —3J 89
Walkfield Dri. Eps —9F 134
Walkinshaw Ct. N1 —3A 60
(off Rotherfield St.)
Walkley Rd. Dart —4F 98
Walks, The. N2 —1B 42
Walk, The. N13 —3L 27
(off Fox La.)
Walk, The. Horn —7K 51
Walk, The. Sun —4D 100
Wallace Clo. SE28 —1H 81
Wallace Clo. Shep —8B 100
Wallace Clo. Uxb —5C 142
Wallace Collection. —9E 58
Wallace Ct. NW1 —8C 58
(off Old Marylebone Rd.)
Wallace Cres. Cars —7D 122
Wallace Fields. Eps —5E 134
Wallace Ho. N7 —2K 59
(off Caledonian Rd.)
Wallace Rd. N1 —2A 60
Wallace Way. N19 —7H 43
(off St John's Way)
Wallbrook Bus. Cen. Houn —2F 84
Wallbutton Rd. SE4 —1J 93
Wallcote Av. NW2 —6H 41
Wall Ct. N4 —6K 43
(off Stroud Grn. Rd.)
Wallend. —4L 63
Wall End Ct. E6 —4L 63
(off Wall End Rd.)
Wall End Rd. E6 —3K 63
Wallenger Av. Romf —1F 50
Waller Dri. N'wd —9E 20
Waller Rd. SE14 —9H 77
Wallers Clo. Dag —4J 65
Wallers Clo. Wfd G —6K 31
Waller's Hoppet. Lou —4K 19
Waller Way. SE10 —8M 77
Wallflower St. W12 —1D 72
Wallgrave Rd. SW5 —5M 73
Wallhouse Rd. Eri —8F 82
Wallingford Av. W10 —8H 57
Wallingford Ho. Romf —6J 35
(off Kingsbridge Rd.)
Wallingford Rd. Uxb —5A 142
Wallington. —8G 123
Wallington Clo. Ruis —4A 36
Wallington Corner. Wall —6F 122
(off Manor Rd. N.)
Wallington Ct. Wall —8F 122
(off Stanley Pk. Rd.)
Wallington Green. (Junct.) —6F 122
Wallington Rd. Ilf —5D 48
Wallington Sq. Wall —8F 122
Wallis All. SE1 —3A 76
(off Marshalsea Rd.)
Wallis Clo. SW11 —2B 90
Wallis Clo. Dart —9D 98
Wallis Clo. Horn —6F 50
Wallis Ho. SE14 —9J 77
Wallis M. N8 —1L 43
(off Courcy Rd.)
Wallis Rd. E9 —2K 61
Wallis Rd. S'hall —9M 53
Wallis's Cotts. SW2 —6J 91
Wallman Pl. N22 —8K 27
Wallorton Gdns. SW14 —3B 88
Wallside. EC2 —8A 60
(off Beech St.)
Wall St. N1 —2B 60
Wallwood Rd. E11 —5B 46
Wallwood St. E3 —8K 61
Wallwood St. E14 —8K 61
Walmar Clo. Barn —3B 14
Walmer Clo. E4 —2M 29
Walmer Clo. Farnb —6B 128
Walmer Clo. Romf —9M 33
Walmer Ct. Surb —9J 103
(off Cranes Pk.)
Walmer Gdns. W13 —3E 70
Walmer Ho. W10 —9H 57
(off Bramley Rd.)
Walmer Pl. W1 —8D 58
(off Walmer St.)
Walmer Rd. W10 —9G 57
Walmer Rd. W11 —1J 73
Walmer St. W1 —8D 58
Walmer Ter. SE18 —5A 80
Walmgate Rd. Gnfd —4F 54
Walmington Fold. N12 —6L 25
Walm La. NW2 —2G 57
Walney Wlk. N1 —2A 60
Walnut Av. W Dray —4L 143
Walnut Clo. SE8 —7K 77
Walnut Clo. Cars —7D 122
Walnut Clo. Eps —7D 134
Walnut Clo. Eyns —5H 131
Walnut Clo. Hay —1C 68
Walnut Clo. Ilf —2A 48
Walnut Ct. E17 —2A 46
Walnut Ct. W5 —3J 71
Walnut Ct. W8 —4M 73
(off St Mary's Pl.)
Walnut Fields. Eps —1D 134
Walnut Gdns. E15 —1C 62
Walnut Grn. Bush —4K 9
Walnut Gro. Bans —6H 135
Walnut Gro. Enf —7B 16
Walnut M. Sutt —9A 122
Walnut Rd. E10 —7L 45
Walnuts Rd. Orp —3F 128
Walnuts, The. Orp —3E 128
Walnut Tree Av. Dart —8J 99
Walnut Tree Av. Mitc —7C 106
Walnut Tree Clo. SW13 —9D 72
Walnut Tree Clo. Bans —4J 135
Walnut Tree Clo. Chesh —4D 6
Walnut Tree Clo. Chst —5B 112
Walnut Tree Clo. Shep —7A 100
Walnut Tree Cotts. SW19 —2J 105
Walnut Tree Ho. SW10 —7M 73
(off Tregunter Rd.)
Walnut Tree Rd. SE10 —6C 78
(in two parts)
Walnut Tree Rd. Bren —7J 71
Walnut Tree Rd. Dag —7J 49
Walnut Tree Rd. Eri —6C 82
Walnut Tree Rd. Houn —7K 69
Walnut Tree Rd. Shep —6A 100
Walnut Tree Wlk. SE11 —5L 75
Walnut Way. Buck H —3H 31
Walnut Way. Ruis —2G 53
Walnut Way. Swan —6B 114
Walpole Av. Rich —1K 87
Walpole Clo. W13 —3G 71
Walpole Clo. Pinn —6L 21
Walpole Ct. W14 —4H 73
(off Blythe Rd.)
Walpole Ct. Twic —8C 86
Walpole Cres. Tedd —2D 102
Walpole Gdns. W4 —6A 72
Walpole Gdns. Twic —8C 86
Walpole Ho. SE1 —3L 75
(off Westminster Bri. Rd.)
Walpole Lodge. W5 —2G 71
Walpole M. NW8 —4B 58
Walpole M. SW19 —3B 106
Walpole Pl. SE18 —5M 79
Walpole Pl. Tedd —2D 102
Walpole Rd. E6 —3G 63
Walpole Rd. E17 —2J 45
Walpole Rd. E18 —8D 30
Walpole Rd. N17 —9A 28
(in two parts)
Walpole Rd. SW19 —3B 106
Walpole Rd. Brom —9H 111
Walpole Rd. Croy —4B 124
Walpole Rd. Surb —2J 119
Walpole Rd. Tedd —2D 102
Walpole Rd. Twic —8C 86
Walpole St. SW3 —6D 74
Walpole Way. Barn —7G 13
Walrond Av. Wemb —1J 55
Walsham Clo. N16 —6E 44
Walsham Clo. SE28 —1H 81
Walsham Ho. SE14 —1H 93
Walsham Ho. SE17 —6B 76
(off Blackwood St.)
Walsham Rd. SE14 —1H 93
Walsham Rd. Felt —6F 84
Walsh Cres. New Ad —4C 140
Walshford Way. Borwd —2L 11
Walsingham. NW8 —4B 58
Walsingham Gdns. Eps —6C 120
Walsingham Ho. E4 —9B 18
Walsingham Lodge. SW13 —9E 72
Walsingham Mans. SW6 —8M 73
(off Fulham Rd.)
Walsingham Pk. Chst —6B 112
Walsingham Pl. SW11 —5E 90
Walsingham Rd. E5 —8E 44
Walsingham Rd. W13 —2E 70
Walsingham Rd. Enf —6B 16
Walsingham Rd. Mitc —9D 106
Walsingham Rd. New Ad —2A 140
Walsingham Rd. Orp —5F 112
Walsingham Wlk. Belv —7L 81
Walston Ho. SW1 —6H 75
(off Aylesford St.)
Walter Besant Ho. E1 —6H 61
(off Bancroft Rd.)
Walter Ct. W3 —9A 56
(off Lynton Ter.)
Walter Grn. Ho. SE15 —9G 77
(off Lausanne Rd.)
Walter Hurford Pde. E12 —9L 47
Walter Rodney Clo. E6 —2K 63
Walters Clo. SE17 —5B 76
(off Brandon St.)
Walters Ho. SE11 —7M 75
(off Brandon Est.)
Walters Mead. Asht —9J 133
Walters Rd. SE25 —8C 108
Walters Rd. Enf —6G 17
Walter St. E2 —6H 61
Walter St. King T —5J 103
Walters Way. SE23 —5H 93
Walters Yd. Brom —6E 110
Walter Ter. E1 —9H 61
Walterton Rd. W9 —7K 57
Walter Wlk. Edgw —6A 24
Waltham Abbey. —6J 7
Waltham Abbey Church. —6J 7
Waltham Abbey Gatehouse. —6J 7
Waltham Abbey Tourist Info. Cen. —6J 7
Waltham Av. NW9 —4L 39
Waltham Av. Hay —4A 68
Waltham Clo. Dart —5E 98
Waltham Clo. Orp —3H 129
Waltham Cross. —6E 6
Waltham Cross Eleanor Cross. —7E 6
Waltham Dri. Edgw —9L 23
Waltham Gdns. Enf —9C 6
Waltham Ho. NW8 —4A 58
Waltham Pk. Way. E17 —8L 29
Waltham Rd. Cars —2B 122
Waltham Rd. S'hall —4J 69
Waltham Rd. Wfd G —6J 31
Walthamstow. —2L 45
Walthamstow Av. E4 —6K 29
Walthamstow Bus. Cen. E17 —9A 30
Walthamstow Greyhound Stadium. —7M 29
Waltham Way. E4 —3K 29
Waltheof Av. N17 —8B 28
Waltheof Gdns. N17 —8B 28
Walton & Hersham F.C. —4E 116
Walton Av. Harr —1K 53
Walton Av. N Mald —8D 104
Walton Av. Sutt —5K 121
Walton Bri. Shep & W on T —2C 116
Walton Bri. Rd. Shep —2C 116
Walton Clo. E5 —8H 45
Walton Clo. NW2 —7F 40
Walton Clo. SW8 —8J 75
Walton Clo. Harr —2B 38
Walton Ct. New Bar —7A 14
Walton Ct. S Croy —7A 124
(off Warham Rd.)
Walton Cft. Harr —9C 38
Walton Dri. NW10 —2B 56
Walton Dri. Harr —2B 38
Walton Gdns. W3 —8M 55
Walton Gdns. Felt —1D 100
Walton Gdns. Wal A —6H 7
Walton Gdns. Wemb —7J 39
Walton Grn. New Ad —1M 139
Walton Ho. E2 —7D 60
Walton Ho. E4 —5L 29
(off Chingford Mt. Rd.)
Walton Ho. E17 —1M 45
(off Drive, The)
Walton La. Shep —2B 116
Walton La. Wey & W on T —4A 116
Walton-On-Thames. —3E 116
Walton Pk. W on T —4H 117
Walton Pk. La. W on T —4H 117
Walton Pl. SW3 —4D 74
Walton Rd. E12 —9L 47
(in three parts)
Walton Rd. E13 —5G 63
Walton Rd. N15 —2D 44
Walton Rd. Bush —6H 9
Walton Rd. E Mol & W Mol —8K 101
Walton Rd. Eps —9D 134
(in two parts)
Walton Rd. Harr —2B 38
Walton Rd. Romf —7K 33
Walton Rd. Sidc —8G 97
Walton Rd. W on T & W Mol —9G 101
Walton St. SW3 —5C 74
Walton St. Enf —3B 16
Walton Way. W3 —8M 55
Walton Way. Mitc —8G 107
Walt Whitman Clo. SE24 —3M 91
Walverns Clo. Wat —8G 9
Walworth. —6A 76
Walworth Pl. SE17 —6A 76
Walworth Rd. SE1 & SE17 —5A 76
Walwyn Av. Brom —7H 111
Wanborough Dri. SW15 —7F 88

Waterside—Wellmeadow Rd.

Waterside. Beck —5K 109
Waterside. Dart —4C 98
Water Side. Uxb —8A 142
Waterside. W Dray —8G 143
Waterside Bus. Cen. Iswth —3F 86
Waterside Clo. E3 —4K 61
Waterside Clo. SE16 —3E 76
Waterside Clo. Bark —9E 48
Waterside Clo. H Wood —7L 35
Waterside Clo. N'holt —6K 53
Waterside Clo. Surb —4J 119
Waterside Dri. W on T —9E 100
Waterside Ho. E14 —3M 77
(off Admirals Way)
Waterside Pl. NW1 —4E 58
Waterside Point. SW11 —8C 74
Waterside Rd. S'hall —4L 69
Waterside Trad. Cen. W7 —4C 70
Waterside Way. SW17 —1A 106
Watersmeet Way. SE28 —9G 65
Waterson St. E2 —6C 60
Waters Pl. SW15 —1G 89
Watersplash Clo. King T —7J 103
Watersplash La. Hay —5E 68
(in two parts)
Waters Rd. SE6 —9C 94
Waters Rd. King T —6M 103
Waters Sq. King T —7M 103
Water St. WC2 —1L 75
(off Maltravers St.)
Waterton. Swan —8B 114
Water Tower Clo. Uxb —1C 142
Water Tower Hill. Croy —6B 124
Water Tower Pl. N1 —4L 59
Waterview Ho. E14 —8J 61
(off Carr St.)
Waterworks Corner. (Junct.) —8C 30
Waterworks La. E5 —7H 45
Waterworks Rd. SW2 —5K 91
Waterworks Yd. Croy —5A 124
Watery La. SW20 —6K 105
Watery La. Hay —6C 68
Watery La. N'holt —5G 53
Watery La. Sidc —3F 112
Wates Way. Mitc —1D 122
Wateville Rd. N17 —8A 28
Watford. —6F 8
Watford Arches Retail Pk. Wat —7H 9
Watford By-Pass. Edgw —4M 23
Watford By-Pass. Stan & Edgw —9F 10
Watford Clo. SW11 —9C 74
Watford Enterprise Cen. Wat —8C 8
Watford F.C. —7F 8
Watford Fld. Rd. Wat —7G 9
Watford Heath. —1H 21
Watford Heath. Wat —9H 9
Watford Heath Farm. Wat —9J 9
Watford Ho. Romf —5K 35
(off Redruth Rd.)
Watford Mus. —6G 9
Watford Rd. E16 —8E 62
Watford Rd. Crox G & Rick —8A 8
Watford Rd. Els —8F 10
Watford Rd. Harr & Wemb —5E 38
Watford Rd. N'wd —7D 20
Watford Rd. Rad —1C 10
Watford Way. NW4 —2E 40
Watford Way. NW7 & NW4 —4C 24
Watkin Rd. Wemb —8M 39
Watkins Ct. N'wd —8D 20
Watkinson Rd. N7 —2K 59
Watling. —7B 24
Watling Av. Edgw —8A 24
Watling Ct. EC4 —9A 60
(off Watling St.)
Watling Ct. Els —8H 11
Watling Farm Clo. Stan —1G 23
Watling Gdns. NW2 —2J 57
Watling Ga. NW9 —2C 40
Watlings Clo. Croy —1J 125
Watling St. EC4 —9A 60
Watling St. SE15 —7C 76
Watling St. Bexh —3M 97
Watling St. Dart & Bean —6L 99
Watling St. Rad & Els —2F 10
Watlington Gro. SE26 —2J 109
Watney Cotts. SW14 —2A 88
Watney Mkt. E1 —9F 60
Watney Rd. SW14 —2A 88
Watney's Rd. Mitc —9H 107
Watney St. E1 —9F 60
Watson Av. E6 —3L 63
Watson Av. Sutt —4J 121
Watson Clo. N16 —1B 60
Watson Clo. SW19 —3C 106
Watson Gdns. H Wood —9J 35
Watson's M. W1 —8C 58
Watsons Rd. N22 —8K 27
Watson's St. SE8 —8L 77
Watson St. E13 —5F 62
Watsons Yd. NW2 —7E 40
Wattendon Rd. Kenl —8M 137
Wattisfield Rd. E5 —8G 45
Watts Bri. Rd. Eri —7D 82
Watts Clo. N15 —3C 44
Watts Gro. E3 —8L 61
Watts La. Chst —5M 111
Watts La. Tedd —2E 102
Watts Point. E13 —4E 62
(off Brooks Rd.)
Watts Rd. Th Dit —2E 118
Watts St. E1 —2F 76
Watts St. SE15 —9D 76
Wat Tyler Ho. N8 —1J 43
(off Boyton Rd.)
Wat Tyler Rd. SE10 & SE3 —1A 94
Wauthier Clo. N13 —5M 27
Wavel Ct. E1 —2G 77
(off Garnet St.)
Wavel Ct. Croy —7B 124
(off Hurst Rd.)
Wavell Clo. Chesh —1E 6
Wavell Dri. Sidc —5C 96
Wavel M. N8 —2H 43
Wavel M. NW6 —3M 57
Wavel Pl. SE26 —1D 108
Wavendon Av. W4 —6B 72
Waveney Av. SE15 —3F 92
Waveney Clo. E1 —2E 76
Waveney Ho. SE15 —3F 92
Waverley Av. E4 —4K 29
Waverley Av. E17 —1B 46
Waverley Av. Kenl —8C 138
Waverley Av. Surb —1M 119
Waverley Av. Sutt —4M 121
Waverley Av. Twic —7K 85
Waverley Av. Wemb —1K 55
Waverley Clo. E18 —8G 31
Waverley Clo. Brom —9H 111
Waverley Clo. Hay —5B 68
Waverley Clo. W Mol —9L 101
Waverley Ct. NW6 —3J 57
Waverley Ct. SE26 —2G 109
Waverley Ct. Enf —5A 16
Waverley Cres. SE18 —6B 80
Waverley Cres. Romf —7G 35
Waverley Gdns. E6 —8J 63
Waverley Gdns. NW10 —5K 55
Waverley Gdns. Bark —5C 64
Waverley Gdns. Ilf —9A 32
Waverley Gdns. N'wd —8E 20
Waverley Gro. N3 —1J 41
Waverley Ind. Est. Harr —1B 38
Waverley Pl. N4 —7M 43
Waverley Pl. NW8 —5B 58
Waverley Rd. E17 —1A 46
Waverley Rd. E18 —8G 31
Waverley Rd. N8 —4J 43
Waverley Rd. N17 —7F 28
Waverley Rd. SE18 —6A 80
Waverley Rd. SE25 —8F 108
Waverley Rd. Enf —5M 15
Waverley Rd. Eps —7F 120
Waverley Rd. Harr —7J 37
Waverley Rd. Rain —7F 66
Waverley Rd. S'hall —1L 69
Waverley Rd. Stoke D & Oxs —6A 132
Waverley Vs. N17 —9D 28
Waverley Way. Cars —8C 122
Waverton Ho. E3 —4K 61
Waverton Rd. SW18 —6A 90
Waverton St. W1 —2E 74
Wavertree Ct. SW2 —7J 91
Wavertree Rd. E18 —9E 30
Wavertree Rd. SW2 —7K 91
Waxlow Cres. S'hall —9L 53
Waxlow Ho. Hay —8H 53
Waxlow Rd. NW10 —5A 56
Waxwell Clo. Pinn —9H 21
Waxwell Farm Ho. Pinn —9H 21
Waxwell La. Pinn —9H 21
Wayborne Gro. Ruis —4A 36
Waye Av. Houn —9E 68
Wayfarer Rd. N'holt —6H 53
Wayfield Link. SE9 —5B 96
Wayford St. SW11 —1C 90
Wayland Av. E8 —1E 60
Wayland Clo. E8 —1E 60
Wayland Ho. SW9 —1L 91
(off Robsart St.)
Waylands. Hay —8B 52
Waylands. Swan —8D 114
Waylands Mead. Beck —5M 109
Waylett Ho. SE11 —6K 75
(off Loughborough St.)
Waylett Pl. SE27 —9M 91
Waylett Pl. Wemb —9H 39
Wayman Ct. E8 —2F 60
Wayne Clo. Orp —5D 128
Wayneflete Tower Av. Esh —5L 117
Wayne Kirkum Way. NW6 —1K 57
Waynflete Av. Croy —5M 123
Waynflete Sq. W10 —1H 73
Waynflete St. SW18 —8A 90
Wayside. NW11 —6J 41
Wayside. SW14 —4A 88
Wayside. New Ad —8M 125
Wayside Av. Bush —8B 10
Wayside Av. Horn —7H 51
Wayside Clo. N14 —8G 15
Wayside Clo. Romf —1D 50
Wayside Ct. Brick W —3K 5
Wayside Ct. Twic —5G 87
Wayside Ct. Wemb —8L 39
Wayside Gdns. Dag —1L 65
Wayside Gro. SE9 —1K 111
Wayside M. Ilf —3L 47
Wayville Rd. Dart —6M 99
Weald Clo. SE16 —6F 76
Weald Clo. Brom —4J 127
Weald La. Harr —9B 22
Weald Ri. Harr —7D 22
Weald Rd. Brtwd & S Wea —1K 35
Weald Rd. Uxb —5E 142
Weald Sq. E5 —7E 44
Wealdstone. —1C 38
Wealdstone Rd. Sutt —4K 121
Weald, The. Chst —3K 111
Weald Way. Hay —6C 52
Weald Way. Romf —4M 49
Wealdwood Gdns. Pinn —6M 21
Weale Rd. E4 —3B 30
Weall Clo. Purl —4K 137
Weall Ct. Pinn —2J 37
Weall Grn. Wat —5F 4
Weardale Gdns. Enf —3B 16
Weardale Rd. SE13 —3B 94
Wearmouth Ho. E3 —8K 61
(off Joseph St.)
Wear Pl. E2 —6F 60
(in two parts)
Wearside Rd. SE13 —3M 93
Weatherbury. W2 —9L 57
(off Talbot Rd.)
Weatherbury Ho. N19 —8H 43
(off Wedmore St.)
Weatherley Clo. E3 —8K 61
Weaver Clo. E6 —1M 79
Weaver Clo. Croy —6D 124
Weavers Clo. Iswth —3C 86
Weavers Ho. E11 —4E 46
(off New Wanstead)
Weavers La. SE1 —2C 76
Weavers Ter. SW6 —7L 73
(off Micklethwaite Rd.)
Weaver St. E1 —7E 60
Weavers Way. NW1 —4H 59
Weaver Wlk. SE27 —1A 108
Webb Clo. W10 —7G 57
Webber Clo. Els —8H 11
Webber Clo. Eri —8F 82
Webber Row. SE1 —3M 75
(in two parts)
Webber St. SE1 —3L 75
Webb Est. E5 —5E 44
Webb Gdns. E13 —7E 62
Webb Ho. SW8 —8H 75
Webb Ho. Dag —8L 49
(off Kershaw Rd.)
Webb Ho. Felt —9J 85
Webb Pl. NW10 —6D 56
Webb Rd. SE3 —7D 78
Webbscroft Rd. Dag —9M 49
Webb's Rd. SW11 —3D 90
Webbs Rd. Hay —6F 52
Webb St. SE1 —4C 76
Webheath. NW6 —3K 57
Webster Clo. Horn —8H 51
Webster Clo. Oxs —6A 132
Webster Clo. Wal A —6M 7
Webster Gdns. W5 —2H 71
Webster Rd. E11 —8A 46
Webster Rd. SE16 —4E 76
Weddell Ho. E1 —7H 61
(off Duckett St.)
Wedderburn Rd. NW3 —1B 58
Wedderburn Rd. Bark —4C 64
Wedgewood Clo. N'wd —7A 20
Wedgewood Ct. Bex —6K 97
Wedgewood Ct. Brom —7D 110
(off Cumberland Rd.)
Wedgewood Ho. SW1 —6F 74
(off Churchill Gdns.)
Wedgwood Ho. E2 —6H 61
(off Warley St.)
Wedgwood Ho. SE11 —4L 75
(off Lambeth Wlk.)
Wedgwood M. W1 —9H 59
Wedgwood Wlk. NW6 —1M 57
(off Dresden Clo.)
Wedgwood Way. SE19 —4A 108
Wedlake Clo. Horn —6J 51
Wedlake St. W10 —7J 57
Wedmore Av. Ilf —8L 31
Wedmore Ct. N19 —7H 43
Wedmore Gdns. N19 —7H 43
Wedmore M. N19 —8H 43
Wedmore Rd. Gnfd —6B 54
Wedmore St. N19 —8H 43
Wednesbury Gdns. Romf —7K 35
Wednesbury Grn. Romf —7K 35
Wednesbury Rd. Romf —7K 35
Weech Rd. NW6 —9L 41
Weedington Rd. NW5 —1E 58
Weedon Ho. W12 —9E 56
Weekley Sq. SW11 —2B 90
Weigall Rd. SE12 —4E 94
Weighhouse St. W1 —9E 58
Weighton M. SE20 —6F 108
Weighton Rd. SE20 —6F 108
Weighton Rd. Harr —8B 22
Weihurst Ct. Sutt —7C 122
Weihurst Gdns. Sutt —7B 122
Weirdale Av. N20 —2D 26
Weir Hall Av. N18 —6B 28
Weir Hall Gdns. N18 —5B 28
Weir Hall Rd. N18 & N17 —5B 28
Weir Rd. SW12 —6G 91
Weir Rd. SW19 —9M 89
Weir Rd. Bex —6M 97
Weir Rd. W on T —1E 116
Weirside Gdns. W Dray —2H 143
Weir's Pas. NW1 —6H 59
Weiss Rd. SW15 —2H 89
Welbeck Av. Brom —1E 110
Welbeck Av. Hay —7F 52
Welbeck Av. Sidc —7E 96
Welbeck Clo. N12 —5B 26
Welbeck Clo. Borwd —5L 11
Welbeck Clo. Eps —9E 120
Welbeck Clo. N Mald —9D 104
Welbeck Ct. W14 —5K 73
(off Addison Bri. Pl.)
Welbeck Ho. W1 —9F 58
(off Welbeck St.)
Welbeck Rd. E6 —6H 63
Welbeck Rd. Barn —8C 14
Welbeck Rd. Harr —6M 37
Welbeck Rd. Sutt & Cars —4B 122
Welbeck St. W1 —8E 58
Welbeck Vs. N21 —2A 28
Welbeck Wlk. Cars —3B 122
Welbeck Way. W1 —9F 58
Welbourne Rd. N17 —1D 44
Welby Ho. N19 —5H 43
Welby St. SE5 —9M 75
Welch Pl. Pinn —8F 20
Welcome Ct. E17 —5L 45
(off Boundary Rd.)
Welcomes Rd. Kenl —9A 138
Welcomes Ter. Whyt —8D 138
Welcote Dri. N'wd —6B 20
Weldon Clo. Ruis —2F 52
Weldon Ct. N21 —7K 15
Weldon Dri. W Mol —8K 101
Weld Pl. N11 —5F 26
(in two parts)
Welfare Rd. E15 —3C 62
Welford Clo. E5 —8H 45
Welford Ct. NW1 —3F 58
(off Castlehaven Rd.)
Welford Ct. SW8 —1G 91
Welford Pl. SW19 —1J 105
Welham Rd. SW17 & SW16 —2E 106
Welhouse Rd. Cars —3C 122
Wellacre Rd. Harr —4F 38
Wellan Clo. Sidc —4F 96
Welland Ct. SE6 —8K 93
(off Oakham Clo.)
Welland Gdns. Gnfd —5D 54
Welland Ho. SE15 —3G 93
Welland M. E1 —2E 76
Wellands Clo. Brom —6K 111
Welland St. SE10 —7A 78
Well App. Barn —7G 13
Wellbrook Rd. Orp —6L 127
Wellby Ct. E13 —4G 63
Well Clo. SW16 —1K 107
Well Clo. Ruis —8J 37
Wellclose Sq. E1 —1E 76
(in two parts)
Wellclose St. E1 —1E 76
Wellcome Av. Dart —3J 99
Wellcome Cen. for Medical (off Euston Rd.) Science. —7H 59
Well Cottage Clo. E11 —4G 47
Well Ct. EC4 —9A 60
(in two parts)
Welldon Ct. Harr —3C 38
Welldon Cres. Harr —3C 38
Well End. —2B 12
Well End Rd. Borwd —1A 12
Weller Ho. SE16 —3E 76
(off George Row)
Weller Pl. Orp —3L 141
Wellers Ct. NW1 —5J 59
Wellers Gro. Chesh —1A 6
Weller St. SE1 —3A 76
Wellesford Clo. Bans —9K 135
Wellesley Av. W6 —4F 72
Wellesley Av. N'wd —5D 20
Wellesley Clo. SE7 —6G 79
Wellesley Ct. NW2 —7E 40
Wellesley Ct. NW8 —6A 58
(off Maida Va.)
Wellesley Ct. Sutt —3J 121
Wellesley Ct. Rd. Croy —4B 124
Wellesley Cres. Twic —8C 86
Wellesley Gro. Croy —4B 124
Wellesley Ho. SW1 —6F 74
(off Ebury Bri. Rd.)
Wellesley Lodge. Sutt —9L 121
(off Worcester Rd.)
Wellesley Mans. W14 —6K 73
(off Edith Vs.)
Wellesley Pde. Twic —9C 86
Wellesley Pk. M. Enf —4M 15
Wellesley Pas. Croy —4A 124
Wellesley Pl. NW1 —6H 59
Wellesley Pl. NW5 —1E 58
Wellesley Rd. E11 —3E 46
Wellesley Rd. E17 —4L 45
Wellesley Rd. N22 —9L 27
Wellesley Rd. NW5 —1E 58
Wellesley Rd. W4 —6L 71
Wellesley Rd. Croy —3A 124
Wellesley Rd. Harr —3C 38
Wellesley Rd. Ilf —7M 47
Wellesley Rd. Sutt —8A 122
Wellesley Rd. Twic —9B 86
Wellesley St. E1 —8H 61
Wellesley Ter. N1 —6A 60
Wellfield Av. N10 —1F 42
Wellfield Gdns. Cars —1C 136
Wellfield Rd. SW16 —1J 107
Wellfields. Lou —5L 19
Wellfield Wlk. SW16 —2K 107
(in two parts)
Wellfit St. SE24 —2M 91
Wellgarth. Gnfd —2F 54
Wellgarth Rd. NW11 —6M 41
Well Gro. N20 —1A 26
Well Hall Pde. SE9 —3K 95
Well Hall Rd. SE9 —2J 95
Well Hall Roundabout. (Junct.) —3K 95
Well Hill. —8M 129
Well Hill. Orp —8M 129
Well Hill La. Orp —8M 129
Wellhouse La. Barn —6G 13
Wellhouse Rd. Beck —8L 109
Welling. —2F 96
Wellingborough Ho. Romf —5K 35
(off Redruth Rd.)
Welling High St. Well —2F 96
Wellington. N8 —2J 43
(in two parts)
Wellington Av. E4 —2L 29
Wellington Av. N9 —3F 28
Wellington Av. N15 —4D 44
Wellington Av. SE18 —4M 79
Wellington Av. Houn —4L 85
Wellington Av. Pinn —8K 21
Wellington Av. Sidc —5E 96
Wellington Av. Wor Pk —5G 121
Wellington Bldgs. SW1 —6E 74
Wellington Clo. SE14 —9H 77
Wellington Clo. W11 —9L 57
Wellington Clo. Dag —3A 66
Wellington Clo. W on T —3D 116
Wellington Clo. Wat —3K 21
Wellington Ct. NW8 —5B 58
(off Wellington Rd.)
Wellington Ct. SW1 —3D 74
(off Knightsbridge)
Wellington Ct. SW6 —9M 73
(off Maltings Pl.)
Wellington Ct. Hamp —2B 102
Wellington Ct. Pinn —8K 21
(off Wellington Rd.)
Wellington Ct. Stanw —6C 144
Wellington Cres. N Mald —7A 104
Wellington Dri. Dag —3A 66
Wellington Dri. Purl —2K 137
Wellington Est. E2 —5G 61
Wellington Gdns. SE7 —7G 79
Wellington Gdns. Twic —1B 102
Wellington Gro. SE10 —8B 78
Wellington Hill. Lou —1E 18
Wellington Ho. W5 —6J 55
Wellington Ho. N'holt —3L 53
(off Farmlands, The)
Wellington Ho. Wat —4G 9
(off Exeter Clo.)
Wellingtonia Av. Hav —4A 34
Wellington Mans. E10 —6L 45
Wellington M. N7 —2K 59
(off Roman Way)
Wellington M. SE7 —7G 79
Wellington M. SE22 —3E 92
Wellington M. SW16 —9H 91
Wellington Mus. —3E 74
Wellington Pde. Sidc —4E 96
Wellington Pk. Est. NW2 —6E 40
Wellington Pas. E11 —3E 46
(off Wellington Rd.)
Wellington Pl. E11 —3E 46
Wellington Pl. N2 —3C 42
Wellington Pl. NW8 —6B 58
Wellington Rd. E6 —4K 63
Wellington Rd. E7 —9D 46
Wellington Rd. E10 —6J 45
Wellington Rd. E11 —3E 46
Wellington Rd. E17 —2J 45
Wellington Rd. NW8 —5B 58
Wellington Rd. NW10 —6H 57
Wellington Rd. SW19 —8L 89
Wellington Rd. W5 —4G 71
Wellington Rd. Belv —6K 81
Wellington Rd. Bex —4H 97
Wellington Rd. Brom —8G 111
Wellington Rd. Croy —2M 123
Wellington Rd. Dart —5G 99
Wellington Rd. Enf —7C 16
Wellington Rd. Felt —4C 84
Wellington Rd. Hamp & Twic —2B 102
Wellington Rd. Harr —1C 38
Wellington Rd. Orp —1F 128
Wellington Rd. Pinn —8K 21
Wellington Rd. Uxb —4A 142
Wellington Rd. Wat —4F 8
Wellington Rd. N. Houn —2K 85
Wellington Rd. S. Houn —3K 85
Wellington Row. E2 —6D 60
Wellington Sq. SW3 —6D 74
Wellington St. SE18 —5L 79
Wellington St. WC2 —1K 75
Wellington St. Bark —4A 64
Wellington Ter. E1 —2F 76
Wellington Ter. N8 —1L 43
(off Turnpike La.)
Wellington Ter. W11 —1L 73
Wellington Ter. Harr —6B 38
Wellington Way. E3 —6L 61
Welling United F.C. —2G 97
Welling Way. SE9 & Well —2A 96
Well La. SW14 —4A 88
Wellmeadow Rd. SE13 & SE6 —5C 94
(in two parts)
Wellmeadow Rd. W7 —5E 70

Wellow Wlk. Cars —3B 122
Well Pl. NW3 —8B 42
Well Rd. NW3 —8B 42
Well Rd. Barn —7G 13
Wells Clo. N'holt —6G 53
Wells Ct. NW6 —5L 57
(off Cambridge Av.)
Wells Dri. NW9 —6B 40
Wells Gdns. Dag —1M 65
Wells Gdns. Ilf —5J 47
Wells Gdns. Rain —2D 66
Wells Ho. EC1 —6L 59
(off Spa Grn. Est.)
Wells Ho. SE16 —4G 77
(off Howland Est.)
Wells Ho. W5 —2H 71
(off Grove Rd.)
Wells Ho. Bark —3E 64
(off Margaret Bondfield Av.)
Wells Ho. Brom —2F 110
(off Pike Clo.)
Wells Ho. Eps —6L 133
Wells Ho. Rd. NW10 —8C 56
Wellside Clo. Barn —6G 13
Wellside Gdns. SW14 —3A 88
Wells M. W1 —8G 59
Wellsmoor Gdns. Brom —7L 111
Wells Pk. Rd. SE26 —9E 92
Wells Path. N'holt —6C 52
Wellsprings Cres. Wemb —8M 39
Wells Ri. NW8 —4D 58
Wells Rd. W12 —3G 73
Wells Rd. Brom —6K 111
Wells Rd. Eps —6L 133
Wells Sq. WC1 —6K 59
Wells St. W1 —8G 59
Wellstead Av. N9 —9H 17
Wellstead Rd. E6 —5L 63
Wells Ter. N4 —7L 43
Wells, The. —6L 133
Wells, The. N14 —9H 15
Wellstones. Wat —6F 8
Well St. E9 —3G 61
Well St. E15 —2C 62
Wells Way. SE5 —7B 76
Wells Way. SW7 —4B 74
Wells Yd. N7 —1L 59
Wells Yd. Wat —5F 8
Well Wlk. NW3 —9B 42
Well Way. Eps —7L 133
Wellwood Clo. Coul —6J 137
Wellwood Rd. Ilf —6E 48
Welsby Ct. W5 —8G 55
Welsford St. SE1 —5E 76
(in two parts)
Welsh Clo. E13 —6E 62
Welsh Ho. E1 —2F 76
(off Wapping La.)
Welshpool Ho. E8 —4E 60
Welshpool St. E8 —4E 60
(in two parts)
Welshside Wlk. NW9 —4C 40
Welstead Ho. E1 —9F 60
(off Cannon St. Rd.)
Welstead Way. W4 —5D 72
Welsummer Way. Chesh —1D 6
Weltje Rd. W6 —5E 72
Welton Ct. SE5 —9C 76
Welton Ho. E1 —8H 61
(off Stepney Way)
Welton Rd. SE18 —8C 80
Welwyn Av. Felt —5D 84
Welwyn St. E2 —6G 61
Welwyn Way. Hay —7C 52
Wembley. —1J 55
Wembley Arena. —9L 39
Wembley Arena. —9L 39
Wembley Commercial Cen. Wemb —7H 39
Wembley Conference Centre. —9L 39
Wembley Hill Rd. Wemb —8K 39
Wembley Park. —8L 39
Wembley Pk. Bus. Cen. Wemb —9M 39
Wembley Pk. Dri. Wemb —9K 39
Wembley Retail Pk. Wemb —9M 39
Wembley Rd. Hamp —5L 101
Wembley Stadium. —1L 55
Wembley Stadium Ind. Est. Wemb —9M 39
Wembley Way. Wemb —2M 55
Wemborough Rd. Stan —8F 22
Wembury M. N6 —5G 43
Wembury Rd. N6 —5F 42
Wemyss Rd. SE3 —1D 94
Wendela Ct. Harr —7C 38
Wendell Rd. W12 —4D 72
Wenderholme. S Croy —7B 124
(off South Pk. Hill Rd.)
Wendle Ct. SW8 —7J 75
Wendling Rd. Sutt —3B 122
Wendon St. E3 —4K 61
Wendover. SE17 —6C 76
(in two parts)
Wendover Clo. Hay —7J 53
Wendover Ct. NW2 —8L 41
Wendover Ct. NW10 —7M 55
Wendover Ct. W1 —8E 58
(off Chiltern St.)
Wendover Ct. Brom —7F 110
(off Wendover Rd.)
Wendover Dri. N Mald —1D 120
Wendover Ho. W1 —8E 58
(off Chiltern St.)
Wendover Ho. Wat —9C 8
(off Chenies Way)
Wendover Rd. NW10 —5D 56
Wendover Rd. SE9 —2H 95
Wendover Rd. Brom —8F 110
Wendover Way. Bush —8A 10
Wendover Way. Horn —1G 67
Wendover Way. Orp —1E 128
Wendover Way. Well —4E 96
Wend, The. Coul —6H 137
Wendy Clo. Enf —8D 16
Wendy Way. Wemb —4J 55
Wenham Ho. SW8 —8G 75
(off Ascalon St.)
Wenlake Ho. EC1 —7A 60
(off Old St.)
Wenlock Barn Est. N1 —5B 60
(off Wenlock St.)
Wenlock Ct. N1 —5B 60
Wenlock Gdns. NW4 —2F 40
Wenlock Rd. N1 —5A 60
Wenlock Rd. Edgw —7M 23
Wenlock St. N1 —5A 60
Wennington. —1J 83
Wennington Rd. E3 —5H 61
Wennington Rd. Rain & Wen —7E 66
Wensdale Ho. E5 —7E 44
Wensley Av. Wfd G —7D 30
Wensley Clo. SE9 —5K 95
Wensley Clo. Romf —5L 33
Wensleydale Av. Ilf —9J 31
Wensleydale Gdns. Hamp —4M 101
Wensleydale Pas. Hamp —5L 101
Wensleydale Rd. Hamp —3L 101
Wensley Rd. N18 —6F 28
Wenta Bus. Cen. Wat —1H 9
Wentbridge Path. Borwd —2L 11
Wentland Clo. SE6 —8B 94
Wentland Rd. SE6 —8B 94
Wentway Ct. W13 —7D 54
(off Ruislip Rd. E.)
Wentworth Av. N3 —7L 25
Wentworth Av. Els —7K 11
Wentworth Clo. N3 —7M 25
Wentworth Clo. SE28 —9H 65
Wentworth Clo. Ashf —9F 144
Wentworth Clo. Hayes —4E 126
Wentworth Clo. Mord —2L 121
Wentworth Clo. Orp —7C 128
Wentworth Clo. Surb —4H 119
Wentworth Clo. Wat —2D 8
Wentworth Ct. W6 —7J 73
(off Laundry Rd.)
Wentworth Ct. Twic —9C 86
Wentworth Cres. SE15 —8E 76
Wentworth Cres. Hay —4B 68
Wentworth Dri. Dart —5E 98
Wentworth Dri. Pinn —3E 36
Wentworth Dwellings. E1 —9D 60
(off Wentworth St.)
Wentworth Fields. Hay —5B 52
Wentworth Gdns. N13 —3M 27
Wentworth Hill. Wemb —6K 39
Wentworth M. E3 —7J 61
Wentworth Pk. N3 —7L 25
Wentworth Pl. Stan —6F 22
Wentworth Rd. E12 —9H 47
Wentworth Rd. NW11 —4K 41
Wentworth Rd. Barn —5H 13
Wentworth Rd. Croy —2L 123
Wentworth Rd. S'hall —5G 69
Wentworth St. E1 —9D 60
Wentworth Way. Pinn —2J 37
Wentworth Way. Rain —6F 66
Wentworth Way. S Croy —6E 138
Wenvoe Av. Bexh —1M 97
Wepham Clo. Hay —8H 53
Wernbrook St. SE18 —7A 80
Werndee Rd. SE25 —8E 108
Werneth Hall Rd. Ilf —1L 47
Werrington St. NW1 —5G 59
Werter Rd. SW15 —3J 89
Wescott Way. Uxb —5A 142
Wesleyan Pl. NW5 —9F 42
Wesley Av. E16 —2E 78
Wesley Av. NW10 —6B 56
Wesley Av. Houn —1J 85
Wesley Clo. N7 —7K 43
Wesley Clo. SE17 —5M 75
Wesley Clo. Harr —7A 38
Wesley Clo. Orp —7G 113
Wesley Rd. E10 —5A 46
Wesley Rd. N2 —8C 26
Wesley Rd. NW10 —4A 56
Wesley Rd. Hay —1E 68
Wesley's House Mus. —7B 60
Wesley Sq. W11 —9J 57
Wesley St. W1 —8E 58
Wessex Av. SW19 —7L 105
Wessex Clo. Ilf —4C 48
Wessex Clo. King T —5M 103
Wessex Clo. Th Dit —4D 118
Wessex Ct. Barn —6H 13
Wessex Ct. Beck —5J 109
Wessex Ct. Stanw —5C 144
Wessex Dri. Eri —1C 98
Wessex Dri. Pinn —7J 21
Wessex Gdns. NW11 —6J 41
Wessex Ho. SE1 —6D 76
Wessex La. Gnfd —6B 54
Wessex Rd. H'row A —3A 144
Wessex St. E2 —6G 61
Wessex Way. NW11 —6J 41
Westacott. Hay —8C 52
Westacott Clo. N19 —6H 43
West Acres. Esh —9K 117
West Acton. —9L 55
Westall Rd. Lou —5M 19
West App. Orp —9A 112
W. Arbour St. E1 —9H 61
West Av. E17 —2M 45
West Av. N2 —1M 41
West Av. N3 —6L 25
West Av. NW4 —3H 41
West Av. Hay —1D 68
West Av. Pinn —4K 37
West Av. S'hall —1K 69
West Av. Wall —7J 123
W. Avenue Rd. E17 —2L 45
West Bank. N16 —5C 44
West Bank. Bark —4M 63
West Bank. Enf —4A 16
Westbank Rd. Hamp H —3A 102
West Barnes. —8F 104
W. Barnes La. N Mald & SW20 —9E 104
West Beckton. —9H 63
West Bedfont. —5D 144
Westbeech Rd. N22 —1L 43
Westbere Dri. Stan —5H 23
Westbere Rd. NW2 —9J 41
West Block. SE1 —3K 75
(off Addington St.)
Westbourne Av. W3 —9B 56
Westbourne Av. Sutt —4J 121
Westbourne Bri. W2 —8A 58
Westbourne Clo. Hay —7G 53
Westbourne Cres. W2 —1B 74
Westbourne Cres. M. W2 —1B 74
(off Westbourne Cres.)
Westbourne Dri. SE23 —8H 93
Westbourne Gdns. W2 —9M 57
Westbourne Green. —9K 57
Westbourne Gro. W11 & W2 —1K 73
Westbourne Gro. M. W11 —9L 57
Westbourne Gro. Ter. W2 —9M 57
Westbourne Ho. SW1 —6F 74
Westbourne Ho. Houn —7L 69
Westbourne Pde. Hil —7F 142
Westbourne Pk. Pas. W2 —8L 57
(off Alfred Rd., in two parts)
Westbourne Pk. Rd. W11 & W2 —9J 57
Westbourne Pk. Vs. W2 —8L 57
Westbourne Pl. N9 —3F 28
Westbourne Rd. N7 —2K 59
Westbourne Rd. SE26 —3H 109
Westbourne Rd. Bexh —8H 81
Westbourne Rd. Croy —1D 124
Westbourne Rd. Felt —9D 84
Westbourne Rd. Uxb —7F 142
Westbourne St. W2 —1B 74
Westbourne Ter. SE23 —8H 93
(off Waldram Pk. Rd.)
Westbourne Ter. W2 —9A 58
Westbourne Ter. M. W2 —9A 58
Westbourne Ter. Rd. W2 —8M 57
Westbourne Ter. Rd. Bri. W2
(off Westbourne Ter. Rd.) —8A 58
Westbridge Clo. W12 —3E 72
Westbridge Rd. SW11 —9B 74
West Brompton. —7M 73
Westbrook Av. Hamp —4K 101
Westbrook Clo. Barn —5B 14
Westbrook Cres. Cockf —5B 14
Westbrook Dri. Orp —3H 129
Westbrooke Cres. Well —2G 97
Westbrooke Rd. Sidc —8B 96
Westbrooke Rd. Well —2F 96
(in two parts)
Westbrook Ho. E2 —6G 61
(off Victoria Pk. Sq.)
Westbrook Rd. SE3 —9F 78
Westbrook Rd. Houn —8K 69
Westbrook Rd. T Hth —5B 108
Westbrook Sq. Barn —5B 14
Westbury Av. N22 —1M 43
Westbury Av. Clay —8D 118
Westbury Av. S'hall —7L 53
Westbury Av. Wemb —3J 55
Westbury Clo. Ruis —5E 36
Westbury Clo. Shep —1A 116
Westbury Clo. Whyt —9D 138
Westbury Ct. Bark —4B 64
(off Westbury Rd.)
Westbury Gro. N12 —6L 25
Westbury Ho. E17 —2K 45
Westbury La. Buck H —2G 31
Westbury Lodge Clo. Pinn —1H 37
Westbury Pl. Bren —7H 71
Westbury Rd. E7 —2F 62
Westbury Rd. E17 —2K 45
Westbury Rd. N11 —6J 27
Westbury Rd. N12 —6L 25
Westbury Rd. SE20 —5H 109
Westbury Rd. W5 —9J 55
Westbury Rd. Bark —4B 64
Westbury Rd. Beck —7J 109
Westbury Rd. Brom —5H 111
Westbury Rd. Buck H —2G 31
Westbury Rd. Chesh —3D 6
Westbury Rd. Croy —1B 124
Westbury Rd. Felt —7H 85
Westbury Rd. Ilf —7L 47
Westbury Rd. N Mald —8B 104
Westbury Rd. N'wd —4C 20
Westbury Rd. Wat —7F 8
Westbury Rd. Wemb —3J 55
Westbury St. SW8 —1G 91
(off Portslade Rd.)
Westbury Ter. E7 —2F 62
Westcar La. W on T —8F 116
W. Carriage Dri. W2 —1C 74
W. Central St. WC1 —9J 59
W. Centre Av. NW10 —7F 56
West Chantry. Harr —8M 21
Westchester Dri. NW4 —1H 41
West Clo. N9 —3D 28
West Clo. Ashf —9C 144
West Clo. Barn —7F 12
West Clo. Cockf —6E 14
West Clo. Gnfd —5A 54
West Clo. Hamp —3J 101
West Clo. Rain —7F 66
West Clo. Wemb —6K 39
Westcombe Av. Croy —2J 123
Westcombe Ct. SE3 —8D 78
Westcombe Dri. Barn —7L 13
Westcombe Hill. SE3 —8E 78
Westcombe Lodge Dri. Hay —8B 52
Westcombe Pk. Rd. SE3 —7C 78
West Comn. Rd. Brom & Kes —3E 126
West Comn. Rd. Uxb —1B 142
Westcoombe Av. SW20 —5D 104
Westcote Ri. Ruis —5A 36
Westcote Rd. SW16 —2G 107
West Cotts. NW6 —1L 57
Westcott Clo. N15 —4D 44
Westcott Clo. Brom —9K 111
Westcott Clo. New Ad —1M 139
Westcott Cres. W7 —9C 54
Westcott Ho. E14 —1L 77
(off E. India Dock Rd.)
Westcott Rd. SE17 —7M 75
Westcott Way. Sutt —2G 135
West Ct. E17 —2L 45
West Ct. Houn —8A 70
West Ct. Wemb —7G 39
Westcroft Clo. NW2 —9J 41
Westcroft Clo. Enf —2G 17
Westcroft Gdns. Mord —7K 105
Westcroft Rd. Cars & Wall —6E 122
Westcroft Sq. W6 —5E 72
Westcroft Way. NW2 —9J 41
W. Cromwell Rd. W14 & SW5 —6K 73
W. Cross Cen. Bren —7E 70
W. Cross Route. W10 —1H 73
W. Cross Way. Bren —7F 70
Westdale Pas. SE18 —7M 79
Westdale Rd. SE18 —7M 79
Westdean Av. SE12 —7F 94
W. Dean Clo. SW18 —5M 89
West Dene. Sutt —8J 121
W. Dene Dri. H Hill —5H 35
W. Dene Way. Wey —5C 116
Westdown Rd. E15 —9A 46
Westdown Rd. SE6 —6L 93
West Drayton. —3J 143
W. Drayton Pk. Av. W Dray —4J 143
W. Drayton Rd. Uxb —9F 142
West Dri. SW16 —1G 107
West Dri. Cars —2B 136
West Dri. Harr —6B 22
West Dri. Sutt —1H 135
West Dri. Tad —9H 135
West Dri. Wat —9F 4
West Dri. Gdns. Harr —6B 22
West Dulwich. —8B 92
West Ealing. —1F 70
W. Ealing Bus. Cen. W13 —1E 70
W. Eaton Pl. SW1 —5E 74
W. Eaton Pl. M. SW1 —5E 74
(off W. Eaton Pl.)
Wested La. Swan —2E 130
(in two parts)
W. Ella Rd. NW10 —3C 56
West End. —8K 117
(Esher)
West End. —5H 53
(Northolt)
W. End Av. E10 —3B 46
W. End Av. Pinn —2H 37
Westend Clo. NW10 —3A 56
W. End Ct. NW6 —3M 57
W. End Ct. Pinn —2H 37
W. End Gdns. Esh —7K 117
W. End Gdns. N'holt —5G 53
W. End La. NW6 —1L 57
W. End La. Barn —6H 13
W. End La. Esh —9K 117
W. End La. Hay —8A 68
W. End La. Pinn —1H 37
W. End Rd. Ruis & N'holt —7C 36
W. End Rd. S'hall —2J 69
Westerdale Rd. SE10 —6E 78
Westerfield Rd. N15 —3D 44
Westergate. W5 —8J 55
Westergate Ho. King T —8H 103
(off Portsmouth Rd.)
Westergate Rd. SE2 —7J 81
Westerham. NW1 —4G 59
(off Bayham St.)
Westerham Av. N9 —3B 28
Westerham Clo. Sutt —2L 135
Westerham Dri. Sidc —5F 96
Westerham Ho. SE1 —4B 76
(off Law St.)
Westerham Lodge. Beck —4L 109
(off Park Rd.)
Westerham Rd. E10 —5M 45
Westerham Rd. Kes —9H 127
Westerley Cres. SE26 —2K 109
Western Av. NW11 —4H 41
Western Av. W5 & W3 —7K 55
Western Av. Dag —2A 66
Western Av. Den & Uxb —1A 142
Western Av. Gnfd & W5 —5B 54
Western Av. Romf —9G 35
Western Av. Uxb & N'holt —2A 52
Western Av. Bus. Pk. W3 —7M 55
Western Beach Apartments. E16 —1E 78
Western Circus. (Junct.) —1D 72
Western Ct. N3 —6L 25
Western Ct. W3 —9B 56
Western Ct. W9 —5K 57
(off Carlton Va.)
Western Ct. Romf —3C 50
(off Chandlers Way)
Western Dri. Shep —1B 116
Western Gdns. W5 —1L 71
Western International Mkt. S'hall —5F 68
Western La. SW12 —6E 90
Western Mans. New Bar —7M 13
(off Gt. North Rd.)
Western M. W9 —7K 57
Western Pde. New Bar —7L 13
Western Pathway. Rain & Horn —3F 66
Western Perimeter Rd. W Dray & H'row A —2A 144 & 9G 143
Western Pl. SE16 —3G 77
Western Rd. E13 —5G 63
Western Rd. E17 —3A 46
Western Rd. N2 —2D 42
Western Rd. N22 —9K 27
Western Rd. NW10 —7A 56
Western Rd. SW9 —2L 91
Western Rd. SW19 & Mitc —5B 106
Western Rd. W5 —1H 71
Western Rd. Romf —3C 50
Western Rd. S'hall —5G 69
Western Rd. Sutt —7L 121
Western Ter. W6 —6E 72
(off Chiswick Mall)
Western Vw. Hay —3D 68
Westernville Gdns. Ilf —5A 48
Western Way. SE28 —4B 80
Western Way. Barn —8L 13
West Ewell. —9C 120
Westferry Cir. E14 —2L 77
Westferry Rd. E14 —1K 77
West Fld. Ashf —9K 133
Westfield. Lou —7H 19
Westfield Av. S Croy —5B 138
Westfield Av. Wat —2H 9
Westfield Clo. NW9 —1A 40
Westfield Clo. SW10 —8A 74
Westfield Clo. Enf —5J 17
Westfield Clo. Sutt —6K 121
Westfield Clo. Wal X —4F 6
Westfield Ct. Surb —9H 103
(off Portsmouth Rd)
Westfield Dri. Harr —2H 39
Westfield Gdns. Harr —2H 39
Westfield Ho. SE16 —5H 77
(off Rotherhithe New Rd.)
Westfield Ho. SW18 —7M 89
Westfield La. Harr —3H 39
(in two parts)
Westfield Pk. Pinn —7K 21
Westfield Pk. Dri. Wfd G —6J 31
Westfield Rd. NW7 —3B 24
Westfield Rd. W13 —2E 70
Westfield Rd. Beck —6K 109
Westfield Rd. Bexh —2A 98
Westfield Rd. Croy —4M 123
Westfield Rd. Dag —9J 49
Westfield Rd. Mitc —6C 106
Westfield Rd. Surb —9H 103
Westfield Rd. Sutt —6K 121
Westfield Rd. W on T —2J 117
Westfields. SW13 —2D 88
Westfields Av. SW13 —2C 88
Westfields Rd. W3 —8M 55
Westfield St. SE18 —4H 79
Westfield Wlk. Wal X —4F 6
Westfield Way. E1 —6J 61
Westfield Way. Ruis —8C 36
W. Garden Pl. W2 —9C 58
West Gdns. E1 —1F 76
West Gdns. SW17 —3C 106
West Gdns. Eps —2C 134
Westgate. W5 —6J 55
Westgate Clo. Eps —7B 134
Westgate Ct. SE12 —7E 94
(off Burnt Ash Hill)
Westgate Ct. SW9 —2L 91
(off Canterbury Cres.)
Westgate Ct. Wal X —8D 6
Westgate M. W10 —7J 57
(off West Row)
Westgate Rd. SE25 —8F 108
Westgate Rd. Beck —6M 109

Whetstone Rd.—Wilkie Ho.

Whetstone Rd. SE3 —1G 95
Whewell Rd. N19 —7J 43
Whidborne Bldgs. WC1 —6J 59
(off Whidborne St.)
Whidborne Clo. SE8 —1L 93
Whidborne St. WC1 —6J 59
Whimbrel Clo. SE28 —1G 81
Whimbrel Clo. S Croy —3B 138
Whimbrel Way. Hay —8H 53
Whinchat Rd. SE28 —4B 80
Whinfell Clo. SW16 —2H 107
Whinyates Rd. SE9 —2J 95
Whippendell Clo. Orp —5F 112
Whippendell Rd. Wat —7C 8
Whippendell Way. Orp —5F 112
Whipps Cross. E11 —4D 46
Whipps Cross. E17 —3B 46
Whipps Cross Ho. E17 —3B 46
(off Wood St.)
Whipps Cross Rd. E11 —3B 46
(in two parts)
Whiskin St. EC1 —6M 59
Whisperwood Clo. Harr —8C 22
Whistler Gdns. Edgw —9K 23
Whistler M. SE15 —8D 76
Whistler M. Dag —1F 64
(off Fitzstephen Rd.)
Whistlers Av. SW11 —8B 74
Whistler St. N5 —1M 59
Whistler Tower. SW10 —8A 74
(off Worlds End Est.)
Whistler Wlk. SW10 —8B 74
Whiston Ho. N1 —3M 59
(off Richmond Gro.)
Whiston Rd. E2 —5D 60
(in two parts)
Whitakers Way. Lou —3K 19
Whitbread Clo. N17 —8E 28
Whitbread Rd. SE4 —3J 93
Whitburn Rd. SE13 —3M 93
Whitby Av. NW10 —6M 55
Whitby Ct. N7 —9J 43
Whitby Gdns. NW9 —1L 39
Whitby Gdns. Sutt —4B 122
Whitby Ho. NW8 —4A 58
(off Boundary Rd.)
Whitby Pde. Ruis —7G 37
Whitby Rd. SE18 —5K 79
Whitby Rd. Harr —8A 38
Whitby Rd. Ruis —8F 36
Whitby Rd. Sutt —4B 122
Whitby St. E1 —7D 60
(in two parts)
Whitcher Clo. SE14 —7J 77
Whitcher Pl. NW1 —2G 59
Whitchurch Av. Edgw —7K 23
Whitchurch Clo. Edgw —6K 23
Whitchurch Gdns. Edgw —6K 23
Whitchurch Ho. W10 —9H 57
(off Kingsdown Clo.)
Whitchurch La. Edgw —7H 23
Whitchurch Pde. Edgw —7L 23
Whitchurch Rd. W11 —1H 73
Whitchurch Rd. Romf —4H 35
Whitcomb Ct. SW1 —1H 75
(off Whitcomb St.)
Whitcomb St. WC2 —1H 75
White Acre. NW9 —9C 24
Whiteadder Way. E14 —5M 77
Whitear Wlk. E15 —2B 62
Whitebarn La. Dag —4L 65
Whitebeam Av. Brom —2L 127
Whitebeam Clo. SW9 —8K 75
White Beams. Park —1M 5
White Bear Pl. NW3 —9B 42
White Bear Yd. EC1 —7L 59
(off Clerkenwell Rd.)
White Bri. Av. Mitc —7B 106
Whitebridge Clo. Felt —5D 84
White Butts Rd. Ruis —8H 37
Whitechapel. —8E 60
Whitechapel Art Gallery. —9D 60
(off White Chapel High St.)
Whitechapel High St. E1 —9D 60
Whitechapel Rd. E1 —9E 60
White Chu. La. E1 —9E 60
White Chu. Pas. E1 —9E 60
(off White Chu. La.)
White City. —1F 72
White City. (Junct.) —9G 57
White City Clo. W12 —1G 73
White City Est. W12 —1F 72
White City Rd. W12 —1G 73
White Conduit St. N1 —5L 59
Whitecote Rd. S'hall —9A 54
White Craig Clo. Pinn —5L 21
Whitecroft. Swan —6C 114
Whitecroft Clo. Beck —8B 110
Whitecroft Way. Beck —9A 110
Whitecross Pl. EC2 —8B 60
Whitecross St. EC1 —7A 60
Whitefield Av. NW2 —6G 41
Whitefield Av. Purl —8L 137
Whitefield Clo. SW18 —5J 89
Whitefield Clo. Orp —7G 113
Whitefields Rd. Chesh —1C 6
Whitefoot La. Brom —1A 110
Whitefoot Ter. Brom —9C 94
Whitefriars Av. Harr —9C 22
Whitefriars Ct. N12 —5B 26
Whitefriars Dri. Harr —9B 22
Whitefriars St. EC4 —9L 59
Whitefriars Trad. Est. Harr —1B 38
White Gdns. Dag —2L 65
Whitegate Gdns. Harr —7D 22
White Gates. Horn —7G 51
Whitehall. —8J 121
Whitehall. SW1 —2J 75
Whitehall Clo. Chig —2E 32
Whitehall Clo. Uxb —4A 142
Whitehall Ct. SW1 —2J 75
(in two parts)
Whitehall Cres. Chess —7H 119
Whitehall Gdns. E4 —1C 30
Whitehall Gdns. SW1 —2J 75
(off Horseguards Av.)
Whitehall Gdns. W3 —2L 71
Whitehall Gdns. W4 —7M 71
Whitehall La. Buck H —2E 30
Whitehall La. Eri —1D 98
Whitehall Lodge. N10 —1E 42
Whitehall Pk. N19 —6G 43
Whitehall Pk. Rd. W4 —7M 71
Whitehall Pl. E7 —1E 62
Whitehall Pl. SW1 —2J 75
Whitehall Pl. Wall —6F 122
Whitehall Rd. E4 & Wfd G —2C 30
Whitehall Rd. W7 —3E 70
Whitehall Rd. Brom —9H 111
Whitehall Rd. Harr —5C 38
Whitehall Rd. T Hth —9L 107
Whitehall Rd. Uxb —4B 142
Whitehall St. N17 —7D 28
White Hart Clo. Hay —7B 68
White Hart Ct. EC2 —8C 60
(off Bishopsgate)
White Hart La. N22 & N17 —8K 27
White Hart La. NW10 —2D 56
White Hart La. SW13 —2C 88
White Hart La. Romf —8L 33
White Hart Rd. SE18 —5C 80
White Hart Rd. Orp —2E 128
White Hart Roundabout. N'holt —5H 53
White Hart Slip. Brom —6E 110
White Hart St. SE11 —6L 75
White Hart Yd. SE1 —2B 76
Whitehaven Clo. Brom —8E 110
Whitehaven St. NW8 —7C 58
Whitehead Clo. N18 —5B 28
Whitehead Clo. SW18 —6A 90
Whitehead Clo. Dart —9G 99
Whiteheads Gro. SW3 —5C 74
White Heart Av. Uxb —8A 52
Whiteheath Av. Ruis —5A 36
White Heather Ho. WC1 —6J 59
(off Cromer St.)
White Heron M. Tedd —3D 102
White Hill. B Hth —5A 20
White Hill. S Croy —2B 138
Whitehill Rd. Dart —4E 98
Whitehills Rd. Lou —5L 19
Whitehorn Av. W Dray —1J 143
White Horse All. EC1 —8M 59
(off Cowcross St.)
White Horse Dri. Eps —6A 134
White Horse Hill. Chst —1L 111
White Horse La. E1 —7H 61
Whitehorse La. SE25 —8B 108
Whitehorse M. SE1 —4L 75
White Horse Rd. E1 —8J 61
(in two parts)
White Horse Rd. E6 —6K 63
Whitehorse Rd. Croy & T Hth —2A 124
White Horse St. W1 —2F 74
White Horse Yd. EC2 —9B 60
White Ho. SW4 —6H 91
(off Clapham Pk. Est.)
White Ho. SW11 —9B 74
Whitehouse Av. Borwd —5M 11
White Ho. Dri. Stan —4G 23
White Ho. Dri. Wfd G —6D 30
Whitehouse Est. E10 —4A 46
Whitehouse La. Enf —3A 16
White Ho., The. NW1 —7F 58
(off Albany St.)
White Ho., The. Chesh —1D 6
Whitehouse Way. N14 —2F 26
White Kennett St. E1 —9C 60
Whiteknights. Cars —3B 136
White Knights Rd. Wey —9A 116
Whitelands Ho. SW3 —6D 74
(off Cheltenham Ter.)
Whitelands Way. Romf —8H 35
Whiteledges. W13 —9G 55
Whitelegg Rd. E13 —5D 62
Whiteley Rd. SE19 —2B 108
Whiteleys Cen. W2 —9M 57
Whiteley's Cotts. W14 —5K 73
Whiteleys Pde. Uxb —7F 142
Whiteley's Way. Hanw —9L 85
White Lion Ct. EC3 —9C 60
(off Cornhill)
White Lion Ct. SE15 —7G 77
White Lion Ct. Iswth —2F 86
White Lion Hill. EC4 —1M 75
White Lion St. N1 —5L 59
White Lodge. SE19 —4M 107
White Lodge. W5 —8G 55
White Lodge Clo. N2 —4B 42
White Lodge Clo. Sutt —9A 122
White Lyon Ct. EC2 —7A 60
(off Fann St.)
Whiteoak Ct. Chst —3L 111
White Oak Ct. Swan —7C 114
White Oak Dri. Beck —6A 110
White Oak Gdns. Sidc —6D 96
Whiteoaks. Bans —5M 135
Whiteoaks La. Gnfd —6B 54
White Oak Sq. Swan —7C 114
(off London Rd.)
White Orchards. N20 —9K 13
White Orchards. Stan —5E 22
White Post Hill. F'ham —2L 131
White Post La. E9 —3K 61
White Post St. SE15 —8G 77
White Rd. E15 —3C 62
Whites Av. Ilf —4C 48
White's Grounds. SE1 —3C 76
White's Grounds Est. SE1 —3C 76
(off White's Grounds)
White's Mdw. Brom —8L 111
White's Row. E1 —8D 60
Whites Sq. SW4 —3H 91
Whitestile Rd. Bren —6G 71
Whitestone La. NW3 —8A 42
Whitestone Wlk. NW3 —8A 42
White St. S'hall —3H 69
Whiteswan M. W4 —6C 72
Whitethorn Av. Coul —7E 136
Whitethorn Av. W Dray —2K 143
Whitethorn Gdns. Croy —4F 124
Whitethorn Gdns. Enf —7B 16
Whitethorn Gdns. Horn —4G 51
Whitethorn Ho. E1 —2G 77
(off Prusom St.)
Whitethorn Pas. E3 —7L 61
(off Whitethorn St.)
Whitethorn Pl. W Dray —2K 143
Whitethorn St. E3 —8L 61
White Tower, The. —1D 76
(off Tower of London)
Whitewebbs La. Enf —8A 6
Whitewebbs Way. Orp —5D 112
Whitfield Ho. NW1 —7C 58
(off Salisbury St.)
Whitfield Pl. W1 —7G 59
(off Whitfield St.)
Whitfield Rd. E6 —3G 63
Whitfield Rd. SE3 —9B 78
Whitfield Rd. Bexh —8K 81
Whitfield St. W1 —7G 59
Whitford Gdns. Mitc —7D 106
Whitgift Av. S Croy —7M 123
Whitgift Cen. Croy —4A 124
Whitgift Ct. S Croy —7A 124
(off Nottingham Rd.)
Whitgift Ho. SE11 —5K 75
Whitgift Sq. Croy —4A 124
Whitgift St. SE11 —5K 75
Whitgift St. Croy —5A 124
Whit Hern Ct. Chesh —3C 6
Whiting Av. Bark —3M 63
Whitings. Ilf —3C 48
Whitings Rd. Barn —7G 13
Whitings Way. E6 —8L 63
Whitland Rd. Cars —3B 122
Whitley Clo. Ab L —5E 4
Whitley Clo. Stanw —5C 144
Whitley Ho. SW1 —7G 75
(off Churchill Gdns.)
Whitley Rd. N17 —9C 28
Whitlock Dri. SW19 —6J 89
Whitman Ho. E2 —6G 61
(off Cornwall Av.)
Whitman Rd. E3 —7J 61
Whitmead Clo. S Croy —8C 124
Whitmore Av. H Wood —9J 35
Whitmore Clo. N11 —5F 26
Whitmore Est. N1 —4C 60
Whitmore Gdns. NW10 —5G 57
Whitmore Ho. E2 —4C 60
(off Whitmore Est.)
Whitmore Rd. N1 —4C 60
Whitmore Rd. Beck —7K 109
Whitmore Rd. Harr —5A 38
Whitmores Clo. Eps —7A 134
Whitnell Way. SW15 —4G 89
Whitney Av. Ilf —2H 47
Whitney Rd. E10 —5M 45
Whitney Wlk. Sidc —3J 113
Whitstable Clo. Beck —5K 109
Whitstable Clo. Ruis —7C 36
Whitstable Ho. W10 —9H 57
(off Silchester Rd.)
Whitstable Pl. Croy —6A 124
Whittaker Av. Rich —4H 87
Whittaker Ct. Asht —9H 133
Whittaker Pl. Rich —4H 87
(off Whittaker Av.)
Whittaker Rd. E6 —3G 63
Whittaker Rd. Sutt —5K 121
Whittaker St. SW1 —5E 74
Whittaker Way. SE1 —5E 76
Whitta Rd. E12 —9H 47
Whittell Gdns. SE26 —9G 93
Whittingham. N17 —7F 28
Whittingham Ct. W4 —8C 72
Whittingstall Rd. SW6 —9K 73
Whittington Av. EC3 —9C 60
Whittington Av. Hay —8D 52
Whittington Ct. N2 —3D 42
Whittington M. N12 —4A 26
(off Fredericks Pl.)
Whittington Rd. N22 —7J 27
Whittington Way. Pinn —3J 37
Whittlebury Clo. Cars —9D 122
Whittle Clo. E17 —4J 45
Whittle Clo. S'hall —9M 53
Whittle Rd. Houn —8G 69
Whittle Rd. S'hall —3M 69
Whittlesea Clo. Harr —7A 22
Whittlesea Path. Harr —8A 22
Whittlesea Rd. Harr —7A 22
Whittlesey St. SE1 —2L 75
Whitton. —6A 86
Whitton Av. E. Gnfd —1C 54
Whitton Av. W. N'holt & Gnfd —1M 53
Whitton Clo. Gnfd —2F 54
Whitton Dene. Houn & Iswth —4A 86
Whitton Dri. Gnfd —2E 54
Whitton Mnr. Rd. Iswth —5A 86
Whitton Rd. Houn —3M 85
Whitton Rd. Twic —5C 86
Whitton Road Roundabout. (Junct.) —5D 86
Whitton Wlk. E3 —6L 61
Whitton Waye. Houn —5L 85
Whitwell Rd. E13 —6E 62
Whitwell Rd. Wat —8H 5
Whitworth Cen., The. Noak H —5G 35
Whitworth Ho. SE1 —4A 76
Whitworth Rd. SE18 —8L 79
Whitworth Rd. SE25 —7C 108
Whitworth St. SE10 —6C 78
Whorlton Rd. SE15 —2F 92
Whybridge Clo. Rain —4D 66
Whymark Av. N22 —1L 43
Whymark Clo. Rain —5D 66
Whytebeam Vw. Whyt —9D 138
Whytecliffe Rd. N. Purl —3M 137
Whytecliffe Rd. S. Purl —3L 137
Whytecroft. Houn —8H 69
Whyteleafe. —9D 138
Whyteleafe Bus. Village. Whyt —9D 138
Whyteleafe Hill. Whyt —9D 138
(in two parts)
Whyteville Rd. E7 —2F 62
Whytlaw Ho. E3 —8K 61
(off Baythorne St.)
Wichling Clo. Orp —3H 129
Wickersley Rd. SW11 —1E 90
Wickers Oake. SE19 —1D 108
Wicker St. E1 —9F 60
Wicket Rd. Gnfd —6E 54
Wickets Way. Ilf —6D 32
Wicket, The. Croy —7L 125
Wickfield Ho. SE16 —3F 76
(off Wilson Gro.)
Wickford Clo. Romf —5K 35
Wickford Dri. Romf —5K 35
Wickford Ho. E1 —7G 61
(off Wickford St.)
Wickford St. E1 —7G 61
Wickford Way. E17 —2H 45
Wickham Av. Croy —4J 125
Wickham Av. Sutt —7G 121
Wickham Chase. W W'ck —3B 126
Wickham Clo. E1 —8G 61
Wickham Clo. Enf —5F 16
Wickham Clo. N Mald —9D 104
Wickham Ct. Surb —9K 103
(off Cranes Pk.)
Wickham Ct. Rd. W W'ck —4A 126
Wickham Cres. W W'ck —4A 126
Wickham Gdns. SE4 —2K 93
Wickham Ho. E1 —8H 61
(off Jamaica St.)
Wickham La. SE2 & Well —6E 80
Wickham M. SE4 —1K 93
Wickham Rd. E4 —7A 30
Wickham Rd. SE4 —3K 93
Wickham Rd. Beck —6M 109
Wickham Rd. Croy —4G 125
Wickham Rd. Harr —9B 22
Wickham St. SE11 —6K 75
Wickham St. Well —1C 96
Wickham Way. Beck —8A 110
Wick Ho. Hamp W —5H 103
(off Station Rd.)
Wick La. E3 —4L 61
(in two parts)
Wickliffe Av. N3 —9J 25
Wickliffe Gdns. Wemb —7M 39
Wicklow Ho. N16 —6D 44
Wicklow St. WC1 —6K 59
Wick M. E9 —2J 61
Wick Rd. E9 —2H 61
Wick Rd. Tedd —4F 102
Wicks Clo. SE9 —1H 111
Wick Sq. E9 —2K 61
Wicksteed Clo. Bex —9B 98
Wicksteed Ho. SE1 —4A 76
Wicksteed Ho. Bren —6K 71
Wickway Ct. SE15 —7D 76
(off Cator St.)
Wickwood St. SE5 —1M 91
Widdecombe Av. S Harr —7J 37
Widdenham Rd. N7 —9K 43
Widdin St. E15 —3C 62
Widecombe Clo. Romf —8H 35
Widecombe Gdns. Ilf —2J 47
Widecombe Rd. SE9 —9J 95
Widecombe Way. N2 —3B 42
Widegate St. E1 —8C 60
Widenham Clo. Pinn —3G 37
Wide Way. Mitc —7H 107
Widewing Clo. Tedd —4F 102
Widford. NW1 —2F 58
(off Lewis St.)
Widford Ho. N1 —5M 59
(off Colebrooke Rd.)
Widgeon Clo. E16 —9F 62
Widgeon Rd. Eri —8F 82
Widgeon Way. Wat —1J 9
Widley Rd. W9 —6L 57
Widmer Ct. Houn —1J 85
Widmore. —7G 111
Widmore Green. —5G 111
Widmore Lodge Rd. Brom —6H 111
Widmore Rd. Brom —6E 110
Widmore Rd. Uxb —7F 142
Wieland Rd. N'wd —7E 20
Wigan Ho. E5 —6F 44
Wigeon Path. SE28 —4B 80
Wigeon Way. Hay —9J 53
Wiggenhall Rd. Wat —7F 8
Wiggenhall Rd. Goods Yd. Wat —8F 8
Wiggins Mead. NW9 —7D 24
Wigginton Av. Wemb —2M 55
Wight Ho. King T —7H 103
(off Portsmouth Rd.)
Wightman Rd. N8 & N4 —2L 43
Wigley Rd. Felt —8H 85
Wigmore Ct. W13 —2E 70
(off Singapore Rd.)
Wigmore Hall. —9F 58
(off Wigmore St.)
Wigmore Pl. W1 —9F 58
Wigmore Rd. Cars —4B 122
Wigmore St. W1 —9E 58
Wigmore Wlk. Cars —4B 122
Wigram Ho. E14 —1M 77
(off Wade's Pl.)
Wigram Rd. E11 —4G 47
Wigram Sq. E17 —1A 46
Wigston Clo. N18 —5C 28
Wigston Rd. E13 —7F 62
Wigton Gdns. Stan —8J 23
Wigton Pl. SE11 —6L 75
Wigton Rd. E17 —8K 29
Wigton Rd. Romf —4J 35
Wigton Way. Romf —4J 35
Wilberforce Rd. N4 —7M 43
Wilberforce Rd. NW9 —4E 40
Wilberforce Way. SW19 —3H 105
Wilbraham Ho. SW8 —8J 75
(off Wandsworth Rd.)
Wilbraham Pl. SW1 —5D 74
Wilbury Av. Sutt —2K 135
Wilbury Way. N18 —5B 28
Wilby M. W11 —2K 73
Wilcon Way. Wat —7H 5
Wilcot Av. Wat —9J 9
Wilcot Clo. Wat —9J 9
Wilcox Clo. SW8 —8J 75
(in two parts)
Wilcox Clo. Borwd —3A 12
Wilcox Ho. E3 —8K 61
(off Ackroyd Dri.)
Wilcox Pl. SW1 —4G 75
Wilcox Rd. SW8 —8J 75
Wilcox Rd. Sutt —6M 121
Wilcox Rd. Tedd —1B 102
Wildacres. N'wd —4D 20
Wild Ct. WC2 —9K 59
(in two parts)
Wildcroft Gdns. Edgw —6H 23
Wildcroft Mnr. SW15 —6G 89
Wildcroft Rd. SW15 —6G 89
Wilde Clo. E8 —4E 60
Wilde Pl. N13 —6M 27
Wilde Pl. SW18 —6B 90
Wilder Clo. Ruis —6F 36
Wilderness M. SW4 —3F 90
Wilderness Rd. Chst —4M 111
Wilderness, The. E Mol —9A 102
Wilderness, The. Hamp —1M 101
Wilde Rd. Eri —8M 81
Wilderton Rd. N16 —5C 44
Wildfell Rd. SE6 —6M 93
Wild Goose Dri. SE14 —9G 77
Wild Hatch. NW11 —4L 41
Wild Marsh Ct. Enf —1J 17
(off Manly Dixon Dri.)
Wild Oaks Clo. N'wd —6D 20
Wild's Rents. SE1 —4C 76
Wild St. WC2 —9J 59
Wildwood. N'wd —6B 20
Wildwood Av. Brick W —3K 5
Wildwood Clo. SE12 —6D 94
Wildwood Ct. Kenl —7B 138
Wildwood Gro. NW3 —6A 42
Wildwood Ri. NW11 —6A 42
Wildwood Rd. NW11 —4M 41
Wildwood Ter. NW11 —6A 42
Wilford Clo. Enf —5B 16
Wilford Clo. N'wd —7B 20
Wilfred Av. Rain —8E 66
Wilfred Ct. N15 —3B 44
(off South Gro.)
Wilfred Owen Clo. SW19 —3A 106
Wilfred St. SW1 —4G 75
Wilfrid Gdns. W3 —8A 56
Wilkes Rd. Bren —7J 71
Wilkes St. E1 —8D 60
Wilkie Ho. SW1 —6H 75
(off Cureton St.)

Wilkie Way—Winchester St.

Wilkie Way. SE22 —7E 92
Wilkins Clo. Hay —6D 68
Wilkins Clo. Mitc —5C 106
Wilkins Ho. SW1 —7F 74
(off Churchill Gdns.)
Wilkinson Clo. Dart —3K 99
Wilkinson Clo. Uxb —4F 142
Wilkinson Ct. SW17 —1B 106
Wilkinson Ho. E14 —8J 61
(off Blount St.)
Wilkinson Ho. N1 —5B 60
(off Cranston Est.)
Wilkinson Rd. E16 —9G 63
Wilkinson St. SW8 —8K 75
Wilkinson Way. W4 —3B 72
Wilkin St. NW5 —2E 58
Wilkin St. M. NW5 —2F 58
Wilks Av. Dart —8K 99
Wilks Gdns. Croy —3J 125
Wilks Pl. N1 —5C 60
Willan Rd. N17 —9B 28
Willan Wall. E16 —1D 78
Willard St. SW8 —2F 90
Willcocks Clo. Chess —5J 119
Willcott Rd. W3 —2M 71
Will Crooks Gdns. SE9 —3G 95
Willenfield Rd. NW10 —5A 56
Willenhall Av. New Bar —8A 14
Willenhall Ct. New Bar —8A 14
Willenhall Dri. Hay —1C 68
Willenhall Rd. SE18 —6M 79
Willersley Av. Orp —5B 128
Willersley Av. Sidc —7D 96
Willersley Clo. Sidc —7D 96
Willesden. —2E 56
Willesden Green. —2F 56
Willesden La. NW2 & NW6 —2G 57
Willes Rd. NW5 —2F 58
Willett Clo. N'holt —6G 53
Willett Clo. Orp —1C 128
Willett Ho. E13 —5F 62
(off Queens Rd. W.)
Willett Pl. T Hth —9L 107
Willett Rd. T Hth —9L 107
Willett Way. Orp —9B 112
William Allen Ho. Edgw —7K 23
William Banfield Ho. SW6 —1K 89
(off Munster Rd.)
William Barefoot Dri. SE9 —1L 111
William Blake Ho. SW11 —9C 74
William Bonney Est. SW4 —3H 91
William Booth Rd. SE20 —5E 108
William Carey Way. Harr —4C 38
William Caslon Ho. E2 —5F 60
(off Patriot Sq.)
William Channing Ho. E2 —6F 60
(off Canrobert St.)
William Clo. N2 —1B 42
William Clo. SE13 —2A 94
William Clo. Romf —8A 34
William Clo. S'hall —3A 70
William Cobbett Ho. W8 —4M 73
(off Scarsdale Pl.)
William Cory Promenade. Eri —6C 82
William Ct. W5 —8G 55
William Covell Clo. Enf —2K 15
William Dromey Ct. NW6 —3K 57
William Dunbar Ho. NW6 —5K 57
(off Albert Rd.)
William Dyce M. SW16 —1H 107
William Ellis Way. SE16 —4E 76
(off St James's Rd.)
William Evans Ho. SE8 —5H 77
(off Bush Rd.)
William Evans Rd. Eps —3L 133
William Fenn Ho. E2 —6E 60
(off Shipton Rd.)
William IV St. WC2 —1J 75
William Gdns. SW15 —4F 88
William Gibbs Ct. SW1 —4H 75
(off Old Pye St.)
William Gunn Ho. NW3 —1C 58
William Guy Gdns. E3 —6M 61
William Henry Wlk. SW8 —7H 75
William Hunt Mans. SW13 —7G 73
William Margrie Clo. SE15 —1E 92
William M. SW1 —3D 74
William Morley Clo. E6 —4H 63
William Morris Clo. E17 —1K 45
William Morris Gallery. —1L 45
William Morris Ho. W6 —7H 73
William Morris Way. SW6 —2A 90
William Nash Ct. St M —7G 113
William Paton Ho. E16 —9F 62
William Pike Ho. Romf —4B 50
(off Waterloo Gdns.)
William Pl. E3 —5K 61
William Pl. St M —8G 113
William Rathbone Ho. E2 —6F 60
(off Florida St.)
William Rd. NW1 —6F 58
William Rd. SW19 —4J 105
William Rd. Sutt —7A 122
William Rushbrooke Ho. SE16 —5E 76
(off Rouel Rd.)
Williams Av. E17 —8K 29
William Saville Ho. NW6 —5K 57
(off Denmark Rd.)
William's Bldgs. E2 —7G 61
Williams Clo. N8 —4H 43
Williams Clo. SW6 —8J 73
Williams Gro. N22 —8L 27
Williams Gro. Surb —1G 119
Williams Ho. E14 —9J 61
(off Dupont St.)
Williams Ho. NW2 —8G 41
(off Stoll Clo.)
William's La. SW14 —2A 88
Williams La. Mord —9A 106
William Smith Ho. Belv —4L 81
(off Ambrook Rd.)
Williamson Clo. SE10 —6D 78
Williamson Ct. SE17 —6A 76
Williamson Rd. N4 —4M 43
Williamson St. N7 —9J 43
Williamson Way. NW7 —6J 25
William Sq. SE16 —1J 77
(off Sovereign Cres.)
Williams Rd. W13 —2E 70
Williams Rd. S'hall —5J 69
Williams Ter. Croy —8L 123
William St. E10 —4M 45
William St. N17 —7D 28
William St. SW1 —3D 74
William St. Bark —3A 64
William St. Bush —5H 9
William St. Cars —5C 122
William White Ct. E13 —4G 63
(off Green St.)
William Wood Ho. SE26 —9G 93
(off Shrublands Clo.)
Willifield Way. NW11 —2K 41
Willingale Clo. Wfd G —6G 31
Willingdon Rd. N22 —9M 27
Willinghall Clo. Wal A —5K 7
Willingham Clo. NW5 —1G 59
Willingham Ter. NW5 —1G 59
Willingham Way. King T —7L 103
Willington Ct. E5 —8J 45
Willington Rd. SW9 —2J 91
Willis Av. Sutt —8C 122
Willis Clo. Eps —6M 133
Willis Ct. T Hth —1L 123
Willis Ho. E14 —1M 77
(off Hale St.)
Willis Rd. E15 —5D 62
Willis Rd. Croy —2A 124
Willis Rd. Eri —5A 82
Willis St. E14 —9M 61
Will Miles Ct. SW19 —4A 106
Willmore End. SW19 —5M 105
Willoughby Av. Croy —6K 123
Willoughby Dri. Rain —3C 66
Willoughby Gro. N17 —7F 28
Willoughby Highwalk. EC2 —8B 60
(off Moor La.)
Willoughby Ho. E1 —2F 76
(off Reardon Path)
Willoughby Ho. EC2 —8B 60
(off Moor La.)
Willoughby La. N17 —6F 28
Willoughby Pk. Rd. N17 —7F 28
(in two parts)
Willoughby Pas. E14 —2L 77
(off W. India Av.)
Willoughby Rd. N8 —1L 43
Willoughby Rd. NW3 —9B 42
Willoughby Rd. King T —5K 103
Willoughby Rd. Twic —4G 87
(in two parts)
Willoughbys, The. SW15 —2C 88
Willoughby St. WC1 —8J 59
(off Gt. Russell St.)
Willoughby Way. SE7 —5F 78
Willow Av. SW13 —1D 88
Willow Av. Den —2A 142
Willow Av. Sidc —5E 96
Willow Av. Swan —7D 114
Willow Av. W Dray —1K 143
Willowbank. —1A 142
Willow Bank. SW6 —2J 89
Willowbank. Coul —6J 137
Willow Bank. Rich —9F 86
Willowbank Pl. S Croy —1M 137
Willow Bri. Rd. N1 —2A 60
Willowbrook. Hamp H —2M 101
Willowbrook Est. SE15 —8E 76
Willowbrook Rd. S'hall —4L 69
Willowbrook Rd. Stai —8C 144
Willow Bus. Cen., The. Mitc —1D 122
Willow Bus. Pk. SE26 —9G 93
Willow Clo. SE6 —7D 94
Willow Clo. Bex —5K 97
Willow Clo. Bren —7G 71
Willow Clo. Brom —9K 111
Willow Clo. Buck H —3H 31
Willow Clo. Horn —8F 50
Willow Clo. Orp —2F 128
Willow Cotts. Hanw —9J 85
Willow Cotts. Rich —7L 71
Willow Ct. E11 —7C 46
(off Trinity Clo.)
Willow Ct. EC2 —7C 60
(off Willow St.)
Willow Ct. NW6 —3J 57
Willow Ct. W4 —8C 72
(off Corney Reach Way)
Willow Ct. Edgw —4J 23
Willow Ct. Harr —8D 22
Willowcourt Av. Harr —3F 38
Willow Cres. E. Den —1A 142
Willow Cres. W. Den —1A 142
Willowdene. N6 —5D 42
Willowdene. SE15 —8F 76
Willow Dene. Bus H —9C 10
Willow Dene. Pinn —9H 21
Willowdene Clo. Twic —6A 86
Willowdene Ct. N20 —9A 14
(off High Rd.)
Willow Dri. Barn —6J 13
Willow End. N20 —2L 25
Willow End. N'wd —6E 20
Willow End. Surb —3J 119
Willow Farm La. SW15 —2F 88
Willowfields Clo. SE18 —6C 80
Willow Gdns. Houn —9L 69
Willow Gdns. Ruis —7D 36
Willow Grange. Sidc —9F 96
Willow Grn. NW9 —8C 24
Willow Grn. Borwd —7B 12
Willow Gro. E13 —5E 62
Willow Gro. Chst —3L 111
Willow Gro. Ruis —7D 36
Willowhayne Dri. W on T —2F 116
Willowhayne Gdns. Wor Pk —5G 121
Willowherb Wlk. Romf —7G 35
Willow Ho. W10 —7H 57
(off Maple Wlk.)
Willow Ho. Brom —6C 110
Willow La. SE18 —5K 79
Willow La. Mitc —9D 106
Willow La. Wat —7E 8
Willow Lodge. SW6 —9H 73
Willow Mead. Chig —3E 32
Willowmead Clo. W5 —8H 55
Willow Mere. Esh —6A 118
Willow Mt. Croy —5C 124
Willow Path. Wal A —7L 7
Willow Pl. SW1 —5G 75
Willow Rd. E12 —8K 47
Willow Rd. NW3 —9B 42
Willow Rd. W5 —3J 71
Willow Rd. Dart —7G 99
Willow Rd. Enf —5C 16
Willow Rd. Eri —9E 82
Willow Rd. N Mald —8A 104
Willow Rd. Romf —4J 49
Willow Rd. Wall —9F 122
Willows Av. Mord —9M 105
Willows Clo. Pinn —9G 21
Willowside Ct. Enf —5M 15
Willows Path. Eps —6M 133
Willows Ter. NW10 —5D 56
(off Rucklidge Av.)
Willows, The. E6 —3K 63
Willows, The. Beck —5L 109
Willows, The. Borwd —3L 11
Willows, The. Clay —8C 118
Willows, The. Lou —8H 19
Willows, The. Wat —9F 8
Willow St. E4 —9B 18
Willow St. EC2 —7C 60
Willow St. Romf —2A 50
Willow Ter. Eyns —4J 131
Willow Tree Clo. E3 —4J 61
Willow Tree Clo. SW18 —7M 89
Willow Tree Clo. Hay —7G 53
Willowtree Clo. Uxb —8A 36
Willow Tree Ct. Sidc —2E 112
Willow Tree Ct. Wemb —1H 55
Willow Tree La. Hay —7G 53
Willow Tree Wlk. Brom —5F 110
Willowtree Way. T Hth —5L 107
Willow Va. W12 —2E 72
Willow Va. Chst —3M 111
Willow Vw. SW19 —5B 106
Willow Wlk. E17 —3K 45
Willow Wlk. N2 —9B 26
Willow Wlk. N15 —2M 43
Willow Wlk. N21 —8K 15
Willow Wlk. SE1 —4C 76
Willow Wlk. Dart —4G 99
Willow Wlk. Ilf —7M 47
Willow Wlk. Orp —5M 127
Willow Wlk. Sutt —5K 121
Willow Way. N3 —7M 25
Willow Way. SE26 —9G 93
Willow Way. W11 —1H 73
Willow Way. Eps —8B 120
Willow Way. Rad —1D 10
Willow Way. Romf —6M 35
Willow Way. Sun —8E 100
Willow Way. Twic —8M 85
Willow Way. Wemb —8E 38
Willow Wood Cres. SE25 —1C 124
Willow Wren Wharf. S'hall —5F 68
Will Perrin Ct. Rain —4E 66
Willrose Cres. SE2 —6F 80
Willsbridge Ct. SE15 —7D 76
Wills Cres. Houn —5M 85
Wills Gro. NW7 —5E 24
(in two parts)
Wilman Gro. E8 —3E 60
Wilmar Clo. Hay —7B 52
Wilmar Clo. Uxb —3B 142
Wilmar Gdns. W W'ck —3M 125
Wilmcote Ho. W2 —8M 57
(off Woodchester Sq.)
Wilment Ct. NW2 —8G 41
Wilmer Clo. King T —2K 103
Wilmer Cres. King T —2K 103
Wilmer Gdns. N1 —4C 60
(in two parts)
Wilmerhatch La. Eps —9M 133
Wilmer Lea Clo. E15 —3B 62
Wilmer Pl. N16 —7D 44
Wilmer Way. N14 —5H 27
Wilmington. —9G 99
Wilmington Av. W4 —8B 72
Wilmington Av. Orp —4G 129
Wilmington Ct. SW16 —4J 107
Wilmington Ct. Rd. Dart —9E 98
Wilmington Gdns. Bark —2B 64
Wilmington Sq. WC1 —6L 59
(in two parts)
Wilmington St. WC1 —6L 59
Wilmot Clo. N2 —9A 26
Wilmot Clo. SE15 —8E 76
Wilmot Cotts. Bans —7M 135
Wilmot Pl. W7 —2C 70
Wilmot Rd. E10 —7M 45
Wilmot Rd. N17 —1B 44
Wilmot Rd. Cars —7D 122
Wilmot Rd. Dart —4E 98
Wilmot Rd. Purl —4L 137
Wilmot St. E2 —7F 60
Wilmot St. NW1 —3G 59
Wilmot Way. Bans —6L 135
Wilmount St. SE18 —5M 79
Wilmslow Ho. Romf —5J 35
(off Chudleigh Rd.)
Wilna Rd. SW18 —6A 90
Wilsham St. W11 —2H 73
Wilshaw Ho. SE8 —8L 77
Wilshaw St. SE14 —9L 77
Wilsmere Dri. Har W —7C 22
Wilsmere Dri. N'holt —2J 53
Wilson Av. Mitc —5C 106
Wilson Clo. S Croy —7B 124
Wilson Clo. Wemb —5K 39
Wilson Dri. Wemb —5K 39
Wilson Gdns. Harr —5A 38
Wilson Gro. SE16 —3F 76
Wilson Rd. E6 —6H 63
Wilson Rd. SE5 —9C 76
Wilson Rd. Chess —8K 119
Wilson Rd. Ilf —5K 47
Wilson's Av. N17 —9D 28
Wilson's Pl. E14 —9K 61
Wilson's Rd. W6 —6H 73
Wilson St. E17 —3A 46
Wilson St. EC2 —8B 60
Wilson St. N21 —9L 15
Wilson Wlk. W6 —5D 72
(off Prebend Gdns.)
Wilstone Clo. Hay —7J 53
Wiltern Ct. NW2 —2J 57
Wilthorne Gdns. Dag —3M 65
Wilton Av. W4 —6C 72
Wilton Clo. W Dray —7H 143
Wilton Ct. E1 —9F 60
(off Cavell St.)
Wilton Ct. Wat —5G 9
(off Estcourt Rd.)
Wilton Cres. SW1 —3E 74
Wilton Cres. SW19 —4K 105
Wilton Dri. Romf —7A 34
Wilton Est. E8 —2E 60
Wilton Gdns. W on T —3H 117
Wilton Gdns. W Mol —7L 101
Wilton Gro. SW19 —5K 105
Wilton Gro. N Mald —1D 120
Wilton Ho. S Croy —7A 124
(off Nottingham Rd.)
Wilton M. SW1 —4E 74
Wilton Pde. Felt —7F 84
Wilton Pl. SW1 —3E 74
Wilton Pl. Harr —4D 38
Wilton Rd. N10 —9E 26
Wilton Rd. SE2 —5G 81
Wilton Rd. SW1 —4F 74
Wilton Rd. SW19 —4C 106
Wilton Rd. Cockf —6D 14
(in two parts)
Wilton Rd. Houn —2H 85
Wilton Row. SW1 —3E 74
Wilton Sq. N1 —4B 60
Wilton St. SW1 —4F 74
Wilton Ter. SW1 —4E 74
Wilton Vs. N1 —4B 60
(off Wilton Sq.)
Wilton Way. E8 —2E 60
Wiltshire Av. Horn —2K 51
Wiltshire Clo. NW7 —5D 24
Wiltshire Clo. SW3 —5D 74
Wiltshire Ct. N4 —6K 43
(off Marquis Rd.)
Wiltshire Ct. Ilf —2A 64
Wiltshire Ct. S Croy —7A 124
Wiltshire Gdns. N4 —4A 44
Wiltshire Gdns. Twic —7A 86
Wiltshire La. Pinn —1D 36
Wiltshire Rd. SW9 —2L 91
Wiltshire Rd. Orp —2E 128
Wiltshire Rd. T Hth —7L 107
Wiltshire Row. N1 —4B 60
(off Bridport Pl.)
Wilverley Cres. N Mald —1C 120
Wimbart Rd. SW2 —6K 91
Wimbledon. —3K 105
Wimbledon. —9J 89
(All England Tennis Club)
Wimbledon Bri. SW19 —3K 105
Wimbledon Clo. SW20 —4H 105
Wimbledon Common. —2E 104
Wimbledon Common Postmill. —9G 89
Wimbledon Common Windmill Mus. —9G 89
Wimbledon F.C. —8C 108
(Crystal Palace Football Ground)
Wimbledon Greyhound Stadium. —1A 106
Wimbledon Hill Rd. SW19 —3J 105
Wimbledon Lawn Tennis Mus. —9J 89
(Wimbledon All Endland Lawn Tennis & Croquet Club)
Wimbledon Mus. of Local History. —3J 105
Wimbledon Park. —9L 89
Wimbledon Pk. Rd. SW19 & SW18 —8J 89
Wimbledon Pk. Side. SW19 —9H 89
Wimbledon Rd. SW17 —1A 106
Wimbledon Stadium Bus. Cen. SW17 —9M 89
Wimbolt St. E2 —6E 60
Wimborne Av. Hay —9F 52
Wimborne Av. Orp & Chst —8D 112
Wimborne Av. S'hall —5L 69
Wimborne Clo. SE12 —4D 94
Wimborne Clo. Buck H —2F 30
Wimborne Clo. Eps —5C 134
Wimborne Clo. Wor Pk —3G 121
Wimborne Ct. SW12 —9G 91
Wimborne Ct. N'holt —2L 53
Wimborne Dri. NW9 —1L 39
Wimborne Dri. Pinn —5H 37
Wimborne Gdns. W13 —8F 54
Wimborne Gro. Wat —1C 8
Wimborne Ho. E16 —1D 78
(off Victoria Dock Rd.)
Wimborne Ho. NW1 —7C 58
(off Harewood Av.)
Wimborne Ho. SW8 —8K 75
(off Dorset Rd.)
Wimborne Rd. N9 —2E 28
Wimborne Rd. N17 —9C 28
Wimborne Way. Beck —7H 109
Wimbourne Ct. N1 —5B 60
(off Wimbourne St.)
Wimbourne St. N1 —5B 60
Wimpole Clo. Brom —8G 111
Wimpole Clo. King T —6K 103
Wimpole M. W1 —8F 58
Wimpole Rd. W Dray —2H 143
Wimpole St. W1 —8F 58
Wimshurst Clo. Croy —3J 123
Winans Wlk. SW9 —1L 91
Wincanton Ct. N11 —6E 26
(off Martock Gdns.)
Wincanton Cres. N'holt —1L 53
Wincanton Gdns. Ilf —1M 47
Wincanton Rd. SW18 —6K 89
Wincanton Rd. Romf —3H 35
Winchcombe Bus. Cen. SE15 —7C 76
Winchcombe Ct. SE15 —7C 76
(off Longhope Clo.)
Winchcombe Rd. Cars —2B 122
Winchcomb Gdns. SE9 —2H 95
Winchelsea Av. Bexh —8K 81
Winchelsea Clo. SW15 —4H 89
Winchelsea Ho. SE16 —3G 77
(off Swan Rd.)
Winchelsea Rd. E7 —8E 46
Winchelsea Rd. N15 —1C 44
Winchelsea Rd. NW10 —4B 56
Winchelsey Ri. S Croy —8D 124
Winchendon Rd. SW6 —9K 73
Winchendon Rd. Tedd —1B 102
Winchester Av. NW6 —4J 57
Winchester Av. NW9 —1L 39
Winchester Av. Houn —7K 69
Winchester Clo. E6 —9K 63
Winchester Clo. SE17 —5M 75
Winchester Clo. Brom —7D 110
Winchester Clo. Enf —7C 16
Winchester Clo. Esh —6L 117
Winchester Clo. King T —4M 103
Winchester Ct. W8 —3L 73
Winchester Dri. Pinn —3H 37
Winchester Ho. SE18 —8H 79
(off Portway Gdns.)
Winchester Ho. SW3 —7B 74
(off Beaufort St.)
Winchester Ho. SW9 —8L 75
Winchester Ho. W2 —9A 58
(off Hallfield Est.)
Winchester Ho. Bark —3E 64
(off Keir Hardie Way)
Winchester Pk. Brom —7D 110
Winchester Pl. E8 —1D 60
Winchester Pl. N6 —6F 42
Winchester Rd. E4 —7A 30
Winchester Rd. N6 —5F 42
Winchester Rd. N9 —1D 28
Winchester Rd. NW3 —3B 58
Winchester Rd. Bexh —1H 97
Winchester Rd. Brom —7D 110
Winchester Rd. Felt —9K 85
Winchester Rd. Harr —2J 39
Winchester Rd. Hay —8C 68
Winchester Rd. Ilf —8B 48
Winchester Rd. N'wd —9D 20
Winchester Rd. Orp —6G 129
Winchester Rd. Twic —5F 86
Winchester Rd. W on T —3E 116
Winchester Sq. SE1 —2B 76
(off Winchester Wlk.)
Winchester St. SW1 —6F 74

Winchester St.—Wolsey Clo.

Winchester St. W3 —2A 72
Winchester Wlk. SE1 —2B 76
Winchester Way. Crox G —7A 8
Winchet Wlk. Croy —1G 125
Winchfield Clo. Harr —4G 39
Winchfield Ho. SW15 —5D 88
Winchfield Rd. SE26 —2J 109
Winch Ho. E14 —4M 77
(off Tiller Rd.)
Winch Ho. SW10 —8A 74
(off King's Rd.)
Winchilsea Cres. W Mol —6A 102
Winchilsea Ho. NW8 —6B 58
(off St John's Wood Rd.)
Winchmore Hill. —9L 15
Winchmore Hill Rd. N14 & N21 —1H 27
Winchmore Vs. N21 —9K 15
(off Winchmore Hill Rd.)
Winckley Clo. Harr —3K 39
Wincott St. SE11 —5L 75
Wincrofts Dri. SE9 —3B 96
Windall Clo. SE19 —5E 108
Windborough Rd. Cars —9E 122
Windermere. NW1 —6F 58
(off Albany St.)
Windermere Av. N3 —1L 41
Windermere Av. NW6 —4J 57
Windermere Av. SW19 —7M 105
Windermere Av. Horn —1E 66
Windermere Av. Ruis —5G 37
Windermere Av. Wemb —5G 39
Windermere Clo. Dart —7F 98
Windermere Clo. Felt —7D 84
Windermere Clo. Orp —5M 127
Windermere Clo. Stai —7C 144
Windermere Ct. SW13 —7D 72
Windermere Ct. Kenl —7M 137
Windermere Ct. Wat —4E 8
Windermere Ct. Wemb —5G 39
Windermere Gdns. Ilf —3J 47
Windermere Gro. Wemb —6G 39
Windermere Hall. Edgw —5K 23
Windermere Ho. E3 —7K 61
Windermere Ho. New Bar —6M 13
Windermere Point. SE15 —8G 77
(off Old Kent Rd.)
Windermere Rd. N10 —8F 26
Windermere Rd. N19 —7G 43
Windermere Rd. SW15 —1C 104
Windermere Rd. SW16 —5G 107
Windermere Rd. W5 —4G 71
Windermere Rd. Bexh —1A 98
Windermere Rd. Coul —7J 137
Windermere Rd. Croy —3D 124
Windermere Rd. S'hall —8K 53
Windermere Rd. W W'ck —4C 126
Windermere Way. W Dray —2J 143
Winders Rd. SW11 —1C 90
(in two parts)
Windfield Clo. SE26 —1H 109
Windham Av. New Ad —2B 140
Windham Rd. Rich —2K 87
Windings, The. S Croy —3D 138
Winding Way. Dag —8G 49
Winding Way. Harr —9C 38
Windlass Pl. SE8 —5J 77
Windlesham Gro. SW19 —7H 89
Windley Clo. SE23 —8G 93
Windmill. WC1 —8K 59
(off New North St.)
Windmill Av. Eps —3D 134
Windmill Av. S'hall —2A 70
Windmill Bridge Ho. Croy —3C 124
(off Freemasons Rd.)
Windmill Bus. Cen. S'hall —2A 70
Windmill Bus. Village. Sun —5C 100
Windmill Clo. SE1 —5E 76
(off Beatrice Rd.)
Windmill Clo. SE13 —1A 94
Windmill Clo. Eps —4D 134
Windmill Clo. Sun —4C 100
Windmill Clo. Surb —3G 119
Windmill Clo. Upm —7L 51
Windmill Clo. Wal A —7L 7
Windmill Ct. NW2 —2J 57
Windmill Ct. W5 —5G 71
(off Windmill Rd.)
Windmill Dri. SW4 —4F 90
Windmill Dri. Kes —6G 127
Windmill End. Eps —4D 134
Windmill Gdns. Enf —5L 15
Windmill Grn. Shep —2C 116
(off Walton La.)
Windmill Gro. Croy —1A 124
Windmill Hill. NW3 —8A 42
Windmill Hill. Enf —5M 15
Windmill Hill. Ruis —5D 36
Windmill La. E15 —2B 62
Windmill La. Barn —8D 12
Windmill La. Bus H —1C 22
Windmill La. Chesh & Wal X —3E 6
Windmill La. Eps —4D 134
Windmill La. Gnfd —8A 54
Windmill La. S'hall & Iswth —2A 70
Windmill La. Surb —1F 118
Windmill M. W4 —5C 72
Windmill Pas. W4 —5C 72
Windmill Ri. King T —4M 103
Windmill Rd. N18 —4B 28
Windmill Rd. SW18 —5B 90
Windmill Rd. SW19 —1F 104
Windmill Rd. W4 —5C 72
Windmill Rd. W5 & Bren —5G 71
Windmill Rd. Croy —2A 124
Windmill Rd. Hamp H —2M 101
Windmill Rd. Mitc —9G 107
Windmill Rd. Sun —5C 100
Windmill Rd. W. Sun —6C 100
Windmill Row. SE11 —6L 75
Windmill St. W1 —8H 59
(in two parts)
Windmill St. Bus H —1C 22
Windmill Ter. Shep —2C 116
Windmill Wlk. SE1 —2L 75
Windmill Way. Ruis —6D 36
Windover Av. NW9 —2B 40
Windrose Clo. SE16 —3H 77
Windrush. SE28 —2F 80
Windrush. N Mald —8M 103
Windrush Clo. N17 —8C 28
Windrush Clo. SW11 —3B 90
Windrush Clo. W4 —9A 72
Windrush La. SE23 —9H 93
Windrush Rd. NW10 —4B 56
Windsock Clo. SE16 —5K 77
Windsor Av. E17 —9J 29
Windsor Av. SW19 —5A 106
Windsor Av. Edgw —4M 23
Windsor Av. N Mald —9A 104
Windsor Av. Sutt —5J 121
Windsor Av. Uxb —4F 142
Windsor Av. W Mol —7L 101
Windsor Cen., The. N1 —4M 59
(off Windsor St.)
Windsor Clo. N3 —9J 25
Windsor Clo. SE27 —1A 108
Windsor Clo. Borwd —3L 11
Windsor Clo. Bren —7F 70
Windsor Clo. Chesh —3A 6
Windsor Clo. Chst —2M 111
Windsor Clo. Harr —8L 37
Windsor Clo. N'wd —9E 20
Windsor Cotts. SE14 —8K 77
(off Amersham Gro.)
Windsor Ct. N12 —5D 26
Windsor Ct. N14 —9G 15
Windsor Ct. NW3 —9L 41
Windsor Ct. NW11 —4J 41
(off Golders Grn. Rd.)
Windsor Ct. SE16 —1H 77
(off King & Queen Wharf)
Windsor Ct. SW3 —6C 74
(off Jubilee Pl.)
Windsor Ct. SW11 —1B 90
Windsor Ct. W2 —1M 73
(off Moscow Rd.)
Windsor Ct. King T —8H 103
(off Palace Rd.)
Windsor Ct. Pinn —1H 37
Windsor Ct. Sun —4E 100
Windsor Ct. Whyt —9D 138
Windsor Cres. Harr —8L 37
Windsor Cres. Wemb —8M 39
Windsor Dri. Ashf —9B 144
Windsor Dri. Barn —8D 14
Windsor Dri. Dart —5E 98
Windsor Dri. Orp —8E 128
Windsor Gdns. W9 —8L 57
Windsor Gdns. Croy —5J 123
Windsor Gdns. Hay —4B 68
Windsor Gro. SE27 —1A 108
Windsor Hall. E16 —2F 78
(off Wesley Av., in two parts)
Windsor Ho. E2 —6H 61
(off Knottisford St.)
Windsor Ho. N1 —5A 60
Windsor Ho. NW1 —6F 58
(off Cumberland Mkt.)
Windsor Ho. N'holt —2L 53
(off Farmlands, The)
Windsor M. SE6 —7A 94
Windsor M. SE23 —7J 93
Windsor M. SW18 —6A 90
(off Wilna Rd.)
Windsor Pk. Rd. Hay —8D 68
Windsor Pl. SW1 —4G 75
Windsor Rd. E4 —4M 29
Windsor Rd. E7 —1F 62
Windsor Rd. E10 —7M 45
Windsor Rd. E11 —6E 46
Windsor Rd. N3 —9J 25
Windsor Rd. N7 —8J 43
Windsor Rd. N13 —3L 27
Windsor Rd. N17 —9E 28
Windsor Rd. NW2 —2F 56
Windsor Rd. W5 —1J 71
(in two parts)
Windsor Rd. Barn —8H 13
Windsor Rd. Bexh —3J 97
Windsor Rd. Dag —8J 49
Windsor Rd. Enf —9D 6
Windsor Rd. Harr —8A 22
Windsor Rd. Horn —5G 51
Windsor Rd. Houn —1F 84
Windsor Rd. Ilf —9M 47
Windsor Rd. King T —4J 103
Windsor Rd. Rich —1K 87
Windsor Rd. S'hall —4K 69
Windsor Rd. Sun —3E 100
Windsor Rd. Tedd —2B 102
Windsor Rd. T Hth —6M 107
Windsor Rd. Wat —2G 9
Windsor Rd. Wor Pk —4E 120
Windsors, The. Buck H —2J 31
Windsor St. N1 —4M 59
Windsor St. Uxb —3A 142
Windsor Ter. N1 —6A 60
Windsor Wlk. SE5 —1B 92
Windsor Wlk. W on T —3H 117
Windsor Wlk. Wey —7A 116
Windsor Way. W6 —5H 73
Windsor Wharf. E9 —2L 61
Windsor Wood. Wal A —6L 7
Windspoint Dri. SE15 —7F 76
Windus Rd. N16 —6D 44
Windus Wlk. N16 —6D 44
Windward Clo. Enf —8D 6
Windycroft Clo. Purl —5H 137
Windy Ridge. Brom —5J 111
Windy Ridge Clo. SW19 —2H 105
Wine Clo. E1 —1G 77
Wine Office Ct. EC4 —9L 59
Winery La. King T —7K 103
Winfields Mobile Home Pk. Wat —3M 9
Winford Ct. SE15 —9F 76
Winford Ho. E3 —3K 61
Winford Pde. S'hall —9M 53
(off Brunel Pl.)
Winforton St. SE10 —9A 78
Winfrith Rd. SW18 —6A 90
Wingate Cres. Croy —1J 123
Wingate Rd. W6 —4F 72
Wingate Rd. Ilf —1M 63
Wingate Rd. Sidc —3G 113
Wingate Trad. Est. N17 —7E 28
Wingfield Ct. Sidc —8D 96
Wingfield Ct. Wat —8A 8
Wingfield Ho. E2 —6D 60
(off Virginia Rd.)
Wingfield Ho. NW6 —5M 57
(off Tollgate Gdns.)
Wingfield M. SE15 —2E 92
Wingfield Rd. E15 —9C 46
Wingfield Rd. E17 —3M 45
Wingfield Rd. King T —3K 103
Wingfield St. SE15 —2E 92
Wingfield Way. Ruis —2F 52
Wingford Rd. SW2 —5J 91
Wingletye La. Horn —2K 51
Wingmore Rd. SE24 —2A 92
Wingrad Ho. E1 —8G 61
(off Jubilee St.)
Wingrave. SE17 —5B 76
(in three parts)
Wingrave Rd. W6 —7G 73
Wingreen. NW8 —4M 57
(off Abbey Rd.)
Wingrove. E4 —9L 17
Wingrove Ct. Romf —3A 50
Wingrove Dri. Purf —6M 83
Wingrove Rd. SE6 —8C 94
Wings Clo. Sutt —6L 121
Winicotte Ho. W2 —8B 58
(off Paddington Grn.)
Winifred Av. Horn —9H 51
Winifred Pl. N12 —5A 26
Winifred Rd. SW19 —5L 105
Winifred Rd. Coul —8E 136
Winifred Rd. Dag —7J 49
Winifred Rd. Dart —4F 98
Winifred Rd. Eri —6C 82
Winifred Rd. Hamp H —1L 101
Winifred St. E16 —2K 79
Winifred Ter. E13 —5E 62
(off Victoria Rd.)
Winifred Ter. Enf —9D 16
Winifred Whittington Ho. Rain —8F 66
Winkfield Rd. E13 —5F 62
Winkfield Rd. N22 —8L 27
Winkley Ct. N10 —2F 42
(off St James's La.)
Winkley Ct. S Harr —8L 37
Winkley St. E2 —5F 60
Winkworth Cotts. E1 —7G 61
(off Cephas St.)
Winkworth Pl. Bans —6K 135
Winkworth Rd. Bans —6L 135
Winlaton Rd. Brom —1B 110
Winmill Rd. Dag —8K 49
Winnett St. W1 —1H 75
Winningales Ct. Ilf —9J 31
Winnings Wlk. N'holt —2J 53
Winnington Clo. N2 —4B 42
Winnington Ho. SE5 —8A 76
(off Wyndham Est.)
Winnington Rd. N2 —4B 42
Winnington Rd. Enf —2G 17
Winnipeg Dri. Grn St —8D 128
Winnock Rd. W Dray —2H 143
Winn Rd. SE12 —7E 94
Winns Av. E17 —1K 45
Winns Comn. Rd. SE18 —7C 80
Winns M. N15 —2C 44
Winns Ter. E17 —1L 45
Winsbeach. E17 —9B 30
Winscombe Cres. W5 —7H 55
Winscombe St. NW5 —8F 42
Winscombe Way. Stan —5E 22
Winsford Rd. SE6 —9K 93
Winsford Ter. N18 —5B 28
Winsham Gro. SW11 —4E 90
Winsham Ho. NW1 —6H 59
(off Churchway)
Winslade Rd. SW2 —4J 91
Winslade Way. SE6 —6M 93
Winsland M. W2 —9B 58
Winsland St. W2 —9B 58
Winsley St. W1 —9G 59
Winslow. SE17 —6C 76
Winslow Clo. NW10 —8C 40
Winslow Clo. Pinn —4F 36
Winslow Gro. E4 —2C 30
Winslow Rd. W6 —7G 73
Winslow Way. Felt —9H 85
Winslow Way. W on T —5G 117
Winsmoor Ct. Enf —5M 15
Winsor Park. —8M 63
Winsor Ter. E6 —8L 63
Winstanley Est. SW11 —2B 90
Winstanley Rd. SW11 —2B 90
Winstead Gdns. Dag —1A 66
Winston Av. NW9 —5C 40
Winston Churchill's Britain at War Experience. —2C 76
(off Tooley St.)
Winston Clo. Harr —6D 22
Winston Clo. Romf —2M 49
Winston Ct. Brom —5F 110
(off Widmore Rd.)
Winston Ct. Harr —7M 21
Winston Ho. N1 —5B 60
(off Cherbury St.)
Winston Ho. W13 —3E 70
(off Salisbury Rd.)
Winston Ho. WC1 —7H 59
(off Endsleigh St.)
Winston Rd. N16 —9B 44
Winston Wlk. W4 —4B 72
Winston Way. Ilf —8M 47
Winstre Rd. Borwd —3L 11
Winter Av. E6 —4J 63
Winterborne Av. Orp —5B 128
Winterbourne Gro. Wey —8A 116
Winterbourne Ho. W11 —1J 73
(off Portland Rd.)
Winterbourne Rd. SE6 —7K 93
Winterbourne Rd. Dag —7G 49
Winterbourne Rd. T Hth —8L 107
Winter Box Wlk. Rich —4K 87
Winterbrook Rd. SE24 —5A 92
Winterburn Clo. N11 —6E 26
Winterdown Gdns. Esh —8K 117
Winterdown Rd. Esh —8K 117
Winterfold Clo. SW19 —8J 89
Wintergreen Clo. E6 —8J 63
Winterleys. NW6 —5K 57
(off Albert Rd.)
Winter Lodge. SE16 —6E 76
(off Fern Wlk.)
Winter's Ct. E4 —3M 29
Winterslow Ho. SE5 —1A 92
(off Flaxman Rd.)
Winters Rd. Th Dit —2F 118
Winterstoke Gdns. NW7 —5E 24
Winterstoke Rd. SE6 —7K 93
Winters Way. Wal A —6M 7
Winterton Ct. SE20 —6E 108
Winterton Ct. King T —5H 103
(off Lwr. Teddington Rd.)
Winterton Ho. E1 —9G 61
(off Deancross St.)
Winterton Pl. SW10 —7A 74
Winterwell Rd. SW2 —4J 91
Winthorpe Rd. SW15 —3J 89
Winthrop Ho. W12 —1F 72
(off White City Est.)
Winthrop St. E1 —8F 60
Winthrop Wlk. Wemb —8J 39
Winton App. Crox G —7A 8
Winton Av. N11 —7G 27
Winton Clo. N9 —9H 17
Winton Ct. Swan —8C 114
Winton Cres. Crox G —7A 8
Winton Dri. Chesh —2E 6
Winton Dri. Crox G —8A 8
Winton Gdns. Edgw —7K 23
Winton Rd. Orp —6M 127
Winton Way. SW16 —2L 107
Wireless Rd. Big H —7H 141
Wirrall Ho. SE26 —9E 92
Wirral Wood Clo. Chst —3L 111
Wisbeach Rd. Croy —9B 108
Wisbech. N4 —6K 43
(off Lorne Rd.)
Wisborough Rd. S Croy —1D 138
Wisdon Ho. SW8 —7K 75
Wisdom Ct. Iswth —2E 86
(off South St.)
Wisdons Clo. Dag —6M 49
Wise La. NW7 —5E 24
Wise La. W Dray —4H 143
Wiseman Rd. E10 —7L 45
Wise Rd. E15 —4B 62
Wiseton Rd. SW17 —7C 90
Wisham Wlk. N13 —6J 27
Wishart Rd. SE3 —1H 95
Wishford Ct. Asht —9K 133
Wisley Ct. S Croy —2B 138
Wisley Ho. SW1 —6H 75
(off Rampayne St.)
Wisley Rd. SW11 —4E 90
Wisley Rd. Orp —4E 112
Wistaria Clo. Orp —4M 127
Wisteria Clo. NW7 —5D 24
Wisteria Clo. Ilf —1M 63
Wisteria Dri. NW7 —6D 24
Wisteria Gdns. Swan —6B 114
Wisteria Gdns. Wfd G —5E 30
Wisteria Rd. SE13 —3B 94
Witanhurst La. N6 —6E 42
Witan St. E2 —6F 60
Witham Clo. Lou —8J 19
Witham Ct. E10 —8M 45
Witham Rd. SE20 —7G 109
Witham Rd. W13 —2E 70
Witham Rd. Dag —1L 65
Witham Rd. Iswth —9B 70
Witham Rd. Romf —3F 50
Withens Clo. Orp —8G 113
Witherby Clo. Croy —7C 124
Witherings, The. Horn —3J 51
Witherington Rd. N5 —1L 59
Withers Clo. Chess —8G 119
Withers Mead. NW9 —8D 24
Withers Pl. EC1 —7A 60
Witherston Way. SE9 —8L 95
Withycombe Rd. SW19 —6H 89
Withy Ho. E1 —7H 61
(off Globe Rd.)
Withy La. Ruis —3A 36
Withy Mead. E4 —3B 30
Withy Pl. Park —1M 5
Witley Ct. WC1 —7J 59
(off Coram St.)
Witley Cres. New Ad —8A 126
Witley Gdns. S'hall —5K 69
Witley Ho. SW2 —6J 91
Witley Ind. Est. S'hall —5K 69
Witley Rd. N19 —7G 43
Witney Clo. Pinn —6K 21
Witney Path. SE23 —9H 93
Wittenham Way. E4 —3B 30
Wittering Clo. King T —2H 103
Wittering Wlk. Horn —2G 67
Wittersham Rd. Brom —2D 110
Witts Ho. King T —7K 103
(off Winery La.)
Wivenhoe Clo. SE15 —2F 92
Wivenhoe Ct. Houn —3K 85
Wivenhoe Rd. Bark —5E 64
Wiverton Rd. SE26 —3G 109
Wixom Ho. SE3 —3G 95
Wix Rd. Dag —4H 65
Wix's La. SW4 —2F 90
Woburn. W13 —8F 54
(off Clivedon Ct.)
Woburn Av. Horn —9E 50
Woburn Av. Purl —3L 137
Woburn Clo. SE28 —9H 65
Woburn Clo. SW19 —3A 106
Woburn Clo. Bush —8A 10
Woburn Ct. E18 —9E 30
Woburn Ct. SE16 —6F 76
(off Masters Dri.)
Woburn Ct. Croy —3A 124
Woburn M. WC1 —7H 59
Woburn Pl. WC1 —7J 59
Woburn Rd. Cars —3C 122
Woburn Rd. Croy —3A 124
Woburn Sq. WC1 —7H 59
Woburn Tower. N'holt —6H 53
(off Broomcroft Av.)
Woburn Wlk. WC1 —6H 59
Wodehouse Av. SE5 —9D 76
Wodehouse Ct. W3 —4A 72
(off Vincent Rd.)
Wodehouse Rd. Dart —3L 99
Woffington Clo. King T —5G 103
Woking Clo. SW15 —3D 88
Wolcot Ho. NW1 —5G 59
(off Aldenham St.)
Woldham Pl. Brom —8G 111
Woldham Rd. Brom —8G 111
Wolds Dri. Orp —6L 127
Wolfe Clo. Brom —1E 126
Wolfe Clo. Hay —6F 52
Wolfe Cres. SE7 —6H 79
Wolfe Cres. SE16 —3H 77
Wolfe Ho. W12 —1F 72
(off White City Est.)
Wolferton Rd. E12 —9K 47
Wolffe Gdns. E15 —2D 62
Wolfington Rd. SE27 —1M 107
Wolfram Clo. SE13 —4C 94
Wolftencroft Clo. SW11 —2C 90
Wollaston Clo. SE1 —5A 76
Wollett Ct. NW1 —3G 59
(off St Pancras Way)
Wolmer Clo. Edgw —4L 23
Wolmer Gdns. Edgw —3L 23
Wolseley Av. SW19 —8L 89
Wolseley Gdns. W4 —7M 71
Wolseley Rd. E7 —3F 62
Wolseley Rd. N8 —4H 43
Wolseley Rd. N22 —8K 27
Wolseley Rd. W4 —5A 72
Wolseley Rd. Harr & W'stone —1C 38
Wolseley Rd. Mitc —2E 122
Wolseley Rd. Romf —5B 50
Wolseley St. SE1 —3E 76
Wolsey Av. E6 —6L 63
Wolsey Av. E17 —1K 45
Wolsey Av. Chesh —2A 6
Wolsey Av. Th Dit —9D 102
Wolsey Bus. Pk. Wat —9B 8
Wolsey Clo. SW20 —4F 104
Wolsey Clo. Houn —3A 86
Wolsey Clo. King T —5M 103
Wolsey Clo. S'hall —4A 70
Wolsey Clo. Wor Pk —6E 120

Woodside Pk. Av.—Wynnstay Gdns.

Woodside Pk. Av. E17 —2B 46
Woodside Pk. Rd. N12 —4M 25
Woodside Pl. Wemb —4J 55
Woodside Rd. E13 —7G 63
Woodside Rd. N22 —7K 27
Woodside Rd. SE25 —1F 124
Woodside Rd. Ab L & Wat —4E 4
Woodside Rd. Bexh —3B 98
Woodside Rd. Brick W —3K 5
Woodside Rd. Brom —9J 111
Woodside Rd. King T —4J 103
Woodside Rd. N Mald —6B 104
Woodside Rd. N'wd —7D 20
Woodside Rd. Purl —5H 137
Woodside Rd. Sidc —9C 96
Woodside Rd. Sutt —5A 122
Woodside Rd. Wfd G —4E 30
Woodside Way. Croy —1G 125
Woodside Way. Mitc —5F 106
Woods M. W1 —1D 74
Woodsome Lodge. Wey —8A 116
Woodsome Rd. NW5 —8E 42
Woods Pl. SE1 —4C 76
Woodspring Rd. SW19 —8J 89
Woods Rd. SE15 —9F 76
Woodstead Gro. Edgw —6J 23
Woods, The. N'wd —5E 20
Woodstock Av. NW11 —5J 41
Woodstock Av. W13 —4E 70
Woodstock Av. Iswth —4E 86
Woodstock Av. Romf —5M 35
Woodstock Av. S'hall —6K 53
Woodstock Av. Sutt —2K 121
Woodstock Clo. Bex —7K 97
Woodstock Clo. Stan —9J 23
Woodstock Ct. SE11 —6K 75
Woodstock Ct. SE12 —5E 94
Woodstock Ct. Eps —5B 134
Woodstock Cres. N9 —8F 16
Woodstock Gdns. Beck —5M 109
Woodstock Gdns. Hay —8D 52
Woodstock Gdns. Ilf —7E 48
Woodstock Grange. W5 —2J 71
Woodstock Gro. W12 —3H 73
Woodstock La. N. Surb —4G 119
Woodstock La. S. Clay & Chess —7F 118
Woodstock M. W1 —8E 58
(off Westmoreland St.)
Woodstock Ri. Sutt —2K 121
Woodstock Rd. E7 —3G 63
Woodstock Rd. E17 —9B 30
Woodstock Rd. N4 —6L 43
Woodstock Rd. NW11 —5K 41
Woodstock Rd. W4 —5C 72
Woodstock Rd. Bus H —9C 10
Woodstock Rd. Cars —7E 122
Woodstock Rd. Coul —8F 136
Woodstock Rd. Croy —5B 124
Woodstock Rd. Wemb —4K 55
Woodstock St. W1 —9F 58
Woodstock Ter. E14 —1M 77
Woodstock, The. (Junct.) —2K 121
Woodstock Way. Mitc —6F 106
Woodstone Av. Eps —7E 120
Wood Street. (Junct.) —1A 46
Wood St. E16 —1F 78
Wood St. E17 —1A 46
Wood St. EC2 —9A 60
Wood St. W4 —6C 72
Wood St. Barn —6H 13
Wood St. King T —6H 103
Wood St. Mitc —2E 122
Wood St. Swan —6G 115
Woodsway. Oxs —6C 132
Woodsyre. SE26 —1D 108
Woodthorpe Rd. SW15 —3F 88
Woodthorpe Rd. Ashf —9C 144
Woodtree Clo. NW4 —9H 25
Wood Va. N10 —3G 43
Wood Va. SE23 —7F 92
Woodvale Av. SE25 —7D 108
Woodvale Ct. Brom —5F 110
(off Widmore Rd.)
Wood Va. Est. SE23 —6G 93
Woodvale Wlk. SE27 —2A 108
Woodvale Way. NW11 —8H 41
Woodview. Chess —3G 133
Woodview Av. E4 —4A 30
Woodview Clo. N4 —5M 43
Woodview Clo. SW15 —1B 104
Woodview Clo. Orp —4A 128
Woodview Clo. S Croy —6F 138
Woodview Rd. Swan —6A 114
Woodville. SE3 —9F 78
Woodville Clo. SE12 —4E 94
Woodville Clo. Tedd —1E 102
Woodville Ct. SE19 —5D 108
Woodville Ct. Wat —4E 8
Woodville Gdns. NW2 —5H 41
Woodville Gdns. W5 —9J 55
Woodville Gdns. Ilf —1M 47
Woodville Gdns. Ruis —5A 36
Woodville Gdns. Surb —2H 119
Woodville Gro. Well —2E 96
Woodville Ho. SE1 —4D 76
(off Grange Wlk.)
Woodville Rd. E11 —6D 46
Woodville Rd. E17 —2K 45
Woodville Rd. E18 —9F 30
Woodville Rd. N1 —1C 60
Woodville Rd. NW6 —5K 57
Woodville Rd. NW11 —5H 41
Woodville Rd. W5 —9H 55
Woodville Rd. Barn & New Bar —5M 13
Woodville Rd. Mord —8L 105
Woodville Rd. Rich —9F 86
Woodville Rd. T Hth —8A 108
Woodville St. SE18 —5J 79
Woodville, The. W5 —9H 55
(off Woodville Rd.)
Woodward Av. NW4 —3E 40
Woodward Clo. Clay —8D 118
Woodwarde Rd. SE22 —5C 92
Woodward Gdns. Dag —3G 65
Woodward Gdns. Stan —7D 22
Woodward Rd. Dag —3F 64
Woodward's Footpath. Twic —5A 86
Wood Way. Orp —4L 127
Woodway Cres. Harr —4E 38
Woodwaye. Wat —9G 9
Woodwell St. SW18 —4A 90
Wood Wharf. SE10 —7A 78
Wood Wharf Bus. Pk. E14 —2M 77
(in two parts)
Woodyard Clo. NW5 —1E 58
Woodyard La. SE21 —6C 92
Woodyates Rd. SE12 —5E 94
Woolacombe Rd. SE3 —9G 79
Woolacombe Way. Hay —5C 68
Woolcombes Ct. SE16 —2H 77
(off Princes Riverside Rd.)
Wooler St. SE17 —6B 76
Woolf Clo. SE28 —2F 80
Woolf Ct. W3 —4A 72
(off Vincent Rd.)
Woolf M. WC1 —7H 59
(off Burton Pl.)
Woolgar M. N16 —1C 60
(off Gillett St.)
Woolhampton Way. Chig —3F 32
Woollard St. Wal A —7J 7
Woollaston Rd. N4 —4M 43
Woollett Clo. Cray —3E 98
Woolley Ho. SW9 —2M 91
(off Loughborough Rd.)
Woollon Ho. E1 —9G 61
(off Clark St.)
Woolmead Av. NW9 —5E 40
Woolmer Clo. Borwd —2L 11
Woolmerdine Ct. Bush —5H 9
Woolmer Gdns. N18 —5E 28
Woolmer Rd. N18 —5E 28
Woolmore St. E14 —1A 78
Woolneigh St. SW6 —2M 89
Woolridge Way. E9 —3G 61
Wool Rd. SW20 —3F 104
Woolstaplers Way. SE16 —4E 76
Woolston Clo. E17 —9H 29
Woolstone Rd. SE23 —8J 93
Woolwich. —4L 79
Woolwich Chu. St. SE18 —4J 79
Woolwich Comn. SE18 —7L 79
Woolwich Dockyard Ind. Est. SE18 —4J 79
Woolwich High St. SE18 —4L 79
Woolwich Ind. Est. SE28 —4C 80
(Hadden Rd.)
Woolwich Ind. Est. SE28 —4D 80
(Kellner Rd.)
Woolwich Mnr. Way. E6 & E16 —7K 63
Woolwich New Rd. SE18 —6L 79
Woolwich Rd. SE2 & Belv —7H 81
Woolwich Rd. SE10 & SE7 —6D 78
Woolwich Rd. Bexh —2L 97
Wooster Gdns. E14 —9B 62
Wooster M. Harr —1A 38
Wooster Pl. SE1 —5B 76
(off Searles Rd.)
Wootton Clo. Eps —8D 134
Wootton Clo. Horn —3H 51
Wootton Gro. N3 —8L 25
Wootton St. SE1 —2L 75
Worbeck Rd. SE20 —6F 108
Worcester Av. N17 —7E 28
Worcester Clo. NW2 —8F 40
Worcester Clo. Croy —4L 125
Worcester Clo. Mitc —6E 106
Worcester Ct. N12 —5M 25
Worcester Ct. W7 —9D 54
(off Copley Clo.)
Worcester Ct. Harr —1C 38
Worcester Ct. W on T —4G 117
Worcester Ct. Wor Pk —5C 120
Worcester Cres. NW7 —3C 24
Worcester Cres. Wfd G —4F 30
Worcester Dri. W4 —3C 72
Worcester Dri. Ashf —2A 100
Worcester Gdns. Gnfd —2B 54
Worcester Gdns. Ilf —5J 47
Worcester Gdns. Wor Pk —5C 120
Worcester Ho. SE11 —4L 75
(off Kennington Rd.)
Worcester Ho. SW9 —8L 75
(off Cranmer Rd.)
Worcester Ho. W2 —9A 58
(off Hallfield Est.)
Worcester Ho. Borwd —4L 11
(off Stratfield Rd.)
Worcester M. NW6 —2M 57
Worcester Park. —3E 120
Worcester Pk. Rd. Wor Pk —5B 120
Worcester Rd. E12 —9K 47
Worcester Rd. E17 —9H 29
Worcester Rd. SW19 —2K 105
Worcester Rd. Cow & Uxb —8A 142
Worcester Rd. Sutt —9L 121
Worcesters Av. Enf —2E 16
Wordsworth Av. E12 —3J 63
Wordsworth Av. E18 —1D 46
Wordsworth Av. Gnfd —6B 54
Wordsworth Av. Kenl —7B 138
Wordsworth Clo. Romf —8G 35
Wordsworth Ct. Harr —5C 38
Wordsworth Dri. Cheam & Sutt —6G 121
Wordsworth Ho. NW6 —6L 57
(off Stafford Rd.)
Wordsworth Pde. N15 —2M 43
Wordsworth Pl. NW3 —1D 58
Wordsworth Rd. N16 —9C 44
Wordsworth Rd. SE1 —5D 76
Wordsworth Rd. SE20 —4H 109
Wordsworth Rd. Hamp —1K 101
Wordsworth Rd. Wall —8G 123
Wordsworth Rd. Well —9C 80
Wordsworth Wlk. NW11 —2L 41
Wordsworth Way. Dart —3L 99
Wordsworth Way. W Dray —5J 143
Worfield St. SW11 —8C 74
Worgan St. SE11 —6K 75
Worgan St. SE16 —5H 77
Worland Rd. E15 —3C 62
World Bus. Cen. H'row A —9A 68
World of Silk. —4C 98
(off Bourne Rd.)
World's End. —5K 15
Worlds End Est. SW10 —8B 74
World's End La. N21 & Enf —7K 15
Worlds End La. Orp —8D 128
World's End Pas. SW10 —8B 74
(off Worlds End. Est)
World's End Pl. SW10 —8B 74
(off Worlds End Est.)
Worlidge St. W6 —6G 73
Worlingham Rd. SE22 —3D 92
Wormholt Rd. W12 —1E 72
Wormwood St. EC2 —9C 60
(in two parts)
Wormyngford Ct. Wal A —6M 7
Wornington Rd. W10 —7J 57
(in two parts)
Wornum Ho. W10 —5J 57
(off Kilburn La.)
Woronzow Rd. NW8 —4B 58
Worple Av. SW19 —4H 105
Worple Av. Iswth —4E 86
Worple Clo. Harr —6K 37
Worple Rd. SW20 & SW19 —6G 105
Worple Rd. Eps —7B 134
Worple Rd. Iswth —3E 86
Worple Rd. M. SW19 —3K 105
Worple St. SW14 —2B 88
Worple Way. Harr —6K 37
Worple Way. Rich —4J 87
Worship St. EC2 —7B 60
Worslade Rd. SW17 —1B 106
Worsley Bri. Rd. SE26 & Beck —1K 109
Worsley Ho. SE23 —8F 92
Worsley Rd. E11 —9C 46
Worsopp Dri. SW4 —4G 91
Worth Clo. Orp —6C 128
Worthfield Clo. Eps —9B 120
Worth Gro. SE17 —6B 76
Worthing Clo. E15 —4C 62
Worthing Rd. Houn —7K 69
Worthington Clo. Mitc —8F 106
Worthington Ho. EC1 —6L 59
(off Myddelton Pas.)
Worthington Rd. Surb —3K 119
Wortley Rd. E6 —3H 63
Wortley Rd. Croy —2L 123
Worton Ct. Iswth —3C 86
Worton Gdns. Iswth —1B 86
Worton Hall Ind. Est. Iswth —3C 86
Worton Rd. Iswth —3B 86
Worton Way. Iswth —1B 86
Wotton Ct. E14 —1B 78
(off Jamestown Way)
Wotton Grn. Orp —8H 113
Wotton Rd. NW2 —8G 41
Wotton Rd. SE8 —7K 77
Wotton Way. Sutt —2G 135
Wouldham Rd. E16 —9D 62
Wragby Rd. E11 —8C 46
Wrampling Pl. N9 —1E 28
Wrangthorn Wlk. Croy —6L 123
Wray Av. Ilf —1L 47
Wrayburn Ho. SE16 —3E 76
(off Llewellyn St.)
Wray Clo. Horn —5G 51
Wray Cres. N4 —7J 43
Wrayfield Rd. Sutt —5H 121
Wray Rd. Sutt —1K 135
Wraysbury Clo. Houn —4J 85
Wrays Way. Hay —7C 52
Wrekin Rd. SE18 —8A 80
Wren Av. NW2 —1G 57
Wren Av. S'hall —5K 69
Wren Clo. E16 —9D 62
Wren Clo. N9 —1H 29
Wren Clo. Orp —7H 113
Wren Clo. S Croy —1H 139
Wren Ct. Croy —6B 124
(off Coombe Rd.)
Wren Cres. Bush —1A 22
Wren Dri. Wal A —7M 7
Wren Dri. W Dray —4H 143
Wren Gdns. Dag —1H 65
Wren Gdns. Horn —6D 50
Wren Ho. E3 —5J 61
(off Gernon Rd.)
Wren Ho. SW1 —6H 75
(off Aylesford St.)
Wren Ho. Hamp W —6H 103
(off High St.)
Wren Landing. E14 —2L 77
Wrenn Ho. SW13 —7G 73
Wren Path. SE28 —4B 80
Wren Rd. SE5 —9B 76
Wren Rd. Dag —1H 65
Wren Rd. Sidc —1G 113
Wren's Av. Ashf —1A 100
Wrens Hill. Oxs —7A 132
Wren's Pk. Ho. E5 —7F 44
Wren St. WC1 —7K 59
Wrentham Av. NW10 —5H 57
Wrenthorpe Rd. Brom —1C 110
Wrenwood Way. Pinn —2F 36
Wrestlers Ct. EC3 —9C 60
(off Clark's Pl.)
Wrexham Rd. E3 —5L 61
Wrexham Rd. Romf —3H 35
Wricklemarsh Rd. SE3 —1F 94
(in two parts)
Wrigglesworth St. SE14 —8H 77
Wright Clo. SE13 —3B 94
Wright Rd. N1 —2C 60
Wright Rd. Houn —8G 69
Wrights All. SW19 —3G 105
Wrightsbridge Rd. S Wea —1K 35
Wright's Bldgs. Wat —4F 8
(off Langley Rd.)
Wrights Clo. Dag —9M 49
Wrights Grn. SW4 —3H 91
Wright's La. W8 —4M 73
Wrights Pl. NW10 —2A 56
Wright's Rd. E3 —5K 61
(in two parts)
Wrights Rd. SE25 —7C 108
Wrights Row. Wall —6F 122
Wrights Wlk. SW14 —2B 88
Wrigley Clo. E4 —5B 30
Wrington Ho. Romf —5K 35
(off Redruth Rd.)
Writtle Ho. NW9 —9D 24
Writtle Wlk. Rain —4C 66
Wrotham Ho. SE1 —4B 76
(off Law St.)
Wrotham Ho. Beck —4K 109
(off Sellindge Clo.)
Wrotham Rd. NW1 —3G 59
Wrotham Rd. W13 —2G 71
Wrotham Rd. Barn —4J 13
Wrotham Rd. Well —9G 81
Wroth's Path. Lou —3K 19
Wrottesley Rd. NW10 —5E 56
Wrottesley Rd. SE18 —7A 80
Wroughton Rd. SW11 —4D 90
Wroughton Ter. NW4 —2F 40
Wroxall Rd. Dag —2G 65
Wroxham Gdns. N11 —7H 27
Wroxham Rd. SE28 —1H 81
Wroxham Way. Ilf —8M 31
Wroxton Rd. SE15 —1G 93
Wrythe Grn. Cars —5D 122
Wrythe Grn. Rd. Cars —5D 122
Wrythe La. Cars —3A 122
Wrythe, The. —5D 122
Wulfstan St. W12 —8D 56
Wyatt Clo. SE16 —3K 77
Wyatt Clo. Bush —9B 10
Wyatt Clo. Felt —7H 85
Wyatt Clo. Hay —8E 52
Wyatt Ct. Wemb —3J 55
Wyatt Dri. SW13 —7F 72
Wyatt Ho. NW8 —7B 58
(off Frampton St.)
Wyatt Ho. SE3 —1D 94
Wyatt Ho. Twic —5H 87
Wyatt Pk. Rd. SW2 —8J 91
Wyatt Rd. E7 —2E 62
Wyatt Rd. N5 —8A 44
Wyatt Rd. Dart —2D 98
Wyatts La. E17 —1A 46
Wybert St. NW1 —7G 59
Wyborne Ho. NW10 —3A 56
Wyborne Way. NW10 —3A 56
Wyburn Av. Barn —5K 13
Wyche Gro. S Croy —9B 124
Wych Elm Clo. Horn —5L 51
Wych Elm Lodge. Brom —4D 110
Wych Elm Pas. King T —4K 103
Wych Elm Rd. Horn —4L 51
Wych Elms. Park —1M 5
Wycherley Clo. SE3 —8D 78
Wycherley Cres. New Bar —8M 13
Wychombe Studios. NW3 —2D 58
Wychwood Av. Edgw —6H 23
Wychwood Av. T Hth —7A 108
Wychwood Clo. Edgw —6H 23
Wychwood Clo. Sun —3E 100
Wychwood End. N6 —5G 43
Wychwood Gdns. Ilf —2K 47
Wychwood Way. SE19 —3B 108
Wychwood Way. N'wd —7D 20
Wyclif Ct. EC1 —6M 59
(off Wyclif St.)
Wycliffe Clo. Well —9D 80
Wycliffe Ct. Ab L —5C 4
Wycliffe Rd. SW11 —1E 90
Wycliffe Rd. SW19 —3M 105
Wyclif St. EC1 —6M 59
Wycombe Gdns. NW11 —7L 41
Wycombe Ho. NW8 —7C 58
(off Grendon St.)
Wycombe Pl. SW18 —5A 90
Wycombe Rd. N17 —8E 28
Wycombe Rd. Ilf —3K 47
Wycombe Rd. Wemb —4L 55
Wydehurst Rd. Croy —2E 124
Wydell Clo. Mord —1H 121
Wydeville Mnr. Rd. SE12 —1F 110
Wye Clo. Ashf —1A 100
Wye Clo. Orp —2D 128
Wye Clo. Ruis —4A 36
Wye Ct. W13 —8F 54
(off Malvern Way)
Wyemead Cres. E4 —2C 30
Wye St. SW11 —1B 90
Wyeths M. Eps —5D 134
Wyeths Rd. Eps —5D 134
Wyevale Clo. Pinn —1E 36
Wyfields. Ilf —8M 31
Wyfold Ho. SE2 —3H 81
(off Wolvercote Rd.)
Wyfold Rd. SW6 —8J 73
Wyhill Wlk. Dag —3A 66
Wyke Clo. Iswth —7D 70
Wyke Gdns. W7 —4E 70
Wykeham Av. Dag —2G 65
Wykeham Av. Horn —4H 51
Wykeham Clo. W Dray —6L 143
Wykeham Ct. N11 —2E 26
(off Wykeham Rd.)
Wykeham Ct. NW4 —3G 41
(off Wykeham Rd.)
Wykeham Grn. Dag —2G 65
Wykeham Hill. Wemb —6K 39
Wykeham Ri. N20 —1J 25
Wykeham Rd. NW4 —2G 41
Wykeham Rd. Harr —2F 38
Wyke Rd. E3 —3L 61
Wyke Rd. SW20 —6G 105
Wylchin Clo. Pinn —1D 36
Wyldes Clo. NW11 —6A 42
Wyldfield Gdns. N9 —2D 28
Wyld Way. Wemb —2M 55
Wyleu St. SE23 —6J 93
Wylie Rd. S'hall —4L 69
Wyllen Clo. E1 —7G 61
Wylo Dri. Barn —8E 12
Wymans Way. E7 —9G 47
Wymering Mans. W9 —6L 57
(off Wymering Rd., in two parts)
Wymering Rd. W9 —6L 57
Wymond St. SW15 —2G 89
Wynan Rd. E14 —6M 77
Wynash Gdns. Cars —7C 122
Wynaud Ct. N22 —6K 27
Wyncham Av. Sidc —7C 96
Wyncham Ho. Sidc —8E 96
(off Longlands Rd.)
Wynchgate. N14 & N21 —1H 27
Wynchgate. Harr —7C 22
Wynchgate. N'holt —1K 53
Wyncote Way. S Croy —1H 139
Wyncroft Clo. Brom —7K 111
Wyndale Av. NW9 —4L 39
Wyndcliff Rd. SE7 —7F 78
Wyndcroft Clo. Enf —5M 15
Wyndham Clo. Orp —3A 128
Wyndham Clo. Sutt —9L 121
Wyndham Ct. W7 —5E 70
Wyndham Cres. N19 —8G 43
Wyndham Cres. Houn —5L 85
Wyndham Deedes Ho. E2 —5E 60
(off Hackney Rd.)
Wyndham Est. SE5 —8A 76
Wyndham Ho. E14 —3M 77
(off Marsh Wall)
Wyndham M. W1 —8D 58
Wyndham Pl. W1 —8D 58
Wyndham Rd. E6 —3H 63
Wyndham Rd. SE5 —8A 76
Wyndham Rd. W13 —4F 70
Wyndham Rd. Barn —1D 26
Wyndham Rd. King T —4K 103
(in two parts)
Wyndhams Theatre. —1J 75
(off St Martin's La.)
Wyndham St. W1 —8D 58
Wyndham Yd. W1 —8D 58
Wyneham Rd. SE24 —4B 92
Wynell Rd. SE23 —9H 93
Wynford Gro. Orp —7F 112
Wynford Ho. N1 —5K 59
(off Priory Grn. Est.)
Wynford Pl. Belv —7L 81
Wynford Rd. N1 —5K 59
Wynford Way. SE9 —9K 95
Wynlie Gdns. Pinn —9F 20
Wynndale Rd. E18 —8F 30
Wynne Ho. SE14 —9H 77
Wynne Rd. SW9 —1L 91
Wynnstay Gdns. W8 —4L 73

HOSPITALS and HOSPICES
covered by this atlas
with their map square reference

N.B. Where Hospitals and Hospices are not named on the map, the reference
given is for the road in which they are situated.

ACTON HOSPITAL —3L **71**
Gunnersbury La.
LONDON
W3 8EG
Tel: 020 83831133

ARCHERY HOUSE —5M **99**
Bow Arrow La.
DARTFORD
DA2 6PB
Tel: 01322 622222

ASHFORD HOSPITAL —8C **144**
London Rd.
ASHFORD
TW15 3AA
Tel: 01784 884488

ATHLONE HOUSE —6D **42**
Hampstead La.
LONDON
N6 4RX
Tel: 020 83485231

ATKINSON MORLEY'S HOSPITAL —4F **104**
31 Copse Hill
LONDON
SW20 0NE
Tel: 020 89467711

BARKING HOSPITAL —3D **64**
Upney La.
BARKING
IG11 9LX
Tel: 0208 9838000

BARNES HOSPITAL —2C **88**
S. Worple Way
LONDON
SW14 8SU
Tel: 020 88784981

BARNET HOSPITAL —6H **13**
Wellhouse La.
BARNET
EN5 3DJ
Tel: 020 82164000

BECKENHAM HOSPITAL —6K **109**
379 Croydon Rd.
BECKENHAM
BR3 3QL
Tel: 020 82896600

BECONTREE DAY HOSPITAL —7J **49**
508 Becontree Av.
DAGENHAM
RM8 3HR
Tel: 0208 9841234

BELVEDERE DAY HOSPITAL —4E **56**
341 Harlesden Rd.
LONDON
NW10 3RX
Tel: 020 84593562

BELVEDERE PRIVATE CLINIC —6G **81**
Knee Hill
LONDON
SE2 0AT
Tel: 020 83114464

BETHLEM ROYAL HOSPITAL, THE
—2L **125**
Monks Orchard Rd.
BECKENHAM
BR3 3BX
Tel: 020 87776611

BEXLEY HOSPITAL —8C **98**
Old Bexley La.
BEXLEY
DA5 2BW
Tel: 01322 526282

BLACKHEATH BMI HOSPITAL, THE —2D **94**
40-42 Lee Ter.
LONDON
SE9 9UD
Tel: 020 83187722

BOLINGBROKE HOSPITAL —4C **90**
Bolingbroke Gro.
SW11 6HN
Tel: 020 72237411

BRITISH HOME & HOSPITAL FOR INCURABLES —2M **107**
Crown La.
LONDON
SW16 3JB
Tel: 020 86708261

BROMLEY HOSPITAL —8F **110**
Cromwell Av.
BROMLEY
BR2 9AJ
Tel: 020 82897000

BUSHEY BUPA HOSPITAL —9D **10**
Heathbourne Rd.
Bushey Heath
BUSHEY
WD23 1RD
Tel: 020 89509090

CAMDEN MEWS DAY HOSPITAL —2G **59**
1-5 Camden M.
LONDON
NW1 9DB
Tel: 020 75304780

CANE HILL FORENSIC MENTAL HEALTH UNIT —9G **137**
Brighton Rd.
COULSDON
CR5 3YL
Tel: 01737 556300

CARSHALTON WAR MEMORIAL HOSPITAL —8D **122**
The Park,
CARSHALTON
SM5 3DB
Tel: 020 86475534

CASSEL HOSPITAL, THE —1H **103**
1 Ham Comn.
RICHMOND
TW10 7JF
Tel: 020 89408181

CENTRAL MIDDLESEX HOSPITAL —6A **56**
Acton La.
LONDON
NW10 7NS
Tel: 020 89655733

CHADWELL HEATH HOSPITAL —3F **48**
Grove Rd.
ROMFORD
RM6 4XH
Tel: 020 89838000

CHARING CROSS HOSPITAL —7H **73**
Fulham Pal. Rd.
LONDON
W6 8RF
Tel: 020 88461234

CHASE FARM HOSPITAL —2L **15**
127 The Ridgeway
ENFIELD
FN2 8JL
Tel: 020 83666600

CHELSEA & WESTMINSTER HOSPITAL —7A **74**
369 Fulham Rd.
LONDON
SW10 9NH
Tel: 020 87468000

CHELSFIELD PARK HOSPITAL —7J **129**
Bucks Cross Rd.
ORPINGTON
BR6 7RG
Tel: 01689 877855

CHESHUNT COMMUNITY HOSPITAL —4E **6**
King Arthur Ct., Cheshunt
WALTHAM CROSS
EN8 8XN
Tel: 01992 622157

CLAYPONDS HOSPITAL —5J **71**
Sterling Pl.
LONDON
W5 4RN
Tel: 020 85604011

CLEMENTINE CHURCHILL HOSPITAL, THE —8D **38**
Sudbury Hill
HARROW
HA1 3RX
Tel: 020 88723872

COLINDALE HOSPITAL —9C **24**
Colindale Av.
LONDON
NW9 5HG
Tel: 020 89522381

COTTAGE DAY HOSPITAL —9C **90**
Springfield University Hospital
61 Glenburnie Rd.
LONDON
SW17 7DJ
Tel: 020 86826514

CROMWELL HOSPITAL, THE —5M **73**
162-174 Cromwell Rd.
LONDON
SW5 0TU
Tel: 020 74602000

DEVONSHIRE HOSPITAL, THE —8E **58**
29-31 Devonshire St.
LONDON
W1N 1RF
Tel: 020 74867131

EALING HOSPITAL —3B **70**
Uxbridge Rd.
SOUTHALL
UB1 3HW
Tel: 020 89675000

EAST HAM MEMORIAL HOSPITAL —3H **63**
Shrewsbury Rd.
LONDON
E7 8QR
Tel: 0208 5865000

EASTMAN DENTAL HOSPITAL & DENTAL INSTITUTE, THE
—7K **59**
256 Gray's Inn Rd.
LONDON
WC1X 8LD
Tel: 020 79151000

EDENHALL MARIE CURIE CENTRE —1B **58**
11 Lyndhurst Gdns.
LONDON
NW3 5NS
Tel: 020 77940066

EDGWARE COMMUNITY HOSPITAL —7M **23**
Burnt Oak Broadway
EDGWARE
HA8 0AD
Tel: 020 89522381

EPSOM DAY SURGERY UNIT —5D **134**
The Old Cottage Hospital
Alexandra Rd.
EPSOM
KT17 4BL
Tel: 01372 739002

EPSOM GENERAL HOSPITAL —7A **134**
Dorking Rd.
EPSOM
KT18 7EG
Tel: 01372 735735

ERITH & DISTRICT HOSPITAL —7B **82**
Park Cres., ERITH
DA8 3EE
Tel: 020 83022678

FARNBOROUGH HOSPITAL —6L **127**
Farnborough Comn., ORPINGTON
BR6 8ND
Tel: 01689 814000

FARNBOROUGH HOSPITAL (ANNEXE) —6E **128**
Sevenoaks Rd.
ORPINGTON
BR6 9JU
Tel: 01689 815000

FINCHLEY MEMORIAL HOSPITAL —7A **26**
Granville Rd.
LONDON
N12 0JE
Tel: 020 83493121

FLORENCE NIGHTINGALE DAY HOSPITAL —8C **58**
1B Harewood Row
LONDON
NW1 6SE
Tel: 020 7259940

FLORENCE NIGHTINGALE HOSPITAL —8C **58**
11-19 Lisson Gro.
LONDON
NW1 6SH
Tel: 020 72583828

GAINSBOROUGH CLINIC, THE —4L **75**
22 Barkham Ter.
LONDON
SE1 7PW
Tel: 020 79285633

GARDEN HOSPITAL, THE —1G **41**
46-50 Sunny Gdns. Rd.
LONDON
NW4 1RP
Tel: 020 84574500

GOODMAYES HOSPITAL —3E **48**
Barley La.
ILFORD
IG3 8XJ
Tel: 020 89838000

GORDON HOSPITAL —5H **75**
Bloomburg St.
LONDON
SW1V 2RH
Tel: 020 87468733

GREAT ORMOND STREET HOSPITAL FOR CHILDREN
—7J **59**
Gt. Ormond St.
LONDON
WC1N 3JH
Tel: 020 74059200

GREENWICH & BEXLEY COTTAGE HOSPICE —6G **81**
185 Bostall Hill
LONDON
SE2 0QX
Tel: 020 83122244

GREENWICH DISTRICT HOSPITAL —6D **78**
Vanbrugh Hill
LONDON
SE10 9HE
Tel: 020 88588141

GROVELANDS PRIORY HOSPITAL —1J **27**
The Bourne
LONDON
N14 6RA
Tel: 020 88828191

GUY'S HOSPITAL —2B **76**
St Thomas St.
LONDON
SE1 9RT
Tel: 020 79555000

GUY'S NUFFIELD HOUSE —3B **76**
Newcomen St.
LONDON
SE1 1YR
Tel: 020 79554257

HAMMERSMITH & NEW QUEEN CHARLOTTE'S
HOSPITAL —9F **56**
Du Cane Rd., LONDON
W12 0HS
Tel: 020 83831000

HARLEY STREET CLINIC, THE —8F **58**
35 Weymouth St., LONDON
W1N 4BJ
Tel: 020 79357700

HAROLD WOOD HOSPITAL —8J **35**
Gubbins La., ROMFORD
RM3 0BE
Tel: 01708 345533

HAYES GROVE PRIORY HOSPITAL —4E **126**
Prestons Rd., BROMLEY
BR2 7AS
Tel: 020 84627722

HEART HOSPITAL, THE —8E **58**
16-18 Westmoreland St.
LONDON
W1G 8PH
Tel: 020 75738888

HENDERSON HOSPITAL —1M **135**
Homeland Dri.
SUTTON
SM2 5LY
Tel: 020 86611611

HIGHGATE PRIVATE HOSPITAL —4D **42**
17 View Rd.
LONDON
N6 4DJ
Tel: 020 83414182

HILLINGDON HOSPITAL —8D **142**
Pield Heath Rd.
UXBRIDGE
UB8 3NN
Tel: 01895 238282

HOLLY HOUSE HOSPITAL —2F **30**
High Rd.
BUCKHURST HILL
IG9 5HX
Tel: 0208 5053311

HOMERTON HOSPITAL —1H **61**
Homerton Row
LONDON
E9 6SR
Tel: 020 85105555

HORNSEY CENTRAL HOSPITAL —3H **43**
Park Rd.
LONDON
N8 8JL
Tel: 020 82191700

HOSPITAL FOR TROPICAL DISEASES —7G **59**
Mortimer Mkt., Capper St.
LONDON
WC1E 6AU
Tel: 020 73879300

HOSPITAL OF ST JOHN & ST ELIZABETH —5B **58**
60 Grove End Rd.
LONDON
NW8 9NH
Tel: 020 72865126

KING EDWARD VII'S HOSPITAL FOR OFFICERS —8E **58**
5-10 Beaumont St.
LONDON
W1N 2AA
Tel: 020 74864411

KING GEORGE HOSPITAL —3E **48**
Barley La.
ILFORD
IG3 8YB
Tel: 020 89838000

KING'S COLLEGE HOSPITAL —1B **92**
Denmark Hill
LONDON
SE5 9RS
Tel: 020 77374000

KING'S COLLEGE HOSPITAL, DULWICH —3C **92**
East Dulwich Gro.
LONDON
SE22 8PT
Tel: 020 77374000

KING'S OAK BMI HOSPITAL, THE —2L **15**
The Ridgeway
ENFIELD
EN2 8SD
Tel: 020 83709500

KINGSBURY COMMUNITY HOSPITAL —2L **39**
Honeypot La.
LONDON
NW9 9QY
Tel: 020 89031323

KINGSTON HOSPITAL —5M **103**
Galsworthy Rd.
KINGSTON UPON THAMES
KT2 7QB
Tel: 020 85467711

LATIMER DAY HOSPITAL —8G **59**
40 Hanson St., LONDON
W1W 6UL
Tel: 020 73809187

LEWISHAM UNIVERSITY HOSPITAL —4M **93**
Lewisham High St., LONDON
SE13 6LH
Tel: 020 83333000

LISTER HOSPITAL, THE —6F **74**
Chelsea Bri. Rd.
LONDON
SW1W 8RH
Tel: 020 77303417

LITTLE BROOK HOSPITAL —5M **99**
Bow Arrow La.
DARTFORD
DA2 6PH
Tel: 01322 622222

LIVINGSTONE HOSPITAL —6K **99**
East Hill
DARTFORD
DA1 1SA
Tel: 01322 622222

LONDON BRIDGE HOSPITAL —2B **76**
27 Tooley St.
LONDON
SE1 2PR
Tel: 020 74073100

LONDON CHEST HOSPITAL —5G **61**
Bonner Rd.
LONDON
E2 9JX
Tel: 020 73777000

LONDON CLINIC, THE —7E **58**
20 Devonshire Pl.
LONDON
W1N 2DH
Tel: 020 79354444

LONDON FOOT HOSPITAL —7G **59**
33 & 40 Fitzroy Sq.
LONDON
W1P 6AY
Tel: 020 75304500

LONDON INDEPENDENT HOSPITAL —8H **61**
1 Beaumont Sq.
LONDON
E1 4NL
Tel: 020 77900990

LONDON LIGHTHOUSE —9J **57**
111-117 Lancaster Rd.
LONDON
W11 1QT
Tel: 020 77921200

LONDON WELBECK HOSPITAL —8E **58**
27 Welbeck St.
LONDON
W1G 8EN
Tel: 020 72242242

MAITLAND DAY HOSPITAL —9G **45**
143-153 Lwr. Clapton Rd.
LONDON
E5 8EQ
Tel: 020 89195600

MAUDSLEY HOSPITAL, THE —1B **92**
Denmark Hill
LONDON
SE5 8AZ
Tel: 020 77036333

MAYDAY UNIVERSITY HOSPITAL —1M **123**
Mayday Rd.
THORNTON HEATH
CR7 7YE
Tel: 020 84013000

MEADOW HOUSE HOSPICE —3B **70**
Ealing Hospital, Uxbridge Rd.
SOUTHALL
UB1 3HW
Tel: 020 8967 5179

MEADOWS, THE, E.M.I UNIT —2K **11**
Castleford Clo.
BOREHAMWOOD
WD6 4AL
Tel: 020 89534954

MEMORIAL HOSPITAL —1L **95**
Shooters Hill
LONDON
SE18 3RZ
Tel: 020 88565511

MIDDLESEX HOSPITAL, THE —8G **59**
Mortimer St., LONDON
W1N 8AA
Tel: 020 76368333

MILDMAY MISSION HOSPITAL —6D **60**
Hackney Rd., LONDON
E2 7NA
Tel: 020 76136300

Hospitals & Hospices

MOLESEY HOSPITAL —9L **101**
High St.
WEST MOLESEY
KT8 2LU
Tel: 020 89414481

MOORFIELDS EYE HOSPITAL —6B **60**
162 City Rd.
LONDON
EC1V 2PD
Tel: 020 72533411

MORLAND ROAD DAY HOSPITAL —3L **65**
Morland Rd.
DAGENHAM
RM10 9HU
Tel: 0208 5932343

NATIONAL HOSPITAL FOR NEUROLOGY &
                    NEUROSURGERY (FINCHLEY), THE —2C **42**
Gt. North Rd.
LONDON
N2 0NW
Tel: 020 78373611

NATIONAL HOSPITAL FOR NEUROLOGY &
                    NEUROSURGERY, THE —7J **59**
Queen Sq.
LONDON
WC1N 3BG
Tel: 020 78373611

NELSON HOSPITAL —6K **105**
Kingston Rd.
LONDON
SW20 8DB
Tel: 020 82962000

NEW EPSOM & EWELL COTTAGE HOSPITAL, THE
                    —3J **133**
W. Park Rd.
EPSOM
KT19 8PH
Tel: 01372 734834

NEW VICTORIA HOSPITAL —5C **104**
184 Coombe La. W.
KINGSTON UPON THAMES
KT2 7EG
Tel: 020 89499000

NEWHAM GENERAL HOSPITAL —7G **63**
Glen Rd.
LONDON
E13 8SL
Tel: 020 74764000

NORTH LONDON HOSPICE —3A **26**
47 Woodside Av.
LONDON
N12 8TT
Tel: 020 83438841

NORTH LONDON NUFFIELD HOSPITAL, THE —4L **15**
Cavell Dri.
ENFIELD
EN2 7PR
Tel: 020 83662122

NORTH MIDDLESEX HOSPITAL, THE —5C **28**
Sterling Way
LONDON
N18 1QX
Tel: 020 88872000

NORTHWICK PARK HOSPITAL —5E **38**
Watford Rd.
HARROW
HA1 3UJ
Tel: 020 88643232

NORTHWOOD & PINNER COMMUNITY HOSPITAL —8E **20**
Pinner Rd.
NORTHWOOD
HA6 1DE
Tel: 01923 824182

OBSTETRIC HOSPITAL, THE —7G **59**
Huntley St.
LONDON
WC1E 6DH
Tel: 020 73879300

OLDCHURCH HOSPITAL —4C **50**
Oldchurch Rd.
ROMFORD
RM7 0BE
Tel: 01708 746090

PARKLANDS DAY HOSPITAL —4J **133**
West Park Hospital
Horton La.
EPSOM
KT19 8PB
Tel: 01883 388300

PARKSIDE HOSPITAL —9H **89**
53 Parkside
LONDON
SW19 5NX
Tel: 020 89718000

PEACE HOSPICE, THE —5E **8**
Peace Dri.
WATFORD
WD1 3AD
Tel: 01923 330330

PENNY SANGHAM DAY HOSPITAL —4K **69**
Osterley Pk. Rd.
SOUTHALL
UB2 4EU
Tel: 020 85719676

PLAISTOW HOSPITAL —5G **63**
Samson St.
LONDON
E13 9EH
Tel: 020 85866200

PORTLAND HOSPITAL FOR WOMEN & CHILDREN, THE
                    —7F **58**
209 Gt. Portland St.
LONDON
W1N 6AH
Tel: 020 75804400

PRINCESS ALICE HOSPICE —7L **117**
W. End La.
ESHER
KT10 8NA
Tel: 01372 468811

PRINCESS GRACE HOSPITAL —7E **58**
42-52 Nottingham Pl.
LONDON
W1M 3FD
Tel: 020 74861234

PRINCESS LOUISE HOSPITAL —8H **57**
St Quintin Av.
LONDON
W10 6DL
Tel: 020 89690133

PROSPECT HOUSE, E.M.I. UNIT —5E **8**
Peace Dri.
WATFORD
WD1 3XE
Tel: 01923 693900

PURLEY AND DISTRICT WAR MEMORIAL HOSPITAL
                    —3L **137**
Brighton Rd.
PURLEY
CR8 2YL
Tel: 020 84013000

QUEEN ELIZABETH HOSPITAL —8J **79**
Stadium Rd.
LONDON
SE18 4QH
Tel: 020 88565533

QUEEN MARY'S HOSPITAL —3E **112**
Frognal Av.
SIDCUP
DA14 6LT
Tel: 020 83022678

QUEEN MARY'S HOSPITAL —8A **42**
23 E. Heath Rd.
LONDON
NW3 1DU
Tel: 020 74314111

QUEEN MARY'S HOSPITAL FOR CHILDREN —3A **122**
Wrythe La.
CARSHALTON
SM5 1AA
Tel: 020 82962000

QUEEN MARY'S UNIVERSITY HOSPITAL —5E **88**
Roehampton La., LONDON
SW15 5PN
Tel: 020 87896611

REDFORD LODGE PSYCHIATRIC HOSPITAL —2E **28**
15 Church St., LONDON
N9 9DY
Tel: 020 89561234

RICHARD HOUSE CHILDREN'S HOSPICE —1H **79**
Richard Ho. Dri., LONDON
E16 3RG
Tel: 020 75110222

RICHMOND HEALTHCARE HAMLET —2J **87**
Kew Foot Rd., RICHMOND
TW9 2TE
Tel: 020 89403331

RODING HOSPITAL (BUPA) —1H **47**
Roding La. S.
ILFORD
IG4 5PZ
Tel: 020 85511100

ROEHAMPTON PRIORY HOSPITAL —3D **88**
Priory La.
LONDON
SW15 5JJ
Tel: 020 88768261

ROYAL BROMPTON HOSPITAL —6C **74**
Sydney St.
LONDON
SW3 6NP
Tel: 020 73528121

ROYAL BROMPTON HOSPITAL (ANNEXE) —6B **74**
Fulham Rd.
LONDON
SW3 6HP
Tel: 020 73528121

ROYAL FREE HOSPITAL, THE —1C **58**
Pond St.
LONDON
NW3 2QG
Tel: 020 77940500

ROYAL HOSPITAL FOR NEURO-DISABILITY —5J **89**
West Hill
LONDON
SW15 3SW
Tel: 020 87804500

ROYAL LONDON HOMOEOPATHIC HOSPITAL, THE —8J **59**
Gt. Ormond St.
LONDON
WC1N 3HR
Tel: 020 78378833

ROYAL LONDON HOSPITAL (MILE END) —7H **61**
Bancroft Rd.
LONDON
E1 4DG
Tel: 020 73777920

ROYAL LONDON HOSPITAL (WHITECHAPEL) —8F **60**
Whitechapel Rd.
LONDON
E1 1BB
Tel: 020 73777000

ROYAL MARSDEN HOSPITAL (FULHAM), THE —6B **74**
Fulham Rd.
LONDON
SW3 6JJ
Tel: 020 73528171

ROYAL MARSDEN HOSPITAL (SUTTON), THE —2A **136**
Downs Rd.
SUTTON
SM2 5PT
Tel: 020 86426011

ROYAL NATIONAL ORTHOPAEDIC HOSPITAL —2F **22**
Brockley Hill
STANMORE
HA7 4LP
Tel: 020 89542300

ROYAL NATIONAL ORTHOPAEDIC HOSPITAL
                    (OUTPATIENTS) —7F **58**
45-51 Bolsover St.
LONDON
W1P 8AQ
Tel: 020 89542300

ROYAL NATIONAL THROAT, NOSE & EAR HOSPITAL
                    —6K **59**
330 Gray's Inn Rd.
LONDON
WC1X 8DA
Tel: 020 79151300

ROYAL NATIONAL THROAT, NOSE & EAR HOSPITAL -
                    SPEECH & LANGUAGE UNIT —8G **55**
10 Castlebar Hill
LONDON
W5 1TD
Tel: 020 89978480

ST ANDREW'S AT HARROW —7C **38**
Bowden House Clinic
London Rd.
HARROW
HA1 3JL
Tel: 020 89667000

ST ANDREW'S HOSPITAL —7M **61**
Devas St.
LONDON
E3 3NT
Tel: 020 74764000

ST ANN'S HOSPITAL —3A **44**
St Ann's Rd.
LONDON
N15 3TH
Tel: 020 84426000

ST ANTHONY'S HOSPITAL —4H **121**
London Rd.
LONDON
SM3 9DW
Tel: 020 83376691

ST BARTHOLOMEW'S HOSPITAL —8M **59**
West Smithfield
LONDON
EC1A 7BE
Tel: 020 73777000

ST BERNARD'S HOSPITAL —3B **70**
Uxbridge Rd.
SOUTHALL
UB1 3EU
Tel: 020 89675000

ST CHARLES HOSPITAL —8H **57**
Exmoor St.
LONDON
W10 6DZ
Tel: 020 89692488

ST CHRISTOPHER'S HOSPICE —2G **109**
51-59 Lawrie Pk. Rd.
LONDON
SE26 6DZ
Tel: 020 87789252

ST CLEMENT'S HOSPITAL —6K **61**
2A Bow Rd.
LONDON
E3 4LL
Tel: 020 73777000

ST EBBA'S —1A **134**
Hook Rd.
EPSOM
KT19 8QJ
Tel: 01883 388300

ST FRANCIS HOSPICE —3C **34**
The Hall, Broxhill Rd.
Havering-atte-Bower
ROMFORD
RM4 1QH
Tel: 01708 753319

ST GEORGE'S HOSPITAL (TOOTING) —2B **106**
Blackshaw Rd.
LONDON
SW17 0QT
Tel: 020 86721255

ST GEORGES HOSPITAL (HORNCHURCH) —1J **67**
117 Suttons La.
HORNCHURCH
RM12 6RS
Tel: 01708 465000

ST HELIER HOSPITAL —3A **122**
Wrythe La.
CARSHALTON
SM5 1AA
Tel: 020 82962000

ST JOHN'S AND AMYAND HOUSE —6E **86**
Strafford Rd.
TWICKENHAM
TW1 3AD
Tel: 020 87449943

ST JOHN'S HOSPICE —5B **58**
Hospital of St John & St Elizabeth
60 Grove End Rd.
LONDON
NW8 9NH
Tel: 020 72865126

ST JOSEPH'S HOSPICE —4F **60**
Mare St.
LONDON
E8 4SA
Tel: 020 85256000

ST LUKE'S HOSPITAL FOR THE CLERGY —7G **59**
14 Fitzroy Sq.
LONDON
W1T 6AH
Tel: 020 73884954

ST LUKE'S KENTON GRANGE HOSPICE —3B **38**
Kenton Grange
Kenton Rd.
HARROW
HA3 0YG
Tel: 020 83828000

ST LUKE'S WOODSIDE HOSPITAL —2E **42**
Woodside Av.
LONDON
N10 3HU
Tel: 020 82191800

ST MARY'S HOSPITAL —9B **58**
Praed St.
LONDON
W2 1NY
Tel: 020 77256666

ST PANCRAS HOSPITAL —4H **59**
4 St Pancras Way
LONDON
NW1 0PE
Tel: 020 75303500

ST RAPHAEL'S HOSPICE —3H **121**
St. Anthony's Hospital
London Rd.
SUTTON
SM3 9DW
Tel: 020 83354575

ST THOMAS' HOSPITAL —4K **75**
Lambeth Pal. Rd.
LONDON
SE1 7EH
Tel: 020 79289292

SHIRLEY OAKS HOSPITAL —2G **125**
Poppy La.
CROYDON
CR9 8AB
Tel: 020 86555500

SLOANE HOSPITAL, THE —5B **110**
125-133 Albemarle Rd.
BECKENHAM
BR3 5HS
Tel: 020 84666911

SOUTH BROMLEY HOSPICE CARE —6D **128**
109 Sevenoaks Rd.
ORPINGTON
BR6 9JX
Tel: 01689 605300

SOUTH LONDON AND MAUDSLEY TRUST —2J **91**
108 Landor Rd.
LONDON
SW9 9NT
Tel: 020 74116100

SOUTHWOOD HOSPITAL —5E **42**
70 Southwood La.
LONDON
N6 5SP
Tel: 020 83408778

SPRINGFIELD UNIVERSITY HOSPITAL —9C **90**
61 Glenburnie Rd.
LONDON
SW17 7DJ
Tel: 020 86826000

STONE HOUSE HOSPITAL —5M **99**
Cotton La.
DARTFORD
DA2 6AU
Tel: 01322 622222

SURBITON HOSPITAL —1J **119**
Ewell Rd.
SURBITON
KT6 6EZ
Tel: 020 83997111

SUTTON GENERAL HOSPITAL —2M **135**
Cotswold Rd.
SUTTON
SM2 5NF
Tel: 020 82962000

TEDDINGTON MEMORIAL HOSPITAL —3C **102**
Hampton Rd.
TEDDINGTON
TW11 0JL
Tel: 020 84088210

THORPE COOMBE HOSPITAL —1A **46**
714 Forest Rd.
LONDON
E17 3HP
Tel: 020 85208971

TOLWORTH HOSPITAL —4L **119**
Red Lion Rd.
SURBITON
KT6 7QU
Tel: 020 83900102

TRINITY HOSPICE —3F **90**
30 Clapham Comn. N. Side
LONDON
SW4 0RN
Tel: 020 77871000

UNITED ELIZABETH GARRETT ANDERSON & SOHO
HOSPITALS FOR WOMEN —6H **59**
144 Euston Rd.
LONDON
NW1 2AP
Tel: 020 73872501

UNIVERSITY COLLEGE HOSPITAL —7G **59**
Gower St.
LONDON
WC1E 6AU
Tel: 020 73879300

UPTON DAY HOSPITAL —3J **97**
14 Upton Rd.
BEXLEYHEATH
DA6 8LQ
Tel: 020 83017900

WALTON COMMUNITY HOSPITAL —4F **116**
Rodney Rd.
WALTON-ON-THAMES
KT12 3LD
Tel: 01932 220060

WATFORD GENERAL HOSPITAL —7F **8**
60 Vicarage Rd.
WATFORD
WD18 0HB
Tel: 01923 244366

WELLINGTON HOSPITAL, THE —6B **58**
8a Wellington Pl.
LONDON
NW8 0LE
Tel: 020 75865959

WEST MIDDLESEX UNIVERSITY HOSPITAL —1E **86**
Twickenham Rd.
ISLEWORTH
TW7 6AF
Tel: 020 85602121

WEST PARK HOSPITAL —4J **133**
Horton La.
EPSOM
KT19 8PB
Tel: 01883 388300

WESTERN OPHTHALMIC HOSPITAL —8D **58**
153 Marylebone Rd.
LONDON
NW1 5QH
Tel: 020 78866666

WHIPPS CROSS HOSPITAL —4B **46**
Whipps Cross Rd.
LONDON
E11 1NR
Tel: 020 85395522

WHITTINGTON NHS TRUST —7G **43**
Highgate Hill
LONDON
N19 5NF
Tel: 020 72723070

WILLESDEN COMMUNITY HOSPITAL —3E **56**
Harlesden Rd.
LONDON
NW10 3RY
Tel: 020 84591292

RAIL, CROYDON TRAMLINK, DOCKLANDS LIGHT RAILWAY AND LONDON UNDERGROUND STATIONS

with their map square reference

Abbey Wood Station. Rail —4G **81**
Acton Central Station. Rail —2B **72**
Acton Main Line Station. Rail —9A **56**
Acton Town Station. Tube —3L **71**
Addington Village Stop. CT —8L **125**
Addiscombe Stop. CT —3E **124**
Albany Park Station. Rail —8H **97**
Aldgate East Station. Tube —9D **60**
Aldgate Station. Tube —9D **60**
Alexandra Palace Station. Rail —9J **27**
All Saints Station. DLR —1M **77**
Alperton Station. Tube —4H **55**
Ampere Way Stop. CT —3K **123**
Anerley Station. Rail —5F **108**
Angel Road Station. Rail —5G **29**
Angel Station. Tube —5L **59**
Archway Station. Tube —7G **43**
Arena Stop. CT —9G **109**
Arnos Grove Station. Tube —5G **27**
Arsenal Station. Tube —8L **43**
Ashford Station. Rail —9D **144**
Ashtead Station. Rail —9J **133**
Avenue Road Stop. CT —6H **109**

Baker Street Station. Tube —7D **58**
Balham Station. Rail & Tube —7F **90**
Bank Station. Tube & DLR —9B **60**
Banstead Station. Rail —6K **135**
Barbican Station. Rail & Tube —8A **60**
Barking Station. Rail & Tube —3A **64**
Barkingside Station. Tube —1B **48**
Barnehurst Station. Rail —1A **98**
Barnes Bridge Station. Rail —1D **88**
Barnes Station. Rail —2E **88**
Barons Court Station. Tube —6J **73**
Battersea Park Station. Rail —8F **74**
Bayswater Station. Tube —1M **73**
Beckenham Hill Station. Rail —2A **110**
Beckenham Junction Station. Rail & CT —5L **109**
Beckenham Road Stop. CT —5J **109**
Beckton Park Station. DLR —1K **79**
Beckton Station. DLR —8L **63**
Becontree Station. Tube —2H **65**
Beddington Lane Stop. CT —1G **123**
Belgrave Walk Stop. CT —8B **106**
Bellingham Station. Rail —9M **93**
Belmont Station. Rail —2M **135**
Belsize Park Station. Tube —1C **58**
Belvedere Station. Rail —4M **81**
Bermondsey Station. Tube —4E **76**
Berrylands Station. Rail —8M **103**
Bethnal Green Station. Rail —7F **60**
Bethnal Green Station. Tube —6G **61**
Bexley Station. Rail —7L **97**
Bexleyheath Station. Rail —1J **97**
Bickley Station. Rail —7J **111**
Bingham Road Stop. CT —3E **124**
Birkbeck Stop. CT —7G **109**
Blackfriars Station. Rail & Tube —1M **75**
Blackheath Station. Rail —2D **94**
Blackhorse Lane Stop. CT —2E **124**
Blackhorse Road Station. Rail & Tube —2H **45**
Blackwall Station. DLR —1A **78**
Bond Street Station. Tube —9F **58**
Borough Station. Tube —3A **76**
Boston Manor Station. Tube —5E **70**
Bounds Green Station. Tube —6H **27**
Bow Church Station. DLR —6L **61**
Bow Road Station. Tube —6L **61**
Bowes Park Station. Rail —7J **27**
Brent Cross Station. Tube —5H **41**
Brentford Station. Rail —7G **71**
Bricket Wood Station. Rail —3L **5**
Brimsdown Station. Rail —4J **17**
Brixton Station. Rail & Tube —3L **91**
Brockley Station. Rail —2J **93**
Bromley North Station. Rail —5E **110**
Bromley South Station. Rail —7E **110**
Bromley-by-Bow Station. Tube —6A **62**
Brondesbury Park Station. Rail —4J **57**
Brondesbury Station. Rail —3K **57**
Bruce Grove Station. Rail —9D **28**
Buckhurst Hill Station. Tube —2H **31**
Burnt Oak Station. Tube —8A **24**
Bush Hill Park Station. Rail —8D **16**
Bushey Station. Rail —8H **9**

Caledonian Road & Barnsbury Station. Rail —3K **59**
Caledonian Road Station. Tube —2K **59**
Cambridge Heath Station. Rail —5F **60**
Camden Road Station. Rail —3G **59**
Camden Town Station. Tube —4F **58**
Canada Water Station. Tube —3G **77**
Canary Wharf Station. DLR —2L **77**
Canning Town Station. Rail, DLR & Tube —9C **62**
Cannon Street Station. Rail & Tube —1B **76**
Canonbury Station. Rail —1A **60**
Canons Park Station. Tube —7J **23**
Carpenders Park Station. Rail —3H **21**
Carshalton Beeches Station. Rail —8D **122**
Carshalton Station. Rail —6D **122**
Castle Bar Park Station. Rail —8D **54**
Catford Bridge Station. Rail —6L **93**
Catford Station. Rail —6L **93**
Chadwell Heath Station. Rail —5H **49**
Chalk Farm Station. Tube —3E **58**
Chancery Lane Station. Tube —8L **59**
Charing Cross Station. Rail & Tube —2J **75**
Charlton Station. Rail —6G **79**
Cheam Station. Rail —9J **121**
Chelsfield Station. Rail —7F **128**
Cheshunt Station. Rail —3F **6**
Chessington North Station. Rail —7J **119**
Chessington South Station. Rail —9H **119**
Chigwell Station. Tube —3M **31**
Chingford Station. Rail —9C **18**
Chislehurst Station. Rail —6L **111**
Chiswick Park Station. Tube —5A **72**
Chiswick Station. Rail —8A **72**
Church Street Stop. CT —4A **124**
City Thameslink Station. Rail —9M **59**
Clapham Common Station. Tube —3G **91**
Clapham High Street Station. Rail —2H **91**
Clapham Junction Station. Rail —2C **90**
Clapham North Station. Tube —2J **91**
Clapham South Station. Tube —5F **90**
Clapton Station. Rail —7F **44**
Claygate Station. Rail —8C **118**
Clock House Station. Rail —5J **109**
Cockfosters Station. Tube —6E **14**
Colindale Station. Tube —1C **40**
Colliers Wood Station. Tube —4B **106**
Coombe Lane Stop. CT —7G **125**
Coulsdon South Station. Rail —8H **137**
Covent Garden Station. Tube —1J **75**
Crayford Station. Rail —5D **98**
Cricklewood Station. Rail —9H **41**
Crofton Park Station. Rail —4K **93**
Crossharbour Station. DLR —4M **77**
Crouch Hill Station. Rail —5K **43**
Croxley Green Station. Rail —7B **8**
Croxley Station. Tube —8A **8**
Crystal Palace Station. Rail —3E **108**
Custom House Station. Rail & DLR —1F **78**
Cutty Sark Station. DLR —7A **78**
Cyprus Station. DLR —1L **79**

Dagenham Dock Station. Rail —6K **65**
Dagenham East Station. Tube —1A **66**
Dagenham Heathway Station. Tube —2K **65**
Dalston Kingsland Station. Rail —1C **60**
Dartford Station. Rail —5J **99**
Denmark Hill Station. Rail —1B **92**
Deptford Bridge Station. DLR —9L **77**
Deptford Station. Rail —8L **77**
Devons Road Station. DLR —7M **61**
Dollis Hill Station. Tube —1E **56**
Drayton Green Station. Rail —9D **54**
Drayton Park Station. Rail —9L **43**
Dundonald Road Stop. CT —4K **105**

Ealing Broadway Station. Rail & Tube —1H **71**
Ealing Common Station. Tube —2K **71**
Earl's Court Station. Tube —5M **73**
Earlsfield Station. Rail —7A **90**
East Acton Station. Tube —9D **56**
East Croydon Station. Rail & CT —4B **124**
East Dulwich Station. Rail —3C **92**
East Finchley Station. Tube —2C **42**
East Ham Station. Tube —3J **63**
East India Station. DLR —1B **78**
East Putney Station. Tube —4J **89**
Eastcote Station. Tube —5G **37**
Eden Park Station. Rail —9L **109**
Edgware Road Station. Tube —8C **58**
Edgware Road Station. Tube —8C **58**
Edgware Station. Tube —6M **23**
Edmonton Green Station. Rail —2E **28**
Elephant & Castle Station. Rail & Tube —5A **76**
Elm Park Station. Tube —9F **50**
Elmers End Station. Rail & CT —8H **109**
Elmstead Woods Station. Rail —3J **111**
Elstree & Borehamwood Station. Rail —6L **11**
Eltham Station. Rail —4K **95**
Elverson Road Station. DLR —1M **93**
Embankment Station. Tube —2J **75**
Emerson Park Station. Rail —5J **51**
Enfield Chase Station. Rail —5A **16**
Enfield Lock Station. Rail —1J **17**
Enfield Town Station. Rail —5C **16**
Epsom Downs Station. Rail —7F **134**
Epsom Station. Rail —5B **134**
Erith Station. Rail —6C **82**
Esher Station. Rail —4B **118**
Essex Road Station. Rail —3A **60**
Euston Square Station. Tube —7G **59**
Euston Station. Rail & Tube —6H **59**
Ewell East Station. Rail —2F **134**
Ewell West Station. Rail —1C **134**
Eynsford Station. Rail —6H **131**

Fairlop Station. Tube —8B **32**
Falconwood Station. Rail —3B **96**
Farningham Road Station. Rail —6M **115**
Farringdon Station. Rail & Tube —8M **59**
Feltham Station. Rail —7F **84**
Fenchurch Street Station. Rail —1C **76**
Fieldway Stop. CT —9M **125**
Finchley Central Station. Tube —8L **25**
Finchley Road & Frognal Station. Rail —1A **58**
Finchley Road Station. Tube —2A **58**
Finsbury Park Station. Rail & Tube —7L **43**
Forest Gate Station. Rail —1E **62**
Forest Hill Station. Rail —8G **93**
Fulham Broadway Station. Tube —8L **73**
Fulwell Station. Rail —1B **102**

Gallions Reach Station. DLR —1M **79**
Gants Hill Station. Tube —4L **47**
Garston Station. Rail —8J **5**
George Street Stop. CT —4A **124**
Gidea Park Station. Rail —2F **50**
Gipsy Hill Station. Rail —2C **108**
Gloucester Road Station. Tube —5A **74**
Golders Green Station. Tube —6L **41**
Goldhawk Road Station. Tube —3G **73**
Goodge Street Station. Tube —8H **59**
Goodmayes Station. Rail —6E **48**
Gordon Hill Station. Rail —3M **15**
Gospel Oak Station. Rail —9E **42**
Grange Hill Station. Tube —4B **32**
Grange Park Station. Rail —7M **15**
Gravel Hill Stop. CT —8J **125**
Great Portland Street Station. Tube —7F **58**
Green Park Station. Tube —2G **75**
Greenford Station. Rail & Tube —4B **54**

Rail, Croydon Tramlink, Docklands Light Railway & London Underground Stations

Greenwich Station. Rail & DLR —8M 77
Grove Park Station. Rail —9F 94
Gunnersbury Station. Rail & Tube —6M 71

Hackbridge Station. Rail —4F 122
Hackney Central Station. Rail —2F 60
Hackney Downs Station. Rail —1F 60
Hackney Wick Station. Rail —2L 61
Hadley Wood Station. Rail —2A 14
Hainault Station. Tube —7C 32
Hammersmith Station. Tube —5G 73
Hampstead Heath Station. Rail —9C 42
Hampstead Station. Tube —9A 42
Hampton Court Station. Rail —8C 102
Hampton Station. Rail —5L 101
Hampton Wick Station. Rail —5G 103
Hanger Lane Station. Tube —6J 55
Hanwell Station. Rail —1C 70
Harlesden Station. Rail & Tube —5B 56
Harold Wood Station. Rail —8K 35
Harringay Green Lanes Station. Rail —4M 43
Harringay Station. Rail —4L 43
Harrington Road Stop. CT —7G 109
Harrow & Wealdstone Station. Rail & Tube
                                    —2C 38
Harrow-On-The-Hill Station. Rail & Tube —4C 38
Hatch End Station. Rail —7L 21
Hatton Cross Station. Tube —3D 84
Haydons Road Station. Rail —2A 106
Hayes & Harlington Station. Rail —4D 68
Hayes Station. Rail —3E 126
Headstone Lane Station. Rail —8M 21
Heathrow Terminal 4 Station. Tube —4A 84
Heathrow Terminals 1, 2, 3 Station. Tube
                                    —2F 144
Hendon Central Station. Tube —3F 40
Hendon Station. Rail —4E 40
Herne Hill Station. Rail —5M 91
Heron Quays Station. DLR —2L 77
Hersham Station. Rail —5J 117
High Barnet Station. Tube —6L 13
High Street, Kensington Station. Tube —3M 73
Highams Park Station. Rail —6B 30
Highbury & Islington Station. Rail & Tube
                                    —2M 59
Highgate Station. Tube —4F 42
Hillingdon Station. Tube —1F 142
Hinchley Wood Station. Rail —5D 118
Hither Green Station. Rail —5C 94
Holborn Station. Tube —9K 59
Holland Park Station. Tube —2K 73
Holloway Road Station. Tube —1K 59
Homerton Station. Rail —2H 61
Honor Oak Park Station. Rail —5H 93
Hornchurch Station. Tube —8H 51
Hornsey Station. Rail —2K 43
Hounslow Central Station. Tube —2M 85
Hounslow East Station. Tube —1A 86
Hounslow Station. Rail —4M 85
Hounslow West Station. Tube —1J 85
Hyde Park Corner Station. Tube —3E 74

Ickenham Station. Tube —9A 36
Ilford Station. Rail —8M 47
Island Gardens Station. DLR —6A 78
Isleworth Station. Rail —1D 86

Kenley Station. Rail —6A 138
Kennington Station. Tube —6M 75
Kensal Green Station. Rail & Tube —6G 57
Kensal Rise Station. Rail —5H 57
Kensington Olympia Station. Rail & Tube —4J 73
Kent House Station. Rail —5J 109
Kentish Town Station. Rail & Tube —1G 59
Kentish Town West Station. Rail —2F 58
Kenton Station. Rail & Tube —4F 38
Kew Bridge Station. Rail —6K 71
Kew Gardens Station. Rail & Tube —9L 71
Kidbrooke Station. Rail —2F 94
Kilburn High Road Station. Rail —4M 57
Kilburn Park Station. Tube —5L 57
Kilburn Station. Tube —2K 57
King Henry's Drive Stop. CT —1M 139
King's Cross St Pancras Station. Tube —6J 59
King's Cross Station. Rail —5J 59
King's Cross Thameslink Station. Rail —6J 59
Kings Langley Station. Rail —3A 4
Kingsbury Station. Tube —3L 39
Kingston Station. Rail —5J 103

Knightsbridge Station. Tube —3D 74
Knockholt Station. Rail —9J 129

Ladbroke Grove Station. Tube —9J 57
Ladywell Station. Rail —4M 93
Lambeth North Station. Tube —4L 75
Lancaster Gate Station. Tube —1B 74
Latimer Road Station. Tube —1H 73
Lebanon Road Stop. CT —4C 124
Lee Station. Rail —5E 94
Leicester Square Station. Tube —1J 75
Lewisham Station. Rail & DLR —2A 94
Leyton Midland Road Station. Rail —6A 46
Leyton Station. Tube —8A 46
Leytonstone High Road Station. Rail —7C 46
Leytonstone Station. Tube —6C 46
Limehouse Station. Rail & DLR —9J 61
Liverpool Street Station. Rail & Tube —8C 60
Lloyd Park Stop. CT —6D 124
London Bridge Station. Rail & Tube —2B 76
London Fields Station. Rail —3F 60
Loughborough Junction Station. Rail —2M 91
Loughton Station. Tube —7J 19
Lower Sydenham Station. Rail —2K 109

Maida Vale Station. Tube —6M 57
Malden Manor Station. Rail —2C 120
Manor House Station. Tube —5A 44
Manor Park Station. Rail —9H 47
Mansion House Station. Tube —1A 76
Marble Arch Station. Tube —9D 58
Maryland Station. Rail —2C 62
Marylebone Station. Rail & Tube —7D 58
Maze Hill Station. Rail —7C 78
Merton Park Stop. CT —5L 105
Mile End Station. Tube —7K 61
Mill Hill Broadway Station. Rail —6C 24
Mill Hill East Station. Tube —7J 25
Mitcham Junction Station. Rail & CT —9E 106
Mitcham Stop. CT —8C 106
Monument Station. Tube —1B 76
Moor Park Station. Tube —3B 20
Moorgate Station. Rail & Tube —8B 60
Morden Road Stop. CT —6M 105
Morden South Station. Rail —9L 105
Morden Station. Tube —7M 105
Mornington Crescent Station. Tube —5G 59
Mortlake Station. Rail —2A 88
Motspur Park Station. Rail —9F 104
Mottingham Station. Rail —7K 95
Mudchute Station. DLR —5M 77

Neasden Station. Tube —1C 56
New Addington Stop. CT —2A 140
New Barnet Station. Rail —7B 14
New Beckenham Station. Rail —4K 109
New Cross Gate Station. Rail & Tube —9J 77
New Cross Station. Rail & Tube —8K 77
New Eltham Station. Rail —7A 96
New Malden Station. Rail —7C 104
New Southgate Station. Rail —5F 26
Newbury Park Station. Tube —4B 48
Norbiton Station. Rail —5L 103
Norbury Station. Rail —5K 107
North Acton Station. Tube —8B 56
North Dulwich Station. Rail —4B 92
North Ealing Station. Tube —9K 55
North Greenwich Station. Tube —3C 78
North Harrow Station. Tube —3M 37
North Sheen Station. Rail —3L 87
North Wembley Station. Rail & Tube —8H 39
North Woolwich Station. Rail —3L 79
Northfields Station. Tube —4G 71
Northolt Park Station. Rail —9M 37
Northolt Station. Tube —2L 53
Northumberland Park Station. Rail —7F 28
Northwick Park Station. Tube —5F 38
Northwood Hills Station. Tube —9E 20
Northwood Station. Tube —7C 20
Norwood Junction Station. Rail —8E 108
Notting Hill Gate Station. Tube —2L 73
Nunhead Station. Rail —1G 93

Oakleigh Park Station. Rail —9B 14
Oakwood Station. Tube —7G 15
Old Street Station. Rail & Tube —7B 60
Orpington Station. Rail —4C 128
Osterley Station. Tube —8B 70

Oval Station. Tube —7L 75
Oxford Circus Station. Tube —9G 59
Oxshott Station. Rail —5A 132

Paddington Station. Rail & Tube —9B 58
Palmers Green Station. Rail —4K 27
Park Royal Station. Tube —7L 55
Parsons Green Station. Tube —9L 73
Peckham Rye Station. Rail —1E 92
Penge East Station. Rail —3G 109
Penge West Station. Rail —3F 108
Perivale Station. Tube —5E 54
Petts Wood Station. Rail —9A 112
Phipps Bridge Stop. CT —7B 106
Piccadilly Circus Station. Tube —1H 75
Pimlico Station. Tube —6H 75
Pinner Station. Tube —2J 37
Plaistow Station. Tube —5D 62
Plumstead Station. Rail —5B 80
Ponders End Station. Rail —7J 17
Poplar Station. DLR —1M 77
Preston Road Station. Tube —6J 39
Prince Regent Station. DLR —1G 79
Pudding Mill Lane Station. DLR —4M 61
Purfleet Station. Rail —6L 83
Purley Oaks Station. Rail —1B 138
Purley Station. Rail —3L 137
Putney Bridge Station. Tube —2K 89
Putney Station. Rail —3J 89

Queen's Road (Peckham) Station. Rail —9G 77
Queens Park Station. Rail & Tube —5K 57
Queensbury Station. Tube —1K 39
Queenstown Road (Battersea) Station. Rail —9F 74
Queensway Station. Tube —1M 73
Rainham Station. Rail —7E 66

Ravensbourne Station. Rail —4B 110
Ravenscourt Park Station. Tube —5F 72
Rayners Lane Station. Tube —5K 37
Raynes Park Station. Rail —6G 105
Rectory Road Station. Rail —8D 44
Redbridge Station. Tube —4H 47
Reedham Station. Rail —5K 137
Regent's Park Station. Tube —7F 58
Richmond Station. Rail & Tube —3J 87
Riddlesdown Station. Rail —5A 138
Roding Valley Station. Tube —4H 31
Romford Station. Rail —4C 50
Rotherhithe Station. Tube —3G 77
Royal Albert Station. DLR —1J 79
Royal Oak Station. Tube —8M 57
Royal Victoria Station. DLR —1E 78
Ruislip Gardens Station. Tube —9E 36
Ruislip Manor Station. Tube —6E 36
Ruislip Station. Tube —6C 36
Russell Square Station. Tube —7J 59

St Helier Station. Rail —1L 121
St James Street, Walthamstow Station. Rail —3J 45
St James's Park Station. Tube —3H 75
St John's Wood Station. Tube —5B 58
St Johns Station. Rail —1L 93
St Margarets Station. Rail —5F 86
St Mary Cray Station. Rail —8F 112
St Pancras Station. Rail —6J 59
St Paul's Station. Tube —9A 60
Sanderstead Station. Rail —1B 138
Sandilands Stop. CT —4D 124
Selhurst Station. Rail —9C 108
Seven Kings Station. Rail —6C 48
Seven Sisters Station. Rail & Tube —3C 44
Shadwell Station. DLR —1F 76
Shepherd's Bush Station. Tube —3H 73
Shepherd's Bush Station. Tube —2G 73
Shepperton Station. Rail —9A 100
Shoreditch Station. Tube —7D 60
Shortlands Station. Rail —6C 110
Sidcup Station. Rail —8E 96
Silver Street Station. Rail —4D 28
Silvertown & City Airport Station. Rail —2J 79
Slade Green Station. Rail —9E 82
Sloane Square Station. Tube —5E 74
Smitham Station. Rail —7J 137
Snaresbrook Station. Tube —3E 46
South Acton Station. Rail —4A 72
South Bermondsey Station. Rail —6G 77
South Croydon Station. Rail —7B 124

Rail, Croydon Tramlink, Docklands Light Railway & London Underground Stations

South Ealing Station. Tube —4H **71**
South Greenford Station. Rail —6C **54**
South Hampstead Station. Rail —3A **58**
South Harrow Station. Tube —8A **38**
South Kensington Station. Tube —5B **74**
South Kenton Station. Rail & Tube —6G **39**
South Merton Station. Rail —7K **105**
South Quay Station. DLR —3M **77**
South Ruislip Station. Rail & Tube —1G **53**
South Tottenham Station. Rail —3D **44**
South Wimbledon Station. Tube —4M **105**
South Woodford Station. Tube —9F **30**
Southall Station. Rail —3K **69**
Southbury Station. Rail —6F **16**
Southfields Station. Tube —7K **89**
Southgate Station. Tube —1H **27**
Southwark Station. Tube —2M **75**
Stamford Brook Station. Tube —5D **72**
Stamford Hill Station. Rail —5C **44**
Stanmore Station. Tube —4H **23**
Stepney Green Station. Tube —7H **61**
Stockwell Station. Tube —1J **91**
Stoke Newington Station. Rail —7D **44**
Stonebridge Park Station. Rail & Tube —3M **55**
Stoneleigh Station. Rail —7E **120**
Stratford (Low Level) Station. Rail —3B **62**
Stratford Station. Rail, Tube & DLR —3B **62**
Strawberry Hill Station. Rail —9D **86**
Streatham Common Station. Rail —4H **107**
Streatham Hill Station. Rail —8J **91**
Streatham Station. Rail —2H **107**
Sudbury & Harrow Road Station. Rail —1F **54**
Sudbury Hill Station. Tube —9C **38**
Sudbury Hill, Harrow Station. Rail —9C **38**
Sudbury Town Station. Tube —2F **54**
Sunbury Station. Rail —5E **100**
Sundridge Park Station. Rail —4F **110**
Surbiton Station. Rail —1J **119**
Surrey Quays Station. Tube —5H **77**
Sutton Common Station. Rail —4M **121**
Sutton Station. Rail —8A **122**
Swanley Station. Rail —8B **114**
Swiss Cottage Station. Tube —3B **58**
Sydenham Hill Station. Rail —9D **92**
Sydenham Station. Rail —1G **109**
Syon Lane Station. Rail —8E **70**

Teddington Station. Rail —3E **102**
Temple Station. Tube —1K **75**
Thames Ditton Station. Rail —2D **118**
Theobalds Grove Station. Rail —5D **6**
Therapia Lane Stop. CT —2J **123**
Thornton Heath Station. Rail —8A **108**

Tolworth Station. Rail —4M **119**
Tooting Bec Station. Tube —9E **90**
Tooting Broadway Station. Tube —2C **106**
Tooting Station. Rail —3D **106**
Tottenham Court Road Station. Tube —9H **59**
Tottenham Hale Station. Rail & Tube —1F **44**
Totteridge & Whetstone Station. Tube —2A **26**
Tower Gateway Station. DLR —1D **76**
Tower Hill Station. Tube —1D **76**
Tufnell Park Station. Tube —9G **43**
Tulse Hill Station. Rail —8M **91**
Turkey Street Station. Rail —1G **17**
Turnham Green Station. Tube —5C **72**
Turnpike Lane Station. Tube —1M **43**
Twickenham Station. Rail —6E **86**

Upminster Bridge Station. Tube —7L **51**
Upminster Station. Rail & Tube —7M **51**
Upney Station. Tube —3D **64**
Upper Halliford Station. Rail —6C **100**
Upper Holloway Station. Rail —7H **43**
Upper Warlingham Station. Rail —9E **138**
Upton Park Station. Tube —4G **63**
Uxbridge Station. Tube —3B **142**

Vauxhall Station. Rail & Tube —6J **75**
Victoria Coach Station. Bus —5F **74**
Victoria Station. Rail & Tube —4F **74**

Waddon Marsh Stop. CT —3K **123**
Waddon Station. Rail —6L **123**
Wallington Station. Rail —8F **122**
Waltham Cross Station. Rail —7F **6**
Walthamstow Central Station. Rail & Tube —3L **45**
Walthamstow Queens Road Station. Rail —3L **45**
Walton-On-Thames Station. Rail —6E **116**
Wandle Park Stop. CT —4L **123**
Wandsworth Common Station. Rail —7D **90**
Wandsworth Road Station. Rail —1G **91**
Wandsworth Town Station. Rail —3M **89**
Wanstead Park Station. Rail —9F **46**
Wanstead Station. Tube —4F **46**
Wapping Station. Tube —2G **77**
Warren Street Station. Tube —7G **59**
Warwick Avenue Station. Tube —7A **58**
Waterloo East Station. Rail —2L **75**
Waterloo International Station. Rail —3K **75**
Waterloo Station. Rail & Tube —3L **75**
Watford High Street Station. Rail —6G **9**
Watford Junction Station. Rail —4G **9**
Watford North Station. Rail —1G **9**

Watford Stadium Station. Rail —8E **8**
Watford Station. Tube —5D **8**
Watford West Station. Rail —7D **8**
Wellesley Road Stop. CT —4B **124**
Welling Station. Rail —1E **96**
Wembley Central Station. Rail & Tube —1J **55**
Wembley Park Station. Tube —8L **39**
Wembley Stadium Station. Rail —1K **55**
West Acton Station. Tube —9L **55**
West Brompton Station. Rail & Tube —7L **73**
West Croydon Station. Rail & CT —3A **124**
West Drayton Station. Rail —2J **143**
West Dulwich Station. Rail —8B **92**
West Ealing Station. Rail —1F **70**
West Finchley Station. Tube —6M **25**
West Ham Station. Tube —6C **62**
West Ham Station. Rail —6C **62**
West Hampstead Station. Rail —2L **57**
West Hampstead Station. Tube —2M **57**
West Hampstead Thameslink Station. Rail —2L **57**
West Harrow Station. Tube —4A **38**
West India Quay Station. DLR —1L **77**
West Kensington Station. Tube —6K **73**
West Norwood Station. Rail —1M **107**
West Ruislip Station. Rail & Tube —7A **36**
West Sutton Station. Rail —6L **121**
West Wickham Station. Rail —2A **126**
Westbourne Park Station. Tube —8K **57**
Westcombe Park Station. Rail —6E **78**
Westferry Station. DLR —1L **77**
Westminster Station. Tube —3J **75**
White City Station. Tube —1G **73**
White Hart Lane Station. Rail —7D **28**
Whitechapel Station. Tube —8F **60**
Whitton Station. Rail —6A **86**
Whyteleafe Station. Rail —9D **138**
Willesden Green Station. Tube —2G **57**
Willesden Junction Station. Rail & Tube —6D **56**
Wimbledon Chase Station. Rail —6J **105**
Wimbledon Park Station. Tube —9L **89**
Wimbledon Station. Rail, CT & Tube —3K **105**
Winchmore Hill Station. Rail —9M **15**
Wood Green Station. Tube —9L **27**
Wood Street, Walthamstow Station. Rail —2B **46**
Woodford Station. Tube —6F **30**
Woodgrange Park Station. Rail —1H **63**
Woodmansterne Station. Rail —8F **136**
Woodside Park Station. Tube —4M **25**
Woodside Stop. CT —1F **124**
Woolwich Arsenal Station. Rail —5M **79**
Woolwich Dockyard Station. Rail —5K **79**
Worcester Park Station. Rail —3E **120**

Every possible care has been taken to ensure that the information given in this publication is accurate and whilst the publishers would be grateful to learn of any errors, they regret they cannot accept any responsibility for loss thereby caused.

The representation on the maps of a road, track or footpath is no evidence of the existence of a right of way.

The Grid on this map is the National Grid taken from Ordnance Survey mapping with the permission of the Controller of Her Majesty's Stationery Office.

Copyright of Geographers' A-Z Map Co. Ltd.

No reproduction by any method whatsoever of any part of this publication is permitted without the prior consent of the copyright owners.

CD Photo: © Terry Why, Barnaby's Picture Library